The O

THE NEW BA

HEBREW & ENG

Changes in both English and Hebrew are coming so swiftly and contacts between the two languages are growing so much closer that it seems logical there should be a new dictionary which recognizes these developments.

THE NEW BANTAM-MEGIDDO HEBREW & ENGLISH DICTIONARY reflects the rapid evolution of both languages in the fields of science and technology and in everyday social conversation. Further, it understands the vital necessity for an up-to-date, portable dictionary within the price range of the ever-growing number of people throughout the world for whom such a reference work is indispensable.

AUTHORS:

DR. REUVEN SIVAN, Jerusalem-born educator, philologist, author, translator, is a founder and executive member of the Israeli Association of Applied Linguistics and a senior lecturer in Israeli universities and teachers' colleges.

DR. EDWARD A. LEVENSTON, head of the Department of English at the Hebrew University and a senior lecturer in English linguistics, is an educator, philologist and the author of many works on translation, grammar, linguistics, teaching, and literary style.

Bantam Foreign Language Dictionaries
Ask your bookseller for the books you have missed

THE BANTAM NEW COLLEGE FRENCH & ENGLISH DICTIONARY
by Roger J. Steiner

THE BANTAM NEW COLLEGE SPANISH & ENGLISH DICTIONARY
by Edwin B. Williams

THE NEW BANTAM-MEGIDDO HEBREW & ENGLISH DICTIONARY
by Reuven Sivan and Edward A. Levenston

THE NEW COLLEGE LATIN & ENGLISH DICTIONARY
by John Traupman

THE NEW BANTAM-MEGIDDO
HEBREW & ENGLISH DICTIONARY

By Dr. Reuven Sivan and Dr. Edward A. Levenston

Based on **The Megiddo Modern Dictionary**
By Dr. Reuven Sivan and Dr. Edward A. Levenston

This book was completely typeset in Israel.

THE NEW BANTAM-MEGIDDO HEBREW & ENGLISH DICTIONARY

A Bantam Book / April 1975

2nd printing .... September 1975
3rd printing ...... October 1976
4th printing .... October 1976
5th printing .... July 1978
6th printing ..... June 1980

ISBN 0-553-14420-0

Published simultaneously in the United States and Canada

Bantam Books are published by Bantam Books, Inc. Its trademark, consisting of the words "Bantam Books" and the portrayal of a bantam, is Registered in U.S. Patent and Trademark Office and in other countries. Marca Registrada. Bantam Books, Inc., 666 Fifth Avenue, New York, New York 10019.

PRINTED IN THE UNITED STATES OF AMERICA

15 14 13 12 11 10 9 8 7 6

CONTENTS

PREFACE

The contacts between the two languages, Hebrew and English, have been growing ever closer in our time. Both languages are developing at great speed. For Hebrew, the tongue of the Bible, a new era opened at the end of the nineteenth century with the revival of the spoken language, the organized return of the Jewish people to its ancient homeland and, most significantly, the rise of the State of Israel. English, so rich in content, so far-flung in its use, is becoming the prime medium of international communication; and it is in common use by the majority of the Jewish people throughout the world.

An up-to-date pocket dictionary of the two languages, reflecting their development in the fields of science and technology and in everyday social intercourse, a dictionary, moreover, within the reach of every purse, is thus a vital necessity for an ever-growing number of people throughout the world.

A new method has been employed in its compilation. The users' attention is drawn to the following principles, on which this dictionary is based. The first two represent a revolutionary change in Hebrew/foreign language lexicography. Their usefulness has been proved in the major two-volume Megiddo Hebrew/English–English/Hebrew dictionary.

1. *The spelling*. The Hebrew column in both parts of the dictionary is given in the *plene* spelling, in accordance with the latest rules of the Hebrew Language Academy. All the relevant additional letters *yod* and *vav* have been inserted so that the user can identify the word in the form in which he will encounter it in all modern books and newspapers. On the other hand the full and precise pointing has been added (except for the silent sh'va) thus ensuring the precise *pronunciation* of each word.

The order of the word list is thus arranged in accordance with the *plene* spelling. The user requiring a translation of words like אורן

גיבור, חייל, מוות, סידור, שולחן, תורגם will find them in their proper place in this spelling and not, as in the older dictionaries, by first "converting" them mentally into the "grammatical" spelling.

2. *The verb.* The Hebrew verb will be found in its place in alphabetical order – not under its root spelling. For example: the word הִתְעַקֵּשׁ will be found under ה and not under ע. The user will find נִכְנַס under נ – and not under כ. The word הפיל will be found under ה (and not under נ).

Thus also while למד will be under לַמ, לימד will be under לִי, and לומד under לוּ.

The Hebrew verbs appear throughout in the past tense third person singular, e.g. אָכַל, נֶעֱלַם, הֶאֱשִׁים, הִתְפַּטֵּר.

The verbs in the English column appear in their root form, e.g. insist, disappear, blame.

3. *The adjective.* In translating the adjective in the English/Hebrew section the Hebrew equivalent is given in the masculine singular. Thus *good* is translated טוֹב. While the adjective in English is unaffected by gender or number, *good* can be rendered in Hebrew also by טוֹבָה (fem. sing.), טוֹבִים, (masc. pl.) and טובות (fem. pl.).

4. *Signs and abbreviations.* Meanings close to each other are separated by a comma. Where a word has distinctly different meanings these are separated by a semi-colon. See, for example, חֶבְרָה in the Hebrew/English section and *just* in the English/Hebrew.

The English abbreviations are as follows:

abbrev — abbreviation
adj — adjective
adv — adverb
alt — alternative
art — article
coll — colloquial
conj — conjunction
def — definite
fem — feminine
fig — figurative
imp — imperative
inf — infinitive
interj — interjection
masc — masculine
n — noun
pl — plural
pp — past or passive participle
prep — preposition
pron — pronoun
pt — past tense
s, sing — singular
sl — slang
v aux — verb auxiliary
vi — verb intransitive
v refl — verb reflexive
vt — verb transitive

THE HEBREW VERB

The following are the conjugations of the eight basic paradigms of the Hebrew verb. The *plene* spelling is used throughout.

גזרת השלמים

פָּעַל:

עבר קָשַׁרְתִּי, קָשַׁרְתָּ, קָשַׁרְתְּ, קָשַׁר, קָשְׁרָה, קָשַׁרְנוּ, קְשַׁרְתֶּם, קְשַׁרְתֶּן, קָשְׁרוּ

הווה קוֹשֵׁר, קוֹשֶׁרֶת, קוֹשְׁרִים, קוֹשְׁרוֹת

עתיד אֶקְשׁוֹר, תִּקְשׁוֹר, תִּקְשְׁרִי, יִקְשׁוֹר, תִּקְשׁוֹר, נִקְשׁוֹר, תִּקְשְׁרוּ, יִקְשְׁרוּ

ציווי קְשׁוֹר, קִשְׁרִי, קִשְׁרוּ

נִפְעַל:

עבר נִקְשַׁרְתִּי, נִקְשַׁרְתָּ, נִקְשַׁרְתְּ, נִקְשַׁר, נִקְשְׁרָה, נִקְשַׁרְנוּ, נִקְשַׁרְתֶּם,־תֶּן, נִקְשְׁרוּ

הווה נִקְשָׁר, נִקְשֶׁרֶת, נִקְשָׁרִים, נִקְשָׁרוֹת

עתיד אֶקָּשֵׁר, תִּיקָּשֵׁר, תִּיקָּשְׁרִי, יִיקָּשֵׁר, תִּיקָּשֵׁר, נִיקָּשֵׁר, תִּיקָּשְׁרוּ, יִיקָּשְׁרוּ

ציווי הִיקָּשֵׁר, הִיקָּשְׁרִי, הִיקָּשְׁרוּ

פִּיעֵל:

עבר קִישַּׁרְתִּי, קִישַּׁרְתָּ, קִישַּׁרְתְּ, קִישֵּׁר, קִישְּׁרָה, קִישַּׁרְנוּ, קִישַּׁרְתֶּם,־תֶּן, קִישְּׁרוּ

הווה מְקַשֵּׁר, מְקַשֶּׁרֶת, מְקַשְּׁרִים, מְקַשְּׁרוֹת

עתיד אֲקַשֵּׁר, תְּקַשֵּׁר, תְּקַשְּׁרִי, יְקַשֵּׁר, תְּקַשֵּׁר, נְקַשֵּׁר, תְּקַשְּׁרוּ, יְקַשְּׁרוּ

ציווי קַשֵּׁר, קַשְּׁרִי, קַשְּׁרוּ

פּוּעַל:

עבר קוּשַּׁרְתִּי, קוּשַּׁרְתָּ, קוּשַּׁרְתְּ, קוּשַּׁר, קוּשְּׁרָה, קוּשַּׁרְנוּ, קוּשַּׁרְתֶּם, קוּשַּׁרְתֶּן, קוּשְּׁרוּ

הווה מְקוּשָּׁר, מְקוּשֶּׁרֶת, מְקוּשָּׁרִים, מְקוּשָּׁרוֹת

עתיד אֲקוּשַּׁר, תְּקוּשַּׁר, תְּקוּשְּׁרִי, יְקוּשַּׁר, תְּקוּשַּׁר, נְקוּשַּׁר, תְּקוּשְּׁרוּ, יְקוּשְּׁרוּ

הִפְעִיל:

עבר הִשְׁלַמְתִּי, הִשְׁלַמְתָּ, הִשְׁלַמְתְּ, הִשְׁלִים, הִשְׁלִימָה, הִשְׁלַמְנוּ, הִשְׁלַמְתֶּם, הִשְׁלַמְתֶּן, הִשְׁלִימוּ

הווה מַשְׁלִים, מַשְׁלִימָה, מַשְׁלִימִים, מַשְׁלִימוֹת

עתיד אַשְׁלִים, תַּשְׁלִים, תַּשְׁלִימִי, יַשְׁלִים, תַּשְׁלִים, נַשְׁלִים, תַּשְׁלִימוּ, יַשְׁלִימוּ

ציווי הַשְׁלֵם, הַשְׁלִימִי, הַשְׁלִימוּ

הוּפְעַל:

עבר הוּשְׁלַמְתִּי, הוּשְׁלַמְתָּ, הוּשְׁלַמְתְּ, הוּשְׁלַם, הוּשְׁלְמָה, הוּשְׁלַמְנוּ, הוּשְׁלַמְתֶּם, הוּשְׁלַמְתֶּן, הוּשְׁלְמוּ

הווה מוּשְׁלָם, מוּשְׁלֶמֶת, מוּשְׁלָמִים, מוּשְׁלָמוֹת

עתיד אוּשְׁלַם, תּוּשְׁלַם, תּוּשְׁלְמִי, יוּשְׁלַם, תּוּשְׁלַם, נוּשְׁלַם, תּוּשְׁלְמוּ, יוּשְׁלְמוּ

הִתְפַּעֵל:

עבר הִתְקַשַּׁרְתִּי, הִתְקַשַּׁרְתָּ, הִתְקַשַּׁרְתְּ, הִתְקַשֵּׁר, הִתְקַשְּׁרָה, הִתְקַשַּׁרְנוּ, הִתְקַשַּׁרְתֶּם, הִתְקַשַּׁרְתֶּן, הִתְקַשְּׁרוּ

הווה מִתְקַשֵּׁר, מִתְקַשֶּׁרֶת, מִתְקַשְּׁרִים, מִתְקַשְּׁרוֹת

עתיד אֶתְקַשֵּׁר, תִּתְקַשֵּׁר, תִּתְקַשְּׁרִי, יִתְקַשֵּׁר, תִּתְקַשֵּׁר, נִתְקַשֵּׁר, תִּתְקַשְּׁרוּ, יִתְקַשְּׁרוּ

ציווי הִתְקַשֵּׁר, הִתְקַשְּׁרִי, הִתְקַשְּׁרוּ

גזרת פ״א

פָּעַל:

עבר אָכַלְתִּי, אָכַלְתָּ, אָכַלְתְּ, אָכַל, אָכְלָה, אָכַלְנוּ, אֲכַלְתֶּם, ־תֶּן, אָכְלוּ

הווה אוֹכֵל, אוֹכֶלֶת, אוֹכְלִים, אוֹכְלוֹת

עתיד אוֹכַל, תֹּאכַל, תֹּאכְלִי, יֹאכַל, תֹּאכַל, נֹאכַל, תֹּאכְלוּ, יֹאכְלוּ

ציווי אֱכוֹל, אִכְלִי, אִכְלוּ

נִפְעַל:

עבר נֶאֱסַפְתִּי, נֶאֱסַפְתָּ, נֶאֱסַפְתְּ, נֶאֱסַף, נֶאֶסְפָה, נֶאֱסַפְנוּ, נֶאֱסַפְתֶּם,־תֶּן, נֶאֶסְפוּ

הווה נֶאֱסָף, נֶאֱסֶפֶת, נֶאֱסָפִים, נֶאֱסָפוֹת

עתיד אֵיאָסֵף, תֵּיאָסֵף, תֵּיאָסְפִי, יֵיאָסֵף, תֵּיאָסֵף, נֵיאָסֵף, תֵּיאָסְפוּ, יֵיאָסְפוּ

ציווי הֵיאָסֵף, הֵיאָסְפִי, הֵיאָסְפוּ

הִפְעִיל:

עבר הֶאֱכַלְתִּי, הֶאֱכַלְתָּ, הֶאֱכַלְתְּ, הֶאֱכִיל, הֶאֱכִילָה, הֶאֱכַלְנוּ, הֶאֱכַלְתֶּם,־תֶּן, הֶאֱכִילוּ

הווה מַאֲכִיל, מַאֲכִילָה, מַאֲכִילִים, מַאֲכִילוֹת

עתיד אַאֲכִיל, תַּאֲכִיל, תַּאֲכִילִי, יַאֲכִיל, תַּאֲכִיל, נַאֲכִיל, תַּאֲכִילוּ, יַאֲכִילוּ

ציווי הַאֲכֵל, הַאֲכִילִי, הַאֲכִילוּ

הוּפְעַל:

עבר הוֹאֳכַלְתִּי, הוֹאֳכַלְתָּ, הוֹאֳכַלְתְּ, הוֹאֳכַל, הוֹאָכְלָה, הוֹאֳכַלְנוּ, הוֹאֳכַלְתֶּם,־תֶּן, הוֹאָכְלוּ

הווה מוֹאֳכָל, מוֹאֳכֶלֶת, מוֹאֳכָלִים, מוֹאֳכָלוֹת

עתיד אוֹאֳכַל, תּוֹאֳכַל, תּוֹאָכְלִי, יוֹאֳכַל, תּוֹאֳכַל, נוֹאֳכַל, תּוֹאָכְלוּ, יוֹאָכְלוּ

פִּיעֵל:

עבר אִימַּצְתִּי, אִימַּצְתָּ, אִימַּצְתְּ, אִימֵּץ, אִימְּצָה, אִימַּצְנוּ, אִימַּצְתֶּם,־תֶּן, אִימְּצוּ

הווה מְאַמֵּץ, מְאַמֶּצֶת, מְאַמְּצִים, מְאַמְּצוֹת

עתיד אֲאַמֵּץ, תְּאַמֵּץ, תְּאַמְּצִי, יְאַמֵּץ, תְּאַמֵּץ, נְאַמֵּץ, תְּאַמְּצוּ, יְאַמְּצוּ

ציווי אַמֵּץ, אַמְּצִי, אַמְּצוּ

פּוּעַל:

עבר אוּמַּצְתִּי, אוּמַּצְתָּ, אוּמַּצְתְּ, אוּמַּץ, אוּמְּצָה, אוּמַּצְנוּ, אוּמַּצְתֶּם,־תֶּן, אוּמְּצוּ

הווה מְאוּמָּץ, מְאוּמֶּצֶת, מְאוּמָּצִים, מְאוּמָּצוֹת

עתיד אֲאוּמַּץ, תְּאוּמַּץ, תְּאוּמְּצִי, יְאוּמַּץ, תְּאוּמַּץ, נְאוּמַּץ, תְּאוּמְּצוּ, יְאוּמְּצוּ

הִתְפַּעֵל:

עבר	הִתְאַמַּצְתִּי, הִתְאַמַּצְתָּ, הִתְאַמַּצְתְּ, הִתְאַמֵּץ, הִתְאַמְּצָה, הִתְאַמַּצְנוּ, הִתְאַמַּצְתֶּם,־תֶּן, הִתְאַמְּצוּ
הווה	מִתְאַמֵּץ, מִתְאַמֶּצֶת, מִתְאַמְּצִים, מִתְאַמְּצוֹת
עתיד	אֶתְאַמֵּץ, תִּתְאַמֵּץ, תִּתְאַמְּצִי, יִתְאַמֵּץ, תִּתְאַמֵּץ, נִתְאַמֵּץ, תִּתְאַמְּצוּ, יִתְאַמְּצוּ
ציווי	הִתְאַמֵּץ, הִתְאַמְּצִי, הִתְאַמְּצוּ

גזרת פ״י

פָּעַל:

עבר	יָשַׁבְתִּי, יָשַׁבְתָּ, יָשַׁבְתְּ, יָשַׁב, יָשְׁבָה, יָשַׁבְנוּ, יְשַׁבְתֶּם,־תֶּן, יָשְׁבוּ
הווה	יוֹשֵׁב, יוֹשֶׁבֶת, יוֹשְׁבִים, יוֹשְׁבוֹת
עתיד	אֵשֵׁב, תֵּשֵׁב, תֵּשְׁבִי, יֵשֵׁב, תֵּשֵׁב, נֵשֵׁב, תֵּשְׁבוּ, יֵשְׁבוּ
ציווי	שֵׁב, שְׁבִי, שְׁבוּ

נִפְעַל:

עבר	נוֹסַדְתִּי, נוֹסַדְתָּ, נוֹסַדְתְּ, נוֹסַד, נוֹסְדָה, נוֹסַדְנוּ, נוֹסַדְתֶּם,־תֶּן, נוֹסְדוּ
הווה	נוֹסָד, נוֹסֶדֶת, נוֹסָדִים, נוֹסָדוֹת
עתיד	אִיוָּסֵד, תִּיוָּסֵד, תִּוָּסְדִי, יִיוָּסֵד, תִּיוָּסֵד, נִיוָּסֵד, תִּיוָּסְדוּ, יִיוָּסְדוּ
ציווי	הִיוָּסֵד, הִיוָּסְדִי, הִיוָּסְדוּ

פִּיעֵל:

עבר	יִישַּׁבְתִּי, יִישַּׁבְתָּ, יִישַּׁבְתְּ, יִישֵּׁב, יִישְּׁבָה, יִישַּׁבְנוּ, יִישַּׁבְתֶּם,־תֶּן, יִישְּׁבוּ
הווה	מְיַישֵּׁב, מְיַישֶּׁבֶת, מְיַישְּׁבִים, מְיַישְּׁבוֹת
עתיד	אֲיַישֵּׁב, תְּיַישֵּׁב, תְּיַישְּׁבִי, יְיַשֵּׁב, תְּיַישֵּׁב, נְיַישֵּׁב, תְּיַישְּׁבוּ, יְיַשְּׁבוּ
ציווי	יַשֵּׁב, יַשְּׁבִי, יַשְּׁבוּ

פּוּעַל:

עבר	יוּשַּׁבְתִּי, יוּשַּׁבְתָּ, יוּשַּׁבְתְּ, יוּשַּׁב, יוּשְּׁבָה, יוּשַּׁבְנוּ, יוּשַּׁבְתֶּם,־תֶּן, יוּשְּׁבוּ
הווה	מְיוּשָּׁב, מְיוּשֶּׁבֶת, מְיוּשָּׁבִים, מְיוּשָּׁבוֹת
עתיד	אֲיוּשַּׁב, תְּיוּשַּׁב, תְּיוּשְּׁבִי, יְיוּשַּׁב, תְּיוּשַּׁב, נְיוּשַּׁב, תְּיוּשְּׁבוּ, יְיוּשְּׁבוּ

הִפְעִיל:

עבר הוֹרַדְתִּי, הוֹרַדְתָּ, הוֹרַדְתְּ, הוֹרִיד, הוֹרִידָה, הוֹרַדְנוּ, הוֹרַדְתֶּם,־תֶּן, הוֹרִידוּ

הווה מוֹרִיד, מוֹרִידָה, מוֹרִידִים, מוֹרִידוֹת

עתיד אוֹרִיד, תּוֹרִיד, תּוֹרִידִי, יוֹרִיד, תּוֹרִיד, נוֹרִיד, תּוֹרִידוּ, יוֹרִידוּ

ציווי הוֹרֵד, הוֹרִידִי, הוֹרִידוּ

הוּפְעַל:

עבר הוּרַדְתִּי, הוּרַדְתָּ, הוּרַדְתְּ, הוּרַד, הוּרְדָה, הוּרַדְנוּ, הוּרַדְתֶּם,־תֶּן, הוּרְדוּ

הווה מוּרָד, מוּרֶדֶת, מוּרָדִים, מוּרָדוֹת

עתיד אוּרַד, תּוּרַד, תּוּרְדִי, יוּרַד, תּוּרַד, נוּרַד, תּוּרְדוּ, יוּרְדוּ

הִתְפַּעֵל:

עבר הִתְיַישַּׁבְתִּי, הִתְיַישַּׁבְתָּ, הִתְיַישַּׁבְתְּ, הִתְיַישֵּׁב, הִתְיַישְּׁבָה, הִתְיַישַּׁבְנוּ, הִתְיַישַּׁבְתֶּם, הִתְיַישַּׁבְתֶּן, הִתְיַישְּׁבוּ

הווה מִתְיַישֵּׁב, מִתְיַישֶּׁבֶת, מִתְיַישְּׁבִים, מִתְיַישְּׁבוֹת

עתיד אֶתְיַישֵּׁב, תִּתְיַישֵּׁב, תִּתְיַשְּׁבִי, יִתְיַישֵּׁב, תִּתְיַישֵּׁב, נִתְיַישֵּׁב, תִּתְיַישְּׁבוּ, יִתְיַישְּׁבוּ

ציווי הִתְיַישֵּׁב, הִתְיַישְּׁבִי, הִתְיַישְּׁבוּ

גזרת פ״נ

פָּעַל:

עבר נָפַלְתִּי, נָפַלְתָּ, נָפַלְתְּ, נָפַל, נָפְלָה, נָפַלְנוּ, נְפַלְתֶּם,־תֶּן, נָפְלוּ

הווה נוֹפֵל, נוֹפֶלֶת, נוֹפְלִים, נוֹפְלוֹת

עתיד אֶפּוֹל, תִּיפּוֹל, תִּיפְּלִי, יִיפּוֹל, תִּיפּוֹל, נִיפּוֹל, תִּיפְּלוּ, יִיפְּלוּ

ציווי נְפוֹל, נִפְלִי, נִפְלוּ

נִפְעַל:

עבר נִיגַּפְתִּי, נִיגַּפְתָּ, נִיגַּפְתְּ, נִיגַּף, נִיגְּפָה, נִיגַּפְנוּ, נִיגַּפְתֶּם, נִיגַּפְתֶּן, נִיגְּפוּ

הווה נִיגָּף, נִיגֶּפֶת, נִיגָּפִים, נִיגָּפוֹת

עתיד אֶנָּגֵף, תִּינָּגֵף, תִּינָּגְפִי, יִינָּגֵף, תִּינָּגֵף, נִינָּגֵף, תִּינָּגְפוּ, יִינָּגְפוּ

ציווי הִינָּגֵף, הִינָּגְפִי, הִינָּגְפוּ

פִּיעֵל:

עבר נִישַּׁקְתִּי, נִישַּׁקְתָּ, נִישַּׁקְתְּ, נִישֵּׁק, נִישְּׁקָה, נִישַּׁקְנוּ, נִישַּׁקְתֶּם,־תֶּן, נִישְּׁקוּ

הווה מְנַשֵּׁק, מְנַשֶּׁקֶת, מְנַשְּׁקִים, מְנַשְּׁקוֹת

עתיד אֲנַשֵּׁק, תְּנַשֵּׁק, תְּנַשְּׁקִי, יְנַשֵּׁק, תְּנַשֵּׁק, נְנַשֵּׁק, תְּנַשְּׁקוּ, יְנַשְּׁקוּ

ציווי נַשֵּׁק, נַשְּׁקִי, נַשְּׁקוּ

פּוּעַל:

עבר נוּטַשְׁתִּי, נוּטַשְׁתָּ, נוּטַשְׁתְּ, נוּטַשׁ, נוּטְשָׁה, נוּטַשְׁנוּ, נוּטַשְׁתֶּם,־תֶּן, נוּטְשׁוּ

הווה מְנוּטָשׁ, מְנוּטֶשֶׁת, מְנוּטָשִׁים, מְנוּטָשׁוֹת

עתיד אֲנוּטַשׁ, תְּנוּטַשׁ, תְּנוּטְשִׁי, יְנוּטַשׁ, תְּנוּטַשׁ, נְנוּטַשׁ, תְּנוּטְשׁוּ, יְנוּטְשׁוּ

הִפְעִיל:

עבר הִפַּלְתִּי, הִפַּלְתָּ, הִפַּלְתְּ, הִפִּיל, הִפִּילָה, הִפַּלְנוּ, הִפַּלְתֶּם, הִפַּלְתֶּן, הִפִּילוּ

הווה מַפִּיל, מַפִּילָה, מַפִּילִים, מַפִּילוֹת

עתיד אַפִּיל, תַּפִּיל, תַּפִּילִי, יַפִּיל, תַּפִּיל, נַפִּיל, תַּפִּילוּ, יַפִּילוּ

ציווי הַפֵּל, הַפִּילִי, הַפִּילוּ

הוּפְעַל:

עבר הוּפַּלְתִּי, הוּפַּלְתָּ, הוּפַּלְתְּ, הוּפַּל, הוּפְּלָה, הוּפַּלְנוּ, הוּפַּלְתֶּם,־תֶּן, הוּפְּלוּ

הווה מוּפָּל, מוּפֶּלֶת, מוּפָּלִים, מוּפָּלוֹת

עתיד אוּפַּל, תּוּפַּל, תּוּפְּלִי, יוּפַּל, תּוּפַּל, נוּפַּל, תּוּפְּלוּ, יוּפְּלוּ

הִתְפַּעֵל:

עבר הִתְנַפַּלְתִּי, הִתְנַפַּלְתָּ, הִתְנַפַּלְתְּ, הִתְנַפֵּל, הִתְנַפְּלָה, הִתְנַפַּלְנוּ, הִתְנַפַּלְתֶּם, הִתְנַפַּלְתֶּן, הִתְנַפְּלוּ

הווה מִתְנַפֵּל, מִתְנַפֶּלֶת, מִתְנַפְּלִים, מִתְנַפְּלוֹת

עתיד אֶתְנַפֵּל, תִּתְנַפֵּל, תִּתְנַפְּלִי, יִתְנַפֵּל, תִּתְנַפֵּל, נִתְנַפֵּל, תִּתְנַפְּלוּ, יִתְנַפְּלוּ

ציווי הִתְנַפֵּל, הִתְנַפְּלִי, הִתְנַפְּלוּ

גזרת ע״ו, ע״י

פָּעַל:

עבר קַמְתִּי, קַמְתָּ, קַמְתְּ, קָם, קָמָה, קַמְנוּ, קַמְתֶּם, קַמְתֶּן, קָמוּ

הווה — קָם, קָמָה, קָמִים, קָמוֹת

עתיד — אָקוּם, תָּקוּם, תָּקוּמִי, יָקוּם, תָּקוּם, נָקוּם, תָּקוּמוּ, יָקוּמוּ

ציווי — קוּם, קוּמִי, קוּמוּ

פָּעַל:

עבר — שַׂמְתִּי, שַׂמְתָּ, שַׂמְתְּ, שָׂם, שָׂמָה, שַׂמְנוּ, שַׂמְתֶּם, שַׂמְתֶּן, שָׂמוּ

הווה — שָׂם, שָׂמָה, שָׂמִים, שָׂמוֹת

עתיד — אָשִׂים, תָּשִׂים, תָּשִׂימִי, יָשִׂים, תָּשִׂים, נָשִׂים, תָּשִׂימוּ, יָשִׂימוּ

ציווי — שִׂים, שִׂימִי, שִׂימוּ

נִפְעַל:

עבר — נְסוּגוֹתִי, נְסוּגוֹתָ, נְסוּגוֹת, נָסוֹג, נָסוֹגָה, נְסוּגוֹנוּ, נְסוּגוֹתֶם,־תֶן, נָסוֹגוּ

הווה — נָסוֹג, נְסוֹגָה, נְסוֹגִים, נְסוֹגוֹת

עתיד — אֶסּוֹג, תִּיסּוֹג, תִּיסּוֹגִי, יִיסּוֹג, תִּיסּוֹג, נִיסּוֹג, תִּיסּוֹגוּ, יִיסּוֹגוּ

ציווי — הִיסּוֹג, הִיסּוֹגִי, הִיסּוֹגוּ

פִּיעֵל:

עבר — קוֹמַמְתִּי, קוֹמַמְתָּ, קוֹמַמְתְּ, קוֹמֵם, קוֹמְמָה, קוֹמַמְנוּ, קוֹמַמְתֶּם, קוֹמַמְתֶּן, קוֹמְמוּ

הווה — מְקוֹמֵם, מְקוֹמֶמֶת, מְקוֹמְמִים, מְקוֹמְמוֹת

עתיד — אֲקוֹמֵם, תְּקוֹמֵם, תְּקוֹמְמִי, יְקוֹמֵם, תְּקוֹמֵם, נְקוֹמֵם, תְּקוֹמְמוּ, יְקוֹמְמוּ

ציווי — קוֹמֵם, קוֹמְמִי, קוֹמְמוּ

פּוּעַל:

עבר — כּוֹנַנְתִּי, כּוֹנַנְתָּ, כּוֹנַנְתְּ, כּוֹנַן, כּוֹנְנָה, כּוֹנַנּוּ, כּוֹנַנְתֶּם, כּוֹנַנְתֶּן, כּוֹנְנוּ

הווה — מְכוֹנָן, מְכוֹנֶנֶת, (מְכוֹנָנָה), מְכוֹנָנִים, מְכוֹנָנוֹת

עתיד — אֲכוֹנַן, תְּכוֹנַן, תְּכוֹנְנִי, יְכוֹנַן, תְּכוֹנַן, נְכוֹנַן, תְּכוֹנְנוּ, תְּכוֹנַנָּה, יְכוֹנְנוּ

הִפְעִיל:

עבר — הֵקַמְתִּי, הֵקַמְתָּ, הֵקַמְתְּ, הֵקַמְנוּ, הֲקַמְתֶּם,־תֶּן, הֵקִימוּ

הווה — מֵקִים, מְקִימָה, מְקִימִים, מְקִימוֹת

עתיד אָקִים, תָּקִים, תָּקִימִי, יָקִים, תָּקִים, נָקִים, תָּקִימוּ, יָקִימוּ

ציווי הָקֵם, הָקִימִי, הָקִימוּ

הוּפעַל:

עבר הוּקַמְתִּי, הוּקַמְתָּ, הוּקַמְתְּ, הוּקַם, הוּקְמָה, הוּקַמְנוּ, הוּקַמְתֶּם, ־תֶּן, הוּקְמוּ

הווה מוּקָם, מוּקֶמֶת, מוּקָמִים, מוּקָמוֹת

עתיד אוּקַם, תּוּקַם, תּוּקְמִי, יוּקַם, תּוּקַם, נוּקַם, תּוּקְמוּ, יוּקְמוּ

הִתפַּעֵל:

עבר הִתקוֹמַמְתִּי, הִתקוֹמַמְתָּ, הִתקוֹמַמְתְּ, הִתקוֹמֵם, הִתקוֹמְמָה, הִתקוֹמַמְנוּ, הִתקוֹמַמְתֶּם, ־תֶּן, הִתקוֹמְמוּ

הווה מִתקוֹמֵם, מִתקוֹמֶמֶת, מִתקוֹמְמִים, מִתקוֹמְמוֹת

עתיד אֶתקוֹמֵם, תִּתקוֹמֵם, תִּתקוֹמְמִי, יִתקוֹמֵם, תִּתקוֹמֵם, נִתקוֹמֵם, תִּתקוֹמְמוּ, יִתקוֹמְמוּ

ציווי הִתקוֹמֵם, הִתקוֹמְמִי, הִתקוֹמְמוּ

גזרת ל״א

פָּעַל:

עבר קָרָאתִי, קָרָאתָ, קָרָאת, קָרָא, קָרְאָה, קָרָאנוּ, קְרָאתֶם, ־תֶן, קָרְאוּ

הווה קוֹרֵא, קוֹרֵאת, קוֹרְאִים, קוֹרְאוֹת

עתיד אֶקְרָא, תִּקְרָא, תִּקְרְאִי, יִקְרָא, תִּקְרָא, נִקְרָא, תִּקְרְאוּ, יִקְרְאוּ

ציווי קְרָא, קִרְאִי, קִרְאוּ

נִפעַל:

עבר נִקְרֵאתִי, נִקְרֵאתָ, נִקְרֵאת, נִקְרָא, נִקְרְאָה, נִקְרֵאנוּ, נִקְרֵאתֶם, נִקְרֵאתֶן, נִקְרְאוּ

הווה נִקְרָא, נִקְרֵאת, נִקְרָאִים, נִקְרָאוֹת

עתיד אֶקָּרֵא, תִּיקָּרֵא, תִּיקָּרְאִי, יִיקָּרֵא, תִּיקָּרֵא, נִיקָּרֵא, תִּיקָּרְאוּ, יִיקָּרְאוּ

ציווי הִיקָּרֵא, הִיקָּרְאִי, הִיקָּרְאוּ

פִּיעֵל:

עבר מִילֵּאתִי, מִילֵּאתָ, מִילֵּאת, מִילֵּא, מִילְּאָה, מִילֵּאנוּ, מִילֵּאתֶם, מִילֵּאתֶן, מִילְּאוּ

הווה מְמַלֵּא, מְמַלֵּאת, מְמַלְּאִים, מְמַלְּאוֹת

עתיד אֲמַלֵּא, תְּמַלֵּא, תְּמַלְּאִי, יְמַלֵּא, תְּמַלֵּא, נְמַלֵּא, תְּמַלְּאוּ, יְמַלְּאוּ

ציווי מַלֵּא, מַלְּאִי, מַלְּאוּ

פּוּעַל:

עבר מוּלֵּאתִי, מוּלֵּאתָ, מוּלֵּאת, מוּלָּא, מוּלְּאָה, מוּלֵּאנוּ, מוּלֵּאתֶם,־תֶן, מוּלְּאוּ

הווה מְמוּלָּא, מְמוּלָּאָה, מְמוּלָּאִים, מְמוּלָּאוֹת

עתיד אֲמוּלָּא, תְּמוּלָּא, תְּמוּלְּאִי, יְמוּלָּא, תְּמוּלָּא, נְמוּלָּא, תְּמוּלְּאוּ, יְמוּלְּאוּ

הִפְעִיל:

עבר הִמְצֵאתִי, הִמְצֵאתָ, הִמְצֵאת, הִמְצִיא, הִמְצִיאָה, הִמְצֵאנוּ, הִמְצֵאתֶם,־תֶן, הִמְצִיאוּ

הווה מַמְצִיא, מַמְצִיאָה, מַמְצִיאִים, מַמְצִיאוֹת

עתיד אַמְצִיא, תַּמְצִיא, תַּמְצִיאִי, יַמְצִיא, תַּמְצִיא, נַמְצִיא, תַּמְצִיאוּ, יַמְצִיאוּ

ציווי הַמְצֵא, הַמְצִיאִי, הַמְצִיאוּ

הוּפְעַל:

עבר הוּמְצֵאתִי, הוּמְצֵאתָ, הוּמְצֵאת, הוּמְצָא, הוּמְצְאָה, הוּמְצֵאנוּ, הוּמְצֵאתֶם, הוּמְצֵאתֶן, הוּמְצְאוּ

הווה מוּמְצָא, מוּמְצֵאת, מוּמְצָאִים, מוּמְצָאוֹת

עתיד אוּמְצָא, תּוּמְצָא, תּוּמְצְאִי, יוּמְצָא, תּוּמְצָא, נוּמְצָא, תּוּמְצְאוּ, יוּמְצְאוּ

הִתְפַּעֵל:

עבר הִתְמַצֵּא, הִתְמַצֵּאתִי, הִתְמַצֵּאתָ, הִתְמַצֵּאת, הִתְמַצֵּא, הִתְמַצְּאָה, הִתְמַצֵּאנוּ, הִתְמַצֵּאתֶם,־תֶן, הִתְמַצְּאוּ

הווה מִתְמַצֵּא, מִתְמַצֵּאת, מִתְמַצְּאִים, מִתְמַצְּאוֹת

עתיד אֶתְמַצֵּא, תִּתְמַצֵּא, תִּתְמַצְּאִי, יִתְמַצֵּא, תִּתְמַצֵּא, נִתְמַצֵּא, תִּתְמַצְּאוּ, יִתְמַצְּאוּ

גזרת ל״ה

פָּעַל:

עבר	קָנִיתִי, קָנִיתָ, קָנִית, קָנָה, קָנְתָה, קָנִינוּ, קְנִיתֶם, ־תֶן, קָנוּ
הווה	קוֹנֶה, קוֹנָה, קוֹנִים, קוֹנוֹת
עתיד	אֶקְנֶה, תִּקְנֶה, תִּקְנִי, יִקְנֶה, תִּקְנֶה, נִקְנֶה, תִּקְנוּ, יִקְנוּ
ציווי	קְנֵה, קְנִי, קְנוּ

נִפְעַל:

עבר	נִגְלֵיתִי, נִגְלֵיתָ, נִגְלֵית, נִגְלָה, נִגְלְתָה, נִגְלֵינוּ, נִגְלֵיתֶם, ־תֶן, נִגְלוּ
הווה	נִגְלֶה, נִגְלֵית, נִגְלִים, נִגְלוֹת
עתיד	אֶגָּלֶה, תִּיגָּלֶה, תִּיגָּלִי, יִיגָּלֶה, תִּיגָּלֶה, נִיגָּלֶה, תִּיגָּלוּ, יִיגָּלוּ
ציווי	הִיגָּלֵה, הִיגָּלִי, הִיגָּלוּ

פִּיעֵל:

עבר	שִׁינִּיתִי, שִׁינִּיתָ, שִׁינִּית, שִׁינָּה, שִׁינְּתָה, שִׁינִּינוּ, שִׁינִּיתֶם, ־תֶן, שִׁינּוּ
הווה	מְשַׁנֶּה, מְשַׁנָּה, מְשַׁנִּים, מְשַׁנּוֹת
עתיד	אֲשַׁנֶּה, תְּשַׁנֶּה, תְּשַׁנִּי, יְשַׁנֶּה, תְּשַׁנֶּה, נְשַׁנֶּה, תְּשַׁנּוּ, יְשַׁנּוּ

פּוּעַל:

עבר	שׁוּנֵּיתִי, שׁוּנֵּיתָ, שׁוּנֵּית, שׁוּנָּה, שׁוּנְּתָה, שׁוּנֵּינוּ, שׁוּנֵּיתֶם, ־תֶן, שׁוּנּוּ
הווה	מְשׁוּנֶּה, מְשׁוּנָּה, מְשׁוּנִּים, מְשׁוּנּוֹת
עתיד	אֲשׁוּנֶּה, תְּשׁוּנֶּה, תְּשׁוּנִּי, יְשׁוּנֶּה, תְּשׁוּנֶּה, נְשׁוּנֶּה, תְּשׁוּנּוּ, יְשׁוּנּוּ

הִפְעִיל:

עבר	הִקְנֵיתִי, הִקְנֵיתָ, הִקְנֵית, הִקְנָה, הִקְנְתָה, הִקְנֵינוּ, הִקְנֵיתֶם, ־תֶן, הִקְנוּ
הווה	מַקְנֶה, מַקְנָה, מַקְנִים, מַקְנוֹת
עתיד	אַקְנֶה, תַּקְנֶה, תַּקְנִי, יַקְנֶה, תַּקְנֶה, נַקְנֶה, תַּקְנוּ, יַקְנוּ
ציווי	הַקְנֵה, הַקְנִי, הַקְנוּ

הוּפְעַל:

עבר	הוּגְלֵיתִי, הוּגְלֵיתָ, הוּגְלֵית, הוּגְלָה, הוּגְלְתָה, הוּגְלֵינוּ, הוּגְלֵיתֶם, ־תֶן, הוּגְלוּ

הווה מוּגְלֶה, מוּגְלֵית, מוּגְלִים, מוּגְלוֹת

עתיד אוּגְלֶה, תּוּגְלֶה, תּוּגְלִי, יוּגְלֶה, תּוּגְלֶה, נוּגְלֶה, תּוּגְלוּ, יוּגְלוּ

הִתְפַּעֵל:

עבר הִתְגַּלֵּיתִי, הִתְגַּלֵּיתָ, הִתְגַּלֵּית, הִתְגַּלָּה, הִתְגַּלְּתָה, הִתְגַּלֵּינוּ, הִתְגַּלֵּיתֶם, הִתְגַּלֵּיתֶן, הִתְגַּלּוּ

הווה מִתְגַּלֶּה, מִתְגַּלֵּית, מִתְגַּלִּים, מִתְגַּלּוֹת

עתיד אֶתְגַּלֶּה, תִּתְגַּלֶּה, תִּתְגַּלִּי, יִתְגַּלֶּה, תִּתְגַּלֶּה, נִתְגַּלֶּה, תִּתְגַּלּוּ, יִתְגַּלּוּ

ציווי הִתְגַּלֵּה, הִתְגַּלִּי, הִתְגַּלּוּ

מרובעים

פִּיעֵל:

עבר גִּלְגַּלְתִּי, גִּלְגַּלְתָּ, גִּלְגַּלְתְּ, גִּלְגֵּל, גִּלְגְּלָה, גִּלְגַּלְנוּ, גִּלְגַּלְתֶּם,־תֶּן, גִּלְגְּלוּ

הווה מְגַלְגֵּל, מְגַלְגֶּלֶת, מְגַלְגְּלִים, מְגַלְגְּלוֹת

עתיד אֲגַלְגֵּל, תְּגַלְגֵּל, תְּגַלְגְּלִי, יְגַלְגֵּל, תְּגַלְגֵּל, נְגַלְגֵּל, תְּגַלְגְּלוּ, יְגַלְגְּלוּ

ציווי גַּלְגֵּל, גַּלְגְּלִי, גַּלְגְּלוּ

פּוּעַל:

עבר גּוּלְגַּלְתִּי, גּוּלְגַּלְתָּ, גּוּלְגַּלְתְּ, גּוּלְגַּל, גּוּלְגְּלָה, גּוּלְגַּלְנוּ, גּוּלְגַּלְתֶּם,־תֶּן, גּוּלְגְּלוּ

הווה מְגוּלְגָּל, מְגוּלְגֶּלֶת, מְגוּלְגָּלִים, מְגוּלְגָּלוֹת

עתיד אֲגוּלְגַּל, תְּגוּלְגַּל, תְּגוּלְגְּלִי, יְגוּלְגַּל, תְּגוּלְגַּל, נְגוּלְגַּל, תְּגוּלְגְּלוּ, יְגוּלְגְּלוּ

הִתְפַּעֵל:

עבר הִתְגַּלְגַּלְתִּי, הִתְגַּלְגַּלְתָּ, הִתְגַּלְגַּלְתְּ, הִתְגַּלְגֵּל, הִתְגַּלְגְּלָה, הִתְגַּלְגַּלְנוּ, הִתְגַּלְגַּלְתֶּם,־תֶּן, הִתְגַּלְגְּלוּ

הווה מִתְגַּלְגֵּל, מִתְגַּלְגֶּלֶת, מִתְגַּלְגְּלִים, מִתְגַּלְגְּלוֹת

עתיד אֶתְגַּלְגֵּל, תִּתְגַּלְגֵּל, תִּתְגַּלְגְּלִי, יִתְגַּלְגֵּל, תִּתְגַּלְגֵּל, נִתְגַּלְגֵּל, תִּתְגַּלְגְּלוּ, יִתְגַּלְגְּלוּ

ציווי הִתְגַּלְגֵּל, הִתְגַּלְגְּלִי, הִתְגַּלְגְּלוּ

DECLENSION OF HEBREW NOUNS

שׁוּלְחָן (זָכָר יָחִיד)

שׁוּלְחָנִי, שׁוּלְחָנְךָ, שׁוּלְחָנֵךְ, שׁוּלְחָנוֹ, שׁוּלְחָנָהּ, שׁוּלְחָנֵנוּ, שׁוּלְחַנְכֶם, שׁוּלְחַנְכֶן, שׁוּלְחָנָם, שׁוּלְחָנָן.

בַּיִת (זָכָר יָחִיד)

בֵּיתִי, בֵּיתְךָ, בֵּיתֵךְ, בֵּיתוֹ, בֵּיתָהּ, בֵּיתֵנוּ, בֵּיתְכֶם, בֵּיתְכֶן, בֵּיתָם, בֵּיתָן.

סֵפֶר (זָכָר יָחִיד)

סִפְרִי, סִפְרְךָ, סִפְרֵךְ, סִפְרוֹ, סִפְרָהּ, סִפְרֵנוּ, סִפְרְכֶם, סִפְרְכֶן, סִפְרָם, סִפְרָן.

אֲדָמָה (נְקֵבָה – יְחִידָה)

אַדְמָתִי, אַדְמָתְךָ, אַדְמָתֵךְ, אַדְמָתוֹ, אַדְמָתָהּ, אַדְמָתֵנוּ, אַדְמַתְכֶם, אַדְמַתְכֶן, אַדְמָתָם, אַדְמָתָן.

סְפָרִים (זָכָר – רַבִּים)

סְפָרַי, סְפָרֶיךָ, סְפָרַיִךְ, סְפָרָיו, סְפָרֶיהָ, סְפָרֵינוּ, סִפְרֵיכֶם, סִפְרֵיכֶן, סִפְרֵיהֶם, סִפְרֵיהֶן.

מַחְבָּרוֹת (נְקֵבָה – רַבּוֹת)

מַחְבְּרוֹתַי, מַחְבְּרוֹתֶיךָ, מַחְבְּרוֹתַיִךְ, מַחְבְּרוֹתָיו, מַחְבְּרוֹתֶיהָ, מַחְבְּרוֹתֵינוּ, מַחְבְּרוֹתֵיכֶם, מַחְבְּרוֹתֵיכֶן, מַחְבְּרוֹתֵיהֶם, מַחְבְּרוֹתֵיהֶן.

DECLENSION OF HEBREW PREPOSITIONS

אֶת – אִתִּי, אִתְּךָ, אִתָּךְ, אִתּוֹ, אִתָּהּ, אִתָּנוּ, אִתְּכֶם, אִתְּכֶן, אִתָּם, אִתָּן.

אֶת – אוֹתִי, אוֹתְךָ, אוֹתָךְ, אוֹתוֹ, אוֹתָהּ, אוֹתָנוּ, אֶתְכֶם, אֶתְכֶן, אוֹתָם, אוֹתָן.

שֶׁל – שֶׁלִּי, שֶׁלְּךָ, שֶׁלָּךְ, שֶׁלּוֹ, שֶׁלָּהּ, שֶׁלָּנוּ, שֶׁלָּכֶם, שֶׁלָּכֶן, שֶׁלָּהֶם, שֶׁלָּהֶן.

עַל – עָלַי, עָלֶיךָ, עָלַיִךְ, עָלָיו, עָלֶיהָ, עָלֵינוּ, עֲלֵיכֶם, עֲלֵיכֶן, עֲלֵיהֶם, עֲלֵיהֶן.

אֵצֶל – אֶצְלִי, אֶצְלְךָ, אֶצְלֵךְ, אֶצְלוֹ, אֶצְלָהּ, אֶצְלֵנוּ, אֶצְלְכֶם, אֶצְלְכֶן, אֶצְלָם, אֶצְלָן.

אֶל – אֵלַי, אֵלֶיךָ, אֵלַיִךְ, אֵלָיו, אֵלֶיהָ, אֵלֵינוּ, אֲלֵיכֶם, אֲלֵיכֶן, אֲלֵיהֶם, אֲלֵיהֶן.

בְּ – בִּי, בְּךָ, בָּךְ, בּוֹ, בָּהּ, בָּנוּ, בָּכֶם, בָּכֶן, בָּהֶם, בָּהֶן.

לְ – לִי, לְךָ, לָךְ, לוֹ, לָהּ, לָנוּ, לָכֶם, לָכֶן, לָהֶם, לָהֶן.

מִן – מִמֶּנִּי, מִמְּךָ, מִמֵּךְ, מִמֶּנּוּ, מִמֶּנָּה, מִמֶּנּוּ (מאתנו), מִכֶּם, מִכֶּן, מֵהֶם, מֵהֶן.

HEBREW CARDINAL AND ORDINAL NUMBERS

feminine			masculine
אַחַת, רִאשׁוֹנָה	1	א	אֶחָד, רִאשׁוֹן
שְׁתַּיִם, שְׁנִיָּה	2	ב	שְׁנַיִם, שֵׁנִי
שָׁלוֹשׁ, שְׁלִישִׁית	3	ג	שְׁלוֹשָׁה, שְׁלִישִׁי
אַרְבַּע, רְבִיעִית	4	ד	אַרְבָּעָה, רְבִיעִי
חָמֵשׁ, חֲמִישִׁית	5	ה	חֲמִישָּׁה, חֲמִישִׁי
שֵׁשׁ, שִׁשִּׁית	6	ו	שִׁשָּׁה, שִׁשִּׁי
שֶׁבַע, שְׁבִיעִית	7	ז	שִׁבְעָה, שְׁבִיעִי
שְׁמוֹנֶה, שְׁמִינִית	8	ח	שְׁמוֹנָה, שְׁמִינִי
תֵּשַׁע, תְּשִׁיעִית	9	ט	תִּשְׁעָה, תְּשִׁיעִי
עֶשֶׂר, עֲשִׂירִית	10	י	עֲשָׂרָה, עֲשִׂירִי

After ten, the ordinal number is formed by adding the definite article, e.g. הָאַחַת עֶשְׂרֵה, הַשְּׁלוֹשִׁים. In multiples of ten, hundreds etc., there is no distinction brtween masculine and feminine.

אַחַת־עֶשְׂרֵה	11	י״א	אַחַד־עָשָׂר
שְׁתֵּים־עֶשְׂרֵה	12	י״ב	שְׁנֵים־עָשָׂר
שְׁלוֹשׁ־עֶשְׂרֵה	13	י״ג	שְׁלוֹשָׁה־עָשָׂר
אַרְבַּע־עֶשְׂרֵה	14	י״ד	אַרְבָּעָה־עָשָׂר
חֲמֵשׁ־עֶשְׂרֵה	15	ט״ו	חֲמִשָּׁה־עָשָׂר
שֵׁשׁ־עֶשְׂרֵה	16	ט״ו	שִׁשָּׁה־עָשָׂר
שְׁבַע־עֶשְׂרֵה	17	י״ז	שִׁבְעָה־עָשָׂר
שְׁמוֹנֶה־עֶשְׂרֵה	18	י״ח	שְׁמוֹנָה עָשָׂר

feminine			masculine
תְּשַׁע־עֶשְׂרֵה	19	י״ט	תִּשְׁעָה־עָשָׂר
עֶשְׂרִים	20	כ	עֶשְׂרִים
עֶשְׂרִים וְאַחַת	21	כ״א	עֶשְׂרִים וְאֶחָד
שְׁלוֹשִׁים	30	ל	שְׁלוֹשִׁים
אַרְבָּעִים	40	מ	אַרְבָּעִים
חֲמִשִּׁים	50	נ	חֲמִשִּׁים
שִׁשִּׁים	60	ס	שִׁשִּׁים
שִׁבְעִים	70	ע	שִׁבְעִים
שְׁמוֹנִים	80	פ	שְׁמוֹנִים
תִּשְׁעִים	90	צ	תִּשְׁעִים
מֵאָה	100	ק	מֵאָה
מָאתַיִם	200	ר	מָאתַיִם
שְׁלוֹשׁ מֵאוֹת	300	ש	שְׁלוֹשׁ מֵאוֹת
אֶלֶף	1,000	א̅	אֶלֶף
אַלְפַּיִם	2,000	ב̅	אַלְפַּיִם
שְׁלוֹשֶׁת אֲלָפִים	3,000	ג̅	שְׁלוֹשֶׁת אֲלָפִים
חֲמֵשֶׁת אֲלָפִים מָאתַיִם שְׁלוֹשִׁים וְחָמֵשׁ	5,235	ה̅רלה	חֲמֵשֶׁת אֲלָפִים מָאתַיִם שְׁלוֹשִׁים וַחֲמִישָׁה

A

A, a *n* אֵי (האות הראשונה באלפבית)

a, an *adj* תָּווִית מְסֻתֶּמֶת; אֶחָד

A *abbr* (ראשי תיבות של היסוד הכימי) אַרגון

aback *adv* אָחוֹרָה, לְאָחוֹר (לגבי מפרשים)

abaft *prep, adv* מֵאֲחוֹרֵי, לְאָחוֹר

abandon *vt* נָטַשׁ, הִפְקִיר

abandon *n* מוּפקָרוּת, פְּרִיצוּת

abase *vt* הִשְׁפִּיל, בִּיזָּה

abash *vt* הֵבִיךְ; בִּיֵּשׁ; הִכלִים

abate *vt, vi* הִפחִית; פָּחַת

abatis *n* מַחסוֹם עֵצִים

abbess *n* (אישה) רֹאשׁ מִנזָר

abbey *n* מִנזָר

abbot *n* רֹאשׁ מִנזָר

abbreviate *vt* קִיצֵּר, נִטרֵק

abbreviation *u* קִיצּוּר, רָאשֵׁי תֵּיבוֹת

A.B.C. אָלֶף־בֵּית

abdicate *vt, vi* יָצָא בְּדִימוּס, הִתפַּטֵּר

abdomen *n* בֶּטֶן, כָּרֵס

abduct *vt* כָּלָא; חָטַף בְּכוֹחַ

abed *adv* בַּמִּיטָּה, בִּשׁכִיבָה

abet *vt* סִייֵּעַ לְדבר עֲבֵירָה

abeyance *n* הַשׁהָיָה, אִי־הַפעָלָה זְמַנִּית

abhor *vt* תִּיעֵב, סָלַד בּ..., שִׁיקֵּץ, בָּחַל בּ...

abhorrent *adj* מְעוֹרֵר גוֹעַל, מַסלִיד

abide *vt, vi* נִשׁאַר, הִמשִׁיךְ; נִשׁאַר נֶאֱמָן ל...

ability *n* כּוֹשֶׁר; יְכוֹלֶת

abject *adj* מוּשׁפָּל, שָׁפָל, נִתעָב

ablative *adj* (בדקדוק) אַבּלָטִיבִי

ablaut *n* (בדקדוק) שִׁינּוּי תְּנוּעָה

ablaze *adj, adv* בּוֹעֵר; בָּאֵשׁ, בְּלֶהָבוֹת

able *adj* מְסוּגָּל; מוּכשָׁר, כִּשׁרוֹנִי

able-bodied *adj* כָּשִׁיר

abloom *adv* בִּפרִיחָה

abnormal *adj* לֹא תָּקִין, לֹא נוֹרמָלִי, חָרִיג

aboard *adv, prep* עַל גַּבֵּי, עַל, בּ... (אונייה)

abode *n* דִּירָה, מְגוּרִים, בַּיִת

abolish *vt* בִּיטֵּל, חִיסֵּל

A–bomb *n* פְּצָצַת־אָטוֹם

abomination *n* תִּיעוּב; תּוֹעֵבָה

aborigines *n pl* הַתּוֹשָׁבִים הַמְּקוֹרִיִּים

abort *vt, vi* הִפִּילָה (עובר)

abortion *n* הַפָּלָה; נֵפֶל

abound *vi* שָׁפַע, הָיָה מְשׁוּפָּע

about *prep* עַל, עַל אוֹדוֹת, בְּנוֹגֵעַ ל..., בְּדבַר־; בְּעֵרֶךְ, קָרוֹב ל...; סָבִיב ל...

about *adv* כִּמעַט; קָרוֹב, מִסָּבִיב; לְאָחוֹר; הֵנָּה וָהֵנָּה

above *prep* עַל, מֵעַל; גָּבוֹהַּ מִן

above *adv* מֵעַל, שֶׁלְּמַעלָה; לְעֵיל

above *adj* נִזכָּר לְעֵיל, נ״ל

above-mentioned *adj* הַנִּזְכָּר לְעֵיל, הַנַּ״ל
abrasive *n* (חומר) שׁוֹחֵק, מְשַׁפְשֵׁף
abrasive *adj* שׁוֹרֵט, מְגָרֶה
abreast *adv* בְּשׁוּרָה אַחַת, זֶה בְּצַד זֶה
abridge *vt* קִיצֵּר; צִמְצֵם
abroad *adv* בְּחוּץ־לָאָרֶץ; בַּחוּץ
abrupt *adj* נִמְהָר (בשיחה); לְלֹא נִימוּס יֶתֶר; פִּתְאוֹמִי
abscess *n* מוּרְסָה, כִּיב
abscond *vi* בָּרַח; הִתְחַמֵּק
absence *n* הֵיעָדְרוּת; חוֹסֶר
absent *adj* חָסֵר, נֶעְדָּר
absent *v refl* הִסְתַּלֵּק; הֶחְסִיר
absentee *n* סְתַלְקָן, נֶעְדָּר
absent-minded *adj* מְפוּזָּר, פְּזוּר־נֶפֶשׁ
absinthe *n* אַבְּסִינְת
absolute *adj* שָׁלֵם, מוּחְלָט
absolutely *adv* בְּהֶחְלֵט, בְּוַדַּאי; בִּשְׁרִירוּת; לְלֹא סְיָיג
absolve *vt* פָּטַר מֵעוֹנֶשׁ
absorb *vt* סָפַג; קָלַט
absorbent *adj* סוֹפֵג; קוֹלֵט
absorbing *adj* מוֹשֵׁךְ לֵב, מְרַתֵּק
abstain *vi* נִמְנַע; הִתְנַזֵּר
abstemious *adj* מִסְתַּפֵּק בְּמוּעָט
abstinent *adj* מִתְנַזֵּר, פָּרוּשׁ
abstract *adj* מוּפְשָׁט; לֹא מוּחָשׁ
abstract *n* תַּמְצִית, תַּקְצִיר
abstract *vt* הֶחְסִיר; גָּנַב, ׳סָחַב׳
abstruse *adj* קָשֶׁה לַהֲבָנָה, מוּקְשֶׁה
absurd *adj* מְגוּחָךְ, טִיפְּשִׁי, אַבְּסוּרְדִי
absurdity *n* טִיפְּשׁוּת, דָּבָר מְגוּחָךְ
abundant *adj* מָצוּי בְּשֶׁפַע, שׁוֹפֵעַ
abuse *vt* הִשְׁתַּמֵּשׁ לְרָעָה; הִתְעַלֵּל בְּ...; גִּידֵּף
abuse *n* שִׁימּוּשׁ לְרָעָה; הִתְעַלְּלוּת; גִּידּוּף
abusive *adj* פּוֹגְעָנִי, מַעֲלִיב
abut *vi* גָּבַל עִם, נִשְׁעַן עַל
abutment *n* יַרְכָּה, מַשְׁעֵנָה
abyss *n* תְּהוֹם
academic *adj* אֲקָדֶמָאִי, אֲקָדֵמִי; עִיּוּנִי, לֹא מַעֲשִׂי
academician *n* חֲבֵר אֲקָדֶמְיָה
academy *n* אֲקָדֶמְיָה
accede *vi* נַעֲנָה, הִסְכִּים; נִכְנַס (לתפקיד)
accelerate *vt, vi* הֵאִיץ, הִגְבִּיר מְהִירוּת
accelerator *n* מֵחִישׁ, מֵאִיץ; דַּוְושַׁת הַדֶּלֶק (ברכב מנועי)
accent *n* נַחַץ, הַטְעָמָה; טַעַם, תָּג; מִבְטָא, אַקְצֶנְט
accentuate *vt* הִדְגִּישׁ, הִטְעִים
accept *vt* קִיבֵּל, הִסְכִּים; הִשְׁלִים עִם; נַעֲנָה ל...
acceptable *adj* רָאוּי לְהִתְקַבֵּל, רָצוּי
acceptance *n* הִתְקַבְּלוּת; קַבָּלָה מֵרָצוֹן
access *n* כְּנִיסָה, זְכוּת כְּנִיסָה, גִּישָׁה
accessary, accessory *n* אַבְזָר; מְסַייֵּעַ לִדְבַר עֲבֵירָה
accessible *adj* נוֹחַ לְגִישָׁה, נָגִישׁ
accession *n* הַגָּעָה (לזכויות, למעמד וכד׳); תּוֹסֶפֶת; הֵיעָנוּת
accident *n* תְּאוּנָה, תַּקָּלָה
accidental *adj* מִקְרִי

acclaim *vt* הֵרִיעַ
acclaim *n* תְּרוּעוֹת, תְּשׁוּאוֹת
acclimatize, acclimate *vt, vi* אִקְלֵם; הִתְאַקְלֵם
accolade *n* אוֹת הַעֲנָקַת תּוֹאַר אַבִּיר, עִיטּוּר
accommodate *vt, vi* אִכְסֵן, אֵירַח; הִתְאִים
accommodating *adj* נוֹחַ; גָּמִישׁ, מִסְתַּגֵּל
accommodation *n* אִכְסוּן; תֵּיאוּם, הַתְאָמָה
accompaniment *n* לִיוּוּי
accompanist *n* מְלַוֶּה; לַוַּאי (בְּמוּסִיקָה בִּלְבַד)
accompany *vt* לִיוָּה, נִלְוָה
accomplice *n* שׁוּתָּף לִדְבַר עֲבֵירָה
accomplish *vt* בִּיצֵּעַ, הִגְשִׁים; הִשְׁלִים
accomplished *adj* מוּגְמָר, מוּשְׁלָם
accomplishment *n* הַשְׁלָמָה; הַגְשָׁמָה; הֶישֵּׂג; סְגוּלָה, מַעֲלָה
accord *vt, vi* תָּאַם, הִתְאִים; הֶעֱנִיק
accord *n* תֵּיאוּם, הַתְאָמָה; תַּצְלִיל, אַקּוֹרְד; הַסְכָּמָה, הֶסְכֵּם
accordance *n* תֵּיאוּם, הֶתְאֵם
according *adv* לְפִי, אַלִּיבָּא ד...
accordingly *adv* לְפִיכָךְ, אִי לְכָךְ
accordion *n* מַפּוּחוֹן, אַקּוֹרְדִיוֹן
accost *vt* קָרַב, נִיגַּשׁ; הִזְמִינָה (לִזְנוּת)
accouchement *n* תְּקוּפַת הַלֵּידָה
account *n* חֶשְׁבּוֹן; דִּין וְחֶשְׁבּוֹן; הֶסְבֵּר; עֵרֶךְ, חֲשִׁיבוּת
account *vt, vi* הִסְבִּיר; דִּיוַּחַ; חָשַׁב הֶעֱרִיךְ
accountable *adj* אַחֲרָאִי
accountant *n* חֶשְׁבּוֹנַאי, מְנַהֵל חֶשְׁבּוֹנוֹת
accounting *n* נִיהוּל חֶשְׁבּוֹנוֹת, חֶשְׁבּוֹנָאוּת
accoutrements *n pl* חֲלִיצָה, בִּגְדֵי שְׂרָד; חֲגוֹר
accredit *vt* הִסְמִיךְ, יִיפָּה כּוֹחַ
accrue *vi* צָמַח, הִתְרַבָּה, הִצְטַבֵּר
accumulate *vt, vi* צָבַר; נִצְטַבֵּר
accuracy *n* דִּיוּק, דַּיְיקָנוּת
accurate *adj* מְדוּיָּק, דַּיְיקָנִי
accusation *n* הַאֲשָׁמָה, אִישּׁוּם
accusative *n* יַחַס הַפָּעוּל
accuse *vt* הֶאֱשִׁים
accustom *vt* הִרְגִּיל
ace *n* יְחִידָה, אַחַת (בִּקְלָפִים וּבְקוּבִּיּוֹת); אַלּוּף, מוּמְחֶה
acetate *n* אֲצֵטָט
acetic *adj* שֶׁל חוֹמֶץ, חוּמְצִי
acetic acid *n* חוֹמֶץ, חוּמְצָה אֲצֵטִית
acetify *vt* חִימֵּץ, עָשָׂה לְחוֹמֶץ
acetone *n* אֲצֵטוֹן
acetylene *n* אֲצֵטִילִין
acetylene torch *n* מַבְעֵר אֲצֵטִילִין
ache *vi* כָּאַב; סָבַל כְּאֵב
ache *n* כְּאֵב, מַכְאוֹב
achieve *vt* הִגְשִׁים, הִשִּׂיג
achievement *n* הֶישֵּׂג, הַגְשָׁמָה
Achilles' heel *n* עֲקֵב אֲכִילֶס
acid *adj* חָמוּץ; חוּמְצָתִי; חָמִיץ
acid *n* חוּמְצָה
acidify *vt, vi* הָפַךְ לְחוּמְצָה
acidity *n* חוּמְצָתִיּוּת; חֲמִיצוּת
ack-ack *n* אֵשׁ נֶגֶד מְטוֹסִים, נ"מ

acknowledge *vt* הוֹדָה בּ...; הִכִּיר בּ...; אִישֵּׁר
acknowledgement *n* אִישּׁוּר; הַכָּרָה; הַבָּעַת תּוֹדָה
acme *n* שִׂיא, תַּכְלִית הַשְּׁלֵמוּת
acolyte *n* שַׁמָּשׁ (בכנסיה), חָנִיךְ, טִירוֹן
acorn *n* בַּלּוּט, אִצְטְרוּבָּל
acoustic *adj* אָקוּסְטִי, שְׁמִיעוּתִי
acoustics *n pl* תּוֹרַת הַקּוֹל
acquaint *vt* וִידֵּעַ, הִכִּיר; הִצִּיג
acquaintance *n* מַכָּר; הֶיכֵּרוּת
acquiesce *vi* הִסְכִּים
acquiescence *n* הַסְכָּמָה
acquire *vt* רָכַשׁ לְעַצְמוֹ, הִשִּׂיג; קָנָה
acquisition *n* רְכִישָׁה; קִנְיָן חָשׁוּב
acquit *vt, vi* זִיכָּה; שִׁילֵּם (חוב); קִיֵּים (חובה)
acquittal *n* זִיכּוּי
acrid *adj* חָרִיף, צוֹרֵב
acrobat *n* לוּלְיָן, אַקְרוֹבָּט
acrobatic *adj* לוּלְיָנִי, אַקְרוֹבָּטִי
acrobatics *n pl* לוּלְיָנוּת, אַקְרוֹבָּטִיקָה
acronym *n* מִלַּת נִטרוּק, אַקְרוֹנִים
acropolis *n* אַקְרוֹפּוֹלִיס, מְצוּדַת הָעִיר
across *prep* לָרוֹחַב, בַּחֲצִיָּיה, מֵעֵבֶר
across *adv* בָּעֵבֶר הַשֵּׁנִי; דֶּרֶךְ
across-the-board *adj* כָּל כּוּלוֹ, לְלֹא יוֹצֵא מֵהַכְּלָל
acrostic *n* אַקְרוֹסְטִיכוֹן
act *n* מַעֲשֶׂה, פְּעוּלָּה; חוֹק; מַעֲרָכָה (במחזה); מוּצָג (בקרקס)
act *vt, vi* פָּעַל, מִילֵּא תַּפְקִיד, שִׁימֵּשׁ; שִׂיחֵק (במחזה); הֶעֱמִיד פָּנִים

acting *adj* -בְּפוֹעַל, מְמַלֵּא מָקוֹם; פּוֹעֵל
action *n* פְּעוּלָּה, מַעֲשֶׂה, תְּבִיעָה לְמִשְׁפָּט; קְרָב
activate *vt* שִׁפְעֵל, תִּפְעֵל, הִפְעִיל
active *adj* פָּעִיל; פְּעַלְתָּנִי; זָרִיז
activity *n* פְּעִילוּת, פְּעַלְתָּנוּת
actor *n* שַׂחְקָן
actress *n* שַׂחְקָנִית
actual *adj* מַמָּשִׁי
actually *adv* לְמַעֲשֶׂה, לַאֲמִיתּוֹ שֶׁל דָּבָר
actuary *n* אַקְטוּאָר, מַעֲרִיךְ
actuate *vt* הֵנִיעַ; הִפְעִיל, תִּפְעֵל
acuity *n* חַדּוּת, חֲרִיפוּת
acumen *n* טְבִיעַת־עַיִן, מְהִירוּת תְּפִיסָה
acute *adj* חַד, חָרִיף; צוֹרֵב; חָמוּר
ad *abbr* מוֹדָעָה
A.D. – anno domini לִספִירַת הַנּוֹצְרִים
adage *n* מֵימְרָה, פִּתְגָם
Adam *n* אָדָם
adamant *adj* מִתְעַקֵּשׁ
Adam's apple *n* תַּפּוּחַ־אָדָם, פִּיקַת הַגַּרְגֶּרֶת
adapt *vt* סִיגֵּל, הִתְאִים, תֵּיאֵם, עִיבֵּד
adaptation *n* עִיבּוּד; סִיגּוּל, הִסְתַּגְּלוּת
add *vt* חִיבֵּר, צֵירֵף; הוֹסִיף
adder *n* פֶּתֶן, אֶפְעֶה
addict *v refl* הִתְמַכֵּר, הָיָה שָׁטוּף
addict *n* שָׁטוּף, מִתְמַכֵּר
addiction *n* הִתְמַכְּרוּת, שְׁטִיפוּת
adding machine *n* מְכוֹנַת סִיכּוּם
addition *n* הוֹסָפָה; מוּסָף; תּוֹסֶפֶת

additive *n, adj* צֵירוּף; נוֹסָף; מִתְווַסֵּף

address *n* כְּתוֹבֶת, מַעַן; נְאוּם

address *vt* פָּנָה בִּדְבָרִים; כָּתַב כְּתוֹבֶת

addressee *n* נִמְעָן

addressing machine *n* מְכוֹנָה מְמַעֶנֶת

adduce *vt* הֵבִיא רְאָיָה, הוֹכִיחַ

adenoids *n pl* פּוֹלִיפִּים

adept *n, adj* מוּמְחֶה, מְיוּמָּן

adequate *adj* מַסְפִּיק, דַּיּוֹ

adhere *vi* דָּבַק בּ...; דָּגַל בּ...

adherence *n* תְּמִיכָה, נֶאֱמָנוּת, דְּבֵקוּת

adherent *adj* חָסִיד, נֶאֱמָן

adhesion *n* דְּבֵקוּת, נֶאֱמָנוּת

adhesive *adj* דָּבִיק, נִצְמָד

adhesive tape *n* סֶרֶט דָּבִיק

adieu *int, n* שָׁלוֹם (לפרידה)

adjacent *adj* סָמוּךְ, גּוֹבֵל

adjective *n, adj* תּוֹאַר־הַשֵּׁם; תָּלוּי

adjoin *vt* גָּבַל עִם

adjoining *adj* סָמוּךְ, גּוֹבֵל

adjourn *vt, vi* הִפְסִיק; הוּפְסַק

adjournment *n* דְּחִיָּה; הַפְסָקָה

adjust *vt* הִתְאִים, סִיגֵּל; תִּיקֵּן; הִסְדִּיר

adjustable *adj* סָגִיל, נִיתָּן לְהַתְאָמָה

adjustment *n* תִּיקּוּן, הַתְאָמָה; הִסְתַּגְּלוּת

adjutant *n* שָׁלִישׁ; עוֹזֵר

adjutant bird *n* חֲסִידָה הוֹדִית (גדולה ביותר)

Adjutant General *n* שָׁלִישׁ רָאשִׁי, רַב־שָׁלִישׁ

ad lib *vt, vi* אִלְתֵּר חוֹפְשִׁית

administer *vt, vi* נִיהֵל; הִנְהִיג

administrator *n* אֲמַרְכָּל, מְנַהֵל

admiral *n* אַדְמִירָל, מְפַקֵּד חֵיל־יָם

admiralty *n* אַדְמִירָלִיּוּת

admire *vt* הֶעֱרִיץ; הִתְפַּעֵל

admirer *n* מַעֲרִיץ; חָסִיד

admissible *adj* קָבִיל; מוּתָּר

admission *n* הַכְנָסָה, כְּנִיסָה; הוֹדָאָה

admit *vt, vi* הִכְנִיס, הִרְשָׁה לְהִיכָּנֵס; הוֹדָה

admittance *n* רְשׁוּת כְּנִיסָה

admonish *vt* הוֹכִיחַ, הִזְהִיר

ado *n* הֲמוּלָּה, טוֹרַח

adobe *n* לְבֵנָה מֵחוֹמֶר; בֵּית חוֹמֶר

adolescence *n* הִתְבַּגְּרוּת

adolescent *n, adj* מִתְבַּגֵּר

adopt *vt* אִימֵּץ

adoption *n* אִימּוּץ

adorable *adj* (דיבורית) נֶחְמָד, חָמוּד

adore *vt* הֶעֱרִיץ; (דיבורית) חִיבֵּב בְּיוֹתֵר, אָהַב

adorn *vt* יִיפָּה; קִישֵּׁט

adornment *n* יִיפּוּי; קִישּׁוּט; תַּכְשִׁיט

adrenal gland *n* בַּלּוּטַת הַכְּלָיוֹת

Adriatic *n, adj* הַיָּם הָאַדְרִיאָטִי; אַדְרִיאָטִי

adrift *adv, predic adj* נִטְרָד; נִישָּׂא בָּרוּחַ אוֹ בַּזֶּרֶם

adroit *adj* זָרִיז, פִּקְחִי

adult *n* מְבוּגָּר, בּוֹגֵר

adult *adj* בָּגוּר, בָּשֵׁל

adulterer *n* נוֹאֵף, זַנַּאי

adulteress *n* מְנָאֶפֶת

adultery *n* נִיאוּף, נַאֲפוּפִים

advance *n* הִתקַדְּמוּת, עֲלִייָה

advance *vt, vi* קִידֵם; הִתקַדֵּם; שִׁלֵּם מֵראֹש

advanced *adj* קְדוֹמַנִי; מִתקַדֵּם

advancement *n* הִתקַדְּמוּת; עֲלִייָה בְּדַרגָה

advances *n pl* תַּמרוּנֵי אַהֲבָה

advantage *n* יִתרוֹן, מַעֲלָה; תּוֹעֶלֶת, רֶוַח

advantageous *adj* מוֹעִיל; מֵקֵל, נוֹחַ; מַכְנִיס

advantageously *adv* בְּיִתְרוֹן, בְּרֶוַח

advent *n* הוֹפָעָה, הִתגַלּוּת

adventure *n* הַרפַּתקָה

adventure *vt, vi* הֵעֵז; הִסתַּכֵּן

adventurer *n* הַרפַּתקָן

adventuresome *adj* נוֹעָז, הַרפַּתקָנִי

adventuress *n* הַרפַּתקָנִית

adventurous *adj* נוֹטֶה לְהַרפַּתקָנוּת

adversary *n* יָרִיב; מִתחָרֶה

adversity *n* רוֹעַ הַגּוֹרָל; מְצוּקָה

advertise *vt* פִּרסֵם, הִדפִּיס מוֹדָעָה, עָשָׂה פִּרסוֹמֶת

advertisement *n* מוֹדָעָה

advertiser *n* מְפַרסֵם

advertising *n* פִּרסוּם בְּמוֹדָעוֹת; פִּרסוּם

advertising man *n* סוֹכֵן מוֹדָעוֹת

advice *n* עֵצָה; יְדִיעָה

advisable *adj* רָצוּי, מוּמלָץ

advise *vt, vi* יָעַץ, יִיעֵץ, הִמלִיץ; הוֹדִיעַ

advisement *n* שִׁיקּוּל־דַּעַת

advisory *adj* מְייָעֵץ

advocate *vt* הִמלִיץ בְּפוּמבֵּי; דָּגַל בּ...

advocate *n* עוֹרֵךְ־דִּין, פְּרַקלִיט; חָסִיד

Aegean Sea *n* הַיָּם הָאֵיגֵאִי

aegis *n* מָגֵן, חָסוּת

aerate *vt* אִוורֵר; חִמצֵן

aerial *adj* אֲוִוירִי

aerial *n* מְשׁוֹשָׁה, אַנטֶנָּה

aerialist *n* טַרַפֵּזָן, לוּלְייָן

aerodrome *n* שְׂדֵה תְּעוּפָה

aerodynamics *n pl* אֵירוֹדִינָמִיקָה

aeronaut *n* טַיַּס כַּדּוּר פּוֹרֵחַ

aeronautics *n pl* אֲוִוירוֹנוֹטִיקָה

aerosol *n* תְּמִיסָוִויר, אֵרוֹסוֹל

aerospace *n* הֶחָלָל (הסמוך לכדור־הארץ)

aesthete *n* אֶסתֵּטִיקָן

aesthetic *adj* אֶסתֵּטִי

aesthetics *n pl* אֶסתֵּטִיקָה, תּוֹרַת הַיָּפֶה

afar *adv* רָחוֹק, הַרחֵק

affable *adj* חָבִיב, נְעִים הֲלִיכוֹת

affair *n* מַעֲשֶׂה, עִניָין; עֵסֶק; עִיסּוּק

affect *vt* הִשׁפִּיעַ עַל, פָּעַל עַל; נָגַע עַד לֵב

affectation *n* הַעֲמָדַת־פָּנִים

affected *adj* מְעוּשֶׂה; (על אדם) מְזוּיָּף בְּנִימוּסָיו; מוּשׁפָּע

affection *n* חִיבָּה

affectionate *adj* מְחַבֵּב, מַבִּיעַ חִיבָּה

affidavit *n* תַּצהִיר, הַצהָרָה בִּשְׁבוּעָה

affiliate *vt, vi* קִיבֵּל כְּחָבֵר; הִצטָרֵף

affinity *n* זִיקָה; הִימָּשְׁכוּת

affirm *vt, vi* אִישֵּׁר בְּתוֹקֶף; הִצהִיר

affirmative *adj* מְאַשֵּׁר, חִיּוּבִי

affix *vt* קָבַע; טָבַע; צֵירֵף

affix *n* תּוֹסֶפֶת, הוֹסָפָה
afflict *vt* יִיסֵּר, הִכְאִיב, הֵצִיק
affliction *n* פֶּגַע, סֵבֶל
affluence *n* שֶׁפַע; עוֹשֶׁר
afford *vt* הָיָה יָכוֹל; עָמַד בּ...
affray *n* מְהוּמָה, תִּגְרָה
affront *vt* הֶעֱלִיב, בִּיזָּה, בִּייֵּשׁ
affront *n* הַעֲלָבָה; דִּבְרֵי עֶלְבּוֹן
Afghan *n* אַפְגָנִי; שְׂפַת אַפְגָנִיסְטָן
Afghanistan *n* אַפְגָנִיסְטָן
afire *adv*, *adj* בְּאֵשׁ; מוּצָּת
aflame *adv*, *adj* בְּלֶהָבוֹת; זוֹהֵר, מְשׁוּלְהָב
afloat *adv*, *adj* בַּיָּם; צָף
afoot *adv* בִּפְעוּלָּה; בְּשִׁימּוּשׁ
afoul *adv*, *adj* בְּתִסְבּוֹכֶת; מִסְתַּבֵּךְ
afraid *adj* מְפַחֵד, חוֹשֵׁשׁ
Africa *n* אַפְרִיקָה
African *n*, *adj* אַפְרִיקָנִי, אַפְרִיקָאִי
aft *adv* בַּיַּרְכָתַיִים, בַּחֵלֶק הָאֲחוֹרִי
after *prep* אַחֲרֵי, בְּעִיקְבוֹת; עַל שֵׁם, בְּהֶתְאֵם ל...
after *adv* מֵאָחוֹר; מְאוּחָר יוֹתֵר
after *conj* לְאַחַר שֶׁ...
after-dinner *adj* שֶׁלְּאַחַר סְעוּדָה
after hours *adv* לְאַחַר שְׁעוֹת הָעֲבוֹדָה
afterlife *n* חַיֵּי הָעוֹלָם הַבָּא
aftermath *n* תּוֹצָאָה, עוֹלֵלוֹת
afternoon *n* אַחַר־הַצָּהֳרַיִים
aftertaste *n* טַעַם לְוַואי, טַעַם גְּרָר
afterthought *n* הִרְהוּר שֵׁנִי; תְּגוּבָה כִּלְאַחַר מַעֲשֶׂה
afterwards *adv* אַחַר־כָּךְ, לְאַחַר מִכֵּן
afterwhile *adv* בִּמְהֵרָה
afterworld *n* עוֹלָם הַבָּא
again *adv* שׁוּב, עוֹד פַּעַם
against *prep* כְּנֶגֶד; לְעֵבֶר, לִקְרַאת
agape *adj* פְּעוּר פֶּה
age *vt*, *vi* הִזְקִין, הִתְיַישֵּׁן, בָּלָה
age *n* גִּיל; תְּקוּפָה; אוֹרֶךְ־חַיִּים
aged *adj* זָקֵן, קָשִׁישׁ; בֶּן־
ageless *adj* שֶׁאֵינוֹ מַזְקִין
agency *n* סוֹכְנוּת, מִשְׂרָד מִסְחָרִי; שְׁלִיחוּת; אֶמְצָעִי
agenda *n* סֵדֶר הַיּוֹם; סֵדֶר פְּעוּלּוֹת
agent *n* סוֹכֵן; נָצִיג; אֶמְצָעִי
Age of Enlightenment *n* תְּקוּפַת הַהַשְׂכָּלָה
agglomeration *n* צוֹבֶר, גּוּשׁ; הִצְטַבְּרוּת
aggrandizement *n* הַאֲדָרָה
aggravate *vt* הֶחְמִיר, הֵרַע; הִרְגִּיז
aggregate *n*, *adj* סַךְ, סַךְ־הַכּוֹל; מְצוֹרָף, מְקוּבָּץ
aggression *n* תּוֹקְפָנוּת
aggressive *adj* תּוֹקְפָן, תּוֹקְפָנִי
aggressor *n* תּוֹקְפָן
aghast *adj* מוּכֵּה תַּדְהֵמָה
agile *adj* זָרִיז, קַל תְּנוּעָה
agitate *vt*, *vi* זִעְזַע; הֵסִית, סִכְסֵךְ; תִּיעֲמֵל
aglow *adv*, *adj* בְּלַהַט; בּוֹעֵר, לוֹהֵט
agnostic *adj*, *n* אַגְנוֹסְטִי
ago *adv* בֶּעָבָר, לְפָנִים
agog *adj*, *adv* בְּמַצָּב שֶׁל צִיפִּיָּה רַגְשָׁנִית
agony *n* יָגוֹן, יִיסּוּרִים
agrarian *adj* חַקְלָאִי, אַגְרָרִי

agree *vi* הִסכִּים; הָיָה תְּמִים־דֵעִים; תָּאַם
agreeable *adj* נָעִים; תּוֹאֵם; מוּכָן וּמְזוּמָּן
agreement *n* הַסכָּמָה; הֶסכֵּם; תְּמִימוּת־דֵעִים
agriculture *n* חַקלָאוּת
agronomy *n* אַגרוֹנוֹמְיָה
aground *adj, adv* עַל שִׂרטוֹן
ague *n* קַדַּחַת הַבִּיצוֹת; צְמַרמוֹרֶת; רְעָדָה
ahead *adv, adj* בְּרֹאשׁ; קָדִימָה, לִפנֵי
ahoy *interj* אֲהוֹי! (קריאת ספנים)
aid *n, vt* עֶזרָה, סִיוּעַ; עוֹזֵר; עָזַר
aide-de-camp *n* שָׁלִישׁ אִישִׁי
ail *vt, vi* הִכאִיב, הֵצִיק; כָּאַב, חָלָה
aileron *n* מַאֲזֶנֶת
ailing *adj* יְדוּעַ חוֹלִי
ailment *n* מֵיחוֹשׁ, חוֹלִי, מַכאוֹב
aim *vt, vi* כִּיוֵּן, כּוּוַּן (כלי־ירייה); שָׁאַף, הִתכַּוֵּן
aim *n* כִּיוּון; מַטָּרָה, שְׁאִיפָה
air *vt, vi* אִוורֵר; הִבִּיעַ בְּפוּמבֵּי; הִתאַוורֵר
air *n* אֲוִויר; רוּחַ קַלָּה; מַנגִּינָה
air-borne *adj* מוּטָס
air-brake *n* בֶּלֶם־אֲוִויר
air-castle *n* מִגדָּל פּוֹרֵחַ בָּאֲוִויר
air-condition *n* מִיזּוּג־אֲוִויר
air-conditioned *adj* בְּמִיזּוּג־אֲוִויר
air-conditioning *n* מִיזּוּג־אֲוִויר
air corps *n pl* חֵיל־אֲוִויר
aircraft *n* מָטוֹס, כְּלִי־טִיסָה
aircraft-carrier *n* נוֹשֵׂא מְטוֹסִים
airdrome *n* שְׂדֵה תְּעוּפָה
airdrop *n* אַספָּקָה מוּצנַחַת
airfield *n* שְׂדֵה תְּעוּפָה
airfoil *n* מִשׁטַח אֲוִויר
air force *n* חֵיל אֲוִויר
air-gap *n* מִרווַח אֲוִויר
air-ground *adj* (טיל) אֲוִויר־קַרקַע
air-hostess *n* דַיֶּלֶת
air-lane *n* נְתִיב אֲוִויר
air-lift *n* רַכֶּבֶת אֲוִוירִית
airliner *n* מְטוֹס נוֹסְעִים
airmail *n* דוֹאַר אֲוִויר
airmail pilot *n* טַיַּס דוֹאַר אֲוִויר
airmail stamp *n* בּוּל דוֹאַר אֲוִויר
airman *n* טַיָּס; אֲוִוירַאי; חַיָּל בְּחֵיל הָאֲוִויר
airplane *n* מָטוֹס, אֲוִוירוֹן
airpocket *n* כִּיס אֲוִויר
air-pollution *n* זִיהוּם אֲוִויר
airport *n* נְמַל תְּעוּפָה
air-raid *n* הַתקָפָה אֲוִוירִית
air-raid drill *n* תַּרגִּיל הָגָ״א
air-raid shelter *n* מִקלָט
air-rifle *n* רוֹבֶה־אֲוִויר
airship *n* סְפִינַת־אֲוִויר
airsick *adj* חוֹלֶה מְטִיסָה, חוֹלֵה אֲוִויר
air sleeve *n* שַׁרווּל אֲוִויר
air sock *n* שַׂק אֲוִויר
airstrip *n* מַסלוּל מְטוֹסִים
airtight *adj* מְהוּדָּק, לֹא חָדִיר
airwaves *n pl* גַּלֵּי הָאֶתֶר
airway *n* פֶּתַח לָאֲוִויר, נָתִיב אֲוִוירִי
airy *adj* אֲוִוירִי; קַל, עַלִּיז; שִׁטחִי, מְרַפרֵף
aisle *n* מַעֲבָר; אֲגַף

ajar *adv* פָּתוּחַ לְמֶחֱצָה
akimbo *adv* בְּיָדַיִים עַל הַמּוֹתְנַיִים
akin *adj* קָרוֹב, דוֹמֶה
alabaster *n* בַּהַט, אֲלַבַּסְטְרוֹן
alarm *n* אַזְעָקָה, אוֹת אַזְעָקָה; חֲרָדָה, תַּבְהֵלָה
alarm-clock *n* שְׁעוֹן מְעוֹרֵר
alarmist *n* תַּבְהֲלָן, זוֹרֵעַ בֶּהָלָה
alas *interj* אֲהָהּ!, אוֹי!, אֲבוֹי!
alb *n* גְּלִימָה לְבָנָה, מַדֵּי כּוֹמֶר
albacore *n* טוּנוּס גָּדוֹל
Albanian *n, adj* אַלְבָּנִי
albatross *n* יַסְעוּר, קַלְנִית, אַלְבַּטְרוֹס
album *n* תַּלְקִיט, אַלְבּוֹם
albumen *n* חֶלְבּוֹן, אַלְבּוּמִין
alchemy *n* אַלְכִּימִיָּה
alcohol *n* כּוֹהַל, אַלְכּוֹהוֹל
alcoholic *adj, n* כּוֹהֳלִי; אַלְכּוֹהוֹלִי
alcove *n* פִּינָּה מוּפְנֶמֶת
alder *n* אַלְמוֹן
alderman *n* חֲבֵר עִירִיָּה
ale *n* שֵׁיכָר
alembic *n* מַזְקֵק, אַבִּיק
alert *adj* בְּמַצַּב הִיכּוֹן; עֵרָנִי
alert *n* אוֹת אַזְעָקָה
alert *vt* הִכְרִיז כּוֹנְנוּת; הִזְהִיר
Aleutian Islands *n pl* אִיֵּי הָאָלֵאוּטִים
Alexandrian *adj* אֲלֶכְּסַנְדְּרוֹנִי
algae *n pl* אַצּוֹת
algebra *n* אַלְגֶּבְּרָה
algebraic *adj* אַלְגֶּבְּרָאִי
Algeria *n* אַלְג'ירִיָּה
Algerian *n adj* אַלְג'ירִי
Algiers *n* אַלְג'יר
alias *n* שֵׁם מְזוּיָּף

alibi *n* טַעֲנַת אָלִיבִּי; (דיבּוּרית) תֵּירוּץ
alien *n* זָר, אֶזְרַח חוּץ
alien *adj* זָר; שׁוֹנֶה; נוֹגֵד, מִתְנַגֵּד
alienate *vt* הִרְחִיק
alight *vi* יָרַד (מכלי־רכב), נָחַת
alight *adj* מוּאָר; דוֹלֵק
align *vt* יִישֵּׁר, סִידֵּר בְּשׁוּרָה
alike *predic adj, adv* דוֹמֶה, זֵהֶה; בְּאוֹתוֹ אוֹפֶן
alimentary canal *n* צִינּוֹר הָעִיכּוּל
alimony *n* מְזוֹנוֹת, סַעַד
alive *predic adj* חַי, בַּחַיִּים; עֵר, זָרִיז; הוֹמֶה, רוֹעֵשׁ
alkali *n* אַלְקָלִי
alkaline *adj* אַלְקָלִינִי
all *n, adj* הַכּוֹל; מִכְלוֹל; כָּל־
Allah *n* אַלַּהּ
all at once פִּתְאוֹם
allay *vt* הִשְׁקִיט, הִרְגִּיעַ; הֵקֵל
all-clear *n* אוֹת אַרְגָּעָה
allege *vt* טָעַן; הֶאֱשִׁים
allegiance *n* נֶאֱמָנוּת, אֱמוּנִים
allegoric(al) *adj* אַלֵּגוֹרִי, מְשָׁלִי
allegory *n* אַלֵּגוֹרְיָה
allergy *n* אַלֶּרְגִּיָּה
alleviate *vt* הֵקֵל (כּאב); רִיכֵּךְ (עוֹנש)
alley *n* סִמְטָה
All Fools' Day *n* אֶחָד בְּאַפְּרִיל
All Hallows Day *n* יוֹם כָּל הַקְּדוֹשִׁים
alliance *n* בְּרִית
alligator *n* אַלִּיגָטוֹר, תַּנִּין
alligator pear *n* אֲבוֹקָדוֹ
alligator wrench *n* מַפְתֵּחַ לְצִינּוֹרוֹת

alliteration *n* לָשׁוֹן נוֹפֵל עַל לָשׁוֹן, אַלִּיטֵרַצְיָה
all-knowing *adj* יוֹדֵעַ הַכּוֹל
allocate *vt* הִקְצִיב, הִקְצָה
allot *vt* הִקְצָה, הִקְצִיב
all-out *adj* כָּל כּוּלוֹ, כּוֹלְלָנִי, שָׁלֵם
allow *vt* הִרְשָׁה, הִתִּיר
allowance *n* הַקְצָבָה; הֲנָחָה
alloy *n* סַגְסוֹגֶת, תַּעֲרוֹבֶת
all-powerful *adj* כּוֹל יָכוֹל
all right *adv* בְּסֵדֶר, כַּשּׁוּרָה
All Saints Day see All Hallows
allspice *n* תְּבָלִים מְעוֹרָבִים
allude *vi* אִזְכֵּר, רָמַז, הִזְכִּיר
allure *vt* פִּיתָּה, מָשַׁךְ, הִקְסִים
alluring *adj* מְפַתֶּה, קוֹסֵם, מוֹשֵׁךְ
allusion *n* אִזְכּוּר, רְמִיזָה
ally *vt* אִיחֵד, הֵבִיא בִּבְרִית
ally *n* בֶּן־בְּרִית; בַּעַל־בְּרִית
almanac *n* אַלְמָנָךְ, שְׁנָתוֹן
almighty *adj* כּוֹל־יָכוֹל, רַב־כּוֹחַ
almond *n*, *adj* שָׁקֵד; מְשׁוּקָּד
almond brittle *n* שְׁקֵדִים מְסוּכָּרִים
almond tree *n* שָׁקֵד, שְׁקֵדִיָּה
almost *adv* כִּמְעַט
alms *n pl* צְדָקָה, נְדָבָה
alms-house *n* בֵּית־מַחֲסֶה לַעֲנִיִּים
aloe *n* אַלְוַי
aloft *adv*, *predic adj* כְּלַפֵּי מַעְלָה; גָּבוֹהַּ
alone *predic adj* לְבַד, בְּעַצְמוֹ, בִּלְבַד
along *prep*, *adv* לְאוֹרֶךְ, מִקָּצֶה אֶל קָצֶה
alongside *adv* בְּצַד, בַּצַּד
aloof *adv*, *predic adj* מִתְבַּדֵּל, מְרוּחָק, מְסוּגָּר
aloud *adv* בְּקוֹל
alphabet *n* אָלֶף־בֵּית
alpine *adj* הֲרָרִי, אַלְפִּינִי
Alps *n pl* הָאַלְפִּים
already *adv* כְּבָר, מִכְּבָר
alright see all right
Alsace *n* אֶלְזַס
Alsatian *n* אֶלְזַסִּי; כֶּלֶב אֶלְזַסִּי
also *adv* גַּם, וְכֵן, מִלְּבַד זֹאת
also-ran *n* (המונית) נֶחֱשָׁל
altar *n* מִזְבֵּחַ
altar boy *n* נַעַר מִזְבֵּחַ
altar cloth *n* כִּיסּוּי הַמִּזְבֵּחַ
alter *vt* שִׁינָּה
alternate *adj* מִתְחַלֵּף, בָּא לְפִי תּוֹר
alternate *vi*, *vt* בָּא אַחֲרֵי; הֶחֱלִיף
alternating current *n* זֶרֶם חִילּוּפִין
although *conj* אַף־עַל־פִּי, אִם־כִּי
altimetry *n* מְדִידַת גְּבָהִים
altitude *n* גּוֹבַהּ
alto *n* אַלְט
altogether *adv* בְּסַךְ הַכּוֹל, לְגַמְרֵי; בִּכְלָלוֹ
altruist *n* זוּלָתָן, אַלְטְרוּאִיסְט
altruistic *adj* זוּלָתָנִי, אַלְטְרוּאִיסְטִי
alum *n* אָלוּם, צָרִיף
alumina *n* תַּחְמוֹצֶת־חַמְרָן
aluminium, aluminum *n* חַמְרָן, אֲלוּמִינְיוּם
alumna *n* חֲנִיכָה לְשֶׁעָבַר
alumnus *n* חָנִיךְ לְשֶׁעָבַר
alveolus *n* נֹאדִית (לגבי הריאה); מַכְתֵּשׁ (לגבי השיניים)

always *adv* תָּמִיד, לְעוֹלָם
a.m. *abbr* ante meridiem לִפְנֵי הַצָּהֳרַיִים
Am. *abbr* American
amalgam *n* אֲמַלְגָם, תִּצְרוֹפֶת כַּסְפִּית
amalgamate *vt, vi* אִיחֵד; צָרַף; הִתְאַחֵד
amass *vt* עָרַם, צָבַר
amateur *n, adj* חוֹבְבָן, חוֹבֵב
amaze *vt* הִפְתִּיעַ, הִפְלִיא, הִתְמִיהַּ
amazing *adj* מַפְתִּיעַ, מַפְלִיא,מַדְהִים
Amazon *n* אֲמָזוֹנָה
ambassador *n* שַׁגְרִיר
ambassadress *n* שַׁגְרִירָה
amber *n* עִנְבָּר
ambiguity *n* דּוּ־מַשְׁמָעוּת
ambiguous *adj* דּוּ־מַשְׁמָעִי
ambition *n* שְׁאִיפָה
ambitious *adj* שְׁאַפְתָּנִי; יוֹמְרָנִי
amble *vi* הָלַךְ לְאִטּוֹ
ambulance *n* אַמְבּוּלַנְס
ambulance train *n* רַכֶּבֶת פְּצוּעִים
ambush *vt, vi* מַאֲרָב
ambush *vt, vi* הִתְקִיף מִמַּאֲרָב; אָרַב
amelioration *n* שִׁיפּוּר; הִשְׁתַּפְּרוּת
amen *n* אָמֵן
amenable *adj* נוֹחַ לִרְצוֹת, נוֹטֶה לְהַסְכִּים
amend *vt* תִּיקֵן, הִשְׁבִּיחַ
amendment *n* תִּיקּוּן, הַשְׁבָּחָה
amends *n pl* שִׁילּוּמִים, פִּיצּוּיִים
amenity *n* נוֹחוּת, נְעִימוּת
America *n* אֲמֵרִיקָה
American *n, adj* אֲמֵרִיקָנִי
American Indian *n* אִינְדִיאָנִי
Americanize *vt, vi* אִמְרֵק; הִתְאַמְרֵק
amethyst *n* אַחְלָמָה
amiable *adj* חָבִיב; נָעִים
amicable *adj* חֲבֵרִי, יְדִידוּתִי
amid, amidst *prep* בְּתוֹךְ, בְּקֶרֶב
amidships *adv* בְּאֶמְצַע הָאוֹנִיָּה
amiss *adv* לֹא כַּשּׁוּרָה
amity *n* יְדִידוּת; יַחֲסֵי חֲבֵרוּת
ammeter *n* אַמֶּטֶר, מַד־אַמְפֶּר
ammonia *n* אַמּוֹנְיָה
ammunition *n* תַּחְמוֹשֶׁת
amnesty *n* חֲנִינָה כְּלָלִית
amoeba *n* חִילּוּפִית, אֲמֶבָּה
amoeboid *adj* דְּמוּי חִילּוּפִית
amok *adv* אַמּוֹק
among, amongst *prep* בֵּין, בְּתוֹךְ, בְּקֶרֶב
amorous *adj* חַמְדָנִי; אַהֲבָנִי
amortize *vt* הִפְחִית בְּעֶרְכּוֹ
amount *n* סְכוּם; שִׁיעוּר; כַּמּוּת
amount *vi* הִסְתַּכֵּם
ampere *n* אַמְפֶּר
amphibious *adj* דּוּחַיִּי, אַמְפִיבִּי
amphitheater *n* אַמְפִיתֵיאַטְרוֹן; זִירָה
ample *adj* נִרְחָב; רַב־מִידּוֹת; מְרוּבֶּה; מַסְפִּיק
amplifier *n* מַגְדִּיל; מַרְחִיב; מַגְבֵּר
amplify *vt* הִגְדִּיל; הִרְחִיב
amplitude *n* הִתְפַּשְּׁטוּת; הִתְרַחֲבוּת; תְּנוּפָה
amputate *vt* קָטַע
amuck see amok
amulet *n* קָמֵיעַ
amuse *vt* שִׁיעֲשַׁע; שִׂימֵּחַ; הֵינָה

amusement *n* עוֹנֶג; בִּידוּר; שַׁעֲשׁוּעַ

amusement park *n* גַּן־שַׁעֲשׁוּעִים

amusing *adj* מְשַׁעֲשֵׁעַ, מְהַנֶּה, מְבַדֵּחַ

an *see* a

anachronism *n* אֲנַכְרוֹנִיזְם, עֵירוּב זְמַנִּים

anaemia *n* אֲנֶמְיָה, חִיוָּרוֹן חוֹלָנִי

anaemic *adj* חֲסַר דָּם, אֲנֵמִי

anaesthesia *n* אַלְחוּשׁ, הַרְדָּמָה

anaesthetic *adj*, *n* מְאַלְחֵשׁ, מַרְדִּים

anaesthetise *vt* אִלְחֵשׁ, הִרְדִּים

analogous *adj* דּוֹמֶה, מַקְבִּיל

analogy *n* הֶיקֵּשׁ, אֲנָלוֹגְיָה

analysis *n* נִיתּוּחַ, אַבְחָנָה; אֲנָלִיזָה

analyst *n* בּוֹדֵק, מְאַבְחֵן; פְּסִיכוֹאֲנָלִיטִיקָן

analytic *adj* נִיתּוּחִי, אֲנָלִיטִי

analyze, analyse *vt* נִיתֵּחַ, אִבְחֵן

anarchist *n* אֲנַרְכִיסְט

anarchy *n* אֲנַרְכְיָה; הֶיעָדֵר שִׁלְטוֹן; אִי־סֵדֶר

anathema *n* נִידּוּי, קְלָלָה

anatomic(al) *adj* אֲנָטוֹמִי

anatomy *n* אֲנָטוֹמְיָה; שֶׁלֶד

ancestor *n* אָב קַדְמוֹן

ancestral home *n* נַחֲלַת אָבוֹת

ancestry *n* שׁוֹשֶׁלֶת; אָבוֹת

anchor *n* עוֹגֶן; מִשְׁעָן

anchor *vt* עָגַן, הִשְׁלִיךְ עוֹגֶן

anchovy *n* עַפְיָין, דַּג הָאַנְצ׳וֹבִי

anchovy pear *n* אַגַּס אַנְצ׳וֹבִי

ancient *adj* עַתִּיק, קָדוּם; קַדְמוֹן

and *conj* ו..., וכן, עִם, גַּם, ל...

andirons *n* מִתְמַךְ עֵצִים (בָּאָח)

anecdote *n* אֲנֶקְדּוֹטָה, בְּדִיחָה

anemia *see* anaemia, anemic *see* anaemic

aneroid barometer *n* בָּרוֹמֶטֶר אֲנֶרוֹאִידִי

anesthesia *see* anaesthesia

aneurysm *n* מִפְרֶצֶת

anew *adv* שׁוּב, מֵחָדָשׁ

angel *n* מַלְאָךְ

anger *n* כַּעַס, זַעַם

anger *vt* הִרְגִּיז, הִכְעִיס

angina pectoris *n* תְּעוּקַת הַלֵּב

angle *n* זָוִית

angle-iron *n* זָוִיתוֹן

angle *vi* דָּג בְּחַכָּה

angler *n* דַּיָּיג חוֹבֵב

Anglo-Saxon *n*, *adj* אַנְגְּלוֹ־סַקְסִי

angry *adj* כּוֹעֵס, רוֹגֵז; זוֹעֵם

anguish *n* יִיסּוּרִים, כְּאֵב לֵב

angular *adj* זָוִיתִי; גַּרְמִי

anhydrous *adj* נְטוּל מַיִם

aniline dyes *n pl* צִבְעֵי אֲנִילִין

animal *n* חַי; בַּעַל־חַיִּים

animal *adj* שֶׁל חַיָּה; בַּהֲמִי; בְּשָׂרִי

animal magnetism *n* כּוֹחַ מְשִׁיכָה פִּיסִי

animated cartoon *n* צִיּוּר נוֹעַ

animation *n* זְרִיזוּת; עֵרָנוּת; הֲכָנַת צִיּוּר נוֹעַ

animosity *n* אֵיבָה

anion *n* אַנְיוֹן

anise *n* כַּמְנוֹן

aniseed *n* זַרְעֵי כַּמְנוֹן

anisette *n* לִיקֶר מְכוּמְנָן

ankle *n* קַרְסוֹל

ankle support *n* מִתְמַךְ קַרְסוֹל

anklet *n* גַּרְבִּית, קַרְסוּלִית, עֶכֶס
annals *n pl* תּוֹלָדוֹת
anneal *vt* לִיבֵּן; חִישֵּׁל
annex *vt* צֵירֵף, סִיפֵּחַ
annexe, annex *n* נִסְפָּח, צֵירוּף; אֲגַף (בבניין)
annihilate *vt* הִשְׁמִיד, חִיסֵּל
anniversary *n* יוֹבֵל; חֲגִיגַת יוֹם שָׁנָה
annotate *vt* פֵּירֵשׁ, כָּתַב הֶעָרוֹת
announce *vt* הִכְרִיז, הוֹדִיעַ, קִרְיֵין
announcement *n* הוֹדָעָה; מוֹדָעָה
announcer *n* מוֹדִיעַ; קַרְיָן (בראדיו)
annoy *vt* הִטְרִיד, הֵצִיק
annoyance *n* הַטְרָדָה; מִטְרָד
annoying *adj* מַטְרִיד, מֵצִיק
annual *adj* שְׁנָתִי
annual *n* שְׁנָתוֹן
annuity *n* קִצְבָּה שְׁנָתִית; הַכְנָסָה שְׁנָתִית
annul *vt* בִּיטֵּל
anode *n* אֲנוֹדָה
anoint *vt* מָשַׁח
anomalous *adj* חָרִיג; לֹא סָדִיר; לֹא תָּקִין
anomaly *n* חֲרִיגָה; סְטִייָּה
anon. *abbr* אַלְמוֹנִי, עֲלוּם־שֵׁם, אֲנוֹנִימִי
anonymity *n* אַלְמוֹנִיּוּת, עִילּוּם־שֵׁם
anonymous *adj* אַלְמוֹנִי, עֲלוּם־שֵׁם
another *pron, adj* נוֹסָף; אַחֵר
answer *n* תְּשׁוּבָה, מַעֲנֶה; פִּתְרוֹן
answer *vt, vi* הֵשִׁיב, עָנָה; הָיָה אַחֲרַאי; הָלַם
ant *n* נְמָלָה
antagonism *n* נִיגּוּד, קוֹטְבִיּוּת דֵעוֹת
antagonize *vt* הִשְׂנִיא, דָּחָה מֵעָלָיו

antarctic, antartic *adj* אַנְטַרְקְטִי
antecedent *n, adj* קוֹדֵם, קוֹדְמָן
antecedents *n, pl* מוֹצָאוֹת
antechamber *n* פְּרוֹזְדוֹר, מָבוֹא
antedate *vt* הִקְדִּים בִּזְמַן
antelope *n* דִּישׁוֹן, אַנְטֵלוֹפּ
antenna *n* מְשׁוֹשָׁה, אַנְטֶנָּה
antepenult *n* הֲבָרָה שְׁלִישִׁית מִסּוֹף הַמִּלָּה
anteroom *n* קְדַם־חֶדֶר, מָבוֹא; חֲדַר־הַמְתָּנָה
anthem *n* הִימְנוֹן
anthology *n* אַנְתּוֹלוֹגְיָה, לֶקֶט
anthracite *n* אַנְתְּרָצִיט
anthrax *n* גַּחֶלֶת, פַּחֶמֶת
anthropology *n* אַנְתְּרוֹפּוֹלוֹגְיָה
antiaircraft *adj* נֶגֶד־מְטוֹסִי
antibiotic *adj, n* אַנְטִיבִּיּוֹטִי
antibody *n* נוֹגְדָן
anticipate *vt* רָאָה מֵרֹאשׁ; צִיפָּה; הִקְדִּים
antics *n pl* תַּעֲלוּלִים
antidote *n* סַם שֶׁכְּנֶגֶד; תְּרוּפָה
antifreeze *n* נוֹגֵד הַקְפָּאָה
antiglare *n* נוֹגֵד סִנְווּר, מְעַמְעֵם
antiknock *n* מוֹנֵעַ נְקִישׁוֹת
antimissile *adj* נֶגֶד טִיל
antimony *n* אַנְטִימוֹן
antipasto *n* מְתַאֲבֵן
antipathy *n* אַנְטִיפַּתְיָה, סְלִידָה
antiquary *n* חוֹקֵר עַתִּיקוֹת; אוֹסֵף עַתִּיקוֹת
antiquated *adj* מִתְיַישֵּׁן; מְיוּשָּׁן
antique *n, adj* עַתִּיק; מְיוּשָּׁן
antique dealer *n* סוֹחֵר עַתִּיקוֹת

antique store *n* חֲנוּת עַתִּיקוֹת
antiquity *n* קַדְמָאִיּוּת; יְמֵי־קֶדֶם
anti-Semitic *adj* אַנְטִישֵׁמִי
antiseptic *adj, n* אַנְטִיסֶפְּטִי, מְחַטֵּא
antislavery *n* הִתְנַגְּדוּת לָעַבְדוּת
anti-Soviet *adj* אַנְטִי סוֹבְיֶיטִי
antitank *adj* נֶגֶד טַנְקִים
antithesis *n* אַנְטִיתֵזָה, הַנָּחָה שֶׁכְּנֶגֶד
antitoxin *n* אַנְטִיטוֹקְסִין
anti-trust *adj* מִתְנַגֵּד לְאִיחוּד הוֹן
antiwar *adj* מִתְנַגֵּד מִלְחָמָה
antler *n* קֶרֶן הַצְּבִי
antonym *n* אַנְטוֹנִים, הֶפֶךְ מַשְׁמָע
Antwerp *n* אַנְטְוֶורְפֶּן
anvil *n* סַדָּן; כַּן
anxiety *n* חֲרָדָה, חֲשָׁשׁ, דְּאָגָה
anxious *adj* מוּדְאָג, חָרֵד
any *pron, adj, adv* ׳אֵיזֶה אֶחָד׳; כָּלשֶׁהוּ; כָּל אֶחָד
anybody *pron* כָּל אֶחָד; מִישֶׁהוּ
anyhow *adv* בְּכָל אוֹפֶן, מִכָּל מָקוֹם, עַל כָּל פָּנִים
anyone *pron* כָּל אָדָם; כָּל אֶחָד
anything *pron* כָּל דָּבָר שֶׁהוּא; כָּלשֶׁהוּ
anyway *adv* בְּכָל אוֹפֶן; בְּכָל צוּרָה
anywhere *adv* בְּכָל מָקוֹם; לְכָל מָקוֹם
apace *adv* בִּמְהִירוּת; בִּזְרִיזוּת
apart *adv* הַצִּדָּה; בְּנִפְרָד, בִּמְפוֹרָק
apartment *n* דִּירָה
apartment house *n* בֵּית־דִּירוֹת
apathetic(al) *adj* אָדִישׁ, אַפָּתֵטִי
apathetically *adv* בַּאֲדִישׁוּת
apathy *n* אֲדִישׁוּת, אַפַּתְיָה
ape *n, vt* קוֹף; חִיקָּה
aperture *n* חוֹר, פֶּתַח, חָרִיר
apex (*pl* apexes, apices) *n* רֹאשׁ, שִׂיא; קוֹדְקוֹד
aphorism *n* אֲפוֹרִיזְם, פִּתְגָּם
aphrodisiac *adj, n* מְעוֹרֵר תְּשׁוּקָה מִינִית
apiary *n* כַּוֶּרֶת
apiece *adv* לְכָל אֶחָד
apish *adj* קוֹפִי; חִיקּוּיִי; אֱוִילִי
aplomb *n* בִּטְחָה עַצְמִית
apogee *n* שִׂיא הַמֶּרְחָק, שִׂיא הַגּוֹבַהּ
apologize *vi* הִצְטַדֵּק; הִתְנַצֵּל, בִּיקֵּשׁ סְלִיחָה
apology *n* הִתְנַצְּלוּת; הִצְטַדְּקוּת
apoplectic *adj* שֶׁל שָׁבָץ, שְׁבָצִי
apoplexy *n* שָׁבָץ, שְׁבַץ־הַלֵּב
apostle *n* שָׁלִיחַ, מְבַשֵּׂר
apostrophe *n* גֶּרֶשׁ, תָּג
apothecary *n* רוֹקֵחַ
apothecaries' jar *n* צִנְצֶנֶת חֶרֶס (לִתְרוּפוֹת וכד׳)
apothecaries' shop *n* בֵּית־מִרְקַחַת
appal *vt, vi* הֶחֱרִיד, זִעְזַע
appalling *adj* מַחֲרִיד, מְזַעְזֵעַ
apparatus *n* מִתְקָן; מַעֲרֶכֶת מַכְשִׁירִים
apparel *n* לְבוּשׁ
apparent *adj* נִרְאֶה, גָּלוּי
apparition *n* הוֹפָעָה; רוּחַ
appeal *n* קְרִיאָה לִתְמִיכָה; מַגְבִּית; בַּקָּשַׁת עֶזְרָה; עִרְעוּר; כּוֹחַ מְשִׁיכָה
appeal *vi* הִתְחַנֵּן; עִרְעֵר; פָּנָה; מָשַׁךְ לֵב
appear *vi* הוֹפִיעַ; נִרְאָה; יָצָא לָאוֹר
appearance *n* הוֹפָעָה; הִתְיַצְּבוּת; מַרְאֶה חִיצוֹנִי
appease *vt* פִּיֵּס; הִשְׁלִים; הִשְׂבִּיעַ

appeasement *n* פִּיּוּס; הַשְׁלָמָה; הַשְׂבָּעָה

appendage *n* צֵירוּף; תּוֹסֶפֶת, יוֹתֶרֶת

appendicitis *n* דַּלֶּקֶת הַתּוֹסֶפְתָּן

appendix (*pl* –ixes, –ices) *n* תּוֹסֶפְתָּן; נִסְפָּח

appertain *vi* הָיָה שַׁיָּךְ ל...; נָגַע ל...;

appetite *n* תֵּיאָבוֹן; תְּשׁוּקָה

appetizer *n* מְתַאֲבֵן, מְעוֹרֵר תֵּיאָבוֹן

appetizing *adj* מְתַאֲבֵן, מְעוֹרֵר תֵּיאָבוֹן

applaud *vt, vi* מָחָא כַּף, הֵרִיעַ; שִׁיבֵּחַ

applause *n* מְחִיאַת כַּפַּיִם, תְּרוּעָה, תְּשׁוּאוֹת

apple *n* תַּפּוּחַ

applejack *n* שֵׁיכָר תַּפּוּחִים

apple of the eye *n* בָּבַת הָעַיִן

apple pie *n, adj* פַּשְׁטִידַת תַּפּוּחִים

apple polisher *n* (המונית) מְלַחֵךְ פִּנְכָּה

apple tree *n* עֵץ תַּפּוּחַ

appliance *n* מַכְשִׁיר, שִׁימּוּשׁ

applicant *n* מְבַקֵּשׁ, מַגִּישׁ בַּקָּשָׁה

apply *vt, vi* הִנִּיחַ עַל; יִישֵּׂם; הִגִּישׁ בַּקָּשָׁה

appoint *vt* מִינָּה; הוֹעִיד; קָבַע

appointment *n* מִינּוּי; תַּפְקִיד; רֵאָיוֹן

apportion *vt* הִקְצָה; הִקְצִיב; מִינֵּן

appraisal *n* הַעֲרָכָה; שׁוּמָה

appraise *vt* הֶעֱרִיךְ; אָמַד

appreciable *adj* נִיתָּן לְהַעֲרָכָה; נִיכָּר

appreciate *vt, vi* הֶעֱרִיךְ, הֶחֱשִׁיב

appreciation *n* הַעֲרָכָה; הוֹקָרָה; עֲלִיַּית הָעֵרֶךְ

appreciative, appreciatory *adj* מַבִּיעַ הַעֲרָכָה

apprehend *vt, vi* עָצַר, אָסַר; הֵבִין, הִשִּׂיג

apprehension *n* חֲשָׁשׁ, פַּחַד מֵהַבָּאוֹת; הֲבָנָה; עֲצִירָה

apprehensive *adj* חוֹשֵׁשׁ לַבָּאוֹת

apprentice *n* שׁוּלְיָה; חָנִיךְ

apprentice *vt* הִפְקִיד לְהִתְאַמְּנוּת

apprenticeship *n* חֲנִיכוּת, אִימּוּן

apprise, apprize *vt* הוֹדִיעַ, דִּיוּוֵחַ

approach *n* גִּישָׁה; מָבוֹא

approach *vt, vi* קָרַב, הִתְקָרֵב, נִיגַּשׁ

approbation *n* אִישּׁוּר, הֶיתֵּר

appropriate *vt* רָכַשׁ; הִקְצָה, יִיחֵד

appropriate *adj* מַתְאִים, הוֹלֵם

approval *n* הַסְכָּמָה, חִיּוּב, אִישּׁוּר

approve *vt, vi* הִסְכִּים ל..., חִייֵּב; אִישֵּׁר

approximate *vt, vi* קֵירֵב; קָרַב

approximate *adj* מְשׁוֹעָר; קָרוֹב; מְקוֹרָב

apricot *n* מִשְׁמֵשׁ

April *n* אַפְּרִיל

April-fool *n* מְרוּמֵּה־אֶחָד־בְּאַפְּרִיל

April-fool's Day *n* אֶחָד בְּאַפְּרִיל ('יוֹם שֶׁקֶר')

apron *n* סִינָּר; סוֹכְכִית

apropos *adv, adj* אַגַּב; בְּקֶשֶׁר ל...; מַתְאִים, קוֹלֵעַ

apse *n* אַכְסַדְרָה מְקוּשֶּׁתֶת

apt *adj* הוֹלֵם, מַתְאִים; מְהִיר תְּפִיסָה

aptitude *n* נְטִיָּה; כִּשְׁרוֹן; חָרִיצוּת

aquamarine *adj, n* כְּעֵין הַשּׁוֹהַם, כָּחוֹל־יְרַקְרַק

aquaplane *n* לוּחַ מַיִם

aquarium (*pl* –iums, –ia) *n* אַקְוַורְיוֹן

aquatic *adj* שֶׁל מַיִם
aquatics *n pl* ספּוֹרט מַיִם
aqueduct *n* מוֹבִיל־מַיִם
aquiline *adj* נִשְׁרִי
Arab *n, adj* עַרְבִי; סוּס עַרְבִי
Arabia *n* עֲרָב
Arabian *adj* עַרְבִי
Arabic *adj, n* עַרְבִי; עַרְבִית (השׂפה)
Arabist *n* עֲרַבִיסט
arbiter *n* בּוֹרֵר; קוֹבֵעַ
arbitrary *adv* שְׁרִירוּתִי; רוֹדָנִי
arbitrate *vt, vi* תִּיוּוֵךְ; בֵּירֵר; הִכְרִיעַ
arbitration *n* מִשְׁפַּט בּוֹרְרוּת; תִּיווּךְ
arbor *n* מִסעָד לִמכוֹנָה; צִיר
arboretum *n* גַּן עֵצִים בּוֹטָנִי
arbor vitae *n* עֵץ הַחַיִּים
arbutus *n* קְטָלָב
arc *n* קֶשֶׁת
arcade *n* מִקמֶרֶת; שְׂדֵירַת קְשָׁתוֹת
arch *n* קֶשֶׁת; שַׁעַר מְקוּשָּׁת; כִּיפָּה
arch *vt* קִישֵּׁת; הִתקַשֵּׁת
arch *adj* רֹאשׁ, רִאשׁוֹן בְּמַעֲלָה; עַרמוּמִי, שׁוֹבָב
archaeology *n* אַרכֵיאוֹלוֹגְיָה
archaic *adj* אַרכָאִי, קַדמָאִי
archaism *n* אַרכָאִיזם
archangel *n* רַב־מַלאָכִים, גְּדוֹל הַמַּלאָכִים
archbishop *n* אַרכִיבִּישׁוֹף
archduke *n* אַרכִידוּכָּס
arch-enemy *n* הָאוֹיֵב הָרָאשִׁי; הַשָּׂטָן
archer *n* קַשָּׁת
archery *n* קַשָּׁתוּת
archipelago *n* קְבוּצַת אִיִּים
architect *n* אַדרִיכָל, אַרכִיטֶקט
architectural *adj* אַדרִיכָלִי, אַרכִיטֶקטוּרִי
architecture *n* אַדרִיכָלוּת, אַרכִיטֶקטוּרָה
archives *n pl* גַּנזַךְ; גְּנָזִים
archway *n* מִקמֶרֶת
arc lamp *n* נוּרַת קֶשֶׁת
arctic *adj* אַרקטִי
arc welding *n* רִיתּוּךְ בְּקֶשֶׁת־אוֹר
ardent *adj* נִלהָב; לוֹהֵט
ardor *n* לַהַט, הִתלַהֲבוּת
arduous *adj* כָּרוּךְ בְּמַאֲמַצִּים רַבִּים, קָשֶׁה
area *n* שֶׁטַח; אֵיזוֹר; תְּחוּם
area way *n* כְּנִיסָה מְשׁוּקַעַת
Argentine *n* אַרגֶנטִינָה
Argentinian *adj* אַרגֶנטִינִי
Argonaut *n* הָאַרגוֹנָאוּטִי
argue *vt, vi* טָעַן; הִתווַכֵּחַ; נִימֵּק
argument *n* וִיכּוּחַ, דִּיוּן; נִימּוּק
argumentative *adj* וַכְּחָנִי
aria *n* נְעִימָה, אַרְיָה
arid *adj* צָחִיחַ, יָבֵשׁ
aridity, aridness *n* צְחִיחוּת, יוֹבֶשׁ
arise *vi* עָלָה; קָם; הוֹפִיעַ; נָבַע
aristocracy *n* אֲצוּלָה, אֲרִיסטוֹקרַטְיָה
aristocrat *n* אָצִיל, אֲרִיסטוֹקרָט
aristocratic *adj* אֲצִילִי, אֲרִיסטוֹקרָטִי
Aristotelian *adj* שֶׁלְּפִי תּוֹרַת אֲרִיסטוֹ
Aristotle *n* אֲרִיסטוֹ
arithmetic *n* אֲרִיתמֵטִיקָה, חֶשׁבּוֹן
arithmetic(al) *adj* אֲרִיתמֵטִי, חֶשׁבּוֹנִי
arithmetically *adv* אֲרִיתמֵטִית
arithmetician *n* אֲרִיתמֵטִיקָן
ark *n* תֵּיבָה; אָרוֹן

Ark of the Covenant *n* אֲרוֹן־הַבְּרִית

arm *n* זְרוֹעַ; חַיִל

arm-in-arm *adv* שְׁלוּבֵי־זְרוֹעַ

armature *n* שִׁרְיוֹן; (בחשמל) עוֹגֶן

armchair *n* כּוּרְסָה

Armenia *n* אַרְמֶנְיָה

Armenian *adj* אַרְמֵנִי

armful *n* מְלוֹא הַזְּרוֹעַ

armhole *n* חוֹר הַשַּׁרווּל

armistice *n* שְׁבִיתַת־נֶשֶׁק

armor *n* שִׁרְיוֹן, מָגֵן

armored *adj* מְשׁוּרְיָן; מוּגָן

armored car *n* מְכוֹנִית מְשׁוּרְיֶנֶת

armorial bearings *n pl* לְבוּשׁ שִׁרְיוֹן

armor-plate *n* שִׁרְיוֹן

armor-plate *vt* שִׁרְיֵן

armory *n* בֵּית־נֶשֶׁק; סַדְנַת נֶשֶׁק

armpit *n* בֵּית־הַשֶּׁחִי, שֶׁחִי

armrest *n* מִסְעַד־יָד

arms *n pl* נֶשֶׁק

army *n* צָבָא

army corps *n* גַּיִס

aroma *n* נִיחוֹחַ

aromatic *adj* אֲרוֹמָטִי; נִיחוֹחִי

around *adv, prep* מִסָּבִיב, מִכָּל צַד, פֹּה וָשָׁם; סָבִיב, בְּעֵרֶךְ

arouse *vt* עוֹרֵר; הֵנִיעַ

arpeggio *n* תַּצְלִיל שָׁבוּר, שְׁבָרִים

arraign *vt* הִזְמִין לְמִשְׁפָּט; הֶאֱשִׁים

arrange *vt* סִידֵּר; עָרַךְ; הִסְדִּיר

array *n* הֵיעָרְכוּת; לְבוּשׁ

array *vt* סִידֵּר; עָרַךְ (צבא)

arrears *n pl* חוֹבוֹת רוֹבְצִים

arrest *vt* עָצַר; עִיכֵּב

arrest *n* מַעֲצָר; בְּלִימָה; עִיכּוּב

arresting *adj* מְצוֹדֵד, מוֹשֵׁךְ לֵב

arrival *n* הַגָּעָה; הוֹפָעָה

arrive *vi* הוֹפִיעַ; הִגִּיעַ; בָּא

arrogance *n* שַׁחֲצָנוּת; יְהִירוּת

arrogant *adj* שַׁחֲצָן; יָהִיר

arrogate *vt* תָּבַע שֶׁלֹּא כַּדִּין; יִיחֵס שֶׁלֹּא כַּדִּין

arrow *n* חֵץ; (חפץ) דְּמוּי־חֵץ

arsenal *n* בֵּית־נֶשֶׁק, מַחְסַן נֶשֶׁק

arsenic *n* זַרְנִיךְ, אַרְסָן

arson *n* הַצָּתָה

art *n* אוּמָנוּת; מְיוּמָנוּת; מְלֶאכֶת־מַחֲשֶׁבֶת; אוּמָּנוּת

artery *n* עוֹרֵק

artful *adj* עָרוּם, עַרְמוּמִי; נוֹכֵל

arthritic *adj* שֶׁל דַּלֶּקֶת הַפְּרָקִים, אַרְתְּרִיטִי

arthritis *n* דַּלֶּקֶת הַפְּרָקִים, אַרְתְּרִיטִיס

artichoke *n* חַרְשָׁף, קִנְרֵס

article *n* מַאֲמָר; דָּבָר, עֶצֶם; פְּרִיט; תָּווִית הַיִּידוּעַ; סְעִיף תַּקָּנָה

articulate *vt, vi* בִּיטֵּא כַּהֲלָכָה; מִפְרֵק

artifact *n* אַרְטִיפַקְט, מוּצָר לְעָתִיד

artifice *n* אַמְצָאָה, תַּחְבּוּלָה

artificial *adj* מְלָאכוּתִי, מְעוּשֶׂה

artillery *n* חֵיל תּוֹתְחָנִים; אַרְטִילֶרְיָה

artilleryman *n* תּוֹתְחָן

artisan *n* אוּמָּן; חָרָשׁ

artist *n* אוֹמָן; צַיָּיר

artistic *adj* אוֹמָנוּתִי

artless *adj* לֹא אוֹמָנוּתִי; טִבְעִי, תָּמִים

Aryan *n, adj* אָרִית; אָרִי
as *adv* כּ..., כְּמוֹ, עַד כַּמָּה שׁ...
as for *adv* אֲשֶׁר ל...
as long as כָּל עוֹד
as regards בְּנוֹגֵעַ
as soon as מִיָּד לִכְשֶׁ...
as though כְּאִילוּ
asbestos *n* אַסְבֶּסְטוֹס
ascend *vi, vt* עָלָה, טִיפֵּס
ascendancy, –ency *n* שְׁלִיטָה; עֲלִיָּה; הַשְׁפָּעָה
ascension *n* עֲלִיָּה
Ascension Day *n* יוֹם הַחֲמִישִׁי הַקָּדוֹשׁ
ascent *n* עֲלִיָּה; מַעֲלֶה
ascertain *vt* וִידֵּא, אִימֵּת
ascertainable *adj* נִיתָּן לְבֵירוּר
ascetic *n, adj* סַגְּפָן, מִתְנַזֵּר
ascorbic acid *n* וִיטָמִין נֶגֶד צַפְדִּינָה
ascribe *vt* יִיחֵס ל..., תָּלָה בּ..., שִׁיֵּיךְ
aseptic *adj* לֹא אָלוּחַ
ash, ashes *n* אֵפֶר, רֶמֶץ
ashamed *pred adj* בּוֹשׁ, מְבוּיָּשׁ, נִכְלָם
ashlar *n* אַבְנֵי גָּזִית
ashore *adv* אֶל הַחוֹף; עַל הַחוֹף
ashtray *n* מַאֲפֵרָה
Ash Wednesday *n* יוֹם הָאֵפֶר
Asia *n* אַסְיָה
Asia Minor *n* אַסְיָה הַקְּטַנָּה
Asian *adj* אַסְיָנִי, אַסְיָתִי
Asiatic *adj* אַסְיָנִי, אַסְיָתִי
aside *adv* הַצִּדָּה; בַּצַּד
aside *n* (בְּתֵיאַטְרוֹן) שִׂיחַ מוּסְגָּר
asinine *adj* חֲמוֹרִי; אֱוִילִי
ask *vt* שָׁאַל; בִּיקֵּשׁ; תָּבַע; דָּרַשׁ
askance *adv* בַּחֲשְׁדָנוּת; בְּאִי־אֵימוּן
asleep *adv, pred adj* בְּשֵׁינָה; יָשֵׁן
asp *n* אֶפְעֶה
asparagus *n* אַסְפָּרָג
aspect *n* הֶיבֵּט, בְּחִינָה, אַסְפֶּקְט
aspen *n* צַפְצָפָה רַעֲדָנִית
aspersion *n* הַשְׁמָצָה
asphalt *n* אַספַלט, חֵימָר
asphalt *vt* רִיבֵּד בְּאַסְפַלְט
asphyxiate *vt* שִׁינֵּק, הֶחֱנִיק
aspirant *adj, n* שׁוֹאֵף
aspire *vt* שָׁאַף, הִתְאַוָּה
aspirin *n* אַסְפִּירִין
ass *n* חֲמוֹר; שׁוֹטֶה; (הֲמוֹנִית) תַּחַת
assail *vt* הִתְקִיף; הִסְתָּעֵר
assassin *n* מִתְנַקֵּשׁ, רוֹצֵחַ
assassinate *vt* הִתְנַקֵּשׁ, רָצַח
assassination *n* הִתְנַקְּשׁוּת, רֶצַח
assault *n* הִתְנַפְּלוּת; תְּקִיפָה
assay *vt* בָּדַק; נִיסָּה
assay *n* בְּדִיקָה (שֶׁל מתכת)
assemble *vt, vi* כִּינֵּס; הִרְכִּיב; הִתְכַּנֵּס
assembly *n* כִּינּוּס, עֲצֶרֶת; הַרְכָּבָה
assembly plant *n* מִפְעַל הַרְכָּבָה
assent *vi* הִסְכִּים
assent *n* הַסְכָּמָה
assert *vt* טָעַן; עָמַד עַל שֶׁלּוֹ
assertion *n* הַכְרָזָה; עֲמִידָה עַל זְכוּת
assess *vt* הֶעֱרִיךְ, שָׂם; קָבַע
assessment *n* הַעֲרָכָה; שׁוּמָה
asset *n* נֶכֶס, קִנְיָן
assiduous *adj* מַתְמִיד, שַׁקְדָנִי
assign *vt* הִקְצָה; מִינָּה; הוֹעִיד
assignment *n* מְשִׂימָה; הַעֲבָרַת נְכָסִים
assimilate *vt, vi* טִימֵּעַ; הִטְמִיעַ; הִתְבּוֹלֵל

assist *vt, vi* עָזַר, סִיֵּעַ
assistant *n* עוֹזֵר, סְגָן
associate *n, adj* שׁוּתָּף; חָבֵר נִסְפָּח
associate *vt, vi* צֵירֵף, הִסְמִיךְ; הִצְטָרֵף
association *n* אִיגּוּד, אִרְגּוּן; צֵירוּף
assort *vt* סִיוּוֵג, מִיֵּין; עָרַךְ
assortment *n* סִיווּג, מִיוּן; אוֹסֶף עָרוּךְ
assume *vt* הִנִּיחַ, שִׁיעֵר; קִיבֵּל עַל עַצְמוֹ
assumption *n* הֲנָחָה, הַשְׁעָרָה; הִתְחַיְּיבוּת
assure *vt* הִבְטִיחַ; חִיֵּזק
Assyria *n* אַשּׁוּר
Assyrian *n, adj* אַשּׁוּרִי; אַשּׁוּרִית
aster *n* אַסְתֵּר
asterisk *n* כּוֹכָב, כּוֹכָבִית
astern *adv* בַּיַּרְכָתַיִם; לְאָחוֹר
asthma *n* קַצֶּרֶת, אַסְתְּמָה
astonish *vt* הִדְהִים, הִפְתִּיעַ
astonishing *adj* מַתְמִיהַּ, מַפְתִּיעַ
astound *vt* הִדְהִים, הִפְתִּיעַ
astounding *adj* מַדְהִים, מַפְתִּיעַ
astraddle *adv, predic adj* בְּעֶמְדַּת רְכִיבָה, בְּפִישּׂוּק רַגְלַיִים
astray *adv, predic adj* שֶׁלֹּא בְּדֶרֶךְ הַיָּשָׁר, הַצִּדָּה
astride *adv, predic adj* כְּרוֹכֵב, בְּמִפוּשָּׂק
astrology *n* אַסְטְרוֹלוֹגְיָה
astronaut *n* אַסְטְרוֹנָאוּט; טַיַּיס חָלָל; חֲלָלַאי
astronautics *n pl* אַסְטְרוֹנָאוּטִיקָה
astronomer *n* אַסְטְרוֹנוֹם, תּוֹכֵן
astronomical *adj* אַסְטְרוֹנוֹמִי; עֲנָקִי, גְּדוֹל מְמַדִּים

astronomy *n* אַסְטְרוֹנוֹמְיָה, תְּכוּנָה, מַדַּע הַכּוֹכָבִים
astute *adj* פִּיקְחִי, נָבוֹן
asunder *adv* בְּנִפְרָד; לִקְרָעִים, לִרְסִיסִים; לְכָל רוּחַ
asylum *n* בֵּית־מַחְסֶה (ליתומים וכד׳)
asymmetry *n* אִי־סִמֶּטְרִיּוּת, אִי־תְּאִימוּת
at *prep* בּ...; אֵצֶל
atheism *n* אַתֵּאִיזם; כְּפִירָה בָּעִיקָר
atheist *n* אַתֵּאִיסט, כּוֹפֵר בָּעִיקָר
Athenian *n* אַתוּנַאי
Athens *n* אַתוּנָה
athirst *predic adj* צָמֵא, תָּאֵב
athlete *n* אַתְלֵט
athlete's foot *n* כַּף רֶגֶל אַתְלֵט (מחלת עור)
athletic *adj* אַתְלֵטִי
athletics *n pl* אַתְלֵטִיקָה
Atlantic *adj* שֶׁל הָאוֹקְיָינוֹס הָאַטְלַנְטִי
Atlantic Charter *n* הַהַצְהָרָה הָאַטְלַנְטִית
Atlantic Pact *n* הָאֲמָנָה הָאַטְלַנְטִית
atlas *n* אַטְלָס
atmosphere *n* אַטְמוֹסְפֵרָה, אֲוִירָה
atmospheric *adj* אַטְמוֹסְפֵרִי
atmospherics *n pl* הַפְרָעוֹת אַטְמוֹסְפֵרִיּוֹת
atom *n* אָטוֹם
atom bomb *n* פְּצָצָה אֲטוֹמִית
atomic *adj* אֲטוֹמִי
atone *vi* כִּיפֵּר, סָלַח
atonement *n* פִּיּוּס, כַּפָּרָה, כִּיפּוּר
atop *adv, prep* בָּרֹאשׁ, עַל

atrocious *adj* רַע, נִתְעָב

atrocity *n* זְוָועָה

atrophy *n* דִּלְדּוּל, נִיוּוּן

attach *vt* חִיבֵּר; צֵירֵף; עִיקֵּל

attaché *n* נִסְפָּח

attachment *n* מוּסָף; צֵירוּף; קִשְׁרֵי חִיבָּה; עִיקּוּל

attack *vt, vi* הִתְקִיף, הִתְנַפֵּל

attack *n* הַתְקָפָה, הֶתְקֵף

attain *vt, vi* הִשִּׂיג; הִגִּיעַ ל...

attainment *n* הַשָּׂגָה, הֶישֵּׂג

attainments *n pl* הֶישֵּׂגִים, כִּשְׁרוֹנוֹת

attempt *vt* נִיסָּה; הִשְׁתַּדֵּל

attempt *n* נִיסָּיוֹן

attend *vt, vi* נָכַח; שָׂם לֵב; טִיפֵּל

attendance *n* נוֹכְחוּת

attendant *adj* מְלַוֶּוה; נוֹכֵחַ

attendant *n* סַדְרָן; לַבְלָר; מְטַפֵּל

attention *n* תְּשׂוּמֶת־לֵב, הַקְשָׁבָה; טִיפּוּל; עֲמִידַת דוֹם

attentive *adj* נוֹתֵן דַּעְתּוֹ; קַשּׁוּב; מְנוּמָּס

attenuate *vt* הִדְלִיל; הֶחֱלִישׁ, דִּלְדֵּל

attest *vt, vi* הֵעִיד; אִימֵּת

attic *n* עֲלִיַּית־גַּג, עֲלִיָּה

attire *n* לְבוּשׁ

attire *vt* הִלְבִּישׁ; קִישֵּׁט

attitude *n* עֶמְדָּה; גִּישָׁה; יַחַס

attorney *n* פְּרַקְלִיט, מוּרְשֶׁה

attract *vt* מָשַׁךְ; הֵסֵב תְּשׂוּמֶת־לֵב

attraction *n* מְשִׁיכָה; כּוֹחַ מְשִׁיכָה; דָּבָר מוֹשֵׁךְ; אַטְרַקְצִיָּה

attractive *adj* מוֹשֵׁךְ; מְצוֹדֵד

attribute *n* תְּכוּנָה; תּוֹאַר; לְוָואִי

attribute *vt* יִיחֵס; קִישֵּׁר; תָּלָה בּ...

auburn *adj* חוּם־זָהוֹב

auction *n* מְכִירָה פּוּמְבִּית

auction *vt* מָכַר בִּמְכִירָה פּוּמְבִּית

auctioneer *n* מְנַהֵל מְכִירָה פּוּמְבִּית

auctioneer *vt* נִיהֵל מְכִירָה פּוּמְבִּית

auction house *n* בֵּית מְכִירָה פּוּמְבִּית

audacious *adj* נוֹעָז

audacity *n* נוֹעָזוּת, הֶעָזָה; חוּצְפָּה

audience *n* קְהַל שׁוֹמְעִים; רֵיאָיוֹן

audiofrequency *n* תְּדִירוּת שֵׁמַע

audiometer *n* מַד־שֵׁמַע

audiphone *n* מַשְׁמִיעַ

audit *n* רְאִיַּית חֶשְׁבּוֹן

audit *vt, vi* בָּדַק חֶשְׁבּוֹנוֹת, רָאָה חֶשְׁבּוֹן

audition *n* מִבְחָן לְאוֹמָן

auditor *n* שׁוֹמֵעַ, מַאֲזִין; רוֹאֵה חֶשְׁבּוֹן

auditorium *n* אוּלָם

auger *n* מַקְדֵּחַ, מַקְדֵּחַ־כַּף

augment *vt, vi* הִגְדִּיל; גָּדַל

augur *vt, vi* בִּישֵּׂר; רָאָה אֶת הַנּוֹלָד

augury *n* נִיחוּשׁ עַל־פִּי סִימָנִים

august *adj* מְרוֹמָם; מָלֵא הוֹד

August *n* אוֹגוּסְט

auld lang syne *n* יָמִים עָבָרוּ; יְדִידוּת יְשָׁנָה

aunt *n* דּוֹדָה

aurora *n* זוֹהַר קוֹטְבִּי

aurora australis *n* זוֹהַר דְּרוֹמִי

aurora borealis *n* זוֹהַר צְפוֹנִי

auspice *n* (*usu pl*) חָסוּת

austere *adj* חָמוּר; צָנוּעַ, לְלֹא קִישּׁוּט

Australia *n* אוֹסְטְרַלְיָה

Australian *adj* אוֹסְטְרָלִי

Australian ballot *n* קַלְפֵּי חֲשָׁאִית

Austria *n* אוֹסטרִיָה
Austrian *n, adj* אוֹסטרִי
authentic *adj* אוֹתֶנטִי
authenticate *vt* וִידֵא, אִישֵׁר
author *n* מְחַבֵּר; יוֹצֵר
authoress *n* מְחַבֶּרֶת; יוֹצֶרֶת
authoritarian *n, adj* אוֹתוֹרִיטָרִי, סַמכוּתִי
authoritative *adj* מוּסמָך
authority *n* סַמכוּת; יִיפּוּי־כּוֹחַ; בַּעַל סַמכוּת; אַסמַכתָּה
authorize *vt* יִיפָּה כּוֹחַ; הִסמִיך
authorship *n* מְחַבְּרוּת
auto *n* מְכוֹנִית, רֶכֶב מְמוּנָּע
autobiography *n* אוֹטוֹבִּיוֹגרַפְיָה
autobus *n* אוֹטוֹבּוּס
autocratic *adj* אוֹטוֹקרָטִי, רוֹדָנִי
autograph *n* אוֹטוֹגרָף, חֲתִימָה
autograph *vt* חָתַם
automat *n* מִסעָדָה אוֹטוֹמָטִית
automatic *adj, n* אוֹטוֹמָטִי
automatic pilot *n* נִיוּוּט אוֹטוֹמָטִי
automation *n* אוֹטוֹמַצִיָה, אִטמוּט
automaton (*pl* –ata,–atons) *n,* רוֹבּוֹט, אוֹטוֹמָט
automobile *n* אוֹטוֹמוֹבִּיל, מְכוֹנִית
autonomous *adj* אוֹטוֹנוֹמִי, רִיבּוֹנִי
autonomy *n* אוֹטוֹנוֹמְיָה, רִיבּוֹנוּת
autopsy *n* בְּדִיקָה לְאַחַר הַמָּוֶת, נְתִיחָה
autumn *n* סְתָיו; שַׁלֶּכֶת
autumnal *adj* סְתָוִי, סִתווָנִי
auxiliary *n* מְשָׁרֵת, עוֹזֵר; פּוֹעֵל עוֹזֵר
avail *n* תּוֹעֶלֶת, רֶוַח
avail *vt, vi* הוֹעִיל, סִייֵעַ; הָיָה לְעֵזֶר
available *adj* נִיתָּן לְהַשִּׂיג, זָמִין; עוֹמֵד לִרשׁוּת
avalanche *n* מַפּוֹלֶת שֶׁלֶג, אֲבָלַנש
avant-garde *n, adj* אֲבַנגַרד
avarice *n* תַּאֲוַות מָמוֹן, קַמצָנוּת
avaricious *adj* חוֹמֵד מָמוֹן, קַמצָן
avenge *vt, vi* נָקַם, הִתנַקֵּם
avenue *n* שְׂדֵירוֹת
aver *vt* אִישֵׁר, קָבַע בְּבִטחָה
average *n, adj* מְמוּצָּע, בֵּינוֹנִי
average *vt, vi* חִישֵּׁב אֶת הַמְּמוּצָּע
averse *adj* מִתנַגֵּד; לֹא נוֹטֶה
aversion *n* סְלִידָה, אִי־נְטִייָה
avert *vt* הִפנָה הַצִּדָּה, מָנַע
aviary *n* כְּלוּב צִיפּוֹרִים
aviation *n* תְּעוּפָה, טִיסָה
aviation medicine *n* רְפוּאָה אֲוִירִית
aviator *n* טַיָּס
avid *adj* לָהוּט, מִשתּוֹקֵק
avidity *n* לְהִיטוּת, תְּשׁוּקָה
avocation *n* עִיסּוּק, מִקצוֹעַ
avoid *vt* הִתחַמֵּק, נִמנַע
avoidable *adj* נִיתָּן לִמנִיעָה
avoidance *n* חֲמִיקָה, הִימָּנְעוּת
avow *vt, refl* הוֹדָה; הִתווַדָּה
avowal *n* הַכרָזָה; אִישּׁוּר
await *vt* חִיכָּה, צִיפָּה
awake *vt, vi* הֵעִיר; הִתעוֹרֵר
awake *adj* עֵר, לֹא יָשֵׁן
awaken *vt, vi* הֵעִיר; הִמרִיץ; הִתעוֹרֵר
awakening *n* הִתעוֹרְרוּת; הִתפַּכְּחוּת
award *n* הַחלָטַת בּוֹרְרוּת; פְּרָס; עִיטּוּר
award *vt* הֶעֱנִיק; זִיכָּה

aware *predic adj* יוֹדֵעַ; חָשׁ
awareness *n* חִישָׁה, הַכָּרָה; מוּדָעוּת
away *adv* הָלְאָה מִזֶּה; רָחוֹק; בַּצַּד
awe *n* יִרְאַת־כָּבוֹד
awesome *adj* מְעוֹרֵר יִרְאַת־כָּבוֹד
awestruck *adj* מָלֵא יִרְאַת־כָּבוֹד
awful *adj* נוֹרָא, אָיוֹם
awfully *adv* (דיבּוּרית) „נוֹרָא", אָיוֹם
awhile *adv* זְמַן־מָה; לִזמַן־מָה
awkward *adj* מְסוּרבָּל, מְגוּשָּׁם; חֲסַר חֵן; מֵבִיךְ
awkward squad *n* פְּלוּגָה לֹא־יוּצלָחִית
awl *n* מַרצֵעַ
awning *n* גְּנוֹנָה
axe *n* גַּרזֶן
axiom *n* אַקסיוֹמָה, מוּשְׂכָּל רִאשׁוֹן
axiomatic *adj* אַקסיוֹמָתִי
axis *n* (*pl* axes) צִיר, קַו הָאֶמצַע
axle *n* צִיר, סֶרֶן
axle-tree *n* שׁוֹק, רְפִיד תַּחתּוֹן
ay, aye *n, interj* הֵן, כֵּן (תשׁוּבה חיוּבית)
ay, aye *adv* תָּמִיד, לָנֶצַח
azimuth *n* אַזִימוּת

B

B, b בִּי (האוֹת השׁנייה בּאלפבּית)
baa *vi* פָּעָה
baa *n* פְּעִייָה
baa-lamb *n* טָלֶה פּוֹעֶה
babble *vi, vt* מִלמֵל; פִּטפֵּט, קִשקֵשׁ
babble *n* מִלמוּל; פִּטפּוּט, „קִשקוּשׁ"
babe *n* תִּינוֹק, עוֹלָל; (המוֹנית) בַּחוּרוֹנֶת
baboon *n* בַּבּוּן
baby *n* תִּינוֹק, עוֹלָל
baby-carriage *n* עֶגלַת יְלָדִים
baby-grand *n* פְּסַנתֵּר־כָּנָף זָעִיר
babyhood *n* יַנקוּת
Babylon *n* בָּבֶל
Babylonia *n* בָּבֶל
Babylonian *adj, n* בַּבלִי; בַּבלִית
baby-sitter *n* שְׁמַרטַף
baccalaureate *n* תּוֹאַר הַבּוֹגֵר
bachelor *n* רַווָק; בּוֹגֵר אוּנִיבֶרסִיטָה
bachelorhood *n* רַווָקוּת
bachelor-seal *n* כֶּלֶב־יָם פְּרוּעָתִי רַווָק
bacillus *n* (*pl* bacilli) חַידַק, מֶתֶג
back *n* גַּב; אָחוֹר; מִסעָד; (בּכדוּרגל) מֵגֵן
back *adj* אֲחוֹרִי; לְשֶׁעָבַר; בְּכִיווּן לְאָחוֹר
back *vt, vi* תָּמַךְ, „גִּיבָּה"; הֵזִיז אֲחוֹרַנִּית; הִימֵּר לְטוֹבַת (פּלוֹני)
back *adv* אָחוֹרָה; בַּחֲזָרָה
backache *n* כְּאֵב־גַּב

backbone *n* עַמּוּד־הַשִּׁדְרָה
back-breaking *adj* מְעַיֵּף, מְפָרֵק
back down הוֹדָה בְּטָעוּת
backdown *n* נְסִיגָה (מהתחייבות או מטענה)
backer *n* תּוֹמֵךְ; פַּטְרוֹן
backfire *n* הַצָּתָה קוֹדֶם זְמַנָּהּ (במנוע)
back-fire *vi* הִצִּית (מנוע) קוֹדֶם זְמַנּוֹ; הֵבִיא תּוֹצָאוֹת הֲפוּכוֹת
background *n* רֶקַע, מוֹצָא
backing *n* תִּימּוּכִין, „גִּיבּוּי"
backlash *n* מַהֲלַךְ־סְרָק; תְּגוּבָה חֲרִיפָה
backlog *n* הִצְטַבְּרוּת (של עבודה)
back-number *n* מִסְפָּר יָשָׁן (של כתב־עת); מְיוּשָּׁן
back out הִתְחַמֵּק
back-pay *n* פִּיגּוּרֵי שָׂכָר
back-room boys *n* הָעוֹבְדִים הַנֶּעֱלָמִים, אַנְשֵׁי הַמֶּחְקָר
back-seat *n* מוֹשָׁב אֲחוֹרִי; תַּפְקִיד מִשְׁנִי
backside *n* „יַשְׁבָן", אָחוֹר
backslide *vi* הִתְגַּלְגֵּל לְחֵטְא
backstage *n, adj* אֲחוֹרֵי הַקְּלָעִים; שֶׁמֵּאֲחוֹרֵי הַקְּלָעִים
backstairs *n, adj* דֶּרֶךְ אֲפֵלָה; עָקִיף
backstitch *n, vt, vi* תַּךְ כָּפוּל; תָּפַר תַּכִּים כְּפוּלִים
backstop *n* בּוֹלֵם כַּדּוּר
backswept wing *n* כָּנָף מָשׁוּךְ לְאָחוֹר
back-talk *n* חוּצְפָּה; תְּשׁוּבָה מְחוּצֶּפֶת
backward *adj* מְכוּוָּן לְאָחוֹר; מְפַגֵּר; בַּיְּשָׁן
backward(s) *adv* אֲחוֹרַנִּית, לְאָחוֹר; בְּהִיפּוּךְ

backwater *n* מַיִם סְכוּרִים; נֶחֱשָׁלוּת
backwoods *n pl* שְׁמָמָה
backyard *n* חָצֵר
bacon *n* קוֹתֶל חֲזִיר
bacteria *n* (*pl.* bacterium *sing.*) חַיְדַּקִּים, מְתָגִים
bacteriologist *n* חַיְדַּקַּאי, בַּקְטֶרְיוֹלוֹג
bacteriology *n* חַיְדַּקָּאוּת, בַּקְטֶרְיוֹלוֹגְיָה
bad *adj* רַע; לָקוּי; רָקוּב, מוּשְׁחָת
badge *n* תָּג; סֶמֶל
badger *n* גִּירִית
badger *vt* הִטְרִיד, הֵצִיק
badly *adv* רַע; מְאוֹד, בְּמִידָּה רַבָּה
badly off דָּחוּק בְּכֶסֶף
badminton *n* בֶּדְמִינְטוֹן
baffle *vt* סִיכֵּל; הֵבִיךְ
baffle *n* חַיִץ
baffling *adj* מֵבִיךְ, מְבַלְבֵּל, מְתַעְתֵּעַ
bag *n* תִּיק, יַלְקוּט; שַׂקִּית; אַרְנָק; צַיִד (שניצוד)
bag and baggage *adv* עִם כָּל הַמִּיטַּלְטְלִים, בַּכּוֹל מִכּוֹל כּוֹל
baggage *n* מִטְעָן; מִזְווָדוֹת
baggage-car *n* קְרוֹן מִטְעָן
baggage-check *n* תְּלוּשׁ מִטְעָן
baggage-rack *n* כּוֹנַן מִטְעָן
baggage-room *n* חֲדַר מִטְעָן
bagpipe *n* חֵמַת חֲלִילִים
bail *n* עֲרֵבוּת; עֲרוּבָּה
bail *vt* הִפְקִיד; שִׁחְרֵר בַּעֲרֵבוּת
bail *vt, vi* הֵרִיק מַיִם (מסירה)
bailiff *n* פְּקִיד הוֹצָאָה לְפוֹעַל; מְפַקֵּחַ עַל אֲחוּזָּה
bailiwick *n* מְחוֹז שִׁיפּוּט

bail out *vi* צָנַח (ממטוס); עָרַב (לעציר)
bait *vt, vi* הִתְגָּרָה; לָעַג; שָׂם פִּיתָּיוֹן
bait *n* פִּיתָּיוֹן; מִקְסָם, פִּיתּוּי
baize *n* אָרִיג שָׂעִיר
bake *vt, vi* אָפָה; נֶאֱפָה
bakehouse *n* מַאֲפִייָה
bakelite *n* בָּקֵלִיט
baker *n* אוֹפֶה
baker's dozen *n* שְׁלוֹשָׁה־עָשָׂר
bakery *n* מַאֲפִייָה
baking powder *n* אַבְקַת־מַאֲפֶה; אֲפִיּוֹן
baking soda *n* סוֹדָה לַאֲפִייָה
bal. *abbr* balance
balance *n* מֹאזְנַיִם; אִיזּוּן; שִׁוּוּי־מִשְׁקָל; יִתְרָה
balance *vt, vi* אִיזֵּן; הֵבִיא לְשִׁוּוּי־מִשְׁקָל; הִשְׁוָוה; קִיזֵּז
balance of payments *n* מַאֲזַן הַתַּשְׁלוּמִים
balance of power *n* מַאֲזַן הַכּוֹחוֹת
balance-sheet *n* מַאֲזָן
balcony *n* מִרְפֶּסֶת, גְּזוּזְטְרָה; יָצִיעַ
bald *adj* קֵרֵחַ, גִּיבֵּחַ; יָבֵשׁ, חַדְגּוֹנִי; גָּלוּי
baldness *n* קָרַחַת, גַּבַּחַת
baldric *n* חֲגוֹרָה, רְצוּעָה
bale *n* חֲבִילָה; צְרוֹר גָּדוֹל
bale *vt* אָרַז; קָשַׁר בַּחֲבִילוֹת
Balearic Islands *n pl* הָאִיִּים הַבָּלֵיאָרִיִּים
baleful *adj* מֵבִיא רָעָה, מַשְׁחִית
balk, baulk *vt, vi* נֶעֱצַר; שָׂם מִכְשׁוֹל
Balkan *adj* בַּלְקָנִי
Balkans *n pl* מְדִינוֹת הַבַּלְקָן

balky *adj* סַרְבָנִי, עַקְשָׁן
ball *n* כַּדּוּר; נֶשֶׁף רִיקּוּדִים
ballad *n* בַּלָּד, בַּלָּדָה
ballade *n* בַּלָּדָה
ballad-monger *n* כַּתְבָן בַּלָּדוֹת; חַרְזָן
ballast *vt* הִנִּיחַ זְבוֹרִית; אִיזֵּן
ballast *n* זְבוֹרִית
ball-bearing *n* מֵסַב כַּדּוּרִיּוֹת
ballerina *n* בַּלֶּרִינָה, רַקְדָנִית
ballet *n* בַּלֶּט
ballistic *adj* בַּלִּיסְטִי
balloon *n* כַּדּוּר פּוֹרֵחַ, בַּלּוֹן
ballot *n* פֶּתֶק הַצְבָּעָה; הַצְבָּעָה חֲשָׁאִית
ballot-box *n* קַלְפִּי
ball player *n* מְשַׂחֵק בְּמִשְׂחַק כַּדּוּר
ballpoint pen *n* עֵט כַּדּוּרִי
ballroom *n* אוּלַם רִיקּוּדִים
ballyhoo *n* פִּרְסוֹמֶת מְנוּפַּחַת
balm *n* צֳרִי וָלוֹט, בֶּשֶׂם; שֶׁמֶן מִשְׁחָה; נֶחָמָה
balm of Gilead *n* צֳרִי גִּלְעָד
balmy *adj* בָּשׂוּם; מַרְגִּיעַ, נָעִים; לָקוּי בְּשִׂכְלוֹ
balsam *n* שְׂרָף מַרְפֵּא, צֳרִי
Baltic *n* בַּלְטִי
Baltimore oriole *n* זַהֲבָן
baluster *n* עַמּוּד יָצִיעַ; עַמּוּד מַעֲקֶה
bamboo *n, adj* בַּמְבּוּק, חִזְרָן
bamboozle *vt* רִימָּה; בִּלְבֵּל
bamboozler *n* רַמַּאי; מְאַחֵז עֵינַיִם
ban *n* אִיסּוּר; חֵרֶם
ban *vt* אָסַר; הֶחֱרִים, נִידָּה
banana *n* בָּנָנָה, מוֹז
banana-oil *n* שֶׁמֶן בָּנָנָה, שֶׁמֶן־מוֹז

band *n* פַּס, סֶרֶט, קִישּׁוּר; קְבוּצָה; תִּזְמוֹרֶת

band *vi* הִתְאַחֵד, הִתְקַבֵּץ

bandage *n* תַּחְבּוֹשֶׁת

bandage *vt* חָבַשׁ, תִּחְבֵּשׁ

bandanna *n* בַּנְדָנָה

band-box *n* תֵּיבָה לְכוֹבָעִים

bandit *n* (*pl* –its, –itti) שׁוֹדֵד, לִסְטִים

bandmaster *n* מְנַצֵּחַ

bandoleer *n* תְּלִי, פּוּנְדָה

band-saw *n* מַסּוֹר־סֶרֶט

bandstand *n* בִּימַת הַתִּזְמוֹרֶת

baneful *adj* אַרְסִי; מְחַבֵּל

bang *n* חֲבָטָה, מַכָּה; קוֹל נֶפֶץ

bang *vt, vi* הָלַם; טָרַק (דלת); הִשְׁמִיעַ קוֹל נֶפֶץ

bang *adv, interj* בְּרַעַשׁ; הַךְ־הַךְ!

bangs *n pl* פֵּאָה מוּקֶפֶת

banish *vt* גֵּירֵשׁ; הִגְלָה

banishment *n* גֵּירוּשׁ; הַגְלָיָה

banisters *n pl* עַמּוּדֵי מַעֲקֶה

bank *vt, vi* סָכַר (בשיפוע, בגדה); טָס בְּאֲווִירוֹן מוּטֶה הַצִּדָּה; נֶעֱרַם; פָּעַל כְּבַנְק; הִפְקִיד בְּבַנְק; סָמַךְ

bank *n* בַּנְק; קוּפָּה

bank account *n* חֶשְׁבּוֹן בְּבַנְק

bankbook *n* פִּנְקַס בַּנְק

banker *n* בַּנְקַאי; הַמַּחֲזִיק בַּקּוּפָּה

banking *n* בַּנְקָאוּת; עִסְקֵי בַּנְק

banknote *n* שְׁטַר כֶּסֶף

bankroll *n* צְרוֹר שְׁטָרוֹת כֶּסֶף

bankrupt *n, adj* פּוֹשֵׁט רֶגֶל

bankrupt *vt* הֵבִיא לִפְשִׁיטַת־רֶגֶל

bankruptcy *n* פְּשִׁיטַת־רֶגֶל

banner *n* דֶּגֶל

banner cry *n* זַעֲקַת קְרָב

banner headline *n* כּוֹתֶרֶת בּוֹלֶטֶת (בעיתון)

banquet *n* מִשְׁתֶּה

banquet *vt, vi* עָרַךְ מִשְׁתֶּה; נֶהֱנָה בְּמִשְׁתֶּה

banter *n* לָצוֹן, הִתְלוֹצְצוּת

banter *vt, vi* חָמַד לָצוֹן, הִתְלוֹצֵץ

baptism *n* טְבִילָה, שְׁמָד

Baptist *n* בַּפְּטִיסְט, מַטְבִּיל

baptist(e)ry *n* אֲגַף הַטְּבִילָה; אַגַּן הַטְּבִילָה

baptize *vt* הִטְבִּיל; הִזָּה מַיִם; קָרָא שֵׁם

bar *n* מוֹט; בְּרִיחַ; (במוסיקה) מַקַּף תֵּווִים; חַיִץ; מַעְצָר מוּסָרִי; מַעֲקֶה תָּא הָאָסִיר; דֶּלְפֵּק מַשְׁקָאוֹת, בַּר

bar *vt* הִבְרִיחַ; הֶחֱרִים; מָנַע

bar *prep* חוּץ מִן, בְּלִי

bar association *n* לִשְׁכַּת עוֹרְכֵי־דִין

barb *n* חוֹד, חִדּוּד; עוֹקֶץ; מַלְעָן

Barbados *n* בַּרְבָּדוֹס

barbarian *n, adj* בַּרְבָּר, לֹא תַּרְבּוּתִי

barbaric *adj* בַּרְבָּרִי, אַכְזָרִי

barbarism *n* בַּרְבָּרִיּוּת; שִׁיבּוּשׁ בַּלָּשׁוֹן

barbarous *adj* אַכְזָרִי; לֹא־תַּרְבּוּתִי

Barbary Ape *n* מַקָּק גִּיבְּרַלְטָרִי

barbed *adj* דּוֹקֵר, עוֹקֵץ

barbed wire *n* תַּיִל דּוֹקְרָנִי

barber *n* סַפָּר

barber shop *n* מִסְפָּרָה

barber's pole *n* מוֹט סַפָּרִים

bard *n* מְשׁוֹרֵר, בַּרְד; שִׁרְיוֹן סוּס

bard *vt* הִלְבִּישׁ שִׁרְיוֹנִים, שִׁרְיֵן (סוס)

bare *adj* עָרוֹם; גָּלוּי; חָשׂוּף; רֵיק; מְצוּמְצָם

bare *vt* הִפְשִׁיט; גִּילָּה; עִרְטֵל
bareback *adj, adv* לֹא מְאוּכָּף
barefaced *adj* לְלֹא בּוּשָׁה
barefoot *adj, adv* יָחֵף
bareheaded *adj, adv* גְּלוּי רֹאשׁ
barelegged *adj* גְּלוּי רַגְלַיִים, חֲשׂוּף יְרֵכַיִים
barely *adv* בְּדוֹחַק
bargain *n* מְצִיאָה, קְנִיָּיה בְּזוֹל
bargain counter *n* דוּכָן מְצִיאוֹת
bargain sale *n* מְכִירַת מְצִיאוֹת
barge *n* אַרְבָּה; אוֹנִיַּית טֶקֶס
barge *vi* נִדְחַף
barge pole *n* מָשׁוֹט
barium *n* בַּרְיוּם
bark *n* נְבִיחָה; קְלִיפַּת הָעֵץ
bark *vi vt* נָבַח; צָרַח; (דיבורית) הִשְׁתַּעֵל; קִילֵּף, קִרְצֵף
barley *n* שְׂעוֹרָה
barley water *n* מֵי־שְׂעוֹרִין
barmaid *n* מוֹזֶגֶת
barn *n* אָסָם
barnacle *n* סַפּוּחַ (הנדבק לאונייה); אַוּוַז הַצָּפוֹן
barn owl *n* תִּנְשֶׁמֶת
barnyard *n* חֲצַר־הַמֶּשֶׁק
barometer *n* בָּרוֹמֶטֶר
baron *n* רוֹזֵן; בָּרוֹן; אֵיל הוֹן
baroness *n* בָּרוֹנִית
baroque *adj* בָּרוֹקִי
barracks *n pl* קְסַרְקְטִין
barrage *n* מָסַךְ אֵשׁ, מְטַר יְרִיּוֹת
barrel *n* חָבִית; קְנֵה רוֹבֶה
barrel organ *n* תֵּיבַת נְגִינָה
barren *adj* עָקָר; שָׁמֵם
barricade *n* מִתְרָס, בָּרִיקָדָה
barricade *vt* חָסַם, תָּרַס, מִתְרֵס; הִתְגּוֹנֵן בְּמִתְרָסִים; הִתְמַתְרֵס
barrier *n* מַחְסוֹם; מַעֲקֶה
barrier reef *n* מֵזַח אַלְמוּגִּים
barrister *n* פְּרַקְלִיט, עוֹרֵךְ־דִּין
barroom *n* חֲדַר־מַשְׁקָאוֹת
bartender *n* מוֹזֵג
barter *n* סְחַר חֲלִיפִין
barter *vt, vi* סָחַר בַּחֲלִיפִין; הֵמִיר
base *n* בָּסִיס; תַּחְתִּית; יְסוֹד; מַסַּד
base *vt* בִּיסֵּס, יִיסֵּד
base *adj* שָׁפָל; מוּג־לֵב; נִבְזֶה
baseball *n* בֵּייסבּוֹל
base coin *n* מַטְבֵּעַ מְזוּיָּף
Basel *n* בָּאזֶל
base metals *n pl* מַתָּכוֹת זוֹלוֹת
baseless *adj* חֲסַר יְסוֹד; עוֹמֵד עַל בְּלִימָה
basement *n* קוֹמַת־מַסַּד; מַסַּד
bashful *adj* בַּיְישָׁן, בַּיְישָׁנִי
basic *adj* בְּסִיסִי; עִיקָּרִי, יְסוֹדִי
basilica *n* בָּזִילִיקָה
basin *n* כִּיּוֹר, אַגָּן, קְעָרָה
basis *n* בָּסִיס, יְסוֹד, עִיקָּר
bask *vi* הִתְפָּרֵק, הִתְחַמֵּם; נֶהֱנָה
basket *n* סַל, טֶנֶא
basket weave *n* חִיבּוּר פָּשׁוּט
basket work *n* קְלִיעָה; טְווִייַּת קְלִיעָה
bas relief *n* תַּבְלִיט נָמוּךְ
bass *n, adj* בַּס (מוּסיקה)
bass *n* מוּשְׁט (דג); תִּרְזָה
bass drum *n* תּוֹף גָּדוֹל
bass horn *n* טוּבָּה
bassoon *n* בַּסּוֹן

bass viol *n* כּוֹנֶרֶת־בֶּרֶךְ, וְיוֹלָה דָא גַמְבָּא
bass wood *n* תִּרְזָה
bastard *n* מַמְזֵר, יֶלֶד לֹא חוּקִי; מְעוֹרָב, מְזוּיָּף; נָבָל
bastard title *n* חֲצִי תּוֹאַר
baste *vt* הִכְלִיב, תָּפַר אַרְעִית; הִרְטִיב בְּשֶׁמֶן; הִלְקָה, הִצְלִיף
bat *n* עֲטַלֵּף; מַחְבֵּט, אַלָּה
bat *vt, vi* חָבַט, הִיכָּה
batch *n* מַעֲרֶכֶת, קְבוּצָה
bath *n* רְחִיצָה בְּאַמְבָּט; אַמְבָּט; בֵּית־מֶרְחָץ
bathe *vt, vi* הִטְבִּיל; הִרְטִיב; רָחַץ; הִתְאַמְבֵּט, הִתְרַחֵץ בְּאַמְבָּט
bather *n* מִתְרַחֵץ
bathhouse *n* בֵּית־מֶרְחָץ; מֶרְחָצָה (בְּחוֹף)
bathing *n* רְחִיצָה, רְחִיצָה בַּיָּם
bathing beach *n* חוֹף רַחְצָה
bathing beauty *n* נַעֲרַת מַיִם
bathing resort *n* מֶרְחֲצָאוֹת
bathing trunks *n pl* מִכְנְסֵי רַחְצָה
bathrobe *n* מְעִיל רַחְצָה, גְּלִימַת רַחְצָה
bathroom *n* חֲדַר־רַחְצָה, חֲדַר־אַמְבָּט
bathroom fixtures *n pl* אַבְזְרֵי חֲדַר־אַמְבָּט
bathtub *n* אַמְבַּטְיָה
baton *n* שַׁרְבִיט; אַלַּת שׁוֹטֵר
battalion *n* בַּטַּלְיוֹן; גְּדוּד
batter *n* טִשְׁטוּשׁ בִּדְפוּס; תַּבְלִיל; הַמְשַׂחֵק שֶׁתּוֹרוֹ לְשַׂחֵק (בְּמִשְׂחֲקֵי מַחְבֵּט)
batter *vt, vi* הִיכָּה לִפְצוֹעַ; הָלַם לְשַׁבֵּר
battering ram *n* אֵיל־בַּרְזֶל
battery *n* סוֹלְלָה; גּוּנְדָה (יְחִידַת חֵיל־תּוֹתְחָנִים); מַעֲרֶכֶת מְכוֹנוֹת; תְּקִיפָה
battle *n* קְרָב, מַעֲרָכָה
battle *vi* נִלְחַם בּ..., נֶאֱבַק בּ...
battle array *n* מַעֲרָךְ קְרָבִי
battle-cry *n* קְרִיאַת מִלְחָמָה
battledore *n* מַחְבֵּט קַל
battledore and shuttlecock *n* מִשְׂחַק כַּדּוּר הַנּוֹצָה
battlefield *n* שְׂדֵה־קְרָב
battlefront *n* חֲזִית
battleground *n* שְׂדֵה מַעֲרָכָה
battlement *n* חוֹמַת אֶשְׁנַבִּים
battlepiece *n* יְצִירָה עַל קְרָב
battleship *n* אוֹנִיַּת־קְרָב
battue *n* הַחֲרָדַת חַיָּה מֵרְבָצָהּ; רְדִיפָה אַחַר חַיָּה
bauble *n* תַּכְשִׁיט זוֹל
Bavaria *n* בַּאוַוארְיָה
Bavarian *adj, n* בַּאוַוארִי
bawd *n* סַרְסוּרִית לִזְנוּת; נִיבּוּל־פֶּה
bawdy *adj* זְנוּנִי; נִיבּוּלִי, שֶׁל נִיבּוּל־פֶּה
bawdy house *n* בֵּית־זוֹנוֹת, בֵּית־בּוֹשֶׁת
bawl *vi, vt* הִרְעִישׁ; בָּכָה
bay *n* מִפְרָץ; רָצִיף צְדָדִי (בְּתַחֲנַת־רַכֶּבֶת); נְבִיחָה־יְבָבָה
bay *vi, vt* נָבַח־יִיבֵּב
bay *adj* חוּם־אָדוֹם; עַרְמוֹנִי
bay leaves *n pl* עֲלֵי דַפְנָה
bayonet *n* כִּידוֹן
bayonet *vt* כִּידֵּן, דָּקַר בְּכִידוֹן
bay rum *n* בּוֹשֶׂם
bay window *n* גַּבְלִית

bazooka *n* בָּזוּקָה
B. C. לִפְנֵי סְפִירַת הַנּוֹצְרִים, לפסה״נ
be *vi* הָיָה; חַי; הִתְקַיֵּם
beach *n* שְׂפַת־הַיָּם, חוֹף
beachcomber *n* נַוָּד חוֹפִים
beachhead *n* רֹאשׁ חוֹף
beach robe *n* מְעִיל יָם
beach shoe *n* נַעַל יָם
beach umbrella *n* סוֹכֵךְ חוֹף
beach wagon *n* מְכוֹנִית דוּ־שִׁימוּשִׁית
beacon *n* מִגְדַּל־אִיתּוּת, מִגְדַּלּוֹר; מַשּׂוּאָה
beacon *vt* אוֹתֵת; הִבְהִיק
bead *n* חָרוּז, חוּלִיָּה
beadle *n* שַׁמָּשׁ
beagle *n* שַׁפְלָן
beak *n* מַקּוֹר, חַרְטוֹם; זִיז
beam *n* קֶרֶן; קוֹרָה
beam *vt, vi* קָרַן, הֵאִיר
bean *n* שְׁעוּעִית, פּוֹל
beanpole *n* סָמוֹכַת שְׁעוּעִית
bear *n* דּוֹב; סַפְסָר זוֹלְלָן
bear *vi, vt* נָשָׂא; תָּמַךְ; הוֹבִיל; סָבַל; יָלַד; נָתַן (פרי)
beard *n* זָקָן; (בבוטניקה) מַלְעָן
beardless *adj* לְלֹא חֲתִימַת זָקָן
bearer *n* נוֹשֵׂא, מוֹבִיל; מוֹכָ״ז (מוסר כתב זה)
bearing *n* הִתְנַהֲגוּת; קֶשֶׁר, יַחַס
bearings *n pl* הִתְמַצְּאוּת
bearish *adj* דּוּבִּי, גַּס; נִזְעָם
bear market *n* שׁוּק זוֹלְנִי (בבורסה)
bearskin *n* עוֹר־דּוֹב; כּוֹבַע־פַּרְוָה
beast *n* חַיָּה, בְּהֵמָה
beastly *adj* חַיָּתִי, בַּהֲמִי
beast of burden *n* בֶּהֱמַת־מַשָּׂא
beat *n* מַכָּה בַּתּוֹף, אוֹת (על־ידי תיפוף); הוֹלֶם (לב); פַּעֲמָה (יחידת המקצב); מַקּוֹף (של שוטר)
beat *adj* רָצוּץ
beat *vt, vi* הִלְקָה, הִיכָּה, הָלַם
beater *n* מַקִּישׁ, מַקְצֵף
beatify *vt* הִכְרִיז כְּקָדוֹשׁ
beating *n* הַכָּאָה, הַלְקָאָה; תְּבוּסָה
beau *n* מְחַזֵּר, אוֹהֵב
beautician *n* יַפַּאי
beautiful *adj* יָפֶה, יָפָה
beautify *vt* יִיפָּה; פֵּיאֵר
beauty *n* יוֹפִי; יְפֵהפִיָּה
beauty contest *n* תַּחֲרוּת יוֹפִי
beauty parlor *n* מְכוֹן יוֹפִי
beauty queen *n* מַלְכַּת יוֹפִי
beauty spot *n* נְקוּדַּת־חֵן
beaver *n* בּוֹנֶה; כּוּמְתַּת פַּרְוָה
becalm *vt* עָצַר; הִשְׁקִיט, הִרְגִּיעַ
because *conj, adv* מִשּׁוּם שֶׁ..., מִפְּנֵי שֶׁ..., כִּי
because of בִּגְלַל
beck *n* רְמִיזָה, מֶחְווָה
beckon *vt, vi* רָמַז, הֶחֱוָה; אוֹתֵת
become *vi, vt* נַעֲשָׂה, הָיָה לְ...; הִתְאִים, הָלַם
becoming *adj* הוֹלֵם, מוֹשֵׁךְ עַיִן; מַתְאִים
bed *n* מִיטָּה; עֲרוּגָה (של פרחים); קַרְקָעִית
bed and board *n* דִּירָה וּמְזוֹנוֹת
bedbug *n* פִּשְׁפֵּשׁ
bedchamber *n* חֲדַר־מִיטּוֹת
bedclothes *n pl* כְּלֵי־מִיטָּה
bed cover *n* צִיפּוּי מִיטָּה

bedding *n* כְּלֵי־מִיטָּה; יְסוֹד, מַסָּד

bedevil *vt* בִּלְבֵּל, קִלְקֵל

bedfast *n* מְרוּתָּק לְמִיטָּתוֹ

bedfellow *n* שׁוּתָּף לַמִּיטָּה; חָבֵר קָרוֹב

bedlam *n* מְהוּמָה; בֵּית מְשׁוּגָּעִים

bed-linen *n* לִבְנֵי מִיטָּה

bedpan *n* עֲבִיט מִיטָּה, סִיר

bedpost *n* כֶּרַע מִיטָּה

bedridden *adj* מְרוּתָּק לַמִּיטָּה

bedroom *n* חֲדַר־מִיטּוֹת, חֲדַר־שֵׁינָה

bedside *n, adj* צַד הַמִּיטָּה; שֶׁלְּיַד הַמִּיטָּה

bedsore *n* כְּאֵב שְׁכִיבָה, פַּחֶסֶת

bedspread *n* צִיפּוּי מִיטָּה

bedspring *n* מַעֲרֶכֶת קְפִיצֵי מִיטָּה

bedstead *n* מִיטָּה

bedstraw *n* עֵשֶׂב יָם

bedtick *n* צִיפִּית

bedtime *n, adj* שְׁעַת הַשֵּׁינָה

bee *n* דְּבוֹרָה

beech *n* תְּאַשּׁוּר, אַשּׁוּר

beechnut *n* פְּרִי הָאַשּׁוּר

beef *n* בְּשַׂר בָּקָר; תְּלוּנָה

beef *vi* הִתְאוֹנֵן, רָטַן

beef cattle *n* בָּקָר לִשְׁחִיטָה

beefsteak *n* אוּמְצַת בָּשָׂר, כְּתִיתָה

beehive *n* כַּוֶּורֶת

beeline *n* מְעוֹף צִיפּוֹר, קַו יָשָׁר

beer *n* בִּירָה, שֵׁיכָר

beeswax *n* דּוֹנַג, שַׁעֲווָה

beet *n* סֶלֶק

beetle *n* חִיפּוּשִׁית

beetle-browed *adj* בַּעַל גַּבּוֹת בּוֹלְטוֹת

beet sugar *n* סוּכַּר־סֶלֶק

befall *vt, vi* אֵירַע, קָרָה

befitting *adj* מַתְאִים, רָאוּי

before *adv* לִפְנֵי, קוֹדֶם; לִפְנֵי־כֵן

before *prep* לִפְנֵי, בְּנוֹכְחוּת

before *conj* לִפְנֵי שֶׁ..., קוֹדֶם שֶׁ...

beforehand *adj* מִקּוֹדֶם, מֵרֹאשׁ

befriend *vt* הֶרְאָה יְדִידוּת, קֵירֵב

befuddle *vt* שִׁיכֵּר, הִקְהָה חוּשִׁים; בִּלְבֵּל

beg *vt, vi* בִּיקֵּשׁ, הִתְחַנֵּן

beget (begot, begat; begotten) *vt* הוֹלִיד; גָּרַם

beggar *n* קַבְּצָן, פּוֹשֵׁט יָד; (דיבורית) בַּרְנָשׁ

begin *vt, vi* הִתְחִיל

beginner *n* מַתְחִיל; טִירוֹן

beginning *n* הַתְחָלָה; רֵאשִׁית

begrudge *vt* קִינֵּא בּ..., עֵינוֹ הָיְיתָה צָרָה בּ...

beguile *vt* הִטְעָה, הִשְׁלָה; מָשַׁךְ בְּחַבְלֵי־קֶסֶם

behalf *n* צַד, טַעַם (מִטַּעַם)

behave *vi, v reflex* נָהַג; הִתְנַהֵג, הִתְנַהֵג כָּרָאוּי

behavior *n* הִתְנַהֲגוּת, יַחַס לַזּוּלַת

behead *vt* עָרַף רֹאשׁ

behind *adv* מֵאָחוֹר, לְאָחוֹר

behind *prep* מֵאֲחוֹרֵי, אַחֲרֵי; בְּפִיגּוּר

behind *n* אֲחוֹרַיִים, יַשְׁבָן

behold *vt* רָאָה

behold! *interj* הִנֵּה!

behove, behoove *vt* (impersonal) הָיָה עַל, שׁוּמָה עַל

being *n* הֲוָויָה, קִיּוּם; מְצִיאוּת

belch *n* גִּיהוּק; יְרִיקַת אֵשׁ (וכד׳)

belch *vi, vt* גִיהֵק; יָרַק (אש וכד׳)
beleaguer *vt* כִּיתֵּר, צָר
belfry *n* מִגדַל פַּעֲמוֹן
Belgian *adj, n* בֶּלגִי
Belgium *n* בֶּלגִיָה
belie *vt* הִפְרִיךְ, סָתַר
belief *n* אֱמוּנָה; אֵימוּן
believable *adj* נִיתָּן לְהֵיאָמֵן, מְהֵימָן
believe *vt, vi* הֶאֱמִין, נָתַן אֱמוּנוֹ; חָשַׁב
believer *n* מַאֲמִין
belittle *vt* מִיעֵט; זִלְזֵל
bell *n* פַּעֲמוֹן; צִלצוּל
bell *vi, vt* גָעָה, שָׁאַג; קָשַׁר פַּעֲמוֹן ל...
bellboy *n* נַעַר מְשָׁרֵת (במלון)
belle *n* אִישָׁה יָפָה
belles-lettres *n pl* סִפרוּת יָפָה, בֶּלֶטרִיסטִיקָה
bell gable *n* גַמלוֹן פַּעֲמוֹנִים
bellhop *n* נַעַר מְשָׁרֵת (במלון)
bellicose *adj* תּוֹקְפָנִי
belligerent *adj* צַד לוֹחֵם; לוֹחֲמָנִי, מִלחַמתִּי
bellow *n* גְעִיָּה; רַעַם
bellow *vi* גָעָה, שָׁאַג; רָעַם
bell-ringing *n* צִלצוּל פַּעֲמוֹנִים
bellwether *n* מַשׁכּוּכִית, תַּיִשׁ (ההולך בראש העדר)
belly *n* בֶּטֶן, כָּרֵס; גָחוֹן
belly *vt, vi* נִיפַּח; הִתנַפֵּח (בעיקר לגבי מפרשים)
belly-ache *n* כְּאֵב בֶּטֶן
belly button *n* טַבּוּר
belly dance *n* רִיקּוּד בֶּטֶן
bellyful *n* מְלוֹא הַכָּרֵס; דַי וְהוֹתֵר
bellylanding *n* נְחִיתַת מָטוֹס גְחוֹנִית
belong *vi* הָיָה שַׁיָּךְ, הִשׁתַּיֵּךְ; הָיָה מַתאִים, הָיָה הוֹלֵם
belongings *n pl* מִיטַּלְטְלִים, חֲפָצִים אִישִׁיִּים
beloved *adj, n* אָהוּב, יָקָר
below *adv* לְמַטָּה; לְהַלָּן
below *prep* לְמַטָּה מִן, עָמוֹק יוֹתֵר
belt *n* חֲגוֹרָה; חֲגוֹר, רְצוּעָה; אֵיזוֹר
bemoan *vt* סָפַד, קוֹנֵן
bench *n* סַפסָל; כֵּס הַמִּשׁפָּט; חֶבֶר שׁוֹפְטִים
bend *n* סִיבּוּב; כְּפִיפָה, עִיקּוּם, עִיקּוּל
bend *vt, vi* כָּפַף, עִיקֵּם; סִיבֵּב; הִתכּוֹפֵף
beneath *prep* מִתַּחַת, לְמַטָּה מִן
benediction *n* הַבָּעַת בְּרָכָה; בִּרכַּת סִיּוּם
benefaction *n* גְמִילוּת־חֶסֶד, צְדָקָה
benefactor *n* נָדִיב, גוֹמֵל חֶסֶד
benefactress *n* נְדִיבָה, גוֹמֶלֶת חֶסֶד
beneficence *n* חֶסֶד, צְדָקָה
beneficent *adj* עוֹשֶׂה חֶסֶד, נָדִיב
beneficial *adj* מוֹעִיל, מֵיטִיב
beneficiary *n* מַרוִויחַ; נֶהֱנֶה
benefit *n* טוֹבָה, תּוֹעֶלֶת; קִצבָּה, גִמלָה; רֶוַח, יִתרוֹן
benefit *vt, vi* הִשׁפִּיעַ טוֹבָה; נֶהֱנָה
benefit performance *n* הַצָּגַת צְדָקָה
benevolence *n* רוֹחַב־לֵב, נְדִיבוּת־לֵב
benevolent *adj* שׁוֹחֵר טוֹב, גוֹמֵל חֶסֶד
benign *adj* טוֹב־לֵב; לֹא מַמאִיר (גידול)
benignity *n* חֶסֶד, נְדִיבוּת, טוּב־לֵב
bent *adj* מְעוּקָם, מְעוּקָל

benzine *n* בֶּנזִין
bequeath *vt* הוֹרִישׁ, הִנחִיל
bequest *n* עִיזָבוֹן, יְרוּשָּׁה
berate *vt* גִידֵּף, נָזַף
bereave *vt* שָׁכַל
bereavement *n* שְׁכוֹל, יְתוֹם, אַלמוֹן
Berliner *n* תּוֹשַׁב בֶּרלִין
berry *n* גַרגֵר
berserk *adj* מִשׁתּוֹלֵל
berth *n* מִיטַּת מַדָּף; מִרוָוח; מִשׂרָה; מַעֲגָן
beryllium *n* בֵּרִילִיוּם
beseech *vt* הִפצִיר; בִּיקֵשׁ, הִתחַנֵּן
beset *vt* צָר, הִתקִיף
beside *prep* לְיַד, לְצַד; נוֹסָף עַל; מִלְּבַד
beside oneself נָבוֹך (מֵרוֹב שׂמחה, צער וכד׳)
besiege *vt* צָר, הִקִּיף
besmirch *vt* הִכתִּים, הִשׁמִיץ
bespatter *vt* הִתִּיז בּוֹץ; הִשׁמִיץ
bespeak *vt* בִּיקֵשׁ; הִזמִין מֵרֹאשׁ
best *adj*, *adv*, *n* הַטּוֹב בְּיוֹתֵר, „הֲכִי טוֹב"
best girl *n* אֲהוּבָה
bestir *v reflex* הִתעוֹרֵר הֵנִיעַ אֶת עַצמוֹ
best man *n* מְלַוֵּוה הֶחָתָן
bestow *vt* הִפקִיד; הֶעֱנִיק
best seller *n* רַב־מֶכֶר
bet *n* הִתעָרְבוּת, הִימוּר
bet *vt*, *vi* הִתעָרֵב, הִימֵּר
betake *v reflex* הָלַך, פָּנָה אֶל
bethink *v reflex* נִזכַּר; הֶחֱלִיט
Bethlehem *n* בֵּית־לֶחֶם
betide *vt*, *vi* אֵירַע, בָּא עַל, הִתרַחֵשׁ
betoken *vt* צִיֵּין; בִּיטֵּא, סִימֵּל
betray *vt* בָּגַד; גִילָּה (סוֹד), הֶראָה, הֵעִיד עַל
betrayal *n* בְּגִידָה; גִילּוּי סוֹד
betroth *vt* הִתאָרֵס
betrothal *n* אֵירוּסִין
betrothed *n*, *adj* אָרוּס, אֲרוּסָה
better *n*, *adj* יִתרוֹן; מוּבחָר, עוֹלֶה עַל
better *adv* יָפֶה יוֹתֵר, בְּאוֹפֶן טוֹב יוֹתֵר
better half *n* (דיבּוּרית) בֶּן־זוּג, בַּת־זוּג
betterment *n* הַשׁבָּחָה, שֶׁבַח בְּמַקַרקְעִין
between *prep*, *adv* בֵּין שְׁנַיִים, בֵּין, בְּתָוֶך
between-decks *n pl* בֵּין הַסִיפּוּנַיִם
bevel *n* מֶדֶר, מַזווִית; שִׁיפּוּעַ
beverage *n* מַשׁקֶה
bewail *vt*, *vi* סָפַד, הִספִּיד; בָּכָה
beware *vi*, *vt* הִזהִיר; נִזהַר
beyond *prep*, *adv* מֵעֵבֶר ל..., לְמַעלָה מִן, יוֹתֵר מִן
bias *n* דֵעָה מוּקדֶמֶת; נְטִיָּיה, פְּנִיָּיה
bias *vt* הִשׁפִּיעַ (לנטייה מן הצדק)
bib *n* סִינָּרִית
Bib. *abbr* Biblical
Bible *n* תּוֹרָה נְבִיאִים וּכְתוּבִים (תנ״ך), כִּתבֵי־הַקּוֹדֶשׁ
Biblical, biblical *adj* מִקרָאִי, שֶׁעַל־פִּי הַתְּנָ״ך
bibliographer *n* בִּיבּלִיוֹגרָף
bibliography *n* בִּיבּלִיוֹגרַפיָה, רְשִׁימַת סְפָרִים
bibliophile *n* בִּיבּלִיוֹפִיל, אוֹהֵב סְפָרִים

bicameral *adj* דוּ־בֵּיתִי, דוּ־אֲגַפִּי
bicarbonate *n* דוּ־פַּחְמָה, דוּ־קַרְבּוֹנָט
bicker *vt* הִתְנַצֵּחַ, רָב
bicycle *n* אוֹפַנַּיִם
bid *n* הַצָּעַת מְחִיר; הַצָּעָה; צַו
bid *vt, vi* הִצִּיעַ (מחיר); צִיוָּה, הוֹרָה
bidder *n* מַצִּיעַ, מַכְרִיז הַצָּעָה
bidding *n* הוֹרָאָה; הַצָּעָה
bide *vt* נִשְׁאַר
biennial *n, adj* דוּ־שְׁנָתִי
bier *n* אֲרוֹן הַמֵּת; כַּן לִגְוִיַּת הַמֵּת
bifocal *adj* דוּ־מוֹקְדִי
bifocals *n pl* מִשְׁקָפַיִם דוּ־מוֹקְדִיִּים
big *adj* גָּדוֹל, מְגוּדָּל; מְבוּגָּר
bigamist *n* בִּיגָמִיסְט, בִּיגָמִיסְטִית
bigamous *adj* בִּיגָמִי, כָּרוּךְ בְּבִיגַמְיָה
bigamy *n* בִּיגַמְיָה
big-bellied *adj* בַּעַל כָּרֵס, כַּרְסְתָן
Big Dipper *n* הָעֲגָלָה הַגְּדוֹלָה
big game *n* צַיִד גָּדוֹל
big-hearted *adj* נָדִיב, רְחַב־לֵב
bigot *n* קַנַּאי עִיוּוֵר
bigoted *adj* עִיוּוֵר בֶּאֱמוּנָתוֹ
bigotry *n* קַנָּאוּת עִיוּוֶרֶת, אֱמוּנָה עַקְשָׁנִית
big shot *n* אָדָם חָשׁוּב
bile *n* מָרָה, מִיץ מָרָה; זְרִיקַת מָרָה
bile-stone *n* אֶבֶן מָרָה
bilge *n* רֶפֶשׁ שִׁיפּוּלַיִם (באונייה); (המונית) הֶבֶל, שְׁטוּיוֹת
bilge-pump *n* מַשְׁאֵבַת הַשִּׁיפּוּלַיִם
bilge-water *n* מֵי שִׁיפּוּלַיִם
bilge ways *n pl* מְסִילָה נָעָה

bilingual *adj, n* דוּ־לְשׁוֹנִי
bilious *adj* מָרָתִי, זוֹרֵק מָרָה, רוֹגְזָנִי
bilk *vt* הִשְׁתַּמֵּט מִפִּרְעוֹן חוֹב; הוֹנָה
bill *n* חַרְטוֹם; מַקּוֹר; חֶשְׁבּוֹן; שְׁטָר; הַצָּעַת חוֹק; מוֹדָעָה (על גבי לוח מודעות); רְשִׁימָה (של פריטים); (במשפט) תְּבִיעָה
bill *vt* הִגִּישׁ חֶשְׁבּוֹן; חִיֵּב; פִּרְסֵם בְּמוֹדָעָה
billboard *n* לוּחַ־מוֹדָעוֹת
billet *n* דִּירַת חַיָּל; מִשְׂרָה, מִינּוּי; פֶּתֶק
billet-doux (*pl* billets-doux) *n* מִכְתַּב אַהֲבָה
billfold *n* תִּיק, אַרְנָק
billhead *n* טוֹפֶס חֶשְׁבּוֹן
bill of exchange *n* שְׁטַר חֲלִיפִין
bill of fare *n* תַּפְרִיט; תּוֹכְנִית
bill of lading *n* תְּעוּדַת מִטְעָן
bill of sale *n* שְׁטַר מְכִירָה
billow *n* נַחְשׁוֹל
billow *vi* הִתְנַחְשֵׁל
billposter, billsticker *n* מַדְבִּיק מוֹדָעוֹת
billy *n* אַלַּת שׁוֹטֵר
billy-goat *n* תַּיִשׁ, עַתּוּד
bin *n* אַרְגָּז, כְּלִי־קִיבּוּל
bind *vt* קָשַׁר, הִידֵּק; חָבַשׁ; כָּרַךְ; חִיֵּב
bindery *n* כְּרִיכִיָּה
binding *n* קִישּׁוּר, חִיזּוּק; כְּרִיכַת סֵפֶר
binding *adj* מְחַיֵּב
binding post *n* עַמּוּד קִישּׁוּר
binge *n* (המונית) מִשְׁתֶּה, הִילּוּלָא

binnacle *n* בֵּית־מַצְפֵּן

binoculars *n pl* מִשְׁקֶפֶת

biochemical *adj* בִּיוֹכִימִי

biochemist *n* בִּיוֹכִימַאי

biochemistry *n* בִּיוֹכִימִיָּה

biographer *n* בִּיוֹגְרָף

biographic(al) *adj* בִּיוֹגְרָפִי, שֶׁל חַיֵּי אָדָם

biography *n* בִּיוֹגְרַפְיָה

biologist *n* בִּיוֹלוֹג

biology *n* בִּיוֹלוֹגְיָה

biophysical *adj* בִּיוֹפִיסִי

biophysics *n pl* בִּיוֹפִיסִיקָה

birch *n* בֶּתוּל, לִבְנֶה, שַׁדָּר; מַקֵּל

birch *vt* הִיכָּה בְּמַקֵּל

bird *n* צִיפּוֹר; עוֹף; בַּחוּרוֹנֶת; טִיפּוּס

bird-cage *n* כְּלוּב לְצִיפּוֹר

bird-call *n* קוֹל צִיפּוֹר

bird-lime *n* דֶּבֶק מַלְכּוֹדֶת לְצִיפּוֹרִים

bird of passage *n* עוֹף נוֹדֵד; צַיָּיר אֲרָעִי

bird of prey *n* עוֹף דּוֹרֵס

birdseed *n* זֵרְעוֹן

bird's-eye view *n* מַרְאֶה מִמְּעוֹף הַצִּיפּוֹר

birdshot *n* כַּדּוּרֵי צַיִד עוֹפוֹת

birth *n* לֵידָה; יְלוּדָה; מוֹצָא

birth certificate *n* תְּעוּדַת לֵידָה

birth control *n* אֶמְצָעֵי מְנִיעַת לֵידָה

birthday *n* יוֹם־הוּלֶּדֶת

birthday cake *n* עוּגַת יוֹם־הוּלֶּדֶת

birthday present *n* מַתְּנַת יוֹם־הוּלֶּדֶת

birthmark *n* סִימָן מִלֵּידָה

birthplace *n* מְקוֹם הוּלֶּדֶת

birthright *n* זְכוּת בְּכוֹרָה

Biscay *n* בִּיסְקָיָה

biscuit *n* אֲפִיפִית, בִּיסְקוּוִיט

bisect *vt, vi* חָצָה לִשְׁנֵי חֲלָקִים שָׁוִים

bishop *n* בִּישׁוֹף, הֶגְמוֹן; (בשחמט) רָץ

bismuth *n* בִּיסְמוּת

bison *n* בִּיסוֹן, תְּאוֹ

bit *n* רֶסֶן; מַקְדֵּחַ; מַשֶּׁהוּ, קוּרְטוֹב; רֶגַע קָט

bitch *n* כַּלְבָּה

bite (bit, bitten) *vt, vi* נָשַׁךְ; נָגַס

bite *n* נְשִׁיכָה; נְגִיסָה

biting *n* נוֹשֵׁךְ; צוֹרֵב; עוֹקְצָנִי

bitter *adj* מַר; צוֹרֵב

bitterness *n* מְרִירוּת

bitumen *n* בִּיטוּמֶן, אַסְפַלְט, חֵימָר

bivouac *n* מַחֲנֶה צְבָאִי

bivouac *vi* חָנָה

bizarre *adj* תִּמְהוֹנִי, מוּזָר

blabber *n* פַּטְפְּטָן

black *adj* שָׁחוֹר; קוֹדֵר

black and blue *adj* כּוּלּוֹ פֶּצַע וְחַבּוּרָה

black and white *adj* שָׁחוֹר עַל־גַּבֵּי לָבָן

blackberry *n* אוּכְמָנִית

blackbird *n* קִיכְלִי הַשַּׁחֲרוּר

blackboard *n* לוּחַ

black damp *n* גַּאז שָׁחוֹר

blacken *vt, vi* הִשְׁחִיר; הִשְׁמִיץ

blackguard *n* נָבָל, נִבְזֶה

blackguard *vi, vt* הִתְנַהֵג בְּנִבְזוּת; גִּידֵּף

blackhead *adj* חֲטָט; סִבְכִי שְׁחוֹר־רֹאשׁ (צִיפּוֹר)

blackish *adj* כֵּהֶה, שְׁחַרְחַר

blackjack *n* אַלָּה; סוּכָּר שָׂרוּף
blackjack *vt* הִכָּה בְּאַלָּה
blackmail *n* סַחטָנוּת, דְמֵי לֹא־יֶחֱרַץ
blackmail *vt* סָחַט
blackmailer *n* סוֹחֲטָן
Black Maria *n* מְכוֹנִית סוֹגֵר
black market *n* שׁוּק שָׁחוֹר
blackness *n* שְׁחוֹר, אֲפֵלָה
blackout *n* הַאֲפָלָה, אִיפּוּל; דִמדוּם חוּשִׁים; אִיבּוּד זִיכָּרוֹן
blackout *vt, vi* אִיפֵּל; הִגִּיעַ לְדִמדוּם חוּשִׁים
black sheep *n* נָבָל
blacksmith *n* נַפָּח
blackthorn *n* פּרוּנוּס קוֹצָנִי; עוּזְרָר
black tie *n* עֲנִיבַת עֶרֶב
bladder *n* שַׁלפּוּחִית
blade *n* לַהַב
blame *n* אַשְׁמָה, קוֹלָר; גִינּוּי
blame *vt* הֶאֱשִׁים, תָּלָה קוֹלָר בּ...
blameless *adj* חַף מִפֶּשַׁע, לֹא אָשֵׁם
blanch *vt, vi* הִלבִּין, נִיקָּה; הֶחֱוִיר
bland *adj* נָעִים, אָדִיב; רַךְ, מַרגִיעַ
blandish *vt* הֶחֱנִיף
blank *n* רֵיק, חָלָל; רֶקַע מוּכָן לִטבִיעָה
blank *adj* חָלָל, רֵיק
blank check *n* שֶׁק חָלָק; יָד חוֹפְשִׁית
blanket *n* שְׂמִיכָה, כִּיסּוּי
blanket *adj* מַקִּיף, כּוֹלֵל
blanket *vt* כִּיסָּה בִּשְׂמִיכָה; כִּיסָּה
blasé *adj* עָיֵף מֵעִינּוּגִים
blaspheme *vt, vi* חִילֵּל הַשֵּׁם, חִילֵּל הַקּוֹדֶשׁ
blasphemous *adj* שֶׁל חִילּוּל הַשֵּׁם; שֶׁל נִיאוּף
blasphemy *n* חִילּוּל הַשֵּׁם; נִיאוּף
blast *n* הִתפָּרְצוּת רוּחַ; שְׁרִיקָה; נְשִׁיפָה חֲזָקָה; הִתפּוֹצְצוּת
blast *vt, vi* פּוֹצֵץ (סלעים וכד׳); הִקמִיל, נִיוּוֵן
blast furnace *n* כִּבשַׁן אֵשׁ
blast off *vi* הִתפּוֹצֵץ
blatant *adj* זוֹעֵק, רַעֲשָׁנִי; גַּס
blaze *n* לֶהָבָה; זוֹהַר; הִתפָּרְצוּת
blaze *vt, vi* סִימֵּן (שביל); בָּעַר
bleach *n* חוֹמֶר מַלבִּין
bleach *vt, vi* הִלבִּין
bleacher *n* מַלבִּין; כְּלִי לְהַלבָּנָה
bleaching powder *n* אֲבָקָה מַלבִּינָה
bleak *adj* שׁוֹמֵם; פָּתוּחַ לָרוּחַ; עָגוּם
bleat *n* פְּעִייָה, גְעִייָה
bleed *vt, vi* שָׁתַת דָם; נִנקַז; הִקִּיז דָם
blemish *vt* הִטִּיל מוּם, הִשׁחִית
blemish *n* לִיקּוּי, פְּגָם
blend *n* תַּעֲרוֹבֶת, תִּמזוֹגֶת
blend *vt* עֵירֵב, מָזַג
bless *vt* בֵּירֵךְ, קִידֵּשׁ; הֶעֱנִיק אוֹשֶׁר
blessed *adj* קָדוֹשׁ; מְבוֹרָךְ; נַעֲרָץ
blessedness *n* אוֹשֶׁר; בִּרכַּת שָׁמַיִם
blessing *n* בְּרָכָה
blight *n* כִּימָּשׁוֹן; פֶּגַע
blight *vt* הִכמִישׁ, הִקמִיל; סִיכֵּל
blimp *n* סְפִינַת אֲוִויר
blind *adj* עִיוּוֵר; אָטוּם
blind *vt* עִיוּוֵר
blind *n* וִילוֹן, מְחִיצָה
blind alley *n* סִמטָה סְגוּרָה
blind date *n* פְּגִישָׁה עִיוּוֶרֶת
blindfold *adj* חֲבוּשׁ עֵינַיִים
blindfold *vt* חָבַשׁ עֵינַיִים

blind flying *n* טִיסָה עִיוֶּרֶת

blind landing *n* נְחִיתָה עִיוֶּרֶת

blind man *n* עִיוֵּר

blind man's buff *n* לֶמֶךְ וְנַעֲרוֹ; 'גְּשָׁה־נָּא וַאֲמוּשְׁשְׁךָ'; יַעֲקֹב יַעֲקֹב

blindness *n* עִיוָּרוֹן

blink *vt, vi* נִצְנֵץ; מִצְמֵץ בָּעֵינַיִם

blink *n* נִצְנוּץ; מִצְמוּץ עַיִן

blip *n* כֶּתֶמוּם רָדָאר

bliss *n* אוֹשֶׁר עִילָּאִי; שִׂמְחָה שְׁמֵימִית

blissful *adj* מְאוּשָּׁר; מֵבִיא אוֹשֶׁר

blister *n* חַבּוּרָה, בּוּעָה

blister *vt, vi* הִבְעָה; כּוּסָּה בּוּעוֹת

blithe *adj* שָׂמֵחַ, עַלִּיז

blitzkrieg *n* מִלְחֶמֶת־בָּזָק

blizzard *n* סוּפַת שֶׁלֶג

bloat *vt, vi* נִיפֵּחַ, מִילֵּא אֲוִויר; הִתְפִּיחַ; הִתְנַפֵּחַ

block *n* בּוּל עֵץ, גֶּזֶר אֶבֶן; גַּרְדּוֹם; מַעְצוֹר; גְּלוּפָה (בדפוס); בְּלוֹק, גּוּשׁ

block *vt* חָסַם, עָצַר; אִימֵּם (כובע)

blockade *n* הֶסְגֵּר צְבָאִי יַמִּי

blockade-runner *n* עוֹקֵף הֶסְגֵּר

blockbuster *n* פְּצָצָה גְּדוֹלָה

blockhead *n* שׁוֹטֶה, אֱוִיל

block signal *n* אוֹת בְּלִימָה

blond, blonde *n, adj* בְּלוֹנְדִּי(ת)

blood *n* דָּם

bloodcurdling *adj* מַפְחִיד, מַקְפִּיא דָּם

bloodhound *n* כֶּלֶב גִּישׁוּשׁ, כֶּלֶב מִשְׁטָרָה

blood poisoning *n* הַרְעָלַת־דָּם

blood pressure *n* לַחַץ דָּם

blood pudding *n* מְלִית בָּשָׂר

blood relation *n* קִרְבַת־דָּם

bloodshed *n* שְׁפִיכַת דָּמִים

bloodshot *adj* עֲקוּבָּה מִדָּם, מוּכְתֶּמֶת בְּדָם

blood test *n* בְּדִיקַת דָּם

bloodthirsty *adj* צְמֵא דָּם

blood transfusion *n* עֵירוּי דָּם

blood vessel *n* כְּלִי דָּם

bloody *adj* מְגוֹאָל בְּדָם; עָקוֹב מִדָּם (לגבי קרב וכד'); דָּמִי; אָרוּר

bloom *n* פֶּרַח; פְּרִיחָה, לִבְלוּב

bloom *vi* לִבְלֵב, פָּרַח

blossom *n* פֶּרַח; פְּרִיחָה

blossom *vi* הִפְרִיחַ, פָּרַח

blot *n* כֶּתֶם

blot *vt, vi* הִכְתִּים; סָפַג (בסופג)

blotch *n* כֶּתֶם גָּדוֹל

blot out *vt* מָחַק, הִשְׁמִיד

blotter *n* נְיָיר סוֹפֵג

blotting paper *n* נְיָיר סוֹפֵג

blouse *n* חוּלְצָה

blow *n* מַהֲלוּמָה

blow *vt, vi* נָשַׁב; פּוֹצֵץ; בִּזְבֵּז

blow out (a candle) כִּיבָּה (נר) בִּנְשִׁיפָה

blow-out *n* הִתְפּוֹצְצוּת

blowpipe *n* מַפּוּחַ; צִינּוֹר נִיפּוּחַ

blowtorch *n* מַבְעֵר הַלְחָמָה

blubber *n* שׁוּמַן לִוְיָתָן; בְּכִיָּה בְּקוֹל

blubber *vi* דִּיבֵּר בִּבְכִיָּה

bludgeon *n* אַלָּה, שֵׁבֶט

bludgeon *vt* הִכָּה בְּאַלָּה

blue *n* תְּכֵלֶת, כָּחוֹל

blue *adj* כָּחוֹל; מְדוּכָּא

blue *vt* הִכחִיל, צָבַע בְּכָחוֹל
blueberry *n* אוּכמָנִית
blue chip *n* נֶכֶס חָשוּב
bluejacket *n* יַמַּאי; מַלָּח בְּחֵיל הַיָּם
blue jay *n* עוֹרְבָנִי כָּחוֹל
Blue Nile *n* הַנִּילוּס הַכָּחוֹל
blue-pencil *vt* תִּיקֵּן, צִנזֵר
blueprint *n* הַדפָּסַת־צִילוּם; תּוֹכנִית מְפוֹרֶטֶת
blueprint *vt* עָשָׂה הַדפָּסַת־צִילוּם; עִיבֵּד תּוֹכנִית
blues *n pl* דִכדוּך; שִׁירֵי עַצבוּת
bluestocking *n* כְּחוּלַת־גֶרֶב (לגבי אישה)
blue streak *n* (דיבורית) בָּזָק
bluff *n* כֵּף, שֶׁן־סֶלַע; יוֹהֲרָה; אִיּוּם סְרָק; רַמָּאוּת
bluff *adj* גְלוּי־לֵב, לְבָבִי
blunder *n* שְׁגִיאָה גַסָּה
blunder *vi* שָׁגָה שְׁגִיאָה חֲמוּרָה
blunt *adj* קֵהֶה; (לגבי דיבור) יָבֵשׁ, גָלוּי
blunt *vt* הִקהָה
bluntness *n* קֵהוּת; גִילוּי־לֵב
blur *n* כֶּתֶם כֵּהֶה; טִשׁטוּשׁ
blur *vt, vi* טִשׁטֵשׁ; נִיטַשׁטֵשׁ
blurb *n* פִּרסוֹמֶת קוֹלָנִית
blurt *vt* הֵסִיחַ לְפִי תּוּמּוֹ
blush *n* סוֹמֶק, אַדמוּמִית
blush *vi* הִסמִיק
bluster *n* הֲמוּלָּה; רַברְבָנוּת קוֹלָנִית
bluster *vi, vt* הִרעִישׁ, הִרעִים; כָּפָה בִּצעָקוֹת
blustery *n* מַרעִישׁ עוֹלָמוֹת, צוֹעֵק־מְאַיֵּם
boar *n* חֲזִיר־בַּר

board *n* אוֹכֶל; וַעַד מְנַהֵל
board *vt, vi* כִּיסָּה בְּלוּחוֹת; הִתאַכסֵן (עם אוכל); יָרַד (באונייה), עָלָה (על אוטובוס וכד׳)
board and lodging *n* חֶדֶר עִם אֲרוּחָה
boarder *n* מִתאַכסֵן; תַּלמִיד בְּפנִימִיָּה
boarding house *n* אַכסַניָה, ׳פֶּנסיוֹן׳
boarding school *n* בֵּית־סֵפֶר פְּנִימוֹנִי
board of health *n* וַעֲדַת בְּרִיאוּת
board of trade *n* וַעֲדַת מִסחָר
board of trustees *n* וַעֲדַת נֶאֱמָנִים
boardwalk *n* טַיֶּלֶת עֵץ
boast *n* הִתרַברְבוּת
boast *vt, vi* הִתפָּאֵר, הִתרַברֵב
boastful *adj* יוֹהֲרָנִי, מִתפָּאֵר
boat *n* סִירָה, סְפִינָה
boat hook *n* אוּנקַל הַסִּירָה
boat house *n* בֵּית־סִירוֹת
boating *n* שִׁיּוּט בְּסִירוֹת
boatman *n* סַוָּר
boat race *n* מֵרוֹץ סִירוֹת
boatswain *n* רַב מַלָּח
boatswain's chair *n* כִּיסֵּא רַב־מַלָּח
boatswain's mate *n* סְגַן רַב־מַלָּח
bob *vt, vi* הֵנִיעַ בִּמהִירוּת; הֶחֱוָה קִידָה; סִיפֵּר תִּספּוֹרֶת קְצָרָה
bobbed hair *n* תִּספּוֹרֶת קְצָרָה
bobbin *n* סְלִיל
bobby pin *n* מַכבֵּנָה, סִיכַּת־שֵׂיעָר
bobbysocks *n pl* גַרבִּיּוֹת
bobbysoxer *n* בּוֹגְרָנִית
bobolink *n* בּוֹבּוֹלִינק, צִיפּוֹר סוּף

bobsled *n* שַׁחֲלָקָה, מִגְרָרָה
bobtail *n, adj* זָנָב קָצָר; קְצַר־זָנָב
bobwhite *n* חוּגְלָה
bockbeer *n* בִּירָה בּוֹק
bodice *n* חוּלְצָה מְרוּקֶּמֶת, גּוּפִית
bodily *adj, adv* גּוּפָנִי; בִּכְלָלוֹ, בִּשְׁלֵמוּת; גּוּפָנִית
bodkin *n* מַקְדֵּחַ, מַרְצֵעַ
body *n* גּוּף; גְּוִיָּה; מֶרְכָּב (שֶׁל כלי־רכב)
bodyguard *n* שׁוֹמֵר־רֹאשׁ
Boer *n, adj* בּוּרִי
Boer War *n* מִלְחֶמֶת הַבּוּרִים
bog *n* בִּיצָה, מַדְמֵנָה
bog *vt, vi* הִשְׁקִיעַ בְּבִיצָה; שָׁקַע בְּבִיצָה
bogey, bogy *n* מִפְלֶצֶת, שֵׁד
bogeyman *n* שֵׁד
bogus *adj* מְזוּיָּף
Bohemian *adj, n* בּוֹהֵמִי
boil *n* רְתִיחָה
boil *vt, vi* הִרְתִּיחַ; רָתַח, הִתְבַּשֵּׁל
boiler *n* דּוּד הַרְתָּחָה
boilermaker *n* מַתְקִין דְּוָדִים
boiler room *n* תָּא הַדּוּד
boiling *n* רְתִיחָה; הַרְתָּחָה
boiling point *n* נְקוּדַּת הָרְתִיחָה
boisterous *adj* סוֹעֵר, רוֹגֵשׁ; קוֹלָנִי־עַלִּיז
bold *adj* נוֹעָז, אַמִּיץ, בּוֹטֵחַ
boldface *n* אוֹת שְׁחוֹרָה
boldness *n* הֶעָזָה
Bolivia *n* בּוֹלִיבְיָה
Bolivian *adj, n* בּוֹלִיבִי
boll weevil *n* זִיפִית, תּוֹלַעַת הַכּוּתְנָה
Bolshevik *n* בּוֹלְשֶׁבִיק
bolster *n* כֶּסֶת; כַּר
bolster *vt, vi* רִיפֵּד; תָּמַךְ
bolt *n* בְּרִיחַ; לוֹלָב; בּוֹרֶג; בְּרִיחַת פֶּתַע
bolt *vt, vi* בָּרַג, חִיזֵּק בִּבְרָגִים, לִילֵּב; בָּרַח, הִשְׁתַּמֵּט
bolter *n* בּוֹרֵחַ
bomb *n* פְּצָצָה
bomb *vt, vi* הִפְצִיץ
bombard *vt* הִרְעִישׁ
bombardment *n* הַפְצָצָה
bombast *n* גִּיבּוּב מְלִיצוֹת
bombastic(al) *adj* מְלִיצִי, בּוֹמְבַּסְטִי
bomb crater *n* מַכְתֵּשׁ פְּצָצָה
bombproof *adj* חֲסִין פְּצָצוֹת
bomb release *n* הַתָּרַת פְּצָצָה
bombshell *n* פְּצָצָה
bond *n* קֶשֶׁר; חֶבֶל; מְקַשֵּׁר, כּוֹבֵל; הִתְחַיְּבוּת, אִיגֶּרֶת חוֹב
bondage *n* עַבְדוּת; שִׁעְבּוּד
bonded warehouses *n* מַחְסְנֵי עֲרוּבָּה
bondholder *n* מַחֲזִיק תְּעוּדַת־מִלְוֶה
bondsman *n* עֶבֶד
bone *n* עֶצֶם
bone *vt, vi* הוֹצִיא עֲצָמוֹת; לָמַד בִּשְׁקִידָה
bone-head *n* אֱוִיל, עַקְשָׁן
boneless *adj* חֲסַר עֲצָמוֹת
boner *n* טָעוּת מְגוּחֶכֶת
bonfire *n* מְדוּרָה
bonnet *n* מִצְנֶפֶת, כּוּמְתָּה; חִיפַּת הַמָּנוֹעַ
bonus *n* הֲטָבָה, תּוֹסֶפֶת מְיוּחֶדֶת
bony *adj* גַּרְמִי; מָלֵא עֲצָמוֹת

boo *interj, n* בּוּ!, בּוּז!
boo *vt, vi* הִשְׁמִיעַ קְרִיאוֹת־גְּנַאי
booby *n* שׁוֹטֶה, אֱוִיל
booby prize *n* פְּרָס לָאַחֲרוֹן
booby trap *n* מַלְכּוֹדֶת מִשְׂחָק; פֶּצֶץ מוּסְוֶה
boogie-woogie *n* בּוּגִי־ווּגִי
book *n* סֵפֶר; כֶּרֶךְ; פִּנְקָס; רְשִׁימַת הִימּוּרִים
book *vt* הִזְמִין מָקוֹם; הִכְנִיס לִרְשִׁימָה
bookbinder *n* כּוֹרֵךְ סְפָרִים
bookbindery *n* כְּרִיכִיָּה
bookbinding *n* כְּרִיכַת סְפָרִים
bookcase *n* אֲרוֹן סְפָרִים
book-end *n* זָוִיתָן לִסְפָרִים
bookie *n* סוֹכֵן הִימּוּרִים
booking *n* הַזְמָנָה
bookish *adj* לַמְדָנִי
bookkeeper *n* מְנַהֵל סְפָרִים
bookkeeping *n* הַנְהָלַת־סְפָרִים
bookmaker *n* עוֹשֶׂה סְפָרִים; סוֹכֵן הִימּוּרִים
bookmark(er) *n* סִימָנִית; תָּוִית סֵפֶר
bookplate *n* תָּוִית סֵפֶר
book review *n* מַאֲמַר בִּיקּוֹרֶת סְפָרִים
bookseller *n* מוֹכֵר סְפָרִים
bookshelf *n* מַדַּף סְפָרִים
bookstand *n* דּוּכַן סְפָרִים
bookstore *n* חֲנוּת סְפָרִים
bookworm *n* תּוֹלַעַת סְפָרִים
boom *n* קוֹל גּוֹעֵשׁ; זִמְזוּם; עֲלִיַּית פִּתְאוֹם (בַּמְּחִירִים); מוֹט מִפְרָשׂ; שַׁרְשֶׁרֶת חוֹסֶמֶת
boom *vt, vi* גָּעַשׁ; זִמְזֵם; קָפַץ קְפִיצַת־דֶּרֶךְ (בְּהִתְפַּתְּחוּת וכד׳)
boomerang *n* בּוּמֶרַנְג; חֶרֶב פִּיפִיּוֹת
boom town *n* עִיר גֵּאוּת
boon *n* הֲנָאָה; חֶסֶד, בְּרָכָה
boon companion *n* חָבֵר שָׂמֵחַ
boor *n* גַּס־רוּחַ; בּוּר
boorish *adj* גַּס, מְגוּשָּׁם
boost *n* הֲרָמָה; עִידּוּד; הַגְבָּרָה
boost *vt* הֵרִים; דִּיבֵּר בְּשֶׁבַח
booster *n, adj* תּוֹמֵךְ, מְעוֹדֵד
boot *n* נַעַל (שׂלמה); סִבְכַת חֲבִילוֹת (בִּמְכוֹנִית)
boot *vt* נָעַל; בָּעַט
bootblack *n* מְצַחְצֵחַ נַעֲלַיִים
booth *n* סֻכָּה; תָּא (לטלפון וכד׳)
bootjack *n* חוֹלֵץ נַעַל
bootleg *vt, adj* סָחַר בְּשׁוּק שָׁחוֹר
bootlegger *n* מַבְרִיחַ מַשְׁקָאוֹת
bootlegging *n* הַבְרָחָה
bootlicker *n* חַנְפָן, ׳מְלַקֵּק׳
bootstrap *n* לוּלְאַת נַעַל
booty *n* שָׁלָל, בִּיזָּה
booze *n* מַשְׁקֶה
booze *vi* שָׁתָה לְשָׁכְרָה
borax *n* בּוֹרַקְס
border *n* גְּבוּל; סְפָר; קָצֶה
border *vt, vi* הֵקִים גְּבוּל; גָּבַל
border clash *n* הִתְנַגְּשׁוּת בַּגְּבוּל
borderline *adj* גּוֹבֵל; שָׁנוּי בְּמַחֲלוֹקֶת
bore *n* לוֹעַ הַתּוֹתָח; קוֹטֶר לוֹעַ הַתּוֹתָח; (אדם) מְשַׁעֲמֵם; שִׁעֲמוּם
bore *vt, vi* קָדַח, קִידֵּחַ, נִיקֵּב; חָדַר; שִׁיעֲמֵם
boredom *n* שִׁיעֲמוּם, מֹטְרָד
boring *n* קִידּוּחַ; נִיקּוּב; נֶקֶב
born *adj* נוֹלָד; מִלֵּידָה

borough *n* אֵיזוֹר עִיר; עִיר
borrow *vt, vi* לָוָה, שָׁאַל
borrower *n* לוֶֹה, שׁוֹאֵל
bosom *n* חָזֶה, חֵיק
bosom friend *n* יְדִיד קָרוֹב
Bosporus *n* בּוֹסְפוֹר
boss *n* זִיז; מַטְבַּעַת; בַּעַל עֵסֶק; מְנַהֵל; (בארה"ב) מְרַכֵּז מִפְלָגָה
boss *vt, vi* נִיהֵל; הִשְׁתַּלֵּט
bossy *adj* שְׁתַלְּטָנִי
botanic(al) *adj* בּוֹטָנִי
botanist *n* בּוֹטָנַאי, בּוֹטָנִיקָן
botany *n* בּוֹטָנִיקָה
botch *vt, vi* בִּיצֵּעַ מְלָאכָה גְרוּעָה
botch *n* מְלָאכָה גְרוּעָה; טְלַאי גַס
both *adj pron, adv* הַשְּׁנַיִם; שְׁנֵיהֶם
both... and גַּם וְגַם
bother *n* טִרְחָה, מִטְרָד; טַרְחָן
bother *vt, vi* הִדְאִיג, הִטְרִיד
bothersome *adj* מַטְרִיד, מַדְאִיג
bottle *vt* מִילֵּא בְּבַקְבּוּקִים; בִּקְבֵּק
bottle *n* בַּקְבּוּק
bottleneck *n* צַוַּאר בַּקְבּוּק
bottle opener *n* פּוֹתְחָן
bottom *n* תַּחְתִּית, קַרְקָעִית; קַעַר (בספינה); מוֹשָׁב (של כיסא); יַשְׁבָן
bottomless *adj* לְלֹא קַרְקָעִית, לְלֹא תַּחְתִּית
boudoir *n* בּוּדוּאָר, חֲדַר הָאִישָּׁה
bough *n* עָנָף
bouillon *n* מְרַק בָּשָׂר
boulder *n* גּוּשׁ אֶבֶן
boulevard *n* שְׂדֵרָה
bounce *n* הֶעָפָה; הִתְרַבְרְבוּת
bounce *vt, vi* זִינֵּק, הֵעִיף; הִתְרַבְרֵב
bouncer *n* מֵעִיף, זוֹרֵק
bouncing *adj* בַּעַל־גוּפִי, גְבַרְתָּנִי
bound *n* זִינּוּק, קְפִיצָה, נְתִירָה
bound *n* גְּבוּל, תְּחוּם
bound *adj* בַּדֶּרֶךְ, נוֹעָד; קָשׁוּר, אָנוּס; מְכוֹרָךְ (לגבי ספר); חַיָּיב
boundary *n* גְּבוּל
boundary stone *n* אֶבֶן גְּבוּל
bounder *n* חֲסַר נִימוּס
boundless *adj* לְלֹא גְבוּל
bountiful *adj* נְדִיב־לֵב; מְשׁוּפָּע
bounty *n* נְדִיבוּת; מַעֲנָק
bouquet *n* זֵר פְּרָחִים; נִיחוֹחַ יַיִן
bourgeois *n, adj* בּוּרְגָנִי
bourgeoisie *n* הַבּוּרְגָנוּת
bout *n* הִתְמוֹדְדוּת; מִשְׁמֶרֶת; הַתְקָפָה (של שתייה או מחלה)
bow *vi, vt* הֶחֱוָוה קִידָּה; נִכְנַע; הִכְנִיעַ; הִרְכִּין; קִישֵּׁת; הִתְקַשֵּׁת; (במוסיקה) קָשַׁת
bow *n* קֶשֶׁת; עִיקּוּל; לוּלָאָה; קִידָּה; חַרְטוֹם הַסְּפִינָה
bowdlerize *vt* טִיהֵר (ספר)
bowel, bowels *n* מֵעַיִם, קְרָבַיִים
bowel movement *n* פְּעוּלַּת מֵעַיִים
bower *n* סוּכַּת יֶרֶק
bowery *n* חַוָּוה
bowie knife *n* סַכִּין אָרוֹךְ
bow knot *n* קֶשֶׁר סֶרֶט
bowl *n* קְעָרָה, קַעֲרִית
bowl *vi, vt* שִׂיחֵק בְּכַדּוֹרֶת; נָע בִּמְהִירוּת
bow-legged *adj* מְקוּשַּׁט רַגְלַיִים
bowler *n* מְגַלְגֵּל כַּדּוּר; מִגְבַּעַת גְּבָרִים

bowling *n* מִשְׂחַק הַכַּדּוֹרֶת
bowling alley *n* אוּלַם כַּדּוֹרֶת
bowling green *n* מִגְרַשׁ כַּדּוֹרֶת
bowshot *n* מְטַחֲוֵי־קֶשֶׁת
bowsprit *n* זִיז
bow tie *n* עֲנִיבַת קֶשֶׁת
bow-wow *n* הַבְהָבִים; כֶּלֶב
box *n* תֵּיבָה, אַרְגָּז; תָּא (בְּתֵיאַטְרוֹן); מַהֲלוּמָה בָּאוֹזֶן; (עֵץ) תְּאַשּׁוּר
box *vt* שָׂם בְּתֵיבָה אוֹ בְּאַרְגָּז
box *vt, vi* הִתְאַגְרֵף; הָלַם בְּאֶגְרוֹפָיו
boxcar *n* קְרוֹן מִטְעָן סָגוּר
boxer *n* מִתְאַגְרֵף; (כֶּלֶב) בּוֹקְסֶר
boxing *n* אִגְרוּף
boxing glove *n* כְּפֶפֶת אִגְרוּף
box office *n* קוּפָּה
box office hit *n* הַצְלָחָה קוּפָּתִית
box office record *n* שִׂיא קוּפָּתִי
box office sale *n* מְכִירַת כַּרְטִיסִים בַּקּוּפָּה
box pleat *n* קֶפֶל כָּפוּל
box seat *n* מוֹשַׁב תָּא
boxwood *n* עֵץ תֵּיבוֹת (תְּאַשּׁוּר)
boy *n* יֶלֶד; נַעַר; בָּחוּר
boycott *n* חֵרֶם
boycott *vt* הֶחֱרִים, נִידָּה
boyish *adj* שֶׁל נַעַר, תָּמִים
boy scout *n* צוֹפֶה
bra *n* חֲזִיָּיה
brace *n* מַאֲחֵז; הֶדֶק; אֶגֶד; זוּג; מְיַישֵּׁר שִׁנַּיִים
brace *vt* הִידֵּק, צִימֵּד; חִיזֵּק; אוֹשֵׁשׁ
brace and bit *n* מַקְדֵּחַת אַרְכּוּבָּה
braces *n* כְּתֵפוֹת
bracelet *n* צְמִיד

bracer *n* מְחַזֵּק, מְאוֹשֵׁשׁ
bracing *adj* מְחַזֵּק, מְאוֹשֵׁשׁ
bracket *n* כַּן, מִסְעָד; זִיז פִּינָּה; (בְּסִימְנֵי־פִּיסּוּק) סוֹגֵר
bracket *vi* תָּמַךְ, סָעַד; שָׂם בְּסוֹגְרַיִים; הִצְמִיד; צִיֵּין יַחַד
brackish *adj* (מַיִם) מְלוּחִים בְּמִקְצָת
brad *n* מַסְמֵר
brag *n* דִּבְרֵי הִתְפָּאֲרוּת
brag *vi* הִתְרַבְרֵב, הִתְפָּאֵר
braggart *n* רַבְרְבָן, מִתְיַיהֵר
braid *n* מִקְלַעַת, צַמָּה
braid *vt* קָלַע; קָשַׁר בְּסֶרֶט
brain *n* מוֹחַ; (בְּרַבִּים) תְּפִיסָה, הֲבָנָה
brain child *n* פְּרִי רוּחַ, יְצִירָה
brain drain *n* הֲגִירַת אֲקָדֵמָאִים
brainless *adj* חֲסַר שֵׂכֶל, שׁוֹטֶה
brain power *n* יְכוֹלֶת רוּחָנִית
brain-storm *n* הַתְקָפַת עֲצַבִּים; הַשְׁרָאָה פִּתְאוֹמִית
brain(s) trust *n* צֶוֶות מוֹחוֹת
brain-washing *n* שְׁטִיפַת מוֹחַ
brain-wave *n* הַשְׁרָאָה פִּתְאוֹמִית
brainy *adj* פִּיקֵּחַ
braise *vt* טִיגֵּן־צָלָה
brake *n* בֶּלֶם; מַעְצֵר; מַפֵּץ פִּשְׁתָּן; מֶרְכָּבָה; סְבַךְ שִׂיחִים; שָׂרָךְ
brake *vt, vi* בָּלַם
brake band *n* סֶרֶט הַבֶּלֶם
brake drum *n* תּוֹף הַבֶּלֶם
brake lining *n* רְפִידַת הַבֶּלֶם
brakeman *n* בַּלְמָן
brake shoe *n* גְּשִׁישׁ הַבֶּלֶם
bramble *n* אָטָד

brambly *adj* קוֹצָנִי
bran *n* סוּבִּין
branch *n* עָנָף, חוֹטֶר; סְנִיף
branch *vi* הִסְתָּעֵף
branch line *n* שְׁלוּחַת מְסִילַּת בַּרְזֶל
branch office *n* מִשְׂרָד סְנִיפִי
brand *n* סִימָן מִסחָרִי; סוּג, טִיב; סִימָן מְקוּעֲקָע; אוֹת קָלוֹן; אוּד
brand *vt* צִיֵּין סִימָן; שָׂם אוֹת קָלוֹן
branding iron *n* מוֹט קַעקוּעַ
brandish *vt* נוֹפֵף (חרב וכד׳)
brand-new *adj* חָדִישׁ
brandy *n* בְּרַנְדִי, יַ״שׁ
brash *adj* פָּזִיז; מְחוּצָף
brass *n* פְּלִיז; (בְּמוּסִיקָה) כְּלִי־נְשִׁיפָה
brass band *n* תִּזמוֹרֶת כְּלֵי־נְשִׁיפָה
brass hat *n* (המונית) קָצִין גָבוֹהַּ
brassière *n* חֲזִיַּית אִישָׁה
brass winds *n pl* כְּלֵי־נְשִׁיפָה מִמַּתֶּכֶת
brassy *adj* פְּלִיזִי, מַתַּכְתִּי; מְחוּצָף
brat *n* יֶלֶד (כִּינּוּי שֶׁל בּוּז)
bravado *n* הִתְפָּאֲרוּת, יוֹמְרָנוּת
brave *n* לוֹחֵם (אינדיאני)
brave *adj* אַמִּיץ
brave *vt* הִתנַגֵּד בְּאוֹמֶץ
bravery *n* אוֹמֶץ, הֶעָזָה
bravo *n* רוֹצֵחַ שָׂכוּר
bravo *interj, n* הֵידָד!, יִישַׁר כּוֹחַ!
brawl *n* הִתְכַּתְּשׁוּת, מְרִיבָה
brawl *vi* הִתְכַּתֵּשׁ, רָב
brawler *n* אִישׁ רִיב
brawn *n* כּוֹחַ שְׁרִירִי; בְּשַׂר חֲזִיר כָּבוּשׁ
brawny *adj* שְׁרִירִי, חָזָק
braze *vt* צִיפָּה בִּפְלִיז; הִלְחִים
brazen *adj* עָשׂוּי פְּלִיז; חֲסַר בּוּשָׁה
brazen *vt* הִתְחַצֵּף
brazier, brasier *n* עוֹבֵד בִּפְלִיז
breach *n* שְׁבִירָה; בְּקִיעַ; הֲפָרָה
breach *vt, vi* בִּיקֵּעַ, פָּרַץ
breach of faith *n* הֲפָרַת אֵימוּן
breach of peace *n* הֲפָרַת שָׁלוֹם
breach of promise *n* הֲפָרַת הַבטָחַת נִישׂוּאִין
breach of trust *n* הֲפָרַת אֱמוּנִים
bread *n* לֶחֶם
bread crumbs *n pl* פֵּירוּרֵי לֶחֶם
breaded *adj* קָלוּעַ
bread line *n* תּוֹר לֶחֶם
breadth *n* רוֹחַב
breadwinner *n* מְפַרְנֵס
break *n* שֶׁבֶר; בְּקִיעַ; בְּרִיחָה; הַפְסָקָה; שִׁינּוּי נִיכָּר (בקול, בכיוון); הִזדַמְּנוּת
break *vt, vi* שָׁבַר; פָּרַץ (כלא וכד׳); נִשְׁבַּר
breakable *adj* שָׁבִיר, פָּרִיךְ
breakage *n* שְׁבִירָה; שֶׁבֶר
breakdown *n* הִתְמוֹטְטוּת; קִלְקוּל; אֲנָלִיזָה
breaker *n* מְשַׁבֵּר; מִשְׁבָּר (גל)
breakfast *n* אֲרוּחַת־בּוֹקֶר
breakneck *adj* מְסוּכָּן
break of day *n* עֲלוֹת הַשַּׁחַר
breakthrough *n* פְּרִיצָה, חֲדִירָה
break-up *n* הִתְפָּרְקוּת
breakwater *n* מֵזַח
breast *n* חָזֶה, שַׁד
breastbone *n* עֶצֶם הֶחָזֶה
breastpin *n* סִיכַּת חָזֶה, סִיכַּת צַוָּואר
breaststroke *n* שְׂחִיַּית חָזֶה

breath *n* נְשִׁימָה; שְׁאִיפַת רוּחַ
breathe *vt, vi* נָשַׁם; הִתְנַשֵּׁם
breathe in *vi* נָשַׁם, שָׁאַף
breathe out *vi* נָשַׁף
breathing spell *n* שָׁהוּת לִנְשׁוֹם לִרְוָחָה
breathless *adj* חֲסַר נְשִׁימָה
breathtaking *adj* עוֹצֵר נְשִׁימָה
breech *n* מִכְנָס
breeches *n pl* מִכְנְסֵי־רְכִיבָה
breed *n* גֶּזַע
breed *vt, vi* הֵקִים וְלָדוֹת; גִּידֵּל; הִשְׁבִּיחַ גֶּזַע
breeder *n* מְגַדֵּל, מְטַפֵּחַ
breeding *n* גִּידּוּל; תַּרְבּוּת הַבַּיִת
breeze *n* מַשַּׁב־רוּחַ
breezy *adj* פָּתוּחַ לָרוּחַ; רַעֲנָן
brevity *n* קוֹצֶר
brew *vt* בִּישֵּׁל; זָמַם
brewer *n* מְבַשֵּׁל שֵׁיכָר
brewer's yeast *n* שְׁמָרֵי שֵׁיכָר
brewery *n* בֵּית מְבַשֵּׁל שֵׁיכָר
bribe *n* שׁוֹחַד
bribe *vt* שִׁיחֵד
bribery *n* שׁוֹחַד; שִׁיחוּד
bric-a-brac *n* תַּקְשִׁיטִים קְטַנִּים
brick *n* לְבֵנָה
brick *vt* בָּנָה בִּלְבֵנִים, נִדְבַּךְ
brickbat *n* (דִּיבּוּרִית) הֶעָרָה פּוֹגַעַת
brick-kiln *n* כּוּר לְבֵנִים
bricklayer *n* בַּנַּאי
brickyard *n* מִלְבָּנָה
bridal *adj* שֶׁל כַּלָּה, שֶׁל כְּלוּלוֹת
bride *n* כַּלָּה
bridegroom *n* חָתָן

bridesmaid *n* שׁוֹשְׁבִינַת הַכַּלָּה
bridge *n* גֶּשֶׁר; בְּרִידְג׳ (משחק קלפים)
bridge *vt* גִּישֵּׁר
bridgehead *n* רֹאשׁ־גֶּשֶׁר
bridle *n* רֶסֶן
bridle *vt, vi* רִיסֵּן; הִגְבִּיהַּ רֹאשׁ (בְּכעס)
bridle path *n* שְׁבִיל לְרוֹכְבֵי סוּסִים
brief *n* תַּדְרִיךְ
brief *adj* קָצָר
brief *vt* תִּדְרֵךְ
brief case *n* תִּיק
brier *n* עוֹקֶץ; חוֹחַ; וֶרֶד יֵינִי; עֶצְבּוֹנִית
brig *n* (ספינה) דּוּ־תּוֹרְנִית; כֶּלֶא אוֹנִיָּה
brigade *n* בְּרִיגָדָה, חֲטִיבָה
brigadier *n* בְּרִיגָדִיר, תַּת־אַלּוּף
brigand *n* לִסְטִים
brigantine *n* דּוּ־תּוֹרְנִית קְטַנָּה (ספינה)
bright *adj* זוֹרֵחַ, מֵאִיר; מַזְהִיר
brighten *vt, vi* הֵאִיר יוֹתֵר; הוּאַר יוֹתֵר
brilliance, brilliancy *n* זוֹהַר, זִיו; הִצְטַיְּינוּת
brilliant *adj* מַזְהִיר; מִצְטַיֵּין
brim *n* שָׂפָה; אוֹגֶן (בְּמִגְבַּעַת וכד׳)
brimstone *n* גּוֹפְרִית, גָּפְרִית
brine *n* מֵי־מֶלַח; מֵי־יָם
bring *vt, vi* הֵבִיא
bring about *vt* גָּרַם
bring up *vt* גִּידֵּל (ילד)
brink *n* שָׂפָה (של שטח מים); קָצֶה, גְּבוּל, סַף

bristle *n* זִיף
bristle *vt, vi* הִזדַקֵר כְּזִיף; הִסמִיר שֵׂעָר
Britannic *adj* בְּרִיטִי
British *adj* בְּרִיטִי
Britisher *n* בְּרִיטִי
Briton *n* בְּרִיטִי
Brittany *n* בְּרֶטוֹן
brittle *adj* שָׁבִיר, פָּרִיך
broach *n* שַׁפּוּד (לצלייה); חוֹד (בּרֹאשׁ סיכּה); מַקְדֵחַ
broach *vt* נִיקֵב (חבית); פָּתַח
broad *adj* רָחָב, נִרחָב
broadcast *n* שִׁידוּר
broadcast *vt, vi* שִׁידֵר; הֵפִיץ
broadcasting station *n* תַּחֲנַת שִׁידוּר
broadcloth *n* אָרִיג מְשׁוּבָּח
broaden *vt, vi* הִרחִיב; הִתפַּשֵׁט
broadloom *n* נוֹל רָחָב
broadminded *adj* רְחַב־אוֹפֶק; סוֹבלָנִי
broadshouldered *adj* רְחַב כְּתֵפַיִים
broadside *n* פְּנֵי הָאוֹנִייָה; סוֹלְלַת צַד הָאוֹנִייָה
broadsword *n* חֲנִית רַחֲבַת לַהַב
brocade *n* מַעֲשֵׂה רִקמָה
broccoli *n* בְּרוֹקוֹלִי
brochure *n* עָלוֹן
brogue *n* הִיגּוּי אִירִי (באנגלית); נַעַל (חזקה ומקוּשׁטת)
broil *vt* צָלָה
broiler *n* תַּנּוּר צְלִייָה; עוֹף צָעִיר
broken *adj* שָׁבוּר, רָצוּץ
brokendown *adj* הָרוּס; נִכנָע
brokenhearted *adj* שְׁבוּר־לֵב

broker *n* סַרסוּר; מְתַוֵּוך
brokerage *n* סַרסָרוּת; דְמֵי סַרסָרוּת
bromide *n* בְּרוֹמִיד
bromine *n* בְּרוֹם
bronchitis *n* דַלֶקֶת הַסִימפּוֹנוֹת
broncho, bronco *n* בְּרוֹנקוֹ
broncho-buster *n* מְאַלֵף סוּסֵי בְּרוֹנקוֹ
bronze *n, adj* אָרָד, בְּרוֹנזָה
brooch *n* סִיכַּת תַּכשִׁיט, מַכבֵּנָה
brood *n* דוֹר גוֹזָלִים
brood *vi* דָגְרָה; הִרהֵר
brook *n* פֶּלֶג
brook *vt* נָשָׂא, סָבַל
broom *n* מַטאֲטֵא
broomcorn *n* דוּרָה
broomstick *n* מַקַל מַטאֲטֵא
broth *n* מְרַק בָּשָׂר; מְרַק דָגִים
brothel *n* בֵּית־זוֹנוֹת, בֵּית־בּוֹשֶׁת
brother *n* אָח
brother-in-law *n* גִיס
brotherly *adj* כְּאָח, יְדִידוּתִי
brow *n* גַבָּה; מֵצַח
browbeat *vt* רָדַף, הִפחִיד (במלים)
brown *adj* חוּם
brownish *adj* שְׁחַמתָּן, שַׁחֲמוּמִי
brown sugar *n* סוּכָּר חוּם
brown study *n* שְׁקִיעָה בְּמַחֲשָׁבוֹת
browse *n* חוֹטָרִים; קְלָחִים
browse *vi* לִיחֵך; הֵצִיץ בִּספָרִים
bruise *n* חַבּוּרָה
bruise *vt, vi* פָּצַע בְּמַכָּה; הִכחִיל (ממכּה)
brunet *n, adj* שָׁחוּם, בְּרוּנֶטִי
brunette *n, adj* שְׁחוּמָה, בְּרוּנֶטִית

brunt *n* נֵטֶל

brush *n* סְבַךְ שִׂיחִים; מִבְרֶשֶׁת; מִכְחוֹל; הִתְנַגְּשׁוּת קַלָּה

brush *vt*, *vi* בֵּירֵשׁ; צִחְצֵחַ; נָגַע קַלּוֹת

brush-off *n* סֵירוּב, מֵיאוּן

brushwood *n* עֲנָפִים שְׁבוּרִים; סִבְכֵי שִׂיחִים

brusque *adj* מָהִיר; לֹא אָדִיב

brusqueness *n* פְּזִיזוּת, חוֹסֶר אֲדִיבוּת

Brussels *n* בְּרִיסֶל

Brussels sprouts *n pl* כְּרוּב בְּרוּסֶלִי

brutal *adj* פִּרְאִי, חַיָּתִי, אַכְזָרִי

brutality *n* אַכְזְרִיוּת, פְּרָאוּת

brute *n* חַיָּה; יֵצֶר חַיָּתִי

brute *adj* חֲסַר מַחֲשָׁבָה, חַיָּתִי

brutish *adj* חַיָּתִי, אַכְזָרִי

bubble *n* בּוּעָה; בִּעְבּוּעַ

bubble *vt*, *vi* הֶעֱלָה בּוּעוֹת; גִּרְגֵּר

buck *n* זָכָר (שֶׁל צְבִי וכד׳); טַרְזָן; (דִיבּוּרִית) דוֹלָר

buck *vi*, *vt* (לגבי סוס) דָהַר בִּזְקִיפוּת; הִתְנַגֵּד בְּעַקְשָׁנוּת; טוֹלְטֵל

bucket *n* דְּלִי

buckle *n* אַבְזֵם

buckle *vt*, *vi* אִבְזֵם; הִתְכּוֹנֵן

buck private *n* טוּרַאי

buckram *n* בַּד מִקְשֶׁה

bucksaw *n* מַסּוֹר לִשְׁנַיִם

buckshot *n* כַּדּוּר עוֹפֶרֶת

bucktooth *n* שֵׁן בּוֹלֶטֶת

buckwheat *n* חִיטָּה שְׁחוֹרָה, כּוּסֶּמֶת

bud *n* נִיצָּן, צִיץ; נֶבֶט

buddy *n* (דִיבּוּרִית) חָבֵר

budge *vt*, *vi* זָע; הֵנִיעַ

budget *n* תַּקְצִיב; הַקְצָבָה

budget *vi*, *vt* תִּקְצֵב; תִּכְנֵן

budgetary *adj* תַּקְצִיבִי

buff *n* חוּם־צַהֲבוֹנִי; עוֹר אָדָם

buff *adj* עוֹרִי; חוּם־צַהֲבוֹנִי

buff *vt* הִבְרִיק, לִיטֵּשׁ

buffalo *n* תְּאוֹ, בּוּפָלוֹ

buffalo *vt* אִיֵּם

buffer *n* בּוֹלֵעַ הֶלֶם

buffer state *n* מְדִינַת חַיִץ

buffet *vt*, *vi* הָלַם; נֶאֱבַק

buffet *n* מִזְנוֹן; מַכַּת אֶגְרוֹף

buffet car *n* מִזְנוֹן רַכֶּבֶת

buffet lunch *n* אֲרוּחַת־צָהֳרַיִים בְּמִזְנוֹן

buffet supper *n* אֲרוּחַת־עֶרֶב בְּמִזְנוֹן

buffoon *n* בַּדְּחָן

buffoonery *n* בַּדְּחָנוּת

bug *n* חֶרֶק; פִּשְׁפֵּשׁ

bug *vt* (דִיבּוּרִית) צוֹתֵת

bugbear *n* דַּחְלִיל

buggy *n* מֶרְכָּבָה

buggy *adj* נָגוּעַ בְּפִשְׁפְּשִׁים, מְפוּשְׁפָּשׁ

bughouse *n* בֵּית־מְשׁוּגָּעִים

bugle *n* חֲצוֹצְרָה

bugle call *n* קְרִיאַת חֲצוֹצְרָה

bugler *n* מְחַצְצֵר

build *n* מִבְנֶה

build *vt* בָּנָה

building *n* בִּנְיָן; בְּנִיָּיה

building and loan association *n* חֶבְרַת הַלְוָואוֹת לְבִנְיָין

building lot *n* מִגְרַשׁ בְּנִיָּיה

building site *n* מִגְרַשׁ בְּנִיָּיה

building trades *n pl* מִקְצוֹעוֹת הַבְּנִיָּיה

build-up *adj* הִצְטַבְּרוּת; תַּעֲמוּלָה מוּקְדֶּמֶת

built-in *adj* בָּנוּי בַּקִּיר
built-up *adj* מְכוּסֶּה בִּנְיָנִים
bulb *n* בָּצָל; כַּדּוּרוֹן; נוּרַת־חַשְׁמַל
Bulgaria *n* בּוּלְגַרְיָה
Bulgarian *adj, n* בּוּלְגָרִי; בּוּלְגָרִית
bulge *n* בְּלִיטָה; הִתְנַפְּחוּת
bulge *vt, vi* הִבְלִיט; בָּלַט, הִתְנַפֵּחַ
bulk *n* נֶפַח; עִיקָּר; צוֹבֶר
bulkhead *n* מְחִיצָה
bulky *adj* גַּמְלוֹנִי; נָפוּחַ
bull *n* פַּר; זָכָר (כגון פיל); (בבורסה) סַפְסָר יַקְרָן; צַו שֶׁל הָאַפִּיפְיוֹר
bulldog *n* כֶּלֶב בּוּלְדוֹג
bulldoze *vt* כָּפָה בְּאִיּוּמִים
bulldozer *n* דַּחְפּוֹר
bullet *n* קָלִיעַ, כַּדּוּר
bulletin *n* עָלוֹן; יְדִיעוֹן
bulletin board *n* לוּחַ מוֹדָעוֹת
bulletproof *adj* חֲסִין קְלִיעִים
bullfight *n* מִלְחֶמֶת פָּרִים
bullfighter *n* לוֹחֵם בְּמִלְחֶמֶת פָּרִים
bullfighting *n* מִלְחֶמֶת פָּרִים
bullfinch *n* תַּמָּה
bullfrog *n* צְפַרְדֵּעַ־הַשּׁוֹר
bullheaded *adj* עַקְשָׁנִי, אֱוִילִי
bullion *n* זָהָב, כֶּסֶף; מְטִיל (זהב או כסף)
bullish *adj* פָּרִי; עַקְשָׁנִי, אֱוִילִי; (בבורסה) גּוֹרֵם לַעֲלִיַּת מְחִירִים
bullock *n* שׁוֹר, בְּהֵמָה עֲקוּרָה
bull pen *n* מִכְלָאָה; בֵּית־מַעֲצָר
bullring *n* זִירַת הַפָּרִים
bull's-eye *n* 'בּוּל'
bully *n* רוֹדָן וּפַחְדָן
bully *vt* רָדַף (גופנית או מוסרית)
bully *interj* !מְצוּיָּן!, יוֹפִי
bulrush *n* אַגְמוֹן
bulwark *n* סוֹלְלָה, דָּיֵק; הֲגַנָּה
bum *n* הוֹלֵךְ בָּטֵל; שַׁתְיָן
bum *vt, vi* חַי עַל חֶשְׁבּוֹן הַכְּלָל; הָלַךְ בָּטֵל
bumblebee *n* דְּבוֹרָה
bump *n* מַכָּה, חַבּוּרָה; הִתְנַגְּשׁוּת
bump *vi, vt* הִתְנַגֵּשׁ; הֵטִיחַ
bumper *n* (במכונית) פָּגוֹשׁ
bumpkin *n* כַּפְרִי מְגוּשָּׁם
bumptious *adj* קוֹפֵץ בְּרֹאשׁ, בּוֹטֵחַ בְּעַצְמוֹ
bumpy *adj* לֹא חָלָק
bun *n* עוּגִית; לַחְמָנִית (מתוקה)
bunch *n* צְרוֹר, אֶשְׁכּוֹל; חֲבוּרָה
bunch *vt, vi* אִיגֵּד, צֵירֵף; הִתְאַגֵּד
bundle *n* חֲבִילָה; אֲלוּמָּה
bundle *vt, vi* אָרַז, אִיגֵּד
bung *n* פְּקָק
bungalow *n* בּוּנְגָלוֹ
bung hole *n* פֶּתַח מְגוּפָה
bungle *vi, vt* קִלְקֵל, סָרַח
bungling *adj* מְקַלְקֵל, 'מְפַסְפֵס'
bunion *n* יַבֶּלֶת
bunk *n* מִיטַּת־קִיר; (המונית) שְׁטוּיוֹת
bunker *n* תָּא הַפֶּחָם (באונייה); מַחְסֶה תַּת־קַרְקָעִי, 'בּוּנְקֶר'
bunny *n* שָׁפָן קָטָן
bunting *n* אֲרִיג דְּגָלִים; גִּבְתּוֹן (ציפור)
buoy *n* מָצוֹף
buoyancy *n* צִיפָנוּת; כּוֹחַ הָעִילּוּי
buoyant *adj* צִיפָנִי; מְעוֹדָד, עַלִּיז
bur, burr *n* קְלִיפָּה קָשָׁה

burble *vi* גִרגֵר; פִּטפֵּט
burble *n* גִרגוּר; מִלמוּל, פִּטפּוּט
burden *n* מַשָׂא, נֵטֶל
burden of proof *n* נֵטֶל הַהוֹכָחָה
burdensome *adj* מֵעִיק
burdock *n* סְרִיכוֹנִית, לַפָּה
bureau *n* שוּלחַן־כְּתִיבָה; מִשׂרָד, לִשׁכָּה
bureaucracy *n* בִּיוּרוֹקרַטְיָה, נַיֶרֶת, סַחֶבֶת
bureaucrat *n* בִּיוּרוֹקרָט
bureaucratic(al) *adj* בִּיוּרוֹקרָטִי
burgess *n* אֶזרָח
burglar *n* פּוֹרֵץ
burglar alarm *n* אַזעָקַת שׁוֹד
burglar proof *adj* חֲסִין פְּרִיצָה
burglary *n* פְּרִיצָה
burial *n* קְבוּרָה
burial-ground *n* אֲחוּזַת־קֶבֶר
burlap *n* אָרִיג גַס
burlesque *n* בּוּרלֶסקָה, פָּרוֹדְיָה
burlesque *vt, vi* לִגלֵג, עָשָׂה לִצחוֹק
burlesque show *n* הַצָּגַת בּוּרלֶסקָה
burly *adj* בַּעַל גוּף
Burma *n* בּוּרמָה
Burmese *n, adj* בּוּרמָנִית (שָׂפָה); בּוּרמָנִי
burn *n* כְּוִויָה
burn *vt, vi* דָלַק; בָּעַר
burn down *vi* עָלָה בָּאֵשׁ
burner *n* מַבעֵר, מַדלֶקֶת
burning *adj* בּוֹעֵר, לוֹהֵט
burnish *n* בָּרָק, בּוֹהַק
burnish *vt, vi* צִחצֵחַ, מֵירֵט; הִברִיק
burnous(e) *n* בּוּרנוּס
burnt almond *n* שָׁקֵד צָלוּי
burr *n* זִיז; קְלִיפָּה קָשָׁה
burrow *n* שׁוּחָה
burrow *vi, vt* חָפַר שׁוּחָה, חָפַר מִנהָרָה; הִתחַפֵּר
bursar *n* גִזבָּר
burst *n* הִתפּוֹצְצוּת; הִתפָּרְצוּת; (בצבאיות) צְרוֹר
burst *vi, vt* הִתפּוֹצֵץ; הִתפָּרֵץ; נִיפֵּץ; בָּקַע
bury *vt* קָבַר, הִטמִין
burying-ground *n* בֵּית־קְבָרוֹת
bus *n* אוֹטוֹבּוּס
busboy *n* עוֹזֵר לְמֶלצַר
busby *n* מִגבַּעַת פַּרווָה
bush *n* שִׂיחַ; סְבַך; יַעַר
bushel *n* בּוּשֶׁל
bushing *n* תּוֹתָב
bushy *adj* דְמוּי שִׂיחַ; מְכוּסֶּה שִׂיחִים
business *n* עֵסֶק; עִיסוּק
business district *n* אֵיזוֹר עֲסָקִים
business-like *adj* שִׁיטָתִי, מַעֲשִׂי
businessman *n* אִישׁ־עֲסָקִים, סוֹחֵר
business suit *n* חֲלִיפַת עֲבוֹדָה
busman *n* נַהַג אוֹטוֹבּוּס
buss *n* נְשִׁיקַת תַּאֲווָה
buss *vt, vi* נִישֵּׁק בְּתַאֲווָה, הִתנַשֵּׁק
bust *n* פֶּסֶל רֹאשׁ, חָזֶה; כִּישָׁלוֹן; פְּשִׁיטַת רֶגֶל
bust *vi, vt* הִתפּוֹצֵץ; פּוֹצֵץ, הָרַס
buster *n* נַעַר קָטָן
bustle *n* פְּעִילוּת חֲזָקָה; נִיפּוּחַ שִׂמלָה
bustle *vt, vi* נָע בִּמהִירוּת; זֵירֵז
busy *adj* עָסוּק; פַּעֲלְתָּנִי
busy *v refl, vt* הֶעֱסִיק; הִתעַסֵּק בּ...

busybody *n* מִתְעָרֵב בַּכּוֹל
busy signal *n* צְלִיל תָּפוּס
but *conj* אֲבָל, אַךְ; חוּץ מִן;
אֶלָּא שֶׁ...; מִבְּלִי שֶׁ...
but *adv, prep* חוּץ מִן, אֶלָּא; כִּמְעַט
butcher *n* קַצָּב, בַּעַל אִטְלִיז; שׁוֹחֵט
butcher *vt* שָׁחַט; רָצַח בְּאַכְזְרִיּוּת
butcher knife *n* סַכִּין קַצָּבִים
butcher shop *n* אִטְלִיז
butchery *n* בֵּית־מִטְבָּחַיִים;
קַצָּבוּת; טֶבַח
but for אִלְמָלֵא
butler *n* מְשָׁרֵת רָאשִׁי
butt *vt, vi* נָגַע בּ...; גָּבַל עִם; נָגַח
butter *n* חֶמְאָה
butter *vt, vi* מָרַח בְּחֶמְאָה;
הֶחֱמִיא, הֶחֱנִיף
buttercup *n* נוּרִית
butter dish *n* מַחְמֵאָה
butterfly *n* פַּרְפַּר
butter knife *n* סַכִּין לְחֶמְאָה
buttermilk *n* חוֹבֶץ, חֲלֵב־חֶמְאָה
butter sauce *n* רוֹטֶב חֶמְאָה
butterscotch *n* סוּכָּרִית חֶמְאָה
buttocks *n pl* אֲחוֹרַיִים, ׳יַשְׁבָן׳
button *n* כַּפְתּוֹר; נִיצָּן;
(בחשמל) לְחִיץ
button *vt, vi* כִּפְתֵּר, רָכַס
buttonhole *n* לוּלָאָה;
פֶּרַח (בדש המעיל)
buttonhole *vt* תָּפַר לוּלָאוֹת;
אָחַז בְּדַשׁ הַבֶּגֶד
buttonhook *n* קֶרֶס, פּוֹרְפָּן
buttonwood *n* דּוֹלֶב מַעֲרָבִי
buttress *n* מִתְמָךְ; מִסְעָד
buttress *vt* סָעַד בְּמִתְמָךְ, תָּמַךְ
butt weld *n* חִיבּוּר בְּלִיבּוּן
buxom *adj* דַּדָּנִית, בְּרִיאָה
buy *vt, vi* קָנָה, רָכַשׁ
buy *n* קְנִייָּה
buyer *n* קוֹנֶה, לָקוֹחַ
buzz *n* זִמְזוּם; הֲמוּלָּה
buzz *vt, vi* זִמְזֵם; הָמָה
buzzard *n* אַיָּה, בַּז
buzz-bomb *n* פְּצָצָה מְזַמְזֶמֶת
buzzer *n* זַמְזָם
buzz-saw *n* מַסּוֹר מְעוּגָּל
by *prep, adv* עַל־יַד;
דֶּרֶךְ, בְּאֶמְצָעוּת; לְיַד; בּ...;
עַל־יְדֵי; מֵאֵת; עַל; בְּסָמוּךְ; בַּצַּד
by and by *adv* עוֹד מְעַט
by and large *adv* בְּדֶרֶךְ כְּלָל
bye-bye *interj* הֱיֵה שָׁלוֹם!
by far הַיּוֹתֵר, ׳הֲכִי׳
bygone *adj* שֶׁעָבַר
by-law *n* חוֹק עִירוֹנִי
by-pass *n* כְּבִישׁ עוֹקֵף
by-pass *vt* עָקַף; הֶעֱקִיף
by-product *n* מוּצָר־לְוָואִי;
תּוֹצָאַת לְוָואִי
bystander *n* עוֹמֵד מִן הַצַּד
by the way דֶּרֶךְ אַגַּב
byway *n* דֶּרֶךְ צְדָדִית
byword *n* מֵימְרָה, מָשָׁל
Byzantine *adj* בִּיזַנְטִי
Byzantium *n* בִּיזַנְטְיָה

C

C — סִי – (האות השלישית באלפבית)

cab *n* — מוֹנִית; תָּא הַנֶּהָג

cabaret *n* — קַבָּרֶט, קָפֶה בִּידּוּר

cabbage *n* — כְּרוּב

cab driver *n* — נַהַג מוֹנִית

cabin *n* — בִּיתָן, תָּא

cabinet *n* — מֶמְשָׁלָה; קַבִּינֶט; אָרוֹן

cabinetmaking *n* — נַגָּרוּת רָהִיטִים

cable *n* — כֶּבֶל; חֶבֶל עָבֶה; מִבְרָק

cable *vt, vi* — חִיזֵּק בְּכֶבֶל; הִבְרִיק

cablegram *n* — מִבְרָק

caboose *n* — קָרוֹן מְאַסֵּף

cab stand *n* — תַּחֲנַת מוֹנִיּוֹת

cache *n* — מַחֲבוֹא

cache *vt* — הִטְמִין

cachet *n* — חוֹתֶמֶת; תְּכוּנָה

cackle *n* — קִרְקוּר; פִּטְפּוּט הֶבֶל

cackle *vi* — קִרְקֵר; פִּטְפֵּט

cactus *n* — צַבָּר, קַקְטוּס

cad *n* — נִבְזֶה

cadaver *n* — גְּוִויָּה

cadaverous *adj* — פִּגְרִי

caddie *n* — נוֹשֵׂא־כֵּלִים (בגולף)

cadence *n* — קֶצֶב, מִקְצָב, תֵּנַח

cadet *n* — צוֹעֵר; צְעִיר הַבָּנִים

cadmium *n* — קַדְמִיוּם

cadre *n* — מִסְגֶּרֶת; תֶּקֶן, סֶגֶל

Caesar *n* — קֵיסָר; שַׁלִּיט

café *n* — בֵּית־קָפֶה

café society *n* — הַחוּג הַנּוֹצֵץ

cafeteria *n* — קָפֶטֶרְיָה, מִסְעֶדֶת שֵׁירוּת עַצְמִי

cage *n* — כְּלוּב

cage *vt* — כָּלָא בִּכְלוּב, כִּילֵּב

cageling *n* — צִיפּוֹר בִּכְלוּב

cagey, cagy *adj* — זָהִיר, מְסוּגָּר

cahoots *n* — שׁוּתָּפוּת

Cain *n* — קַיִן, רוֹצֵחַ אָח

Cairo *n* — קָהִיר

cajole *vt* — פִּיתָּה, הִדִּיחַ

cajolery *n* — פִּיתּוּי, הֲדָחָה

cake *n* — עוּגָה, רָקִיק

cake *vt, vi* — גִּיבֵּשׁ; הִתְגַּבֵּשׁ

calabash *n* — בַּקְבּוּק הַדְּלַעַת

calamitous *adj* — הֲרֵה אָסוֹן

calamity *n* — אָסוֹן

calcify *vt, vi* — גָּרַם הִסְתַּיְּדוּת; הִסְתַּיֵּיד

calcium *n* — סִידָן

calculate *vt, vi* — חִישֵּׁב, תִּכְנֵן; חָשַׁב

calculating *adj* — מַחְשְׁבֵן; מְחַשֵּׁב, עָרוּם

calculus *n* — דֶּרֶךְ חִישּׁוּב; חֶשְׁבּוֹן

calendar *n* — לוּחַ שָׁנָה

calf *n* — עֵגֶל; גּוּר; סוֹבֶךְ

calfskin *n* — עוֹר עֵגֶל

caliber *n* — קוֹטֶר; מִידַּת כּוֹשֶׁר

calibrate *vt* — סִימֵּן מִידּוֹת

calico *n* — בַּד לָבָן

caliph *n* — כָּלִיף

caliphate *n* — כָּלִיפוּת

calisthenics *n pl* — הִתְעַמְּלוּת יוֹפִי

calk *vt* — סָתַם בְּקִיעַ; חָמַר (ספינה)

calk *n* — זִיז פַּרְסָה

call *vt, vi* — קָרָא, הִשְׁמִיעַ קוֹל; כִּינָּה; טִלְפֵּן

call *n* — קְרִיאָה, צְעָקָה; הַזְמָנָה; בִּיקּוּר

calla *n* — לוּף, קָלָה

call-boy *n* נַעַר מְשָׁרֵת
caller *n* קוֹרֵא; מְבַקֵּר
call girl *n* נַעֲרַת טֶלֵפוֹן
calling *n* קְרִיאָה; מִשְׁלַח־יָד
calling card *n* כַּרְטִיס בִּיקּוּר
calliope *n* קַלְיאוֹפֶּה
call number *n* מִסְפַּר טֶלֵפוֹן
callous *adj* מוּקְשֶׁה, נוּקְשֵׁה עוֹר
callus *n* עוֹר נוּקְשֶׁה, קַלּוּס
calm *n* שֶׁקֶט, רְגִיעָה
calm *adj* שָׁקֵט, רָגוּעַ
calm *vt, vi* הִשְׁקִיט, הִרְגִּיעַ
calm down *n* נִרְגַּע
calmness *n* שֶׁקֶט, שַׁלְוָה
calorie *n* קָלוֹרְיָה, חוּמִית
calumny *n* דִּיבָּה, עֲלִילַת־שֶׁקֶר
Calvary *n* מְקוֹם צְלִיבַת יֵשׁוּ; יִיסּוּרִים
calypso *n* קָלִיפְּסוֹ
cam *n* זִיז, פִּיקָּה, מְשַׁנֵּה־תְּנוּעָה
cambric *adj, n* שֶׁל אָרִיג לָבָן; בַּד לָבָן מְשׁוּבָּח
camel *n* גָּמָל
cameo *n* קָמֵעַ
camera *n* מַצְלֵמָה
cameraman *n* צַלָּם
camomile *n* קַחְוָן, בַּבּוּנָג
camouflage *n* הַסְוָאָה
camouflage *vt* הִסְוָוה
camp *n* מַחֲנֶה; מַאֲהָל
camp *vi* הֵקִים מַחֲנֶה
campaign *vi* נֶאֱבַק; עָרַךְ מַסָּע
campaign *n* מַסָּע, מַעֲרָכָה
campaigner *n* תַּעֲמוּלָן, מְנַהֵל מַסַּע הַסְבָּרָה
campfire *n* מְדוּרָה

camphor *n* כּוֹפֶר, קַמְפוֹר
campstool *n* שְׁרַפְרַף מִתְקַפֵּל
campus *n* קִרְיַת אוּנִיבֶרְסִיטָה
camshaft *n* גַּל פִּיקּוֹת
can *v aux, vt* יָכוֹל, הָיָה רַשַּׁאי; שִׁימֵּר (בְּפַח)
can *n* פַּח; קוּפְסַת שִׁימּוּרִים
Canadian *n, adj* קַנָדִי
canal *n* תְּעָלָה
canary *n* בַּזְבּוּז קַנָרִי; יֵין קַנָרִי
cancel *vt* בִּיטֵּל
cancellation *n* בִּיטּוּל
cancer *n* סַרְטָן
cancerous *adj* סַרְטָנִי
candelabrum (*pl* bra) *n* מְנוֹרָה
candid *adj* גְּלוּי־לֵב
candidacy *n* מוּעֲמָדוּת
candidate *n* מוּעֲמָד
candied *adj* מְסוּכָּר
candle *n* נֵר
candle-holder *n* פָּמוֹט
candor *n* גִּילּוּי־לֵב, כֵּנוּת
candy *n* סוּכָּרִיָּה, מַמְתָּק
cane *n* קָנֶה; מַקֵּל הֲלִיכָה; קְנֵה־סוּכָּר
canine *adj* כַּלְבִּי
canned goods *n pl* מִצְרָכִים מְשׁוּמָּרִים
cannery *n* בֵּית תַּעֲשִׂיַּית שִׁימּוּרִים
cannibal *n* אוֹכֵל אָדָם, קַנִּיבָּל
canning *n* שִׁימּוּר
cannon *n* תּוֹתָח
cannonade *n* הַרְעָשַׁת תּוֹתָחִים
cannon fodder *n* בְּשַׂר תּוֹתָחִים
canny *adj* חַד־עַיִן
canoe *n* סִירָה קַלָּה, בּוּצִית
canon *n* קָנוֹן, חוּקַּת כְּנֵסִיָּה

canonical *adj* קָנוֹנִי; מוּסְמָךְ
canonize *vt* כָּלַל בִּרְשִׁימַת הַקָּנוֹן
can-opener *n* פּוֹתְחָן
canopy *n* אַפִּרְיוֹן, כִּילָּה
cant *n* הַכְרָזָה צְבוּעָה, הִתְחַסְּדוּת
cant *n* תְּנוּעַת פִּתְאוֹם; לִכְסוּן; לוֹכְסָן
cantaloup(e) *n* מֵלוֹן מָתוֹק
cantankerous *adj* רַגְזָן
canteen *n* קַנְטִינָה, מִסְעָדָה
canter *n* דְּהִירָה קַלָּה
canter *vi* דָּהַר קַלּוֹת
canticle *n* שִׁיר הַשִּׁירִים
cantilever *n* שְׁלוּחָה, קוֹרַת בַּרְזֶל
cantle *n* מִסְעַד אֲחוֹרֵי הָאוּכָּף
canton *n* מָחוֹז
canton *vt* חִילֵּק לְמחוֹזוֹת
cantonment *n* מַחֲנֵה אִימּוּנִים
cantor *n* חַזָּן
canvas *n* צַדְרָה, אֲרִיג מִפְרָשִׂים
canvass *vt, vi* חָקַר וְדָרַשׁ; נִיהֵל תַּעֲמוּלָה
canvass *n* חֲקִירָה וּדְרִישָׁה; בַּקָּשָׁה (לתמיכה)
canyon *n* עָרוּץ עָמוֹק, קַנְיוֹן
cap. *abbr* capital, capitalize
cap *n* כּוּמְתָּה, כּוֹבַע
cap *vt* כִּיסָּה בְּכוֹבָעִית; סָגַר בְּמִכְסֶה
capability *n* יְכוֹלֶת, כּוֹשֶׁר
capable *adj* מוּכְשָׁר, מְסוּגָּל
capacious *adj* רַב־קִיבּוּל
capacity *n* קִיבּוֹלֶת; קִיבּוּל; תְּפִיסָה; יְכוֹלֶת
cap and gown *n* כּוֹבַע וּגְלִימָה
caparison *n* טַפִּיטוֹן; מַחֲלָצוֹת
caparison *vt* כִּיסָּה בְּטַפִּיטוֹן

cape *n* שִׁכְמָה; כֵּף, מִפְרָץ
Cape of Good Hope *n* כֵּף הַתִּקְוָה הַטּוֹבָה
caper *n* צְלָף קוֹצָנִי; קְפִיצָה
caper *vi* דִּילֵּג, חוֹלֵל
capital *n* עִיר בִּירָה; הוֹן
capitalism *n* רְכוּשָׁנוּת, קַפִּיטָלִיזם
capitalize *vt* כָּתַב בְּאוֹתִיּוֹת רֵישִׁיּוֹת; הִיוֵן, הָפַךְ לְהוֹן
capital letter *n* אוֹת רֵישִׁית
capitol *n* בֵּית מְחוֹקְקִים, קַפִּיטוֹל
capitulate *vi* נִכְנַע
capon *n* תַּרְנְגוֹל מְסוֹרָס
caprice *n* הֲפַכְפְּכָנוּת, קַפְּרִיסָה
capricious *adj* נָתוּן לַהֲפַכְפְּכָנוּת
capricorn *n* מַזַּל גְּדִי
capsize *vt, vi* הָפַךְ; הִתְהַפֵּךְ
capstan *n* כַּנָּן, מְנוֹף־מַשָּׂא
capstone *n* אֶבֶן הָרֹאשָׁה
capsule *n* כְּמוּסָה
captain *n* סֶרֶן; רַב־חוֹבֵל, קַבַּרְנִיט; רֹאשׁ קְבוּצָה
captain *vt* פִּיקֵּד, נִיהֵל
captaincy *n* מַנְהִיגוּת; סְרָנוּת; קַבַּרְנִיטוּת
caption *n* כּוֹתֶרֶת
captivate *vt* שָׁבָה לֵב
captive *n, adj* אָסִיר, שָׁבוּי
captivity *n* מַאֲסָר; שְׁבִי
captor *n* שׁוֹבֶה
capture *n* תְּפִיסָה, כִּיבּוּשׁ
capture *vt* שָׁבָה
Capuchin *n* קַפּוּשִׁין (נזיר פרנציסקני)
car *n* מְכוֹנִית; קָרוֹן
carafe *n* צְלוֹחִית

caramel *n* סוּכָּרִייָה, שֶׁזֶף סוּכָּר
carat *n* קָרָט
caravan *n* שַׁייָרָה; קְרוֹן־דִירָה
caravanserai *n* חָן, מְלוֹן־אוֹרְחִים
caraway *n* כְּרַווְיָה תַּרְבּוּתִית
carbarn *n* מוּסַךְ חַשְׁמַלִּיּוֹת
carbide *n* קַרְבִּיד
carbine *n* קַרְבִּין
carbolic acid *n* חוּמְצָה קַרְבּוֹלִית
carbon dioxide *n* דוּ־תַּחְמוֹצֶת הַפַּחְמָן
carbon monoxide *n* תַּחְמוֹצֶת הַפַּחְמָן
carboy *n* בַּקְבּוּק לְחוּמְצוֹת
carbuncle *n* פַּחֶמֶת, דֶמֶל, פּוּרוּנְקֶל
carburetor *n* קַרְבּוּרָטוֹר, מְאַדֶּה
carcass *n* נְבֵלָה, פֶּגֶר
card *n* כַּרְטִיס; קְלָף
cardboard *n* קַרְטוֹן
card-case *n* קוּפְסַת כַּרְטִיסֵי בִּיקּוּר
card catalogue *n* כַּרְטֶסֶת, כַּרְטִיסִייָה
cardiac *adj* שֶׁל הַלֵּב
cardigan *n* אֲפוּדָּה
cardinal *n* חַשְׁמָן
cardinal *adj* עִיקָּרִי, יְסוֹדִי
card index *n* כַּרְטֶסֶת
card party *n* מְסִיבַּת קְלָפִים
card-sharp *n* רַמַּאי קְלָפִים
card trick *n* לַהֲטוּט קְלָפִים
care *n* דְאָגָה; תְּשׂוּמֶת־לֵב, זְהִירוּת
care *vi* דָאַג, טִיפֵּל; חִיבֵּב
careen *vt, vi* הִיטָּה עַל צִדּוֹ; נָטָה עַל צִדּוֹ
career *n* פְּעוּלַּת חַיִּים; עִיסּוּק
career *vi* נָע בִּמְהִירוּת
carefree *adj* חֲסַר דְאָגָה
careful *adj* זָהִיר
careless *adj* רַשְׁלָנִי; מְרוּשָּׁל
carelessness *n* חוֹסֶר תְּשׂוּמֶת־לֵב
caress *n* לְטִיפָה
caress *vt* לִיטֵּף
caretaker *n* מְטַפֵּל, מְמוּנֶּה
careworn *adj* עָיֵיף מִדְּאָגָה
carfare *n* דְמֵי נְסִיעָה בְּאוֹטוֹבּוּס (וכד׳)
cargo *n* מִטְעָן (של ספינה)
cargo boat *n* אוֹנִייַּת סַחַר
caricature *n, vt* קָרִיקָטוּרָה; עָשָׂה קָרִיקָטוּרָה מ...
carillon *n* מַעֲרֶכֶת פַּעֲמוֹנִים
carillon *vi* נִיגֵּן בְּפַעֲמוֹנִים
carload *n* מִטְעַן מַשָּׂאִית
carnage *n* הֶרֶג רַב, טֶבַח
carnation *n* צִיפּוֹרֶן הַקָּרְנְפוֹל
carnival *n* עַדְלָיָדַע
carol *n* זֶמֶר; הִימְנוֹן חַג־הַמּוֹלָד
carol *vt, vi* שָׁר בְּעַלִּיזוּת
carom *n* פְּגִיעָה כְּפוּלָה
carousal *n* הִילּוּלָה
carouse *vi* הִתְהוֹלֵל
carp *n* קַרְפִּיוֹן
carp *vi* מָצָא מוּם
carpenter *n* נַגַּר בִּנְיָין
carpentry *n* נַגָּרוּת בִּנְיָין
carpet *n* שָׁטִיחַ
carpet *vt* כִּיסָּה בִּשְׁטִיחִים
carpet sweeper *n* שׁוֹאֵב אָבָק, שַׁאֲבָק
car rental service *n* שֵׁירוּת לְהַשְׂכָּרַת מְכוֹנִיּוֹת
carriage *n* מֶרְכָּבָה, עֲגָלָה; קָרוֹן
carrier *n* סַבָּל; מוֹבִיל; שָׁלִיחַ; חֶבְרָה לְהוֹבָלָה

carrion *n, adj* פֶּגֶר, נְבֵלָה
carrot *n* גֶּזֶר
carrousel, carousel *n* סְחַרְחֵרָה
carry *vt, vi* נָשָׂא, הוֹבִיל; הִצְלִיחַ בּ...
carry *n* טְוָח; נְשִׂיאָה, הוֹבָלָה
cart *n* עֲגָלָה
cart *vt* הֶעֱבִיר בַּעֲגָלָה
carte blanche *n* מִסְמָךְ חָתוּם; יָד חוֹפְשִׁית
cartel *n* קַרְטֶל
Carthage *n* קַרְתָּגוֹ
Carthaginian *n, adj* קַרְתָּגִי
cart-horse *n* סוּס עֲגָלָה
cartilage *n* חַסְחוּס, סְחוּס
cartoon *n* קָרִיקָטוּרָה; תַּבְדִּיחַ קוֹלְנוֹעִי
cartoon *vt, vi* קִרְקֵט, צִיֵּר מִלְעָג
cartridge *n* כַּדּוּר, תַּרְמִיל
carve *vt, vi* חָרַת; חָקַק; גָּלַף; פִּיסֵּל
caryatid *n* קַרְיָתִידָה
cascade *n* אֶשֶׁד־מַיִם
cascade *vi* נִיגַּר
case *n* קוּפְסָה, תֵּיבָה; מִקְרֶה, פָּרָשָׁה; מִשְׁפָּט
case *vt* שָׂם בְּתֵיבָה
casement *n* אֲגַף חַלּוֹן
cash *n* מְזוּמָּנִים
cash *vt* הֶחֱלִיף בִּמְזוּמָּנִים
cash box *n* קוּפָּה
cashew nut *n* אֱגוֹז אֲנָקַרְדִּיוֹן
cashier *n* גִּזְבָּר קוּפַּאי
cashier *vt* פִּיטֵּר מִמִּשְׂרָה
cashier's check *n* שֵׁק קוּפַּאי
cashmere *n* קַשְׁמִיר
cash register *n* קוּפָּה רוֹשֶׁמֶת
casing *n* קוּפְסָה, כִּיסּוּי; חוֹמֶר אֲרִיזָה

cask *n* חָבִית
casket *n* תֵּיבָה; אֲרוֹן מֵתִים
casserole *n* קְדֵירָה; תַּבְשִׁיל אֲפִיָּה
cassock *n* גְּלִימַת כְּמָרִים
cast *vt, vi* זָרַק; הִפִּיל; לִיהֵק
cast *n* זְרִיקָה, הַשְׁלָכָה; דָּבָר מוּשְׁלָךְ; סִידּוּר; צֶוֶת
castanet *n* עַרְמוֹנִית
castaway *n* שָׂרִיד (של אונייה); מְנוּדֶּה
caste *n* כַּת, קַסְטָה
caster *n* זוֹרֵק; גַּלְגַּלִּית
casting-vote *n* קוֹל מַכְרִיעַ
cast iron *n* בַּרְזֶל יָצוּק
castle *n* טִירָה; מִבְצָר; צְרִיחַ
castle *vi* שָׂם בְּטִירָה; הִצְרִיחַ
cast-off *n, adj* בְּגָדִים זְנוּחִים; זָנוּחַ (בגדים)
castor oil *n* שֶׁמֶן קִיק
castrate *vt* סֵירֵס; קִיצֵּץ
casual *n, adj* אַרְעִי; מִקְרִי
casualty *n* מִקְרֶה אָסוֹן; תְּאוּנָה; מִפְגָּע
cat *n* חָתוּל; מְרוּשַׁעַת
catacomb *n* מְעָרַת־קְבָרִים, קָטָקוֹמְבָּה
catalogue *vt, vi* קִטְלֵג, כִּרְטֵס
catalogue *n* קָטָלוֹג
catapult *n* מִקְלַעַת
catapult *vt, vi* זָרַק בְּלִיסְטְרָה בְּמַרְגֵּמָה; זָרַק בְּמִקְלַעַת
cataract *n* מַפַּל־מַיִם, אֶשֶׁד
catarrh *n* נַזֶּלֶת
catastrophe *n* שׁוֹאָה, אָסוֹן
catcall *n* יִלְלַת חָתוּל
catcall *vi* יִלֵּל כְּחָתוּל
catch *vt, vi* תָּפַס; לָכַד; רִימָּה

catch *n* תְּפִיסָה; עוֹצֶר; צַיִד
catcher *n* תּוֹפֵס
catching *adj* מִידַּבֵּק; מַקְסִים
catch question *n* שְׁאֵלַת מַלְכּוֹדֶת
catchup *n* מִיץ תַּבְלִין
catchword *n* אִמְרַת־כָּנָף
catchy *adj* נִתְפָּס בְּנָקֵל
catechism *n* מִקְרָאָה דָתִית (נוֹצְרִית)
category *n* סוּג, קָטֵגוֹרְיָה
cater *vi* סִיפֵּק מָזוֹן; סִיפֵּק שֵׁירוּת
cater-cornered *adj* אֲלַכְסוֹנִי
caterer *n* סַפַּק־מָזוֹן
caterpillar *n* זַחַל
catfish *n* שְׂפַמְנוּן
catgut *n* חוּטֵי מֵעַיִים
cathartic *adj* מְטַהֵר, מְנַקֶּה אֶת הַמֵּעַיִים
cathedral *n, adj* קָתֶדְרָלָה; שֶׁל קָתֶדְרָה
catheter *n* צַנְתָּר
catheterize *vi* צִנְתֵּר
cathode *n* קָתוֹדָה
catholic *adj* עוֹלָמִי, אוּנִיבֶרְסָלִי; רְחַב אוֹפָקִים
Catholic *n, adj* קָתוֹלִי
catkin *n* עָגִיל
catnap *n* נִמְנוּם קַל
catnip *n* נֶפִּית הַחֲתוּלִים
cat-o'-nine-tails *n* מַגְלֵב שֶׁבַע הָרְצוּעוֹת
cat's cradle *n* עֲרִיסָה
cat's paw *n* כְּלִי שָׁרֵת
cattle *n pl* בָּקָר
cattle crossing *n* חֲצִיַּת בְּהֵמוֹת
cattleman *n* בּוֹקֵר; חַוּוַאי בָּקָר

cattle raising *n* גִידּוּל בָּקָר
cattle ranch *n* חַוַּת בָּקָר
catty *adj* חֲתוּלִי; מְרוּשָּׁע
catwalk *n* מַעֲבָר צַר
Caucasian *n, adj* קַווקָזִי
caucus *n* כֶּנֶס מִפְלַגְתִּי
cauliflower *n* כְּרוּבִית
cause *n* סִיבָּה; גּוֹרֵם; עִנְיָן
cause *vt* גָּרַם
causeway *n* מְסִילָּה, שְׁבִיל מוּגְבָּה
caustic *adj* צוֹרֵב, חוֹרֵק
caustic *n* חוֹמֶר צוֹרֵב
cauterize *vt* צָרַב בְּבַרְזֶל לוֹהֵט
caution *n* זְהִירוּת; אַזְהָרָה
caution *vt* הִזְהִיר
cautious *adj* זָהִיר
cavalcade *n* מִצְעַד פָּרָשִׁים
cavalier *n* פָּרָשׁ; אַבִּיר
cavalier *adj* שַׁחֲצָנִי; מְזַלְזֵל
cavalry *n* חֵיל פָּרָשִׁים, פָּרָשִׁים
cavalry-man *n* פָּרָשׁ
cave *n* מְעָרָה
cave *vt, vi* כָּרָה, חָצַב; שָׁקַע
cave-in *n* הִתְמוֹטְטוּת
cave-man *n* שׁוֹכֵן מְעָרוֹת
cavern *n* מְעָרָה, מְחִילָּה
cavil *vi* הִתְגּוֹלֵל עַל
cavity *n* חָלָל, חוֹר
cavort *vi* קִיפֵּץ
caw *n* צְרִיחַת עוֹרֵב
caw *vi* צָרַח (עוֹף)
c. c. – *abbr* cubic centimeter
cease *vt, vi* פָּסַק, הִפְסִיק
cease *n* הֶפְסֵק
cease-fire *n* הַפְסָקַת אֵשׁ

ceaseless *adj* לא פּוֹסֵק
cedar *n* אֶרֶז
cede *vt* וִיתֵּר
ceiling *n* תִּקְרָה
celebrant *n* חוֹגֵג
celebrate *vt, vi* חָגַג; שִׁיבֵּחַ
celebrated *adj* מְפוּרְסָם
celebration *n* חֲגִיגָה; טֶקֶס
celebrity *n* אִישִׁיּוּת מְפוּרְסֶמֶת
celery *n* כַּרְפַּס רֵיחָנִי, סֶלֶרִי
celestial *adj, n* שְׁמֵימִי
celibacy *n* רַוָּקוּת
celibate *n, adj* רַוָּק
cell *n* תָּא
cellar *n* מַרְתֵּף; מַחסַן יַיִן
cellaret *n* מִזנוֹן יַיִן
cell house *n* בֵּית־כֶּלֶא
cellist *n* צֶ׳לָן
cello *n* צֶ׳לוֹ
cellophane *n* צֶלוֹפָן
celluloid *n* צֶלוּלוֹאִיד
cellulose *n* תָּאִית, צֶלוּלוֹזָה
Celt *n* קֶלְטִי
cement *n* צֶמֶנט; מֶלֶט
cement *vt* צִמֵּנט; דִּיבֵּק
cemetery *n* בֵּית־עָלְמִין
cen. *abbr* central
censer *n* מַחתָּה, מִקְטֶרֶת
censor *n* צֶנזוֹר
censor *vt* צִנזֵר
censure *n* בִּיקוֹרֶת חֲמוּרָה
censure *vt* בִּיקֵּר קָשׁוֹת
census *n* מִפקַד תּוֹשָׁבִים
cent. *abbr* centigrade, central, century

cent *n* סֶנט, מֵאִית
centaur *n* קֶנטָאוּר
centennial *n, adj* יוֹבֵל הַמֵּאָה; שֶׁל יוֹבֵל מֵאָה
center *vt, vi* רִיכֵּז; הָיָה בַּמֶּרְכָּז
center *n* מֶרְכָּז
center-piece *n* קִישּׁוּט מֶרְכַּז שׁוּלְחָן
center punch *n* מַקּוֹד
centigrade *adj* צֶלזִיוּס
centimeter *n* סֶנטִימֶטֶר
centipede *n* נָדָל
central *adj* מֶרְכָּזִי
Central America *n* אֲמֵרִיקָה הַמֶּרְכָּזִית
Central American *adj* שֶׁל אֲמֵרִיקָה הַמֶּרְכָּזִית
centralize *vt, vi* מִרְכֵּז; הִתמַרְכֵּז
century *n* מֵאָה שָׁנָה, מֵאָה
century plant *n* אֲגָבַת מֵאָה שָׁנָה
ceramic *adj* שֶׁל כְּלֵי חֶרֶס
ceramics *n pl* קֵרָמִיקָה
cereal *n* דָּגָן; גַּרגְּרֵי דָּגָן
ceremonious *adj* טִקְסִי
ceremony *n* טֶקֶס
certain *adj* בָּטוּחַ; מְסוּיָּם
certainly *adv, interj* בְּוַדַּאי, וַדַּאי!
certainty *n* וַדָּאוּת; דָּבָר בָּטוּחַ
certificate *n* תְּעוּדָה; אִישּׁוּר בִּכתָב
certified public accountant *n* רוֹאֵה חֶשְׁבּוֹן מוּסְמָךְ
certify *vt* אִישֵּׁר בִּכתָב
cervix *n* צַוַּאר הָרֶחֶם; צַוָּאר
cessation *n* הַפְסָקָה
cesspool *n* בּוֹר־שְׁפָכִים
Ceylon *n* צֵילוֹן

Ceylonese *n, adj* צֵילוֹנִי
C.F.I. צִי״ף, סִיף
cg. *abbr* centigram
ch. *abbr* chapter
chafe *n* שִׁפְשׁוּף; דַלֶּקֶת
chafe *vt, vi* חִימֵם בְּשִׁפְשׁוּף; הִכְאִיב בְּחִיכּוּךְ; הָיָה חֲסַר סַבְלָנוּת
chaff *n* מוֹץ; חֲמִידַת לָצוֹן
chaff *vt, vi* חָמַד לָצוֹן
chafing-dish *n* מְנוֹרַת־חִימּוּם
chagrin *n* אַכְזָבָה, דִיכָּאוֹן
chagrin *vt* צִיעֵר, הִשְׁפִּיל
chain *n* שַׁרְשֶׁרֶת
chain *vt* כָּבַל
chain gang *n* קְבוּצַת אֲסִירִים מְשׁוּרְשֶׁרֶת
chain reaction *n* תְּגוּבַת שַׁרְשֶׁרֶת
chain smoker *n* מְעַשֵּׁן בְּשַׁרְשֶׁרֶת
chain store *n* חֲנוּת שַׁרְשֶׁרֶת
chair *n* כִּיסֵּא
chair *vt* הוֹשִׁיב עַל כִּיסֵּא
chair lift *n* רַכֶּבֶל
chairman *n* יוֹשֵׁב־רֹאשׁ
chairmanship *n* רָאשׁוּת
chair rail *n* מְסִילַּת רַכֶּבֶל
chalice *n* גָּבִיעַ
chalk *n* גִּיר, קִרְטוֹן
chalk *vt* כָּתַב בְּגִיר
challenge *n* אֶתְגָּר
challenge *vt* אִתְגֵּר; עִרְעֵר
chamber *n* חֶדֶר
chamberlain *n* מְמוּנֶּה עַל נְכָסִים
chambermaid *n* חַדְרָנִית
chamber pot *n* סִיר לַיְלָה
chameleon *n* זִיקִית
chamfer *n* מֶדֶר, חִיתּוּךְ מְלוּכְסָן
champ *vi, vt* נָשַׁךְ (מקוצר סבלנות)
champ *n* נְשִׁיכָה; לְעִיסָה
champagne *n* יֵין שַׁמְפַּנְיָה
champion *n, adj* אַלּוּף; מְנַצֵּחַ; דוֹגֵל, תּוֹמֵךְ
champion *vt* דָגַל, תָּמַךְ בּ...
championess *n* תּוֹמֶכֶת, דוֹגֶלֶת; מְנַצַּחַת, אַלּוּפָה
championship *n* אַלִּיפוּת
chance *n* מִקְרֶה; מַזָּל; אֶפְשָׁרוּת
chance *adj* מִקְרִי
chance *vt, vi* אֵירַע בְּמִקְרֶה; נִתְקַל
chancel *n* אֵיזוֹר הַמִּזְבֵּחַ
chancellery *n* בֵּית הַנָּגִיד
chancellor *n* נָגִיד; קַנְצְלֶר
chandelier *n* נִבְרֶשֶׁת
change *n* שִׁינּוּי; כֶּסֶף חֲלִיפִין; עוֹדֶף; הַחֲלָפָה
change *vi, vt* שִׁינָּה; הֶחֱלִיף; פָּרַט; נִשְׁתַּנָּה
changeable *adj* עָשׂוּי לְהִשְׁתַּנּוֹת
channel *n* אָפִיק; תְּעָלָה; צִינּוֹר
channel *vt* הֶעֱבִיר בִּתְעָלָה; הִכְוִין
chant *n* שִׁירָה, זִמְרָה; מִזְמוֹר
chant *vt, vi* זִימֵּר
chanter *n* זַמָּר; זַמָּר רָאשִׁי
chanticleer *n* תַּרְנְגוֹל
chaos *n* תּוֹהוּ וָבוֹהוּ
chaotic *adj* שֶׁל תּוֹהוּ וָבוֹהוּ
chap. *abbr* chapter
chap *n* בְּקִיעָה; בָּחוּר
chap *vt, vi* בִּיקֵּעַ, סִידֵּק; נִבְקַע; נִסְדַּק
chaparral *n* סְבַךְ אַלּוֹנִים
chapel *n* כְּנֵסִיָּה קְטַנָּה

chaperon *n* מְלַוָּה
chaplain *n* כּוֹמֶר מַלְכוּתִי
chaplet *n* זֵר פְּרָחִים, עֲטָרָה
chapter *vt* חִילֵּק לִפְרָקִים
chapter *n* פֶּרֶק; סְנִיף
char *vt, vi* פִּיחֵם; חָרַךְ; נֶחְרַךְ
character *n* אוֹפִי; תְּכוּנָה; אוֹת
characteristic *n* תְּכוּנָה בּוֹלֶטֶת
characteristic *adj* אוֹפְיָינִי
characterize *vt* אִפְיֵין
charcoal *n* פַּחַם־עֵץ; פֶּחָם לְצִיּוּר
charcoal burner *n* תַּנּוּר פְּחָמִים
charge *vt, vi* קָבַע מְחִיר; חִייֵּב; הֶאֱשִׁים; הִסְתָּעֵר, הִטְעִין; פָּקַד
charge *n* מְחִיר; הַאֲשָׁמָה; הִסְתָּעֲרוּת; מִטְעָן; תַּפְקִיד
charge account *n* חֶשְׁבּוֹן הֲקָפָה
chargé d'affaires *n* מְמוּנֶּה עַל הַשַּׁגְרִירוּת
charger *n* מַאֲשִׁים; מַטְעֵן
chariot *n* רֶכֶב בַּרְזֶל
charioteer *n* נוֹהֵג בְּמֶרְכָּבָה
charitable *adj* נַדְבָנִי; שֶׁל צְדָקָה
charity *n* צְדָקָה; נְדִיבוּת
charity performance *n* הַצָּגַת צְדָקָה
charlatan *n* נוֹכֵל, שַׁרְלָטָן
charlatanism *n* נְכָלִים, שַׁרְלָטָנִיּוּת
charlotte *n* תּוּפִין, שַׁרְלוֹט
charm *n* חֵן, קֶסֶם; קָמֵיעַ
charm *vt* קָסַם, כִּישֵּׁף
charming *adj* נֶחְמָד, מַקְסִים
charnel *adj, n* שֶׁל מֵתִים; חֲדַר מֵתִים
chart *n* שִׂרְטוּט
chart *vt* שִׂרְטֵט
charter *n* תְּעוּדַת רִישּׁוּם חֶבְרָה
charter *vt* הִשְׂכִּיר; שָׂכַר
charter member *n* חָבֵר מְייַסֵּד
charwoman *n* עוֹזֶרֶת בַּיִת
Charybdis *n* שָׁרִיבְּדִיס
chase *n* רְדִיפָה; צַיִד
chase *vt* רָדַף אַחֲרֵי
chase away *vt* גֵּירֵשׁ
chasm *n* בְּקִיעַ; חָלָל
chassé *n* צַעֲדַת רִיחוּף
chassé *vi* צָעַד צַעֲדַת רִיחוּף
chaste *adj* פָּרוּשׁ, צָנוּעַ
chasten *vt* יִיסֵּר; טִיהֵר
chastise *vt* יִיסֵּר, הִלְקָה
chastity *n* צְנִיעוּת; בְּתוּלִים
chasuble *n* גְּלִימַת כּוֹמֶר
chat *n* שִׂיחָה קַלָּה
chat *vt* שׂוֹחֵחַ שִׂיחָה קַלָּה
chatelaine *n* בַּעֲלַת הַטִּירָה
chattels *n pl* מִיטַּלְטְלִים
chatter *vi, vt* קִשְׁקֵשׁ; פִּטְפֵּט
chatterbox *n* פַּטְפְּטָן
chauffeur *n* נֶהָג שָׂכִיר
chauffeur *vt, vi* הִסִּיעַ; עָבַד כְּנֶהָג
cheap *adj, adv* זוֹל; בְּזוֹל
cheapen *vt, vi* הוֹזִיל
cheapness *n* זוֹלוּת
cheat *n* רַמַּאי
cheat *vt, vi* רִימָּה; הֶעֱרִים עַל
check *n* עֲצִירָה; בְּדִיקָה; הַמְחָאָה, שָׁק; חֶשְׁבּוֹן (בְּמִסעדה וכד׳)
check *vt,vi* עָצַר, רִיסֵּן; בָּדַק; הוּכַח כְּנָכוֹן
checker *n* כְּלִי בְּמִשְׂחַק הַגְּבִירָה
checker *vt* עָשָׂה מִשְׁבְּצוֹת, נִימֵּר

checkerboard *n* לוּחַ שַׁחְמָט
checkers *n pl* מִשְׂחַק הַגְּבִירָה ('דמקה')
checkmate *n* מָט
checkmate *vt* נָתַן מָט, מִטְמֵט
checkout *n* עֲקִירָה, עֲזִיבָה (ממלון)
checkpoint *n* תַּחֲנַת בִּיקּוֹרֶת
checkrein *n* רְצוּעַת הָעוֹרֶף
checkroom *n* מֶלְתָּחָה
checkup *n* בְּדִיקָה
cheek *n* לֶחִי; חוּצְפָּה
cheek *vt* הִתְחַצֵּף
cheekbone *n* עֶצֶם הַלֶּחִי
cheeky *adj* חוּצְפָּנִי
cheer *n* תְּרוּעָה; עִידּוּד
cheer *vt, vi* הֵרִיעַ ל...; עוֹדֵד
cheerful *adj* עַלִּיז; נָעִים
cheerio *interj* הֱיֵה שָׁלוֹם!
cheerless *adj* לֹא שָׂמֵחַ, עַגְמוּמִי
cheer up *vt, vi* עוֹדֵד; הִתְעוֹדֵד
cheese *n* גְּבִינָה
cheesecloth *n* חוֹרִי, אֲרִיג רֶשֶׁת
chef *n* טַבָּח רָאשִׁי
chem. *abbr* chemical; chemist; chemistry
chemical *adj, n* כִּימִי; חוֹמֶר כִּימִי
cheval glass *n* מַרְאָה סוֹבֶבֶת
chevalier *n* אַבִּיר
chevron *n* סֶרֶט; יָתִיב
chew *n* לְעִיסָה
chew *vt* לָעַס; הִרְהֵר
chewing gum *n* גּוּמִי לְעִיסָה
chic *adj, n* מְהוּדָּר (בסגנונו); (סגנון) מְצוּדָּד; שִׁיק
chicanery *n* גְּנֵיבַת־דַּעַת

chick *n* גּוֹזָל
chicken *n, adj* פַּרְגִּית; מוּג־לֵב
chicken coop *n* לוּל
chickenhearted *adj* רַךְ־לֵב
chicken-pox *n* אֲבַעְבּוּעוֹת־רוּחַ
chicken wire *n* רֶשֶׁת שֶׁל לוּלִים
chick-pea *n* חִימְצָה
chicory *n* עוֹלֶשׁ תַּרְבּוּתִי
chide *vt, vi* נָזַף בּ...; הִבִּיעַ מוֹרַת־רוּחַ
chief *n* רֹאשׁ, מְנַהֵל; רֹאשׁ שֵׁבֶט
chief *adj* רָאשִׁי
chief executive *n* נְשִׂיא הַמְּדִינָה
chief justice *n* שׁוֹפֵט רָאשִׁי
chiefly *adv* בְּעִיקָּר, מֵעַל לַכּוֹל
chief of staff *n* רֹאשׁ הַמַּטֶּה הַכְּלָלִי, רַמַטְכָּ"ל
chieftain *n* רֹאשׁ שֵׁבֶט, רֹאשׁ קְבוּצָה
chiffon *n* אֲרִיג מֶשִׁי אוֹ זְהוֹרִית
chiffonier, chiffonnier *n* שִׁידָּה
chignon *n* צוֹבֶר שֵׂיעָר
chilblain *n* אֲבַעְבּוּעוֹת־חוֹרֶף
child *n* יֶלֶד, תִּינוֹק; נַעַר, נַעֲרָה
childbirth *n* לֵידָה
childhood *n* תְּקוּפַת הַיַּלְדוּת
childish *adj* יַלְדוּתִי; תִּינוֹקִי
childishness *n* יַלְדוּתִיּוּת; תִּינוֹקִיּוּת
child labor *n* הַעֲסָקַת יְלָדִים
childless *adj* חֲשׂוּךְ בָּנִים
childlike *adj* תָּמִים, כְּיֶלֶד
children *n pl of* child בָּנִים, יְלָדִים
Children of Israel בְּנֵי יִשְׂרָאֵל
child welfare *n* סַעַד לַיֶּלֶד, רַווחַת הַיֶּלֶד
Chilean *adj* צִ'ילִיאָנִי
Chile *n* צִ'ילֶה

chile, chili, chilli *n* פִּלְפֶּלֶת הַגִּינָּה
chill *n* קוֹר, קְרִירוּת; צְמַרְמוֹרֶת
chill *adj* קַר
chill *vt* צִינֵּן; קֵירֵר
chilly *adj* קָרִיר
chime *n* צִלְצוּל פַּעֲמוֹנִים
chime *vt, vi* צִלְצֵל
chimera *n* כִּימֵרָה; דִמְיוֹן שָׁווא
chimney *n* אֲרוּבָּה, מַעֲשֵׁנָה
chimney cap *n* גַג אֲרוּבָּה
chimney flue *n* מִפְלַשׁ אֲוִויר בָּאֲרוּבָּה
chimney pot *n* גְלִיל אֲרוּבָּה
chimney-sweep *n* מְנַקֵּה אֲרוּבּוֹת
chimpanzee *n* שִׁמְפַּנְזֶה
chin *n* סַנְטֵר
China *n* סִין
china *n, adj* כְּלִי־חֶרֶס, חַרְסִינָה; עָשׂוּי מֵחֶרֶס
china closet *n* מַדַּף דִּבְרֵי חַרְסִינָה
Chinaman *n* סִינִי
Chinese *n, adj* סִינִי; סִינִית
Chinese gong *n* גוֹנג סִינִי
Chinese lantern *n* פַּנַּס נְיָיר צִבעוֹנִי
Chinese puzzle *n* תִּסְבּוֹכֶת
Chinese strap *n* רְצוּעַת כּוֹבַע
chink *n* סֶדֶק
chink *vt, vi* קִשְׁקֵשׁ (במטבעות)
chink *n* צִלְצוּל מַתַּכְתִּי
chintz *n* אָרִיג עִיטוּרִי
chip *n* שָׁבָב; קֵיסָם
chip *vt, vi* שִׁיבֵּב; קִיצֵּץ, נִיתֵּץ
chipmunk *n* הַסְּנָאִי הֶעָקוּד
chipper *vi* צִפְצֵף; פִּטְפֵּט
chipper *n* מַשְׁבֵּב; סַתָּת
chiropractor *n* כִּירוֹפְּרַקְטִיקָן

chirp *vt* צִיֵּיץ
chirp *n* צִיּוּץ
chisel *n* מַפְסֶלֶת
chisel *vt, vi* סִיתֵּת, שִׁיבֵּב
chiseled *adj* מְפוּסָּל, מְסוּתָּת
chitchat *n* שִׂיחָה קַלָּה
chivalric, chivalrous *adj* אַבִּירִי
chivalry *n* אַבִּירוּת
chloride *n* כְּלוֹרִיד
chlorine *n* כְּלוֹר
chloroform *n* כְּלוֹרוֹפוֹרם
chloroform *vt* הִשְׁתַּמֵּשׁ בִּכְלוֹרוֹפוֹרם
chlorophyll *n* כְּלוֹרוֹפִיל, יָרֶק
chock-full *adj* מָלֵא וְגָדוּשׁ
chocolate *n* שׁוֹקוֹלָד
choice *n* בְּחִירָה, בְּרֵירָה
choice *adj* מְשׁוּבָּח, מְיוּחָד בְּמִינוֹ
choir *n* מַקְהֵלָה
choirboy *n* נַעַר מַקְהֵלָן
choir loft *n* יְצִיעַ הַמַּקְהֵלָה
choirmaster *n* מְנַצֵּחַ מַקְהֵלָה
choke *vt, vi* חָנַק, הֶחֱנִיק; הִשְׁנִיק; נֶחֱנַק
choke *n* מַשְׁנֵק; חֲנִיקָה
choke coil *n* מַשְׁנֵק
cholera *n* חוֹלִירָע
choleric *adj* זוֹרֵק מָרָה, רוֹגְזָנִי
cholestrol *n* כּוֹלֶסְטֶרוֹל
choose *vt, vi* בָּחַר
chop *n* קִיצּוּץ; טְחִינָה; חֲטִיבָה
chop *vi, vt* קִיצֵּץ, טָחַן; חָטַב
chophouse *n* מִסְעָדָה
chopper *n* מְקַצֵּץ; מַטְחֵנָה; קוֹפִיץ
chopping block *n* סְדַן עֲרִיפָה
choppy *adj* רוֹגֵשׁ

chopstick *n* מַזלֵג סִינִי
choral *adj*, *n* מַקהֵלָתִי; כּוֹרָל
chorale *n* כּוֹרָל
choral society *n* אֲגוּדַת מַקהֵלָה
chord *n* מֵיתָר; אַקוֹרד
chord *vt*, *vi* פָּרַט עַל
chore *n* מְלָאכָה, עֲבוֹדַת בַּיִת
choreography *n* כּוֹרֵיאוֹגרַפיָה
chorine *n* זַמֶּרֶת־רַקדָנִית
chorus *n* מַקהֵלָה; חָרוּז חוֹזֵר
chorus *vt* שָׁר אוֹ דִקלֵם בְּמַקהֵלָה
chorus girl *n* זַמֶּרֶת־רַקדָנִית (בלהקה)
chowder *n* מְרַק דָגִים
Chr. *abbr* Christ, Christian
Christ *n* יֵשׁוּ הַנּוֹצְרִי
christen *vt* הִטבִּיל
Christendom *n* הָעוֹלָם הַנּוֹצְרִי
christening *n* טֶקֶס הַטְבִילָה
Christian *adj*, *n* נוֹצְרִי
Christianity *n* נַצרוּת
Christianize *vt*, *vi* נִיצֵּר
Christian name *n* שֵׁם רִאשׁוֹן
Christmas *n* חַג־הַמּוֹלָד הַנּוֹצְרִי
Christmas card *n* כַּרטִיס־בְּרָכָה לְחַג־הַמּוֹלָד
Christmas Eve *n* עֶרֶב חַג־הַמּוֹלָד
Christmas tree *n* אִילַן חַג־הַמּוֹלָד
chromium, chrome *n* כּרוֹם
chromosome *n* כּרוֹמוֹזוֹם
chron. *abbr* chronology, chronological
chronic *adj* כְּרוֹנִי, מַתמִיד, מְמוּשָׁך
chronicle *n* סִיפּוּר, שַׁלשֶׁלֶת מְאוֹרָעוֹת
chronicle *vt* רָשַׁם בְּסֵפֶר זִכרוֹנוֹת

chronicler *n* רוֹשֵׁם בְּסֵפֶר זִכרוֹנוֹת
chronology *n* סֵדֶר זְמַנִּים, כְּרוֹנוֹלוֹגיָה
chronometer *n* כּרוֹנוֹמֶטֶר
chrysanthemum *n* חַרצִית
chubby *adj* עֲגַלגַל, שְׁמַנמַן
chuck *n* טְפִיחָה קַלָּה; יָתֵד
chuck *vt* טָפַח; הִשׁלִיך
chuckle *n* צְחוֹק מְאוּפָּק
chuckle *vi* צָחַק צְחוֹק מְאוּפָּק
chug *n* טִרטוּר
chug *vi* טִרטֵר; נָע בְּטִרטוּר
chum *n* חָבֵר, חָבֵר לְחֶדֶר
chum *vi* הִתחַבֵּר, הִתיַידֵּד
chummy *adj* חֲבֵרִי, חַברוּתִי
chump *n* שׁוֹטֶה
chunk *n* פְּרוּסָה, חֲתִיכָה
church *n* כְּנֵסִיָּה
churchgoer *n* מִתפַּלֵּל קָבוּעַ
churchman *n* כּוֹמֶר; אָדוּק בְּנַצרוּת
Church of England *n* הַכְּנֵסִיָּה הָאַנגלִיקָנִית
churchwarden *n* נְצִיג שֶׁל הַכְּנֵסִיָּה הַמְּקוֹמִית
churchyard *n* בֵּית־עָלְמִין כְּנֵסִיָּתִי
churl *n* גַּס, בּוּר
churlish *adj* בּוּר, גַּס
churn *n* מַחבֵּצָה
churn *vt* חִיבֵּץ; בָּחַשׁ
chute *n* תְּעָלָה; מַחֲלֵק; אֶשֶׁד
ciborium *n* חוּפָּה; קוּפסַת לֶחֶם הַקּוֹדֶשׁ
Cicero *n* קִיקֶרוֹ, צִיצֶרוֹ
cider *n* יֵין תַּפּוּחִים
C.I.F., c.i.f. *abbr* cost, insurance and freight סִי״ף

cigar *n* סִיגָר, סִיגָרָה

cigar band *n* חֶבֶק סִיגָר

cigar case *n* נַרְתִּיק סִיגָרִים

cigar cutter *n* מַחְתֵּךְ סִיגָר

cigarette *n* סִיגָרִיָּה

cigarette case *n* נַרְתִּיק סִיגָרִיּוֹת

cigarette-holder *n* קְנֵה סִיגָרִיָּה

cigarette lighter *n* מַצִּית

cigarette-paper *n* נְיָר סִיגָרִיּוֹת

cigar-holder *n* מַחֲזִק סִיגָר

cigar store *n* חֲנוּת סִיגָרִים

cinch *n* דָּבָר בָּטוּחַ

cinch *vt* תָּפַס בְּבִטְחָה

cinder *n* אוּד

cinder bank *n* תְּלוּלִית אֵפֶר

Cinderella *n* סִינְדֶרֶלָּה, לִכְלוּכִית

cinder track *n* מַסְלוּל אֵפֶר (למירוץ)

cinema *n* קוֹלְנוֹעַ, רְאִינוֹעַ

cinematograph *n* מַצְלֵמַת קוֹלְנוֹעַ

cinnabar *n, adj* צִינַּבָּר

cinnamon *n, adj* קִינָּמוֹן

cipher *n* אֶפֶס; סִפְרָה; צוֹפֶן

cipher *vt, vi* הִשְׁתַּמֵּשׁ בְּסְפָרוֹת; חִשֵּׁב; כָּתַב בְּצוֹפֶן

cipher key *n* מַפְתֵּחַ צוֹפֶן

circle *n* עִיגּוּל; מַעְגָּל; חוּג

circle *vt, vi* הִקִּיף; סָבַב

circuit *n* סִיבּוּב; סִיּוּר בְּסִיבּוּב

circuit breaker *n* מֶתֶג

circuitous *adj* עוֹקֵף, עָקִיף

circular *adj* עִיגּוּלִי, מְעוּגָּל

circular *n* מִכְתָּב חוֹזֵר

circularize *vt* שָׁלַח חוֹזֵר

circulate *vt, vi* חִילֵּק, הֵפִיץ; נָע בְּמַחֲזוֹר

circumcise *vt* מָל

circumference *n* הֶיקֵּף; קַו מַקִּיף

circumflex *n, adj* סְגוֹלְתָּא, תָּג

circumflex *vt* שָׂם סְגוֹלְתָּא; תִּייֵּג

circumlocution *n* מֶלֶל רַב, גִּיבּוּב דְּבָרִים

circumnavigate *vt* הִפְלִיג סָבִיב

circumnavigation *n* הַפְלָגָה סָבִיב

circumscribe *vt* הִקִּיף בְּעִיגּוּל; הִגְבִּיל

circumspect *adj* זָהִיר, פְּקוּחַ עַיִן

circumstance *n* תְּנַאי; (בריבוי) נְסִיבּוֹת

circumstantial *adj* נְסִיבָּתִי

circumstantiate *vt* בִּיסֵּס עַל יְסוֹד נְסִיבּוֹת אוֹ פְּרָטִים

circumvent *vt* עָקַף בְּעָרְמָה

circus *n* קִירְקָס; כִּיכָּר

cistern *n* בּוֹר, מִקְוֵה מַיִם

citadel *n* מְצוּדָה, מִבְצָר

citation *n* צִיטוּט; מוּבָאָה; צִיּוּן לְשֶׁבַח

cite *vt* צִיטֵּט; צִייֵּן לְשֶׁבַח

citizen *n* אֶזְרָח

citizenry *n* צִיבּוּר הָאֶזְרָחִים

citizenship *n* אֶזְרָחוּת, נְתִינוּת

citron *n* אֶתְרוֹג

citronella *n* זַקְנָן רֵיחָנִי

citrus *n* פְּרִי הָדָר

city *n* עִיר, כְּרַךְ

city council *n* מוֹעֲצַת הָעִיר

city editor *n* הָעוֹרֵךְ לַחֲדָשׁוֹת מְקוֹמִיּוֹת

city father *n* אַב־עִיר

city hall *n* עִירִיָּה

city plan *n* תָּכְנִית עִיר

city planner *n* מְתַכְנֵן עָרִים

city planning *n* תִּכנוּן עָרִים
city room *n* חֲדַר הַחֲדָשׁוֹת (בְּעִיתּוֹן)
city-state *n* מְדִינָה־עִיר
civic *adj* עִירוֹנִי; אֶזרָחִי
civics *n pl* אֶזרָחוּת
civil *adj* אֶזרָחִי; מְנוּמָּס
civilian *n, adj* אֶזרָח
civility *n* נִימּוּס, אֲדִיבוּת
civilization *n* תַּרבּוּת, צִיוִילִיזַצִיָה
civilize *vt* תִּרבֵּת
civil servant *n* עוֹבֵד מְדִינָה
civvies *n pl* לְבוּשׁ אֶזרָחִי
claim *vt, vi* תָּבַע; טָעַן
claim *n* תְּבִיעָה
claim check *n* תְּעוּדַת שִׁחרוּר (שֶׁל פִּיקָּדוֹן וכד׳)
clairvoyance *n* רְאִיָּה חוֹדְרָנִית
clairvoyant *n, adj* בַּעַל רְאִיָּה חוֹדְרָנִית
clam *vi* אָסַף צְדָפוֹת
clam *n* צִדפָּה
clamor *n* צְעָקָה; הֲמוּלָּה
clamor *vi* צָעַק; תָּבַע בְּקוֹל
clamorous *adj* רַעֲשָׁנִי, תּוֹבעָנִי
clamp *n* מַלחֶצֶת; מֶלחָצַיִם
clamp *vt* הִידֵּק בְּמַלחֶצֶת
clan *n* חֲמוּלָה, שֵׁבֶט
clandestine *adj* סוֹדִי
clang *n, v* הַקָּשָׁה, צִלצוּל; הִקִּישׁ
clank *n* רַעַשׁ שַׁרשְׁרוֹת
clank *vi* הִשׁמִיעַ רַעַשׁ שַׁרשְׁרוֹת
clannish *adj* דָּבֵק בְּשִׁבטוֹ
clap *vt, vi* טָפַח; מָחָא כַּפַּיִם
clap *n* טְפִיחָה; מְחִיאַת כַּפַּיִם
clapper *n* עִנבָּל
claptrap *n* מְלִיצוֹת רֵיקוֹת
claque *n* מַחֲאָנִים שְׂכוּרִים
claret *n, adj* קלָרֶט; אָדוֹם
clarify *vt, vi* הִבהִיר; הִתבָּרֵר
clarinet *n* קלַרנִית
clarion *n, adj* קלַריוֹן; בָּרוּר וְצַרחָנִי
clarity *n* בְּהִירוּת
clash *vi* הִתנַגֵּשׁ בְּרַעַשׁ
clash *n* הִתנַגְּשׁוּת
clasp *vt, vi* אִבזֵם; חִיבֵּק
clasp *n* הֶדֶק; אַבזֵם; לְחִיצָה
class *n* מַעֲמָד; סוּג; כִּיתָּה; דַּרגָּה
class *vt* סִיוּוֵג
class consciousness *n* תּוֹדָעָה מַעֲמָדִית
classer, classeur *n* עוֹקְדָן
classic *n* יְצִירָה קלַסִּית; סוֹפֵר קלַסִּי
classic, classical *adj* קלַסִּי; מוֹפְתִי
classical scholar *n* מְלוּמָּד, קלָסִיקוֹן
classicist *n* קלָסִיקוֹן
classified *adj* מְסוּוָּג
classify *vt* סִיוּוֵג
classmate *n* בֶּן־כִּיתָּה
classroom *n* כִּיתָּה
class struggle *n* מִלחֶמֶת מַעֲמָדוֹת
classy *adj* מִמַּדרֵגָה גְבוֹהָה
clatter *n* רַעַשׁ
clatter *vi* הִשׁמִיעַ רַעַשׁ
clause *n* מִשׁפָּט טָפֵל; סְעִיף
clavichord *n* מֵיתַריוֹן, קלָוִויכוֹרד
clavicle *n* עֶצֶם הַבְּרִיחַ
clavier *n* מִקלֶדֶת; קלָווִיר
claw *n* טוֹפֶר
claw *vt* תָּפַס בְּצִיפּוֹרנָיו
claw hammer *n* פַּטִּישׁ שְׁסוּעַ חַרטוֹם

clay *n, adj* חוֹמֶר, שֶׁל חוֹמֶר
clay pigeon *n* יוֹנַת חוֹמֶר
clay pipe *n* מִקטֶרֶת חֶרֶס
clean *adj* נָקִי, טָהוֹר
clean *adv* בְּצוּרָה נְקִיָּה
clean *vt, vi* נִיקָּה; הִתנַקָּה
cleaner *n* מְנַקֶּה
cleaning *n* נִיקּוּי, טִיהוּר
cleaning fluid *n* נוֹזֵל נִיקּוּי
cleaning woman *n* מְנַקָּה
cleanliness *n* נִיקָּיוֹן
cleanly *adj, adv* נְקִי גוּף; בְּצוּרָה נְקִיָּה
cleanse *vt* נִיקָּה, טִיהֵר
clean-shaven *adj* מְגוּלָּח לְמִשׁעִי
clean-up *n* נִיקּוּי, טִיהוּר; רֶוַח הָגוּן
clear *adj* בָּהִיר; בָּרוּר; חַף מִפֶּשַׁע
clear *adv* לְגַמרֵי
clear *vt, vi* הִבהִיר; טִיהֵר; זִיכָּה; פָּדָה; הִתבַּהֵר
clearance *n* רֶווַח בֵּינַיִים; סִילּוּק חֶשׁבּוֹן
clearance sale *n* מְכִירַת חִיסּוּל
clearing *n* חֶלקָה מְנוּקָּה; סִילּוּק חֶשְׁבּוֹנוֹת
clearing house *n* לִשׁכַּת סִילּוּק
clear-sighted *adj* בְּהִיר רְאִיָּה; מַבחִין
clearstory *see* clerestory
cleat *n* יָתֵד
cleat *vt* חִיזֵּק בְּיָתֵד
cleavage *n* פִּילּוּג; הִתבַּקְּעוּת
cleave *vt, vi* פִּיצֵּל; בָּקַע; דָּבַק
cleaver *n* מְפַצֵּל; סַכִּין קַצָּבִים
clef *n* מַפְתֵּחַ (במוּסיקה)
cleft *n* סֶדֶק, שֶׁסַע
cleft palate *n* חֵךְ שָׁסוּעַ
clematis *n* זַלזֶלֶת (צמח)
clemency *n* סַלחָנוּת
clement *adj* סַלחָנִי
clench *vt, n* קָמַץ; קְמִיצָה
clerestory *n* צוֹהַר
clergy *n* כְּמוּרָה
clergyman *n* כּוֹמֶר, כּוֹהֵן דָּת
cleric *n, adj* כּוֹמֶר; שֶׁל הַכְּמוּרָה
clerical *adj* לַבלָרִי; שֶׁל הַכְּמוּרָה
clerical error *n* שְׁגִיאַת כַּתבָנִית, שְׁגִיאַת לַבלָר
clerical work *n* עֲבוֹדָה מִשׂרָדִית
clerk *n* פָּקִיד
clerk *vi* לִבלֵר
clever *adj* פִּיקֵּחַ
cleverness *n* פִּיקחוּת
clew *n* מַפְתֵּחַ לְפִתרוֹן
cliché *n* בִּיטּוּי נָדוֹשׁ; גְלוּפָה
click *vi* הִקִּישׁ
click *n* נֶקֶשׁ, תִּקתּוּק
client *n* לָקוֹחַ; מַרשֶׁה
clientele *n* צִיבּוּר הַלָּקוֹחוֹת
cliff *n* צוּק, מָצוֹק
climate *n* אַקלִים
climax *n* שִׂיא; מַשׁבֵּר (בדרמה)
climax *vt, vi* הֵבִיא לְשִׂיא; הִגִּיעַ לְשִׂיא
climb *n* טִיפּוּס
climb *vi* טִיפֵּס
climber *n* מְטַפֵּס
clinch *n* קְבִיעַת מַסמֵר
clinch *vt* קָבַע מַסמֵר; קָבַע בְּהֶחלֵטִיוּת
cling *vi* דָּבַק, נֶאֱחַז בְּחוֹזקָה
clingstone peach *n* אֲפַרסֵק (שבּוֹ הגלעין דבוק בציפה)
clinic *n* מִרפָּאָה

clinical *adj* שֶׁל מִרְפָּאָה; קְלִינִי
clinician *n* קְלִינִיקָן
clink *vt, vi* הִקִּישׁ, צִלְצֵל
clink *n* קוֹל נְקִישָׁה; בֵּית־סוֹהַר
clinker *n* אֶבֶן־רִיצּוּף; אֶבֶן גְּבִישִׁית
clip *n* גְּזִיזָה, גְּזִירָה; צֶמֶר גָּזוּז; מִגְזָזַיִים; מַאֲחֵז (בעניבה); מַכְבֵּנָה (בשיער אישה); קוֹלָר (בחשמל)
clip *vt, vi* גָּזַז, חָתַךְ; קִיצֵּץ, קִיצֵּר
clipper *n* גּוֹזֵז; מִגְזָזַיִים, קוֹטֵם; כְּלִי־שַׁיִט מָהִיר
clipping *n* קֶטַע עִיתּוֹנוּת; קְטִימָה
clique *n* כַּת
clique *vi* יִיסֵּד כַּת
cliquish *adj* כִּיתָּתִי, בַּדְלָנִי
cloak *n* גְּלִימָה; מַסְוֶה
cloak *vt, vi* כִּיסָּה בִּגְלִימָה; הִסְוָה
cloak-and-dagger *adj* שֶׁל תְּכָכִים וְרִיגּוּל
cloak-and-sword *adj* שֶׁל אַבִּירִים
cloakhanger *n* קוֹלָב
cloak-room *n* מֶלְתָּחָה
clock *n* שָׁעוֹן
clock *vt* קָבַע זְמַן לְפִי שָׁעוֹן
clockmaker *n* עוֹשֶׂה שְׁעוֹנִים; שֶׁעָן
clock tower *n* מִגְדַּל שָׁעוֹן
clockwise *adv* בְּכִיווּן הַשָּׁעוֹן
clockwork *n* מַנְגְּנוֹן הַשָּׁעוֹן
clod *n* גּוּשׁ אֲדָמָה; טִיפֵּשׁ
clodhopper *n* גַּס, מְגוּשָּׁם
clog *n* קַבְקַב; מִכְשׁוֹל
clog *vt, vi* חָמַס; נֶעְצַר
clog dance *n* רִיקּוּד בְּשִׁקְשׁוּק
cloister *n* מִנְזָר
cloister *vt* סָגַר בְּמִנְזָר

cloistral *adj* מִנְזָרִי; חַי בְּמִנְזָר
close *vt, vi* סָגַר; סִיֵּים; הִתְקָרֵב ל...; נִסְגַּר
close *n* סְגִירָה; סִיּוּם; מָקוֹם סָגוּר; חָצֵר
close *adj* קָרוֹב; סָגוּר, מֵעִיק
close *adv* קָרוֹב
closed *adj* סְגוּרָה (לגבי הברה)
closed chapter *n* פָּרָשָׁה שֶׁנֶּחְתְּמָה
closed season *n* עוֹנַת צַיִד סְגוּרָה
close-fisted *adj* קַמְּצָן
close-fitting *adj* הָדוּק
close-lipped *adj* שַׁתְקָנִי
closely *adv* קָרוֹב; בִּתְשׂוּמֶת־לֵב
close quarters *n pl* מַגָּע בִּלְתִּי־אֶמְצָעִי
closet *n* אָרוֹן; חֶדֶר מְיוּחָד
closet *vt* הִסְתַּגֵּר
close-up *n* תַּצְלוּם מִקָּרוֹב
closing *n* סְגִירָה, נְעִילָה
closing prices *n pl* מְחִירֵי נְעִילָה
clot *n* גּוּשׁ; קְרִישׁ דָּם
clot *vt, vi* עָשָׂה לְגוּשׁ; נִקְרַשׁ; הִקְרִישׁ
cloth *n* אָרִיג; מַעֲשֵׂה אָרִיג
clothe *vt, vi* הִלְבִּישׁ
clothes *n pl* בְּגָדִים
clothes hanger *n* קוֹלָב
clotheshorse *n* חוֹמֶדֶת מַחֲלָצוֹת
clothesline *n* חֶבֶל כְּבִיסָה
clothes-peg, -pin *n* הֶדֶק־כְּבִיסָה, אֶטֶב
clothes tree *n* קוֹלָב־עַמּוּד
clothier *n* מוֹכֵר אֲרִיגִים, מוֹכֵר בְּגָדִים
clothing *n* הַלְבָּשָׁה
cloud *n* עָנָן, עֲנָנָה
cloud *vt* כִּיסָּה בְּעָנָן, הֵעִיב, הֶעֱנִין
cloud bank *n* גּוּשׁ עֲנָנִים

cloudburst *n* שֶׁבֶר עָנָן
cloud-capped *adj* שֶׁרֹאשׁוֹ בָּעֲנָנִים
cloudless *adj* בָּהִיר, לְלֹא עָנָן
cloudy *adj* מְעוּנָּן; לֹא צָלוּל; מְעוּרְפָּל
clove *n* אֵיגֶנְיָה רֵיחָנִית; בְּצַלְצוּל
clover *n* תִּלְתָּן
clover leaf *n* צוֹמֶת מֶחלָף
clown *n* מוּקְיוֹן
clown *vi* הִתְמַקְיֵן
clownish *adj* מוּקְיוֹנִי
cloy *vt, vi* הֶאֱכִיל עַד לְזָרָא; הִתְפַּטֵּם
club *n* אַלָּה; מוֹעֲדוֹן
club *vt, vi* הִכָּה בְּאַלָּה; הִתְאַגֵּד בְּמוֹעֲדוֹן
club car *n* קְרוֹן מוֹעֲדוֹן
clubhouse *n* מוֹעֲדוֹן
clubman *n* חֲבֵר מוֹעֲדוֹן
cluck *vi* קִרְקֵר
cluck *n* קִרְקוּר
clue *n* מַפְתֵּחַ לְפִתְרוֹן
clump *n* סְבַךְ (עצים); מִקְבָּץ
clump *vt, vi* פָּסַע בִּכְבֵדוּת; שָׁתַל יַחַד
clumsy *adj* מְגוּשָּׁם, מְסוּרְבָּל
cluster *n* אֶשְׁכּוֹל; מִקְבָּץ
cluster *vt, vi* קִבֵּץ; צָמַח בְּאֶשְׁכּוֹלוֹת; הִתְקַהֵל
clutch *vt, vi* אָחַז בְּחוֹזְקָה
clutch *n* מַצְמֵד; אֲחִיזָה
clutter *n* אִי־סֵדֶר
clutter *vt, vi* עָרַם בְּעִרְבּוּבְיָה
cm. *abbr* centimeter ס״מ
cml. *abbr* commercial

Co. *abbr* Company
c/o – care of אֵצֶל
coach *n* מְאַמֵּן; אוֹטוֹבּוּס טִיּוּלִים; קְרוֹן נוֹסְעִים
coach *vt* הִדְרִיךְ, אִימֵּן
coagulate *vi, vt* הִקְרִישׁ
coal *n* פֶּחָם
coal *vt, vi* סִיפֵּק פְּחָמִים
coal bin *n* מְכַל פְּחָמִים
coal bunker *n* מַחסַן פֶּחָם
coal-car *n* קְרוֹן פְּחָמִים
coaling-station *n* תַּחֲנַת־פֶּחָם (לספינות)
coalition *n* קוֹאָלִיצְיָה; הִתְמַזְּגוּת
coal mine *n* מִכְרֵה פֶּחָם
coal oil *n* נֵפְט
coal scuttle *n* כְּלִי־קִיבּוּל לְפֶחָם
coal tar *n* עִטְרָן
coal yard *n* תַּחֲנַת פֶּחָם
coarse *adj* גַּס, מְחוּסְפָּס
coast *n* חוֹף הַיָּם
coast *vi* שִׁיֵּט מִנָּמֵל לְנָמֵל; נָסַע בִּירִידָה לְלֹא דִּיווּשׁ
coastal *adj* חוֹפִי
coaster *n* מַפְלִיג בַּחוֹף
coast guard *n* מִשְׁמַר הַחוֹף
coast guard cutter *n* סְפִינַת מִשְׁמַר הַחוֹף
coasting trade *n* סַחַר חוֹף
coast land *n* אֵיזוֹר הַחוֹף
coastline *n* קַו הַחוֹף
coastwise *adv* לְאוֹרֶךְ הַחוֹף
coat *n* מְעִיל; מַעֲטֶה
coat *vt* כִּיסָּה בִּמְעִיל; צִיפָּה
coated *adj* (נייר) מַבְהִיק; מְצוּפֶּה

coat hanger *n* קַשְׁתִּית
coating *n* שִׁכְבַת צִיפּוּי
coat of arms *n* שֶׁלֶט גִּיבּוֹרִים
coat-tail *n* שׁוֹבֶל הַמִּקטוֹרֶן
coax *vt* פִּיתָּה
cob *n* אֶשְׁבּוֹל; סוּס רְכִיבָה
cobalt *n* קוֹבַּלט
cobbler *n* סַנדְלָר
cobblestone *n* חַלּוּק־אֶבֶן
cobweb *n* קוּרֵי־עַכָּבִישׁ
cocaine *n* קוֹקָאִין
cock *n* תַּרְנְגוֹל; בֶּרֶז; נוֹקֵר (בְּרוֹבֶה); אֵיבַר הַזָּכָר
cock *vt, vi* דָּרַךְ (כְּלִי יְרִייָה); זָקַף; הִזדַּקֵּף
cock *n* תַּרְנְגוֹל
cockade *n* שׁוֹשֶׁנֶת
cock-a-doodle-doo *n* קוּקוּרִיקוּ
cock-and-bull story *n* סִיפּוּר הֲבַאי
cocked hat *n* מִגבַּעַת מוּפשֶׁלֶת אוֹגֶן
cockeyed *adj* פּוֹזֵל; מְעוּקָּם
cockney *adj, n* קוֹקְנִי
cock of the walk *n* שְׁתַלְטָן
cockpit *n* תָּא הַטַּיָּס; מָקוֹם לִקְרַב תַּרְנְגוֹלִים
cockroach *n* תִּיקָן
cockscomb *n* כַּרְבּוֹלֶת
cocksure *adj* בָּטוּחַ מִדַּי בְּעַצמוֹ
cocktail *n* קוֹקְטֵייל
cocktail party *n* מְסִיבַּת קוֹקְטֵייל
cocktail shaker *n* מַמְזֵג קוֹקְטֵיל
cocky *adj* חָצוּף, יָהִיר
cocoa *n, adj* קָקָאוֹ
coconut *n* קוֹקוֹס
coconut palm *n* דֶּקֶל הַקּוֹקוֹס
cocoon *n* קוּקְלָה, פְּקַעַת מֶשִׁי
C.O.D., c.o.d. *abbr* collect on delivery; cash on delivery
cod *n* בַּקָּלָה
coddle *vt* פִּינֵּק
code *n* צוֹפֶן; סֵפֶר חוּקִּים, קוֹד
code *vt* רָשַׁם בְּצוֹפֶן, קוֹדֵד
code number *n* מִסְפַּר מִיקּוּד
code word *n* מִלַּת צוֹפֶן
codex *n* (*pl* codices) כְּתַב־יָד עַתִּיק
codfish *n* בַּקָּלָה
codger *n* כִּילַי
codicil *n* נִספָּח לְצַוָּואָה
codify *vt* עָרַךְ חוּקִּים בְּסֵפֶר
cod-liver oil *n* שֶׁמֶן דָּגִים
co-ed *n* סטוּדֶנְטִית
coeducation *n* חִינּוּךְ מְעוֹרָב
coefficient *n, adj* מְקַדֵּם
coerce *vt* כָּפָה
coercion *n* כְּפִייָה
coeval *adj* שֶׁל אוֹתָהּ תְּקוּפָה
coexist *vi* הִתקַיֵּים יַחַד
coexistence *n* דּוּ־קִיּוּם
coffee *n* קָפֶה, קַהֲוָוה
coffee beans *n pl* גַּרְגְּרֵי קָפֶה
coffee grinder *n* מַטחֵנַת קָפֶה
coffee grounds *n pl* מִשׁקַע קָפֶה
coffee mill *n* מַטחֵנַת קָפֶה
coffee plantation *n* מַטַּע קָפֶה
coffeepot *n* קוּמקוּם קָפֶה
coffee tree *n* עֵץ הַקָּפֶה
coffer *n* תֵּיבָה
cofferdam *n* מִבנֶה לֹא חָדִיר לְמַיִם
coffers *n pl* אוֹצָר, קֶרֶן
coffin *n* אֲרוֹן מֵתִים

cog *n* שֵׁן בְּגַלְגַּל

cogency *n* כּוֹחַ שִׁכְנוּעַ

cogent *adj* מְשַׁכְנֵעַ

cogitate *vi* חָשַׁב, הִרְהֵר בַּדָּבָר

cognac *n* יַי״שׁ, קוֹנְיָאק

cognizance *n* יְדִיעָה

cognizant *adj* יוֹדֵעַ; נוֹתֵן דַעְתּוֹ

cogwheel *n* גַּלְגַּל מְשׁוּנָּן

cohabit *vt* חָיוּ יַחַד

coheir *n* שׁוּתָּף לִירוּשָּׁה

cohere *vi* הִתְדַּבֵּק, הִתְלַכֵּד

coherent *adj* הֶגְיוֹנִי, עָקִיב

cohesion *n* לִיכּוּד, הִתְלַכְּדוּת

coiffeur *n* סַפָּר

coiffure *n* תִּסְרוֹקֶת

coil *n* סְלִיל; נַחְשׁוֹן

coil *vt, vi* כָּרַךְ; נָע חֶלְזוֹנִית

coil spring *n* קְפִיץ בּוֹרְגִי

coin *n* מַטְבֵּעַ

coin *vt* טָבַע (מטבעות); חִידֵּשׁ מִלִּים

coincide *vi* נִזְדַּמֵּן יַחַד; הִתְאִים בְּדִיּוּק

coincidence *n* זֶהוּת אֵירוּעִים

coition *n* הִזְדַּוְּגוּת, מִשְׁגָּל

coitus *n* הִזְדַּוְּגוּת, מִשְׁגָּל

coke *n* קוֹקס

coke *vt* הָפַךְ לְקוֹקס

col *n* אוּכָּף

colander *n* מְשַׁמֶּרֶת

cold *adj* קַר, צוֹנֵן

cold *n* קוֹר, הִצְטַנְּנוּת

cold-blooded *adj* אַכְזָרִי

cold chisel *n* מִפְסֶלֶת פְּלָדָה

cold comfort *n* נֶחָמָה פּוּרְתָּא

cold cuts *n pl* בָּשָׂר קַר

cold feet *n* מוֹרֶךְ־לֵב

cold-hearted *adj* אָדִישׁ

coldness *n* קוֹר, קְרִירוּת

cold shoulder *n* אֲדִישׁוּת גְּלוּיָה

cold shoulder *vt* הִתְיַיחֵס בִּקְרִירוּת

cold snap *n* תְּקוּפַת קוֹר פִּתְאוֹמִי

cold storage *n* אִחְסוּן בְּקֵירוּר

cold war *n* מִלְחָמָה קָרָה

coleslaw *n* סָלַט כְּרוּב

colic *n* כְּאֵב בֶּטֶן

coliseum, colosseum *n* קוֹלוֹסֵאוּם, אַמְפִיתֵיאַטְרוֹן

collaborate *vt, vi* שִׁיתֵּף פְּעוּלָּה

collaborationist *n* מְשַׁתֵּף פְּעוּלָּה (עם אויב)

collaborator *n* מְשַׁתֵּף פְּעוּלָּה

collapse *n* הִתְמוֹטְטוּת

collapse *vi* הִתְמוֹטֵט

collapsible *adj* נִיתָּן לְהִתְמוֹטֵט

collar *n* צַוָּארוֹן, עֲנָק

collar *vt* שָׂם צַוָּארוֹן; תָּפַס בַּצַּוָּאר

collarbone *n* עֶצֶם הַבְּרִיחַ

collate *vt* לִיקֵּט וְעָרַךְ; הִישְׁוָה (טקסטים)

collateral *adj, n* צְדָדִי; מַקְבִּיל; מְסַיֵּיעַ; עֲרֵבוּת

collation *n* לֶקֶט; הַשְׁוָאָה; אֲרוּחָה קַלָּה

colleague *n* עָמִית

collect *vt, vi* אָסַף, קִיבֵּץ; גָּבָה; הִתְאַסֵּף

collect *adv* בְּתַשְׁלוּם עַל־יְדֵי הַנִּמְעָן

collection *n* אִיסּוּף; אוֹסֶף

collection agency *n* סוֹכְנוּת לִגְבִייָּה

collective *adj, n* קִיבּוּצִי, מְשׁוּתָּף; גּוּף קִיבּוּצִי

collector *n* גוֹבֶה; אַסְפָן
college *n* מִדְרָשָׁה
collide *vi* הִתְנַגֵּשׁ
collie, colly *n* כֶּלֶב רוֹעֶה
collier *n* כּוֹרֵה פֶּחָם
colliery *n* מִכְרֵה פֶּחָם
collision *n* הִתְנַגְּשׁוּת
colloid *adj, n* דַּבְקָנִי, קוֹלוֹאִיד
colloquial *adj* דִּיבּוּרִי
colloquialism *n* נִיב דִּיבּוּרִי
colloquy *n* שִׂיחָה
collusion *n* קֶשֶׁר לְהוֹנָאָה
colon *n* הַמְּעִי הַגַּס; נְקוּדָתַיִים
colonel *n* קוֹלוֹנֶל, אַלּוּף מִשְׁנֶה
colonelcy, colonelship *n* אַלִּיפוּת מִשְׁנֶה
colonial *adj, n* קוֹלוֹנְיָאלִי; תּוֹשַׁב מוֹשָׁבָה
colonize *vt, vi* הֵקִים מוֹשָׁבָה; יִישֵּׁב
colonnade *n* שְׂדֵירַת עַמּוּדִים אוֹ עֵצִים
colony *n* מוֹשָׁבָה
colophon *n* קוֹלוֹפוֹן
color *n* צֶבַע; סוֹמֶק פָּנִים
color *vt, vi* נָתַן צֶבַע, גִּיוּוֵן; הִסמִיק
color bar *n* הַפְלָיָה מִטַּעֲמֵי צֶבַע
color bearer *n* נוֹשֵׂא דֶגֶל
color blind *adj* סוּמְגוֹן; עִיוּוֵר לִצְבָעִים
colored *adj* צָבוּעַ; צִבעוֹנִי, לֹא לָבָן; מוּשְׁפָּע
colorful *adj* סַסְגוֹנִי
coloring *n* צְבִיעָה; חוֹמֶר צֶבַע
colorless *adj* חֲסַר צֶבַע
color screen *n* מִרקַע צֶבַע
color sergeant *n* סַמָּל גְדוּדִי
color television *n* טֶלֶוִויזְיָה צִבעוֹנִית
colossal *adj* עֲנָקִי
colossus *n* אַנדַּרטָה עֲנָקִית
colt *n* סְיָח; אֶקְדָּח
Columbus *n* קוֹלוּמבּוּס
column *n* טוּר עַמּוּד
com. *abbr* comedy, commerce, common
Com. *abbr* Commander, Commissioner, Committee
coma *n* תַּרְדֶּמֶת, קוֹמָה
comb *vt, vi* סֵרֵק
comb *n* מַסרֵק; כַּרבּוֹלֶת
combat *vt, vi* נִלחַם בְּ..., נֶאֱבַק
combat *n, adj* קְרָב; קְרָבִי
combat duty *n* תּוֹרָנוּת קְרָב
combination *n* צֵירוּף, אִיחוּד
combine *vt, vi* צֵירֵף, אִיחֵד; הִתחַבֵּר
combine *n* צֵירוּף; אִיגּוּד; קוֹמבַּיין (בחקלאות)
combustible *adj, n* דָּלִיק; חוֹמֶר דָּלִיק
combustion *n* דְּלִיקָה, בְּעִירָה
come *vi* בָּא, הִגִּיעַ; אֵירַע
comeback *n* חֲזָרָה לְמַצָּב קוֹדֵם
come between הִפרִיד בֵּין, חָצַץ
comedian *n* שַׂחֲקָן בְּקוֹמֶדיָה, קוֹמִיקָן
comedienne *n* שַׂחֲקָנִית בְּקוֹמֶדְיָה, קוֹמִיקָנִית
comedown *n* נְפִילָה מֵאִיגָּרָא רָמָא
comedy *n* מַחֲזֶה הִיתּוּלִי, מַהֲתַלָּה, קוֹמֶדיָה
comely *adj* נָעִים, חִנָּנִי
comet *n* כּוֹכַב־שָׁבִיט

come true הִתְאַמֵּת
comfort *vt* נִיחֵם
comfort *n* נֶחָמָה
comfortable *adj* נוֹחַ
comforter *n* מְנַחֵם; סוּדַר צֶמֶר
comfort station *n* תַּחֲנַת נוֹחִיּוּת
comfrey *n* קִיווּיָה; סִימְפִּיטוֹן
comic, comical *adj* מְבַדֵּחַ, קוֹמִי
comic *n* בַּדְּחָן
comic strip *n* מִבְדָּח מְצוּיָּר
coming *n* הִתְקָרְבוּת, הוֹפָעָה
comma *n* פְּסִיק
command *vt*, *vi* צִיוָּה, פָּקַד; שָׁלַט בּ...
command *n* פְּקוּדָה, צַו; פִּיקּוּד
commandant *n* קָצִין־מְפַקֵּד; קוֹמַנְדַנְט
commandeer *vt* גִּייֵּס בְּכוֹחַ
commander *n* מְפַקֵּד
commandment *n* דִּיבְּרָה
commemorate *vt* שִׁימֵּשׁ כְּזִיכָּרוֹן; הִזְכִּיר (בְּאזכרה)
commence *vt*, *vi* הִתְחִיל
commencement *n* הַתְחָלָה
commend *vt* הִזְכִּיר לְשֶׁבַח; הִמְלִיץ
commendable *adj* רָאוּי לְשֶׁבַח
commendation *n* צִיּוּן לְשֶׁבַח
comment *n* הֶעָרָה
comment *vi* הֶעִיר
commentary *n* פֵּירוּשׁ
commentator *n* מְפָרֵשׁ, פַּרְשָׁן
commerce *n* מִסְחָר
commercial *n* (בְּרדיו) תּוֹכְנִית מִסְחָרִית
commercial *adj* מִסְחָרִי

commiserate *vi* הִבִּיעַ צַעַר, הִשְׁתַּתֵּף בְּצַעַר
commiseration *n* רַחֲמִים, הַבָּעַת צַעַר
commissar *n* מְנַהֵל מַחְלָקָה מֶמְשַׁלְתִּית (בִּברית־המועצות)
commissary *n* (בְּצבא) מַחסַן מָזוֹן וְצִיּוּד; קְצִין אַסְפָּקָה
commission *n* עַמְלָה, קוֹמִיסְיוֹן; בִּיצּוּעַ (פֶּשע וכד׳); וַעֲדָה, מִשְׁלַחַת; מִינּוּי, הַטָּלַת תַּפְקִיד
commission *vt* הִטִּיל תַּפְקִיד
commissioned officer *n* קָצִין (מסגן־משנה ומעלה)
commissioner *n* נְצִיב
commit *vt* עָשָׂה, בִּיצֵּעַ; מָסַר;חִייֵּב
commitment *n* הִתְחַייְּבוּת
committal *n* שְׁלִיחָה (לכלא, וכד׳)
committee *n* וַעֲדָה, וַעַד
commode *n* שִׁידָּה; אֲרוֹנִית
commodious *adj* מְרוּוָּח
commodity *n* מִצְרָךְ
common *adj* מְשׁוּתָּף, הֲדָדִי; רָגִיל; שִׁגְרָתִי; הֲמוֹנִי
common *n* קַרְקַע צִיבּוּרִית
common carrier *n* רֶכֶב צִיבּוּרִי
פָּשׁוּט
commoner *n* פְּשׁוּט עַם
common law *n* הַמִּשְׁפָּט הַמְקוּבָּל
common law marriage *n* נִישּׂוּאִים לְלֹא טֶקֶס
commonplace *n*, *adj* מֵימְרָה נְדוֹשָׁה
common sense *n* שֵׂכֶל יָשָׁר
common-sense *adj* שֶׁל שֵׂכֶל יָשָׁר
common stock *n* מְנָיָה רְגִילָה
commonwealth *n* קְהִילִיָּיה

commotion *n* מְהוּמָה
commune *n* קְהִילָה
commune *vi* שׂוֹחַח שִׂיחָה אִינטִימִית
communicant *n, adj* חֲבֵר־הַכְּנֵסִייָה
communicate *vt, vi* הוֹדִיעַ; הִתקַשֵּׁר
communicating *adj* מְקַשֵּׁר
communicative *adj* נָכוֹן לְהִידָּבֵר; שֶׁל תִּקשׁוֹרֶת
communion *n* הִידָּבְרוּת; הִשׁתַּתְּפוּת
communion rail *n* מַעֲקֶה לֶחֶם הַקּוֹדֶשׁ
communiqué *n* תַּמסִיר
communism *n* קוֹמוּנִיזם
communist *n, adj* קוֹמוּנִיסט; קוֹמוּנִיסטִי
community *n* קְהִילָה; עֵדָה
communize *vt* הָפַך לִרכוּשׁ הַכְּלָל
commutation ticket *n* כַּרטִיס מָנוּי (לִנסִיעוֹת)
commutator *n* מַחֲלֵף; מֶתֶג
commute *vt, vi* נָסַע כְּיוֹמֵם
commuter *n* יוֹמֵם
compact *n* בְּרִית, חוֹזֶה; קוּפסַת עִידּוּן
compact *adj* מְהוּדָּק, דָחוּס
companion *n* חָבֵר; מְלַוֶּוה; מַדרִיך
companion *n* (בְּאוֹנִייה) חוּפַּת הַיְרִידָה
companionable *adj* חֲבֵרִי
companionship *n* חֲבֵרוּת, יְדִידוּת
companionway *n* יַרְדָה
company *n* חֲבוּרָה; חֶברָה, אֲגוּדָה; אוֹרְחִים
company *adj* שֶׁל חֶברָה
comparative *adj, n* הַשׁוָואָתִי, יַחֲסִי; דַרגַּת הַיּוֹתֵר

compare *vt, vi* הִשׁוָוה עִם; הִשׁתַּווָה
compare *n* הַשׁוָואָה
comparison *n* הַשׁוָואָה
compartment *n* תָּא; חֵלֶק נִפרָד
compass *adj* עִיגּוּלִי
compass *n* מַצפֵּן; הֶיקֵף, תְּחוּם
compass card *n* שׁוֹשַׁנַּת־הָרוּחוֹת
compassion *n* רַחֲמִים
compassionate *adj* רַחוּם, רַחֲמָנִי
compel *vt* הִכרִיחַ
compendious *adj* תַּמצִיתִי, מְקוּצָּר
compendium *n* תַּקצִיר, תַּמצִית
compensate *vt, vi* פִּיצָּה; אִיזֵּן
compensation *n* פִּיצּוּי
compete *vi* הִתחָרָה
competence, competency *n* כּוֹשֶׁר; הַכנָסָה מַספֶּקֶת
competent *adj* הוֹלֵם; מוּסמָך; מוּכשָׁר, כָּשִׁיר
competition *n* הִתחָרוּת, תַּחֲרוּת
competitive *adj* שֶׁל הִתחָרוּת
competitive examination *n* בְּחִינַת הִתחָרוּת
competitive price *n* מְחִיר הִתחָרוּת
competitor *n* מִתחָרֶה, מִתמוֹדֵד
compilation *n* לִיקּוּט; אוֹסֶף
compile *vt* לִיקֵּט, חִיבֵּר
complacence, complacency *n* שַׁאֲנַנּוּת; שְׂבִיעוּת רָצוֹן מֵעַצמוֹ
complacent *adj* שְׂבַע־רָצוֹן מֵעַצמוֹ
complain *vi* הִתאוֹנֵן
complainant *n* מִתלוֹנֵן
complaint *n* תְּלוּנָה; מַחֲלָה
complaisance *n* נְעִימוּת, אֲדִיבוּת
complaisant *adj* נָעִים אָדִיב

complement *n* הַשְׁלָמָה; כַּמּוּת מְלֵאָה

complement *vt* הִשְׁלִים

complete *vt* הִשְׁלִים; סִיֵּים

complete *adj* שָׁלֵם; מוּשְׁלָם

completion *n* הַשְׁלָמָה; סִיּוּם

complex *n, adj* הֶרְכֵּב מְסוּבָּךְ; תַּסְבִּיךְ; מוּרְכָּב

complexion *n* צֶבַע הָעוֹר; מַרְאֶה

compliance *n* הֵיעָנוּת

complicate *vt* סִיבֵּךְ

complicated *adj* מְסוּבָּךְ; מוּרְכָּב

complicity *n* שׁוּתָּפוּת לִדְבַר עֲבֵירָה

compliment *n* מַחֲמָאָה

compliment *vt* חָלַק מַחֲמָאָה

complimentary copy *n* עוֹתֶק חִינָּם

complimentary ticket *n* כַּרְטִיס חִינָּם

comply *vi* נַעֲנָה, צִיֵּית

component *n* מַרְכִּיב, רְכִיב

component *adj* מְהַוֶּה חֵלֶק בּ...

compose *vt, vi* הִרְכִּיב; הָיָה מוּרְכָּב מ...

composed *adj* רָגוּעַ, שָׁלֵו

composer *n* מְחַבֵּר, מַלְחִין

composing stick *n* מְשׁוּרָה

composite *n* דָּבָר מוּרְכָּב, הֶרְכֵּב

composite *adj* מוּרְכָּב; מִמִּשְׁפַּחַת הַמּוּרְכָּבִים

composition *n* הַרְכָּבָה; הֶרְכֵּב; (בְּמוּסִיקָה) הַלְחָנָה; חִיבּוּר

compositor *n* סַדָּר

composure *n* שַׁלְוָה, רְגִיעוּת

compote *n* לִפְתַּן פֵּירוֹת

compound *n* תִּרְכּוֹבֶת; מִלָּה מוּרְכֶּבֶת; מָקוֹם גָּדוּר

compound *vt, vi* עֵירֵב; חִיבֵּר, הִרְכִּיב; הִתְפַּשֵּׁר

compound *adj* מוּרְכָּב, מְחוּבָּר

compound interest *n* רִיבִּית דְּרִיבִּית

comprehend *vt* הֵבִין

comprehensible *adj* נִיתָּן לַהֲבָנָה

comprehension *n* הֲבָנָה, תְּפִיסָה

comprehensive *adj* מַקִּיף, כּוֹלֵל

compress *vt* דָּחַס, הִידֵּק יַחַד

compress *n* תַּחְבּוֹשֶׁת, רְטִיָּה

compression *n* דְּחִיסָה; דְּחִיסוּת

comprise *vt* כָּלַל, הֵכִיל

compromise *n* פְּשָׁרָה, וִיתּוּר הֲדָדִי

compromise *vt, vi* הִתְפַּשֵּׁר; פִּישֵּׁר; סִיכֵּן

compromising evidence *n* עֵדוּת מַחֲשִׁידָה

comptroller *n* מְפַקֵּחַ

compulsion *n* כְּפִיָּה, אוֹנֶס

compulsory *adj* שֶׁל חוֹבָה

compute *vt* חִשְׁבֵּן, חִישֵּׁב

computer *n* מְחַשֵּׁב

comrade *n* חָבֵר

con. *abbr* conclusion, confidence, consolidated, contra

con *n* טַעַם נֶגֶד

con *vt* לָמַד, שִׁינֵּן; הוֹנָה

concave *adj* קָעוּר, שְׁקַעֲרוּרִי

conceal *vt* הִסְתִּיר

concealment *n* הַסְתָּרָה

concede *vt* הוֹדָה בְּצִדְקַת טַעֲנָה; וִיתֵּר

conceit *n* יוּהֲרָה, הִתְרַבְרְבוּת

conceited *adj* — יָהִיר, גַאַוותָן
conceivable *adj* — עוֹלֶה עַל הַדַּעַת
conceive *vt, vi* — הָרָה רַעיוֹן; תֵּיאֵר לְעַצמוֹ, הֶעֱלָה עַל דַעתּוֹ; הָרתָה
concentrate *vt, vi* — רִיכֵּז; הִתרַכֵּז
concentrate *n* — רִיכּוּז; תַּרכִּיז
concentric *adj* — קוֹנצֶנטרִי, מְשׁוּתַּף מֶרכָּז
concept *n* — מוּשָׂג
conception *n* — תְּפִיסָה; הִתעַבְּרוּת; מוּשָׂג; הֲרִיַּית רַעיוֹן
concern *vt* — נָגַע ל..., הָיָה קָשׁוּר ל...; עִניֵין; הִדאִיג
concern *n* — עִניָן, עֵסֶק (מסחרי); דְאָגָה
concerned *adj* — מְעוּניָין; מוּדאָג
concerning *prep* — בְּנוֹגֵעַ ל...
concert *vt* — תִּכנֵן יַחַד עִם
concert *n* — קוֹנצֶרט; פְּעוּלָה מְשׁוּתֶּפֶת
concert master *n* — מְנַצֵּחַ מִשׁנֶה
concerto *n* — קוֹנצֶ׳רטוֹ
concession *n* — וִיתּוּר; זִיכָּיוֹן; הֲנָחָה
concessive *adj* — נוֹטֶה לְוַותֵּר
concierge *n* — שׁוֹעֵר
conciliate *vt* — פִּייֵס, הִרגִיעַ
conciliatory *adj* — פַּייְסָנִי
concise *adj* — מְתוּמצָת, מְצוּמצָם
conclude *vt, vi* — גָמַר, סִייֵם; הִסִּיק; הִסתַּייֵם
conclusion *n* — סִיוּם; מַסקָנָה
conclusive *adj* — מַכרִיעַ, מְשַׁכנֵעַ
concoct *vt* — בִּישֵׁל; הִרכִּיב; הִמצִיא (סיפור, תירוץ וכד׳)
concomitant *adj, n* — מְלַווֶה, מתארֵעַ בּוֹ בִּזמַן; מְאוֹרָע אוֹ דָבָר צָמוּד
concord *n* — הֶסכֵּם; תְּמִימוּת־דֵעִים; שָׁלוֹם; מְזִיג צְלִילִים
concordance *n* — הַתאָמָה, הַרמוֹנִיָה; קוֹנקוֹרדַנצִיָה
concourse *n* — כִּינּוּס; טַייֶלֶת (בגן ציבורי); רְחָבָה (בתחנת־רכבת)
concrete *adj* — מוּחָשִׁי; מַמָּשִׁי; יָצוּק
concrete block *n* — בלוֹק בֵּטוֹן
concrete mixer *n* — מְעַרבֵּל
concrete *n* — בֵּטוֹן
concubine *n* — פִּילֶגֶשׁ
concur *vi* — הִסכִּים; הִצטָרֵף
concurrence *n* — הַסכָּמָה, תְּמִימוּת־דֵעִים
concussion *n* — זַעֲזוּעַ חָזָק; זַעֲזוּעַ מוֹחַ
condemn *vt* — גִינָּה; דָן (למוות); פָּסַל
condemnation *n* — גִינּוּי; הַרשָׁעָה
condense *vt, vi* — דָחַס, צִמצֵם; הִצטַמצֵם
condensed milk *n* — חָלָב מְשׁוּמָּר
condescend *vi* — מָחַל עַל כְּבוֹדוֹ; הוֹאִיל
condescending *adj* — מוֹחֵל עַל כְּבוֹדוֹ, מוֹאִיל
condescension *n* — מְחִילָה עַל כְּבוֹדוֹ כְּלַפֵּי נְחוּתִים
condiment *n* — תַּבלִין
condition *n* — תְּנַאי; מַצָּב
condition *vt* — הִתנָה; הֵבִיא לְמַצָּב תָּקִין; מִיזֵג (אוויר)
conditional *adj* — מוּתנֶה, עַל תְּנַאי
condole *vi* — נִיחֵם, הִבִּיעַ תַּנחוּמִים

condolence *n* נִיחוּם; תַּנחוּמִים
condone *vt* הֶעלִים עֵינוֹ, מָחַל
conduce *vt, vi* הֵבִיא לִידֵי, גָּרַם
conducive *adj* מֵבִיא לִידֵי, מְסַייֵעַ
conduct *vt* נִיהֵל, הִדרִיך;
נִיצֵחַ עַל (תזמורת); הוֹלִיךְ (חום, חשמל, קול וכד׳)
conduct *n* הִתנַהֲגוּת; נִיהוּל
conductor *n* מְנַצֵּחַ; מוֹלִיךְ; כַּרטִיסָן
conduit *n* מַעֲבִיר מַיִם
cone *n* חָרוּט; אִצטְרוֹבָּל
confectionery *n* דִּברֵי מְתִיקָה;
מִגדָּנִיָּה
confederacy *n* בְּרִית, אִיחוּד,
קוֹנפֶדֶרַציָה
confederate *vi* הִתאַחֵד,
הִתחַבֵּר לִמְזִימָּה
confederate *n, adj* בַּעַל בְּרִית;
שׁוּתָּף לִדבַר־עֲבֵירָה
confer *vt, vi* הֶעֱנִיק; הֶחֱלִיף דֵּעוֹת
conference *n* וְעִידָה; הִתייַעֲצוּת;
יְשִׁיבָה
confess *vt, vi* הוֹדָה;
הִתווַדָּה (לפני כומר)
confession *n* הוֹדָאָה; וִידוּי,
הִתווַדּוּת (לפני כומר)
confessional *n* תָּא הַוִּידוּי
confession of faith הַכרָזַת
׳אֲנִי מַאֲמִין׳
confessor *n* מִתוַדֶּה; כּוֹמֶר מְוַודֶּה
confide *vt, vi* בָּטַח בּ...; גִּילָּה (סוד)
confidence *n* אֵימוּן; בִּיטָּחוֹן עַצמִי
confident *adj* בָּטוּחַ; בּוֹטֵחַ בְּעַצמוֹ
confidential *adj* סוֹדִי
confine *n* גְּבוּל
confine *vt, vi* הִגבִּיל; כָּלָא
confinement *n* כְּלִיאָה; מַצַּב הַיּוֹלֶדֶת
confirm *vt* אִישֵּׁר; חִיזֵּק;
הִכנִיס בִּברִית הַכְּנֵסִיָּה
confirmed *adj* מְאוּשָּׁר; מוּשׁבָּע
confiscate *vt* הֶחֱרִים; עִיקֵּל
confiscate *adj* מוּחְרָם; מְעוּקָּל
conflagration *n* דְּלֵיקָה, שְׂרֵיפָה גְדוֹלָה
conflict *vi* הִתנַגֵּשׁ; הִסתַּכסֵךְ
conflict *n* הִתנַגְּשׁוּת; סִכסוּךְ
conflicting *adj* סוֹתֵר
confluence *n* זְרִימַת יַחַד
conform *vt, vi* פָּעַל בְּהֶתאֵם;
הִסתַּגֵּל ל...; נִשׁמַע ל...
conformance *n* הַתאָמָה; הִסתַּגְּלוּת
conformity *n* תּוֹאָמוּת; הַתאָמָה, תֵּיאוּם
confound *vt* בִּלבֵּל; הִכשִׁיל,
שָׂם לְאַל
confounded *adj* מְקוּלָל, שָׂנוּא
confrere *n* חָבֵר לְמִקצוֹעַ
confront *vt* עִימֵּת
confrontation *n* עִימּוּת
confuse *vt* בִּלבֵּל; הֵבִיךְ
confusion *n* בִּלבּוּל; מְבוּכָה
confute *vt* הִפרִיךְ
Cong. *abbr* Congregation,
Congressional
congeal *vt, vi* הִקרִישׁ, הִקפִּיא;
הִתקָרֵשׁ
congenial *adj* נָעִים; אָהוּד
congenital *adj* שֶׁמִּלֵּידָה
conger·eel *n* צְלוֹפָח גַּמלוֹנִי
congest *vt, vi* גִּידֵּשׁ; הִתגַּדֵּשׁ
congestion *n* תִּצפּוֹפֶת, צְפִיפוּת;
גּוֹדֶשׁ (דם)

congratulate *vt* בֵּירֵךְ, אִיחֵל
congratulation *n* בְּרָכָה, אִיחוּל
congregate *vt, vi* הִקְהִיל; הִתְאַסֵּף, הִתְקַהֵל
congregation *n* קְהַל מִתְפַּלְּלִים; קְהִילָּה דָתִית
congress *n* וְעִידָה, כִּינּוּס
congressman *n* חֲבֵר הַקּוֹנְגְרֶס הָאֲמֵרִיקָנִי
conic, conical *adj* חֲרוּטִי
conjecture *n* הַשְׁעָרָה, נִיחוּשׁ
conjecture *vt, vi* שִׁיעֵר, חִיוּוָה הַשְׁעָרָה
conjugal *adj* שֶׁל נִישּׂוּאִין
conjugate *vt, vi* הִיטָּה פּוֹעַל
conjugate *adj, n* מְצוֹרָף; זוּגִי, בְּזוּגוֹת
conjugation *n* הַטָּיַת פְּעָלִים; נְטִיּוֹת פּוֹעַל
conjunction *n* צֵירוּף, חִיבּוּר; מִלַּת חִיבּוּר
conjuration *n* הַעֲלָאָה בְּאוֹב, כִּישּׁוּף
conjure *vt, vi* הֶעֱלָה בְּאוֹב, כִּישֵּׁף
conjure *vt* הִפְצִיר, הִתְחַנֵּן
connect *vt, vi* צֵירֵף, חִיבֵּר; הִצְטָרֵף, הִתְחַבֵּר
connecting rod *n* טַלְטַל
connection, connexion *n* חִיבּוּר; יַחַס; קֶשֶׁר; קְרוֹב־מִשְׁפָּחָה
conning tower *n* צְרִיחַ הַמִּצְפֶּה
conniption (fit) *n* מִתְקָף הִיסְטֵרִי
connive *vi* הֶעְלִים עַיִן; סִייַּע לִדְבַר־עֲבֵירָה
conquer *vt, vi* כָּבַשׁ, נִיצַּח
conqueror *n* כּוֹבֵשׁ, מְנַצֵּחַ
conquest *n* כִּיבּוּשׁ; שֶׁטַח כָּבוּשׁ
conscience *n* מַצְפּוּן
conscientious *adj* נֶאֱמָן לְמַצְפּוּנוֹ
conscientious objector *n* סָרְבָן מִלְחָמָה (מטעמי מצפון)
conscious *adj* חָשׁ, מַכִּיר בּ..., מַרְגִּישׁ; מוּחָשׁ; בְּהַכָּרָה
consciousness *n* הַכָּרָה; תּוֹדָעָה
conscript *vt* גִּייֵּס לְשֵׁירוּת חוֹבָה
conscript *adj, n* מְגוּיָּס בְּשֵׁירוּת חוֹבָה
conscription *n* גִּיּוּס חוֹבָה
consecrate *vt* הִקְדִּישׁ, הִכְרִיז כְּקָדוֹשׁ
consecrate *adj* מְקוּדָּשׁ, קָדוֹשׁ
consecutive *adj* רָצוּף
consensus *n* הַסְכָּמָה כְּלָלִית
consensus of opinion *n* דֵּעָה מוּסְכֶּמֶת
consent *vi* הִסְכִּים, נֵאוֹת
consent *n* הַסְכָּמָה; הֶיתֵּר
consequence *n* תּוֹצָאָה; חֲשִׁיבוּת
consequential *adj* מִשְׁתַּמֵּעַ; מַחֲשִׁיב אֶת עַצְמוֹ; עִקְבִי; בַּעַל חֲשִׁיבוּת
consequently *adv* לְפִיכָךְ, עַל כֵּן
conservation *n* שִׁימּוּר; שְׁמוּרַת טֶבַע
conservatism *n* שַׁמְרָנוּת
conservative *n, adj* מְשַׁמֵּר, שַׁמְרָנִי
conservatory *n* חֲמָמָה; קוֹנְסֶרְוָטוֹרְיָה
consider *vt* הִתְחַשֵּׁב בּ...
considerable *adj* נִיכָּר, רְצִינִי, לֹא מְבוּטָּל
considerate *adj* מִתְחַשֵּׁב בַּזּוּלַת
consideration *n* שִׁיקּוּל; הִתְחַשְּׁבוּת; תְּמוּרָה
considering *prep* בְּהִתְחַשֵּׁב בּ...

consign *vt* שִׁיגֵּר, שָׁלַח; הִפְקִיד בְּיַד
consignee *n* מְקַבֵּל הַמִּשְׁגוֹר
consignment *n* שִׁיגּוּר; מִשְׁגוֹר
consist *vi* הָיָה מוּרְכָּב, הִיוָּה
consistency, consistence *n* לְכִידוּת; מִידַּת הַצְּפִיפוּת; מוּצָקוּת; עֲקִיבוּת
consistent *adj* עִקְבִי
consistory *n* קוֹנְסִיסְטוֹרְיָה
consolation *n* תַּנְחוּמִים
console *vt* נִיחֵם
console *n* זִיז; שׁוּלְחָן עוּגָב
consommé *n* מְרַק בָּשָׂר
consonant *adj* מִתְמַזֵּג; תּוֹאֵם
consonant *n* עִיצּוּר
consort *n* בֶּן־זוּג
consort *vt, vi* הִתְחַבֵּר עִם; הִתְאִים
consortium *n* אִיחוּד חֲבָרוֹת
conspicuous *adj* בּוֹלֵט לָעַיִן
conspiracy *n* קֶשֶׁר, קְנוּנְיָה
conspire *vt, vi* קָשַׁר קֶשֶׁר
constable *n* שׁוֹטֵר
constancy *n* הַתְמָדָה; נֶאֱמָנוּת; יַצִּיבוּת
constant *adj* מַתְמִיד; רָצוּף; נֶאֱמָן
constant *n* קָבוּעַ
constellation *n* קְבוּצַת כּוֹכָבִים
constipate *vt* גָּרַם לַעֲצִירוּת
constipation *n* עֲצִירוּת
constituency *n* אֵיזוֹר בְּחִירוֹת
constituent *n, adj* מַרְכִּיב; בּוֹחֵר
constitute *vt* הִיוָּה; מִינָּה; הִסְמִיךְ
constitution *n* הַרְכָּבָה; מִינּוּי; הֶרְכֵּב; אוֹפִי; חוּקָּה
constrain *vt* אִילֵּץ; אָסַר בִּכְבָלִים

construct *n* מִבְנֶה
construct *vt* הִרְכִּיב, בָּנָה
construction *n* בְּנִיָּה; מִבְנֶה, בִּנְיָן; פֵּירוּשׁ
construct state *n* (בדקדוק עברי) סְמִיכוּת
construe *vt, vi* פֵּירֵשׁ; נִיתֵּחַ (משפט)
consul *n* קוֹנְסוּל
consular *adj* קוֹנְסוּלָרִי
consulate *n* קוֹנְסוּלְיָה
consulship *n* קוֹנְסוּלְיוּת
consult *vt, vi* נוֹעַץ; בִּיקֵּשׁ עֵצָה, הִתְיָיעֵץ עִם
consultant *n* יוֹעֵץ
consultation *n* הִתְיָיעֲצוּת
consume *vt, vi* כִּילָּה; אָכַל
consumer *n* צַרְכָן
consumer credit *n* הַלְוָוָאָה לִקְנִיַּית מִצְרָכִים
consumer goods *n pl* מִצְרָכִים יְסוֹדִיִּים
consummate *vt* הִשְׁלִים
consummate *adj* מוּשְׁלָם
consumption *n* צְרִיכָה; שַׁחֶפֶת
consumptive *adj, n* חוֹלֵה שַׁחֶפֶת
cont. *abbr* contents, continental, continued
contact *vt* קִישֵּׁר עִם; הִתְקַשֵּׁר עִם
contact *n* קֶשֶׁר, מַגָּע
contact breaker *n* נַתָּק
contact lenses *n pl* עֲדָשׁוֹת מַגָּע, מִשְׁקְפֵי מַגָּע
contagion *n* הִידָּבְקוּת מַחֲלָה
contagious *adj* מִידַּבֵּק

contain *vt*, *vi* הֵכִיל, כָּלַל; הִתְאַפֵּק, הִבְלִיג
container *n* כְּלִי־קִיבּוּל, מֵיכָל
containment *n* מְדִינִיּוּת שֶׁל עִיכּוּב
contaminate *vt* זִיהֵם, טִימֵּא
contamination *n* זִיהוּם, טִימּוּא
contd. *abbr* continued
contemplate *vt* הִתְבּוֹנֵן, הִרְהֵר בַּדָּבָר; הָגָה
contemplation *n* הִרְהוּר, הִתְבּוֹנְנוּת; הָגוּת
contemporaneous *adj* שֶׁבְּאוֹתָהּ תְּקוּפָה
contemporary *adj*, *n* שֶׁל אוֹתָהּ תְּקוּפָה; בֶּן־גִּיל
contempt *n* בּוּז, זִלְזוּל
contemptible *adj* בָּזוּי, נִבְזֶה
contemptuous *adj* בָּז, מִתְעַבֵּב
contend *vt*, *vi* הִתְחָרָה; טָעַן
contender *n* יָרִיב; טוֹעֵן
content *adj*, *n* שְׂבַע־רָצוֹן, מְרוּצֶה; שְׂבִיעוּת־רָצוֹן
content *vt* הִשְׂבִּיעַ רָצוֹן
content *n* קִיבּוֹלֶת, תּוֹכֶן
contented *adj* מְרוּצֶה
contentedness *n* שְׂבִיעוּת־רָצוֹן
contentious *adj* חַרְחֲרָנִי
contentment *n* שְׂבִיעוּת־רָצוֹן; קוֹרַת־רוּחַ
contest *vt*, *vi* נֶאֱבַק עַל; הִתְחָרָה עִם
contest *n* מַאֲבָק; הִתְחָרוּת
contestant *n* מִתְחָרֶה, מִתְמוֹדֵד
context *n* הֶקְשֵׁר
contiguous *adj* נוֹגֵעַ; סָמוּךְ
continence, continency *n* כִּיבּוּשׁ הַיֵּצֶר, צְנִיעוּת
continent *adj* כּוֹבֵשׁ אֶת יִצְרוֹ, צָנוּעַ
continent *n* יַבֶּשֶׁת
continental *adj* יַבַּשְׁתִּי
Continental *adj*, *n* אֵירוֹפִּי
continental drift *n* סְטִייָה יַבַּשְׁתִּית
continental shelf *n* מַדָּף יַבַּשְׁתִּי
contingency *n* עִניָין תָּלוּי וְעוֹמֵד; אֵירוּעַ אֶפְשָׁרִי; מִקְרֶה
contingent *adj* תָּלוּי, מוּתְנֶה
continual *adj* רָצוּף
continue *vt*, *vi* הִמְשִׁיךְ, הוֹסִיף ל...; חִידֵּשׁ (ישיבה וכד׳)
continuity *n* הֶמְשֵׁכִיּוּת; רְצִיפוּת
continuous *adj* רָצוּף; נִמְשָׁךְ
continuous showing *n* הַצָּגָה רְצוּפָה
continuous waves *n pl* גַּלִּים רְצוּפִים
contortion *n* עִיווּת, עִיקּוּם
contour *n* מִתְאָר
contr. *abbr* contracted, contraction
contraband *n*, *adj* סְחוֹרָה מוּבְרַחַת; מוּבְרָח
contrabass *n*, *adj* קוֹנְטְרַבַּס
contraceptive *adj*, *n* מוֹנֵעַ הֵירָיוֹן
contract *n* הֶסְכֵּם; חוֹזֶה
contract *vt*, *vi* כִּיוֵּץ, צִמְצֵם; נִדְבַּק בּ... (מחלה); קָבַע בְּהֶסְכֵּם; הִתְכַּוֵּץ; הִצְטַמְצֵם; הִתְחַיֵּיב
contract bridge *n* בְּרִידְג׳ הִתְחַייְבוּת
contraction *n* הִתְכַּוְּצוּת, הִצְטַמְצְמוּת
contractor *n* קַבְּלָן; שְׁרִיר, כָּווִיץ
contradict *vt* סָתַר; הִכְחִישׁ

contradiction *n* סְתִירָה; הַכְחָשָׁה
contradictory *adj* כָּרוּךְ בִּסְתִירָה, סוֹתֵר
contrail *n* פַּס עִיבּוּי
contralto *n* אַלְט
contraption *n* מְכוֹנָה מְשׁוּנָּה
contrary *adj* מִתְנַגֵּד, עַקְשָׁן
contrary *adj* נֶגְדִּי; בְּכִיווּן הָפוּךְ
contrary *n* הֶפֶךְ, הִיפּוּךְ
contrary *adv* בְּנִיגּוּד
contrast *vt, vi* עִימֵּת, הִנְגִּיד
contrast *n* נִיגּוּד
contravene *vt* הֵפֵר
contribute *vt, vi* תָּרַם; הִשְׁתַּתֵּף
contribution *n* תְּרִימָה; תְּרוּמָה
contributor *n* תּוֹרֵם; מִשְׁתַּתֵּף
contrite *adj* מָלֵא חֲרָטָה; שֶׁל חֲרָטָה
contrition *n* הִתְחָרְטוּת
contrivance *n* אַמְצָאָה; כִּשְׁרוֹן אַמְצָאָה
contrive *vt* הִמְצִיא, תִּחְבֵּל; עָלָה בְּיָדוֹ
control *n* פִּיקּוּחַ, שְׁלִיטָה; בַּקָּרָה
control *vt* שָׁלַט; פִּיקֵּחַ; וִיסֵּת
controlling interest *u* מְנָיוֹת שׁוֹלְטוֹת
control panel *n* לוּחַ בַּקָּרָה
control-stick *n* (בְּמָטוֹס) מְנוֹף־הַגִּיוּוּט
controversial *adj* שָׁנוּי בְּמַחֲלוֹקֶת
controversy *n* מַחֲלוֹקֶת, פּוּלְמוּס
controvert *vt* טָעַן נֶגֶד, הִכְחִישׁ
controvertible *adj* שֶׁאֶפְשָׁר לִטְעוֹן נֶגְדּוֹ
contumacious *adj* מִתְעַקֵּשׁ, מִתְמָרֵד
contumacy *n* עַקְשָׁנוּת, מַרְדָנוּת
contumely *n* יַחַס מַעֲלִיב, בִּיזּוּי, הַשְׁפָּלָה
contusion *n* חַבּוּרָה
conundrum *n* חִידָה; בְּעָיָה קָשָׁה
convalesce *vi* הֶחֱלִים, הִבְרִיא
convalescence *n* הַחְלָמָה, הַבְרָאָה
convalescent *adj, n* מַבְרִיא, מַחֲלִים
convalescent home *n* בֵּית־הַחְלָמָה
convene *vt, vi* כִּינֵּס; הִתְכַּנֵּס
convenience *n* נוֹחוּת; נוֹחִיּוּת, בֵּית־כִּסֵּא
convenient *adj* נוֹחַ
convent *n* מִנְזָר
convention *n* וְעִידָה, כִּינּוּס; אֲמָנָה, הֶסְכֵּם
conventional *adj* קוֹנְבֶנְצְיוֹנָלִי, מְקוּבָּל, נָהוּג
conventionality *n* שִׁגְרָה, מוּסְכָּמוּת
conventual *adj, n* שֶׁל מִנְזָר; נָזִיר
converge *vi* הִתְלַכֵּד, נִפְגַּשׁ
conversant *adj* מַכִּיר, יוֹדֵעַ
conversation *n* שִׂיחָה
conversational *adj* שֶׁל שִׂיחָה
converse *vi* שׂוֹחַח, הֶחֱלִיף דְּבָרִים
converse *n* שִׂיחָה
converse *n, adj* נִיגּוּד; הִיפּוּךְ, מְנוּגָּד
conversion *n* הֲפִיכָה, הֲמָרָה; הֲמָרַת דָּת
convert *vt, vi* הֶחֱלִיף, הָפַךְ; גָּרַם לַהֲמָרַת דָּת; הֵמִיר דָּת
convert *n* מוּמָר, גֵּר, מְשׁוּמָּד
convertible *adj, n* הָפִיךְ, נִיתָּן לַהֲמָרָה; (מְכוֹנִית) בַּעֲלַת גַּג מִתְקַפֵּל
convex *adj* קָמוּר
convey *vt* הֶעֱבִיר; הוֹבִיל; הוֹדִיעַ, מָסַר

conveyance *n* הַעֲבָרָה; כְּלִי־תַּחְבּוּרָה; (במשפט) הַעֲבָרַת רְכוּשׁ; תְּעוּדַת הַעֲבָרַת רְכוּשׁ
convict *vt* הִרְשִׁיעַ
convict *n* אָסִיר שָׁפוּט
conviction *n* הַרְשָׁעָה; שִׁכְנוּעַ; אֱמוּנָה
convince *vt* שִׁכְנֵעַ
convincing *adj* מְשַׁכְנֵעַ
convivial *adj* עַלִּיז, אוֹהֵב חַיִּים
convocation *n* זִימּוּן, כִּינּוּס; עֲצֶרֶת
convoke *vt* זִימֵּן, כִּינֵּס
convoy *vt* לִיוָּה בַּהֲגַנָּה מְזוּיֶּנֶת
convoy *n* שַׁיָּירָה מְלוּוָּה
convulse *vt* זִעְזַע
coo *vt, vi* הָגָה כְּיוֹנָה
coo *n* הֲגִייָּה (כיונה)
cook *vt, vi* בִּישֵּׁל; הִתְבַּשֵּׁל; סֵירֵס (חשבונות)
cook *n* טַבָּח
cookbook *n* סֵפֶר בִּישּׁוּל
cooking *adj* לְבִישּׁוּל
cookstove *n* תַּנּוּר בִּישּׁוּל
cooky, cookie *n* רָקִיק, עוּגִית
cool *adj* קָרִיר, צוֹנֵן; רָגוּעַ, שָׁקוּל
cool *vt, vi* צִינֵּן; הִשְׁקִיט; הִצְטַנֵּן
cool *n* קְרִירוּת, צִינָּה
cooler *n* כְּלִי־קֵירוּר; בֵּית־סוֹהַר
cool-headed *adj* קַר־מֶזֶג
coolie, cooly *n* (בהודו, סין וכד׳) פּוֹעֵל פָּשׁוּט, קוּלִי
coolish *adj* קָרִיר
coolness *n* קְרִירוּת; קוֹר־רוּחַ
coon *n* דְּבִיבוֹן
coop *n* לוּל; מִכְלָאָה
coop *vt* שָׂם בְּלוּל; כָּלָא (אדם)
co-op *abbr* cooperative
cooper *n* חַבְתָּן; מְתַקֵּן חָבִיּוֹת
cooper *vt, vi* עָשָׂה אוֹ תִּיקֵּן חָבִיּוֹת
co-operate *vi* שִׁיתֵּף פְּעוּלָּה
co-operation *n* שִׁיתּוּף־פְּעוּלָּה
co-operative *adj, n* שֶׁל שִׁיתּוּף־פְּעוּלָּה; קוֹאוֹפֶּרָטִיבִי
co-operative society *n* אֲגוּדָּה שִׁיתּוּפִית
co-operative store *n* צַרְכָנִיָּה
co-ordinate *adj* שְׁוֵה חֲשִׁיבוּת
co-ordinate *n* שְׁוֵה דַרְגָּה, קוֹאוֹרְדִינָטָה
co-ordinate *vt, vi* תֵּיאֵם, הִתְאִים; אִיחָה
cootie *n* (המונית) כִּינָּה
cop *n* פְּקַעַת חוּטִים, סְלִיל; שׁוֹטֵר
cop *vt* תָּפַס
copartner *n* שׁוּתָּף, חָבֵר
cope *n* גְּלִימַת טְקָסִים
cope *vi* הִתְמוֹדֵד עִם... וְהִתְגַּבֵּר
copestone *n* אֶבֶן רֹאשָׁה (שבבניין)
copier *n* מַעְתִּיק
copilot *n* טַיָּיס מִשְׁנֶה
coping *n* נִדְבָּךְ עֶלְיוֹן
copious *adj* מְרוּבֶּה, מְשׁוּפָּע
copper *n* נְחוֹשֶׁת; דּוּד (לבישול); צֶבַע נְחוֹשֶׁת; שׁוֹטֵר
copper *adj* נְחוּשְׁתִּי, שֶׁל נְחוֹשֶׁת
copperhead *n* נְחוֹשׁ הָרֹאשׁ
coppersmith *n* צוֹרֵף־נְחוֹשֶׁת
coppery *adj* כְּעֵין הַנְּחוֹשֶׁת, נְחוּשְׁתִּי
coppice, copse *n* סְבַךְ, שִׂיחִים סְבוּכִים

copulate *vi* הִזְדַוֵּג
copy *n* הֶעְתֵּק; טוֹפֶס; עוֹתֶק
copy *vt, vi* הֶעְתִּיק; חִיקָּה
copybook *n* מַחְבֶּרֶת
copyist *n* מַעְתִּיק
copyright *n* זְכוּת הַיּוֹצֵר
copyright *vt* הִבְטִיחַ זְכוּת הַמְחַבֵּר עַל
copywriter *n* כּוֹתֵב מוֹדָעוֹת
coquetry *n* גַּנְדְּרָנוּת; אֲהַבְהֲבָנוּת
coquette, coquet *n* מִתְחַנְחֶנֶת, גַּנְדְּרָנִית, קוֹקֶטִית
coquette, coquet *vi* הִתְגַּנְדֵּר; עָסַק בַּאֲהַבְהָבִים
coquettish *adj* תְּחַנְחָנִי, אֲהַבְהֲבָנִי, גַּנְדְּרָנִי
cor. *abbr* corner, coroner, correction, corresponding
coral *n, adj* אַלְמוֹג; אַלְמוֹגִי
coral reef *n* שׁוּנִית אַלְמוּגִּים
cord *n* חֶבֶל; (בחשמל) פְּתִיל; מֵיתָר
cord *vt* קָשַׁר בְּחֶבֶל
cordial *adj* לְבָבִי, יְדִידוּתִי
cordial *n* מַשְׁקֶה מְחַזֵּק
cordiality *n* חֲמִימוּת, לְבָבִיּוּת
corduroy *n, adj* (אריג) קוֹרְדוּרוֹי
core *n* לֵב הַפְּרִי; לֵב, תָּוֶךְ
core *vt* הוֹצִיא לִיבָּה מ...
co-respondent *n* מְעוֹרָב שְׁלִישִׁי (בְּמשפט גט)
Corinth *n* קוֹרִינְת
cork *n, adj* שַׁעַם; פְּקָק
cork *vt* פָּקַק; הִשְׁחִיר (בשעם חרוך)
corking *adj* מְצוּיָּן!, כַּפְתּוֹר וָפֶרַח!
cork oak *n* אַלּוֹן הַשַּׁעַם
corkscrew *n, adj* מַחְלֵץ; בּוֹרְגִי
corkscrew *vi* נָע בְּצוּרָה לוּלְיָינִית
cormorant *n* קוֹרְמוֹרָן, זוֹלֵל
corn *n* תְּבוּאָה, דָּגָן; תִּירָס
corn-bread *n* לֶחֶם תִּירָס
corncake *n* עוּגַת תִּירָס
corncob *n* אֶשְׁבּוֹל תִּירָס
corncob pipe *n* מִקְטֶרֶת קְנֵה תִּירָס
corncrib *n* אֵבוּס תִּירָס
corn cure *n* תְּרוּפָה לְיַבָּלוֹת
cornea *n* קַרְנִית הָעַיִן
corner *n* קֶרֶן, פִּינָּה, זָווִית
corner *vt, vi* לָחַץ אֶל הַפִּינָּה, לָחַץ אֶל הַקִּיר; יָצַר מוֹנוֹפּוֹל
corner cupboard *n* אֲרוֹן פִּינָּה
corner room *n* חֲדַר פִּינָּה
cornerstone *n* אֶבֶן־פִּינָּה
cornet *n* קוֹרְנִית
corn exchange *n* בּוּרְסַת הַדְּגָנִים
cornfield *n* שְׂדֵה תְּבוּאָה; שְׂדֵה תִּירָס
cornflour *n* קֶמַח תִּירָס
cornflower *n* דַּרְדַּר כָּחוֹל
cornhusk *n* מוֹץ תִּירָס
cornice *n* כַּרְכּוֹב
Cornish *adj, n* שֶׁל קוֹרְנווֹל (בּאנגליה); קוֹרְנִית
corn liquor *n* וִיסְקִי תִּירָס
corn-meal *n* קֶמַח דָּגָן; קֶמַח תִּירָס
corn on the cob *n* תִּירָס עַל קְלַחוֹ
corn plaster *n* רְטִיַּית יַבָּלוֹת
corn silk *n* שַׂעֲרוֹת תִּירָס
cornstalk *n* קֶלַח תִּירָס
cornstarch *n* קֶמַח תִּירָס
cornucopia *n* קֶרֶן הַשֶּׁפַע
Cornwall *n* קוֹרְנווֹל, קוֹרְנווֹלִי
corny *adj* דְּגָנִי; מְעוּשֶּׂה, עָלוּב, מְיוּשָּׁן

corollary *n* תּוֹלָדָה; תּוֹצָאָה
coronation *n* טֶקֶס הַכְתָּרָה
coroner *n* חוֹקֵר מִקְרֵי מָוֶת
coroner's inquest *n* חֲקִירַת מִקְרֵה מָוֶת
coronet *n* כֶּתֶר קָטָן, כִּתרוֹן
corp. *abbr* corporation
corporal *n* רַב־טוּרַאי
corporal *adj* גּוּפָנִי
corporation *n* תַּאֲגִיד, קוֹרפּוֹרַצְיָה
corps *n pl* חַיִל; סֶגֶל
corps de ballet *n* לַהֲקַת בַּלֶּט
corpse *n* גּוּפָה, גְוִויָּה
corpulent *adj* שָׁמֵן, בַּעַל בָּשָׂר
corpuscle *n* גּוּפִיף
corr. *abbr* correspondence, corresponding
corral *n* גְּדֵירָה; חוֹמַת עֲגָלוֹת
corral *vt* כָּלָא בִּגְדֵירָה; יָצַר חוֹמַת עֲגָלוֹת
correct *vt* תִּיקֵּן
correct *adj* נָכוֹן; הוֹלֵם
correction *n* תִּיקּוּן
corrective *adj*, *n* נוֹטֶה לְתַקֵּן, מְתַקֵּן; חוֹמֶר מְתַקֵּן
correctness *n* דִּיּוּק; הֲלִימוּת
correlate *vt*, *vi* קִישֵּׁר עִם; תָּאַם
correlate *adj* קָשׁוּר עִם
correlation *n* מִתְאָם, קוֹרֵלַצְיָה
correlative *adj*, *n* תּוֹאֵם
correspond *vi* תָּאַם; הָיָה דּוֹמֶה; הִקְבִּיל
correspondence *n* הִתְכַּתְּבוּת
correspondence school *n* בֵּית־סֵפֶר לְשִׁיעוּרִים בִּכְתָב
correspondent *adj* מַקְבִּיל
correspondent *n* מִתכַּתֵּב; כַּתָּב
corresponding *adj* מַקְבִּיל
corridor *n* פְּרוֹזְדוֹר, מִסְדְרוֹן
corroborate *vt* אִישֵּׁר, חִיזֵּק
corrode *vt*, *vi* נֶאֱכַל, הֶחֱלִיד; הָרַס, בִּילָּה
corrosion *n* אִיכּוּל, בְּלִייָה, הַחֲלָדָה
corrosive *adj*, *n* נוֹטֶה לַהֲרוֹס
corrosiveness *n* נְטִייָה לְהֵיהָרְסוּת, הַחֲלָדָה; סְחִיפָה
corrugated *adj* גַּלִּי; מְחוֹרָץ
corrupt *vt*, *vi* הִשְׁחִית, נַעֲשָׂה מוּשׁחָת
corrupt *adj* מוּשׁחָת; מְשׁוּבָּשׁ
corruption *n* שְׁחִיתוּת
corsage *n* צְרוֹר פְּרָחִים (לאישה); חֲזִייָה
corsair *n* שׁוֹדֵד־יָם
corset *n* מָחוֹךְ
corset cover *n* תַּחתּוֹנִית
Corsica *n* קוֹרסִיקָה
Corsican *n*, *adj* קוֹרסִיקָאִי
cortege *n* פָּמַלְיָה
cortex *n* קְלִיפַּת הַגֶּזַע; קְלִיפָּה
cortisone *n* קוֹרטִיזוֹן
corvette *n* קְרָבִית, קוֹרבֶטָּה
cosmetic *adj* תַּמרוּקִי, קוֹסמֵטִי
cosmetic *n* תַּמרוּקִים, קוֹסמֵטִיקָה
cosmic *adj* יְקוּמִי, קוֹסמִי
cosmonaut *n* חֲלָלַאי, אַסטרוֹנָאוּט
cosmopolitan *adj*, *n* הַשַּׁיָּךְ לְכָל חֶלְקֵי הָעוֹלָם
cosmos *n* עוֹלָם וּמְלוֹאוֹ, קוֹסמוֹס
Cossack *n*, *adj* קוֹזָק
cost *n* מְחִיר

cost *vi, vt* (לגבּי מחיר) עָלָה; תִּמְחֵר
cost accounting *n* תַּמְחִיר
Costa Rican *n* קוֹסטָרִיקָנִי
cost, insurance and freight *n* סִי״ף, עֲלוּת, בִּיטוּחַ וְהוֹבָלָה
costly *adj* יָקָר
cost of living *n* יוֹקֶר הַמִּחְיָה
costume *n* תִּלְבּוֹשֶׁת
costume ball *n* נֶשֶׁף תַּחפּוֹשׂוֹת
costume jewellery *n* תַּכְשִׁיטִים מְלָאכוּתִיִּים
cosy *see* cozy
cot *n* מִיטָּה קְטַנָּה
coterie *n* חוּג; כַּת
cottage *n* בִּיקְתָּה, בַּיִת כַּפרִי, בַּיִת קָטָן
cottage cheese *n* גְּבִינַת קוֹטֶג׳
cotter pin *n* פִּין מַפְצִיל
cotton *n, adj* כּוּתנָה
cotton field *n* שְׂדֵה כּוּתנָה
cotton-gin *n* מַנְפֵּטָה
cotton picker *n* מַלְקֶטֶת כּוּתנָה
cottonseed *n* זֶרַע כּוּתנָה
cottonseed oil *n* שֶׁמֶן כּוּתנָה
cotton waste *n* נְשׂוֹרֶת כּוּתנָה
cotton wool *n* צֶמֶר־גֶּפֶן
cottony *adj* רַךְ, דְּמוּי צֶמֶר־גֶּפֶן
couch *vt, vi* הִבִּיעַ בְּמִלִּים
couch *n* סַפָּה
cougar *n* קוּגָר, נָמֵר
cough *n* שִׁיעוּל, הִשְׁתַּעֲלוּת
cough *vi, vt* הִשְׁתַּעֵל
cough drop *n* סוּכָּרִייָה נֶגֶד שִׁיעוּל
cough syrup *n* תְּמִיסָּה נֶגֶד שִׁיעוּל
could *see* can
council *n* מוֹעֵצָה
councilman *n* חֲבֵר מוֹעֵצָה
councilor, councillor *n* חֲבֵר מוֹעֵצָה
counsel *n* עֵצָה; הִתְייָעֲצוּת
counsel *vt* יִיעֵץ, יָעַץ
counselor, counsellor *n* יוֹעֵץ
count *n* אָצִיל, רוֹזֵן
count *vt, vi* סָפַר, מָנָה; לָקַח בְּחֶשְׁבּוֹן; נֶחְשַׁב
countable *adj* נִיתָּן לְהִיסָּפֵר
countdown *n* סְפִירָה בְּמהוּפָּך
countenance *n* פָּנִים; הַבָּעַת פָּנִים, אֲרֶשֶׁת פָּנִים
countenance *vt* עוֹדֵד
counter *n* דוּכָן, דֶּלְפֵּק
counter *adj, adv* נֶגֶד; בְּדֶרֶךְ הֲפוּכָה
counter *vi, vt* הִתְנַגֵּד ל...; סָתַר; הֵשִׁיב
counteract *vt* פָּעַל נֶגֶד, סִיכֵּל
counterattack *n* הַתְקָפַת נֶגֶד
counterattack *vt, vi* בִּיצֵּעַ הַתְקָפַת נֶגֶד
counter-balance *n* מִשְׁקָל שֶׁכְּנֶגֶד
counterbalance *vt* פָּעַל נֶגֶד בְּכוֹחַ שָׁוֶוה
counterclockwise *adv* בְּנִיגּוּד לְמַהֲלַךְ הַשָּׁעוֹן
counterespionage *n* רִיגּוּל נֶגְדִּי
counterfeit *vt, vi* זִייֵּף; הֶעֱמִיד פָּנִים
counterfeit *n, adj* זִיּוּף; מְזוּיָּף
counterfeiter *n* מְזַייֵּף
counterfeit money *n* כֶּסֶף מְזוּיָּף
countermand *vt* בִּיטֵּל (פקוּדה)
countermand *n* פְּקוּדָּה מְבַטֶּלֶת
countermarch *n* צְעִידָה חֲזָרָה
countermarch *vi* חָזַר עַל עֲקֵבָיו

counteroffensive *n* מִתְקֶפֶת־נֶגֶד
counterpane *n* כְּסוּת לְמִיטָּה
counterpart *n* הֶעְתֵּק, כְּפָל; חֵלֶק מַקְבִּיל
counterplot *n* תַּחְבּוּלַת־נֶגֶד
counterplot *vt, vi* תִּחְבֵּל נֶגֶד
counterpoint *n* קוֹנטרַפּוּנקט, הִיפּוּך
counter-reformation *n* רֵפוֹרמַצְיָה נֶגְדִית
counterrevolution *n* מַהְפֵּכָה נֶגְדִית
countersign *vt* חָתַם חֲתִימָה מְאַשֶּׁרֶת
countersign *n* סִיסְמָה סוֹדִית
countersink *vt* הִרְחִיב חוֹר בְּמַשְׁקֵעַ
counter-spy *n* מְרַגֵּל נֶגְדִי
counterstroke *n* מַכָּה נֶגְדִית
counterweight *n* מִשְׁקָל שֶׁכְּנֶגֶד
countess *n* אֲצִילָה, רוֹזֶנֶת
conntless *adj* לְאֵין סְפוֹר
countrified, countryfied *adj* כַּפְרִי
country *n* מְדִינָה; אֶרֶץ; מוֹלֶדֶת; אֵיזוֹר כַּפְרִי
country *adj* כַּפְרִי; שֶׁל אֶרֶץ
country club *n* מוֹעֲדוֹן מִחוּץ לָעִיר
country cousin *n* קָרוֹב בֶּן כְּפָר; תָּמִים, פָּשׁוּט
country estate *n* אֲחוּזָּה כַּפְרִית
country folk *n* בְּנֵי כְּפָר, כַּפְרִיִּים
country gentleman *n* בַּעַל אֲחוּזָּה
country house *n* בַּיִת כַּפְרִי
country jake *n* גַּס־רוּחַ, עַם־הָאָרֶץ
country life *n* חַיֵּי כְּפָר
countryman *n* בֶּן אֶרֶץ; בֶּן כְּפָר
country people *n pl* בְּנֵי כְּפָר, כַּפְרִיִּים
countryside *n* נוֹף; אֵיזוֹר כַּפְרִי
countrywide *adj* אַרצִי, בְּכָל הָאָרֶץ
countrywoman *n* בַּת אֶרֶץ; בַּת כְּפָר
county *n, adj* שֶׁל מָחוֹז
county seat *n* בִּירַת מָחוֹז
coup *n* צַעַד מוּצלָח; הֲפִיכָה
coup de grace *n* מַכַּת חֶסֶד
coup d'état *n* הֲפִיכָה, מַהְפֵּכָה פִּתאוֹמִית
coupé *n* (מכונית) דו־מוֹשָׁבִית סְגוּרָה; תָּא קָטָן (ברכבת)
couple *n* זוּג
couple *vt, vi* הִצמִיד; זִיוּוֵג; הִזדַוּוֵג
coupler *n* מַצמִיד, מַצמֵד
couplet *n* צֶמֶד שׁוּרוֹת
coupon *n* תְּלוּשׁ
courage *n* אוֹמֶץ־לֵב, גְבוּרָה
courageous *adj* אַמִּיץ־לֵב
courier *n* רָץ, שָׁלִיחַ
course *n* מַסלוּל, דֶּרֶךְ; מִגרַשׁ מֵירוֹץ; מֶשֶׁךְ, מְרוּצָה; מַהֲלָךְ (מאורעות, מחלה וכו׳); קוּרס לִימוּדִים; מָנָה (בארוחה); כִּיווּן; נָתִיב
course *vt, vi* זָרַם, נָע מַהֵר
court *n* חָצֵר; מִגרָשׁ (לטניס וכד׳); פָּמַלְיַת הַמֶּלֶךְ; בֵּית־מִשְׁפָּט
court *vt, vi* הֶחֱנִיף ל...; חִיזֵּר אַחֲרֵי
courteous *adj* אָדִיב, מְנוּמָּס
courtesan, courtezan *n* זוֹנָה
courtesy *n* אֲדִיבוּת, נִימוּס
courthouse *n* בִּנְיַן בֵּית־מִשְׁפָּט
courtier *n* אָצִיל בַּחֲצַר הַמֶּלֶךְ
court jester *n* לֵיצַן הֶחָצֵר
courtly *adj* מְנוּמָּס, אָדִיב

court-martial *n, vt* בֵּית־דִּין צְבָאִי; שָׁפַט בְּבֵית־דִּין צְבָאִי
court-plaster *n* רְטִיָּיה
courtroom *n* אוּלַם־הַמִּשְׁפָּט
courtship *n* חִיזּוּר
courtyard *n* חָצֵר
cousin *n* דּוֹדָן, בֶּן־דּוֹד
cove *n* מִפְרָץ קָטָן
cove *vt, vi* קִישֵּׁת, קִיעֵר
covenant *n* אֲמָנָה, בְּרִית
covenant *vt, vi* כָּרַת בְּרִית; הִתְחַיֵּיב
cover *vt* כִּיסָּה; (בצבא) חִיפָּה; הֵכִיל, כָּלַל
cover *n* מִכְסֶה; כִּיסּוּי; עֲטִיפָה; מַחסֶה
coverage *n* סִיקּוּר, כִּיסּוּי
coveralls *n pl* סַרְבָּל
cover charge *n* תַּשְׁלוּם סַכּו״ם
covered wagon *n* מִרְכֶּבֶת עֲרָבָה
cover girl *n* דּוּגְמָנִית לְכִתְבֵי־עֵת
covering *n* כִּסּוּי, עֲטִיפָה
covert *adj* נִסְתָּר, סוֹדִי
covert *n* מַחסֶה, מַחֲבוֹא; סְבַךְ יַעַר
cover-up *n* הַסְוָוָאָה
covet *vt, vi* חָמַד
covetous *adj* חוֹמֵד, חוֹשֵׁק
covetousness *n* תְּשׁוּקָה, חֲשִׁיקָה
covey *n* לַהֲקַת צִיפּוֹרִים; קְבוּצָה
cow *n* פָּרָה
cow *vt* הִפְחִיד
coward *adj, n* מוּג־לֵב, פַּחְדָן, פַּחְדָנִי
cowardice *n* פַּחְדָנוּת, מוֹרֶךְ־לֵב
cowardly *adv, adj* בְּפַחְדָנוּת; מוּג־לֵב, פַּחְדָנִי
cowbell *n* פַּעֲמוֹן שֶׁל פָּרָה
cowboy *n* קָאוּבּוֹי, בּוֹקֵר
cowcatcher *n* מְפַנֶּה מִכְשׁוֹלִים
cower *vi* עָמַד בְּפִיק בִּרְכַּיִים
cowherd *n* רוֹעֵה בָּקָר
cowhide *n* עוֹר בְּהֵמָה; שׁוֹט
cowhide *vt* הִצְלִיף בְּשׁוֹט
cowl *n* בַּרְדָּס
cowlick *n* קְווּצַּת שֵׂיעָר
cowpox *n* אֲבַעְבּוּעוֹת הַפָּרוֹת
coxcomb *n* רַבְרְבָן, רֵיקָא
coxswain *n* הַגַּאי סִירָה
coy *adj* בַּיְישָׁנִי, צָנוּעַ
cozy, cosy *adj* נוֹחַ, נָעִים
cp. *abbr* compare
c.p. *abbr* candle power
C.P.A. *abbr* Certified Public Accountant
cpd. *abbr* compound
cr. *abbr* credit, creditor
crab *n* סַרְטָן
crab *vi, vt* הִתְאוֹנֵן
crab apple *n* תַּפּוּחַ־בַּר
crabbed *adj* נוּקְשֶׁה; חָמוּץ; רַגְזָן
crab grass *n* אֶצְבָּעָן מַאדִים
crab-louse *n* כִּינָּה סַרְטָנִית
crack *n* קוֹל־נֶפֶץ; הַצְלָפַת־שׁוֹט; סֶדֶק; רֶגַע; (המונית) הֲלָצָה
crack *vt, vi* הִשְׁמִיעַ קוֹל־נֶפֶץ; פִּיצַּח; הִצְלִיף; סִידֵּק; פָּרַץ (קופה); סִיפֵּר (הלצה); נִסְדַּק; נִשְׁבַּר
crack *adj* (המונית) מִמַּדְרֵגָה רִאשׁוֹנָה
cracked *adj* סָדוּק, מְבוּקָּע; פָּגוּם; (המונית) מְטוֹרָף
cracker *n* פַּכְסָם; זִיקוּק־אֵשׁ
crackle-ware *n* חַרְסִינָה מְצוּפָּה סְדָקִים

crackpot *n* (המונית) תִּמהוֹנִי, מְטוֹרָף
crack-up *n* הִתנַגְשׁוּת; הִתמוֹטְטוּת
cradle *n* עֲרִיסָה
cradle *vt, vi* הִשׁכִּיב בַּעֲרִיסָה; שִׁימֵשׁ מַחסֶה
cradelesong *n* שִׁיר עֶרֶשׂ
craft *n* מְלָאכָה, אוּמָנוּת; עוֹרמָה, עַרמוּמִיוּת; סְפִינָה
craftiness *n* עוֹרמָה, עַרמוּמִיוּת
craftsman *n* אוּמָן; בַּעַל־מִקצוֹעַ
craftsmanship *n* אוּמָנוּת, מִקצוֹעִיוּת
crafty *adj* עָרוּם, נוֹכֵל
crag *n* צוּק, שֵׁן סֶלַע
cram *vt, vi* דָחַס; הִלעִיט; לָמַד בְּחִיפָּזוֹן
cram *n* הַלעָטָה; זְלִילָה; לִימוּד בְּחִיפָּזוֹן
cramp *n* הִתכַּוְוצוּת שְׁרִירִים; מַלחֶצֶת
cramp *vt* הִידֵק בְּמַלחֶצֶת; כִּיוּוֵץ; הִגבִּיל
cranberry *n* אוּכמָנִית
crane *n* עָגוּר; עֲגוּרָן, מַדלֶה
crane *vt, vi* הֵרִים אוֹ הוֹרִיד בַּעֲגוּרָן; זָקַף צַוָּאר כְּעָגוּר
cranium *n* גוּלגוֹלֶת
crank *vi, vt* אִרכֵּב, חִיזֵּק בְּאַרכּוּבָּה
crank *n* אַרכּוּבָּה; (דיבּוּרית) נִרגָן; תִּמהוֹנִי
crankcase *n* בֵּית־הָאַרכּוּבָּה
crankshaft *n* גַל הָאַרכּוּבָּה
cranky *adj* נִרגָן; מוּזָר, תִּמהוֹנִי; רוֹפֵף, לֹא יַצִּיב
cranny *n* נָקִיק
crape *n* מַלמָלָה, קְרֶפּ; סֶרֶט אֵבֶל
crapehanger *n* מַשׁבִּית שִׂמחָה
craps *n pl* מִשׂחַק קוּבִּיוֹת
crash *vt, vi* נִיפֵּץ; בָּא בְּרַעַשׁ; (מטוס וכד׳) הִתרַסֵּק; הִתנַפֵּץ
crash *n* הִתנַפְּצוּת, הִתרַסְּקוּת; הִתמוֹטְטוּת, מַפּוֹלֶת; קוֹל רַעַם
crash-dive *n* צְלִילַת חֵירוּם
crash program *n* תּוֹכנִית אִינטֶנסִיבִית
crass *adj* גַּס
crate *n* תֵּיבָה
crate *vt* אָרַז בְּתֵיבָה
crater *n* לוֹעַ, מַכתֵּשׁ
cravat *n* עֲנִיבָה
crave *vt, vi* הִשׁתּוֹקֵק אֶל; הִתחַנֵּן ל...
craven *adj, n* פַּחדָנִי; מוּג־לֵב
craving *n* תְּשׁוּקָה
craw *n* זֶפֶק
crawl *vt, vi* זָחַל; רָחַשׁ
crawl *n* זְחִילָה; שְׂחִיַּית חֲתִירָה
crayon *n, adj* עִיפָּרוֹן; שֶׁל צִיוּר בְּצִבעֵי עִיפָּרוֹן
craze *vt* שִׁיגֵּעַ
craze *n* שִׁיגָּעוֹן; אוֹפנָה בַּת־חֲלוֹף
crazy *adj* רוֹפֵף, לֹא יַצִּיב; מְטוֹרָף; (דיבּוּרית) ׳מִשׁתַּגֵּעַ׳ אַחֲרֵי
crazy bone *n* עֶצֶם הַמַּרפֵּק
creak *n* חֲרִיקָה
creak *vi* חָרַק
creaky *adj* חוֹרֵק, חוֹרְקָנִי
cream *n* שַׁמֶּנֶת, קְצֶפֶת; מֵיטָב; מִשׁחָה
cream *vt, vi* עָשָׂה שַׁמֶּנֶת; לָקַח אֶת הַחֵלֶק הַטּוֹב בְּיוֹתֵר
creamery *n* מַחלָבָה
cream puff *n* תּוּפִין שַׁמֶּנֶת

cream separator *n* מְקָרֵר לְהַפְרָדַת שֻׁמֶּנֶת, מַחְבֵּצָה
creamy *adj* מֵכִיל שֻׁמֶּנֶת; דוֹמֶה לְשֻׁמֶּנֶת
crease *n* קֶמֶט
crease *vt, vi* קִימֵּט; הִתְקַמֵּט
creasy *adj* קָמִיט; מְקוּמָּט
create *vt, vi* בָּרָא, יָצַר
creation *n* בְּרִיאָה, יְצִירָה
Creation *n* בְּרִיאַת הָעוֹלָם
creative *adj* יוֹצֵר
creator *n* בּוֹרֵא, יוֹצֵר
creature *n* יְצִיר; יְצוּר; חַיָּה
credence *n* אֵימוּן
credentials *n pl* מִכְתַּב הַמְלָצָה
credible *adj* אָמִין
credit *n* אֵימוּן; כָּבוֹד; אַשְׁרַאי, הֲקָפָה; זְכוּת (בחשבונות)
credit *vt* הֶאֱמִין בּ..., בָּטַח בּ...; זָקַף לִזכוּת; נָתַן כָּבוֹד; (בהנהלת־חשבונות) זִיכָּה
creditable *adj* מַעֲלֶה כָּבוֹד
credit card *n* כַּרְטִיס אַשְׁרַאי
creditor *n* נוֹשֶׁה; זַכַּאי
credo *n* אֱמוּנָה, אֲנִי מַאֲמִין
credulous *adj* נוֹחַ לְהַאֲמִין
creed *n* עִיקָּרֵי אֱמוּנָה
creek *n* פֶּלֶג, מִפְרָץ קָטָן
creep *vt, vi* זָחַל; טִיפֵּס (לגבי צמח)
creeper *n* זוֹחֵל, רוֹמֵשׂ; (צמח) מְטַפֵּס
creeping *adj* זוֹחֵל; (צמח) מְטַפֵּס
cremate *vt* שָׂרַף מֵת
cremation *n* שְׂרֵיפַת מֵת
crematory *n* בֵּית מִשְׂרְפוֹת מֵתִים, קְרֶמָטוֹרִיוּם
creme de menthe *n* לִיקֶר מִנְתָּה
Creole *n, adj* קְרֵאוֹלִי
crescent *adj* חֶרְמֵשִׁי
crescent *n* חֶרְמֵשׁ; סַהֲרוֹן
cress *n* צֶמַח חַרְדָּלִי
crest *n* כַּרְבּוֹלֶת, רַעְמָה; שֶׁלֶט גִיבּוֹרִים, סֶמֶל; שִׂיא
crestfallen *adj* מְדוּכָּא
Cretan *n, adj* בֶּן כְּרֵתִים; כְּרֵתִי
Crete *n* כְּרֵתִים
cretonne *n* קְרֵטוֹן
crevice *n* סֶדֶק
crew *n* צֶוֶות (במטוס, באוניה)
crew cut *n* תִּסְפּוֹרֶת חֲלָקָה וּקְצָרָה
crib *n* עֲרִיסָה; הַעְתָּקָה בִּלְתִּי־חוּקִית
crib *vt, vi* הֶעְתִּיק לְלֹא רְשׁוּת
cricket *n* מִשְׂחַק הַקְּרִיקֶט; (דיבורית) מִשְׂחָק הוֹגֵן; צְרָצַר
crier *n* צוֹעֵק; כָּרוֹז
crime *n* פֶּשַׁע
criminal *n, adj* פּוֹשֵׁעַ; פְּלִילִי
criminal code *n* מַעֲרֶכֶת הַחוֹק הַפְּלִילִי
criminal law *n* חוֹק פְּלִילִי
criminal negligence *n* הַזָנָחָה פּוֹשַׁעַת
crimp *vt* קִימֵּט; קִיפֵּל
crimp *n* קִימּוּט, גִיהוּץ קְפָלִים
crimple *vt* קִימֵּט, סִלְסֵל
crimson *n, adj* אַרְגָּמָן
crimson *vi* הִתְאַדֵּם
cringe *vi, n* הִתְרַפֵּס; הִתְרַפְּסוּת
crinkle *n* קֶמֶט
cripple *n* נָכֶה
cripple *vt* עָשָׂה לְבַעַל מוּם; שִׁיבֵּשׁ
crisis *n* (*pl* crises) מַשְׁבֵּר

crisp *adj* פָּרִיךְ; אֵיתָן וְרַעֲנָן; מוּחלָט, קוֹלֵעַ
criterion *n* (*pl* criteria) בּוֹחַן, קְנֵה מִידָּה
critic *n* מְבַקֵּר
critical *adj* בִּיקוֹרְתִּי; מַשׁבְּרִי; חָמוּר, קְרִיטִי
criticism *n* בִּיקוֹרֶת
criticize *vt* בִּיקֵּר, מָתַח בִּיקוֹרֶת
critique *n* מַאֲמַר בִּיקוֹרֶת
croak *vt, vi* קִרקֵר; (המונית) מֵת
croak *n* קִרקוּר
Croat *n, adj* קרוֹאָטִי
Croatian *n, adj* קרוֹאָטִי
crochet *n* רְקִימַת אוּנקָל
crochet *vt* רָקַם בְּאוּנקָל
crocheting *n* צְנִירָה
crochet needle *n* אוּנקַל צְנִירָה
crock *n* כַּד, כְּלִי־חֶרֶס; שֶׁבֶר כְּלִי
crockery, crockeryware *n* כְּלֵי־חֶרֶס
crocodile *n* תַּנִּין
crocodile tears *n pl* דמעוֹת־תַּנִּין
crocus *n* כַּרכּוֹם
crone *n* זְקֵנָה בָּלָה
crony *n* חָבֵר מְקוֹרָב
crook *n* מַקֵּל רוֹעִים; מַטֵּה בִּישׁוֹפִּים; עִיקּוּל; כִּיפּוּף; נוֹכֵל, רַמַּאי
crook *vt, vi* כּוֹפֵף, עִיקֵּם; הִתעַקֵּם
crooked *adj* עָקוֹם, לֹא הָגוּן, נוֹכֵל
croon *vt, vi* זִימֵּר בְּקוֹל רַךְ וְנִרגָּשׁ
crooner *n* מְזַמֵּר בְּקוֹל רַךְ וְנִרגָּשׁ
crop *n* יְבוּל, תְּנוּבָה; שׁוֹט; זֶפֶק
crop *vt, vi* חָתַךְ, קָטַם, קִיצֵּץ, קָצַר; (לגבי חיות) לִיחֵךְ
crop dusting *n* רִיסּוּס בִּמְטוֹסִים
crop up *vi* הוֹפִיעַ פִּתאוֹם, צָץ
croquet *n* קרוֹקֶט
croquette *n* כּוּפתָּה, כַּדּוּר
crosier, crozier *n* מַטֵּה בִּישׁוֹף
cross *n* צְלָב; יִיסּוּרִים; (בחקלאות) הַכלָאָה; תַּעֲרוֹבֶת
cross *vt, vi* חָצָה; הִצטַלֵּב; הִכשִׁיל
cross *adj* חוֹצֶה; מִצטַלֵּב; מְנוּגָּד; רוֹגֵז; מוּכלָא
crossbones *n pl* תִּצלוֹבֶת עֲצָמוֹת
crossbow *n* קֶשֶׁת־מִסגֶּרֶת
crossbreed *n* בֶּן־כִּלאַיִים
crossbreed *vt* הִכלִיא
cross-country *adj, adv* דֶּרֶךְ הַשָּׂדוֹת
crosscurrent *n* זֶרֶם נֶגדִּי
cross-examination *n* חֲקִירַת שְׁתִי וָעֵרֶב
cross-examine *vt* חָקַר חֲקִירַת נֶגֶד
cross-eyed *adj* פּוֹזֵל
crossing *n* חֲצִיָּיה; צוֹמֶת; תִּצלוֹבֶת; מַעֲבַר חֲצָיָה; הַכלָאָה
crossing gate *n* מַחסוֹם רַכֶּבֶת
crossing point *n* נְקוּדַּת חֲצִיָּיה
crosspatch *n* רַגזָן
crosspiece *n* קוֹרָה חוֹצֶצֶת
cross-reference *n* הַפנָיָה
cross-road(s) *n* צוֹמֶת דְּרָכִים, פָּרָשַׁת דְּרָכִים
cross-section *n* חֲתָךְ
cross street *n* רְחוֹב חוֹצֶה
crossword puzzle *n* תַּשׁבֵּץ
crotch *n* מִסעָף, הִתפַּלְּגוּת; מִפשָׂעָה
crotchety *adj* בַּעַל קַפּרִיסוֹת, נַחמָן

crouch *vt, vi* הִתכּוֹפֵף, הִשׁתּוֹפֵף
crouch *n* הִתכּוֹפְפוּת, הִשׁתּוֹפְפוּת
croup *n* (בּרפוּאה) אַסכָּרָה; עָצֶה (בּבהמה)
croupier *n* קוּפַּאי (בּמשׂחקי כּסף)
crouton *n* פַּת צְנִים
crow *n* עוֹרֵב; קִרקוּר (תּרנגול)
crow *vi* קִרקֵר; הִתרַבְרֵב
crowbar *n* דֶקֶר, קַנטָר
crowd *n* הָמוֹן קָהָל; חֲבוּרָה
crowd *vt, vi* הִתקַהֵל; נִדחַק, דָחַף
crowded *adj* צָפוּף, דָחוּס
crown *n* כֶּתֶר; כּוֹתֶרֶת (בּשן); קרוֹנָה (מטבע)
crown *vt* הִכתִּיר; הִמלִיךְ; (המונית) הִכָּה בְּרֹאשׁוֹ שֶׁל
crowned head *n* מֶלֶךְ, מַלכָּה
crown prince *n* יוֹרֵשׁ הָעֶצֶר
crown princess *n* אֵשֶׁת יוֹרֵשׁ הָעֶצֶר
crow's foot *n* כַּף עוֹרֵב
crow's nest *n* פִּינַּת תַּצפִּית
crucial *adj* מַכרִיעַ
crucible *n* כּוּר, מַצרֵף
crucifix *n* דְמוּת יֵשׁוּ הַצָּלוּב
crucifixion *n* צְלִיבָה
crucify *vt* צָלַב
crude *adj* גּוֹלמִי; לֹא מְשׁוּכלָל; גַּס
crudity *n* גּוֹלמִיוּת; חוֹסֶר שִׁכלוּל; גַּסּוּת
cruel *adj* אַכזָרִי
cruelty *n* אַכזְרִיוּת
cruet *n* בַּקבּוּק קָטָן, צְלוֹחִית (לשמן וכד׳, לשולחן)
cruise *vt, vi* שִׁיֵּט; טָס (נָסַע) בִּמהִירוּת חֶסכוֹנִית
cruise *n* שִׁיוּט; טִיסָה
cruiser *n* מְשַׁיֵּט, מְסַיֵּר; (בּחיל־הים) סַיֶּרֶת
cruising radius *n* טְוָח שִׁיוּט
cruller *n* רְקִיק סוּפגָּנִית
crumb *n* פֵּירוּר
crumb *vt* הוֹסִיף פֵּירוּרֵי לֶחֶם; פּוֹרֵר
crumble *vt, vi* פּוֹרֵר; הִתפּוֹרֵר
crummy *adj* מְלוּכלָךְ; שָׁפָל
crump *n* מַהֲלוּמָה
crump *vt, vi* הָלַם
crunch *vt, vi* כָּתַשׁ בְּשִׁנָּיו בְּרַעַשׁ; דָרַךְ בְּרַעַשׁ
crunch *n* כְּתִישָׁה; קוֹל כְּתִישָׁה
crusade *n* מַסַּע צְלָב
crusader *n* צַלבָּן; לוֹחֵם
crush *vt, vi* מָעַךְ; רִיסֵּק
crush *n* מְעִיכָה; הִתרַסְּקוּת; דוֹחַק; (המונית) תְּשׁוּקָה
crush hat *n* כּוֹבַע מִתקַפֵּל
crust *n* קְרוּם; גֶּלֶד
crust *vt, vi* הִקרִים; קָרַם; הִגלִיד
crustacean *adj, n* שִׁריוֹנִי
crustaceous *adj* מִמַּחֲלֶקֶת הַשִּׁריוֹנִיִּים
crusty *adj* בַּעַל קְלִיפָּה; נוּקשֶׁה
crutch *n* קַב; מִשׁעֶנֶת
crux *n* עִיקָר
cry *n* קְרִיאָה, צְעָקָה; בְּכִי, יְלָלָה
crybaby *n* בַּכְיָן
crypt *n* כּוּךְ
cryptic *adj* מִסתּוֹרִי, לֹא מוּבָן
crystal *n* גָּבִישׁ; בְּדוֹלַח
crystal ball *n* כַּדּוּר בְּדוֹלַח
crystalline *adj* גְּבִישִׁי
crystallize *vt, vi* יָצַר גְּבִישִׁים; נַעֲשָׂה גָּבִישׁ; הִתגַּבֵּשׁ

C. S. *abbr.* Christian Science, Civil Service
ct. *abbr* cent
cu. *abbr.* cubic
cub *n* גור
Cuban *n, adj* קוּבָּנִי
cubby-hole *n* כּוּך, חָלָל סָגוּר
cube *n* קוּבִּיָּה; חֶזְקָה שְׁלִישִׁית
cube *vt* הֶעֱלָה לְחֶזְקָה שְׁלִישִׁית
cubic, cubical *adj* מְעוּקָּב
cub reporter *n* כַּתָּב טִירוֹן
cuckold *n* בַּעַל קַרְנַיִם
cuckold *vt* הִצְמִיחַ קַרְנַיִם
cuckoo *n* קוּקִיָּה
cuckoo *adj* (דיבורית) מְשׁוּגָּע, אֱוִילִי
cuckoo-clock *n* שְׁעוֹן קוּקִיָּה
cucumber *n* מְלָפְפוֹן
cud *n* גֵּרָה
cuddle *vt, vi* חִיבֵּק; הִתְחַבֵּק; הִתְרַפֵּק
cuddle *n* חִיבּוּק
cudgel *n* אַלָּה
cudgel *vt* חָבַט בְּאַלָּה
cue *n* סִימָנִית; אוֹת, רֶמֶז; מַקֵּל (ביליארד)
cuff *n* שַׁרווּלִית
cuff *vt* סָטַר, הָלַם
cuff-link *n* רֶכֶס שַׁרווּלִית
cuirass *n* שִׁרְיוֹן חָזֶה
cuisine *n* מִטְבָּח; שִׁיטַת בִּישׁוּל
culinary *adj* שֶׁל בִּישׁוּל, מִטְבָּחִי
cull *vt* בֵּירֵר, לִיקֵּט
culm *n* אֲבַק פֶּחָם; קָנֶה, גִּבְעוֹל
culminate *vi* הִגִּיעַ לִמְרוֹם הַפִּסְגָּה; הִסְתַּיֵּים
culpable *adj* נִפְשָׁע; (במשפט) אָשֵׁם
culprit *n* נֶאֱשָׁם; עֲבַרְיָין
cult *n* פּוּלְחָן
cultivate *vt* עִיבֵּד (אדמה); תִּרְבֵּת, גִּידֵּל
cultivated *adj* תַּרְבּוּתִי, מְתוּרְבָּת; מְטוּפָּח
cultivation *n* עִיבּוּד; תִּרְבּוּת, גִּידּוּל, טִיפּוּחַ
culture *n, vt* גִּידּוּל; תַּרְבּוּת; עִיבֵּד, גִּידֵּל (כנ״ל)
cultured *adj* תַּרְבּוּתִי, מְתוּרְבָּת
culvert *n* תְּעָלָה, מוֹבִיל מַיִם
cumbersome, cumbrous *adj* מְגוּשָּׁם, מַכְבִּיד
cunning *adj* עָרוּם
cunning *n* עַרְמוּמִיּוּת, עוֹרְמָה
cup *n* סֵפֶל; גָּבִיעַ
cup *vt* הִקִּיז דָּם
cupboard *n* אֲרוֹן כֵּלִים, מִזְנוֹן
cupidity *n* תַּאֲוָוה, חַמְדָנוּת
cupola *n* כִּיפָּה
cur *n* כֶּלֶב עָזוּב; פַּחְדָן
curate *n* כּוֹמֶר, עוֹזֵר לְכוֹמֶר
curative *adj, n* מְרַפֵּא, רִיפּוּיִי; תְּרוּפָה
curator *n* מְנַהֵל מוּזֵיאוֹן
curb *vt* רִיסֵּן, רָתַם (סוס)
curb *n* רֶסֶן; רִיסּוּן; קְצֵה הַמִּדְרָכָה
curbstone *n* אֶבֶן מִדְרָכָה
curd *n* קוֹם
curd *vt, vi* הִקְרִישׁ; נִקְרַשׁ
curdle *vt, vi* הִקְרִישׁ; נִקְרַשׁ
cure *n* רִיפּוּי; תְּרוּפָה
cure *vt, vi* רִיפֵּא; עִישֵּׁן, שִׁימֵּר (דגים, בשׂר)

cure-all *n* תְּרוּפָה לַכּוֹל
curfew *n* עוֹצֶר, שְׁעַת הָעוֹצֶר
curio *n* חֵפֶץ נָדִיר
curiosity *n* סַקְרָנוּת
curious *adj* סַקְרָן; מוּזָר
curl *n* תַּלְתַּל, סִלְסוּל
curl *vt, vi* (לגבי שיער) סִלְסֵל, תִּלְתֵּל; הִסְתַּלְסֵל; הִתְעַקֵּל
curlicue *n* אוֹת מְסוּלְסֶלֶת
curling *n* תִּלְתּוּל, הִסְתַּלְסְלוּת שֵׂיעָר
curling iron *n* מְסַלְסֵל שֵׂיעָר
curl-paper *n* סְלִיל לְתַלְתַּל
curly *adj* מְתוּלְתָּל
curmudgeon *n* קַמְּצָן, כִּילַי
currant *n* דוּמְדְּמָנִית הַלְּבָנוֹן
currency *n* כֶּסֶף בְּמַחֲזוֹר, מַטְבֵּעַ; מַהֲלְכִים
current *n* זֶרֶם, מַהֲלָךְ
current *adj* נוֹכְחִי; שׁוֹטֵף; נָפוֹץ
current account *n* חֶשְׁבּוֹן עוֹבֵר וָשָׁב
current events *n pl* עִנְיְנֵי הַיּוֹם
curriculum *n* תּוֹכְנִית לִימּוּדִים
curry *n* קָארִי
curry *vt* הֵכִין נָזִיד מְתוּבָּל בְּקָארִי; סָרַק, קִרְצֵף (סוס)
currycomb *n* מַסְרֵק בַּרְזֶל
curse *n* קְלָלָה
curse *vt, vi* קִילֵּל, חֵירֵף
cursed *adj* מְקוּלָּל; אָרוּר
cursive *adj, n* שׁוֹטֵף, מְחוּבָּר
cursory *adj* נֶחְפָּז, שִׁטְחִי
curt *adj* קָצָר, מְקוּצָּר; מְקַצֵּר בְּדִיבּוּר
curtail *vt* קִיצֵּר, קִיצֵּץ
curtain *n* וִילוֹן; מָסָךְ
curtain-call *n* הוֹפָעַת הַדְּרָן
curtain raiser *n* קְדַם־מַחֲזֶה
curtain *vt* וִילֵּן; חָצַץ בְּמָסָךְ
curtain ring *n* טַבַּעַת וִילוֹן
curtain rod *n* מוֹט וִילוֹן
curtsy, curtsey *n* קִידַּת חֵן
curve *n* (במתמטיקה) עֲקוּמָּה; עָקוֹם; חַמּוּק
curve *vt* עִיקֵּם, עִיקֵּל; הִתְעַקֵּם, הִתְעַקֵּל
curved *adj* עָקוֹם, מְעוּקָּם
cushion *n* כַּר, כָּרִית
cushion *vt* שָׂם כָּרִים; רִיכֵּךְ, רִיפֵּד
cusp *n* חוֹד
cuspidor *n* רְקָקִית
custard *n* רַפְרֶפֶת
custodian *n* אֶפִּיטְרוֹפּוֹס, מַשְׁגִּיחַ
custody *n* הַשְׁגָּחָה, פִּיקּוּחַ; מַעֲצָר
custom *n* מִנְהָג; נוֹהַג
customary *adj* נָהוּג, מְקוּבָּל
custom-built (made) *adj* מוּכָן לְפִי הַזְמָנָה
customer *n* קוֹנֶה, לָקוֹחַ
custom-house *n* בֵּית־מֶכֶס
customs *n pl* מֶכֶס
customs clearance *n* שִׁחְרוּר מִמֶּכֶס
customs officer *n* פְּקִיד מֶכֶס, מוֹכֵס
custom-tailor *vt* הִתְאִים לְפִי מִידָּה
custom work *n* עֲבוֹדָה בְּהַזְמָנָה
cut *n* חִיתּוּךְ; מַכָּה (בסכין וכד׳); חֲתָךְ, פֶּצַע; נֵתַח, חֵלֶק; גִּזְרָה (של לבוש); קִיצּוּר, הַשְׁמָטָה; הוֹרָדָה (במחיר וכד׳)
cut *vt, vi* חָתַךְ, כָּרַת; פָּרַס (לחם); סִיפֵּר (שיער); קָצַץ (ציפורניים); קִיצֵּר, צִמְצֵם (דיבור וכד׳); הִפְחִית, קִיצֵּץ בּ... (מחירים וכד׳)

cut *adj* חָתוּךְ, גָּזוּר, קָצוּץ; (לגבי מחיר) מוּפחָת
cut-and-dried *adj* קָבוּעַ מֵרֹאשׁ
cutaway coat *n* מְעִיל־זָנָב
cutback *n* חֲזָרָה לְאָחוֹר
cute *adj* נֶחמָד, פִּיקֵחַ
cut glass *n* פִּיתּוּחֵי זְכוּכִית
cuticle *n* קְרוּם חִיצוֹנִי
cutlass *n* שֶׁלַח
cutler *n* סַכִּינַאי, מוֹכֵר סַכִּינִים
cutlery *n* סַכּוּ״ם (סכינים, כפות ומזלגות)
cutlet *n* קְצִיצָה
cutout *n* חֵלֶק מְנוּתָּק; מַפסֵק אוֹטוֹמָטִי
cut-rate *n, adj* (מְחִיר) מוּזָל
cutter *n* חוֹתֵךְ, גַּזָּר; חוֹתֶכֶת (ספינה), סִירַת פִּיקוּחַ
cutthroat *n* רוֹצֵחַ
cutthroat *adj* רוֹצְחָנִי
cutting *adj* חוֹתֵךְ; פּוֹגֵעַ
cutting *n* חִיתּוּךְ, קִיצּוּץ; קֶטַע עִיתּוֹנוּת
cutting edge *n* הַצַּד הַחַד
cuttlefish *n* דְּיוֹנוּן
cutwater *n* פּוֹלֵחַ מַיִם
cwt. *abbr.* hundredweight
cyanamide *n* צִיאַנָאמִיד
cyanide *n* צִיאָנִיד
cycle *n* מַחֲזוֹר; תְּקוּפָה; אוֹפַנַּיִים
cycle *vi* נָסַע בְּאוֹפַנַּיִים
cyclic, cyclical *adj* מַחֲזוֹרִי; מַעגָלִי
cyclone *n* צִיקלוֹן
cyl. *abbr* cylinder, cylindrical
cylinder *n* גָּלִיל, צִילִינדֶר; תּוֹף (באקדח)
cylinder block *n* חֲטִיבַת צִילִינדְרִים
cylinder head *n* רֹאשׁ הַצִּילִינדֶר
cylindrical *adj* גְּלִילִי, צִילִינדרִי
cymbal *n* כַּף מְצִלתַּיִים
cynic *n* צִינִיקָן
cynical, cynic *adj* צִינִי
cynicism *n* צִינִיּוּת
cynosure *n* מֶרכַּז תְּשׂוּמֶת־הַלֵּב
cypress *n* תְּאַשּׁוּר
Cyprus *n* קַפרִיסִין
Cyrillic *adj* קִירֶלִי
Cyrus *n* כּוֹרֶשׁ
cyst *n* שַׁלחוּף; כִּיס
czar, tsar *n* קֵיסָר, הַצָּר הָרוּסִי
czarina *n* אֵשֶׁת הַצָּר
Czech *adj, n* צֵ׳כִי; (לָשׁוֹן) צֵ׳כִית
Czecho-Slovak *adj* צֶ׳כוֹסלוֹבָקִי
Czecho-Slovakia *n* צֶ׳כוֹסלוֹבַקְיָה

D

D, d *n* דִי (האות הרביעית באלפבית)

D. *abbr* December, Democrat, Duchess, Duke, Dutch

'd (had, would (נטרוק של פועלי־העזר

D. A. *abbr* District Attorney

dab *vt, vi* טָפַח קַלּוֹת; לָחַץ בִּספוג

dab *n* טְפִיחָה; לְחִיצָה קַלָּה; מומחֶה

dabble *vt, vi* לִחלֵחַ, הִכתִּים; הֵנִיעַ אֵיבָרִים בְּמַיִם; הִתעַסֵּק (כּחובבן)

dad *n* אַבָּא

daddy *n* אַבָּא

daffodil *n* נַרקִיס עָטוּר

daffy *adj* שׁוֹטֶה; מְטוֹרָף

dagger *n, vt* פִּגיוֹן; (בּדפוס) סִימָן

dahlia *n* דָלִייָה

daily *n* עִיתּוֹן יוֹמִי; עוֹבֶדֶת יוֹמִית

daily *adj* יוֹם יוֹם; יוֹמִי

daily *adv* מִדֵּי יוֹם בְּיוֹמוֹ

dainty *n* מַעֲדָן

dainty *adj* עָדִין

dairy *n* מַחְלָבָה; מֶשֶׁק חָלָב

dais *n* בִּימָה

daisy *n* חַרצִית בָּר

dally *vt, vi* הִשתַּעֲשֵׁעַ; בִּזבֵּז זְמַן

dam *n* סֶכֶר

dam *vt, vi* סָכַר

dam *n* אֵם (שׁל הולכי על ארבּע)

damage *n* הֶיזֵק, נֶזֶק

damage *vt* הִזִּיק

damascene *vt* שִׁיבֵּץ, עִיטֵּר

damascene *adj* בְּקִישׁוּט דַמַּשְׂקָאִי (מסולסל)

dame *n* גְבֶרֶת; גְבִירָה; אִישָּׁה

damn *vt, vi* קִילֵּל; גִּינָּה; דָן לְעוֹנֶשׁ נִצחִי

damn *n* הַבָּעַת קְלָלָה

damn *int* לַעֲזָאזֵל!

damnation *n* דִינָה לְכַף חוֹבָה אוֹ לְגֵיהִינּוֹם

damned *n, adj, adv* מְקוּלָּל; בָּזוּי בְּיוֹתֵר

damp *n* לַחוּת, רְטִיבוּת

damp *vt, vi* לִחלֵחַ; רִיפָּה; שִׁינֵּק

dampen *vt* הִרטִיב; עִמעֵם

damper *n* גוֹרֵם לְדִיכָּאוֹן; מַרטִיב; עַמעֶמֶת

damsel *n* עַלמָה צְעִירָה

dance *vi, vt* רָקַד; הִרקִיד

dance *n* רִיקּוּד; נֶשֶׁף רִיקּוּדִים

dance band *n* תִּזמוֹרֶת רִיקּוּדִים

dance hall *n* אוּלַם רִיקּוּדִים

dance floor *n* רִצפַּת הָרִיקּוּד

dancer *n* רוֹקֵד; רַקְדָן

dancing *n* רִיקּוּד

dancing partner *n* בֶּן זוּג לְמָחוֹל

dandelion *n* שִׁינָּן

dandruff *n* קַשְׂקַשֵּׂי רֹאשׁ

dandy *n* טַרזָן, יוּהֲרָן

dandy *adj* גַּנדְּרָנִי; מְצוּיָּן

Dane *adj, n* דֵנִי; אִישׁ דֵּנֶמַרק

danger *n* סַכָּנָה

dangerous *adj* מְסוּכָּן; מְסַכֵּן

dangle *vt, vi* הָיָה תָּלוּי וּמִתנַדנֵד
Danish *adj* דֶנִי
dank *adj* לַח לֹא נָעִים
Danube *n* דָנוּבָּה
dapper *adj* הָדוּר
dapple *adj* מְנוּמָּר
dapple *vt* נִימֵּר; נִיקֵּד
dare *vt, vi* הֵעֵז; הִסתַּכֵּן
dare *n* הַעֲזָה; אֶתגָר
daredevil *adj, n* נוֹעָז
daring *n, adj* הַרפַּתקָנוּת, אוֹמֶץ־לֵב, הַעֲזָה; מֵעֵז
dark *adj* חָשׁוּךְ
dark *n* חוֹשֶׁךְ, דִמדוּמִים
Dark Ages *n pl* חֶשׁכַת יְמֵי־הַבֵּינַיִים
dark-complexioned *adj* שְׁחַרחַר
darken *vt, vi* הֶחשִׁיךְ, הִכהָה; נַעֲשָׂה כֵּהֶה
darkly *adv* בְּצוּרָה מִסתּוֹרִית
dark meat *n* בָּשָׂר כֵּהֶה
darkness *n* חוֹשֶׁךְ, חֲשֵׁיכָה
dark room *n* חֶדֶר אָפֵל
darling *n, adj* חָבִיב, אָהוּב, יָקָר
darn *n* תִּיקּוּן בְּבֶגֶד, אִיחוּי
darn *interj* לַעֲזָאזֵל
darn *vt* תִּיקֵּן
darnel *n* זוּן מְשַׁכֵּר
darning *n* רִישׁוּת; תִּיקּוּן
darning needle *n* מַחַט תִּיקּוּן
dart *n* כִּידוֹן, טִיל יָד
dart *vt, vi* זִינֵּק; זָרַק כִּידוֹן
dash *vt, vi* הִשׁלִיךְ בְּכוֹחַ; הִתנוֹעֵעַ בְּמֶרֶץ
dash *n* מַשַּׁק מַיִם; הַתָּזַת צֶבַע; סִרטוּט חָפוּז; קַו מַפרִיד
dash *interj* לַעֲזָאזֵל!
dashboard *n* לוּחַ הַמַּחֲוונִים
dashing *adj* בַּעַל מֶרֶץ; רַאַוותָנִי
dastard *n* פַּחדָן שָׁפָל
dastardly *adj* פַּחדָנִי־שָׁפָל
data *n pl* נְתוּנִים
data processing *n* עִיבּוּד נְתוּנִים
date *n* תּוֹמֶר (עץ); תָּמָר (פרי); תַּאֲרִיךְ; רֵאָיוֹן
date *vt, vi* צִייֵּן תַּאֲרִיךְ; תֵּיאֲרֵךְ; צוּיַּן תַּאֲרִיךְ
date line *n* שׁוּרַת הַתַּאֲרִיךְ; קַו הַתַּאֲרִיךְ
date palm *n* דֶקֶל
dative *adj, n* (שֶׁל) יַחֲסַת אֶל
datum *n* נָתוּן
dau. *abbr* daughter
daub *vt* צִיפָּה, מָרַח; הִכתִּים
daub *n* חוֹמֶר צִיפּוּי; צִיפּוּי; צִיוּר גַס
daughter *n* בַּת
daughter-in-law *n* כַּלָּה, אֵשֶׁת הַבֵּן
daunt *vt* הֵטִיל מוֹרָא
dauntless *adj* לֹא־יוֹדֵעַ־פַּחַד; לְלֹא חַת
dauphin *n* דוֹפֵין, נָסִיךְ
davenport *n* סַפָּה־מִיטָּה
davit *n* מַעֲלִית סִירוֹת
daw *n* עוֹרֵב
dawdle *vi* הִתבַּטֵּל
dawn *n* שַׁחַר
dawn *vt* זָרַח; הִתבַּהֵר
day *n* יוֹם
day-bed *n* מִיטָּה־סַפָּה
daybreak *n* שַׁחַר
day-coach *n* קְרוֹן־נוֹסְעִים

daydream *n* חֲלוֹם בְּהָקִיץ
daydream *vi* חָלַם בְּהָקִיץ, הָזָה
day laborer *n* שְׂכִיר יוֹם
daylight *n* אוֹר יוֹם
day nursery *n* מְעוֹן יוֹם
Day of Atonement *n* יוֹם־הַכִּיפּוּרִים
day off *n* יוֹם חוֹפֶשׁ
day of reckoning *n* יוֹם הַדִּין
day shift *n* מִשְׁמֶרֶת יוֹם
daytime *n* שְׁעוֹת הַיּוֹם
daze *vt* הָמַם; בִּלְבֵּל
daze *n* הִימּוּם; דִמדוּם
dazzle *vt, vi* סִנווֵר; הִסתַנווֵר
dazzle *n* סִנווּר
dazzling *adj* מְסַנווֵר
deacon *n* כּוֹמֶר זוּטָר
deaconess *n* כּוֹמרִית
dead *adj, adv* מֵת
dead *n* מֵת, חָלָל
dead beat *adj* עָיֵיף עַד מָוֶות
dead bolt *n* מַנעוּל מֵת (ללא קפיץ)
dead drunk *n* שִׁיכּוֹר כְּלוּט
deaden *vt* הִקהָה
dead end *n* מָבוֹי סָתוּם
deadline *n* מוֹעֵד אַחֲרוֹן
deadlock *n, vt, vi* קִיפָּאוֹן (בְּמוּ״מ וכד׳); הֵבִיא אוֹ בָּא לִידֵי קִיפָּאוֹן
deadly *adj* הוֹרֵג; הֲרֵה אָסוֹן; כְּמֵת; קִיצוֹנִי
deadly *adv* עַד מָוֶות; לַחֲלוּטִין
dead of night *n* אִישׁוֹן לַיְלָה
deadpan *adj* חֲסַר הַבָּעָה
dead reckoning *n* נִיווּט מֵת
dead ringer *adj* דוֹמֶה בְּיוֹתֵר

Dead Sea *n* יָם הַמֶּלַח
dead set *adj* אֵיתָן בְּהַחלָטָתוֹ
deadwood *n* עֲנָפִים מֵתִים
deaf *adj* חֵירֵשׁ
deaf-and-dumb *n, adj* (שֶׁל) חֵירֵשׁ־אִילֵּם
deafen *vt* הֶחֱרִישׁ אוֹזנַיִים
deafening *adj* מַחֲרִישׁ אוֹזנַיִים
deaf-mute *n, adj* חֵירֵשׁ־אִילֵּם
deafness *n* חֵירְשׁוּת
deal *vi, vt* עָסַק; טִיפֵּל; נָהַג; סָחַר
deal *n* עֵסֶק, עִסקָה; הֶסכֵּם; הֶסדֵר; טִיפּוּל; כַּמּוּת (גְדוֹלָה)
deal *adj* עָשׂוּי עֵץ אוֹרֶן
dealer *n* סוֹחֵר; מְחַלֵּק קְלָפִים
dean *n* דֵּיקַן־פָקוּלטָה; דֵּיקַן־הַסטוּדֶנטִים; רֹאשׁ כְּנֵסִיָּה
deanship *n* דֵּיקָנוּת
dear *n* (אדם) יָקָר; יַקִּיר
dear *adj* יָקָר
dear *adv* בְּיוֹקֶר
dear *interj* אֵלִי!
dearie *n* חָבִיב, יַקִּיר
dearth *n* מַחסוֹר
death *n* מָוֶות
deathbed *n* מִיטַּת הַמָּוֶות, עֶרֶשׂ דְּוַויִ
deathblow *n* מַכַּת מָוֶות
death certificate *n* תְּעוּדַת פְּטִירָה
death house *n* תָּא הַנִּידוֹנִים לְמָוֶות
deathless *adj* אַלמוֹתִי
deathly *adj, adv* אָנוּשׁ; כְּמָוֶות
death penalty *n* עוֹנֶשׁ מָוֶות
death-rate *n* שִׁיעוּר תְּמוּתָה
daeth-rattle *n* חַרחוּר מָוֶות
death ray *n* קֶרֶן מָוֶות

death-warrant *n* פְּקוּדַּת הֲמָתָה
deathwatch *n* שׁוֹמֵר שֶׁל גּוֹסֵס אוֹ שֶׁל מֵת
debacle *n* הִתְבַּקְּעוּת קֶרַח (על נהר); הִתמוֹטְטוּת
debar *vt* הוֹצִיא מִכְּלָל; שָׁלַל זְכוּיוֹת
debark *vt*, *vi* הוֹרִיד מֵאוֹנִיָּה; יָרַד מֵאוֹנִיָּה
debarkation *n* הוֹרָדָה מֵאוֹנִיָּה; יְרִידָה מֵאוֹנִיָּה
debase *vt* הִשְׁחִית, הִשְׁפִּיל; זִייֵף (כסף)
debatable *adj* נִיתָּן לְוִיכּוּחַ
debate *n* וִיכּוּחַ; דִּיּוּן
debate *vt*, *vi* דָּן; הִתווַכֵּחַ
debauchery *n* שְׁחִיתוּת; זִימָּה
debenture *n* אִיגֶּרֶת חוֹב
debilitate *vt* הֶחֱלִישׁ
debility *n* חוּלְשָׁה
debit *n*, *adj* (זְקִיפָה) לְחוֹבָה
debit *vt* חִייֵּב
debonair *adj* אָדִיב, נְעִים הֲלִיכוֹת
debris, debris *n* שְׁפוֹכֶת, עִיֵּי חֳרָבוֹת
debt *n* חוֹב; הִתחַייְּבוּת
debtor *n* חַייָּב
debut, début *n* הוֹפָעָה רִאשׁוֹנָה
debutante, débutante *n* מַתחִילָה, מוֹפִיעָה לָרִאשׁוֹנָה
dec. *abbr* deceased
decade *n* עָשׂוֹר
decadence, decadency *n* הִתנַוְּונוּת
decadent *adj* מִתנַוֵּון
decanter *n* בַּקְבּוּק, לָגִין
decapitate *vt* הִתִּיז רֹאשׁ
decay *vt*, *vi* הִתנַוֵּון; נִרְקַב
decay *n* הִתנַוְּונוּת; רִיקָּבוֹן

decease *vi*, *n* מֵת; מָוֶת
deceased *adj*, *n* נִפְטָר, מֵת
deceit *n* רַמָּאוּת
deceitful *adj* עָרוּם, מְרַמֶּה
deceive *vt* רִימָּה; אִכְזֵב
decelerate *vi* הֵאֵט
December *n* דֶּצֶמְבֶּר
decency *n* הֲגִינוּת
decent *adj* הוֹגֵן; הָגוּן
decentralize *vt* בִּיזֵּר
deception *n* רַמָּאוּת; הִתפַּתּוּת
deceptive *adj* מַטעֶה, עָלוּל לְהַטעוֹת
decide *vt*, *vi* הֶחֱלִיט, הִכרִיעַ
decimal *adj*, *n* עֶשׂרוֹנִי
decimal point *n* נְקוּדַּת הַשֶּׁבֶר הָעֶשׂרוֹנִי
decimate *vt* הִשְׁמִיד חֵלֶק גָּדוֹל; הִשְׁמִיד עֲשִׂירִית
decipher *vt* פִּעְנֵחַ
decision *n* הַחלָטָה, הַכרָעָה
decisive *adj* מַכרִיעַ, הֶחלֵטִי
deck *vt* צִיפָּה, קִישֵּׁט; סִיפֵּן
deck *n* סִיפּוּן; צְרוֹר קְלָפִים
deck-chair *n* כִּיסֵּא מַרגּוֹעַ
deck-hand *n* סִיפּוּנַאי
deck-land *vi* נָחַת עַל סִיפּוּן
deck landing *n* נְחִיתַת סִיפּוּן
deckle-edge *adj* לֹא מְיוּשָּׁר בִּפאוֹתָיו
declaim *vt* דִּקלֵם; טָעַן כְּנֶגֶד
declaration *n* הַכרָזָה, הַצהָרָה
declarative *adj* הַכרָזָתִי, הַצהָרָתִי
declare *vt*, *vi* הִכרִיז, הִצהִיר
declension *n* נְטִיָּה בְּמִדרוֹן
declination *n* נְטִיָּה מַטָּה; סְטִיָּה; נְטִיַּת שֵׁמוֹת (בדקדוק)

decline *vt, vi* סֵירֵב (בּאדיבוּת); הִיטָּה; יָרַד בְּמִדרוֹן; נֶחֱלַשׁ
decline *n* מוֹרָד, מִדרוֹן; הֵיחָלְשׁוּת, יְרִידָה
declivity *n* מִדרוֹן
decode *n* פִּעְנוּחַ (צוֹפֶן)
decode *vt* פִּעְנֵחַ (צוֹפֶן)
décolleté *adj* עֲמוֹק מַחשׂוֹף
decompose *vt, vi* פֵּירַק; רָקַב, נִרקַב
decomposition *n* פֵּירוּק; הִתפָּרְקוּת; הֵירָקְבוּת
decompression *n* רִיפּוּי לַחַץ
decontamination *n* טִיהוּר, עִיקוּר
decor *n* תַּפאוּרָה
decorate *vt* קִישֵּׁט; עִיטֵּר
decoration *n* קִישּׁוּט; עִיטּוּר
decorator *n* מְקַשֵּׁט, דֵקוֹרָטוֹר
decorous *adj* הוֹלֵם, הוֹגֵן (בּהתנהגוּת, בּאוֹפי וכד׳)
decorum *n* הֲגִינוּת, הֲלִימוּת
decoy *vt, vi* פִּיתָּה; נִפתָּה
decoy *n* פִּיתָּיוֹן
decoy pigeon *n* פַּתַּאי, שָׁלִיחַ שֶׁל רַמַּאי
decrease *vt, vi* הִפחִית, הוֹרִיד; יָרַד, פָּחַת
decrease *n* הַפחָתָה, צִמצוּם
decree *n* צַו, פְּקוּדָה
decree *vt* פָּקַד, צִיוּוָּה
decrepit *adj* תָּשׁוּשׁ
decry *vt* פָּסַל, זִלזֵל בּ...
dedicate *vt* הִקדִישׁ
dedication *n* הַקדָשָׁה; הִתמַסְּרוּת
deduce *vt* הִסִּיק
deduct *vt* הִפחִית; נִיכָּה

deduction *n* הַפחָתָה; נִיכּוּי; הֲקָשָׁה מִן הַכְּלָל אֶל הַפְּרָט
deed *n* מַעֲשֶׂה; מִבצָע; מִסמָך כָּתוּב
deem *vt* סָבַר, שָׁקַל
deep *adj* עָמוֹק; רְצִינִי
deep *n* עוֹמֶק; תְּהוֹם
deep *adv* עַד לָעוֹמֶק, בָּעוֹמֶק
deepen *vt, vi* הֶעֱמִיק
deep-laid *adj* סוֹדִי וּמְסוּבָּך
deep mourning *n* בִּגדֵי אֵבֶל עָמוֹק
deep-rooted *adj* מְשׁוֹרָשׁ עָמוֹק
deep-sea *adj* שֶׁבַּיָּם הֶעָמוֹק
deep-seated, deep-set *adj* מְשׁוֹרָשׁ הֵיטֵב
deer *n sing, pl* צְבִי, צְבָיִים
deerskin *n* עוֹר צְבִי
def. *abbr* defendant, deferred, definite
deface *vt* הִשׁחִית פָּנִים, מָחַק
defamation *n* הוֹצָאַת דִיבָּה
defame *vt* הִשׁמִיץ, הוֹצִיא דִיבָּה
default *n* הֵיעָדְרוּת, מַחסוֹר; אִי־פְּעוּלָּה; אִי־קִיוּם חוֹבָה
default *vi* לֹא קִיֵּם חוֹבָה
defeat *vt* הֵבִיס; הֵפֵר; הִפִּיל
defeat *n* תְּבוּסָה; הֲפָרָה; הַפָּלָה
defeatism *n* תְּבוּסָנוּת
defeatist *n* תְּבוּסָן
defecate *vt, vi* הֶחֱרִיא, עָשָׂה צְרָכָיו
defect *n* מוּם, פְּגָם
defection *n* עֲרִיקָה; הִשׁתַּמְּטוּת מִמִּילּוּי חוֹבָה
defective *adj* לָקוּי, פָּגוּם; מְפַגֵּר
defend *vt, vi* הֵגֵן; סִנֵגֵר
defendant *n* נִתבָּע, נֶאֱשָׁם

defender *n* מָגֵן; סַנֵּיגוֹר
defenestration *n* זְרִיקָה מִן הַחַלּוֹן
defense *n* הֲגָנָה, הִתְגּוֹנְנוּת; (בְּמִשְׁפָּט) סַנֵּיגוֹרְיָה
defensive *adj*, *n* מֵגֵן; שֶׁל הִתְגּוֹנְנוּת
defer *vt*, *vi* עִיכֵּב, דָּחָה; קִיבֵּל דֵּעָה
deference *n* וִיתּוּר לְדַעַת הַזּוּלַת
deferential *adj* מְכַבֵּד
deferment *n* דְּחִיָּיה
defiance *n* הַמְרָיָה, הַתְרָסָה
defiant *adj* מַתְרִיס
deficiency *n* חוֹסֶר, מַחְסוֹר
deficient *adj* חָסֵר, לָקוּי
deficit *n* גֵּירָעוֹן
defile *vt*, *vi* הִשְׁחִית; צָעַד בְּשׁוּרַת עוֹרֶף
defile *n* מַעֲבָר צַר
define *vt* הִגְדִיר, תֵּיאֵר; תָּחַם
definite *adj* מוּחְלָט, מוּגְדָר; מְסוּיָּם
definite article *n* הֵ"א הַיְּדִיעָה
definition *n* הַגְדָּרָה
definitive *adj* מַכְרִיעַ; מְסַכֵּם
deflate *vt* הוֹצִיא אֶת הָאֲוִויר; הוֹרִיד אֶת מַחְזוֹר הַכֶּסֶף
deflation *n* הוֹצָאַת אֲוִויר; דֶּפְלַצְיָה
deflect *vt*, *vi* הִטָּה; נָטָה
deflower *vt* הֵסִיר פְּרָחִים; בִּיתֵּק בְּתוּלִים
deforest *vt* בֵּירֵא יַעַר
deform *vt* עִיוּוֵת צוּרָה, כִּיעֵר
deformed *adj* מְעוּוָּת; מוּשְׁחַת מַרְאֶה
deformity *n* עִיוּוּת צוּרָה
defraud *vt* הוֹנָה
defray *vt* שִׁילֵּם
defrost *vt* הֵסִיר הַקֶּרַח, הִפְשִׁיר

deft *adj* מְיוּמָּן, זָרִיז
defunct *adj* מֵת, חָדֵל
defy *vt* הִתְרִיס, הִתְנַגֵּד בְּעַזּוּת
deg. *abbr* degree
degeneracy *n* הִתְנַווְּנוּת
degenerate *vi* הִתְנַוֵּון
degenerate *adj*, *n* מְנוּוָּן; מְפַגֵּר
degrade *vt* הוֹרִיד בְּמַעֲלָה; הִשְׁפִּיל
degrading *adj* מַשְׁפִּיל
degree *n* דַּרְגָה; מַעֲלָה; תּוֹאַר
dehumidifier *n* מוֹנֵעַ אֵד
dehydrate *vt* יִיבֵּשׁ, הִצְמִיק
de-ice *vt* הִפְשִׁיר (קרח)
deify *vt* הֶאֱלִיהַּ
deign *vt*, *vi* מָחַל עַל כְּבוֹדוֹ; הוֹאִיל
deity *n* אֱלוֹהוּת
dejected *adj* מְדוּכָּא, מְדוּכְדָּךְ
dejection *n* דִּיכָּאוֹן, דִּכְדּוּךְ
del. *abbr* delegate, delete
delay *vt*, *vi* עִיכֵּב, הִשְׁהָה; הִשְׁתַּהָה
delay *n* עִיכּוּב; הִשְׁתַּהוּת
delectable *adj* נֶחְמָד, מְעַנֵּג
delegate *n* צִיר, בָּא־כּוֹחַ
delegate *vt* מִינָּה, יִיפָּה כּוֹחַ
delete *vt* מָחַק, בִּיטֵּל
deletion *n* מְחִיקָה; קֶטַע מָחוּק
deliberate *vt*, *vi* שָׁקַל בְּדַעְתּוֹ; נוֹעַץ
deliberate *adj* מְכוּוָּן; לְלֹא חִיפָּזוֹן
delicacy *n* עֲדִינוּת; רְגִישׁוּת; מַעֲדָן
delicatessen *n pl* מַעֲדַנִּים
delicious *adj* עָרֵב בְּיוֹתֵר
delight *n* עוֹנֶג, תַּעֲנוּג
delight *vt*, *vi* עִינֵּג; הִתְעַנֵּג
delightful *adj* מְהַנֶּה, מְעַנֵּג
delinquency *n* עֲבַרְיָינוּת; רַשְׁלָנוּת

delinquent *n, adj* עֲבַרְיָן; מִתְרַשֵּׁל
delirious *adj* מְטוֹרָף (בְּהַשְׁפָּעַת חוֹם)
delirium *n* טֵירָפוֹן
deliver *vt* מָסַר; הִצִּיל; שִׁחְרֵר; יִילֵּד; הִסְגִּיר; נָאַם
delivery *n* מְסִירָה, חֲלוּקָה; לֵידָה; סִגְנוֹן נְאוּם
delivery man *n* מְחַלֵּק
delivery room *n* חֲדַר לֵידָה
delivery truck *n* מְכוֹנִית מִשְׁלוֹחַ
dell *n* עֵמֶק, גַּיְא
delouse *vt* טִיהֵר מִכִּינִּים
delphinium *n* דָּרְבָנִית
delude *vt* הִשְׁלָה, תִּעְתַּע
deluge *n* מַבּוּל, שִׁיטָּפוֹן
deluge *vt* שָׁטַף, הֵצִיף
delusion *n* הַשְׁלָיָה, אַשְׁלָיָה; תַּעְתּוּעַ
de luxe *adj* שׁוּפְרָא דְשׁוּפְרָא
delve *vt, vi* חָקַר, חָדַר; חָפַר
demagnetize *vt* בִּיטֵּל מִגְנוּט
demagogic(al) *adj* דֵּמָגוֹגִי
demand *vt* תָּבַע, דָּרַשׁ; הִצְרִיךְ
demand *n* תְּבִיעָה; צוֹרֶךְ
demanding *adj* תּוֹבְעָנִי
demarcate *vt* סִימֵּן גְּבוּלוֹת
démarche *n* פְּעוּלָּה דִיפְּלוֹמָטִית
demeanor *n* הִתְנַהֲגוּת
demented *adj* מְטוֹרָף
demigod *n* חֲצִי אֵל
demijohn *n* צַרְצוּר, קִיתוֹן
demilitarize *vt* פֵּירֵז
demimonde *n* הָעוֹלָם הַשּׁוֹקֵעַ
demise *vt* הֶעֱבִיר בַּעֲלוּת אוֹ מַלְכוּת
demise *n* מָוֶת; הַעֲבָרַת מְקַרְקְעִים אוֹ שִׁלְטוֹן
demisemiquaver *n* צְלִיל (1/32) לַ״בִּית
demitasse *n* סִפְלוֹן קָפֶה
demobilize *vt* שִׁחְרֵר (מִשֵּׁירוּת צְבָאִי); פֵּירֵק צָבָא
democracy *n* דֵּמוֹקְרַטְיָה
democrat *n* דֵּמוֹקְרָט
democratic *adj* דֵּמוֹקְרָטִי
demodulate *vt* מִיצָּה אִפְנוּן
demolish *vt* הָרַס
demolition *n* הֲרִיסָה
demon, daemon *n* רוּחַ רָעָה, שֵׁד
demoniacal *adj* שֵׁדִי, דֵּמוֹנִי
demonstrate *vt, vi* הוֹכִיחַ; הִפְגִּין
demonstration *n* הוֹכָחָה; הַדְגָּמָה; הַפְגָּנָה
demonstrative *adj* מַפְגִּין; מַסְבִּיר, מַדְגִּים
demonstrator *n* מַצִּיג, מַדְגִּים; מַפְגִּין
demoralize *vt* הִשְׁחִית; רִיפָּה רוּחַ
demote *vt* הוֹרִיד בְּדַרְגָּה
demotion *n* הוֹרָדָה בְּדַרְגָּה
demur *vi, n* הִבִּיעַ הִתְנַגְּדוּת; הַבָּעַת הִתְנַגְּדוּת
demure *adj* מִתְחַסֵּד, מִתְעַנֵּו
demurrage *n* הַשְׁהָיָה; דְּמֵי הַשְׁהָיָה
den *n* גּוֹב, מְאוּרָה; חֶדֶר קָטָן וְעָלוּב
denaturalize *vt* שִׁינָּה טֶבַע, עָשָׂה לְלֹא טִבְעִי
denial *n* הַכְחָשָׁה, כְּפִירָה, הִתְכַּחֲשׁוּת; סֵירוּב
denim *n* סַרְבָּל
denizen *n* תּוֹשָׁב; דַּיָּיר
Denmark *n* דֶּנְיָה, דֶּנְמַרְק
denomination *n* קָטֵיגוֹרְיָה; סוּג; כַּת דָּתִית

denote *vt* הוֹרָה עַל; צִיֵּין; סִימֵּל
denouement *n* הַתָּרָה, הַבְהָרָה סוֹפִית
denounce *vt* הוֹקִיעַ, הֶאֱשִׁים; הִפְסִיק בְּרִית
dense *adj* דָחוּס, מְעוּבֶּה, אָטוּם; אֱוִיל
density *n* דְחִיסוּת
dent *n* מִשְׁקָע, גוּמָּה
dent *vt* עָשָׂה גוּמָּה
dental *adj*, *n* שִׁנִּי, שֶׁל שֵׁן; עִיצוּר שִׁנִּי
dental floss *n* חוּט שִׁנַּיִים (לניקוי)
dentifrice *n* שַׁפְשֵׁן, אַבְקָה לְנִקּוּי שִׁנַּיִים
dentist *n* רוֹפֵא שִׁנַּיִים
dentistry *n* רִיפּוּי שִׁנַּיִים
denture *n* מַעֲרֶכֶת שִׁנַּיִים תּוֹתָבוֹת
denunciation *n* הוֹקָעָה; הוֹדָעַת נִיתּוּק בְּרִית
deny *vt* הִכְחִישׁ; הִתְכַּחֵשׁ ל...; סֵירֵב; שָׁלַל
deodorant *n*, *adj* מֵפִיג רֵיחַ, מְאַלְרֵחַ
deoxidize *vt* אַל־חִמְצֵן
dep. *abbr* department, departs, deputy
depart *vt*, *vi* עָזַב, עָקַר; פָּנָה
department *n* מַחְלָקָה; מָחוֹז מִנְהָלִי; מִשְׂרָד מֶמְשַׁלְתִּי
departure *n* עֲזִיבָה, עֲקִירָה; פְּנִייָה
depend *vi* סָמַךְ; הָיָה תָּלוּי
dependable *adj* מְהֵימָן, נֶאֱמָן
dependence *n* הִישָּׁעֲנוּת; תְּלוּת
dependency *n* תְּלוּת; מְדִינַת חָסוּת
dependent *adj*, *n* תָּלוּי; מוּתְנֶה
depict *vt* תֵּיאֵר
deplete *vt* מִיעֵט, חִיסֵּר; רוֹקֵן
deplorable *adj* רָאוּי לְגִנַּאי; מְצַעֵר
deplore *vt* הִצְטַעֵר עַל
deploy *vt*, *vi* פֵּירֵס; הִתְפָּרֵס
deployment *n* פֵּירוּס; הִתְפָּרְסוּת
depolarize *vt* שָׁלַל קוֹטְבִּיּוּת
depopulate *vt* חִיסֵּל אוּכְלוּסִיָּה
deport *vt* הִגְלָה
deportation *n* הַגְלָיָה
deportee *n* גּוֹלֶה, מְגוֹרָשׁ
deportment *n* הִתְנַהֲגוּת
depose *vt*, *vi* הֵדִיחַ; הֵעִיד בִּשְׁבוּעָה
deposit *vt*, *vi* שָׂם, הִנִּיחַ; נָתַן דְּמֵי קְדִימָה; הִפְקִיד
deposit *n* דְּמֵי קְדִימָה; פִּיקָּדוֹן; מִשְׁקָע; מִרְבָּץ
depositor *n* מַפְקִיד
depot *n* תַּחֲנַת רַכֶּבֶת; מַחְסַן צִיּוּד
deprave *vt* הִשְׁחִית, קִלְקֵל
depraved *adj* מוּשְׁחָת
depravity *n* שְׁחִיתוּת
deprecate *vt* טָעַן נֶגֶד; שָׁלַל
deprecation *n* עִרְעוּר
depreciate *vt*, *vi* מִיעֵט בְּעֵרֶךְ
depreciation *n* פְּחָת, בְּלַאי; יְרִידַת עֵרֶךְ
depress *vt* דִּיכֵּא רוּחַ; הֶחֱלִישׁ
depression *n* דִּכְדּוּךְ, דִּיכָּאוֹן; שֶׁקַע; שֵׁפֶל (כלכלי)
deprive *vt* שָׁלַל מִן; קִיפֵּחַ
dept. *abbr* department
depth *n* עוֹמֶק, עֲמִקּוּת
deputy *n* נָצִיג, שָׁלִיחַ; מְמַלֵּא מָקוֹם
derail *vt*, *vi* הוֹרִיד (יָרַד מִן) הַפַּסִּים
derailment *n* הוֹרָדָה (יְרִידָה) מִפַּסִּים
derange *vt* בִּלְבֵּל, עִרְבֵּב; שִׁיגֵּעַ

derangement *n* שִׁבּוּשׁ, הַטָּלַת מְבוּכָה; טֵירוּף
Derby *n* דֶּרְבִּי
derby *n* מִגְבַּעַת לֶבֶד
derelict *adj*, *n* עָזוּב, מוּפְקָר; סְפִינָה עֲזוּבָה
deride *vt* לָעַג, לִגְלֵג
derision *n* לִגלוּג; נָשׂוּא לְלַעַג
derive *vt*, *vi* הִשִּׂיג; הֵפִיק; נִגְזַר מִן
derogatory *adj* מְזַלְזֵל, שֶׁיֵּשׁ בּוֹ טַעַם לִפְגָם
derrick *n* מַדְלֶה, עֲגוּרָן; מִגְדַּל קִידּוּחַ
dervish *n* דֶּרְוִישׁ
desalination *n* הַמְתָּקָה, הַתְפָּלָה
desalt, desalinate *vt* הִמְתִּיק, הִתְפִּיל
descend *vi* יָרַד; יָצָא
descendant *n* צֶאֱצָא
descendent *adj* יוֹרֵד; מִשְׁתַּלְשֵׁל
descent *n* יְרִידָה; מוֹרָד; מוֹצָא
describe *vt* תֵּיאֵר; תָּאַר, סִרְטֵט
description *n* תֵּיאוּר; סוּג, מִין
descriptive *adj* מְתָאֵר, תֵּיאוּרִי
descry *vt* גִּילָּה, הִבְחִין בּ...
desecrate *vt* חִילֵּל
desegregation *n* בִּיטּוּל הַהַפְרָדָה
desert *vt*, *vi* זָנַח; עָרַק
desert *n*, *adj* מִדְבָּר; מִדְבָּרִי
desert *n* גְּמוּל, הָרָאוּי; עֵרֶךְ
deserter *n* עָרִיק
desertion *n* עֲרִיקָה; זְנִיחָה
deserve *vt*, *vi* הָיָה רָאוּי לְ...
deservedly *adv* בְּצֶדֶק, כָּרָאוּי
design *vt* תִּכְנֵן; רָשַׁם, סִרְטֵט
design *n* תַּרְשִׁים, תּוֹכְנִית; כַּוָּונָה
designate *adj* הַמְיוּעָד
designate *vt* צִיֵּין, יִיעֵד; קָרָא בְּשֵׁם; מִינָּה
designing *adj* זוֹמְמָנִי
designing *n* הֲכָנַת דְּגָמִים
desirable *adj* נִכְסָף, רָצוּי
desire *vt* הִשְׁתּוֹקֵק לְ..., רָצָה בּ...
desire *n* תְּשׁוּקָה; בַּקָּשָׁה; מְבוּקָשׁ
desirous *adj* מִשְׁתּוֹקֵק
desist *vi* חָדַל
desk *n* שׁוּלְחַן־כְּתִיבָה
desk clerk *n* פְּקִיד קַבָּלָה
desk set *n* מַעֲרֶכֶת כְּלֵי כְּתִיבָה
desolate *adj* שׁוֹמֵם; מְדוּכְדָּךְ
desolate *vt* הֵשֵׁם, הֶחֱרִיב; אִמְלֵל
desolation *n* שְׁמָמָה; יָגוֹן
despair *vi* הִתְיָיאֵשׁ
despair *n* יֵיאוּשׁ
despairing *adj* מִתְיָיאֵשׁ
desperado *n* פּוֹשֵׁעַ נָכוֹן לַכּוֹל
desperate *adj* מְיוֹאָשׁ; נוֹאָשׁ; נָכוֹן לַכּוֹל
despicable *adj* מְגוּנֶּה, בָּזוּי
despise *vt* בָּז
despite *n* הַעֲלָבָה, זִלְזוּל
despite *prep* לַמְרוֹת
despondence, despondency *n* דִּיכָּאוֹן, דִּכְדּוּךְ
despondent *adj* מְדוּכְדָּךְ
despot *n* רוֹדָן, עָרִיץ
despotic *adj* רוֹדָנִי
despotism *n* רוֹדָנוּת
dessert *n* פַּרְפֶּרֶת, קִינּוּחַ סְעוּדָה
destination *n* יַעַד; תַּכְלִית
destined *adj* מְיוּעָד
destiny *n* גּוֹרָל; יִיעוּד

destitute *adj* חֲסַר כּוֹל

destitution *n* חוֹסֶר אֶמְצָעֵי מִחְיָה

destroy *vt* הָרַס; הִשְׁמִיד

destroyer *n* מַשְׁמִיד; מַשְׁחֶתֶת

destruction *n* הֲרִיסָה; הַשְׁמָדָה

destructive *adj* הַרְסָנִי

detach *vt*, *vi* נִיתֵּק, הִפְרִיד

detachable *adj* נִיתָּן לְהִינָּתֵק, נִיתָּן לְהִיפָּרֵד

detached *adj* נִפְרָד, מְנוּתָּק; אוֹבְּיֶיקְטִיבִי

detachment *n* נִיתּוּק; הִינָּתְקוּת; הִסְתַּכְּלוּת מִגָּבוֹהַּ

detail *vt* תֵּיאֵר בִּפְרוֹטְרוֹט; (בצבא) הִקְצָה חוּלְיָה

detail *n* פְּרָט; פְּרוֹטְרוֹט; פֵּירוּט

detain *vt* עִיכֵּב; עָצַר

detect *vt* גִּילָּה

detection *n* גִּילּוּי; חֲשִׂיפָה, בִּילּוּשׁ

detective *n*, *adj* בַּלָּשׁ; בַּלָּשִׁי

detective story *n* סִיפּוּר בַּלָּשִׁי

detector *n* חוֹשֵׂף, מְגַלֶּה

detention *n* מַעֲצָר, מַאֲסָר; עִיכּוּב

deter *vt* הִרְתִּיעַ

detergent *adj*, *n* מְנַקֶּה; חוֹמֶר מְנַקֶּה

deteriorate *vt*, *vi* קִלְקֵל; הִתְקַלְקֵל

determine *vt*, *vi* קָבַע; הִכְרִיעַ, הֶחֱלִיט; כִּיוֵּן

determined *adj* תַּקִּיף בְּדַעְתּוֹ

deterrent *adj*, *n* מַרְתִּיעַ; גּוֹרֵם מַרְתִּיעַ

detest *vt* תִּיעֵב

dethrone *vt* הִדִּיחַ מִמְּלוּכָה

detonate *vt*, *vi* פּוֹצֵץ; הִתְפּוֹצֵץ

detour *n* עֲקִיפָה

detour *vt* עָקַף

detract *vt*, *vi* חִיסֵּר, הִפְחִית

detriment *n* נֶזֶק, רָעָה

detrimental *adj*, *n* מַזִּיק, גּוֹרֵם הֶפְסֵד

devaluation *n* פִּיחוּת מַטְבֵּעַ

devastate *vt* הָרַס, הֵשַׁם

devastation *n* הֶרֶס, שְׁמָמָה

develop *vt*, *vi* פִּיתֵּחַ; חָשַׂף; הִתְפַּתֵּחַ; נֶחְשַׂף

developer *n* מְפַתֵּחַ; תְּמִיסַּת פִּיתּוּחַ

development *n* פִּיתּוּחַ; הִתְפַּתְּחוּת

deviate *vt*, *vi* הִטָּה; נָטָה

deviation *n* הַטָּיָה; נְטִיָּיה

deviationism *n* סְטִיָּיה רַעֲיוֹנִית

deviationist *n* סוֹטֶה

device *n* אַמְצָאָה, הֶתְקֵן, מִתְקָן; תַּחְבּוּלָה

devil *n* שָׂטָן; שֵׁד; רָשָׁע

devil *vt*, *vi* הִטְרִיד; הֵצִיק

devilish *adj*, *adv* שֵׁדִי, שְׂטָנִי; מְאוֹד, בְּיוֹתֵר

devilment *n* תַּעֲלוּל; רִשְׁעוּת

deviltry *n* שְׂטָנִיּוּת, רִשְׁעוּת

devious *adj* עֲקַלְקַל, הוֹלֵךְ סְחוֹר־סְחוֹר

devise *vt* תִּכְנֵן, הִמְצִיא; הִנְחִיל

devoid *adj* מְשׁוּלָל, חָסֵר

devote *vt* הִקְדִּישׁ

devoted *adj* מָכוּר

devotee *n* חוֹבֵב נִלְהָב; קַנַּאי

devotion *n* מְסִירוּת; חֲסִידוּת

devour *vt* בָּלַע, אָכַל; טָרַף

devout *adj* חָסִיד, דָּתִי מָסוּר; אֲמִיתִּי, כֵּן

dew *n* טַל

dew *vt, vi* הִטְלִיל
dewdrop *n* אֱגֶל טַל
dewlap *n* פִּימַת הַצַּוָּאר
dewy *adj* מְטוּלָּל; דּוֹמֶה לְטַל
dexterity *n* זְרִיזוּת, מְיוּמָּנוּת
D.F. *abbr* Defender of the Faith
diabetes *n* סוּכֶּרֶת
diabetic *adj, n* שֶׁל סוּכֶּרֶת; חוֹלֵה סוּכֶּרֶת, סוּכַּרְתָּן
diabolic(al) *adj* שְׂטָנִי, שֵׁדִי
diacritical *adj* דִּיאַקְרִיטִי, נִיקּוּדִי; מְאַבְחֵן
diadem *n* כֶּתֶר, עֲטֶרֶת
di(a)eresis *n* (בכתיב) הַבְדָּלַת שְׁתֵּי תְּנוּעוֹת סְמוּכוֹת
diagnose *vt* אִבְחֵן
diagnosis *n* אִבחוּן
diagonal *adj, n* אֲלַכְסוֹנִי; אֲלַכְסוֹן
diagram *n* תַּרְשִׁים, דִּיאַגְרַמָּה
diagram *vt* תִּרְשֵׁם
dial. *abbr* dialect
dial *n* חוּגָה
dial *vt* חִייֵג
dialect *n* עָגָה, דִּיאָלֶקְט
dialogue *n* דּוּ־שִׂיחַ, דִּיאָלוֹג
dial telephone *n* טֶלֶפוֹן חִיּוּג
dial tone *n* צְלִיל חִיּוּג
diam. *abbr* diameter
diameter *n* קוֹטֶר
diametric *adj* קוֹטְרִי
diamond *n* יַהֲלוֹם; מְעוּיָּן
diamond *adj* יַהֲלוֹמִי; מְשׁוּבָּץ יַהֲלוֹמִים
diaper *n* חִיתּוּל
diaphanous *adj* שָׁקוּף
diaphragm *n* סַרְעֶפֶת
diarrh(o)ea *n* שִׁלְשׁוּל
diary *n* יוֹמָן
Diaspora *n* הַתְּפוּצָה, הַגּוֹלָה
diastole *n* הִתְפַּשְּׁטוּת הַלֵּב
diathermy *n* רִיפּוּי בְּחוֹם אוֹ בְּגַלִּים
dice *n* קוּבִּיּוֹת מִשְׂחָק
dice *vt, vi* חָתַךְ לְקוּבִּיּוֹת
dice box *n* קוּפְסַת קוּבִּיּוֹת־מִשְׂחָק
dichloride *n* דִּיכְלוֹרִיד
dichotomy *n* חֲלוּקָה לִשְׁנַיִם
dict. *abbr* dictionary
dictaphone *n* כְּתַב־קוֹל, דִּיקְטָפוֹן
dictate *vt, vi* הִכְתִּיב
dictate *n* תַּכְתִּיב
dictation *n* הַכְתָּבָה; תַּכְתִּיב
dictator *n* רוֹדָן; מַכְתִּיב
dictatorship *n* רוֹדָנוּת, דִּיקְטָטוּרָה
diction *n* הֲגִיָּה
dictionary *n* מִילּוֹן
dictum *n* מֵימְרָה; הַכְרָזָה
didactic *adj* לִימּוּדִי, דִּידַקְטִי
die *vi* מֵת; דָּעַךְ
die *vt* טָבַע
die *n* מַטְבַּעַת
diehard *n, adj* לוֹחֵם עַד הַסּוֹף
diesel oil *n* שֶׁמֶן דִּיזֶל
diestock *n* תַּבְרוֹג
diet *vt, vi* הִתְבָּרָה, שָׁמַר דִּיאֶטָה
diet *n* בְּרוּת, דִּיאֶטָה
dietitian, dietician *n* מַבְרֶה, דִּיאֶטִיקָן
diff. *abbr* differenı, difference
differ *vi* הָיָה שׁוֹנֶה; חָלַק עַל
difference *n* הֶבְדֵּל, הֶפְרֵשׁ; אִי־הַסְכָּמָה
different *adj* שׁוֹנֶה

differentiate *vt, vi* הִבְחִין, הִבְדִיל
difficult *adj* קָשֶׁה
difficulty *n* קוֹשִׁי
diffident *adj* לֹא בּוֹטֵחַ בְּעַצְמוֹ, עָנָיו
diffuse *vt* הֵפִיץ; פִּיזֵר
diffuse *adj* רַב־מֶלֶל; מְפוּזָר; נָפוֹץ
dig *vt, vi* חָפַר; חָתַר; עָצַר; חִיטֵט; הִתְחַפֵּר
dig *n* חֲפִירָה; דְחִיפָה; עֲקִיצָה
digest *vt, vi* עִיכֵּל; הִתְעַכֵּל
digest *n* לֶקֶט, תַּקְצִיר
digestible *adj* עָכִיל, מִתְעַכֵּל
digestion *n* עִיכּוּל, הִתְעַכְּלוּת
digestive *adj* מִתְעַכֵּל, מְסַייֵעַ לְעִיכּוּל
digit *n* אֶצְבַּע; סִפְרָה
dignified *adj* אֲצִילִי, אוֹמֵר כָּבוֹד
dignify *vt* כִּיבֵּד, רוֹמֵם
dignitary *n, adj* מְכוּבָּד, נִכְבָּד
dignity *n* כָּבוֹד; עֵרֶךְ עַצְמִי
digress *vt* סָטָה, נָטָה
digression *n* סְטִיָיה, נְטִיָיה
dike *n* דַיֵק; תְּעָלָה
dike *vt* בָּנָה דַיֵק; נִיקֵז
dilapidated *adj* רָעוּעַ, חָרֵב
dilate *vt, vi* הִרְחִיב; הִתְרַחֵב
dilatory *adj* נוֹטֶה לִדחוֹת, רַשְׁלָנִי
dilemma *n* מִסְפָּק, דִילֶמָּה
dilettante *n* חוֹבְבָן, חוֹבֵב שִׁטְחִי
diligence *n* שְׁקִידָה, חָרִיצוּת
diligent *adj* חָרוּץ, שַׁקְדָנִי
dill *n* שֶׁבֶת רֵיחָנִי
dillydally *vi* בִּזְבֵּז זְמַנּוֹ
dilute *vt, vi* דִילֵל, הִקְלִישׁ
dilute *adj* מָהוּל
dilution *n* דִילוּל, דְלִילוּת; הַקְלָשָׁה; מְהִילָה
dim. *abbr* diminutive
dim *adj* עָמוּם
dim *vt, vi* עָמַם, הֵעֵם; הוּעַם
dime *n* דַיים (עֲשָׂרָה סֶנְט)
dimension *n* מֵימַד
diminish *vt, vi* הִפְחִית, הִקְטִין
diminutive *adj, n* זְעִיר־אַנְפִּין; קָטָן; צוּרַת הַקְטָנָה
dimity *n* כְּפוּל־חוּט
dimly *adv* בִּמְעוּמְעָם
dimmer *n* מְעַמְעֵם; עַמָּם
dimple *n* גּוּמַת־חֵן
dimple *vt* סִימֵּן גּוּמָּה
dimwit *n* שׁוֹטֶה
dim-witted *adj* טִיפְּשִׁי
din *n* הֲמוּלָּה
din *vt, vi* הֵקִים רַעַשׁ
dine *vi, vt* סָעַד, אָכַל; כִּיבֵּד בַּאֲרוּחָה
diner *n* סוֹעֵד; קְרוֹן מִסְעָדָה
dingdong *n* צִלְצוּל חוֹזֵר; שִׁגְרָה
dingdong *adj, adv* שֶׁל מַהֲלוּמוֹת תְּכוּפוֹת
dingy *adj, n* כֵּהֶה, מְלוּכלָךְ
dining-car *n* קְרוֹן מִסְעָדָה
dining-room *n* חֲדַר־אוֹכֶל
dining-room suite *n* רִיהוּט חֲדַר אוֹכֶל
dinner *n* אֲרוּחָה עִיקָּרִית; אֲרוּחָה חֲגִיגִית
dinner-jacket *n* חֲלִיפַת־עֶרֶב
dinner-pail *n* סִיר מַעֲלוֹת
dinner-set *n* מַעֲרֶכֶת כְּלֵי אוֹכֶל
dinner-time *n* שְׁעַת אֲרוּחַת הָעֶרֶב

dint *n* עוֹצמָה, מַהֲלוּמָה, כּוֹחַ
dint *vt* סִימֵן סִימָנֵי מַכָּה
diocese *n* בִּישׁוֹפוּת
diode *n* דִּיוֹדָה
dioxide *n* דוּ־תַּחמוֹצֶת
dip *vt, vi* טָבַל, הִשְׁרָה; הוֹרִיד; שָׁקַע
dip *n* טְבִילָה; צְלִילָה; חִיטּוּי; הוֹרָדָה; שֶׁקַע
diphtheria *n* קָרֶמֶת, אַסכְּרָה
diphthong *n* דוּ־תְּנוּעָה, דִיפתּוֹנג
diphthongize *vi, vt* שִׁינָּה אוֹ הִשְׁתַּנָּה לְדוּ־תְּנוּעָה
diploma *n* תְּעוּדַת הַסמָכָה
diplomacy *n* דִּיפּלוֹמַטיָה
diplomat *n* דִּיפּלוֹמָט
diplomatic *adj* דִּיפּלוֹמָטִי
diplomatic pouch *n* דוֹאַר דִּיפּלוֹמָטִי
dipper *n* טוֹבֵל; מַטבִּיל; מַצֶּקֶת; פַּכִּית שְׁאִיבָה
dip stick *n* סַרגֵל טוֹבֵל (למדידת כמות שמן וכו׳)
dire *adj* נוֹרָא, מַבעִית
direct *adj, adv* יָשִׁיר, יָשָׁר; יְשִׁירוֹת
direct *vt, vi* כִּיוֵּן, הִדרִיךְ; הוֹרָה; בִּייֵם (מחזה)
direct current *n* זֶרֶם יָשָׁר
direct discourse *n* דִּיבּוּר יָשִׁיר
direct hit *n* פְּגִיעָה יְשִׁירָה
direction *n* כִּיווּן; נִיהוּל; הַדרָכָה; הַנחָיָה; בִּיוּם (מחזה וכד׳)
direct object *n* מוּשָׂא יָשִׁיר
director *n* מְנַהֵל; חָבֵר הַנהָלָה; בַּמַּאי
directorship *n* הַנהָלָה, מִשׂרַת מְנַהֵל
directory *n, adj* מַדרִיךְ
dirge *n* שִׁיר אֵבֶל, קִינָה
dirigible *adj, n* נָהִיג; סְפִינַת אֲווִיר
dirt *n* לִכלוּךְ; עָפָר; שִׁיקּוּץ
dirt-cheap *adj, adv* בְּזִיל הַזּוֹל
dirt-road *n* דֶּרֶךְ עָפָר
dirty *adj* מְלוּכלָךְ, מְזוֹהָם
dirty *vt, vi* לִכלֵךְ; הִתלַכלֵךְ
dirty linen *n* כְּבִיסָה מְלוּכלֶכֶת
dirty trick *n* תַּחבּוּלָה שְׁפָלָה
disable *vt* הֵטִיל מוּם ב..., שָׁלַל כּוֹשֶׁר
disabuse *vt* שִׁחרֵר מֵאַשׁלָיָה
disadvantage *n* חוֹסֶר יִתרוֹן; פְּגָם
disadvantageous *adj* לֹא נוֹחַ
disagree *vi* חָלַק עַל; לֹא תָּאַם
disagreeable *adj* לֹא נָעִים
disagreement *n* חִילּוּקֵי־דֵעוֹת; אִי־הַתאָמָה
disappear *vi* נֶעלַם
disappearance *n* הֵיעָלְמוּת
disappoint *vt* אִכזֵב
disappointment *n* הִתאַכזְבוּת; אַכזָבָה
disapproval *n* אִי־שְׂבִיעוּת־רָצוֹן
disapprove *vt, vi* לֹא שָׂבַע רָצוֹן; גִּינָּה
disarm *vt, vi* פֵּירֵק נֶשֶׁק; הִתפָּרֵק מִנִּשׁקוֹ
disarmament *n* פֵּירוּק נֶשֶׁק
disarming *adj* מֵפִיג (כעס וכד׳)
disarray *vt* פָּרַע סֵדֶר
disaster *n* אָסוֹן
disastrous *adj* הֲרֵה אָסוֹן
disavow *vt* נִיעֵר חוֹצנוֹ, הִתכַּחֵשׁ
disband *vt, vi* פֵּירֵק; הִתפָּרֵק

disbar *vt* שָׁלַל מַעֲמָד
disbelief *n* כְּפִירָה
disbelieve *vt, vi* כָּפַר בּ...
disburse *vt* הוֹצִיא כֶּסֶף
disbursement *n* הוֹצָאַת כֶּסֶף
disc. *abbr* discount, discoverer
disc *n* דִיסקוּס; חוּלִיָה; תַּקלִיט
discard *vt, vi* זָנַח
discard *n* זְנִיחָה; זָנוּחַ
discern *vt, vi* רָאָה; הִבחִין
discerning *adj* מַבחִין; מַבדִיל
discharge *vt, vi* פָּרַק (מטען); שִׁחרֵר; יָרָה; פִּיטֵר; הִשׁתַּחרֵר; בִּיצֵעַ; הִתפָּרֵק
discharge *n* פְּרִיקַת מִטעָן; שִׁחרוּר; יְרִייָה; נְזִילָה; הִשׁתַּחרְרוּת; בִּיטוּל
disciple *n* תַּלמִיד, חָסִיד
disciplinarian *n* דוֹגֵל בְּמִשׁמַעַת, מִשׁמַעתָּן
discipline *n* מִשׁמַעַת; שִׁיטַת לִימוּדִים
discipline *vt* מִשׁמֵעַ; עָנַשׁ
disclaim *vt* הִתכַּחֵשׁ ל...
disclose *vt* גִילָה, פִּרסֵם
disclosure *n* גִילוּי, פִּרסוּם
discolor *vt, vi* שִׁינָה אוֹ קִלקֵל צֶבַע
discomfiture *n* מְבוּכָה, תְּבוּסָה
discomfort *vt* הִטרִיד
discomfort *n* אִי־נוֹחוּת, טִרדָה
disconcert *vt* הֵבִיא בִּמבוּכָה
disconnect *vt* נִיתֵּק
disconsolate *adj* עָגוּם, אֵין־נִיחוּמִים
discontent *vt* צִיעֵר, לֹא הִשׂבִּיעַ רָצוֹן
discontent *n* אִי־שְׂבִיעוּת־רָצוֹן
discontented *adj* לֹא מְרוּצֶה
discontinue *vt, vi* הִפסִיק; פָּסַק

discord *n* חִיכּוּך, מְרִיבָה; דִיסוֹנַנס
discordance *n* אִי־הַתאָמָה
discotheque *n* דִיסקוֹטֶק
discount *vt, vi* נִיכָּה (שטר); שָׁלַל מֵעֵרֶך
discount *n* נִיכָּיוֹן, הֲנָחָה
discount rate *n* שַׁעַר הַנִּיכָּיוֹן
discourage *vt* רִיפָּה יָדַיִים; הֵנִיא, הִרתִּיעַ
discouragement *n* רִיפּוּי יָדַיִים; הַרתָּעָה
discourse *n* שִׂיחָה; הַרצָאָה
discourse *vt, vi* שׂוֹחַח; הִרצָה
discourteous *adj* לֹא אָדִיב
discourtesy *n* חוֹסֶר נִימוּס
discover *vt* גִילָה
discovery *n* גִילוּי; תַּגלִית
discredit *n* גְנוּת
discredit *vt* פָּגַע בְּשֵׁם טוֹב; הָרַס אֵימוּן
discreditable *adj* מְעוֹרֵר בּוּשָׁה
discreet *adj* מְחוּשָׁב; פּוֹעֵל בְּשֶׁקֶט
discrepancy *n* סְתִירָה
discrete *adj* מְנוּתָּק; סֵירוּגִי
discretion *n* כּוֹחַ שִׁיפּוּט; שִׁיקוּל־דַעַת
discriminate *vt, vi* הִפלָה; הִבחִין
discrimination *n* הַפלָיָה; הַבחָנָה
discriminatory *adj* מַפלֶה
discursive *adj* סוֹטֶה מֵעִניָן לְעִניָן
discus *n* דִיסקוּס
discuss *vt, vi* הִתווַכַּח, דָן
discussion *n* וִיכּוּחַ, דִיוּן
disdain *vt* בָּז
disdain *n* שְׁאָט־נֶפֶשׁ, בּוּז
disdainful *adj* בָּז

disease *n* מַחֲלָה
diseased *adj* נָגוּעַ בְּמַחֲלָה
disembark *vt, vi* הוֹרִיד אוֹ יָרַד מֵאוֹנִיָּה
disembarkation *n* הוֹרָדָה אוֹ יְרִידָה מֵאוֹנִיָּה
disembowel *vt* הוֹצִיא אֶת הַמֵּעַיִם
disenchant *vt* שִׁחְרֵר מֵאַשְׁלָיָה
disenchantment *n* הִתְפַּכְּחוּת
disengage *vt* שִׁחְרֵר, הִתִּיר
disengagement *n* שִׁחְרוּר; הִינָּתְקוּת
disentangle *vt* הִתִּיר סְבַךְ, חִילֵּץ
disentanglement *n* הַתָּרַת סְבַךְ; הֵיחָלְצוּת
disestablish *vt* בִּיטֵּל הַכָּרָה
disfavor *n* אִי־אַהֲדָה
disfavor *vt* לֹא אָהַד
disfigure *vt* הִשְׁחִית צוּרָה
disfranchise *vt* שָׁלַל זְכוּיוֹת אֶזְרָחוּת
disgorge *vt, vi* הֵקִיא; הֶחֱזִיר גָּזֵל
disgrace *n* קָלוֹן, אִי־כָּבוֹד
disgrace *vt* הֵסִיר חִנּוֹ מִן; בִּייֵּשׁ
disgraceful *adj* מַחְפִּיר
disgruntled *adj* מְמוּרְמָר, מְאוּכְזָב
disguise *vt, vi* הִסְוָוה, הִסְתִּיר
disguise *n* תַּחְפּוֹשֶׂת
disgust *vt, vi* מְעוֹרֵר גּוֹעַל־נֶפֶשׁ
disgust *n* סְלִידָה, גּוֹעַל נֶפֶשׁ
disgusting *adj* גּוֹעֲלִי
dish *n* צַלַּחַת, קְעָרִית; תַּבְשִׁיל
dish *vt* שָׂם אוֹכֶל בְּצַלָּחוֹת
dishcloth *n* סְמַרְטוּט כֵּלִים
dishearten *vt* דִּיכָּא, רִיפָּה יָדַיִים
dishevel *vt, vi* פָּרַע

dishonest *adj* לֹא יָשָׁר, נוֹכֵל
dishonesty *n* אִי־הֲגִינוּת, אִי־יוֹשֶׁר
dishonor *vt* שָׁלַל כָּבוֹד מִן; בִּייֵּשׁ; מֵיאֵן לְשַׁלֵּם
dishonor *n* שְׁלִילַת כָּבוֹד; קָלוֹן, בּוּשָׁה
dishonorable *adj* מֵבִישׁ, שָׁפָל
dishpan *n* גִּיגִית כֵּלִים
dish rack *n* סוֹרֵג צַלָּחוֹת
dishrag *n* סְמַרְטוּט לְכֵלִים
dishwasher *n* מֵדִיחַ כֵּלִים
dishwater *n* מֵי כֵּלִים
disillusion *vt* נִיפֵּץ אַשְׁלָיָה
disillusionment *n* הִתְפַּכְּחוּת
disinclination *n* אִי־נְטִיָּה; סֵירוּב
disincline *vt, vi* הִטָּה לֵב מִן; לֹא נָטָה
disinfect *vt* חִיטֵּא
disinfectant *adj, n* מְחַטֵּא
disingenuous *adj* לֹא כֵּן, מְעוּשֶּׂה
disinherit *vt* שָׁלַל יְרוּשָּׁה
disintegrate *vt, vi* פּוֹרֵר; הִתְפּוֹרֵר
disintegration *n* הִתְפָּרְדוּת; הִתְפּוֹרְרוּת
disinter *vt* הוֹצִיא מִקִּבְרוֹ
disinterested *adj* שֶׁאֵין לוֹ טוֹבַת־הֲנָאָה; אָדִישׁ
disinterestedness *n* אִי־טוֹבַת־הֲנָאָה; אִי־הִתְעַנְיְינוּת
disjunctive *adj* מַפְרִיד; מַבְחִין
disk *n* דִּיסְקוּס; תַּקְלִיט
disk-jockey *n* קַרְייַן תַּקְלִיטִים
dislike *vt* לֹא חִיבֵּב, סָלַד
dislike *n* אִי־חִיבָּה
dislocate *vt* הֵזִיחַ; הִנְקִיעַ; שִׁיבֵּשׁ

dislodge *vt* סִילֵּק מִמְּקוֹמוֹ
disloyal *adj* לֹא נֶאֱמָן, בּוֹגֵד
disloyalty *n* אִי־נֶאֱמָנוּת, בְּגִידָה
dismal *adj* עָגוּם, מַעֲצִיב
dismantle *vt* פֵּירֵק; הָרַס
dismay *vt* רִיפָּה יָדַיִים
dismay *n* רִפְיוֹן יָדַיִים, יֵיאוּשׁ
dismember *vt* קָטַע אֵיבָר; חִילֵּק (מדינה)
dismiss *vt, vi* הוֹרָה לְהִתְפַּזֵּר; הִתִּיר לָלֶכֶת; פִּיטֵּר
dismissal *n* פִּיזּוּר; שִׁילּוּחַ; פִּיטּוּרִים
dismount *vt, vi* הוֹרִיד; יָרַד
disobedience *n* אִי־צִיּוּת
disobedient *adj* סוֹרֵר
disobey *vt* לֹא צִיֵּית
disorder *n* אִי־סְדָרִים, עִרְבּוּבְיָה
disorder *vt* שִׁיבֵּשׁ סֵדֶר; בִּלְבֵּל
disorderly *adj* לֹא מְסוּדָּר; מְבוּלְבָּל
disorderly *adv* בְּאִי־סֵדֶר; מִתְפָּרֵעַ
disorderly house *n* בֵּית־זוֹנוֹת
disorganize *vt* שִׁיבֵּשׁ סֵדֶר
disown *vt* הִתְכַּחֵשׁ ל...
disparage *vt* הֵקֵל בְּעֵרֶךְ
disparagement *n* הֲקַלָּה בְּעֵרֶךְ
disparate *adj* שׁוֹנֶה
disparity *n* הֶבְדֵּל
dispassionate *adj* קַר־רוּחַ
dispatch, despatch *vt* שָׁלַח; הֵמִית
dispatch, despatch *n* שְׁלִיחָה; בִּיצּוּעַ יָעִיל
dispel *vt* פִּיזֵּר
dispensary *n* בֵּית־מִרְקַחַת
dispense *vt, vi* חִילֵּק; הִרְקִיחַ; וִיתֵּר
disperse *vt, vi* פִּיזֵּר; הִתְפַּזֵּר

displace *vt* עָקַר מִמְּקוֹמוֹ; תָּפַס מְקוֹמוֹ
displaced person *n* עָקוּר
display *vt* הֶרְאָה, הִצִּיג לְרַאֲוָוה
display *n* תְּצוּגָה; חִישּׂוּף
display cabinet *n* אֲרוֹן רַאֲוָוה
display window *n* חַלּוֹן רַאֲוָוה
displease *vt, vi* הִרְגִּיז; לֹא נָעַם
displeasing *adj* שֶׁאֵינוֹ מוֹצֵא חֵן
displeasure *n* אִי־שְׂבִיעוּת־רָצוֹן
disposable *adj* שֶׁאֶפְשָׁר לְזָרְקוֹ
disposal *n* סִילּוּק; סִידּוּר מִיקוּם; רְשׁוּת
dispose *vt, vi* סִידֵּר; מִיקֵּם; נָטָה; חִילֵּק
disposition *n* מֶזֶג, מַצַּב־רוּחַ; נְטִיָּיה; מַעֲרָךְ
dispossess *vt* נִישֵּׁל מִנְּכָסָיו
disproof *n* הַפְרָכָה, הֲזַמָּה
disproportion *n* חוֹסֶר יַחַס, דִּיסְפְּרוֹפּוֹרְצְיָה
disproportionate *adj* חֲסַר יַחַס
disprove *vt* הִפְרִיךְ
dispute *vt, vi* הִתְוַוכַּח, עִרְעֵר
dispute *n* וִיכּוּחַ, מַחֲלוֹקֶת
disqualify *vt* פָּסַל; שָׁלַל זְכוּיוֹת
disquiet *vt* הִפְרִיעַ אֶת הַשַּׁלְוָוה
disquiet *n* אִי־שֶׁקֶט; דְּאָגָה
disregard *vt* הִתְעַלֵּם מִן
disregard *n* הִתְעַלְּמוּת
disrepair *n* מַצָּב הַטָּעוּן תִּיקּוּן
disreputable *adj* בַּעַל שֵׁם רַע
disrepute *n* שֵׁם רַע
disrespect *n* חוֹסֶר כָּבוֹד
disrespectful *adj* חָצוּף
disrobe *vt, vi* פָּשַׁט; הִתְפַּשֵּׁט

disrupt *vt, vi* שִׁבֵּר, נִיתֵּץ
dissatisfaction *n* אִי־שְׂבִיעוּת־רָצוֹן
dissatisfied *adj* לֹא מְרוּצֶה
dissatisfy *vt* גָּרַם לְאִי־שְׂבִיעוּת־רָצוֹן
dissect *vt* נִיתַּח, בִּיתֵּר
dissemble *vt, vi* הֶעֱמִיד פָּנִים
disseminate *vt* הֵפִיץ, זָרַע
dissension *n* חִילּוּקֵי דֵעוֹת
dissent *vi* חָלַק עַל
dissent *n* אִי־הַסְכָּמָה
dissenter *n* מִסְתַּייֵג, פּוֹרֵשׁ
disservice *n* שֵׁירוּת דוֹב
dissever *vt, vi* נִיתֵּק, חִילֵּק; נִיתַּק
dissidence *n* אִי־הַסְכָּמָה; פְּרִישָׁה
dissident *adj, n* חוֹלֵק; פּוֹרֵשׁ
dissimilar *adj* לֹא דוֹמֶה
dissimilate *vt, vi* שִׁינָּה; הִשְׁתַּנָּה
dissimulate *vt, vi* הֶעֱמִיד פָּנִים
dissipate *vt, vi* פִּיזֵּר; הִתְפַּזֵּר; הִתְפָּרֵק
dissipated *adj* מִתהוֹלֵל; שֶׁבְּתַעֲנוּגוֹת
dissipation *n* פִּיזּוּר, הִתְפָּרְדוּת; הוֹלֵלוּת
dissociate *vt, vi* הִתְנַעֵר; נִיתֵּק; נִיתַּק
dissolute *adj* מִתהוֹלֵל, מוּפקָר
dissolution *n* חִיסּוּל; פֵּירוּק; הַפְרָדָה אוֹ הִיפָּרְדוּת; הֲמַסָּה
dissolve *vt, vi* הֵמֵס, מוֹסֵס; הִתִּיר (קשר); פִּיזֵּר; פֵּירֵק; הִתְפָּרֵק
dissonance *n* אִי־הַתְאָמָה; צְרִירוּת
dissuade *vt* הֵנִיא
dissyllabic *adj* דוּ־הֲבָרִי
dissyllable *n* מִלָּה דוּ־הֲבָרִית

dist. *abbr* district
distaff *n* פֶּלֶךְ; מִין נְקֵבָה
distaff side *n* צַד הָאֵם אוֹ הָאִישָּׁה (לגבי קרוב)
distance *n* מֶרְחָק, רוֹחַק
distant *adj* רָחוֹק, מְרוּחָק; צוֹנֵן
distaste *n* סְלִידָה, בְּחִילָה
distasteful *adj* סַר־טַעַם; לֹא נָעִים
distemper *n* מַחֲלַת כְּלָבִים
distend *vt, vi* הִתְנַפֵּחַ
distension *n* נִיפּוּחַ
distil, distill *vt, vi* זִיקֵּק; טִפְטֵף; זוּקַּק
distillation *n* זִיקּוּק
distillery *n* מִזְקָקָה
distinct *adj* מוּבְהָק; נִבְדָּל
distinction *n* צִיּוּן; הַבְחָנָה, הֶבְדֵּל; יִיחוּד; הִצְטַיְּנוּת
distinctive *adj* אוֹפְיָינִי, בָּרוּר
distinguish *vt, vi* הִבְחִין, הִבְדִּיל; אִפְייֵן
distinguished *adj* דָּגוּל
distort *vt* עִיוּוֵת, סֵירֵס
distortion *n* סֵירוּס, עִיוּוּת
distraction *n* הַטָּיַת תְּשׂוּמֶת־הַלֵּב; בִּידּוּר; אִי־רִיכּוּז
distraught *adj* מְטוֹרָף; מְפוּזָּר
distress *vt* הִכְאִיב; צִיעֵר
distress *n* יִיסּוּרִים, מְצוּקָה
distressed area *n* אֵיזוֹר נֶחֱשָׁל
distressing *adj* מְדַכֵּא, מְצַעֵר
distribute *vt* הֵפִיץ; חִילֵּק
distribution *n* הֲפָצָה; חֲלוּקָה
distributor *n* מְחַלֵּק; מֵפִיץ
district *n* מָחוֹז, אֵיזוֹר

district *vt* מִיחֵז, חִילֵּק לְמחוזות
district attorney *n* פְּרַקְלִיט הַמָּחוֹז
distrust *n* אִי־אֵימוּן
distrust *vt* רָחַשׁ אִי־אֵימוּן ל...
distrustful *adj* חַשְׁדָן
disturb *vt* הִפְרִיעַ; פָּרַע סֵדֶר
disturbance *n* הַפְרָעָה; אִי־סֵדֶר
disuse *n* יְצִיאָה מִכְּלַל שִׁימוּשׁ
disuse *vt* הִפְסִיק שִׁימוּשׁ
ditch *n* חֲפִירָה; תְּעָלַת־נִיקּוּז
ditch *vt*, *vi* חָפַר תְּעָלָה; (המונית) נָטַשׁ בְּעֵת צָרָה
dither *n* הִתְרַגְּשׁוּת; בִּלְבּוּל
ditto (do.) *n*, *adv* כַּנַּ״ל, שָׁם
ditto *vt* שִׁכְפֵּל
ditty *n* זֶמֶר
div. *abbr* dividend, division
diva *n* זַמֶּרֶת גְדוֹלָה
divan *n* סַפָּה
dive *vt*, *vi* צָלַל
dive *n* צְלִילָה
dive-bomb *vt*, *vi* הִפְצִיץ בִּצְלִילָה, פִּצְלֵל
dive-bombing *n* פִּצְלוּל, הַפְצָצַת־צְלִילָה
diver *n* צוֹלֵל; אֲמוֹדַאי
diverge *vt*, *vi* הִסְתָּעֵף; סָטָה
divers *adj* אֲחָדִים
diverse *adj* שׁוֹנֶה
diversification *n* גִּיוּוּן
diversified *adj* מְגוּוָּן, רַב־צוּרוֹת
diversion *n* נְטִיָּה מִמַּסְלוּל; סְטִיָּה; בִּידּוּר
diversity *n* שׁוֹנוּת; גִּיוּוּן
divert *vt* הִטָּה; הֵסִיחַ; בִּידֵּר
diverting *adj* מַטֶּה; מַסִּיחַ; מְבַדֵּר
divest *vt* הִפְשִׁיט; שָׁלַל מִן
divide *vt*, *vi* חִילֵּק; הִפְרִיד; הִתְחַלֵּק
divide *n* פָּרָשַׁת מַיִם
dividend *n* מְחוּלָּק; דִּיוִידֶנְדָה
dividers *n pl* מְחוּגַת מְדִידָה
divination *n* נִיבּוּי; רְאִיַּת הַנּוֹלָד
divine *vt*, *vi* נִיבָּא, נִיחֵשׁ
divine *adj*, *n* אֱלוֹהִי; כּוֹהֵן דָּת
diving *n* צְלִילָה
diving bell *n* פַּעֲמוֹן צוֹלְלִים
diving board *n* מִקְפֶּצֶת צוֹלֵל
diving suit *n* מַדֵּי צוֹלֵל
divining-rod *n* מַטֵּה־אִיתּוּר
divinity *n* אֱלוֹהוּת; תֵּיאוֹלוֹגְיָה
division *n* חֲלוּקָה; הִתְחַלְּקוּת; (בחשבון) חִילּוּק; (בצבא) אוּגְדָּה
divisor *n* מְחַלֵּק
divorce *n* גֵּירוּשִׁים, גֵּט
divorce *vt*, *vi* גֵּירֵשׁ, הִתְגָּרֵשׁ
divorcee *n* גָּרוּשׁ, גְּרוּשָׁה
divulge *vt* גִּילָּה
dizziness *n* סִחְרוּר, סְחַרְחוֹרֶת
dizzy *adj* סְחַרְחַר; מְבוּלְבָּל
dizzy *vt*, *vi* סִחְרֵר; בִּלְבֵּל
do *vt*, *vi* עָשָׂה, פָּעַל; (המונית) רִימָּה
docile *adj* צַיְיתָן; לָמִיד
dock *vt*, *vi* הֵבִיא לָרָצִיף; זִינֵּב; נִיכָּה (ממשׂכורת וכד׳)
dock *n* רָצִיף; תָּא הַנֶּאֱשָׁם; זָנָב
dockage *n* דְּמֵי הַחֲזָקָה
docket *n* רְשִׁימַת מִשְׁפָּטִים; תָּווִית מִסְמָכִים
docket *vt* הִכְנִיס לִרְשִׁימַת הַמִּשְׁפָּטִים
dock hand *n* פּוֹעֵל נָמֵל

dockyard *n* מִספָּנָה
doctor *n* רוֹפֵא, מְנַתֵּחַ; דוֹקטוֹר
doctor *vt, vi* נָתַן טִיפּוּל רְפוּאִי; פִּיגֵּל
doctorate *n* תּוֹאַר דוֹקטוֹר; עֲבוֹדַת דוֹקטוֹר
doctrine *n* מִשְׁנָה, דוֹקטְרִינָה
document *n* מִסמָךְ
document *vt* תִּיעֵד
documentary *adj* מִסמָכִי, תִּיעוּדִי
documentary *n* סֶרֶט תְּעוּדָתִי
documentation *n* תִּיעוּד
dodge *vt, vi* נִרתַּע הַצִּדָּה; הִתחַמֵּק
dodge *n* הִתחַמְּקוּת; טַכסִיס
dodo *n* יוֹנָה בַּרוָזִית
doe *n* צְבִיָּה, אַיָּלָה
doeskin *n* עוֹר אַיָּלוֹת
doff *vt, vi* פָּשַׁט; הֵסִיר
dog *n* כֶּלֶב
dog *vt* עָקַב; רָדַף
dog catcher *n* תּוֹפֵס כְּלָבִים; (המונית) מַחֲלִיף פּוֹעֵל רַכֶּבֶת
dog days *n pl* יְמֵי־מַזַּל־כֶּלֶב
doge *n* דוֹג'ה
dogged *adj* מִתעַקֵּשׁ, עַקשָׁן
doggerel *n, adj* חַרזָנוּת בַּדְחָנִית; בַּדְחָנִי
doggy *adj* שֶׁל כְּלָבִים
doghouse *n* מְלוּנַת כֶּלֶב
dog in the manger *n* הָאוֹמֵר גַּם לִי גַּם לְךָ לֹא יִהְיֶה
dog Latin *n* לָטִינִית מְשׁוּבֶּשֶׁת
dogmatic *adj* דוֹגמָטִי
dog racing *n* מֵרוֹצֵי כְּלָבִים
dog show *n* תַּעֲרוּכַת כְּלָבִים
dog's life *n* חַיֵּי כֶּלֶב
dog-star *n* אַבְרֵק, סִירִיוּס
dog-tired *adj* עָיֵף כְּכֶלֶב
dogtooth *n* שֵׁן כֶּלֶב
dog track *n* מַסלוּל לְמֵרוֹצֵי כְּלָבִים
dogwatch *n* מִשׁמֶרֶת הַכֶּלֶב
dogwood *n* מוֹרָן דָּמִי
doily *n* מַפִּית
doing *adj* עוֹשֶׂה; מִתרַחֵשׁ
doing *n* מַעֲשֶׂה
doldrums *n pl* רוֹגַע, דִכדוּךְ
dole *n* צְדָקָה; סַעַד
dole *vt* חִילֵּק בְּקַמְצָנוּת
doleful *adj* עָגוּם; מְדַכֵּא
doll *n* בּוּבָּה
doll *vt, vi* הִתהַדֵּר בִּלבוּשׁ
dollar *n* דוֹלָר
dollar mark *n* סִימַן דוֹלָר
dolly *n* עֶגלַת־יָד לְמַשָּׂא; בּוּבָּה
dolphin *n* דוֹלפִין
dolt *n* שׁוֹטֶה
doltish *adj* אֱוִילִי
domain *n* תְּחוּם הַשׁפָּעָה
dom. *abbr* domestic, dominion
dome *n* כִּיפָּה
dome light *n* נוּרַת תִּקרָה
domestic *adj, n* בֵּיתִי; מְבוּיָּת; פְּנִימִי
domesticate *vt* אִילֵּף, בִּייֵּת
domicile *n* מְקוֹם מְגוּרִים
domicile *vt, vi* הוֹשִׁיב; גָּר
dominance *n* שְׁלִיטָה; עֶליוֹנוּת
dominant *adj* שׁוֹלֵט; גּוֹבֵר
dominant *n* (במוסיקה) גָּבֵר, דוֹמִינַנטָה
dominate *vt, vi* שָׁלַט; הִשׁתַּלֵּט עַל
domination *n* שְׁלִיטָה; הִשׁתַּלְּטוּת

domineer *vi* רָדָה; הִתנַשֵּׂא
domineering *adj* שְׁתַלְטָנִי
Dominican *n* דוֹמִינִיקָנִי
dominion *n* רִיבּוֹנוּת, שִׁלטוֹן; דוֹמִינִיוֹן (בקהיליה הבריטית)
dominium *n* זְכוּת בַּעֲלוּת
domino *n* (dominoes *pl*) דוֹמִינוֹ
don *n* דוֹן; מַרצֶה בְּאוּנִיבֶרסִיטָה
don *vt* לָבַשׁ, חָבַשׁ
donate *vt* נִידֵּב
donation *n* מַתָּנָה, נְדָבָה
done *adj* מְבוּצָּע, גָמוּר; מְסוּדָּר; עָשׂוּי
done for *adj* (דיבורית) ׳גָמוּר׳, לֹא יָכוֹל עוֹד לְהַמשִׁיך
donjon *n* מִבצָר
Don Juan *n* דוֹן ז׳וּאָן
donkey *n* חֲמוֹר
donnish *adj* דוֹמֶה אוֹ אוֹפיָינִי לְאִישׁ אוּנִיבֶרסִיטָה
donor *n* מְנַדֵּב; נַדבָן
doodle *n* ׳קִשקוּשׁ׳, שִׁרבּוּט
doodle *vt*, *vi* ׳קִשקֵשׁ׳, שִׁרבֵּט
doom *n* גוֹרָל; קֵץ, מָוֶות, חוּרבָּן
doom *vt* חָרַץ דִין, הִרשִׁיעַ
doomsday *n* יוֹם־הַדִּין
door *n* דֶּלֶת, פֶּתַח
doorbell *n* פַּעֲמוֹן דֶּלֶת
door check *n* מוֹנֵעַ טְרִיקָה
doorframe *n* לַזבֵּז הַדֶּלֶת
doorhead *n* מַשקוֹף הַדֶּלֶת
doorjamb *n* מְזוּזַת הַדֶּלֶת
doorknob *n* יְדִית הַדֶּלֶת
door knocker *n* מַקּוֹשׁ דֶּלֶת
door latch *n* בְּרִיחַ
door-man *n* שׁוֹעֵר

doormat *n* שַׁפשֶׁפֶת, מַחֲצֶלֶת דֶלֶת
doornail *n* בְּרִיחַ
doorpost *n* מְזוּזַת הַדֶּלֶת
door scraper *n* מַגרֵד פֶּתַח
doorsill *n* סַף הַדֶּלֶת
doorstep *n* מִפתַּן הַדֶּלֶת
doorstop *n* מַעצֵר־דֶלֶת
doorway *n* פֶּתַח
dope *n* נוֹזֵל סָמִיך; חוֹמֶר סוֹפֵג; (המונית) מְטוּמטָם; (המונית) סַמִּים; (המונית) יְדִיעוֹת
dope *vt* שִׁיכֵּר, טִמטֵם בְּסַמִּים
dope fiend *n* נַרקוֹמָן
dope sheet *n* מֵידָע סוֹדִי (על סוס־מירוץ)
dormant *adj* יָשֵׁן, רָדוּם; לֹא פָּעִיל
dormer window *n* גַמלוֹן, חַלּוֹן גַמלוֹן
dormitory *n* בֵּית־מִיטּוֹת; חֲדַר־מִיטּוֹת
dormouse *n* מַרמִיטָה
dosage *n* מִינּוּן
dose *n* מָנָה
dose *vt*, *vi* מִינֵּן
dossier *n* תִּיק מִסמָכִים
dot *n* נְקוּדָּה; רְבָב
dot *vt*, *vi* נִיקֵּד, סִימֵּן נְקוּדּוֹת
dotage *n* סִכלוּת (של זקנה)
dotard *n* סָכָל זָקֵן
dote *vi* חִיבֵּב חִיבָּה יְתֵרָה
doting *adj* מְחַבֵּב חִיבָּה יְתֵרָה; טִיפְּשִׁי
dots and dashes *n pl* נְקוּדּוֹת וְקַוּוִים
dotted *adj* מְנוּקָּד
double *adj*, *adv*, *n* כָּפוּל, פִּי שְׁנַיִים; זוּגִי; כָּפִיל

double *vt, vi* הִכְפִּיל; נִכְפַּל; רָץ
double-barreled *adj* דו־קָנִי; דו־מַשְׁמָעִי
double bass *n* בַּטנוּן, כִּינּוֹר בַּס
double bassoon *n* תַּת בַּסּוֹן
double bed *n* מִיטָּה כְּפוּלָה
double-breasted *adj* כְּפוּל־פְּרִיפָה
double chin *n* פִּימָה
double-cross *n* רַמָּאוּת, בְּגִידָה
double-cross *vt* הוֹנָה
double-dealer *n* נוֹכֵל, דו־פַּרצוּפִי
double-edged *adj* שֶׁל חֶרֶב פִּיפִיּוֹת
double entry *n* רִישּׁוּם כָּפוּל
double feature *n* סֶרֶט כָּפוּל
double-header *n* רַכֶּבֶת דו־קַטָּרִית
double-jointed *adj* גְּמִישׁ פְּרָקִים
double-park *n* חֲנִיָּה כְּפוּלָה
double-quick *adj* זָרִיז בְּיוֹתֵר
doublet *n* מַדִּים הֲדוּקִים; זוּג דְבָרִים דוֹמִים; דוּבְלֶטָּה
double talk *n* דִיבּוּר דו־מַשְׁמָעִי
double time *n* שָׂכָר כָּפוּל (בעד שעות נוספות)
doubleton *n* כֶּפֶל־קְלָפִים
double track *n* מַסלוּל כָּפוּל
doubt *vt, vi* פִּקְפֵּק; חָשַׁד
doubt *n* פִּקְפּוּק, סָפֵק
doubter *n* סַפְקָן
doubtful *adj* מְפוּקְפָּק; לֹא וַדָּאִי; דו־מַשְׁמָעִי
doubtless *adv, adj* וַדַּאי; וַדָּאִי
dough *n* בָּצֵק, עִיסָּה; כֶּסֶף
doughboy *n* חַיָּיל רָגִיל
doughnut *n* סוּפְגָּנִית, לְבִיבָה
doughty *adj* חָזָק, אַמִּיץ
doughy *adj* בְּצֵקִי, רַךְ
dour *adj* קוֹדֵר, זוֹעֵף
douse *vt, vi* הִטְבִּיל; כִּיבָּה; נִטְבַּל
dove *n* יוֹנָה
dovecot(e) *n* שׁוֹבָךְ
dovetail *n* זְנַבְיוֹן
dovetail *vt, vi* חִיבֵּר בִּזְנַבְיוֹנִים
dowager *n* אַלְמָנָה יוֹרֶשֶׁת מִבַּעְלָהּ
dowdy *adj* רַשְׁלָנִית בִּלְבוּשָׁהּ
dowel *n* פִּין
dowel *vt* חִיזֵּק בְּפִינִים
dower *n* נְדוּנְיָה; נִכְסֵי הָאִשָּׁה
dower *vt* הֶעֱנִיק חֵלֶק (לאלמנה)
down *adv, prep* לְמַטָּה, מַטָּה; בִּנְקוּדָּה נְמוּכָה יוֹתֵר; בִּמְזוּמָּן (מקדמה)
down *adj* יוֹרֵד; מוּפְנֶה מַטָּה; מְדוּכָּא
down *n* יְרִידָה; מַעֲטֵה נוֹצוֹת; פְּלוּמָה
down *vt, vi* הִפִּיל; הִכְנִיעַ; גָּמַע
downcast *adj* מוּפְנֶה מַטָּה; מְדוּכָּא
downcast *n* הֲפִיכָה, הֶרֶס; מֶבָּט מַשְׁפִּיל
downfall *n* גֶּשֶׁם שׁוֹטֵף; מַפָּלָה
downgrade *n* מִדְרוֹן
downgrade *vt* הוֹרִיד בְּדַרְגָּה; רִידֵּג
downhearted *adj* מְדוּכָּא, עָצוּב
downhill *adj, adv* יוֹרֵד, מִדְרוֹנִי; אֶל רַגְלֵי הָהָר
downstairs *adj, adv, n* בְּקוֹמָה תַּחְתּוֹנָה; לְמַטָּה בַּמַּדְרֵגוֹת
downstream *adv* בְּכִיווּן הַזֶּרֶם
downstroke *n* לוּכְסָן
downtown *adj, adv* בְּמֶרְכַּז הָעִיר; אֶל מֶרְכַּז הָעִיר

down train *n* רַכֶּבֶת יוֹצֵאת
downtrend *n* מְגַמַּת יְרִידָה
downtrodden *adj* נָתוּן לְדִיכּוּי
downward, downwards *adj, adv* כְּלַפֵּי מַטָּה; בִּירִידָה
downy *adj* מְכוּסֶּה פְּלוּמָה; מַרְגִּיעַ
dowry *n* נְדוּנְיָה
doz. *abbr* dozen, dozens
doze *vi* נִמְנֵם
doze *n* תְּנוּמָה קְצָרָה
dozen *n* תְּרֵיסָר
dozy *adj* מְיוּשָּׁן, מְנוּמְנָם
D.P. *abbr* Displaced Person
Dr. *abbr* Doctor
dr. *abbr* debtor, drawer, dram
drab *n* אָפוֹר, חַדְגּוֹנִי; מְרוּשֶּׁלֶת
drab *adj* אָפוֹר; מְשַׁעֲמֵם
drachma *n* דַּרְכְּמָה
draft *n* חִיּוּל; טְיוּטָא; מִמְשָׁךְ; הַמְחָאָה
draft *vt* סִרְטֵט, טִיֵּט; חִיֵּל
draft *adj* שֶׁל מַשָּׂא
draft age *n* גִּיל גִּיּוּס
draft beer *n* בִּירָה מֵחָבִית
draft call *n* צַו גִּיּוּס
draft dodger *n* מִשְׁתַּמֵּט
draftee *n* מְחוּיָּל
drafting room *n* חֲדַר סִרְטוּט
draftsman *n* סַרְטָט; מְנַסֵּחַ מִסְמָכִים
draft treaty *n* טְיוּטַת חוֹזֶה
drafty, draughty *adj* פָּתוּחַ לָרוּחַ
drag *vt, vi* סָחַב; גָּרַר; נִגְרַר
drag *n* רֶשֶׁת לְמְשִׁיַּת טְבוּעִים; מִגְרָרָה; מִכְשׁוֹל
dragnet *n* מִכְמוֹרֶת, רֶשֶׁת
dragoon *n* חַיַּל־פָּרָשׁ
dragoon *vt* הִסְתָּעֵר, הִכְנִיעַ
drain *vt, vi* נִיקֵּז; רוֹקֵן; הִתְרוֹקֵן
drain *n* נֶקֶז, בִּיב
drainage *n* נִיקּוּז; בִּיּוּב; סְחִי
drainboard *n* דַּף יִיבּוּשׁ
drain cock *n* בֶּרֶז הֲרָקָה
drain-pipe *n* בִּיב; צִינּוֹר נִיקּוּז
drain plug *n* מְגוּפַת הֲרָקָה
drake *n* בַּרְוָז
dram *n* דַּרְכְּמָה
drama *n* מַחֲזֶה, דְּרָמָה
dramatic *adj* דְּרָמָתִי
dramatist *n* מַחֲזַאי
dramatize *vt, vi* הִמְחִיז
dramshop *n* מִסְבָּאָה
drape *n* אֲרִיגִים, וִילוֹנוֹת
drape *vt* כִּיסָּה בִּירִיעוֹת וכד׳
drapery *n* אֲרִיגִים, כְּסוּי
drastic *adj* נִמְרָץ, חָזָק
draught *see* draft
draught beer *n* בִּירָה מִן הֶחָבִית
draughts *n pl* מִשְׂחַק הַדַּמְקָה
draw *vt, vi* מָשַׁךְ; שִׂרְטֵט; שָׁלַף (חרב וכד׳); הִקִּיז (דם); שָׁאַב; נִיסֵּחַ; יָצָא בְּתֵיקוּ
draw *n* מְשִׁיכָה; שְׁאִיבָה; שְׁלִיפָה; תֵּיקוּ; פִּיתָּיוֹן
drawback *n* מִכְשׁוֹל; חִיסָּרוֹן; תַּשְׁלוּם מוּחְזָר
drawbridge *n* גֶּשֶׁר זָחִיחַ
drawee *n* נִמְשָׁךְ
drawer *n* מוֹשֵׁךְ, גּוֹרֵר; מְסַרְטֵט; מוֹשֵׁךְ שֶׁק
drawer *n* מְגֵירָה
drawing *n* סִרְטוּט

drawing-board *n* לוּחַ סִרטוּט
drawing card *n* מוֹקֵד הִתעַניְינוּת, לָהִיט
drawing-room *n* חֲדַר־אוֹרְחִים
drawl *vt, vi* דִיבֵּר לְאַט
drawl *n* דִיבּוּר אִיטִי
drawn *adj* נִמשָׁךְ, נִסחָב; (חרב) שְׁלוּפָה; תֵּיקוּ; מָתוּחַ
drawn butter *n* חֶמאָה מְתוּבֶּלֶת
drawn work *n* רִקמָה
dray *n* קְרוֹנִית
dray *vt, vi* הוֹבִיל בִּקרוֹנִית
drayage *n* הוֹבָלָה בִּקרוֹנִית
dread *vt, vi* נִתקַף אֵימָה
dread *n* אֵימָה
dread *adj* נוֹרָא
dreadful *adj* מַחֲרִיד, אָיוֹם
dreadnought, dreadnaught *n* אוֹנִיַּת־קְרָב
dream *n* חֲלוֹם
dream *vt, vi* חָלַם, הָזָה
dreamer *n* חוֹלְמָן
dreamland *n* עוֹלַם הַדִּמיוֹן
dreamy *adj* חוֹלֵם, חוֹלֵם בְּהָקִיץ
dreary *adj* מַעֲצִיב; מְשַׁעֲמֵם
dredge *n* דַחפּוֹר, מַחפֵּר
dredge *vt, vi* גָרַף בְּמַחפֵּר, דִחפֵּר
dredger *n* דַחפּוֹר; דַחפּוֹרַאי, נַהַג דַחפּוֹר
dredging *n* חֲפִירָה בְּמַחפֵּר צָף
dregs *n pl* שְׁיָרִים
drench *vt* הִרטִיב לַחֲלוּטִין
dress *vt, vi* יִישֵּׁר (שורה); הִתיַישֵּׁר; הִלבִּישׁ; לָבַשׁ
dress *n* לְבוּשׁ, שִׂמלָה
dress-coat *n* מִקטוֹרֶן רִשׁמִי
dresser *n* אֲרוֹן מִטבָּח; לוֹבֵשׁ
dress form *n* אִימוּם
dress goods *n* הַלבָּשָׁה
dressing *n* לְבִישָׁה
dressing-down *n* נְזִיפָה
dressing-gown *n* חָלוּק
dressing-room *n* חֲדַר־תִּלבּוֹשֶׁת
dressing station *n* תַּחֲנַת־חוֹבְשִׁים
dressing-table *n* שׁוּלחַן תִּשׁפּוֹרֶת
dressmaker *n* תּוֹפֶרֶת, חַיָּט לִגבָרוֹת
dressmaking *n* חַיָּטוּת לִגבָרוֹת
dress rehearsal *n* חֲזָרָה בְּתִלבּוֹשֶׁת
dress shirt *n* חוּלצַת עֶרֶב
dress shop *n* חֲנוּת לְבִגדֵי נָשִׁים
dress suit *n* תִּלבּוֹשֶׁת עֶרֶב (של גבר)
dress tie *n* עֲנִיבַת עֶרֶב
dressy *adj* מִתגַּנדֵּר
dribble *vt, vi* טִפטֵף; רָר; כִּדרֵר
dribble *n* טִפטוּף; טִיפָּה; כִּדרוּר
driblet, dribblet *n* מָנָה קְטַנָּה
dried *adj* מְיוּבָּשׁ, מְצוּמָק
drier *n* מְייַבֵּשׁ
drift *n* הִיסָּחֲפוּת, טְרִידָה
drift *vi, vt* נִסחַף; נֶעֱרַם; סָחַף
drift-ice *n* גּוּשֵׁי־קֶרַח צָפִים
driftwood *n* קוֹרוֹת־עֵץ נִסחָפוֹת
drill *n* מַקדֵּחַ; תִּרגוּל־סֵדֶר; אִימוּנִים; מַזרֵעָה
drill *vt, vi* קָדַח; תִּרגֵל; הִתאַמֵּן; זָרַע בְּמַזרֵעָה
drillmaster *n* מַדרִיךְ לְהִתעַמְּלוּת
drill press *n* מַקדֵּחָה
drink *vt, vi* שָׁתָה

drink *n* שְׁתִיָּה; מַשְׁקֶה
drinkable *adj, n* בַּר־שְׁתִיָּה; מַשְׁקֶה
drinker *n* שׁוֹתֶה; שַׁתְיָן
drinking *n, adj* שְׁתִיָּה; שַׁתְיָנִי
drinking cup *n* סֵפֶל שְׁתִיָּה
drinking-fountain *n* כִּיּוֹר לִשְׁתִיָּה
drinking-song *n* שִׁיר־יַיִן
drinking trough *n* שׁוֹקֶת
drinking-water *n* מֵי־שְׁתִיָּה
drip *vt, vi* טִפְטֵף
drip *n* טִפְטוּף
drip-dry *adj* כַּבֵּס וּלְבַשׁ
drip pan *n* מַחֲבַת לְטִיפּוֹת
dripstone *n* כַּרְכּוֹב טִפְטוּף; נָטִיף
drivable, driveable *adj* נָהִיג
drive *vt, vi* נָהַג; הוֹבִיל; שִׁילַּח; הִמְרִיץ; הֵעִיף (כדור) בְּמֶרֶץ
drive *n* נְהִיגָה; נְסִיעָה בְּרֶכֶב; מִבְצָע, מַסָּע; דַּחַף
drive-in movie theater *n* קוֹלְנוֹע לִמְכוֹנִיּוֹת
drive-in restaurant *n* מִסְעֶדֶת רֶכֶב
drivel *vt, vi* רָר; פִּטְפֵּט כְּיֶלֶד
drivel *n* הֲבָלִים
driver *n* נֶהָג, עֶגְלוֹן
driver's license *n* רִשְׁיוֹן נְהִיגָה
drive shaft *n* גַּל הֶינֵּעַ
drive wheel *n* גַּלְגַּל מֵנִיעַ
driveway *n* כְּבִישׁ פְּרָטִי
drive-yourself service *n* שֵׁירוּת נְהַג בְּעַצְמְךָ
driving school *n* בֵּית־סֵפֶר לִנְהִיגָה
drizzle *vt, vi* יָרַד גֶּשֶׁם דַּק; זִילֵּחַ
drizzle *n* גֶּשֶׁם דַּק
droll *n* בַּדְּחָן
droll *adj* מַצְחִיק
dromedary *n* גָּמָל
drone *vt, vi* הָמָה חַדְגּוֹנִית
drone *n* זְכַר־דְּבוֹרַת־הַדְּבַשׁ; הוֹלֵךְ בָּטֵל; צְלִיל נָמוֹךְ מוֹנוֹטוֹנִי
drool *vt, vi* רָר; הִשְׁתַּטָּה
droop *vi* הִשְׁתּוֹפֵף; שָׁקַע
droop *n* שְׁפִיפָה
drooping *adj* שָׁפוּף, רָכוּן
drop *vt, vi* הִפִּיל לָאָרֶץ; הִנְמִיךְ (קוֹל); נָטַשׁ; נָפַל; יָרַד (מחיר)
drop *n* טִיפָּה; מִדְרוֹן; קוֹרְטוֹב; סוּכָּרִיָּה; נְפִילָה
drop-curtain *n* מָסָךְ נוֹפֵל
drop-hammer *n* קוּרְנָס
drop-leaf table *n* שׁוּלְחָן שְׁלוּחָה
droplight *n* מְנוֹרָה תְּלוּיָה
dropout *n* נוֹשֵׁר (מבית־ספר וכד׳ עקב אי־הסתגלות)
dropper *n* מְטַפְטֵף; טַפְטֶפֶת
dropsical *adj* שֶׁל מַיֶּמֶת
dropsy *n* מַיֶּמֶת, הִידְרָקוֹן
drop table *n* שׁוּלְחָן כְּנָפַיִים
dross *n* סַגְסוֹגֶת, סִיגִים
drought *n* בַּצּוֹרֶת
drove *vt, vi* הוֹבִיל עֵדֶר לַשּׁוּק
drove *n* עֵדֶר; הָמוֹן
drover *n* נוֹהֵג צֹאן לַשּׁוּק
drown *vt, vi* הִטְבִּיעַ; טָבַע
drowse *vi* נִמְנֵם
drowse *n* נִמְנוּם
drowsy *adj* מְנַמְנֵם
drub *vt, vi* הִצְלִיף, הִרְבִּיץ; הֵבִיס
drub *n* חֲבָטָה
drubbing *n* תְּבוּסָה

drudge *vt, vi* עָבַד עֲבוֹדַת פֶּרֶךְ
drudgery *n* עֲבוֹדָה מְפָרֶכֶת
drug *n* סַם; תְּרוּפָה
drug *vt, vi* רָקַח, עֵירֵב בְּסַם; הֵמַם
drug addict *adj* שְׁטוּף סַמִּים, נַרקוֹמָן
drug addiction *n* הִתמַכְּרוּת לְסַמִּים
druggist *n* רוֹקֵחַ
drug habit *n* הִתמַכְּרוּת לְסַם
drug traffic *n* מִסחָר בְּסַמִּים
druid, Druid *n* דרוּאִידִי
drum *n* תּוֹף
drum *vt, vi* תּוֹפֵף; הֶחדִיר בְּכוֹחַ
drumbeat *n* תִּיפוּף
drum corps *n pl* לַהֲקַת מְתוֹפְפִים
drumfire *n* אֵשׁ שׁוֹטֶפֶת
drumhead *n* עוֹר הַתּוֹף
drum-major *n* מַשַּׁק מְתוֹפְפִים
drummer *n* מְתוֹפֵף; סוֹכֵן נוֹסֵעַ
drumstick *n* מַקֵּל מְתוֹפֵף
drunk *n* שִׁיכּוֹר; מִשׁתֶּה
drunk *adj* שָׁתוּי, שִׁיכּוֹר
drunkard *n* שִׁיכּוֹר
drunken *adj* שִׁיכּוֹר
drunken driving *n* נְהִיגָה בִּשׁעַת שִׁכרוּת
drunkenness *n* שִׁכרוּת
dry *adj* יָבֵשׁ; צָמֵא; מְשַׁעֲמֵם
dry *vt, vi* יִיבֵּשׁ, נִיגֵב; הִתייַבֵּשׁ
dry battery *n* סוֹלְלָה יְבֵשָׁה
dry cell *n* תָּא יָבֵשׁ
dry-clean *vt* נִיקָּה נִיקוּי יָבֵשׁ
dry cleaner *n* מְנַקֶּה נִיקוּי יָבֵשׁ
dry-cleaning *n* נִיקוּי יָבֵשׁ
dry cleaning establishment *n* בֵּית־מִסחָר לְנִיקוּי יָבֵשׁ

dry dock, dry-dock *n* מִבדוֹק יָבֵשׁ
dryer *see* drier
dry-eyed *adj* לֹא בּוֹכֶה
dry farming *n* עִיבּוּד אֲדָמוֹת צְחִיחוֹת
dry goods *n* אֲרִיגִים, בַּדִּים
dry ice *n* קֶרַח יָבֵשׁ
dry law *n* חוֹק הַיּוֹבֶשׁ
dry measure *n* מִידַּת הַיָּבֵשׁ
dryness *n* יוֹבֶשׁ, אֲדִישׁוּת
dry-nurse *n* אוֹמֶנֶת
dry season *n* עוֹנָה יְבֵשָׁה
dry wash *n* כְּבִיסָה לֹא מְגוֹהֶצֶת
d.s. *abbr* days after sight, daylight saving
D.S.T. *abbr* Daylight Saving Time
dual *adj* זוּגִי, כָּפוּל
duality *n* שְׁנִיּוּת, כְּפִילוּת
dub *vt, vi* הֶעֱנִיק שֵׁם אַחֵר; הִצמִיד סֶרֶט־קוֹל שֶׁל שָׂפָה זָרָה
dubbin, dubbing *n* שֶׁמֶן סִיכָה (לְעוֹר)
dubbing *n* הַצמָדַת תַּת כּוֹתָרוֹת; הוֹסָפַת סֶרֶט־קוֹל (כנ״ל)
dubious *adj* מְפוּקפָּק
duchess *n* דוּכָּסִית
duchy *n* דוּכָּסוּת
duck *n* בַּרווָז, בַּרווָזָה
duct *n* תְּעָלָה; צִינּוֹר
ductile *n* רָקִיעַ; גָּמִישׁ
ductless *adj* (בלוטה) חֲסֵרַת צִינּוֹרוֹת
ductless gland *n* בַּלּוּטַת הַתְּרִיס
dud *n* לֹא יוּצלַח
duds *n pl* מַלבּוּשִׁים

dude *n* גַּנְדְּרָן

due *adj* שֶׁפֵּרָעוֹנוֹ חָל; רָאוּי; דַּיּוֹ; בִּגְלַל

due *n* חוֹב; הַמַּגִּיעַ; מַס

due *adv* בְּקַו יָשָׁר עִם

duel *n* דּוּ־קְרָב

duel *vt, vi* נִלְחַם בְּדוּ־קְרָב

duellist, duelist *n* נִלְחָם בְּדוּ־קְרָב

dues *n pl* מַס; דְּמֵי־חָבֵר

dues-paying *adj* מְשַׁלֵּם דְּמֵי־חָבֵר

duet *n* דּוּאִית, דּוּאֶט

duke *n* דּוּכָּס

dukedom *n* דּוּכָּסוּת

dull *vt, vi* הִקְהָה; עִימֵּם; קָהָה

dull *adj* קֵהֶה; קְשֵׁה תְּפִיסָה; מְשַׁעֲמֵם; עָמוּם

dullard *adj, n* מְטוּמְטָם, שׁוֹטֶה

dully *adv* בְּצוּרָה מְשַׁעֲמֶמֶת; בְּטִמְטוּם

dumb *adj, n* אִילֵּם; טִיפְּשִׁי

dumbbell *n* מִשְׁקוֹלֶת; טִיפֵּשׁ

dumb creature *n* חַיָּה, בְּהֵמָה

dumbfound, dumfound *vt* הִכָּה בְּתַדְהֵמָה

dumb show *n* פַּנְטוֹמִימָה

dumb-waiter *n* כַּן; מִזְנוֹן־מֶלְצַר

dummy *n* גּוֹלֶם; אִימוּם; טִיפֵּשׁ

dummy *adj* מְשַׂחֵק מְדוּמֶּה, מְזוּיָּף

dump *n* שְׁפוֹכֶת; מִזְבָּלָה; מִצְבָּר

dump *vt* זָרַק, הִשְׁלִיךְ

dumping *n* הֲצָפַת הַשּׁוּק

dumpling *n* נְטִיפָה; כּוּפְתָּה

dump truck *n* רֶכֶב לְסִילּוּק (אבנים וכד׳)

dumpy *adj* גּוּץ וְשָׁמֵן

dun *adj* חוּם־אָפוֹר; כֵּהֶה

dun *n* נוֹשֶׁה; תְּבִיעַת תַּשְׁלוּם

dun *vt* הֵצִיק בִּתְבִיעַת תַּשְׁלוּם

dunce *n* שׁוֹטֶה

dune *n* חוֹלָה, דְּיוּנָה

dung *n* זֶבֶל פֶּרֶשׁ

dung *vt, vi* זִיבֵּל

dungarees *n pl* סַרְבָּל

dungeon *n* תָּא מַאֲסָר תַּת־קַרְקָעִי

dunghill *n* מַדְמֵנָה

dunk *vt, vi* טָבַל

duo- *pref* שְׁנַיִים, שְׁתַּיִים

duo *n* זוּג בַּדְּרָנִים

duodenum *n* תְּרֵיסַרְיוֹן

dupe *n* פֶּתִי

dupe *vt* הוֹנָה

duplex house *n* בַּיִת דּוּ־מִשְׁפַּחְתִּי

duplicate *adj* זֵהֶה, מַקְבִּיל; כָּפוּל

duplicate *vt, vi* עָשָׂה הֶעְתֵּק; שִׁכְפֵּל

duplicate *n* הֶעְתֵּק; כָּפִיל

duplicity *n* צְבִיעוּת, דּוּ־פַּרְצוּפִיּוּת

durable *adj* יַצִּיב; לֹא בָּלֶה

durable goods *n* סְחוֹרוֹת יַצִּיבוֹת

duration *n* קִיּוּם, מֶשֶׁךְ זְמַן

during *prep* בְּמֶשֶׁךְ, בְּשָׁעָה

dusk *n* בֵּין־הַשְּׁמָשׁוֹת

dusky *adj* שַׁחֲמוּמִי, כֵּהֶה

dust *n* אָבָק; עָפָר

dust *vt, vi* נִיקָּה מֵאָבָק; אִיבֵּק

dustbowl *n* אֵיזוֹר סוּפוֹת אָבָק

dustcloth *n* מַטְלִית

dust cloud *n* עֲנַן אָבָק

duster *n* מַטְלִית; מַכְשִׁיר אִיבּוּק

dust jacket *n* עֲטִיפַת סֵפֶר

dustpan *n* יָעֶה

dust storm *n* סוּפַת חוֹל

dusty *adj* מְאוּבָּק; מְעוּרְפָּל
Dutch *adj*, *n* הוֹלַנְדִי; הוֹלַנְדִית
Dutchman *n* הוֹלַנְדִי
Dutch treat *n* כִּיבּוּד כָּל אֶחָד לְעַצְמוֹ
dutiable *adj* בַּר־מֶכֶס, מָכִיס
dutiful *adj* מְמַלֵּא חוֹבָתוֹ; צַיְיתָנִי
duty *n* חוֹבָה; תַּפְקִיד; מֶכֶס; מַס
duty-free *adj*, *adv* פָּטוּר מִמֶּכֶס
D.V. – Deo Volente אִם יִרְצֶה ה׳
dwarf *n*, *adj* גַּמָּד; גַּמָּדִי
dwarf *vt*, *vi* גִּימֵּד, מִיעֵט
dwarfish *adj* גַּמָּדִי
dwell *vi* צָר; הֶאֱרִיךְ בְּדִיּוּן (בְּנוֹשֵׂא)
dwelling *n* בַּיִת, דִּירָה
dwelling-house *n* בֵּית־מְגוּרִים
dwindle *vi* הִתְמַעֵט, הִצְטַמְצֵם

dwt. *abbr* pennyweight
dye *n* חוֹמֶר צֶבַע
dye *vt*, *vi* צָבַע (בֶּגֶד וכד׳)
dyeing *n* צְבִיעָה
dyer *n* צוֹבֵעַ
dyestuff *n* חוֹמֶר צֶבַע
dying *adj* מֵת, גּוֹסֵס
dynamic *adj* פָּעִיל, דִּינָמִי, נִמְרָץ
dynamite *n* דִּינָמִיט
dynamite *vt* פּוֹצֵץ בְּדִינָמִיט
dynamo *n* דִּינָמוֹ
dynast *n* מוֹלֵךְ, מוֹשֵׁל
dynasty *n* שׁוֹשֶׁלֶת מְלָכִים
dysentery *n* בּוֹרְדָם, דִּיזֶנְטֶרְיָה
dyspepsia *n* פְּרָעִיכּוּל
dz. *abbr* dozen

E

E, e אִי (הָאוֹת הַחֲמִישִׁית בָּאָלֶפְבֵּית)
ea. *abbr* each
each *adj*, *pron* (לְ)כָל אֶחָד
eager *adj* מִשְׁתּוֹקֵק, לָהוּט
eagerness *n* תְּשׁוּקָה, לְהִיטוּת
eagle *n* נֶשֶׁר
eagle-owl *n* אוֹחַ
ear *n* אוֹזֶן; יָדִית; שִׁיבּוֹלֶת
earache *n* כְּאֵב אוֹזֶן
eardrop *n* עָגִיל
eardrum *n* תּוֹף הָאוֹזֶן

earflap *n* תְּנוּךְ אוֹזֶן; דַּשׁ אוֹזֶן
earl *n* רוֹזֵן
earldom *n* רוֹזְנוּת
early *adj*, *adv* מוּקְדָם; קָדוּם
early bird *n* זָרִיז, מַשְׁכִּים קוּם
early riser *n* מַשְׁכִּים קוּם
earmark *n* תָּוִית בְּאוֹזֶן
earmark *vt* יִיחֵד, יִיעֵד
ear-muffs *n pl* לְפָפוֹת אוֹזְנַיִים
earn *vt* הִשְׂתַּכֵּר; הִרְוִיחַ; הָיָה רָאוּי
earnest *adj* רְצִינִי

earnest *n* רְצִינוּת; עֵירָבוֹן

earnest money *n* כֶּסֶף תַּשְׁלוּמִים

earnings *n pl* שָׂכָר, רֶוַח

earphone *n* אוֹזְנִית הַטֶּלֶפוֹן

earpiece *n* אֲפַרְכֶּסֶת הַטֶּלֶפוֹן

earring *n* נֶזֶם אוֹזֶן

earshot *n* מְטַחֲוֵי קוֹל

earsplitting *adj* מַחֲרִישׁ אוֹזְנַיִים

earth *n* כַּדּוּר הָאָרֶץ; יוֹשְׁבֵי תֵּבֵל; הָאָרֶץ; קַרְקַע

earth *vt, vi* כִּיסָּה בַּאֲדָמָה

earthen *adj* קָרוּץ מֵעָפָר

earthenware *n* כְּלֵי חוֹמֶר

earthly *adj* אַרְצִי; מַעֲשִׂי

earthquake *n* רְעִידַת־אֲדָמָה, רַעַשׁ

earthwork *n* חֲפִירוֹת; בִּיצּוּרִים

earthworm *n* שִׁלְשׁוּל, תּוֹלַעַת־אֲדָמָה

earthy *adj* חוֹמְרָנִי; מְחוּסְפָּס

ear-trumpet *n* שְׁפוֹפֶרֶת־שֵׁמַע

earwax *n* דּוֹנַג הָאוֹזֶן, שׁוּמַעַת

ease *n* מַרְגּוֹעַ; קַלּוּת; שַׁאֲנַנּוּת

ease *vt, vi* הֵקֵל; הִרְגִּיעַ; רִיכֵּךְ

easel *n* חֲצוּבָה

easement *n* הֲקַלָּה; דָּבָר מַרְגִּיעַ

easily *adv* בְּקַלּוּת, קַלּוֹת, עַל נְקַלָּה

easiness *n* קַלּוּת; חוֹפְשִׁיּוּת בְּהִתְנַהֲגוּת

east *n* מִזְרָח

east *adj, adv* כְּלַפֵּי מִזְרָח; מִמִּזְרָח

Easter *n, adj* הַפַּסְחָא

Easter egg *n* בֵּיצֵי הַפַּסְחָא

easterly *adj, adv* כְּלַפֵּי מִזְרָח; מִמִּזְרָח

Easter Monday יוֹם ב׳ לְאַחַר הַפַּסְחָא

eastern *adj* מִזְרָחִי; כְּלַפֵּי מִזְרָח

Eastertide *n* תְּקוּפַת הַפַּסְחָא

eastward(s) *adv, adj* מִזְרָחָה; מִזְרָחִי

easy *adj, adv* קַל; נוֹחַ; חוֹפְשִׁי; בְּקַלּוּת; בְּנוֹחוּת

easy-chair *n* כּוּרְסָה, כִּסֵּא־נוֹחַ

easygoing *adj* אוֹהֵב נוֹחִיּוּת; נוֹחַ לַבְּרִיּוֹת

easy mark *n* קוֹרְבָּן נוֹחַ

easy money *n* רֶוַח קַל

easy payments *n pl* תַּשְׁלוּמִים נוֹחִים

eat *vt, vi* אָכַל

eatable *adj* אָכִיל, בַּר־אֲכִילָה

eaves *n pl* מַזְחִילָה, כַּרְכּוֹב

eavesdrop *vi* הֶאֱזִין מִמַּחֲבוֹא

ebb *n* שֵׁפֶל (מים)

ebb *vi* נָסוֹג, שָׁפַל

ebb and flow *n* גֵּיאוּת וָשֵׁפֶל

ebb-tide *n* שֵׁפֶל הַמַּיִם

ebony *n, adj* הוֹבְנֶה (עץ)

ebullient *adj* נִלְהָב, תּוֹסֵס

eccentric *adj* יוֹצֵא דּוֹפֶן, מוּזָּר

eccentric *n* תִּמְהוֹנִי, מוּזָר

eccentricity *n* תִּמְהוֹנִיּוּת

ecclesiastic *adj, n* כְּנֵסִיָּיתִי, דָּתִי; כּוֹמֶר

echelon *n* דֶּרֶג פִּיקּוּד

echelon *vi* נֶעֱרַךְ בְּמַדְרֵגוֹת

echo *n* הֵד, בַּת־קוֹל

echo *vt, vi* עָנָה בְּהֵד; הִדְהֵד

éclair *n* אֶצְבָּעִית

eclectic *adj, n* בּוֹחֵר; נִבְחָר; בַּרְרָנִי

eclipse *n* לִיקּוּי

eclipse *vt* הִסְתִּיר; הֶאֱפִיל

eclogue *n* אֶקְלוֹג, שִׁיר רוֹעִים

economic *adj* כַּלְכָּלִי

economical *adj* חֶסכוֹני
economics *n* כַּלכָּלָה
economist *n* כַּלכְּלָן; חַסכָן
economize *vt, vi* נִיהֵל בְּחִיסָּכוֹן
economy *n* חַסכָנוּת
ecstasy *n* הִתעַנְּגוּת עִילָּאִית, שִׁרגוּשׁ, אֶקסטָזָה
ecstatic *adj* שִׁרגוּשִׁי, אֶקסטָטִי
Ecuador *n* אֶקוָודוֹר
Ecuadoran *adj* אֶקוָודוֹרִי
ecumenic(al) *adj* שֶׁל הַכְּנֵסִיָּיה הָעוֹלָמִית כּוּלָּהּ
eczema *n* גָּרָב, אֶקזֶמָה
ed. *abbr* edited, edition, editor
eddy *n* שִׁיבּוֹלֶת, עִרבּוּל
eddy *vi* הִתעַרבֵּל
edelweiss *n* הַלְּבוֹנָה הָאֲצִילָה
edge *n* קָצֶה, סוֹף; חוֹד
edge *vt, vi* חִידֵּד; תָּחַם; הִתקַדֵּם בְּהַדרָגָה
edgeways, edgewise *adv* כְּשֶׁהַחוֹד לְפָנִים
edging *n* חִידּוּד; שָׂפָה
edgy *adj* מְחוּדָּד; מְעוּצבָּן
edible *adj, n* אָכִיל
edict *n* פְּקוּדָּה
edification *n* הַבהָרָה
edifice *n* בִּניַן פְּאֵר
edify *vt* הִבהִיר
edifying *adj* מְאַלֵּף
edit *vt* עָרַך
edit. *abbr* edited, edition, editor
edition *n* הוֹצָאָה; מַהֲדוּרָה
editor *n* עוֹרֵך; מַכשִׁיר לְדפוּס
editorial *adj, n* שֶׁל הָעוֹרֵך; מַאֲמָר רָאשִׁי
editorial staff *n* צֶוֶות הַמַּעֲרֶכֶת
editor-in-chief *n* עוֹרֵך רָאשִׁי
educate *vt* חִינֵּך; אִימֵּן
education *n* חִינּוּך
educational *adj* חִינּוּכִי
educational institution *n* מוֹסַד חִינּוּך
educator *n* מְחַנֵּך
eel *n* צְלוֹפָח
eerie *adj* מַפחִיד, מוּזָר
efface *vt* מָחָה, מָחַק; הִצנִיעַ
effect *n* תּוֹצָא, הַשׁפָּעָה, רוֹשֶׁם; (בְּרִיבּוּי) חֲפָצִים
effect *vt* הוֹצִיא לַפּוֹעַל, גָּרַם
effective *adj, n* יָעִיל, אֶפֶקטִיבִי; מַרשִׁים
effectual *adj* מַתאִים לְתַכלִיתוֹ
effectuate *vt* בִּיצֵּעַ
effeminacy *n* נָשִׁיּוּת
effeminate *adj* נָשִׁיִּי
effervesce *vi* תָּסַס
effervescence *n* תְּסִיסָה; הִתקַצְּפוּת
effervescent *adj* תָּסִיס; תּוֹסֵס
effete *adj* חָלוּשׁ, תָּשׁוּשׁ
efficacious *adj* יָעִיל, תַּכלִיתִי
efficacy *n* יְעִילוּת
efficiency *n* יְעִילוּת
efficient *adj* יָעִיל, מוּמחֶה
effigy *n* דְּמוּת, תַּבלִיט
effort *n* מַאֲמָץ
effrontery *n* חוּצפָּה
effusion *n* תִּשׁפּוֹכֶת
effusive *adj* מִשׁתַּפֵּך
e.g. – exempli gratia כְּגוֹן, לְמָשָׁל
egg *n* בֵּיצָה

egg *vt* הֵסִית, הֵאִיץ בּ...

egg-beater *n* מַקְצֵף

egg cup *n* גְּבִיעַ בֵּיצָה

eggnog *n* חֶלְמוֹנָה

eggplant *n* חָצִיל

eggshell *n* קְלִיפַּת בֵּיצָה

egoism *n* אָנוֹכִיּוּת

egoist *n* אָנוֹכִיִּי

egotism *n* אָנוֹכִיּוּת, רַבְרְבָנוּת

egotist *adj* מִתְיַיהֵר, רַבְרְבָן

egregious *adj* מַחְפִּיר

egress *n* יְצִיאָה

Egypt *n* מִצְרַיִם

Egyptian *n, adj* מִצְרִי; מִצְרִית

eider *n* הַבַּרְוָז הַשָּׁחוֹר־לָבָן

eiderdown *n* פְּלוּמַת הַבַּרְוָז

eight *n, adj* שְׁמוֹנֶה, שְׁמוֹנָה; שְׁמִינִיָּה

eight-day clock *n* שְׁעוֹן שְׁמוֹנָה יָמִים

eighteen *n* שְׁמוֹנָה־עָשָׂר, שְׁמוֹנֶה־עֶשְׂרֵה

eighteenth *adj* הַשְּׁמוֹנָה־עָשָׂר, הַשְּׁמוֹנֶה־עֶשְׂרֵה

eighth *adj, n* הַשְּׁמִינִי; שְׁמִינִית

eight hundred *adj* שְׁמוֹנֶה מֵאוֹת

eightieth *adj* הַשְּׁמוֹנִים

eighty *n, adj* שְׁמוֹנִים; שֶׁל שְׁמוֹנִים

either *pron, adj* אֶחָד מִן הַשְּׁנַיִם

either *adv* אוֹ, אַף, גַּם

either *conj* אוֹ

ejaculate *vt, vi* פָּרַץ בִּקְרִיאָה; הִתִּיז פִּתְאוֹם; הִפְלִיט זֶרַע

eject *vt* גֵּירֵשׁ, פִּיטֵּר; הִפְלִיט, הוֹצִיא

ejection *n* גֵּירוּשׁ, פִּיטּוּרִים; פְּלִיטָה

ejection seat *n* כִּיסֵּא חֵירוּם (בְּמָטוֹס)

elaborate *n* הִשְׁלִים, שִׁכְלֵל; שִׁפְרֵט

elaborate *adj* מְשׁוּפְרָט, מְשׁוּכְלָל

elapse *vi* עָבַר

elastic *adj* גָּמִישׁ, מָתִיחַ

elastic *n* סֶרֶט מָתִיחַ

elasticity *n* גְּמִישׁוּת

elated *adj* שָׂמֵחַ, מְרוֹמָם

elation *n* הִתְרוֹמְמוּת רוּחַ

elbow *n* מַרְפֵּק; כִּיפּוּף

elbow *vt, vi* דָּחַף

elbow grease *n* עֲבוֹדָה קָשָׁה

elbow patch *n* טְלַאי מַרְפֵּק

elbow rest *n* מִסְעַד זְרוֹעַ

elbowroom *n* מָקוֹם מְרוּוָּח

elder *adj* בָּכִיר, קָשִׁישׁ מִן

elder *n* מְבוּגָּר, וָתִיק; סַמְבּוּק

elderberry *n* פְּרִי סַמְבּוּק

elderly *adj* קָשִׁישׁ

elder statesman *n* מְדִינַאי בַּעַל נִיסָּיוֹן רַב

eldest *adj* הַבָּכִיר בְּיוֹתֵר

elec. *abbr* electrical, electricity

elect *vt* בָּחַר

elect *adj* נִבְחָר

election *n* בְּחִירָה, בְּחִירוֹת

electioneer *vi* עָסַק בְּתַעֲמוּלַת בְּחִירוֹת

elective *adj* עַל סְמַךְ בְּחִירוֹת

elective *n* מִקְצוֹעַ בְּחִירָה

electorate *n* גּוּף הַבּוֹחֲרִים

electric, electrical *adj* חַשְׁמַלִּי; מְחַשְׁמֵל

electric fan *n* מְאַוְורֵר חַשְׁמַלִּי

electrician *n* חַשְׁמַלַּאי

electricity *n* חַשְׁמַל; תּוֹרַת הַחַשְׁמַל

electric percolator *n* מַסְנֵן חַשְׁמַלִּי

electric shaver *n* מְגַלֵּחַ חַשְׁמַלִּי

electric tape *n* סֶרֶט בִּידּוּד
electrify *vt* חִשְׁמֵל
electrocute *vt* הֵמִית בְּחַשְׁמַל
electrode *n* אֵלֶקטרוֹדָה
electrolysis *n* הַפְרָדָה חַשְׁמַלִּית
electrolyte *n* אֵלֶקטרוֹלִיט
electromagnet *n* אֵלֶקטרוֹמַגְנֵט
electromagnetic *adj* אֵלֶקטרוֹמַגְנֵטִי
electromotive *adj* מְייַצֵּר חַשְׁמַל
electron *n* אֵלֶקטרוֹן
electronic *adj* אֵלֶקטרוֹנִי
electroplate *vt* צִיפָּה בְּמַתֶּכֶת עַל־יְדֵי אֵלֶקטרוֹלִיזָה
electroplate *n* צִיפּוּי (כנ״ל)
electrostatic *adj* אֵלֶקטרוֹסטָטִי
electrotype *n* גְּלוּפָה חַשְׁמַלִּית
electrotype *vt* הֵכִין גְּלוּפָה חַשְׁמַלִּית
eleemosynary *adj*, *n* שֶׁל צְדָקָה אוֹ נְדָבָה
elegance, elegancy *n* הִידּוּר; הָדָר
elegant *adj* מְהוּדָּר, נָאֶה; בַּעַל טַעַם
elegiac *n* שִׁיר אֵלֵגִי, שִׁיר קִינָה
elegiac *adj* אֵלֵגִי; עָצוּב
elegy *n* שִׁיר קִינָה
element *n* יְסוֹד; עִיקָּר רִאשׁוֹנִי
elementary *adj* בְּסִיסִי, רִאשׁוֹנִי
elementary school *n* בֵּית־סֵפֶר רִאשׁוֹנִי
elephant *n* פִּיל
elevate *vt* הֵרִים; הֶעֱלָה בְּדַרְגָּה
elevated *adj* מוּעֲלֶה; מְרוֹמָם
elevated *n* רַכֶּבֶת עִילִית
elevation *n* רָמָה; הַגְבָּהָה
elevator *n* מַעֲלִית
elevatory *adj* מֵרִים

eleven *n* אַחַת־עֶשְׂרֵה, אַחַד־עָשָׂר
eleventh *adj* הָאַחַת־עֶשְׂרֵה, הָאַחַד־עָשָׂר
elf *n* שֵׁד גַּמָּד
elicit *vt* גִּילָּה, הוֹצִיא
elide *vt* הִבְלִיעַ; הִתְעַלֵּם מִן
eligible *adj*, *n* רָאוּי לְהִיבָּחֵר
eliminate *vt* הֵסִיר, בִּיטֵּל, צִמְצֵם
elision *n* הַבְלָעָה
èlite, elite *n* עִילִּית
elk *n* דִּישׁוֹן
ellipse *n* אֶלִּיפְּסָה
ellipsis *n* הַשְׁמָטָה (של מלה או מלים)
elope *vi* בָּרַח עִם אֲהוּבָתוֹ
elopement *n* בְּרִיחָה (כנ״ל)
eloquence *n* אוֹמָנוּת הַדִּיבּוּר
eloquent *adj* אוֹמַן הַדִּיבּוּר
else *adv* אַחֵר; וָלֹא
elsewhere *adv* בְּמָקוֹם אַחֵר
elucidate *vt* הִבְהִיר
elude *vt* הִתְחַמֵּק
elusive *adj* חֲמַקְתָנִי
emaciate *vt*, *vi* הִרְזָה
emancipate *vt* שִׁחְרֵר
embalm *vt* חָנַט
embankment *n* סוֹלְלָה
embargo *n* הֶסְגֵר; חֵרֶם מִסְחָרִי
embargo *vt* הִטִּיל חֵרֶם
embark *vt*, *vi* הֶעֱלָה עַל אוֹנִיָּיה; הִתְחִיל
embarkation *n* עֲלִיָּיה עַל אוֹנִיָּיה
embarrass *vt* הֵבִיךְ; סִיבֵּךְ
embarrassing *adj* מֵבִיךְ
embarrassment *n* מְבוּכָה, קְשָׁיִים
embassy *n* שַׁגְרִירוּת

embed *vt* שִׁבֵּץ
embellish *vt* יִיפָּה
embellishment *n* קִישׁוּט
ember *n* אוּד
embezzle *vt* מָעַל
embezzlement *n* מְעִילָה
embitter *vt* מֵירֵר, מִרמֵר
emblazon *vt* חָרַת, חָקַק
emblem *n* סֶמֶל
emblematic, emblematical *adj* סִמלִי
embodiment *n* הִתגַּשְּׁמוּת; הַמחָשָׁה; גִילוּם
embody *vt, vi* גִילֵם; הִמחִישׁ; הִכלִיל
embolden *vt* חִיזֵק לֵב
embolism *n* מִילּוּי
emboss *vt* הִבלִיט
embrace *vt, vi* חִיבֵּק; אִימֵץ (רעיון)
embrace *n* חִיבּוּק
embrasure *n* אֶשְׁנַב יְרִי
embroider *vt, vi* רָקַם; קִישֵּׁט
embroidery *n* רְקִימָה; רִקמָה
embroil *vt* סִכסֵך; בִּלְבֵּל
embroilment *n* סִכסוּך; בִּלבּוּל
embryo *n* עוּבָּר; דָבָר בְּאִבּוֹ
embryo *adj* בְּאִבּוֹ
embryology *n* תּוֹרַת הִתפַּתְּחוּת הָעוּבָּר
emend *vt* תִּיקֵן
emendation *n* תִּיקּוּן
emerald *adj* יָרוֹק מַבהִיק
emerge *vi* צָף וְעָלָה; נִתגַּלָּה
emergence *n* הִתגַּלּוּת
emergency *n, adj* מַצָּב חֵירוּם
emergency landing *n* נְחִיתַת חֵירוּם
emergency landing field *n* שְׂדֵה נְחִיתַת חֵירוּם
emersion *n* הִתגַּלּוּת
emery *n* שָׁמִיר
emetic *adj, n* גוֹרֵם לַהֲקָאָה
emigrant *adj, n* מְהַגֵּר
emigrate *vi* הִיגֵּר
émigré *n* מְהַגֵּר
eminence *n* רוּם מַעֲלָה
eminent *adj* רַם מַעֲלָה
emissary *n* שָׁלִיחַ
emission *n* הוֹצָאָה; הַנפָּקָה; פְּלִיטָה
emit *vt* הוֹצִיא; פָּלַט
emotion *n* רִיגּוּשׁ
emotional *adj* רַגשָׁנִי
emperor *n* קֵיסָר
emphasis *n* הַדגָּשָׁה
emphasize *vt* הִדגִּישׁ
emphatic *adj* תַּקִּיף; בּוֹלֵט
emphysema *n* נַפַּחַת, נַפַּחַת הָרֵיאוֹת
empire *n* קֵיסָרוּת
Empire City *n* הָעִיר ניוּ־יוֹרק
Empire State *n* מְדִינַת ניוּ־יוֹרק
empiric(al) *adj* נִיסיוֹנִי
empiricist *n* אֶמפִּירִיקָן
emplacement *n* מוּצַּב תּוֹתָחִים
employ *vt* הֶעֱבִיד, הֶעֱסִיק
employ *n* שֵׁירוּת
employee *n* עוֹבֵד, מוּעֲסָק
employer *n* מַעֲבִיד, מַעֲסִיק
employment *n* הַעֲסָקָה; תַּעֲסוּקָה
empower *vt* יִיפָּה כּוֹחַ
empress *n* קֵיסָרִית
emptiness *n* רֵיקָנוּת
empty *adj* רֵיק
empty *vt, vi* הֵרִיק; הִתרוֹקֵן
empty-handed *adj* בְּיָדַיִים רֵיקוֹת

empty-headed *adj* רֵיקָא, שׁוֹטֶה
empyema *n* הִתְמַגְּלוּת
empyrean *n* שְׁמֵי הַשָּׁמַיִם
emulate *vt* חִיקָּה בִּדבֵקוּת
emulator *n* מְחַקֶּה
emulous *adj* מִתחָרֶה
emulsify *vt* תִּחלֵב
emulsion *n* תַּחֲלִיב
enable *vt* אִפשֵׁר
enact *vt* הִפעִיל חוֹק, חָקַק
enactment *n* הַפעָלַת חוֹק; חוֹק
enamel *n* אֵימָל; כְּלִי אֵימָל
enamel *vt* צִיפָּה בְּאֵימָל, אִימֵל
enamelware *n* כְּלֵי אֵימָל
enamor *vt* הִלהִיט בְּאַהֲבָה
encamp *vt, vi* הוֹשִׁיב בְּמַחֲנֶה
encampment *n* מַאֲהָל
enchant *vt* כִּישֵׁף; הִקסִים
enchanting *adj* מַקסִים; כִּישׁוּפִי
enchantment *n* קֶסֶם; כִּישׁוּף
enchantress *n* קוֹסֶמֶת
enchase *vt* שִׁיבֵּץ אַבנֵי־חֵן
encircle *vt* כִּיתֵּר, הִקִּיף
enclitic *adj, n* נָסוֹג אָחוֹר
enclose, inclose *vt* סָגַר עַל; גָּדַר
enclosure, inclosure *n* הֲקָמַת גָּדֵר; מִגרָשׁ גָּדוּר
encomium *n* שֶׁבַח, הַלֵּל
encompass *vt* כִּיתֵּר; כָּלַל
encore *interj, n* הַדרָן
encore *vt* קָרָא הַדרָן
encounter *vt, vi* נִתקַל בּ...
encounter *n* הִיתָּקְלוּת, מִפגָשׁ
encourage *vt* עוֹדֵד
encouragement *n* עִידוּד

encroach *vt* הִסִּיג גְבוּל
encumber *vt* הִכבִּיד, הֶעמִיס עוֹל
encumbrance *n* מַשָּׂא, טִרחָה, שִׁעבּוּד
ency. *abbr* encyclopedia
encyclic(al) *adj* כְּלָלִי, לַכּוֹל
encyclic(al) *n* מִכתָּב הָאַפִּיפיוֹר
encyclopedia *n* אֶנצִיקלוֹפֶּדיָה
encyclopedic *adj* אִינצֶקלוֹפֶּדִי
end *n* קָצֶה; סוֹף; סִיּוּם; מַטָּרָה
end *vt, vi* גָּמַר; הִסתַּיֵּים
endanger *vt* סִיכֵּן
endear *vt* חִיבֵּב עַל
endeavor *vi* הִתאַמֵּץ
endeavor *n* מַאֲמָץ
endemic *adj, n* מְיוּחָד לְעַם אוֹ לִסבִיבָה
ending *n* סִיּוּם, סוֹף
endive *n* עוֹלֶשׁ
endless *adj* אֵין־סוֹפִי
endmost *adj* שֶׁבַּקָּצֶה הָרָחוֹק
endorse, indorse *vt* אִישֵּׁר; חָתַם (חתימת אישור או קבלה)
endorsee *n* מוּסָב
endorsement *n* אִישּׁוּר; חֲתִימָה
endorser *n* מְאַשֵּׁר; מְקַיֵּים
endow *vt* הֶעֱנִיק
endowment *n* הַעֲנָקָה, מַתָּנָה
endurance *n* סֵבֶל; סְבוֹלֶת
endure *vt, vi* סָבַל; נָשָׂא; נִמשַׁך
enduring *adj* מַתמִיד; עָמִיד
enema *n* חוֹקֶן
enemy *n* אוֹיֵב
enemy *adj* עוֹיֵן
enemy alien *n* נְתִין מְדִינָה אוֹיֶבֶת

energetic *adj*	נִמְרָץ
energy *n*	מֶרֶץ
enervate *vt*	הוֹצִיא עֲצָב; הֶחֱלִישׁ
enfeeble *vt*	הֶחֱלִישׁ
enfold, infold *vt*	עָטַף; חִיבֵּק
enforce *vt*	אָכַף
enforcement *n*	אֲכִיפָה, כְּפִיָּיה
enfranchise *vt*	אִזְרֵחַ, נָתַן זְכוּת הַצְבָּעָה
eng. *abbr* engineer, engraving	
engage *vt, vi*	הֶעֱסִיק; עָסַק; צוֹדֵד; שָׂכַר
engaged *adj*	עָסוּק; קָשׁוּר בְּהִתְחַיְּבוּת; מְאוֹרָס
engagement *n*	הַעֲסָקָה; אֵירוּסִין; הִתְחַיְּבוּת
engagement ring *n*	טַבַּעַת אֵירוּסִין
engaging *adj*	מוֹשֵׁךְ
engender *vt*	גָּרַם
engine *n*	מָנוֹעַ, קַטָּר
engine-driver *n*	נַהַג קַטָּר
engineer *n*	מְהַנְדֵּס
engineer *vt*	הִנְדֵּס, תִּכְנֵן
engineering *n*	מְהַנְדְּסוּת, תִּכְנוּן
engine house *n*	בֵּית מְכוֹנָה
engine man *n*	נַהַג מְכוֹנָה
engine-room *n*	חֲדַר־הַמָּנוֹעַ
engine-room telegraph *n*	טֶלֶגְרָף לַמְּכוֹנָה
England *n*	אַנְגְלִיָּה
English *adj*	אַנְגְלִי; אַנְגְלִית
English daisy *n*	חִינָּנִית; חַרְצִית
Englishman *n*	אַנְגְלִי
English-speaking *adj*	דּוֹבֵר אַנְגְלִית
Englishwoman *n*	אִשָּׁה אַנְגְלִיָּה
engraft, ingraft *vt*	הִרְכִּיב, נָטַע
engrave *vt*	חָרַת, גִּילֵּף
engraving *n*	חֲרִיתָה
engross *vt*	בָּלַע, הֶעֱסִיק רֹאשׁוֹ וְרוּבּוֹ
engrossing *adj*	מַעֲסִיק רֹאשׁוֹ וְרוּבּוֹ
engulf, ingulf *vt*	בָּלַע
enhance *vt*	הֶאְדִּיר, הִגְבִּיר
enhancement *n*	הַאְדָּרָה
enharmonic(al) *adj*	אֶנְהַרְמוֹנִי
enigma *n*	חִידָה, תַּעֲלוּמָה
enigmatic(al) *adj*	חִידָתִי, סָתוּם
enjamb(e)ment *n*	(בשירה) רְצִיפוּת הָרַעְיוֹן
enjoin *vt*	הוֹרָה, חִייֵּב
enjoy *vt, vi*	נֶהֱנָה; נִשְׂכַּר
enjoyable *adj*	מְהַנֶּה
enjoyment *n*	הֲנָאָה
enkindle *vt*	לִיבָּה
enlarge *vt, vi*	הִגְדִּיל, הִרְחִיב
enlargement *n*	הַגְדָּלָה; דָּבָר מוּגְדָּל
enlighten *vt*	הֵאִיר, הִבְהִיר
enlightenment *n*	הַבְהָרָה; הַשְׂכָּלָה
enlist *vt, vi*	גִּייֵּס; הִתְגַּייֵּס
enliven *vt*	הֶחֱיָה, הִמְרִיץ
enmesh, inmesh *vt*	לָכַד כִּבְרֶשֶׁת
enmity *n*	שִׂנְאָה
ennoble *vt*	רוֹמֵם, כִּיבֵּד
ennui *n*	עֲייֵפוּת נַפְשִׁית
enormous *adj*	עֲנָקִי
enough *adj, n, adv, interj*	מַסְפִּיק; לְמַדַּי; דַּי!
enounce *vt*	הִכְרִיז
en passant *adv*	דֶּרֶךְ אַגַּב
enrage *vt*	הִרְגִּיז
enrapture *vt*	שִׁלְהֵב בְּשִׂמְחָה

enrich *vt* הֶעֱשִׁיר
enroll, enrol *vt, vi* הִכְנִיס לִרְשִׁימָה; נִרְשַׁם·
en route *n* בַּדֶּרֶךְ
ensconce *vt* שָׂם בְּמָקוֹם בָּטוּחַ
ensemble *n* מִכְלוֹל; צֶוֶת
ensign *n* דֶּגֶל; תָּג
enslave *vt* שִׁעְבֵּד
enslavement *n* שִׁעְבּוּד
ensnare, insnare *vt* לָכַד בְּרֶשֶׁת
ensue *vi* בָּא מִיָּד אַחֲרֵי
ensuing *adj* הַבָּא אַחֲרֵי
ensure *vt, vi* הִבְטִיחַ
entail *vt* גָּרַר, הֵבִיא לִידֵי
entail *n* הוֹרָשַׁת קַרְקַע
entanglement *n* סִיבּוּךְ
enter *vi, vt* נִכְנַס; הִשְׁתַּתֵּף; רָשַׁם (בְּסֵפֶר חֶשְׁבּוֹנוֹת וכו׳)
enterprise *n* מִפְעָל, מִבְצָע; יוֹזְמָה
enterprising *adj* מֵעֵז, נוֹעָז
entertain *vt, vi* שִׁעֲשַׁע; אֵירַחַ
entertainer *n* בַּדְּרָן
entertaining *adj* מְשַׁעֲשֵׁעַ
entertainment *n* בִּידּוּר
enthral(l), inthral(l) *vt* צוֹדֵד
enthuse *vt, vi* הִלְהִיב; נִלְהַב
enthusiasm *n* הִתְלַהֲבוּת
enthusiast *n* תְּלַהֲבָן
entice *vt* פִּיתָּה
enticement *n* פִּיתּוּי; הִתְפַּתּוּת
entire *adj* כּוֹלֵל, שָׁלֵם
entirely *adv* לְגַמְרֵי; בִּשְׁלֵמוּת
entirety *n* שְׁלֵמוּת
entitle, intitle *vt* קָבַע שֵׁם; זִיכָּה
entity *n* יֵשׁוּת

entomb, intomb *vt* קָבַר
entombment *n* קְבִירָה
entourage *n* פָּמַלְיָה
entrails *n pl* קְרָבַיִים; מֵעַיִים
entrain *vt, vi* הִטְעִין בָּרַכֶּבֶת; נָסַע בָּרַכֶּבֶת
entrance *n* כְּנִיסָה, פֶּתַח
entrance *vt* הִקְסִים
entrance examination *n* בְּחִינַת כְּנִיסָה
entrancing *adj* מַקְסִים
entrant *n* נִכְנָס; מִתְחָרֶה
entrap *vt* לָכַד בְּרֶשֶׁת
entreat *vt* הִפְצִיר
entreaty *n* בַּקָּשָׁה, תְּחִינָּה
entrée *n* זְכוּת כְּנִיסָה; מָנָה עִיקָּרִית
entrench, intrench *vt, vi* חָפַר; הִתְחַפֵּר, הִתְבַּצֵּר
entrust *vt* הִפְקִיד בְּיָד
entry *n* כְּנִיסָה; פְּרִיט בִּרְשִׁימָה
entwine, intwine *vt, vi* שָׁזַר; הִשְׁתַּזֵּר
enumerate *vt* מָנָה, סָפַר
enunciate *vt* בִּיטֵּא; הִכְרִיז
envelop *vt* עָטַף; שִׁימֵּשׁ מַעֲטֶה
envelope *n* מַעֲטָפָה; עֲטִיפָה
envenom *vt* הִרְעִיל; מֵירֵר
enviable *adj* מְעוֹרֵר קִנְאָה
envious *adj* מָלֵא קִנְאָה
environ *vt* כִּיתֵּר, הִקִּיף
environment *n* סְבִיבָה
envisage *vt* חָזָה
envoi, envoy *n* בַּיִת אַחֲרוֹן (בְּשִׁירָה)
envoy *n* שָׁלִיחַ, נָצִיג
envy *n* קִנְאָה
envy *vt* קִינֵּא

enzyme *n* מַתְסִיס, אֶנְזִים
epaulet, epaulette *n* כּוֹתֶפֶת
epenthesis *n* (בבלשנות) שִׂרְבּוּב הֶגֶה
epergne *n* אֲגַרְטֵל
ephemeral *adj* חוֹלֵף, קִיקְיוֹנִי
epic *n* שִׁיר אֶפִּי
epic, epical *adj* אֶפִּי, שֶׁל גְּבוּרָה
epicure *n* אֶפִּיקוּר, בַּרְרָן
epicurean, Epicurean *adj* חוֹבֵב תַּעֲנוּגוֹת
epidemic *n* אֶפִּידֶמְיָה, מַגֵּפָה
epidemically *adj* בְּצוּרָה מַגֵּפָתִית
epidemiology *n* תּוֹרַת הַמַּחֲלוֹת הַמַּגֵּפָתִיּוֹת
epidermis *n* עִילִית הָעוֹר
epigram *n* מִכְתָּם
epilepsy *n* אֶפִּילֶפְּסִיָה, כִּיפָּיוֹן
epileptic *n, adj* אֶפִּילֶפְּטִי; נִכְפֶּה
epiphany *n* הִתְגַּלּוּת (אלקית וכד׳)
Episcopalian *adj, n* אֶפִּיסְקוֹפָּלִי
episode *n* מְאוֹרָע, אֶפִּיזוֹדָה
epistemology *n* אֶפִּיסְטֶמוֹלוֹגְיָה
epistle *n* אִיגֶּרֶת
epitaph *n* חֲקִיקָה (על מצבה)
epithalamium *n* שִׁיר חֲתוּנָּה
epithet *n* תּוֹאַר, שֵׁם לְוַואי
epitome *n* תַּמְצִית, עִיקָּר
epitomize *vt* תִּמְצֵת
epoch *n* תְּקוּפָה
epochal *adj* תְּקוּפָתִי
epoch-making *adj* פּוֹתֵחַ תְּקוּפָה
equable *adj* אָחִיד; שָׁלֵו
equal *adj, n* שָׁוֶה; אָחִיד
equal *vt* שָׁוָה, הָיָה שָׁוֶה
equality *n* שִׁוְויוֹן
equalize *vt* הִשְׁוָה
equally *adv* בְּמִידָּה שָׁוָה
equanimity *n* יִישּׁוּב־דַּעַת
equate *vt* הִבִּיעַ שִׁוְויוֹן, נִיסֵּחַ בְּמִשְׁוָואָה
equation *n* הַשְׁוָואָה; מִשְׁוָואָה
equator *n* קַו הַמַּשְׁוֶה
equerry *n* קְצִין סוּסִים
equestrian *adj* פָּרָשִׁי
equestrian *n* פָּרָשׁ
equilateral *adj, n* שְׁוֵה צְלָעוֹת
equilibrium *n* שִׁיוּוּי־מִשְׁקָל
equinoctial *adj, n* שִׁוְויוֹמִי, שֶׁל שִׁוְויוֹן הַיּוֹם וְהַלַּיְלָה
equinox *n* שִׁוְויוֹם, הִשְׁתַּוּוּת הַיּוֹם וְהַלַּיְלָה
equip *vt* צִיֵּיד
equipment *n* צִיּוּד
equipoise *n* שִׁיוּוּי־מִשְׁקָל
equitable *adj* צוֹדֵק, הוֹגֵן
equity *n* נֶאֱמָנוּת לְצֶדֶק
equivalent *adj* שָׁקוּל כְּנֶגֶד, שָׁוֶה
equivocal *adj* דּוּ־מַשְׁמָעִי
equivocate *vi* הִבִּיעַ בְּצוּרָה דּוּ־מַשְׁמָעִית
equivocation *n* דּוּ־מַשְׁמָעִיּוּת
era *n* תְּקוּפָה
eradicate *vt* עָקַר, שֵׁירֵשׁ
eradicative *adj* עוֹקֵר, מַשְׁמִיד
erase *vt* מָחָה, מָחַק
eraser *n* מוֹחֵק
erasion *n* מְחִיָּה, מְחִיקָה
erasure *n* מְחִיָּה, מְחִיקָה
ere *conj, prep* לִפְנֵי, קוֹדֶם

erect *vt*, *vi* הֵקִים, בָּנָה
erect *adj*, *adv* זָקוּף; בִּזְקִיפוּת
erection *n* הִזדַקְפוּת, זִקפָּה; בְּנִיָּה
ermine *n* סַמּוּר
erode *vt*, *vi* אִיכֵּל; נִסחַף; סָחַף
erosion *n* הִסתַחֲפוּת
err *vi* טָעָה; שָׁגָה
errand *n* שְׁלִיחוּת
errand-boy *n* נַעַר־שָׁלִיחַ
erratic *adj* בִּלתִּי־יַצִּיב; סוֹטֶה
erratum *n* טָעוּת־דְפוּס
erroneous *adj* מוּטעֶה
error *n* שְׁגִיאָה, טָעוּת
erudite *adj* מְלוּמָּד, בָּקִי
erudition *n* לַמדָנוּת, בְּקִיאוּת
erupt *vi* פָּרַץ בְּכוֹחַ, הִתפָּרֵץ
eruption *n* הִתפָּרְצוּת
escalate *vi* הֶחֱמִיר, הִסלִים
escalation *n* הַחמָרָה, הַסלָמָה
escalator *n* מַדרֵגוֹת נָעוֹת
escallop, scallop *n* צִדפָּה
escapade *n* הַרפַּתקָה נוֹעֶזֶת
escape *n* בְּרִיחָה; הִימָּלְטוּת, הֵיחָלְצוּת
escape *vt*, *vi* בָּרַח; נֶחֱלַץ
escapee *n* בּוֹרֵחַ; נִמלָט
escape literature *n* סִפרוּת הָעֲרִיקָה
escapement *n* מַחגֵר
escarpment *n* כֵּף, מַתלוּל
eschew *vt* נִמנַע
escort *n* מִשׁמָר, מְלַוֶּוה
escort *vt* לִיוָּוה
escutcheon *n* מָגֵן (נוֹשֵׂא סמל המִשפּחה)
Eskimo *n* אֶסקִימוֹסִי
esophagus, oesophagus *n* וֶשֶׁט

esp. *abbr* especially
espalier *n* עָרִיס
especial *adj* מְיוּחָד, יוֹצֵא מִן הַכְּלָל
espionage *n* רִיגּוּל
esplanade *n* טַיֶּילֶת
espousal *n* אִימּוּץ (רעיון); נִישּׂוּאִין
espouse *vt* אִימֵּץ (רעיון); דָגַל בּ...; הִתחַתֵּן
esquire (Esq.) *n* אָדוֹן, מַר
ess *n* אֶס (האות)
essay *n* מַסָּה; נִיסָּיוֹן
essay *vt* נִיסָּה
essayist *n* מַסַּאי
essence *n* עִיקָּר; תַּמצִית
essential *adj* חִיוּנִי; עִיקָּרִי
essential *n* יְסוֹד, נְקוּדָּה עִיקָּרִית
essentially *adv* בִּיסוֹדוֹ
est. *abbr* established, estate, estimated
establish *vt* יִיסֵּד, כּוֹנֵן; הוֹכִיחַ
establishment *n* יִיסּוּד; מוֹסָד; מִמסָד; מְקוֹם עֵסֶק
estate *n* מַעֲמָד; נְכָסִים; אֲחוּזָּה
esteem *vt* הֶעֱרִיךְ, הֶחֱשִׁיב
esteem *n* הַעֲרָכָה, הַחשָׁבָה
esthetic *adj* אֶסתֵּטִי
estimable *adj* רָאוּי לְהַעֲרָכָה
estimate *vt* אָמַד, הֶעֱרִיךְ
estimate *n* אוּמדָן, הַעֲרָכָה
estimation *n* הַעֲרָכָה, דֵעָה
estrangement *n* הִתרַחֲקוּת, פֵּירוּד
estuary *n* שֶׁפֶךְ נָהָר
etc. *abbr* et cetera
et cetera, etcetera *phr*, *n* וְכוּלֵי, וְכוּ׳
etch *vt*, *vi* חָרַט, גִּילֵּף

etcher *n* חָרָט, גַּלָּף, גַּלְפָן
etching *n* חֲרִיטָה, גִּילוּף
eternal *adj* נִצְחִי
eternity *n* נֶצַח, אַלְמָוֶת
ether *n* אֶתֶר
ethereal, etherial *adj* שְׁמֵיימִי; מְעוּדָּן
ethic, ethical *adj* מוּסָרִי
ethically *adv* מִבְּחִינָה מוּסָרִית
Ethiopian *adj, n* אֶתיוֹפִּי, אֶתיוֹפִּית
Ethiopic *adj* אֶתיוֹפִּי
ethnic, ethnical *adj* אֶתְנִי
ethnography *n* אֶתנוֹגרַפְיָה
ethnology *n* אֶתנוֹלוֹגְיָה
ethyl *n* אֶתִיל
ethylene *n* אֶתִילִין
etiquette *n* גִּינּוּנֵי חֶבְרָה, אֶתִּיקֶטָה
et seq. – et sequentie וְהַבָּאִים לְהַלָּן
étude *n* תַּרגִיל, אֶטיוּד
etymology *n* אֶטִימוֹלוֹגְיָה, גִּיזָּרוֹן
etymon *n* אֶטִימוֹן, מָקוֹר
eucalyptus *n* אֵיקָלִיפּטוּס
Eucharist *n* סְעוּדַּת יֵשׁוּ
euchre *n* אֵיקר (משחק קלפים)
eugenic *adj* מַשְׁבִּיחַ גֶּזַע
eulogistic *adj* מָלֵא תִּשְׁבָּחוֹת
eulogize *vt* הִילֵּל, שִׁיבֵּחַ
eulogy *n* שֶׁבַח, הַלֵּל
eunuch *n* סָרִיס
euphemism *n* לָשׁוֹן נְקִיָּה
euphemistic *adj* שֶׁל לָשׁוֹן נְקִיָּה
euphonic *adj* נְעִים צְלִיל
euphony *n* נוֹעַם הַקּוֹל
euphoria *n* הַרגָּשָׁה טוֹבָה
euphuism *n* מְלִיצָה
euphuistic *adj* מְלִיצִי
Europe *n* אֵירוֹפָּה
European *adj, n* אֵירוֹפִּי
euthanasia *n* מִיתַת נְשִׁיקָה
evacuate *vt, vi* רוֹקֵן; פִּינָּה
evacuation *n* פִּינּוּי; הֲרָקָה
evade *vt* הִתחַמֵּק, הִשׁתַּמֵּט
evaluate *vt* הֶעֱרִיךְ, קָבַע הַעֲרָכָה
evangel *n* מַטִּיף לְנַצרוּת
evangelical *adj, n* אֵבַנגֵלִי
evangelist *n* מַטִּיף לְדִברֵי הַשְּׁלִיחִים
evaporate *vt, vi* אִידָּה; הִתנַדֵּף; נָגוֹז
evasion *n* הִתחַמְּקוּת, הִשׁתַּמְּטוּת
evasive *adj* שְׁתַמְּטָנִי, מִתחַמֵּק
Eve *n* חַוָּה
eve *n* עֶרֶב (שֶׁל חג וכד׳)
even *adj* שָׁוֶה; מִישׁוֹרִי; סָדִיר; מְאוּזָּן; אָחִיד
even *vt* הִשׁוָוה, יִישֵּׁר
even *adv* בְּמִידָּה שָׁוָה; אֲפִילוּ
evening *n* עֶרֶב
evening clothes *n* תִּלבּוֹשֶׁת עֶרֶב
evening gown *n* שִׂמלַת עֶרֶב
evening primrose *n* נֵר הַלַּילָה
evening star *n* כּוֹכַב הָעֶרֶב; וֶנוּס
evening wrap *n* מְעִיל עֶרֶב (לאישה)
evensong *n* תְּפִילַּת עֶרֶב
event *n* מְאוֹרָע; מִקרֶה
eventful *adj* רַב־מְאוֹרָעוֹת
eventual *adj* הַבָּא בַּעֲקֵבוֹ
eventuality *n* תּוֹצָאָה אֶפשָׁרִית
eventually *adv* בְּסוֹפוֹ שֶׁל דָּבָר
eventuate *vi* עוֹקֵב
ever *adv* תָּמִיד; אֵי־פַּעַם
everglade *n* גֵּאִי בִּיצוֹת

evergreen *n, adj* יְרוֹק־עַד
everlasting *adj, n* נִצְחִי; נֵצַח
evermore *adv* תָּמִיד, לָנֶצַח
every *adj* כָּל־, כָּל־אֶחָד; בְּכָל
everybody *pron* כָּל־אֶחָד
everyday *adj* יוֹם־יוֹמִי; רָגִיל
every man Jack כָּל אָדָם, כָּל אֶחָד, כָּל מַלָּח
everyone *n* כָּל אֶחָד
every other *adv* לְסֵירוּגִין
everything *n* הַכּוֹל
everywhere *adv* בְּכָל מָקוֹם
evict *vt* גֵּרֵשׁ (דייר)
eviction *n* גֵּירוּשׁ (כנ״ל)
evidence *n* עֵדוּת
evidence *vt* הִבְהִיר; חִיזֵּק בְּעֵדוּת
evident *adj* בָּרוּר
evil *adj* רָע
evil *n* רָע, רִשְׁעוּת; פֶּגַע
evildoer *n* עוֹשֶׂה רָע
evildoing *n* רֶשַׁע, חֵטְא
evil-eyed *adj* רַע־עַיִן
evil genius *n* בַּעַל הַשְׁפָּעָה רָעָה
evil-minded *adj* מְרוּשָׁע, חוֹרֵשׁ רָע
Evil One *n* הַשָּׂטָן
evince *vt* הִבְהִיר, הוֹכִיחַ
evoke *vt* הֶעֱלָה, עוֹרֵר
evolution *n* הִתְפַּתְּחוּת
evolve *vt, vi* פִּיתֵּחַ בְּהַדְרָגָה; הִתְפַּתֵּחַ
ewe *n* כִּבְשָׂה
ewer *n* קַנְקַן, כַּד
ex *n* אֶקְס (האות); לְשֶׁעָבַר
exact *adj* מְדוּיָּק
exact *vt* תָּבַע; נָשָׁה
exacting *adj* מַחְמִיר בִּדְרִישׁוֹתָיו
exaction *n* נְשִׁיָּה
exactly *adv* בְּדִיּוּק
exactness *n* דִּיּוּק; קַפְּדָנוּת
exaggerate *vt, vi* הִגְזִים, הִכְרִיז
exalt *vt* הֶעֱלָה, רוֹמֵם
exam *n* בְּחִינָה
examination *n* בְּחִינָה, בְּדִיקָה
examine *vt* בָּחַן, בָּדַק
example *n* דוּגְמָה
exasperate *vt* הִכְעִיס (עד להשחית)
excavate *vt* כָּרָה בּוֹר; חָשַׂף עַתִּיקוֹת
exceed *vt, vi* עָלָה עַל, עָבַר עַל
exceedingly *adv* מְאֹד, בְּמִידָּה יוֹצֵאת מִן הַכְּלָל
excel *vt, vi* הִצְטַיֵּן
excellence *n* הִצְטַיְּנוּת
Excellency *n* הוֹד מַעֲלָה
excelsior *n* נְסוֹרֶת; אֶל עָל
except *vt, vi* הוֹצִיא מִכְּלָל; הִתְנַגֵּד ל...
except *prep, conj* חוּץ מ...; אֶלָּא
exception *n* הוֹצָאָה מִן הַכְּלָל; יוֹצֵא מִן הַכְּלָל; הִתְנַגְּדוּת
exceptional *adj* יוֹצֵא מִן הַכְּלָל
excerpt *vt* הוֹצִיא קֶטַע
excerpt *n* קֶטַע, מוּבָאָה
excess *n* עוֹדֶף; גּוֹדֶשׁ; בִּזְבּוּז
excessively *adv* בְּהַפְרָזָה
excess weight *n* מִשְׁקָל עוֹדֵף
exchange *n* הַחֲלָפָה, חִילּוּפִים; תְּמוּרָה; בּוּרְסָה
exchange *vt, vi* הֶחֱלִיף
exchequer *n* אוֹצָר
excisable *adj* שֶׁאֶפְשָׁר לְהַטִּיל עָלָיו בְּלוֹ

excise *n* בְּלוֹ
excise *vt* מָחַק; קִיטֵעַ
excise tax *n* בְּלוֹ
excitable *adj* נוֹחַ לְהִתרַגֵּשׁ
excite *vt* שִׁלהֵב; עוֹרֵר
excitement *n* שִׁלהוּב; הִתרַגְּשׁוּת
exciting *adj* מַלהִיב; מְרַגֵּשׁ
exclaim *vt, vi* קָרָא, צָעַק
exclamation *n* קְרִיאָה; מִלַּת קְרִיאָה
exclude *vt* גֵּירֵשׁ; הוֹצִיא; מָנַע כְּנִיסָה
exclusion *n* מְנִיעַת כְּנִיסָה; גֵּירוּשׁ
exclusive *adj* בִּלעָדִי, ייִחוּדִי
excommunicate *adj, n* מְנוּדֶּה
excommunicate *vt* נִידָּה
excommunication *n* נִידּוּי
excoriate *vt* הִפְשִׁיט עוֹר; גִּינָּה
excrement *n* צוֹאָה
excruciating *adj* מַכאִיב, מְייַסֵּר
exculpate *vt* נִיקָּה מֵאַשְׁמָה
excursion *n* טִיּוּל
excursionist *n* מִשׁתַּתֵּף בְּטִיּוּל
excusable *adj* בַּר־סְלִיחָה
excuse *vt* סָלַח; הִצדִּיק
excuse *n* תֵּירוּץ
execute *vt, vi* בִּיצֵּעַ
execution *n* בִּיצּוּעַ, הוֹצָאָה לַפּוֹעַל; הוֹצָאָה לַהוֹרֵג
executioner *n* תַּליָין
executive *adj* שֶׁל הוֹצָאָה לַפּוֹעַל; מְנַהֵל
executive *n* מְנַהֵל, הַנהָלָה
Executive Mansion *n* בֵּית הַנָּשִׂיא (בארה״ב)
executor *n* מְבַצֵּעַ; אֶפִּיטרוֹפּוֹס
executrix *n* אֶפִּיטרוֹפְּסִית

exemplary *adj* מוֹפְתִי, מְשַׁמֵּשׁ דוּגמָה
exemplify *vt* הִדגִים; שִׁימֵּשׁ דוּגמָה
exempt *vt* פָּטַר מִן, שִׁחרֵר מִן
exempt *adj* פָּטוּר מ...
exemption *n* פְּטוֹר, שִׁחרוּר
exercise *n* תַּרגִיל; אִימּוּן, תִּרגּוּל; הַפעָלָה
exercise *vt, vi* אִימֵּן, תִּרגֵל; הִפעִיל; הִתעַמֵּל
exert *vt* הִפעִיל
exertion *n* מַאֲמָץ; הַפעָלָה
exhalation *n* נְשִׁיפָה, נְדִיפָה
exhale *vt, vi* נָשַׁף, הִדִּיף
exhaust *vt, vi* רוֹקֵן; מִיצָּה; כִּילָּה
exhaust *n* פְּלִיטָה; מַפלֵט
exhaustion *n* רִיקּוּן; מִיצּוּי; כְּלוֹת הַכּוֹחוֹת
exhaustive *adj* מְמַצֶּה, יְסוֹדִי
exhaust manifold *n* סַעֶפֶת פְּלִיטָה
exhaust pipe *n* מַפלֵט
exhaust valve *n* שַׁסתּוֹם פְּלִיטָה
exhibit *vt* הֶראָה, חָשַׂף; הִצִּיג
exhibit *n* מוּצָג
exhibition *n* הַצָּגָה
exhibitor *n* מַצִּיג (בתערוכה)
exhilarating *adj* מְשַׂמֵּחַ, מַרנִין
exhort *vt* הִמלִיץ, פָּנָה בְּבַקָּשָׁה
exhume *vt* הוֹצִיא מִקֶּבֶר
exigency *n* דְחִיפוּת, צוֹרֶךְ דָחוּף
exigent *adj* דָחוּף
exile *n* גָּלוּת, גּוֹלֶה; הַגלָיָה
exile *vt* הִגלָה
exist *vi* הִתקַיֵּם; נִמצָא
existence *n* קִיּוּם; הִימָּצְאוּת; הֲוָיָה
existing *adj* קַייָם

exit *n* יְצִיאָה
exit *vi* יוֹצֵא
exodus *n* יְצִיאָה הֲמוֹנִית
Exodus *n* יְצִיאַת מִצְרַיִם; סֵפֶר שְׁמוֹת
exonerate *vt* נִיקָּה מֵאַשְׁמָה, זִיכָּה
exorbitant *adj* מוּפְרָז, מוּפְקָע
exorcise *vt* גֵּירֵשׁ (רוח, דיבוק)
exotic *adj, n* לֹא מְקוֹמִי, נָזוֹר; אֶקְזוֹטִי; סַסְגּוֹנִי
exp. *abbr* expenses, expired, export, express
expand *vt, vi* הִגְדִּיל, הִרְחִיב; הִתְפַּשֵּׁט
expanse *n* מֶרְחָב
expansion *n* הִתְפַּשְּׁטוּת, הִתְרַחֲבוּת; פִּיתּוּחַ
expansive *adj* נִיתָּן לְהַרְחָבָה; נִרְחָב; (לגבי אדם) גְּלוּי־לֵב
expatiate *vi* הִרְחִיב אֶת הַדִּיבּוּר
expatriate *vt* גֵּירֵשׁ מִמּוֹלַדְתּוֹ, הִגְלָה
expatriate *n* מְגוֹרָשׁ; גּוֹלֶה
expect *vt* צִיפָּה; חִיכָּה; סָבַר
expectancy *n* צִיפִּיָּה; תּוֹחֶלֶת
expectation *n* סִיכּוּי; צִיפִּיָּה
expectorate *vt* יָרַק; כִּייֵחַ
expediency *n* כְּדָאִיּוּת, תּוֹעַלְתִּיּוּת
expedient *adj* מְסַייֵּעַ לְהַשָּׂגַת מַטָּרָה
expedient *n* אֶמְצָעִי, אֶמְצָעִי עֵזֶר
expedite *vt* הֵחִישׁ, זֵירֵז
expedition *n* מַסָּע; מִשְׁלַחַת
expeditious *adj* מְבוּצָּע כַּהֲלָכָה
expel *vt* גֵּירֵשׁ, הוֹצִיא
expend *vt* הוֹצִיא (כסף, זמן וכד׳)
expendable *adj* שֶׁאֶפְשָׁר לְהוֹצִיאוֹ; שֶׁאֶפְשָׁר לְהַקְרִיבוֹ
expenditure *n* הוֹצָאָה, הוֹצָאוֹת
expense *n* הוֹצָאָה, תַּשְׁלוּם
expensive *adj* יָקָר
experience *n* נִיסָּיוֹן; חֲוָויָה
experience *vt* הִתְנַסָּה; חָוָה
experienced *adj* מְנוּסֶּה; נֶחֱוֶה
experiment *n* נִיסּוּי
experiment *vi* עָשָׂה נִיסָּיוֹן
expert *n, adj* מוּמְחֶה; מוּמְחִי
expiate *vt* כִּיפֵּר
expiation *n* כַּפָּרָה
expire *vt, vi* פָּג, פָּקַע; דָּעַךְ; מֵת
explain *vt* בֵּיאֵר, הִסְבִּיר, פֵּירֵשׁ
explanation *n* הֶסְבֵּר
explanatory *adj* מַסְבִּיר
explicit *adj* בָּרוּר
explode *vt, vi* פּוֹצֵץ; הִתְפּוֹצֵץ
exploit *vt* נִיצֵּל
exploit *n* מַעֲשֶׂה רַב
exploitation *n* נִיצּוּל
exploration *n* סִיוּר; חֲקִירָה
explore *vt, vi* סִייֵּר שֶׁטַח; חָקַר
explorer *n* חוֹקֵר; נוֹסֵעַ
explosion *n* פִּיצּוּץ; הִתְפּוֹצְצוּת
explosive *adj* עָלוּל לְהִתְפּוֹצֵץ
explosive *n* חוֹמֶר נֶפֶץ; הֶגֶה פּוֹצֵץ
exponent *n* מַסְבִּיר; מְסַמֵּל
export *vt* יִיצֵּא
export *n, adj* יִיצּוּא; יְצוּא; שֶׁל יְצוּא
exportation *n* יִיצּוּא
expose *vt* חָשַׂף; הוֹקִיעַ
exposé *n* הַרְצָאַת דְּבָרִים; הוֹקָעָה
exposition *n* תְּצוּגָה; הַבְהָרָה
expostulate *vi* טָעַן נֶגֶד
exposure *n* חֲשִׂיפָה; הַצָּגָה בְּפוּמְבֵּי; הוֹקָעָה

expound *vt* הִבְהִיר
express *vt* בִּיטֵא, הִבִּיעַ
express *adj* בָּרוּר, בָּהִיר; מְיוּחָד; מָהִיר
express *adv* בְּרֶכֶב יָשִׁיר אוֹ מָהִיר; בִּמְיוּחָד
express *n* אוֹטוֹבּוּס מָהִיר אוֹ רַכֶּבֶת מְהִירָה
express company *n* חֶבְרָה לְהוֹבָלָה מְהִירָה
expression *n* הַבָּעָה; בִּיטּוּי; מַבָּע
expressive *adj* מַבִּיעַ; מָלֵא הַבָּעָה
expressly *adv* בִּמְיוּחָד, בְּפֵירוּשׁ
expressman *n* שָׁלִיחַ דָחוּף
express terms *n pl* תְּנָאִים מְפוֹרָשִׁים
express train *n* רַכֶּבֶת מְהִירָה
expressway *n* כְּבִישׁ יָשִׁיר
expropriate *vt* הִפְקִיעַ רְכוּשׁ
expulsion *n* גֵּירוּשׁ
expunge *vt* מָחָה
expurgate *vt* קִיצֵּף, טִיהֵר (ספר)
exquisite *adj* בַּעַל חֵן עִילָּאִי; מְעוּלֶּה; חָרִיף
exquisite *n* גַּנְדְּרָן, יוֹמְרָן
ex-serviceman *n* חַיָּיל מְשׁוּחְרָר
extant *adj* קַיָּים
extemporaneous *adj* מְאוּלְתָּר
extempore *adj, adv* מְאוּלְתָּר; בְּאִלְתּוּר
extemporize *vt, vi* אִלְתֵּר
extend *vt, vi* פָּשַׁט; הוֹשִׁיט; הִרְחִיב; הֶאֱרִיךְ; הִתְפַּשֵּׁט; הִשְׂתָּרֵעַ
extended *adj* שָׁלוּחַ; מוּשָׁט; מוֹאֳרָךְ; מָתוּחַ
extension *n* הַרְחָבָה, הַאֲרָכָה; שְׁלוּחָה
extension ladder *n* סוּלָּם שָׁחִיל
extension table *n* שׁוּלְחָן שָׁחִיל
extensive *adj* רָחָב, גְּדוֹל מְמַדִּים; מַקִּיף
extent *n* מִידַּת הִתְפַּשְּׁטוּת; גּוֹדֶל מְסוּיָּם
extenuate *vt* רִיכֵּךְ; הֵקֵל
exterior *adj, n* חִיצוֹנִי; צַד חִיצוֹנִי
exterminate *vt* הִשְׁמִיד
external *adj* חִיצוֹנִי
externals *n pl* מַרְאֶה חִיצוֹנִי
extinct *adj* כָּבוּי (הר געש); מוּכְחָד
extinguish *vt* כִּיבָּה; כִּילָּה
extinguisher *n* מַטְפֶּה
extirpate *vt* עָקַר, הִשְׁמִיד
extol *vt* שִׁיבֵּחַ
extort *vt, vi* הִשִּׂיג בִּסְחִיטָה אוֹ בְּעִינּוּיִים
extortion *n* סְחִיטָה בְּעִינּוּיִים; הַפְקָעַת שְׁעָרִים
extra *adj* נוֹסָף, מְיוּחָד
extra *adv* יוֹתֵר מִן הָרָגִיל
extra *n* תּוֹסֶפֶת מְיוּחֶדֶת
extract *vt* עָקַר; הוֹצִיא
extract *n* דָּבָר מוּצָא; קֶטַע; מוּבָאָה; תַּמְצִית
extraction *n* הוֹצָאָה, עֲקִירָה; מוֹצָא
extracurricular *adj* שֶׁמִּחוּץ לַתּוֹכְנִית
extradition *n* הַסְגָּרָה
extra fare *n* תּוֹסֶפֶת דְּמֵי נְסִיעָה
extra-flat *adj* שָׁטוּחַ בְּיוֹתֵר
extramural *adj* מִחוּץ לְכוֹתְלֵי הָאוּנִיבֶרְסִיטָה
extraneous *adj* חִיצוֹנִי, זָר

extraordinary *adj* יוֹצֵא מִן הַכְּלָל
extrapolate *vt* אָמַד מִלְּבַר
extravagance *n* בִּזְבּוּז, הַפְרָזָה
extravagant *adj* בַּזְבְּזָנִי; יוֹצֵא דוֹפֶן; מוּפְרָז; מַפְרִיז
extreme *adj* קִיצוֹנִי
extreme *n* קִיצוֹנִיּוּת, מִידָּה קִיצוֹנִית
extremely *adv* מְאוֹד מְאוֹד
extreme unction *n* מְשִׁיחַת שְׁכִיב מְרַע
extremity *n* עוֹנִי קִיצוֹנִי; קְצֵה אֵיבָר; קָצֶה
extricate *vt* שִׁחְרֵר, חִילֵּץ
extrinsic *adj* חִיצוֹנִי, לֹא חִיּוּנִי
extrovert *n* מְחוּצָּן
extrude *vt, vi* גֵּירֵשׁ, הִשְׁלִיךְ; בָּלַט
exuberant *adj* מְשׁוּפָּע; שׁוֹפֵעַ רוֹמְמוּת רוּחַ
exude *vt, vi* נָדַף (רֵיחַ וכד׳)
exult *vi* שָׂמַח, צָהַל
exultant *adj* שָׂמֵחַ, עוֹלֵץ
eye *n* עַיִן; רְאִיָּה; מַבָּט; קוֹף שֶׁל מַחַט
eye *vt* תָּקַע מַבָּט בּ...
eyeball *n* גַּלְגַּל הָעַיִן
eye bolt *n* בּוֹרֶג בַּעַל אוֹזֶן
eyebrow *n* גַּבָּה
eye cup *n* קַעֲרִית לִשְׁטִיפַת עַיִן
eyeful *n* ׳חֲתִיכָה׳
eyeglass *n* זְכוּכִית הָעַיִן; מִשְׁקָף
eyelash *n* רִיס הָעַיִן
eyelet *n* סֶדֶק, חָרִיר; לוּלָאָה
eyelid *n* עַפְעַף
eye of the morning *n* שֶׁמֶשׁ
eye-opener *n* פּוֹקֵחַ עֵינַיִם
eyepiece *n* זְכוּכִית הָעַיִן
eye-shade *n* מִצְחִית, סַךְ עַיִן
eye shadow *n* אִיפּוּר עַיִן
eyeshot *n* מֶרְחַק רְאִיָּה
eyesight *n* רְאִיָּה
eye socket *n* אֲרוּבַּת הָעַיִן
eyesore *n* דָּבָר מְכוֹעָר
eyestrain *n* עֲיֵיפוּת עֵינַיִם
eye-test chart *n* טַבְלַת בְּדִיקַת עֵינַיִם
eyetooth *n* שֵׁן הָעַיִן
eyewash *n* תַּרְחִיץ לְעֵינַיִם; אֲחִיזַת עֵינַיִם
eyewitness *n* עֵד רְאִיָּה
eyrie, eyry *n* קַן נֶשֶׁר, קַן עוֹרֵב

F

F, f *n* (אֶף (האות השישית באלפבית

F *abbr* Fahrenheit; February; Fluorine; French; Friday

fable *n* מָשָׁל; אַגָּדָה; בְּדָיָה

fabric *n* אָרִיג; מַאֲרָג; מִבְנֶה

fabricate *vt* פִּבְרֵק, בָּדָה

fabrication *n* פִּבְרוּק, בְּדוּתָה; זִיּוּף

fabulous *adj* דִמְיוֹנִי; אַגָּדִי

facade *n* חֲזִית הַבַּיִת; חֲזִית

face *n* פָּנִים; מַרְאֶה; חוּצְפָּה; יוּקְרָה

face *vt, vi* הִבִּיט לְעֵבֶר; עָמַד מוּל

face card *n* קְלַף תְּמוּנָה

face-lifting *n* הַחֲלָקַת פָּנִים

face powder *n* פּוּדְרָה, אַבְקַת אִיפּוּר

facet *n* צַד, פֵּאָה; אַסְפֶּקְט, פָּן, הֶיבֵּט

face value *n* עֵרֶךְ נוֹמִינָלִי

facial *adj, n* שֶׁל פָּנִים; טִיפּוּל פָּנִים

facilitate *vt* הֵקֵל, סִיֵּעַ

facility *n* אֶפְשָׁרוּת; מְיוּמָּנוּת

facing *n* כִּיסּוּי, צִיפּוּי

facsimile *n* הַעְתָּקָה; דְמוּת הַכְּתָב

fact *n* עוּבְדָה

faction *n* סִיעָה

factional *adj* סִיעָתִי, פַּלְגָנִי

factionalism *n* סִיעָתִיּוּת

factor *n* גּוֹרֵם, קוֹבֵעַ; מְתַוֵּךְ

factor *vt, vi* פֵּירֵק לְגוֹרְמִים

factory *n* בֵּית־חֲרוֹשֶׁת

factual *adj* עוּבְדָתִי

faculty *n* כּוֹשֶׁר; (בּאוּניברסיטה) מַחְלָקָה, פָּקוּלְטָה

fad *n* אוֹפְנָה חוֹלֶפֶת

fade *vi, vt* דָעַךְ; דָהָה; נָמוֹג

fade-out *n* הֵיעָלְמוּת הַדְּרָגָתִית

fag *vt, vi* עָמַל קָשֶׁה; הִתְעַיֵּף

fag *n* עֲבוֹדָה מְפָרֶכֶת

fail *vi, vt* נִכְשַׁל; הָיָה לָקוּי; אִכְזֵב

fail *n* כִּישָּׁלוֹן, פִּיגּוּר

failure *n* כִּישָּׁלוֹן; כּוֹשֵׁל; פְּשִׁיטַת־רֶגֶל

faint *adj* עָמוּם, חַלָּשׁ; עָיֵף; מִתְעַלֵּף

faint *n* עִילָּפוֹן

faint *vi* הִתְעַלֵּף

fainthearted *adj* מוּג־לֵב

fair *adj* הוֹגֵן; צוֹדֵק; טוֹב לְמַדַּי; בָּהִיר

fair *adv* בַּהֲגִינוּת

fair *n* יְרִיד

fairground *n* מִגְרְשֵׁי יְרִיד

fairly *adv* בַּהֲגִינוּת

fair-minded *adj* הוֹגֵן בְּשִׁיפּוּטוֹ

fairness *n* הֲגִינוּת; בְּהִירוּת

fair-weather *adj* לְמֶזֶג־אֲוִויר נָאֶה בִּלְבַד

fairy *n* פֵּיָה

fairy story (tale) *n* מַעֲשִׂיָּה; בְּדָיָה

fairyland *n* עוֹלַם הַפֵּיוֹת

faith *n* אֱמוּנָה, דָת; אֵימוּן

faithful *adj* מָסוּר, נֶאֱמָן

faithless *adj* חֲסַר אֱמוּנָה; בּוֹגֵד

fake *vt, vi* זִיֵּף, הוֹנָה

fake *n* מְזַיֵּף, נוֹכֵל

faker *n, adj* זִיּוּף, הוֹנָאָה
falcon *n* נֵץ, בַּז
falconer *n* בַּזַּיָּר
falconry *n* בַּזַּיָּרוּת
fall *vi* נָפַל; פָּחַת; חָל; נִפְתָּה
fall *n* נְפִילָה, יְרִידָה; מַפּוֹלֶת;
סְתָיו; שַׁלֶּכֶת; מַפַּל־מַיִם
fallacious *adj* מַטְעֶה; מוּטְעֶה
fallacy *n* סְבָרָה מוּטְעֵית
fall asleep *vi* נִרְדַּם
fall guy *n* שָׂעִיר לַעֲזָאזֵל
fallible *adj* עָלוּל לִטְעוֹת
falling star *n* כּוֹכָב נוֹפֵל, מֵטֵאוֹר
fall in love *vi* הִתְאַהֵב
fall-out *n* נְפוֹלֶת
fall-out shelter *n* מִקְלָט נֶגֶד
נְשׁוֹרֶת, מִקְלָט אֲטוֹמִי
fallow *vt* כָּרַב, חָרַשׁ וְהוֹבִיר
fallow *n* כְּרָב־נָע
fallow *adj* חָרוּשׁ וּמוּבָר; צְהַבְהַב
fall under *vi* נִכְלַל בּ...
false *adj, adv* מוּטְעֶה; כּוֹזֵב; מְזוּיָּף
false face *n* מַסְוֶה
false-hearted *adj* בּוֹגְדָנִי
falsehood *n* שֶׁקֶר, רַמָּאוּת
false return *n* הַצְהָרָה כּוֹזֶבֶת
falsetto *n* פַּלְסֵט, סַלְפִּית
falsify *vt, vi* זִיֵּף, סִילֵּף
falsity *n* שֶׁקֶר, זִיּוּף
falter *vi* הִיסֵּס; דִּיבֵּר בְּהַסְסָנוּת
fame *n* פִּרְסוּם, שֵׁם טוֹב
famed *adj* מְפוּרְסָם
familiar *adj* יָדוּעַ, רוֹוֵחַ, מוּכָּר
familiarity *n* הֶיכֵּרוּת; בְּקִיאוּת;
אִי־רִשְׁמִיּוּת
familiarize *vt* וִידֵּעַ, הִכִּיר; פִּרְסֵם
family *n* מִשְׁפָּחָה
family physician *n* רוֹפֵא מִשְׁפָּחָה
famish *vt, vi* הִרְעִיב; רָעַב
famished *adj* גּוֹוֵעַ מֵרָעָב
famous *adj* מְפוּרְסָם
fan *n* מְנִיפָה; מְאַווְרֵר; חוֹבֵב
fan *vt, vi* נוֹפֵף בִּמְנִיפָה; הֵשִׁיב רוּחַ
fanatic(al) *adj* קַנָּאִי, פָּנָטִי
fanatic *n* קַנָּאִי
fanaticism *n* קַנָּאוּת, פָּנָטִיּוּת
fancied *adj* דִּמְיוֹנִי; אָהוּד
fancier *n* מְחַבֵּב; שׁוֹגֶה בְּדִמְיוֹנוֹת
fanciful *adj* דִּמְיוֹנִי, מוּזָר
fancy *n* דִּמְיוֹן; אַשְׁלָיָה; קַפְּרִיזָה,
גַּחֲמָה
fancy *adj* קִישׁוּטִי; דִּמְיוֹנִי
fancy *vt, vi* תֵּיאֵר לְעַצְמוֹ; חִיבֵּב
fancy-ball *n* נֶשֶׁף מַסֵּכוֹת
fancy dive *n* צְלִילָה רַאַוותָנִית;
מוֹעֲדוֹן לַיְלָה עוֹגְבָנִי
fancy-dress *n* תַּחְפּוֹשֶׂת
fancy foods *n pl* מַאַכְלֵי עֲדָנִים
fancy-free *adj* חוֹפְשִׁי מֵהַשְׁפָּעָה
fancy jewelry *n* תַּכְשִׁיטִים מְדוּמִּים
fancy skating *n* הַחֲלָקַת רַאֲוָה
fancywork *n* רִקְמָה
fanfare *n* תְּרוּעַת חֲצוֹצְרוֹת
fang *n* שֵׁן אֶרֶס
fanlight *n* אֶשְׁנָב תְּרִיסִי
fantasy *n* דִּמְיוֹן, הֲזָיָה
fantasy *vt, vi* דִּימָּה, הָזָה
far *adj, adv* רָחוֹק; בְּמִידָּה רַבָּה
faraway *adj* רָחוֹק; חוֹלְמָנִי
farcical *adj* מַצְחִיק; מְגוּחָךְ

fare *vi* נֶהֱנָה; הָיָה בְּמַצָּב; נָסַע; אֵירַע
fare *n* דְּמֵי־נְסִיעָה; נוֹסֵעַ
Far East *n* הַמִּזְרָח הָרָחוֹק
farewell *adj, n, interj* שֶׁל פְּרִידָה; בִּרְכַּת פְּרִידָה; צֵאתְךָ לְשָׁלוֹם
far-fetched *adj* קָשׁוּר קֶשֶׁר רוֹפֵף
far-flung *adj* מִתְפַּשֵּׁט, מִשְׂתָּרֵעַ
farm *n* מֶשֶׁק, חַוָּה
farm *vt, vi* חָכַר, הֶחְכִּיר; מָכַס
farmer *n* אִיכָּר, חַוַּאי
farmhouse *n* בֵּית־מֶשֶׁק
farming *n, adj* אִיכָּרוּת, חַקְלָאוּת
farmyard *n* חֲצַר מֶשֶׁק
far-off *adj* מְרוּחָק
far-reaching *adj* מַרְחִיק־לֶכֶת
farsighted *adj* רוֹאֶה לְמֵרָחוֹק
farther *adj, adv* יוֹתֵר רָחוֹק, הָלְאָה
farthest *adj* הָרָחוֹק בְּיוֹתֵר
farthest *adv* לַמֶּרְחָק הַגָּדוֹל בְּיוֹתֵר
farthing *n* רֶבַע פֶּנִי; פְּרוּטָה
Far West *n* הַמַּעֲרָב הָרָחוֹק
fascinate *vt, vi* הִקְסִים; הִכְנִיעַ
fascinating *adv* בְּצוּרָה מַקְסִימָה
fashion *n* אוֹפְנָה; אוֹפֶן, דֶּרֶךְ; נוֹהַג מְקוּבָּל
fashion *vt* עִיצֵּב, קָבַע צוּרָה; הִתְאִים
fashion designing *n* תִּכְנוּן אוֹפְנָה
fashion-plate *n* דוּגְמַת אוֹפְנָה
fashion show *n* תְּצוּגַת אוֹפְנָה
fast *adj* מָהִיר; יַצִּיב; הוֹלְלָנִי; הָדוּק
fast *adv* בִּמְהוּדָּק; חָזָק; מַהֵר
fast *vi* צָם
fast *n* צוֹם
fast day *n* יוֹם צוֹם, תַּעֲנִית
fasten *vt, vi* חִיזֵּק, הִידֵּק; כִּפְתֵּר
fastener *n* רוֹכְסָן; הֶבֶק; (לחלון וכד׳) רַתּוֹק
fastidious *adj* אִיסְטְנִיסִי, בַּרְרָנִי
fat *adj* שָׁמֵן
fat *n* שׁוּמָּן; שׁוֹמֶן
fatal *adj* גּוֹרָלִי, רְצִינִי; גּוֹרֵם מָוֶת
fatalism *n* פָּטָלִיּוּת, פָּטָלִיזְם
fatalist *n* פָּטָלִיסְט
fatality *n* מִקְרֵה מָוֶת
fate *n* גּוֹרָל; מָוֶת
fated *adj* אָנוּס עַל־פִּי הַגּוֹרָל
fateful *adj* הֲרֵה גּוֹרָל
fathead *n* טִיפֵּשׁ
father *n* אָב
father *vt* הוֹלִיד; הִמְצִיא; שִׁימֵּשׁ כְּאָב
fatherhood *n* אַבְהוּת
father-in-law *n* חוֹתֵן
fatherland *n* מוֹלֶדֶת
fatherless *adj* יָתוֹם מֵאָבִיו
fatherly *adv, adj* כְּאָב; אַבְהִי
Father's Day *n* יוֹם הָאָב
fathom *n* פָּתוֹם (יחידת אורך)
fathom *vt, vi* חָדַר לְעוֹמֶק; הֵבִין
fathomless *adj* עָמוֹק עַד אֵין חֵקֶר
fatigue *vt, vi* עִייֵּף; הִתְעַייֵּף
fatigue *n* עֲייֵפוּת
fatten *vt, vi* הִשְׁמִין; פִּיטֵּם
fatty *adj, n* שָׁמֵן, מֵכִיל שׁוּמָּן
fatuous *adj* רֵיקָא, אִידְיוֹטִי
fault *n* פְּגָם; שְׁגִיאָה; עָוֶול
faultfinder *n* מְבַקֵּשׁ פְּגָמִים
faultfinding *adj* שֶׁל בִּיקּוּשׁ פְּגָמִים
faultless *adj* לְלֹא מוּם
faulty *adj* פָּגוּם; מְקוּלְקָל

faun *n* אָדָם־תַּיִשׁ

fauna *n* עוֹלַם הַחַי

favor *n* טוֹבָה, חֶסֶד; מַשּׂוֹא־פָּנִים

favor *vt* נָטָה חֶסֶד ל...

favorable, *adj* מְסַיֵּעַ; נוֹחַ; נוֹטֶה לְהַסְכִּים

favorable answer *n* תְּשׁוּבָה חִיּוּבִית

favorite *n*, *adj* מוּעֲדָף עַל אֲחֵרִים

favoritism *n* מַשּׂוֹא־פָּנִים

fawn *n* עוֹפֶר הָאַיָּלִים

fawn *adj* חוּם־צָהוֹב בָּהִיר

fawn *vi* הִתְרַפֵּס

faze *vt* הִפְרִיעַ, הִדְאִיג

fear *n* פַּחַד, חֲשָׁשׁ

fear *vt*, *vi* פָּחַד, חָשַׁשׁ

fearful *adj* נוֹרָא, אָיוֹם; חוֹשֵׁשׁ

fearless *adj* אַמִּיץ־לֵב, לְלֹא חַת

feasible *adj* בַּר־בִּיצוּעַ

feast *n* חַג; סְעוּדָה; עוֹנֶג

feast *vt*, *vi* נֶהֱנָה מִסְּעוּדָה; הִתְעַנֵּג

Feast of Weeks *n* חַג הַשָּׁבוּעוֹת

feat *n* מַעֲשֵׂה גְבוּרָה

feather *n* נוֹצָה

feather *vt*, *vi* קִישֵּׁט בְּנוֹצוֹת

featherbed *vt vi* פִּינֵּק; כָּפָה מַעֲבִיד

featherbedding *n* כְּפִיַּית מַעֲבִיד

featherbrain *n* קַל־דַּעַת

featheredged *adj* מְחוּדָּד

feathery *adj* עָטוּי נוֹצוֹת; דְמוּי נוֹצָה

feature *n* חֵלֶק הַפָּנִים; (בריבוי) תּוֹפָעָה בּוֹלֶטֶת

feature writer *n* כּוֹתֵב רְשִׁימוֹת מֶרְכָּזִיּוֹת

February *n* פֶבְּרוּאָר

feces *n pl* צוֹאָה

feckless *adj* קַל־דַּעַת

federal *adj*, *n* שֶׁל בְּרִית מְדִינוֹת; פֵדֶרָלִי

federate *adj* בְּרִית מְדִינוֹת

federate *vt*, *vi* אִיחֵד עַל בָּסִיס פֵדֶרָלִי; הִתְאַחֵד (כנ״ל)

federation *n* הִתְאַחֲדוּת מְדִינוֹת

fedora *n* פֵדוֹרָה (סוג מגבעת)

fed up *adj* שֶׁנִּמְאַס לוֹ

fee *vt* שִׁילֵּם; שָׂכַר

fee *n* תַּשְׁלוּם; שָׂכָר

feeble *adj* חַלָּשׁ

feeble-minded *adj* רְפֵה שֵׂכֶל

feed *vt*, *vi* הֶאֱכִיל, הֵזִין; שִׁימֵּשׁ מָזוֹן; נִיזּוֹן; סִיפֵּק

feed *n* מָזוֹן; אֲבִיסָה

feedback *n* מָשׁוֹב; הִיזּוּן חוֹזֵר

feed-bag *n* שַׂק הַמִּסְפּוֹא

feed pump *n* מַשְׁאֵבַת הֶיגֵּשׁ

feed trough *n* אֵבוּס

feed wire *n* תַּיִל זָן

feel *vt*, *vi* הִרְגִּישׁ, חָשׁ

feel *n* הַרְגָּשָׁה, תְּחוּשָׁה; חוּשׁ הַמִּישּׁוּשׁ

feeler *n* מַרְגִּישׁ; הֶעָרַת גִּישׁוּשׁ; מַשְׁשָׁן

feeling *adj* רָגִישׁ

feeling *n* הַרְגָּשָׁה, רֶגֶשׁ

feign *vt*, *vi* הִמְצִיא בְּדִמְיוֹן; הֶעֱמִיד פָּנִים

feint *n* הַטְעָיָה, תַּכְסִיס הַטְעָיָה

feint *vi* הִטְעָה; הֶעֱמִיד פָּנִים

feldspar *n* פַּצֶּלֶת־הַשָּׂדֶה

felicitate *vt* בֵּירֵךְ, אִיחֵל

felicitous *adj* הוֹלֵם, קוֹלֵעַ

fell *pt of* fall נָפַל

fell *vt* הִפִּיל; כָּרַת

fell *adj* מֵטִיל אֵימָה, אַכְזָרִי
fell *n* עוֹר חַיָּה
fellah *n* פַלָּח, פַּלָּח
felloe *n* חִישׁוּק הָאוֹפַן
fellow *n* אָדָם; בָּחוּר; בַּרְנָשׁ
fellow being *n* יְצוּר אֱנוֹשׁ
fellow-citizen *n* אֶזְרַח אוֹתָהּ אֶרֶץ
fellow-countryman *n* בֶּן אוֹתָהּ אֶרֶץ
fellow man *n* אָדָם, הַזּוּלַת
fellow member *n* חֲבֵר אֲגוּדָּה
fellowship *n* חֲבֵרוּת; אַחֲוָה; חֲבֵרוּת בַּאֲגוּדָּה
fellow-traveler *n* אוֹהֵד
felon *n* פּוֹשֵׁעַ, מְבַצֵּעַ פֶּשַׁע; מוּרְסָה
felony *n* פֶּשַׁע
felt *pt, pp of* feel הִרְגִּישׁ, חָשׁ
felt *n* לֶבֶד
female *n* נְקֵבָה
female *adj* נְקֵבִי
feminine *adj* נָשִׁי, נְקֵבִי
feminine gender *n* מִין נְקֵבָה
feminism *n* פֶמִינִיזְם; נָשִׁיּוּת
fen *n* גֵּיא מַיִם, בִּיצָה
fence *vt, vi* גָּדַר; סִיֵּף
fence *n* גָּדֵר; סִיּוּף
fencing *n* סִיּוּף; הִתְחַכְּמוּת בְּוִיכּוּחַ; גִּידוּר
fencing academy *n* מָכוֹן לְסִיּוּף
fend *vt* הִתְגּוֹנֵן
fender *n* הוֹדֵף; פָּגוֹשׁ
fennel *n* שׁוּמָר פָּשׁוּט
ferment *n* תָּסִיס; תְּסִיסָה
ferment *vt, vi* הִתְסִיס; תָּסַס
fern *n* שָׁרָךְ
ferocious *adj* פִּרְאִי, אַכְזָרִי
ferocity *n* פִּרְאוּת, אַכְזְרִיּוּת
ferret *n* סַמּוּר
ferret *vt* גֵּירֵשׁ בְּעֶזְרַת סַמּוּר; חָשַׂף
Ferris wheel *n* אוֹפַן נַדְנֵדוֹת
ferry *n* מַעְבּוֹרֶת
ferry *vt, vi* הֵשִׁיט בְּמַעְבָּרָה
ferryboat *n* מַעְבּוֹרֶת
fertile *adj* פּוֹרֶה; מַזְרִיעַ
fertilize *vt* הִפְרָה; דִּישֵּׁן
fervent *adj* נִלְהָב, לוֹהֵט
fervently *adv* בְּלַהַט
fervid *adj* מְשׁוּלְהָב
fervor *n* לַהַט
fester *vt, vi* מִיגֵּל; גָּרַם לְכִיב
fester *n* כִּיב
festival *n* חַג; חֲגִיגָה; פֶסְטִיבָל, תְּחִיָּה
festive *adj* חֲגִיגִי
festivity *n* טֶקֶס חֲגִיגִי; עַלִּיזוּת; חֲגִיגִיּוּת
festoon *n* זֵר פְּרָחִים
festoon *vt* קִישֵּׁט בְּזֵרִים
fetch *vt, vi* הָלַךְ וְהֵבִיא; הִשִּׂיג (מחיר); צוֹדֵד
fetching *adj* מַקְסִים
fete *vt* עָרַךְ מְסִיבָּה לִכְבוֹד
fete *n* חַג, חֲגִיגָה
fetid, foetid *adj* מַבְאִישׁ
fetish *n* עֶצֶם נַעֲרָץ, פֵטִישׁ
fetlock *n* מְקוֹם הַכְּפִיתָה
fetter *n* אֲזֵק
fetter *vt* כָּבַל בַּאֲזִיקִים; הִגְדִּיל
fettle *vt* הֵכִין; הִתְקִין
fetus *n* עוּבָּר
feud *vi* נָטַר אֵיבָה
feud *n* סִכְסוּךְ נִצְחִי

feudal *adj* פֵּיאוֹדָלִי
feudalism *n* פֵּיאוֹדָלִיוּת
fever *n* חוֹם, קַדַּחַת; קַדַּחְתָּנוּת
feverish *adj* קַדַּחְתָּנִי
few *adj, pron, n* אֲחָדִים, מְעַטִּים
fiancé *n* אָרוּס
fiancée *n* אֲרוּסָה
fiasco *n* כִּישָׁלוֹן מַחפִּיר
fib *n* שֶׁקֶר יַלדוּתִי
fib *vi, vt* שִׁיקֵּר (כנ״ל)
fibber *n* שַׁקְרָן
fibrous *adj* סִיבִי; לִיפִי
fickle *adj* לֹא יַצִּיב, הֲפַכְפַּךְ
fiction *n* סִיפּוֹרֶת; בְּדַאי
fictional *adj* שֶׁל סִיפּוֹרֶת, דִמיוֹנִי
fictionalize *vt* בָּדָה, כָּתַב בְּדַאי
fictitious *adj* מְזוּיָּף, בָּדוּי; סִיפּוּרִי
fiddle *n* כִּינּוֹר; לַזְבֵּז שׁוּלחָן
fiddle *vt* נִיגֵּן בְּכִינּוֹר; עָשָׂה תְּנוּעוֹת לְלֹא מַטָּרָה; (המונית) רִימָּה
fiddler *n* מְנַגֵּן בְּכִינּוֹר; עוֹסֵק בִּשְׁטוּיוֹת
fiddling, fiddly *adj* פָּעוּט
fidelity *n* נֶאֱמָנוּת
fidget *vt, vi* עִצְבֵּן; נָע בְּעַצְבָּנוּת
fidgety *adj* עַצְבָּנִי
fiduciary *n, adj* אֶפִּיטרוֹפּוֹס; שֶׁל נֶאֱמָנוּת
fie *interj* פוּי (הבעת גועל)
fief *n* אֲחוּזָּה פֵּיאוֹדָלִית
field *n* שָׂדֶה; מִגְרָשׁ (ספורט); תְּחוּם (פעולה וכד׳)
field *vt* עָצַר (כדור) וְהִשְׁלִיךְ
fielder *n* (במשחק) מְשַׂחֵק בַּשָּׂדֶה
fieldglasses *n pl* מִשְׁקֶפֶת שָׂדֶה
field hockey *n* הוֹקִי שָׂדֶה
field-marshal *n* פִילד מַרְשָׁל
field-piece *n* תּוֹתַח שָׂדֶה
fiend *n* שָׂטָן, שֵׁד; מִתְמַכֵּר (לסמים, לתחביב וכד׳)
fiendish *adj* שְׂטָנִי
fierce *adj* פִּרְאִי; סוֹעֵר; חָזָק
fierceness *n* פִּרְאוּת
fiery *adj* שֶׁל אֵשׁ, בּוֹעֵר; לוֹהֵט
fife *n* חָלִיל
fife *vt* חִילֵּל
fifteen *adj, n* חֲמִישָּׁה־עָשָׂר, חֲמֵשׁ־עֶשְׂרֵה
fifteenth *adj, n* הַחֲמִישָּׁה־עָשָׂר; הַחֵלֶק הַחֲמִישָּׁה־עָשָׂר
fifth *adj, n* חֲמִישִׁי, חֲמִישִׁית
fifth column *n* גַּיִס חֲמִישִׁי
fifth-columnist *n* אִישׁ הַגַּיִס הַחֲמִישִׁי
fiftieth *adj, n* הַחֲמִישִּׁים; חֵלֶק הַחֲמִישִּׁים
fifty *adj, n* חֲמִישִּׁים
fifty-fifty *adv, adj* חֵלֶק כְּחֵלֶק
fig *n* תְּאֵנָה; דָּבָר שֶׁל מַה־בְּכָךְ
fig. *abbr* figurative; figuratively; figure, figures
fight *n* קְרָב; לְחִימָה; מַאֲבָק
fight *vt, vi* נִלְחַם בּ...; נֶאֱבַק
fighter *n* לוֹחֵם; מְטוֹס־קְרָב
fig-leaf *n* עֲלֵה תְּאֵנָה
figment *n* פְּרִי דִמיוֹן
figurative *adj* צִיּוּרִי, מֶטָפוֹרִי
figure *n* סִפְרָה; מִספָּר; צוּרָה; גִזרָה
figure *vt, vi* חִשֵּׁב; הִבִּיעַ בְּמִספָּרִים; קִישֵּׁט
figure-head *n* ׳בּוּבָּה׳, בַּעַל מַעֲמָד לְלֹא סַמכוּת

figure of speech *n* בִּיטּוּי צִיּוּרִי
figure-skating *n* הַחֲלָקָה בְּצוּרוֹת
figurine *n* פִּסלוֹן; פִּסלִית
filament *n* חוּט דַקִיק
filch *vt* גָּנַב (דבר פעוט)
file *n* שׁוֹפִין, פְּצִירָה; תִּיק; כַּרטֶסֶת
file *vt, vi* תִּיֵּק; צָעַד בְּטוּר; פָּצַר, שָׁף
file case *n* תִּיקִיּוֹן
filet *n* רֶשֶׁת
filial *adj* שֶׁל בֵּן (אוֹ בת)
filiation *n* הֱיוֹת בֵּן; אַבהוּת
filibuster *n* פִּילִיבּוּסטֶר
filibuster *vi* נָהַג כְּפִילִיבּוּסטֶר
filigree, fillagree *n* רִקמַת פְּאֵר
filing *n* תִּיּוּק; גְרוֹדֶת
filing-cabinet *n* תִּיקִיּוֹן
filing card *n* כַּרטִיס, כַּרטִיסִיָּה
Filipino *n* פִּילִיפִּינִי
fill *vt, vi* מִילֵּא; סָתַם (שן); הִתמַלֵּא
fill *n* כַּמּוּת מַספֶּקֶת
filler *n* מְמַלֵּא; מִילּוּי
fillet *n* סֶרֶט; פִּילֶה
fillet *vt* קָשַׁר בְּסֶרֶט
filling *adj* מְמַלֵּא, מַשׂבִּיעַ
filling *n* מִילּוּי; סְתִימָה
filling-station *n* תַּחֲנַת־דֶלֶק
fillip *n* סְנוֹקֶרֶת; תַּמרִיץ
filly *n* סְיָיחָה
film *n* קְרוּם, סֶרֶט
film *vt, vi* קָרַם; נִקרַם; הִסרִיט
film-star *n* כּוֹכַב קוֹלנוֹעַ
film strip *n* סִרטוֹן
filmy *adj* קְרוּמִי, מְצוֹעָף
filter *n* מַסנֵן
filter *vt, vi* סִינֵּן; הִסתַּנֵּן
filtering *n* סִינּוּן
filter paper *n* נְיַיר סִינּוּן
filter tip *n* פִּיַּית תַּסנִין
filth *n* לִכלוּך, זוּהֲמָה; טוּמאָה
filthy *adj* מְטוּנָּף, מְתוֹעָב
filthy lucre *n* כֶּסֶף
filtrate *n* תַּסנִין
filtrate *vt* סִינֵּן
fin. *abbr* finance
fin *n* סְנַפִּיר
final *adj, n* סוֹפִי, אַחֲרוֹן
finale *n* סִיּוּם; פִינָלֶה
finalist *n* מְסַיֵּים
finally *adv* לְבַסּוֹף; בְּצוּרָה סוֹפִית
finance *n* מִימּוּן; כְּסָפִים
finance *vt, vi* מִימֵּן; בִּיצֵּעַ פְּעוּלוֹת כַּספִּיּוֹת
financial *adj* כַּספִּי
financier *n* מָמוֹנַאי; בַּעַל הוֹן
financing *n* מִימּוּן
finch *n* פְּרוּשׁ מָצוּי
find *vt* מָצָא, גִּילָּה
find *n* מְצִיאָה; תַּגלִית
finder *n* מוֹצֵא; מְאַתֵּר
finding *n* מְצִיאָה; תַּגלִית; מִמצָא
fine *n* קְנָס
fine *vt* קָנַס
fine *adj, adv* מְשׁוּבָּח, מוּבחָר; חַד; עָדִין; נָאֶה
fine arts *n pl* אוֹמָנוּיוֹת דַקּוֹת
fine gold *n* זָהָב טָהוֹר
fineness *n* הִידּוּר; דַקּוּת; עֲדִינוּת
finery *n* קִישׁוּט; כּוּר מַצרֵף
finespun *adj* דַק, עָדִין
finesse *n* עֲדִינוּת הַבִּיצּוּעַ; דַקּוּת

fine print *n* אוֹתִיּוֹת קְטַנּוֹת
fine-toothed comb *n* מַסְרֵק דַק
finger *n* אֶצְבַּע
finger *vt, vi* נָגַע בְּאֶצְבְּעוֹתָיו; 'סָחַב'
fingerboard *n* שְׁחִיף הָאֶצְבָּעוֹת; מִקְלֶדֶת
finger-bowl *n* נַטְלָה, אַנְטָל
finger dexterity *n* חָרִיצוּת אֶצְבָּעוֹת
fingering *n* מִשְׁמוּשׁ; 'סְחִיבָה'; אִצְבּוּעַ
fingernail *n* צִיפּוֹרֶן
fingernail polish *n* מִשְׁחַת צִיפּוֹרְנַיִים
fingerprint *n, vt* טְבִיעַת אֶצְבָּעוֹת; הֶחְתִּים טְבִיעַת אֶצְבָּעוֹת
finger tip *n* קְצֵה־הָאֶצְבַּע
finial *n* עִיטּוּר־שִׂיא
finical *adj* מְפוּנָּק, אִיסְטְנִיס; מְפוֹרָט
finish *vt, vi* גָּמַר, סִיֵּים; הִסְתַּיֵּים
finish *n* גִּימּוּר; אַשְׁפָּרָה
finishing nail *n* מַסְמֵר חוֹתֵם
finishing school *n* בֵּית־סֵפֶר מַשְׁלִים
finishing touch *n* גִּימּוּר
finite *adj* מוּגְדָּר, מְפוֹרָשׁ; מוּגְבָּל; סוֹפִי
finite verb *n* פּוֹעַל מְפוֹרָשׁ
Finland *n* פִינְלַנְד
Finlander *n* פִינְלַנְדִי, פִינִי
Finn *n* פִינִי
Finnish *adj, n* פִינִי; הַלָּשׁוֹן הַפִינִית
fir *n* אַשׁוּחַ
fire *n* אֵשׁ; דְלֵיקָה; יְרִיָּה
fire *vt, vi* הִצִּית; שִׁלְהֵב; יָרָה; פִּיטֵּר; הִשְׁתַּלְהֵב
fire-alarm *n* אַזְעָקַת שְׂרֵיפָה

firearms *n pl* כְּלֵי־יְרִיָּה; נֶשֶׁק קַל
fireball *n* רִימּוֹן־הַצָּתָה; זִיקוּק
firebird *n* צִיפּוֹר כְּתוּמָּה
fireboat *n* סִירַת כִּיבּוּי
firebox *n* תָּא־הָאֵשׁ
firebrand *n* לַפִּיד הַצָּתָה; מֵסִית
firebreak *n* חוֹסֵם אֵשׁ
firebrick *n* לְבֵנָה שְׂרוּפָה
fire-brigade *n* מְכַבֵּי־אֵשׁ
firebug *n* מַבְעִיר
fire company *n* פְּלוּגַת כַּבָּאִים
firecracker *n* פִּצְצַת הַפְחָדָה
firedamp *n* גַּאז הַמִּכְרוֹת
fire department *n* מַחְלֶקֶת כַּבָּאוּת
firedog *n* כַּן עֲצֵי הַסָּקָה
fire drill *n* תִּרְגּוּל כַּבָּאוּת
fire engine *n* מְכוֹנִית כִּיבּוּי
fire escape *n* מוֹצָא חֵירוּם (מבית)
fire-extinguisher *n* מַטְפֶּה
firefly *n* גַּחְלִילִית
fireguard *n* סְבָכַת אֵשׁ
fire hose *n* זַרְנוּק
firehouse *n* תַּחֲנַת כַּבָּאִים
fire hydrant *n* זַרְנוּק כִּיבּוּי
fire insurance *n* בִּיטּוּחַ אֵשׁ
fire irons *n pl* מַכְשִׁירֵי אָח
fireless cooker *n* סִיר בִּישּׁוּל שׁוֹמֵר חוֹם
fireman *n* כַּבַּאי
fireplace *n* אָח
fireplug *n* זַרְנוּק כִּיבּוּי
firepower *n* עוֹצְמַת אֵשׁ
fireproof *adj* חֲסִין אֵשׁ
fireproof *vt* חִיסֵּן מִפְּנֵי אֵשׁ
fire sale *n* מְכִירָה עֵקֶב שְׂרֵיפָה

fire screen *n* חַיִץ בִּפְנֵי אֵשׁ
fire ship *n* סְפִינַת אֵשׁ
fire shovel *n* אֵת כִּיבּוּי
fireside *n* קִרבַת הָאָח
firetrap *n* מַלכּוֹדֶת אֵשׁ
fire-wall *n* חֲצִיץ אֵשׁ
firewarden *n* כַּבַּאי
firewater *n* מַשׁקֶה חָרִיף
firewood *n* עֲצֵי הַסָּקָה
fireworks *n pl* זִיקוּקֵי אֵשׁ
firing *n* יְרִי, יְרִייָה; דֶלֶק
firing order *n* סֵדֶר הַצָּתָה (במנוע)
firm *adj, adv* מוּצָק, חָזָק; יַצִּיב
firm *n* שׁוּתָּפוּת מִסחָרִית
firmament *n* רָקִיעַ
firm name *n* שֵׁם פִירמָה
firmness *n* תַּקִיפוּת; מוּצָקוּת; יַצִּיבוּת
first *adj, adv, n* רִאשׁוֹן; תְּחִילָּה; בָּרִאשׁוֹנָה; רֵאשִׁית; הָרִאשׁוֹן
first-aid *n* עֶזרָה רִאשׁוֹנָה
first-aid kit *n* תַּרמִיל עֶזרָה רִאשׁוֹנָה
first-aid station *n* תַּחֲנַת עֶזרָה רִאשׁוֹנָה
first-born *adj, n* בְּכוֹר
first-class *adj, adv* מִמַּדרֵגָה רִאשׁוֹנָה
first cousin *n* דוֹדָן רִאשׁוֹן
first draft *n* טְיוּטָה רִאשׁוֹנָה
first finger *n* הָאֶצבַּע הַמַּראָה, אֶצבַּע
first floor *n* קוֹמָה רִאשׁוֹנָה
first fruits *n pl* בִּיכּוּרִים; תּוֹצָאוֹת רִאשׁוֹנוֹת
first lieutenant *n* סֶגֶן
firstly *adv* רֵאשִׁית
first name *n* שֵׁם פְּרָטִי
first-night *n* לֵילָה רִאשׁוֹן
first-nighter *n* מְבַקֵּר בְּהַצָּגוֹת־בְּכוֹרָה
first officer *n* קְצִין רִאשׁוֹן (בצי)
first quarter *n* רֶבַע רִאשׁוֹן (של הירח)
first-rate *adj, adv* מִמַּדרֵגָה רִאשׁוֹנָה
first-run house *n* אוּלַם הַצָּגוֹת בְּכוֹרָה
fiscal *adj, n* שֶׁל אוֹצַר הַמְּדִינָה, פִיסקָלִי; תּוֹבֵעַ כְּלָלִי
fiscal year *n* שְׁנַת הַכְּסָפִים
fish *n* דָג, דָגָה
fish *vt, vi* דָג
fishbone *n* עֶצֶם דָג, אִדרָה
fish bowl *n* אַקווַריוֹן
fisher *n* דַייָג
fisherman *n* דַייָג; סִירַת דַיִג
fishery *n* דַיִג; מְקוֹם דַיִג
fishglue *n* דֶבֶק עַצמוֹת דָגִים
fishhawk *n* שָׁלָךְ, עֵיט דָגִים
fishhook *n* חַכָּה
fishing *n* דַיִג; מִדגֶה
fishing reel *n* סְלִיל חַכָּה
fishing tackle *n* צִיּוּד דַיִג
fishing torch *n* פַּנַס דַיִג
fish line *n* חוּט הַחַכָּה
fish market *n* שׁוּק הַדָּגִים
fishplate *n* מַטלַת מִישָׁק
fishpond *n* בְּרֵיכַת דָגִים
fish spear *n* צִלצָל
fish story *n* סִיפּוּר בַּדִים
fishtail *n* נִענוּעַ זָנָב (במטוס)
fishwife *n* מוֹכֶרֶת דָגִים; מְנַבֶּלֶת פִּיהָ
fishworm *n* תּוֹלַעַת פִּיתָּיוֹן

fishy *adj* דָּגִי; חָשׁוּד, מְפוּקְפָּק
fission *n* הִסְתַּדְּקוּת
fissionable *adj* נִיתָּן לְסִידּוּק
fissure *n* סֶדֶק, בְּקִיעַ
fist *n* אֶגְרוֹף
fist *vt* הִכָּה בְּאֶגְרוֹף
fist fight *n* הִתְכַּתְּשׁוּת
fisticuffs *n pl* אִגְרוּף
fit *adj* מַתְאִים, הוֹלֵם; רָאוּי
fit *vt, vi* הִתְאִים, הָלַם; הִתְקִין
fit *n* הַתְאָמָה; הַתְקָפַת מַחֲלָה; (דיבּוּרית) הִתְפָּרְצוּת
fitful *adj* לְמִקוּטָּעִים; לְלֹא תְּדִירוּת
fitness *n* הַתְאָמָה; כּוֹשֶׁר גּוּפָנִי
fitter *n* מַתְאִים בְּגָדִים; מַסְגֵּר
fitting *adj, n* הוֹלֵם; הַתְאָמָה
five *adj, n* שֶׁל חָמֵשׁ; חָמֵשׁ, חֲמִישָּׁה; חֲמִישִׁיָּה
five-finger exercise *n* תַּרְגִּיל לְמַתְחִיל
five-hundred *n* חֲמֵשׁ מֵאוֹת
five-year plan *n* תּוֹכְנִית חוֹמֶשׁ
fix *vt, vi* סִידֵּר; כִּיוּוֵן; תִּיקֵּן; קָבַע; נִקְבַּע
fix *n* מֵיצַר, מְבוּכָה; אִיתּוּר
fixed *adj* מְחוּזָּק; קָבוּעַ; מְכוּוָּן; מְסוּדָּר
fixing *n* קְבִיעָה; יִיצּוּב; תִּקּוּן
fixture *n* קְבִיעָה; יִיצּוּב; חֵפֶץ קָבוּעַ
fizz, fiz *n* אִוְשָׁה
fizz *vi* אִיוֵּשׁ
fizzle *vi* הִשְׁמִיעַ אִוְשַׁת תְּסִיסָה
fizzle *n* אִוְשָׁה; כִּישָּׁלוֹן
fizzy *adj* מְאַוֵּשׁ, תּוֹסֵס
fl. *abbr* flourished, fluid
flabbergast *vt* הִדְהִים
flabby *adj* מְדוּלְדָּל; חַלָּשׁ, רַכְרוּכִי
flag *n* דֶּגֶל; כּוֹתֶרֶת
flag *vt, vi* שָׂם דֶּגֶל; אוֹתֵת; נֶחֱלַשׁ
flag captain *n* מְפַקֵּד אוֹנִיַּת דֶּגֶל
flageolet *n* חֲלִילוֹן
flagman *n* דַּגְלָן
flag of truce *n* דֶּגֶל שָׁלוֹם
flagpole *n* מוֹט דֶּגֶל
flagrant *adj* שַׁעֲרוּרִיָּתִי
flagship *n* אוֹנִיַּת־דֶּגֶל
flagstaff *n* מוֹט הַדֶּגֶל
flag-stone *n* אֶבֶן רִיצּוּף
flag stop *n* תַּחֲנַת בַּקָּשָׁה
flail *n* מַחְבֵּט
flail *vi* הִצְלִיף
flair *n* כִּשְׁרוֹן; הַבְחָנָה
flak *n* אֵשׁ נֶגֶד מְטוֹסִים
flake *n* פְּתִית; פֵּירוּר
flake *vt, vi* פּוֹרֵר; הִתְפּוֹרֵר
flaky *adj* שֶׁל פְּתִים, פְּתוֹתִי
flamboyant *adj* זוֹהֵר; רַאַוְתָנִי
flame *n* שַׁלְהֶבֶת, אֵשׁ
flame *vt, vi* שִׁלְהֵב; הִשְׁתַּלְהֵב
flame-thrower *n* לַהֲבִיוֹר
flaming *adj* בּוֹעֵר; לוֹהֵט
flamingo *n* שְׁקִיטָן
flammable *adj* דָּלִיק
Flanders *n* פְלַנְדְרִיָּה
flange *n* אוֹגֶן
flange *vt* שָׂם אוֹגֶן
flank *n* כֶּסֶל; אֲגַף
flank *vt, vi* אִיגֵּף, תָּפַס עֶמְדָּה בָּאֲגַף
flannel *n* פְלָנֶל
flap *n* דַּשׁ; מַטְלִית; תַּבְהֵלָה
flap *vt, vi* הִצְלִיף; הִפִּיל; פִּרְפֵּר; הִתְפַּרְפֵּר

flare *vt, vi* הִבזִיק; הִתלַהֵט
flare *n* הֶבהֵק, הַבזָקָה; לַפִּיד
flare star *n* כּוֹכָב מִשתַּלהֵב
flare-up *n* הִתלַקְחוּת
flash *n* הַבזָקָה, נִצנוּץ; מַבזֵק
flash *vt, vi* הִבזִיק, נִצנֵץ
flash *adj* שַׁחֲצָנִי, רַאַוותָנִי
flash-back *n* הַבזָקָה לֶעָבָר
flash-bulb *n* נוּרַת הַבזָקָה
flash flood *n* שִׁיטָפוֹן, מַבּוּל
flashing *n* רִישׁוּף, סוֹכְכִית
flashlight *n* פַּנַס־כִּיס
flashlight battery *n* סוֹלְלַת מַבזֵק
flashlight bulb *n* נוּרַת מַבזֵק
flashlight photography *n* צִילוּם מַבזֵק
flash sign *n* שֶׁלֶט אוֹר
flashy *adj* זוֹהֵר; מִתהַדֵּר
flask *n* קַנקַן, בַּקבּוּק בִּישׁוּל
flat *adj* שָׁטוּחַ, מִישׁוֹרִי; מְפוֹרָשׁ
flat *adv* בְּמַצָּב שָׁטוּחַ; אוֹפקִית; בְּפֵירוּשׁ
flat *n* דִירָה
flatboat *n* סִירָה שְׁטוּחָה, חֲמָקָה
flatcar *n* קְרוֹן־רַכֶּבֶת שָׁטוּחַ
flatfooted *adj* שְׁטוּחַ רַגלַיִים
flathead *n* שְׁטוּחַ רֹאשׁ
flatiron *n* מַגהֵץ
flatten *vt, vi* שָׁטַח, יִישֵּׁר; שׁוּטַּח
flatter *vt, vi* הֶחֱנִיף; הֶחֱמִיא
flatterer *n* חַנפָן
flattering *adj* מַחֲנִיף
flattery *n* חֲנוּפָּה
flat-top *n* נוֹשֵׂאת מְטוֹסִים
flatulence, flatulency *n* נְפִיחָנוּת

flatware *n* כֵּלִים שְׁטוּחִים; כְּלֵי כֶּסֶף
flaunt *vi, vt* הִתהַדֵּר; נוֹפֵף
flautist *n* מְחַלֵּל
flavor *n* טַעַם מְיוּחָד
flavor *vt* נָתַן טַעַם; תִּיבֵּל
flaw *n* חִיסָּרוֹן; סֶדֶק
flawless *adj* לְלֹא רְבָב
flax *n* פִּשׁתָּה
flaxen *adj* עֲשׂוּי פִּשׁתָּה; דְמוּי פִּשׁתָּה
flaxseed *n* זַרעֵי פִּשׁתָּה
flay *vt* פָּשַׁט עוֹר; בִּיקֵּר בַּחֲרִיפוּת
flea *n* פַּרעוֹשׁ
fleabite *n* עֲקִיצַת פַּרעוֹשׁ; פֶּצַע פָּעוּט
fleck *n* בַּהֶרֶת
fleck *vt* סִימֵּן בִּכתָמִים
fledgling, fledgeling *n* גוֹזָל הַמַּתחִיל לְעוֹפֵף; מַתחִיל
flee *vt, vi* בָּרַח
fleece *n* צֶמֶר חַי, צֶמֶר גִיזָּה
fleece *vt* גָזַז; עָשַׁק
fleecy *adj* צַמרִירִי
fleet *adj* מָהִיר
fleet *n* צִי
fleeting *adj* חוֹלֵף; בֶּן חֲלוֹף
Fleming *n* פלַנדרִי; דוֹבֵר פלֵמִית
Flemish *adj, n* פלַנדרִי; פלֵמִית
flesh *n* בָּשָׂר
flesh and blood *n* בָּשָׂר וָדָם; עַצמוֹ וּבשָׂרוֹ
flesh-colored *adj* כְּעֵין הַבָּשָׂר
fleshiness *n* בְּשׂרִיוּת
fleshless *adj* דַל בָּשָׂר
fleshpots *n pl* סִיר הַבָּשָׂר
flesh wound *n* פֶּצַע שִׁטחִי
fleshy *adj* שָׁמֵן, בְּשׂרִי

flex *vt, vi* כּוֹפֵף; הִתְכּוֹפֵף

flex *n* תַּיִל כָּפִיל

flexible *adj* כָּפִיף; גָּמִישׁ; מִתְפַּשֵּׁר

flexible cord *n* פְּתִיל כָּפִיף

flick *n* סְטִירָה קַלָּה; תְּפִיס

flick *vt* סָטַר קַלּוֹת; הֵסִיר בִּנְגִיעָה

flicker *vi* הִבְהֵב; נִצְנֵץ

flicker *n* הִבְהוּב; נִיצוֹץ; נִצְנוּץ

flier, flyer *n* טַיָּס, אֲוִירַאי; עָף, טָס

flight *n* תְּעוּפָה; טִיסָה; בְּרִיחָה

flight-deck *n* סִיפּוּן נוֹשֵׂאת מְטוֹסִים

flighty *adj* צִפְּרוֹנִי, קַפְּרִיסִי; הֲפַכְפַּךְ

flimflam *n* שְׁטוּיוֹת; הוֹנָאָה

flimflam *vt* רִימָּה, הוֹנָה

flimsy *n* נְיָיר דַּק; הֶעְתֵּק

flimsy *adj* שָׁבִיר; חַלָּשׁ

flinch *vi, vt* נִרְתַּע

flinch *n* הֵירָתְעוּת

fling *vt, vi* זָרַק, הֵטִיל

fling *n* זְרִיקָה, הַשְׁלָכָה

flint *n* צוֹר

flint *adj* קָשֶׁה

flintlock *n* בְּרִיחַ צוֹר

flinty *adj* מֵכִיל צוֹר; קְשֵׁה לֵב

flip *n* הַקָּשַׁת אֶצְבַּע

flip *vt* טִלְטֵל בְּהַקָּשַׁת אֶצְבַּע

flippancy *n* לֵיצָנוּת

flippant *adj* מְזַלְזֵל, מְהַתֵּל

flirt *vt, vi* חִיזֵּר; אֲהַבְהֵב, 'פְלִירְטֵט', עָגַב

flirt *n* עוֹגֵב; עוֹגֶבֶת

flit *vt, vi* הִיגֵּר, עָקַר מִמְּקוֹמוֹ; עָף

flit *n* שִׁינּוּי דִירָה; עֲקִירָה

flitch *n* יֶרֶךְ חֲזִיר מְשׁוּמָּר

float *vt, vi* הֵצִיף; צָף; רִיחֵף; נוֹסֵד

float *n* מָצוֹף צָף; רַפְסוֹדָה

floating *adj* צָף; עַצְמָאִי

floating *n* צִיפָה

floating capital *n* הוֹן בְּמַחֲזוֹר

flock *n* עֵדֶר; הָמוֹן

flock *vi* הִתְקַהֵל; נָהַר

floe *n* שְׂדֵה קֶרַח צָף

flog *vt* הִצְלִיף; הִלְקָה

flood *vt* הֵצִיף

floodgate *n* סֶכֶר

floodlight *vt* הֵצִיף בְּאוֹר

floodlight *n* הֲצָפַת אוֹר

flood tide *n* גֵּיאוּת

floor *n* רִצְפָּה; קוֹמָה; אַסְקוּפָּה; קַרְקַע

floor *vt* הֵטִיל אַרְצָה; רִיצֵּף

floor lamp *n* מְנוֹרַת רִצְפָּה

floor mop *n* סְמַרְטוּט רִצְפָּה

floor plan *n* תּוֹכְנִית רִצְפָּה

floor show *n* הוֹפָעַת בִּידּוּר (בָּאוּלָם)

floor timber *n* קוֹרוֹת רִצְפָּה (בִּסְפִינָה)

floorwalker *n* מַדְרִיךְ־מְפַקֵּחַ

floor wax *n* שַׁעֲוַות רִצְפָּה

flop *vi* נָפַל אַרְצָה; נִכְשַׁל

flop *n* כִּישָּׁלוֹן

flora *n* צִמְחִיָּה, עוֹלַם הַצּוֹמֵחַ

floral *adj* שֶׁל פְּרָחִים

Florentine *adj, n* פְלוֹרֶנְטִינִי

florescence *n* פְּרִיחָה

florid *adj* אֲדַמְדַּם; מְקוּשָּׁט בְּהַפְרָזָה

florist *n* מְגַדֵּל פְּרָחִים; סוֹחֵר פְּרָחִים

floss *n* חוֹמֶר מְשִׁיִי; סִיב מְשִׁיִי

floss silk *n* חוּט מֶשִׁי

flossy *adj*	דְמוּי סִיב
flotsam *n*	שֶׁבֶר אוֹנִיָּה טְרוּפָה
flotsam and jetsam	שְׂרִידֵי סְפִינָה טְרוּפָה; שִׁירַיִים
flounce *n*	שָׂפָה, חֵפֶת
flounce *vt, vi*	עִיטֵּר בְּשָׂפָה, עִיטֵּר בְּחֵפֶת
flounder *n*	דַג הַסַּנְדָל
flounder *vi*	פִּרְפֵּר, הִתְלַבֵּט
flour *n*	קֶמַח, סוֹלֶת
flourish *vt, vi*	נוֹפֵף; פָּרַח; שִׂגְשֵׂג
flourish *n*	נִפְנוּף; קִישׁוּטֵי סִגְנוֹן
flourishing *adj*	פּוֹרֵחַ, מְשַׂגְשֵׂג
flourmill *n*	תַּחֲנַת־קֶמַח
floury *adj*	קִמְחִי; מְקוּמָּח
flout *vt, vi*	הִתְיַיחֵס בְּבִיטּוּל
flow *vi*	זָרַם; שָׁפַע
flow *n*	זֶרֶם; זוֹב; שְׁפִיעָה
flower *n*	פֶּרַח; מִבְחָר
flower *vt, vi*	פָּרַח; הִפְרִיחַ
flowerbed *n*	עֲרוּגַת פְּרָחִים
flower garden *n*	גִּינַת פְּרָחִים
flowergirl *n*	מוֹכֶרֶת פְּרָחִים
flowerpiece *n*	תְּמוּנַת־פְּרָחִים
flowerpot *n*	עֲצִיץ פְּרָחִים
flower shop *n*	חֲנוּת פְּרָחִים
flowershow *n*	תַּעֲרוּכַת פְּרָחִים
flower stand *n*	דוּכַן פְּרָחִים
flowery *adj*	מְכוּסֶּה בִּפְרָחִים; (לגבי לשון) נִמְלֶצֶת
flu *n*	שַׁפַּעַת
fluctuate *vi*	הִתְנַדְנֵד, עָלָה וְיָרַד
flue *n*	מַעֲשֵׁנָה
fluency *n*	שֶׁטֶף, שְׁגִירוּת
fluent *adj*	שׁוֹטֵף; שָׁגוּר
fluently *adv*	בִּרְהִיטוּת, בְּשֶׁטֶף
fluff *n*	מוֹךְ, פְּלוּמָה
fluff *vt*	מִילֵּא כָּרִים
fluffy *adj*	מוֹכִי, פְּלוּמָתִי
fluid *n, adj*	נוֹזֵל; נוֹזְלִי; מִשְׁתַּנֶּה
fluidity *n*	נְזִילוּת, זוֹרְמִיּוּת
fluke *n*	כַּף הָעוֹגֶן; מִקְרֶה
fluke *vi*	הִצְלִיחַ בְּמַזָּל
flume *n*	תְּעָלַת מַיִם; נָהָר
flume *vt*	הֶעֱבִיר בְּנָהָר
flunk *vi*	נִכְשַׁל (בבחינה)
flunky *n*	מְשָׁרֵת, מִתְרַפֵּס
fluor *n*	פלוּאוֹרִיט
fluorescence *n*	פלוּאוֹרָנוּת, הַנְהָרָה
fluorescent *adj*	פלוּאוֹרָנִי, מַנְהִיר
fluoride, fluorid *n*	פלוּאוֹרִיד
fluorine *n*	פלוּאוֹר
fluorite *n*	פלוּאוֹרִיט
fluoroscope *n*	מִשְׁקֶפֶת פלוּאוֹרָנִית
fluor-spar *n*	פלוּאוֹרִיט
flurry *vt*	בִּלְבֵּל; עִצְבֵּן
flurry *n*	הִתְפָּרְצוּת; שָׁאוֹן
flush *vt, vi*	הִסְמִיק; גָּרַם לְהַסְמָקָה; שָׁטַף
flush *n*	הַסְמָקָה; מַשְׁטֵף
flush *adj*	שָׁוֶה, שָׁטוּחַ; מִישׁוֹרִי
flushing *n*	שְׁטִיפָה; אַדְמִימוּת
flush tank *n*	מְכַל הַמַּשְׁטֵף
flush toilet *n*	מַשְׁטֵף
fluster *vt*	בִּלְבֵּל; עִצְבֵּן
fluster *n*	מְבוּכָה; עַצְבָּנוּת
flute *n*	חָלִיל; חָרִיץ
flute *vt*	חִילֵּל; עָשָׂה חֲרִיצִים
flutist *n*	מְחַלֵּל
flutter *vi, vt*	רִפְרֵף; נָבוֹךְ

flutter *n* מְבוּכָה; נִפנוּף כְּנָפַיִם; רַעַד
flux *n* זְרִימָה; גֵיאוּת
flux *vt* שָׁטַף; רִיתֵּךְ
fly *vt, vi* הֵעִיף; הֵטִיס; עָף, טָס
fly *n* זְבוּב; דָשׁ (בְּמִכנסיים)
fly *adj* פִּיקֵחַ, עַרמוּמִי; עֵרָנִי
fly ball *n* כַּדוּר מְעוֹפֵף (בְּבֵייסבּוֹל)
flyblow *n* בֵּיצַת זְבוּב
flyblow *vt* הֵטִיל בֵּיצָה
fly-by-night *n* מִתחַמֵּק־לַיְלָה
fly-catcher *n* חֲטָפִית (צִיפּוֹר)
fly chaser *n* צַיַּיד זְבוּבִים
flyer, flier *n* עָף, טָס; טַיָּס
fly-fish *vi* דָג בְּפִיתָּיוֹן
flying *n, adj* תְּעוּפָה, טַיִס; עָף
flying boat *n* מְטוֹס־יָם
flying buttress *n* מִתמָךְ קַשׁתִּי
flying colors *n pl* הִצטַיְּינוּת
flying field *n* שְׂדֵה־תְּעוּפָה
flying saucer *n* צַלַּחַת מְעוֹפֶפֶת
flying sickness *n* מַחֲלַת אֲוִויר
flying time *n* זְמַן הַטִּיסָה
fly in the ointment אַלְיָה וְקוֹץ בָּהּ
flyleaf *n* נְייָר חָלָק
fly net *n* רֶשֶׁת זְבוּבִים
flypaper *n* נְייָר דָבִיק
flyspeck *n* רְבַב זְבוּב
fly swatter *n* מַחבֵּט זְבוּבִים
fly trap *n* מַלכּוֹדֶת זְבוּבִים
flywheel *n* גַלגַל תְּנוּפָה
fm. *abbr* fathom
FM – Frequency Modulation
foal *n* סְייָח; עַיִר
foal *vt, vi* הִמלִיטָה
foam *n* קֶצֶף
foam *vt, vi* הֶעֱלָה קֶצֶף
foam extinguisher *n* מַשׁאֵבַת קֶצֶף
foam rubber *n* גוּמאֲוִויר
foamy *adj* מְכוּסֶּה קֶצֶף
F.O.B. *abbr* free on board
fob *n* כִּיס־שָׁעוֹן
fob *vt* שָׂם בְּכִיס; רִימָּה
focal *adj* מוֹקְדִי
focus *n* מוֹקֵד
focus *vt* מִיקֵד
fodder *n* מִספּוֹא
foe *n* אוֹיֵב
fog *n* עֲרָפֶל; מְבוּכָה
fog *vt, vi* עָטָה עֲרָפֶל; עִרפֵּל; הִתעַרפֵּל
fog bell *n* פַּעֲמוֹן עֲרָפֶל
fogbound *adj* מְרוּתָּק בִּגלַל עֲרָפֶל
foggy *adj* עַרפִּילִי; מְטוּשׁטָשׁ
foghorn *n* צוֹפַר עֲרָפֶל
foible *n* חוּלשָׁה, נְקוּדָה חַלָּשָׁה
foil *vt* הֵפֵר; רִיקֵּעַ
foil *n* רִיקּוּעַ מַתֶּכֶת
foist *vt* הֵטִיל שֶׁלֹּא בְּצֶדֶק
fol. *abbr* folio, following
fold *vt, vi* קִיפֵּל, קִימֵּט; הִתקַפֵּל
fold *n* קֶפֶל; קִיפּוּל; שֶׁקַע
folder *n* עוֹטְפָן; מְקַפֵּל; מַקפֵּלָה
folderol *n* מִלמוּל רֵיק
folding *adj* מִתקַפֵּל
folding camera *n* מַצלֵמָה מִתקַפֶּלֶת
folding chair *n* כִּיסֵּא מִתקַפֵּל
folding cot *n* מִיטָּה מִתקַפֶּלֶת
folding door *n* דֶלֶת מִתקַפֶּלֶת
folding rule *n* סַרגֵל מִתקַפֵּל

foliage *n*	עֲלוָוה; קִישּׁוּט עָלִים
folio *n*	פוליו, תַּבְנִית פוליו
folio *adj*	בַּעַל תַּבְנִית פוליו
folio *vt*	מִסְפֵּר דַּפֵּי סֵפֶר
folk *n*	עַם; שֵׁבֶט; הַבְּרִיּוֹת
folk etymology *n*	גִּיזָּרוֹן עֲמָמִי
folklore *n*	יֶדַע־עַם, פולקלור
folk-music *n*	מוּסִיקָה עֲמָמִית
folk-song *n*	שִׁיר־עַם
folksy *adj*	עֲמָמִי
folkways *n pl*	מָסוֹרֶת עֲמָמִית
follicle *n*	שַׂקִּיק; זָקִיק
follow *vt, vi*	בָּא אַחֲרֵי; עָקַב אַחֲרֵי, הָלַךְ אַחֲרֵי
follower *n*	חָסִיד; עוֹקֵב; מְחַזֵּר
following *adj*	הַבָּא; שֶׁלְּהַלָּן
following *n*	הַבָּאִים; קְהַל מַעֲרִיצִים
follow-up *adj, n*	מַמְרִיץ; מַעֲקָב
folly *n*	טִיפְּשׁוּת; רַעְיוֹן־רוּחַ; שַׁעֲשׁוּעַ
foment *vt*	טִיפֵּחַ; הֵסִית
fond *adj*	מְחַבֵּב
fondle *vt, vi*	לִיטֵּף, גִּיפֵּף
fondness *n*	הִתְחַבְּבוּת; חִיבּוּב
font *n*	אַגַּן מֵי טְבִילָה; תֵּיבָה (בדפוס)
food *n*	אוֹכֶל, מָזוֹן
food store *n*	חֲנוּת־מַכּוֹלֶת
foodstuff *n*	מִצְרַךְ מָזוֹן
fool *n*	טִיפֵּשׁ; בַּדְּחָן
fool *vt, vi*	שִׁיטָּה בּ...; חָמַד לָצוֹן
foolery *n*	טִיפְּשׁוּת
foolhardy *adj*	פַּחַז, נִמְהָר
fooling *n*	הִשְׁתַּטּוּת, 'מְתִיחָה'
foolish *adj*	שְׁטוּתִי; מַצְחִיק
foolproof *adj*	שֶׁאֵינוֹ כָּרוּךְ בְּסִיכּוּן
foolscap, fool's cap *n*	גּוֹדֶל מָלֵא (פוליו); כּוֹבַע לֵיצָן
fool's errand *n*	שְׁלִיחוּת סְרָק
foot *n*	רֶגֶל; כַּף רֶגֶל; תַּחְתִּית; מַרְגְּלוֹת (הר)
foot *vt, vi*	רָקַד; הֵנִיעַ רַגְלוֹ לְקֶצֶב; סִילֵּק (חשבון)
footage *n*	מִידָּה (של אורך)
football *n*	כַּדּוּרֶגֶל
footboard *n*	הֲדוֹם; כֶּבֶשׁ
footbridge *n*	גֶּשֶׁר לְהוֹלְכֵי־רֶגֶל
footfall *n*	צַעַד; קוֹל צְעָדָה
foothill *n*	מַרְגְּלוֹת הַר
foothold *n*	מִתְמַךְ רֶגֶל
footing *n*	דְּרִיסַת־רֶגֶל, אֲחִיזָה; בָּסִיס
footlights *n pl*	אוֹרוֹת הַבִּימָה
footloose *adj*	חוֹפְשִׁי מִמִּסְגֶּרֶת
footman *n*	שׁוֹמֵר סַף
footmark *n*	עִקְבָה
footnote *n*	הֶעָרָה
footpath *n*	שְׁבִיל
footprint *n*	עִקְבָה
footrace *n*	תַּחֲרוּת רִיצָה
footrest *n*	הֲדוֹם; מִשְׁעַן רֶגֶל
footrule *n*	סַרְגֵּל
footsoldier *n*	רַגְלִי, חַיָּל רַגְלִי
footsore *adj*	מְיוּבַּל רַגְלַיִים
footstep *n*	צַעַד, פְּסִיעָה
footstone *n*	אֶבֶן לְמַרְגְּלוֹת קֶבֶר
footstool *n*	הֲדוֹם
footwarmer *n*	מְחַמֵּם רַגְלַיִים
footwear *n*	תִּנְעוֹלֶת
footwork *n*	כַּדְרוּר
footworn *adj*	עָיֵיף בְּרַגְלָיו

foozle *vt* הֶחֱטִיא
fop *n* טַרְזָן, גַּנְדְּרָן
for *prep, conj* ל..., כְּדֵי ל...; לְטוֹבַת; תְּמוּרַת; בְּמֶשֶׁךְ; בּ...
forage *n* מִספּוֹא
forage *vt, vi* בִּיקֵשׁ אַספָּקָה; לָקַח צֵידָה
foray *n* הִתנַפְּלוּת, פְּשִׁיטָה
foray *vt* הִתנַפֵּל עַל, בָּזַז
forbear *vt, vi* הִבלִיג
forbear *n* אָב קָדוּם
forbearance *n* הַבלָגָה
forbid *vt* אָסַר
forbidding *adj* דּוֹחֶה, מַפחִיד
force *n* כּוֹחַ; כְּפִייָה
force *vt* הִכרִיחַ; הִבקִיעַ
forced *adj* כָּפוּי; מְאוּלָץ
forced air *n* אֲוִויר לָחוּץ
forceful *adj* רַב־עוֹצמָה; יָעִיל
forceps *n* צְבָת, מֶלקָחַיִים
force-pump *n* מַשאֵבַת־לַחַץ
forcible *adj* רַב־עוֹצמָה; נִמרָץ; מְשַׁכנֵעַ
ford *n* מַעְבָּרָה
ford *vt* עָבַר בְּמַעְבָּרָה
fore *n* חֲזִית, חֵלֶק קִדמִי
fore *adj, adv* רִאשׁוֹן, לְפָנִים; קִדמִי
fore *interj* (בְּגוֹלְף) לְפָנִים!, זְהִירוּת
fore-and-aft *adj, adv* בִּשׁנֵי עֶבְרֵי הַסְּפִינָה
forearm *n* אַמַּת־הַיָּד
forearm *vt* זִייֵן מֵרֹאשׁ
forebear *n see* forbear
forebode *vt, vi* חָשׁ מֵרֹאשׁ, חָשַׁשׁ מֵרֹאשׁ
foreboding *n* חֲשָׁשׁ מֵרֹאשׁ
forecast *n* תַּחֲזִית; חִיזּוּי
forecast *vt* חִיזָּה, נִיבָּא
forecastle, fo'c's'le *n* סִיפּוּן קִדמִי
foreclose *vt, vi* חִילֵּט, עִיקֵל; מָנַע
foredoomed *adj* נֶחֱרָץ מֵרֹאשׁ
foreedge *n* קְצֵה סֵפֶר
forefather *n* קַדמוֹן, אֲבִי־אָבוֹת
forefinger *n* הָאֶצבַּע הַמּוֹרָה
forefront *n* קִדמַת־חֲזִית
forego *vt, vi* וִיתֵּר עַל; הִקדִים
foregoing *adj* דִּלעֵיל, הַנַּ"ל
foregone *adj* הֶכרֵחִי; קוֹדֵם
foreground *n* קְדַם־רֶקַע
forehanded *adj* כַּפִּי (בִּטנִים); חֶסכוֹנִי
forehead *n* מֵצַח
foreign *adj* זָר, נוֹכרִי
foreign affairs *n pl* עִנייְנֵי חוּץ
foreign born *adj, n* יְלִיד חוּץ לָאָרֶץ
foreigner *n* זָר
foreign exchange *n* מַטבֵּעַ חוּץ
foreign minister *n* שַׂר חוּץ
foreign service *n* שֵׁירוּת חוּץ
foreign trade *n* סְחַר חוּץ
foreleg *n* רֶגֶל קִדמִית
forelock *n* תַּלתַּל קִדמִי
foreman *n* מְנַהֵל עֲבוֹדָה; רֹאשׁ הַמּוּשׁבָּעִים
foremast *n* תּוֹרֶן קִדמִי
foremost *adj* רֹאשׁ וְרִאשׁוֹן
forenoon *n* לִפנֵי הַצָּהֳרַיִים
forepart *n* חֵלֶק קִדמִי
forepaw *n* רֶגֶל קִדמִית
forequarter *n* חֵלֶק קִדמִי

forerunner *n* מְבַשֵּׂר
foresail *n* מִפְרָשׂ קִדְמִי
foresee *vt* חָזָה מֵרֹאשׁ
foreseeable *adj* צָפוּי מֵרֹאשׁ
foreshorten *vt* צִמְצֵם
foreshortening *n* צִמְצוּם
foresight *n* רְאִיַּת הַנּוֹלָד
foresighted *adj* רוֹאֶה אֶת הַנּוֹלָד
foreskin *n* עוֹרְלָה
forest *n* יַעַר
forest *vt* יִיעֵר
forestall *vt* הִקְדִּים; מָנַע
forestaysail *n* מִפְרָשׂ קִדְמִי
forest ranger *n* שׁוֹמֵר יַעַר
forestry *n* יַעֲרָנוּת; יִיעוּר
foretaste *n* טְעִימָה קוֹדֶמֶת
foretell *vt* נִיבָּא
forethought *n* מַחֲשָׁבָה תְּחִילָּה
forever *adv* לְעוֹלָם; תָּמִיד
forewarn *vt* הִזְהִיר
foreword *n* הַקְדָּמָה
foreyard *n* סָמוֹךְ הַתּוֹרֶן הַקִּדְמִי
forfeit *n* עוֹנֶשׁ, קְנָס; אִיבּוּד
forfeit *vt* הִפְסִיד, אִיבֵּד
forfeit *adj* מוּפְסָד
forfeiture *n* אִיבּוּד; קְנָס
forgather *vi* הִתְאַסֵּף, הִתְכַּנֵּס
forge *n* כּוּר, מַפָּחָה
forge *vt, vi* זִיֵּיף; חִישֵּׁל; יָצַר
forgery *n* זִיּוּף
forget *vt* שָׁכַח
forgetful *adj* שַׁכְחָן; רַשְׁלָן
forgetfulness *n* שִׁכְחָה, רַשְׁלָנוּת
forget-me-not *n* זִכְרִינִי
forgivable *adj* בַּר־סְלִיחָה
forgive *vt* סָלַח
forgiveness *n* סְלִיחָה; סַלְחָנוּת
forgiving *adj* סַלְחָנִי
fork *n* מַזְלֵג; קִילְשׁוֹן; הִסְתָּעֲפוּת
fork *vt, vi* הֶעֱלָה בְּמַזְלֵג; הִסְתָּעֵף
forked *adj* מְמוּזְלָג
forked lightning *n* בָּרָק מְמוּזְלָג
forklift truck *n* מַשָּׂאִית מַזְלְגָן
forlorn *adj* זָנוּחַ; מְיוֹאָשׁ
form *n* צוּרָה; תַּבְנִית; טוֹפֶס
form *vt, vi* עִיצֵּב; לָבַשׁ צוּרָה
formal *adj* רִשְׁמִי, פוֹרְמָלִי
formal attire *n* לְבוּשׁ רִשְׁמִי
formal call *n* בִּיקּוּר נִימוּסִין
formality *n* רִשְׁמִיּוּת, פוֹרְמָלִיּוּת; דַקְדְּקָנוּת
formal party *n* מְסִיבָּה רִשְׁמִית
formal speech *n* נְאוּם רִשְׁמִי
format *n* תַּבְנִית (שֶׁל ספר)
formation *n* עִיצּוּב; יְצִירָה; הִתְהַווּת; מִבְנֶה; חֲטִיבָה
former *adj* קוֹדֵם; לְשֶׁעָבַר
formerly *adv* קוֹדֶם, לְפָנִים
form fitting *adj* מְהוּדָּק לַגּוּף
formidable *adj* נוֹרָא, מַחֲרִיד
formless *adj* חֲסַר צוּרָה; הִיּוּלִי
formula *n* נוּסְחָה
formulate *vt* נִיסַּח
forsake *vt* זָנַח; וִיתֵּר עַל
fort *n* מִבְצָר
forte *n* כּוֹחַ, נְקוּדָּה חֲזָקָה
forte *adj, adv* חָזָק, רָם; פוֹרְטֶה (בְּמוּסִיקָה)
forth *adv, prep* לְפָנִים; הָלְאָה
forthcoming *adj* הַבָּא

forthright *adj, adv* יָשָׁר; הֶחְלֵטִי
forthwith *adv* מִיָּד
fortieth *adj, n* הָאַרְבָּעִים
fortification *n* בִּיצּוּר; מִבְצָר
fortify *vt, vi* בִּיצֵּר, חִיזֵּק
fortitude *n* עוֹז־רוּחַ
fortnight *n* שְׁבוּעַיִים
fortress *n* מִבְצָר
fortuitous *adj* מִקְרִי, אַרְעִי
fortunate *adj* בַּר־מַזָּל
fortune *n* מַזָּל; הוֹן
fortune-hunter *n* צַיַּיד עוֹשֶׁר
fortune-teller *n* מַגִּיד עֲתִידוֹת
forty *adj, n* אַרְבָּעִים
forward *vt* הֶעֱבִיר הָלְאָה
forward *adj* מִתְפַּתֵּחַ, מִתְקַדֵּם
forward(s) *adv* לְפָנִים, קָדִימָה
forward *n* חָלוּץ (בכדורגל וכד׳)
fossil *n* מְאוּבָּן
fossil *adj* מְאוּבָּן
foster *vt* סִייֵּעַ, קִידֵּם; אִימֵּץ
foster brother *n* אָח מְאוּמָּץ
foster father *n* אוֹמֵן
foster home *n* מִשְׁפָּחָה אוֹמֶנֶת
foul *adj* מְגוּנֶּה; מָאוּס; מְזוֹהָם
foul *n* מַכָּה פְּסוּלָה
foul *vt, vi* לִכְלֵךְ; הֵפֵר; הִסְתַּבֵּךְ
foulmouthed *adj* מְנַבֵּל פֶּה
foul-spoken *adj* שֶׁל נִיבּוּל־פֶּה
found *vt* בִּיסֵּס, יִסֵּד
foundation *n* יְסוֹד; קֶרֶן
foundry *n* סַדְנַת יְצִיקָה
foundryman *n* עוֹבֵד מַתֶּכֶת
fount *n* מַעְייָן
fountain *n* מַעְיָן; מִזְרָקָה

fountainhead *n* מָקוֹר רִאשׁוֹן
fountain-pen *n* עֵט נוֹבֵעַ
four *n, adj* אַרְבָּעָה, אַרְבַּע
four-cycle *adj* שֶׁל אַרְבָּעָה מַהֲלָכִים, שֶׁל אַרְבַּע פְּעִימוֹת
four-cylinder *adj* שֶׁל אַרְבָּעָה צִילִינְדֶּרִים
four-flush *vt* רִימָּה
fourflusher *n* רַמַּאי
four-footed *adj* הוֹלֵךְ עַל אַרְבַּע
four hundred *n* אַרְבַּע מֵאוֹת
four-in-hand *n* סוּדַּר אַרְבָּעָה
four-lane *adj* שֶׁל אַרְבָּעָה מַסְלוּלִים
four-leaf *adj* בֶּן אַרְבָּעָה עָלִים
four-leaf clover *n* תִּלְתַּן־אַרְבַּעַת־הֶעָלִים
four-legged *adj* בַּעַל אַרְבַּע רַגְלַיִים
four-letter word *n* מִלַּת־אַרְבַּע־אוֹתִיּוֹת (מלת המישגל)
four-motor plane *n* מְטוֹס אַרְבָּעָה מְנוֹעִים
four-o'clock *n* שָׁעָה אַרְבַּע
fourposter *n* מִיטַּת אַרְבָּעָה עַמּוּדִים
fourscore *n* שְׁמוֹנִים
foursome *n* חֲבוּרַת אַרְבָּעָה (שני זוגות)
fourteen *adj, n* אַרְבָּעָה־עָשָׂר, אַרְבַּע־עֶשְׂרֵה
fourteenth *adj, n* הָאַרְבָּעָה־עָשָׂר; הַחֵלֶק הָאַרְבָּעָה־עָשָׂר
fourth *adj* רְבִיעִי(ת); רֶבַע
fourth estate *n* הַמַּעֲצָמָה הָרְבִיעִית (העיתונות)
four-way *adj* שֶׁל אַרְבָּעָה כִּיווּנִים
fowl *n* עוֹף, בְּשַׂר עוֹף

fowl *vi* צָד עוֹף
fox *n* שׁוּעָל
fox *vt* הֶעֱרִים עַל
foxglove *n* אֶצְבְּעוֹנִית אַרְגְּמָנִית
foxhole *n* שׁוּחָה
foxhound *n* כֶּלֶב־צַיִד
fox-hunt *n* צֵיד שׁוּעָלִים
fox-terrier *n* שַׁפְלָן
foxtrot *n* פוֹקסטרוֹט
foxy *adj* עַרְמוּמִי
foyer *n* טְרַקְלִין
Fr. *abbr* Father, French, Friday
fr. *abbr* fragment, franc, from
Fra *n* אֶחָא
fracas *n* מְהוּמָה
fraction *n* שֶׁבֶר; חֵלֶק קָטָן
fractional *adj* חֶלְקִי, שֶׁל שֶׁבֶר
fractious *adj* מִתְמָרֵד
fracture *n* שֶׁבֶר; סֶדֶק
fracture *vt, vi* שָׁבַר; סָבַל מִשֶּׁבֶר
fragile *adj* שָׁבִיר
fragment *n* חֵלֶק; רְסִיס
fragrance *n* בְּשִׂימָה, נִיחוֹחַ
fragrant *adj* בָּשׂוּם; נָעִים
frail *adj* חָלוּשׁ, רָפֶה; שָׁבִיר
frail *n* סַל נְצָרִים
frame *n* מִסְגֶּרֶת; מִבְנֶה; שֶׁלֶד
frame *vt* הִרְכִּיב, מִסְגֵּר; עִיצֵּב; נִיסֵּחַ; (דיבּוּרית) בִּיֵּים אַשְׁמָה
frame of mind *n* מַצַּב־רוּחַ
frame-up *n* בִּיּוּם אַשְׁמָה
framework *n* מִבְנֶה; שֶׁלֶד; מִסְגֶּרֶת
franc *n* פְרַנְק
France *n* צָרְפַת
franchise *n* זְכוּת הַצְבָּעָה; זִיכָּיוֹן
Franciscan *adj, n* פְרַנְצִיסְקָנִי
Frank *n* פְרַנְקִי; מַעֲרַב־אֵירוֹפִּי
frank *adj* גְלוּי־לֵב, אֲמִיתִּי
frank *n* חוֹתֶמֶת פְּטוֹר מִבּוּלִים
frank *vt* הֶחְתִּים בְּחוֹתֶמֶת
frankfurter *n* נַקְנִיקִית
frankincense *n* לְבוֹנָה
Frankish *adj, n* פְרַנְקִי; הַלָּשׁוֹן הַפְרַנְקִית
frankness *n* גִילּוּי־לֵב
frantic *adj* מִשְׁתּוֹלֵל
frappé *n, adj* מִקְפָּא; מְתַאֲבֵן; קָפוּא
frat *vi* הִתְחַבֵּר
fraternal *adj* אַחֲוָנִי; שֶׁל מִסְדָר
fraternity *n* אֲגוּדַּת סְטוּדֶנְטִים; אֲגוּדַּת אַחֲוָה
fraternize *vi* הִתְיַידֵּד
fraud *n* הוֹנָאָה, מִרְמָה; זִיּוּף
fraudulent *adj* רַמַּאי; מְזוּיָּף
fraudulent conversion *n* מְעִילָה
fraught *adj* טָעוּן, עָמוּס; מְלוּוֶּה
Fraulein *n* הָעַלְמָה
fraxinella *n* מֵילָה
fray *n* הֲמוּלָה, קְטָטָה
fray *vt, vi* רִיפֵּט; בָּלָה; הִתְרַפֵּט
freak *adj, n* יוֹצֵא דוֹפֶן; קַפְרִיסָה
freak *vt* נִיקֵּד, גִימֵּר
freakish *adj* קַפְרִיסִי
freckle *n* נֶמֶשׁ
freckle *vt, vi* כִּיסָּה אוֹ הִתְכַּסָּה בִּנְמָשִׁים
freckled *adj* מְנוּמָּשׁ
frecklefaced *adj* מְנוּמָּשׁ
freckly *adj* מְנוּמָּשׁ
free *adj* מְשׁוּחְרָר, חוֹפְשִׁי; עַצְמָאִי; פָּנוּי; לְלֹא תַּשְׁלוּם

free *adv* חוֹפְשִׁית; חִינָּם
free *vt* שִׁחְרֵר; גָּאַל
freebooter *n* שׁוֹדֵד־יָם
free-born *adj* בֶּן־חוֹרִין; כָּרָאוּי לְבֶן־חוֹרִין
freedom *n* חוֹפֶשׁ, חֵירוּת; עַצְמָאוּת
freedom of speech *n* חוֹפֶשׁ הַדִּיבּוּר
freedom of the press *n* חוֹפֶשׁ הָעִיתּוֹנוּת
freedom of the seas *n* חוֹפֶשׁ הַשַּׁיִט
freedom of worship *n* חוֹפֶשׁ הַפּוּלְחָן
free enterprise *n* יוֹזְמָה חוֹפְשִׁית
free fight *n* התכַּתְּשׁוּת כְּלָלִית
free-for-all *n*, *adj* תַּחֲרוּת לַכּוֹל
freehand *adj* נַעֲשֶׂה בַּיָּד
free hand *n* יָד חוֹפְשִׁית
freehold *n* זְכוּת חֲכִירָה
freelance *n* עִיתּוֹנַאי חוֹפְשִׁי; חַיָּיל שָׂכִיר
freelance *vi* עָבַד כְּעִיתּוֹנַאי חוֹפְשִׁי
free lunch *n* כְּרִיכִים חִינָּם
freeman *n* בֶּן־חוֹרִין; אֶזְרָח
Freemason *n* בּוֹנֶה חוֹפְשִׁי
Freemasonry *n* תְּנוּעַת הַבּוֹנִים הַחוֹפְשִׁים
free of charge *adj* חִינָּם
free-on-board (f.o.b.) חוֹפְשִׁי עַל הָאוֹנִיָּה, פו״ב
free port *n* נָמֵל חוֹפְשִׁי
free ride *n* הַסָּעָה; טֶרֶמְפּ
free service *n* שֵׁירוּת חִינָּם
free-spoken *adj* שֶׁבְּגִילוּי־לֵב
freestone *n* אֶבֶן־חוֹל
freethinker *n* חוֹפְשִׁי בְּדֵעוֹתָיו
free thought *n* מַחֲשָׁבָה חוֹפְשִׁית
free trade *n* סַחַר חוֹפְשִׁי
free trader *n* דוֹגֵל בְּסַחַר חוֹפְשִׁי
freeway *n* כְּבִישׁ אַגְרָה
free-will *adj* שֶׁבְּרָצוֹן חוֹפְשִׁי
freewill *n* בְּחִירָה חוֹפְשִׁית
freeze *vt*, *vi* הִקְפִּיא; הִגְלִיד; קָפָא
freeze *n* הִיקָּפְאוּת, קִיפָּאוֹן
freezer *n* מַקְפִּיא; תָּא־הַקְפָּאָה, מִקְפָּאָה
freight *n* מִטְעָן, מַשָּׂא; הוֹבָלָה
freight *vt* הִטְעִין, טָעַן סְחוֹרָה
freight car *n* קְרוֹן־מִטְעָן
freighter *n* חוֹכֵר אוֹנִיַּת־מַשָּׂא
freight platform *n* רְצִיף מִטְעָן
freight station *n* תַּחֲנַת רַכֶּבֶת מִטְעָן
freight train *n* רַכֶּבֶת מַשָּׂא
freight yard *n* מַחסַן מִטְעָן (לרכבת)
fremitus *n* רַעַד
French *adj*, *n* צָרְפָתִי; צָרְפָתִית
French chalk *n* אַבְקַת גִּיר
French-doors *n pl* דֶּלֶת דּוּ־אֲגַפִּית
French-dressing *n* רוֹטֶב צָרְפָתִי
French fried potatoes *n pl* גְּזָרֵי תַּפּוּדִים מְטוּגָּנִים, טוּגָּנִים, צ׳יפס
French horn *n* קֶרֶן צָרְפָתִית
French leave *n* פְּרִידָה צָרְפָתִית, פְּרִידָה אַנגלִית
Frenchman *n* צָרְפָתִי
French telephone *n* טֵלֵפוֹן צָרְפָתִי
French toast *n* לֶחֶם מְטוּגָּן
French window *n* חַלּוֹן־דֶּלֶת
Frenchwoman *n* צָרְפָתִיָּה
frenzied *adj* מִשְׁתּוֹלֵל
frenzy *n* הִשְׁתּוֹלְלוּת

frequency, frequence *n* תְּדִירוּת, שְׁכִיחוּת
frequency list *n* רְשִׁימַת תְּדִירוּת
frequency modulation *n* אִפְנוּן תֶּדֶר
frequent *adj* תָּכוּף, תָּדִיר
frequent *vt* בִּיקֵּר תְּכוּפוֹת
frequently *adv* לְעִתִּים תְּכוּפוֹת
fresco *vt* צִייֵּר פְרֶסְקוֹ
fresco *n* פְרֶסְקוֹ
fresh *adj*, *n* חָדָשׁ; רַעֲנָן; טָרִי; חוּצְפָּנִי
freshen *vt*, *vi* הֶחֱיָה, רִעֲנֵן; חִידֵּשׁ; הִתְרַעֲנֵן; הִתְחַדֵּשׁ
freshet *n* שֶׁטֶף נָהָר
freshman *n* טִירוֹן (בָּאוּנִיבֶרְסִיטָה)
freshness *n* רַעֲנַנּוּת
fresh water *n* מַיִם חַיִּים
fret *vt*, *vi* כִּרְסֵם, אִיכֵּל; הִדְאִיג; דָּאַג; נֶאֱכַל
fret *n* רוֹגֶז, כַּעַס; הֵיאָכְלוּת
fretful *adj* רַגְזָן
fretwork *n* מְלֶאכֶת קִישּׁוּט
friar *n* נָזִיר
Friary *n* מִנְזָר
fricassee *n* פְּרֶקָסֶת
friction *n* שִׁפְשׁוּף; חִיכּוּךְ
friction tape *n* סֶרֶט בִּידּוּד
Friday *n* יוֹם הַשִּׁשִּׁי
fried *adj* מְטוּגָּן
fried egg *n* בֵּיצִיָּה, בֵּיצַת 'עַיִן'
friend *n* יְדִיד, חָבֵר
friendly *adj*, *adv* חֲבֵרִי, יְדִידוּתִי; בְּצוּרָה יְדִידוּתִית
friendship *n* יְדִידוּת
frieze *n* אַפְרִיז, צָפִית
frigate *n* פְרִיגָטָה
fright *n* פַּחַד, חֲרָדָה
frighten *vt* הִפְחִיד
frightful *adj* מַפְחִיד; אָיוֹם
frightfulness *n* אֵימָה
frigid *adj* קָפוּא; צוֹנֵן (בְּמַגָּע מִינִי)
frigidity *n* קוֹר; יַחַס צוֹנֵן (בְּמַגָּע מִינִי)
frill *n* פִּיף, צִיצָה; קְווּצַּת שֵׂעָר
frill *vt*, *vi* קִישֵּׁט; חִיבֵּר צִיצָה
fringe *n* צִיצִית; פֵּאָה, שָׂפָה
fringe *vt* קִישֵּׁט, עִיטֵּר
fringe benefits *n pl* הֲטָבוֹת שׁוּלַיִים
frippery *n* לְבוּשׁ הֲמוֹנִי צַעֲקָנִי
frisk *vt*, *vi* דִּילֵּג, פִּיזֵּז; (הֲמוֹנִית) חִיפֵּשׂ נֶשֶׁק (בְּגוּף מִישֶׁהוּ)
frisk *n* דִּילּוּג, רִיקּוּד
frisky *adj* עַלִּיז, מִשְׁתַּעֲשֵׁעַ
fritter *vt* בִּזְבֵּז
fritter *n* מַאֲפֵה זִילּוּף
frivolous *adj* טִיפְּשִׁי, קַל־רֹאשׁ
friz(z) *vt*, *vi* סִלְסֵל שֵׂיעָר
friz(z) *n* תַּלְתַּל
frizzle *vt*, *vi* הִשְׁמִיעַ אִוושַׁת טִיגּוּן; פּוֹרֵר בְּטִיגּוּן
frizzle *n* תַּלְתַּל
frizzly, frizzy *adj* מְתוּלְתָּל
fro *adv* מִן, חֲזָרָה
frock *n* שִׂמְלָה; גְּלִימָה
frock-coat *n* פְּרַק
Froebelism *n* שִׁיטַת פְרֶבֶּל
frog *n* צְפַרְדֵּעַ; דּוּ־חַי
frogman *n* צוֹלֵל, אִישׁ־צְפַרְדֵּעַ
frolic *n* הִשְׁתּוֹבְבוּת
frolic *vi* פִּיזֵּז, הִשְׁתּוֹבֵב
frolicsome *adj* עַלִּיז, מְפַזֵּז
from *prep* מִן, מֵאֵת

front *n* פָּנִים; חֲזִית; חָזוּת
front *adj* קִדמִי; חֲזִיתִי
front *vt, vi* פָּנָה אֶל; עָמַד מוּל; הֵעֵז פָּנִים
frontage *n* רוֹחַב חֲזִיתִי
front drive *n* הֶינֵעַ קִדמִי
frontier *n* גְבוּל, סְפָר
frontier *adj* גְבוּלִי
frontiersman *n* תּוֹשַב הַסְּפָר
frontispiece *n* צִיוּר הַשַּׁעַר
front line *n* קַו־הַחֲזִית
front matter *n* חוֹמֶר מַקְדִים (בספר)
front-page *adj* (ידיעה) בַּעֲלַת חֲשִׁיבוּת
front porch *n* מִרְפֶּסֶת חֲזִיתִית
front room *n* חֶדֶר חֲזִיתִי
front row *n* שׁוּרָה רִאשׁוֹנָה
front seat *n* מוֹשָׁב קִדמִי
front steps *n pl* מַדרֵגוֹת חֲזִית
front view *n* מַרְאֶה חֲזִיתִי
frost *vt* כִּיסָּה בִּכפוֹר
frost *n* כְּפוֹר
frostbitten *adj* מוּכֵּה קוֹר
frosting *n* זִיגוּג; עִימוּם
frosty *n* מְכוּסֶּה כְּפוֹר; כְּפוֹרִי
froth *n* קֶצֶף
froth *vt, vi* הִקְצִיף, הִרגִיז
frothy *adj* מַעֲלֶה קֶצֶף; לֹא מַמָּשִׁי
froward *adj* מַמְרֶה, סַרְבָן
frown *n* מַבָּט זוֹעֵם
frown *vt, vi* זָעַם, הִקְדִיר פָּנִים
frowzy *adj* מְלוּכלָך, מְרוּשָּׁל
frozen foods *n pl* מָזוֹן מוּקפָּא
F.R.S. *abbr* Fellow of the Royal Society

frt. *abbr* freight
frugal *adj* חַסכָנִי; דַל
fruit *n* פְּרִי; תּוֹצָאָה
fruitcake *n* עוּגַת פֵּירוֹת
fruitcup *n* סָלַט פֵּירוֹת
fruit-fly *n* זְבוּב הַפֵּירוֹת
fruitful *adj* נוֹשֵׂא פֵּירוֹת; פּוֹרֶה
fruition *n* הַגשָׁמָה; תּוֹצָאוֹת
fruit jar *n* צִנצֶנֶת פֵּירוֹת
fruit juice *n* מִיץ פְּרִי
fruitless *adj* לָרִיק; עָקָר
fruit of the vine *n* פְּרִי הַגֶּפֶן
fruit salad *n* סָלַט פֵּירוֹת
fruit stand *n* דוּכַן פֵּירוֹת
fruit store *n* חֲנוּת פֵּירוֹת
frumpish *adj* מְרוּשֶּׁלֶת
frustrate *vt* תִּסכֵּל; סִיכֵּל
fry *vt, vi* טִיגֵּן; הִיטַּגֵּן
fry *n* תַּבשִׁיל מְטוּגָּן
frying pan *n* מַחֲבַת
ft. *abbr* foot, feet
fudge *n* סוּכָּרִייָה (בֵּיתִית); הֲבָלִים
fudge *vt* עָשָׂה בְּדֶרֶך מְזוּיֶּפֶת
fuel *n* דֶּלֶק; חוֹמֶר מְלַבֶּה
fuel *vt* סִיפֵּק דֶּלֶק; תִּדלֵק
fuel oil *n* נֵפט
fuel tank *n* מְכַל דֶּלֶק
fugitive *adj* בּוֹרֵחַ, נִמלָט; חוֹלֵף, בֶּן־יוֹמוֹ
fugitive *n* בּוֹרֵחַ
fugue *n* פוּגָה
fulcrum *n* נְקוּדַּת מִשְׁעָן
fulfil *vt* הִגשִׁים; בִּיצֵּעַ
fulfilment *n* הַגשָׁמָה, בִּיצוּעַ
full *adj* מָלֵא, גָדוּשׁ

full *n* שְׁלֵמוּת; מִילּוּי
full *vt, vi* נִיקָּה וְעִיבָּה (אריג)
full *adv* מְאוֹד
fullblooded *adj* טְהוֹר גֶזַע
full-blown *adj* בִּמלוֹא הִתפַּתְּחוּתוֹ
full-bodied *adj* בִּמלוֹא הַחֲרִיפוּת
full-dress *adj* בִּלבוּשׁ רִשְׁמִי
full-dress coat *n* פְרַק
fullfaced *adj* עֲגוֹל פָּנִים; מִסתַּכֵּל הַיָשֵׁר
full-fledged *adj* בָּשֵׁל
full-grown *adj* מְפוּתָּח; מְבוּגָּר
full house *n* אוּלָם מָלֵא
full-length *adj* שָׁלֵם
full-length mirror *n* רְאִי קוֹמַת אִישׁ
full-length movie *n* סֶרֶט בְּאוֹרֶך מָלֵא
full load *n* מִטעָן מָלֵא
full moon *n* יָרֵחַ מָלֵא
full name *n* שֵׁם מָלֵא
fullness *n* שֶׁפַע, גוֹדֶשׁ; שְׁלֵמוּת
full page *adj* שֶׁל עַמּוּד שָׁלֵם
full powers *n pl* סַמכוּת מְלֵאָה
full sail *adv* בִּמלוֹא הַתִּפרוֹשֶׂת
full-scale *adj* בִּמלוֹא הַהֶיקֵף, שָׁלֵם
full-sized *adj* בְּגוֹדֶל טִבעִי
full speed *adv* בִּמהִירוּת מְרַבִּית
full stop *n* נְקוּדָּה
full swing *n* תְּנוּפָה מְלֵאָה
full tilt *n* מְהִירוּת מְרַבִּית
full-time *n* סוֹף הַמִּשׂחָק
full-view *n* מַרְאֶה בִּשְׁלֵמוּת
full volume *n* מְלוֹא הַקּוֹל
fully *adv* בִּשְׁלֵמוּת, בִּמלוֹאוֹ
fulsome *adj* שֶׁיֵּשׁ בּוֹ טַעַם לִפגָם
fumble *vt, vi* גִישֵּׁשׁ בִּכבֵדוּת, ׳פִסְפֵס׳ (בְּמשחק כדור וכד׳)
fume *n* עָשָׁן; אֵד
fume *vt, vi* הֶעֱלָה עָשָׁן אוֹ אֵד
fumigate *vt* גִיפֵּר
fumigation *n* גִיפּוּר
fun *n* שַׁעֲשׁוּעַ; בִּידּוּחַ; הֲנָאָה
function *n* תַּפקִיד
function *vi* תִּפקֵד; בִּיצֵּעַ עֲבוֹדָה
functional *n* תִּפקוּדִי; שִׁימּוּשִׁי
functionary *n* פָּקִיד, נוֹשֵׂא מִשׂרָה
fund *n* קֶרֶן; הוֹן; אוֹצָר
fund *vt* הִקצִיב לְתַשלוּם חוֹב
fundamental *n* יְסוֹד, עִיקָּר
fundamental *adj* יְסוֹדִי
funeral *n* הַלווָיָה
funeral *adj* שֶׁל הַלווָיָה; אָבֵל
funeral director *n* מְנַהֵל טֶקֶס הַהַלְווָיָה
funeral home *n* בֵּית הַלְוָויוֹת
funeral oration *n* הֶספֵּד
funereal *adj* שֶׁל הַלווָיָה, קוֹדֵר
fungous *adj* פִּטרִייָתִי
fungus *n* פִּטרִייָה; גִידּוּל פִּטרִיָּתִי
funicular *adj, n* שֶׁל חֶבֶל, שֶׁל כֶּבֶל
funk *vi* פָּחַד; נִפחַד
funk *n* מוֹרֶך־לֵב, פַּחַד; פַּחדָן
funnel *n* מַשׁפֵּך אֲפַרְכֶּסֶת
funnel *vt* רִיכֵּז
funnies *n pl* צִיּוּרֵי בְּדִיחָה
funny *adj* מַצחִיק, מְגוּחָך
funny bone *n* עֶצֶם הַמַּרפֵּק
funny paper *n* עִיתּוֹן בְּדִיחוֹת
fur. *abbr* furlong, furnished
fur *n* פַּרווָה

fur *adj* שֶׁל פַּרְוָוה
furbelow *vt, n* קִישֵּׁט בְּקִפְלוּלִים; קִפְלוּל
furbish *vt* רִעְנֵן, חִידֵּשׁ; מֵירֵט
furious *adj* זוֹעֵם, קוֹצֵף; סוֹעֵר
furl *vt, vi* קִיפֵּל; הִתְקַפֵּל
fur-lined *adj* מְבוּטָּן פַּרְוָוה
furlong *n* פֶּרלונג (מידת אורך)
furlough *n* חוּפְשָׁה
furlough *vt* נָתַן חוּפְשָׁה
furnace *n* כִּבְשָׁן
furnish *vt* צִייֵּד; סִיפֵּק ל...; רִיהֵט
furnishing *n* הַסְפָּקָה; רִיהוּט
furniture *n* רָהִיטִים
furniture dealer *n* סוֹחֵר רָהִיטִים
furniture store *n* חֲנוּת רָהִיטִים
furrier *n* פַּרְוָן
furriery *n* פַּרווּת
furrow *n* תֶּלֶם; קֶמֶט
furrow *vt* חָרַשׁ; קִימֵּט
further *adj, adv* יוֹתֵר רָחוֹק; נוֹסָף עַל כָּךְ
further *vt* קִידֵּם, עוֹדֵד
furtherance *n* עִידּוּד, קִידּוּם
furthermore *adv* יָתֵר עַל כֵּן
furthest *adj, adv* הָרָחוֹק בְּיוֹתֵר, לַמֶּרְחָק הַגָּדוֹל בְּיוֹתֵר
furtive *adj* חוֹמְקָנִי
fury *n* זַעַם; הִשְׁתּוֹלְלוּת כַּעַס
furze *n* רוֹתֶם אֵירוֹפִּי
fuse *n* נָתִיךְ; מַרְעוֹם; פַּצָּץ
fuse *vt, vi* הִתִּיךְ; מִיזֵּג; נִיתַּךְ; מִתְמַזֵּג
fuse box *n* תֵּיבַת חַשְׁמַל
fuselage *n* גּוּף הַמָּטוֹס
fusible *adj* נִיתָּן לְהַתָּכָה
fusillade *vt* הִתְקִיף בִּמְטַר יְרִיּוֹת
fusillade *n* הַמְטָרַת יְרִיּוֹת
fusion *n* הַתָּכָה, הִיתּוּךְ; מְזִיגָה
fusion bomb *n* פִּצְצַת מֵימָן
fusion point *n* נְקוּדַּת הַהַתָּכָה; נְקוּדַּת הַהֲמַסָּה
fuss *vt, vi* עָשָׂה עֵסֶק רַב; הִטְרִיד
fuss *n* הִתְרוֹצְצוּת, 'עֵסֶק רַב'
fussy *adj* מַקְפִּיד בִּקְטַנּוֹת
fustian *n* פִּשְׁתָּן גַּס, שַׁעַטְנֵז
fusty *adj* מְעוּפָּשׁ, מַסְרִיחַ
futile *adj* עָקָר, חֲסַר תּוֹעֶלֶת
futility *n* עֲקָרוּת, חוֹסֶר עֵרֶךְ
future *adj* עֲתִידִי, הַבָּא
future *n* עָתִיד
futurist *n* פוּטוּרִיסְט
fuze *see* fuse
fuzz *n* נְעוֹרֶת, צֶמֶר רַךְ; פְּלוּמָה
fuzzily *adv* בִּמְעוּרְפָּל
fuzzy *adj* מְסוּלְסָל, נוֹצִי; מְעוּרְפָּל

G

G, g ג׳י (האות השביעית באלפבית)
g. *abbr* genitive, gender, gram
gab *n* פִּטפּוּט
gab *vi* פִּטפֵּט
gabardine *n* אֲרִיג גַבַּרדִין
gabble *vt, vi* פִּטפֵּט; גִעגֵעַ
gabble *n* פִּטפּוּט; גִעגוּעַ
gable *n* גַמלוֹן
gable *vt* בָּנָה גַמלוֹן
gable-end *n* פְּנֵי הַגַּמלוֹן
gad *vi* שׁוֹטֵט
gad *n* שׁוֹטְטוּת
gad *interj* רִיבּוֹנוֹ שֶׁל עוֹלָם!
gadabout *n* מְשׁוֹטֵט, הוֹלֵךְ רָכִיל
gadfly *n* זְבוּב הַבְּהֵמוֹת
gadget *n* מַכשִׁיר הֶתקֵן
Gael *n* גַאלִי, קֶלטִי
Gaelic *adj, n* גַאלִית
gaff *n* חַכָּה; צִלצָל
gaff *vt* דָקַר בְּצִלצָל
gag *n* מַחסוֹם פֶּה; (על הבמה) בְּדִיחָה
gag *vt, vi* סָתַם פֶּה; (בניתוח) פָּתַח פֶּה
gage, gauge *n* חוּגָן, מַדִיד, מַד; מִידָּה
gage *vt* הֶעֱרִיךְ, שִׁיעֵר
gaiety *n* עֲלִיצוּת, שִׂמחָה
gaily *adv* בַּעֲלִיצוּת
gain *n* רֶווַח, הֶישֵׂג
gain *vt, vi* הִרוִיחַ; זָכָה; הִשִּׂיג
gainful *adj* מֵבִיא רֶוַח, רִווחִי
gainsay *vt* דִיבֵּר נֶגֶד, סָתַר
gait *n* דֶרֶךְ הִילוּךְ
gaiter *n* מַגּף, מוֹק
gal. *abbr* gallon
gal *n* (דיבּוּרית) נַעֲרָה
gala *n, adj* גָלָה, חֲגִיגַת תִּפאֶרֶת
galaxy *n* גָלַקסָה
gale *n* סוּפָה
gale of laughter *n* גַל צְחוֹק
Galician *n, adj* גָלִיצָאִי
gall *n* מָרָה; מְרִירוּת; חוּצפָּה
gall *vt, vi* הִטרִיד; חִיכֵּךְ
gallant *adj, n* אַבִּירִי; אַמִּיץ
gallantry *n* אַבִּירוּת; חִיזוּר; אוֹמֶץ־לֵב
gall-bladder *n* כִּיס־הַמָּרָה
gall duct *n* צִינּוֹר הַמָּרָה
galleon *n* סְפִינַת־מִלחָמָה
gallery *n* מַעֲבָר מְקוֹרֶה; מִסדְרוֹן; יָצִיעַ
galley *n* מִטבַּח אוֹנִיָּה
galley-proof *n* יְרִיעַת הַגָּהָה
galley-slave *n* מְשׁוֹטַאי; עֶבֶד
Gallic *adj* גַאלִי, צָרְפָתִי
galling *adj* מְמָרֵר; מַרגִיז
gallivant *vi* שׁוֹטֵט
gallnut *n* עָפָץ
gallon *n* גַלוֹן
galloon *n* רְצוּעָה (להידוק)
gallop *n* דְהִירָה
gallop *vt, vi* דָהַר; הִדהִיר

gallows *n pl* גַרדוֹם
gallows-bird *n* אָדָם רָאוּי לִתלִייָה
gallstone *n* אַבנִית בַּמָּרָה
galore *adv* לְמַכבִּיר
galosh *n* עַרדָל
galvanize *vt* גִלוֵן; זִעזֵעַ
galvanized iron *n* בַּרזֶל מְגוּלוָן
gambit *n* גַמבִּיט (בשחמט); פְּעוּלָה רִאשׁוֹנָה
gamble *vt, vi* הִימֵר; שִׂיחֵק בְּמִשׂחֲקֵי מַזָּל
gamble *n* הִימוּר; סִיכּוּן, סִפסוּר
gambler *n* מְהַמֵּר; סַפסָר
gambling *n* הִימוּר; סִיכּוּן; סִפסוּר
gambling den *n* מְאוּרַת הִימוּר
gambling house *n* בֵּית הִימוּרִים
gambling table *n* שׁוּלחַן הִימוּרִים
gambol *vt* נִיתֵּר, דִילֵּג
gambol *n* דִילּוּג, נִיתּוּר
gambrel *n* קַרסוֹל־סוּס, אוּנקָל
gambrel roof *n* גַג דְמוּי פַּרסָה
game *n* מִשׂחָק; תַּחֲרוּת; צַיִד
game *vi* שִׂיחֵק מִשׂחֲקֵי־מַזָּל
game *adj* אַמִּיץ; מוּכָן לִקרָב
game-bag *n* יַלקוּט צַיָּידִים
game-bird *n* עוֹף צַיִד
gamecock *n* תַּרנְגוֹל־קְרָב
gamekeeper *n* מְפַקֵּחַ צַיִד
game of chance *n* מִשׂחַק מַזָּל
game warden *n* מְפַקֵּחַ צַיִד
gamut *n* סוּלַּם הַקּוֹלוֹת; מִכלוֹל
gamy *adj* בַּעַל טַעַם חָרִיף
gander *n* אַוָּז
gang *n* חֲבוּרָה
gang *vt, vi* הִתקִיף בַּחֲבוּרָה
gangling *adj* מוֹאֳרָך וְרוֹפֵף
ganglion *n* גַנגלִיוֹן, חַרצוֹב
gangplank *n* כֶּבֶשׁ אוֹנִייָה
gangrene *n* מַק
gangrene *vt, vi* גָרַם לְמַק; נַעֲשָׂה מַק
gangster *n* אִישׁ כְּנוּפיָה, גַנגסטֶר
gangway *n* מַעֲבָר; מִסדְרוֹן
gantry, gauntry *n* פִּיגוּם
gantry crane *n* כַּן פִּיגוּמִים נָע
gap *n* פַּעַר, פִּרצָה
gape *vi* פָּעַר פִּיו; נִבקַע
gape *n* פְּעִירַת פֶּה; מַבָּט בְּפֶה פָּעוּר
gapes *n pl* פַּהֶקֶת
G.A.R. *abbr* Grand Army of the Republic
garage *n* מוּסָך
garage *vt* הִכנִיס לְמוּסָך, מִיסֵּך
garb *n* לְבוּשׁ, תִּלבּוֹשֶׁת
garb *vt* הִלבִּישׁ
garbage *n* זֶבֶל, אַשׁפָּה
garbage can *n* פַּח אַשׁפָּה
garbage disposal *n* סִילּוּק אַשׁפָּה
garble *vt* סֵירֵס, סִילֵּף
garden *n* גִינָּה, גַן
garden *vt* גִינֵּן, עִיבֵּד גַן
gardener *n* גַנָּן
gardenia *n* גַרדֶניָה
gardening *n* גִינּוּן, עֲבוֹדַת הַגַּנָּן
garden-party *n* מְסִיבַּת־גַן
gargle *n* מְגַרגֵר, שׁוֹטֵף
gargle *vt* גִרגֵר
gargoyle *n* זַרבּוּבִית
garish *adj* צַעֲקָנִי, מַברִיק
garland *n* זֵר, כֶּתֶר; קִישּׁוּט
garland *vt* עִיטֵּר בְּזֵר

garlic *n* שׁוּם
garment *n* מַלְבּוּשׁ
garner *n* מַחְסָן; אוֹסֶם
garner *vt* צָבַר
garnet *n* אֶבֶן טוֹבָה
garnish *vt* עִיטֵּר
garnish *n* קִישּׁוּט; עִיטּוּר סִפְרוּתִי; (בְּבִישּׁוּל) תּוֹסֶפֶת קִישּׁוּט
garret *n* עֲלִיַּת־גַּג
garrison *n* חֵיל מַצָּב
garrotte *vt* הֵמִית בְּחֶנֶק
garrotte *n* חֶנֶק
garrulous *adj* מְפַטְפֵּט
garter *n* בִּירִית
garth *n* חָצֵר, גִּינָּה
gas *n* גַּאז
gas *vt, vi* סִיפֵּק גַּאז; הִרְעִיל בְּגַאז
gasbag *n* מְכַל גַּאז; פַּטְפְּטָן
gas-burner *n* מַבְעֵר גַּאז
gas-engine *n* מְנוֹעַ גַּאז
gaseous *adj* גַּאזִי
gasfitter *n* מַתְקִין גַּאז
gas generator *n* מְחוֹלֵל גַּאז
gash *n* חֲתָךְ, פֶּצַע
gash *vt* חָתַךְ, פָּצַע
gas-heat *n* קָמִין גַּאז
gasholder *n* מְכַל גַּאז
gasify *vt* יָצַר גַּאז
gas-jet *n* סִילוֹן גַּאז
gasket *n* אֶטֶם
gaslight *n* אוֹר גַּאז
gas-main *n* צִינּוֹר גַּאז עִיקָּרִי
gas-meter *n* מוֹנֵה גַּאז
gasoline, gasolene *n* גַּאזוֹלִין, בֶּנְזִין
gasoline pump *n* מַשְׁאֵבַת בֶּנְזִין
gasp *vt, vi* הִתְאַמֵּץ לִנְשׁוֹם; דִּיבֵּר בְּכוֹבֶד נְשִׁימָה
gasp *n* נְשִׁימָה בִּכְבֵדוּת
gas producer *n* כּוּר גַּאז
gas-range *n* כִּירַיִים שֶׁל גַּאז
gas-station *n* תַּחֲנַת דֶּלֶק
gas-stove *n* כִּירַיִים שֶׁל גַּאז
gas-tank *n* מְכַל בֶּנְזִין
gastric *adj* קֵיבָתִי
gastronomy *n* גַּסְטרוֹנוֹמְיָה
gasworks *n pl* מִפְעַל גַּאז
gate *n* שַׁעַר, פֶּתַח
gatekeeper *n* שׁוֹמֵר סַף
gatepost *n* עַמּוּד הַשַּׁעַר
gateway *n* פֶּתַח שַׁעַר, כְּנִיסָה
gather *vt, vi* אָסַף, כִּינֵּס; נֶאֱסַף, נִקְבַּץ; הִסִּיק; הֵבִין
gathering *n* אִיסּוּף, אֲגִירָה; כֶּנֶס
gaudy *adj* מַבְרִיק, רַאַוותָנִי
gauge, gage *n* חוּגָן, מַד; אַמַּת־מִידָּה
gauge, gage *vt* הֶעֱרִיךְ, שִׁיעֵר; קָבַע מִידּוֹת
gauge glass *n* זְכוּכִית מַדִּיד
gauger, gager *n* מוֹדֵד, מַעֲרִיךְ
Gaul *n* גַּאלִי, גַּאלִיָה
Gaulish *adj, n* גַּאלִי
gaunt *adj* כָּחוּשׁ; זוֹעֵף
gauntlet *n* כְּפְפַת שִׁרְיוֹן
gauze *n* גַּאזָה, מַלְמָלָה
gavel *n* פַּטִּישׁ (שֶׁל יו״ר)
gavotte *n* גָּבוֹט
gawk *n* לֹא־יוּצְלָח
gawk *vi* נָהַג כְּשׁוֹטֶה
gawky *adj, n* לֹא־יוּצְלָח, מְגוּשָּׁם
gay *adj* עַלִּיז

gaze *vi* הִבִּיט, הִסְתַּכֵּל

gaze *n* מַבָּט, הִסְתַּכְּלוּת

gazelle *n* צְבִי

gazette *n*, *vt* עִיתּוֹן רִשְׁמִי; פִּרְסֵם בְּעִיתּוֹן רִשְׁמִי

gazetteer *n* לֶקְסִיקוֹן גֵיאוֹגְרָפִי

gear *n* תִּשְׁלוֹבֶת גַּלְגַּלֵּי שִׁינַּיִים; הִילּוּךְ; רִתְמָה

gear *vt*, *vi* הִצְמִיד לְהִילּוּךְ; הִשְׁתַּלֵּב

gearbox, gearcase *n* תֵּיבַת הִילּוּכִים

gearshift *n* הַחֲלָפַת הַהִילּוּךְ

gearshift lever *n* יְדִית הִילּוּכִים

gee, gee-gee *n* גִ׳י (מלת זירוז לסוסים)

gee *interj* גִ׳י (מלה להבעת השתוממות)

Gehenna *n* גֵּיא בֶּן־הִינּוֹם

gel *n* קָרִישׁ, מִקְפָּא

gel *vi* הִקְרִישׁ

gelatine *n* מִקְפָּא

geld *vt* עִיקֵּר, סֵירֵס

gem *n* אֶבֶן טוֹבָה

gem *vt* קִישֵּׁט

Gemini *n pl* מַזַּל תְּאוֹמִים

gen. *abbr* gender, general, genitive, genus

gender *n* (בדקדוק) מִין

genealogy *n* תּוֹלָדוֹת, סֵדֶר יִיחוּסִין

general *adj* כְּלָלִי; כּוֹלֵל

general *n* גֶּנֶרָל, אַלּוּף

general delivery *n* מְסִירַת דִּבְרֵי דּוֹאַר כְּלָלִית

generalissimo *n* גֶּנֶרָלִיסִּימוֹ, מְפַקֵּד עֶלְיוֹן

generality *n* הַכְלָלָה; כְּלָל

generalize *vt* הִכְלִיל, כָּלַל

generally *adv* בְּדֶרֶךְ כְּלָל

general practitioner *n* רוֹפֵא כְּלָלִי

generalship *n* כּוֹשֶׁר מַצְבִּיאוּת

general staff *n* מַטֶּה כְּלָלִי

generate *vt* הוֹלִיד, יָצַר

generating station *n* תַּחֲנַת כּוֹחַ

generation *n* דּוֹר; רְבִיָּה; יְצִירָה

generator *n* מְחוֹלֵל, גֶּנֶרָטוֹר

generic *adj* שֶׁל מִין; שֶׁל גֶּזַע

generous *adj* נָדִיב

genesis *n* מָקוֹר; בְּרִיאָה

Genesis *n* סֵפֶר בְּרֵאשִׁית

genetics *n pl* חֵקֶר הַתּוֹרָשָׁה

Geneva *n* גֶ׳נֶבָה

Genevan *n* גֶ׳נֶבָאִי

genial *adj* יְדִידוּתִי, מַסְבִּיר פָּנִים

genie *n* גִ׳ינִי, רוּחַ

genital *adj* שֶׁל אֵיבְרֵי הַמִּין

genitals *n pl* אֵיבְרֵי הַמִּין

genitive *n*, *adj* יַחַס הַקִּנְיָן; יַחַס הַסְּמִיכוּת; סוֹפִית הַסְּמִיכוּת

genius *n* גָּאוֹן; גְּאוֹנִיּוּת

Genoa *n* גֵּנוֹאָה

genocidal *adj* שֶׁל רֶצַח־עַם

genocide *n* רֶצַח־עַם

Genoese *n* גֵּנוֹאִי

genre *n* רוּחַ, תְּכוּנָה; סוּג; סִגְנוֹן

gent *abbr*. gentleman, gentlemen

genteel *adj* מֵהַחֶבְרָה הַגְּבוֹהָה; מְנוּמָּס

gentian *n* עַרְבָּזִי

gentile *n*, *adj* לֹא־יְהוּדִי, גּוֹי

gentility *n* נִימוּס; אֲדִיבוּת; יִיחוּס

gentle *adj* אָצִיל; עָדִין; מָתוּן

gentlefolk *n* בְּנֵי־תַּרְבּוּת, בְּנֵי־טוֹבִים
gentleman *n* ג'נטלמֶן, בֶּן־תַּרְבּוּת
gentleman-in-waiting *n* אִישׁ חָצֵר
gentlemanly *adj*, *adv* בְּנִימוּס, בַּאֲדִיבוּת
gentleman of leisure *n* שֶׁשְּׁעָתוֹ פְּנוּיָה, מִשְׁתָּעֵה
gentleman of the road *n* שׁוֹדֵד דְּרָכִים
gentle sex *n* הַמִּין הֶעָדִין
gentry *n* רָמֵי־מַעֲלָה
genuine *n* אֲמִיתִּי; כֵּן; אָמִין
genus *n* סוּג, מִין
geog. *abbr* geography
geographer *n* גֵּיאוֹגְרָף
geographic, geographical *adj* גֵּיאוֹגְרָפִי
geography *n* גֵּיאוֹגְרַפְיָה
geol. *abbr* geology
geologic(al) *adj* גֵּיאוֹלוֹגִי
geologist *n* גֵּיאוֹלוֹג
geology *n* גֵּיאוֹלוֹגְיָה
geom. *abbr* geometry
geometric, geometrical *adj* הַנְדָּסִי, גֵּיאוֹמֶטְרִי
geometrical progression *n* טוּר הַנְדָּסִי
geometrician *n* מוּמְחֶה בְּהַנְדָּסָה
geometry *n* הַנְדָּסָה
geophysics *n pl* גֵּיאוֹפִיסִיקָה
geopolitics *n pl* גֵּיאוֹפּוֹלִיטִיקָה
geranium *n* מַקּוֹר־הָאֲנָפָה, גֵּרַנְיוֹן
geriatrical *adj* שֶׁל חֵקֶר מַחֲלוֹת הַזִּקְנָה
geriatrician *n* חוֹקֵר מַחֲלוֹת הַזִּקְנָה
geriatrics *n pl* חֵקֶר מַחֲלוֹת הַזִּקְנָה
germ *n* חַיְדַּק; זֶרַע
germ *vi* נָבַט
German *adj*, *n* גֶּרְמָנִי; גֶּרְמָנִית
germane *adj* קָרוֹב; נוֹגֵעַ, הוֹלֵם
Germanic *adj* טֶבְטוֹנִי; גֶּרְמָנִי
Germanize *vt* גִּרְמֵן
German measles *n pl* אַדֶּמֶת
German silver *n* כֶּסֶף גֶּרְמָנִי
Germany *n* גֶּרְמַנְיָה
germ carrier *n* נוֹשֵׂא חַיְדַּקִים
germ cell *n* תָּא זֶרַע
germicidal *adj* קוֹטֵל חַיְדַּקִים
germicide *n* קוֹטֵל חַיְדַּקִים
germinate *vt*, *vi* נָבַט, הֵנֵץ
germ plasm *n* פְּלַסְמַת זֶרַע
germ theory *n* תֵּיאוֹרִיַּת הַחַיְדַּקִים
germ warfare *n* מִלְחֶמֶת חַיְדַּקִים
gerontology *n* מַדַּע הַזִּקְנָה, גֵּרוֹנְטוֹלוֹגְיָה
gerund *n* (בדקדוק) שֵׁם פְּעוּלָּה
gerundive *adj*, *n* (דְּמוּי) שֵׁם פְּעוּלָּה
gestation *n* תְּקוּפַת עִיבּוּר
gestatory *adj* עִיבּוּרִי
gesticulate *vi* הֶחֱוָה
gesticulation *n* הַחֲוָיָה
gesture *n* תְּנוּעַת הַבָּעָה; מֶחֱוָה
gesture *vi* עָשָׂה תְּנוּעוֹת
get *vt*, *vi* הִשִּׂיג; לָקַח; קָנָה; נַעֲשָׂה
getaway *n* בְּרִיחָה
get-together *n* הִתְכַּנְּסוּת
get-up *n* צוּרָה חִיצוֹנִית; הוֹפָעָה
gewgaw *n* צַעֲצוּעַ זוֹל
geyser *n* גֵּייזֶר, מִזְרָקָה חַמָּה
ghastly *adj* נוֹרָא, מַבְעִית

gherkin *n* מְלָפְפוֹן קָטָן
ghetto *n* גֶּטוֹ
ghost *n* רוּחַ (של מת)
ghost *vt* כָּתַב בִּשְׁבִיל אַחֵר
ghostly *adj* שֶׁל רוּחַ הַמֵּת
ghost writer *n* סוֹפֵר לְהַשְׂכִּיר
ghoul *n* רוּחַ רָעָה, שֵׁד
ghoulish *adj* שֵׁדִי, מְתוֹעָב
G.H.Q. *abbr* General Headquarters
GI, G.I. *n, adj* חַיָּל (בצבא ארה״ב)
giant *n* עֲנָק
giant *adj* עֲנָקִי
giantess *n* עֲנָקִית
gibberish *n* פִּטְפּוּט, מִלְמוּל
gibbet *n* גַּרְדּוֹם
gibe, jibe *vt, vi, n* לִגְלֵג; לִגְלוּג
giblets *n pl* קְרָבַיִים שֶׁל עוֹף
giddiness *n* קַלּוּת־דַּעַת; סְחרוּר
giddy *adj* קַל־דַּעַת
giddy *vt, vi* סִחְרֵר; הִסְתַּחְרֵר
Gideon *n* גִּדְעוֹן
gift *n* מַתָּנָה; כִּשְׁרוֹן
gifted *adj* מְחוֹנָן
gift horse *n* מַתָּנָה שֶׁאֵין בּוֹדְקִים
gift of gab *n* כִּשְׁרוֹן דִּיבּוּר
gift shop *n* חֲנוּת מַתָּנוֹת
gift wrap *n* עֲטִיפָה לְמַתָּנוֹת
gig *n* כִּרְכָּרָה; דּוּגִית
gigantic *adj* עֲנָקִי
giggle *vi* גִּיחֵךְ
giggle *n* גִּיחוּךְ
gigolo *n* ג׳יגוֹלוֹ
gild *vt* הִזְהִיב, צִיפָּה זָהָב
gilding *n* הַזְהָבָה
gill *n* זִים, אָגִיד; גִּ׳יל (מידת נוזל)
gill *vt* צָד, דָּג
gillyflower *n* יַזְהוּב
gilt *n, adj* צִיפּוּי זָהָב; מְצוּפֶּה זָהָב
gilt-edged *adj* מוּזְהָב קְצָווֹת
gilt head *n* זְהוֹב הָרֹאשׁ
gimcrack *n, adj* הִתְהַדְּרוּת רֵיקָה; מַבְהִיק וָרֵיק
gimlet *n, vt* מַקְדֵּחַ קָטָן; קָדַח חוֹר
gimmick *n* הַמְצָאָה מְחוּכֶּמֶת
gin *n* ג׳ִין (יי״ש); מַלְכּוֹדֶת; מַנְפֵּטָה
gin *vt* הִפְרִיד כּוּתְנָה בְּמַנְפֵּטָה
gin fizz *n* ג׳ִין בְּסוֹדָה
ginger *n* זַנְגְּבִיל
ginger *vt* תִּיבֵּל בְּזַנְגְּבִיל; עוֹרֵר
ginger-ale *n* מַשְׁקֵה זַנְגְּבִיל
gingerbread *n* עוּגַת זַנְגְּבִיל
gingerly *adj, adv* זָהִיר; בִּזְהִירוּת
gingersnap *n* רְקִיק זַנְגְּבִיל
gingham *n* אָרִיג מְפוּסְפָּס
giraffe *n* ג׳ִירָפָה, גָּמָל נְמֵרִי
girandole *n* סִילוֹן מַיִם מִסְתּוֹבֵב
gird *vt, vi* חָגַר; הִקִּיף; הִתְכּוֹנֵן; לָעַג
girder *n* סָרִיג; קוֹרָה
girdle *n* חֲגוֹרָה, אַבְנֵט
girdle *vt* סָגַר עַל
girl *n* יַלְדָּה, נַעֲרָה
girl friend *n* בַּחוּרָה יְדִידָה
girlhood *n* נַעֲרוּת (של נערה); בַּחוּרוּת
girlish *adj* נַעֲרָתִי
girl scout *n* צוֹפָה
girth *n* הֶיקֵּף; חֲגוֹרָה
gist *n* תַּמְצִית, עִיקָּר
give *vt, vi* נָתַן; סִיפֵּק; הֶעֱנִיק; נִכְנַע
give *n* כְּנִיעָה לְלַחַץ; גְּמִישׁוּת

give-and-take *n* שִׁיטַת תֵּן וְקַח
giveaway *n, adj* הַלְשָׁנָה; פְּרָס חִינָּם
given *adj* מוֹעֲנָק; נָתוּן, מְסוּיָּם
given name *n* שֵׁם פְּרָטִי
giver *n* נַדְבָן; מַעֲנִיק
gizzard *n* מוּרְאָה, זֶפֶק
glacial *adj* קַרְחוֹנִי; קָפוּא
glacier *n* קַרְחוֹן
glad *adj* שָׂמֵחַ, עַלִּיז; מְשַׂמֵּחַ
gladden *vt, vi* שִׂימֵּחַ
glade *n* קָרַחַת־יַעַר
glad hand *n* קַבָּלַת פָּנִים חַמָּה
gladiola *n* סֵיפָן, גְלַדְיוֹלָה
gladly *adv* בְּשִׂמְחָה
gladness *n* שִׂמְחָה, חֶדְוָה
glad rags *n pl* בִּגְדֵי שְׂרָד
glamorous *adj* קוֹסֵם, מַקְסִים
glamour *n* קֶסֶם; זוֹהַר
glamour girl *n* נַעֲרַת־זוֹהַר
glance *vt, vi* הֵעִיף מַבָּט; נָגַע קַלּוֹת
glance *n* מַבָּט חָטוּף; הִבְהוּב
gland *n* בַּלּוּטָה, בַּלּוּט
glanders *n pl* לוּזָה, חֲזִירַת הַסּוּס
glare *n* אוֹר מְסַנְוֵר; מַבָּט נוֹקֵב
glare *vt, vi* הִבְהִיק; בָּלַט; הִבִּיט בְּכַעַס
glaring *adj* מַבְהִיק; בּוֹלֵט
glass *n* זְכוּכִית; כּוֹס; (בריבוי) מִשְׁקָפַיִים
glass *adj* עָשׂוּי זְכוּכִית; מְזוּגָּג
glass *vt* זִיגֵּג
glass-blower *n* מְנַפֵּחַ זְכוּכִית
glass case *n* אֲרוֹן זְכוּכִית
glass door *n* דֶּלֶת זְכוּכִית
glassful *n* מְלוֹא הַכּוֹס
glass-house *n* חֲמָמָה
glassine *n* נְיָיר שָׁקוּף
glassware *n* כְּלֵי־זְכוּכִית
glass wool *n* צֶמֶר זְכוּכִית
glassworker *n* פּוֹעֵל זְכוּכִית
glassworks *n* בֵּית־חֲרוֹשֶׁת לִזְכוּכִית
glassy *adj* זְכוּכִית; זְגוּגִי
glaze *vt, vi* זִיגֵּג
glaze *n* זִיגּוּג, צִיפּוּי שָׁקוּף
glazier *n* זַגָּג
gleam *n* נִצְנוּץ, קֶרֶן אוֹר; אוֹר קָלוּשׁ
gleam *vi* הֵאִיר, נִצְנֵץ
glean *vt, vi* לִיקֵּט; נִלְקַט
glee *n* גִּיל; שִׁיר מַקְהֵלָה
glib *adj* חָלָק; נִמְהָר וְשִׁטְחִי (בדיבור)
glide *n* הַחֲלָקָה; דְּאִיָּה
glide *vi* הֶחֱלִיק, גָּלַשׁ; חָלַף
glider *n* דָּאוֹן
glimmer *vi* נִצְנֵץ
glimmer, glimmering *n* נִצְנוּץ, הִבְהוּב
glimpse *vt* הֵעִיף עַיִן
glimpse *n* מְעוּף עַיִן, מַבָּט חָטוּף
glint *vi* הִבְהִיק, נִצְנֵץ
glint *n* הַבְזָקָה
glisten *vi* הִבְהִיק, נִצְנֵץ
glisten *n* הַבְהָקָה
glitter, glister *vi* הִבְהִיק, הִזְהִיר
glitter *n* בָּרָק, זוֹהַר
gloaming *n* בֵּין־הַשְּׁמָשׁוֹת
gloat *vi* שָׂמַח לְאֵיד
globe *n* כַּדּוּר־הָאָרֶץ; גְלוֹבּוּס
globetrotter *n* שָׁט בָּעוֹלָם
globetrotting *n* שׁוֹטְטוּת בָּעוֹלָם
globule *n* כַּדּוּרִית טִיפָּה
glockenspiel *n* פַּעֲמוֹנִיָּה

gloom *vt, vi* הֶחשִׁיךְ, הִקְדִיר
gloom *n* אֲפֵלוּלִית; קַדרוּת
gloomy *adj* אָפֵל; עָצוּב
glorify *vt* פֵּיאֵר, קִילֵּס
glorious *adj* מְפוֹאָר, נַעֲלֶה; נֶהְדָר
glory *n* הוֹד; תְּהִילָּה
glory *vi* הִתהַלֵּל
gloss *n* בָּרָק; צִחצוּחַ; בֵּיאוּר, הֶעָרָה (בכתב־יד)
gloss *vt, vi* שִׁיוּוָה בָּרָק; פֵּירֵשׁ
glossary *n* רְשִׁימַת מִלִּים, מִילּוֹן
glossy *adj* מַברִיק, מְמוֹרָט
glottal *adj* שֶׁל בֵּית־הַקּוֹל
glove *n* כְּסָיָה, כְּפָפָה
glove *vt* לָבַשׁ כְּפָפָה
glove compartment *n* תָּא כְּסָיוֹת
glove stretcher *n* מְמַתֵּחַ כְּסָיוֹת
glow *n* לַהַט חוֹם, אוֹדֶם
glow *vi* לָהַט; הִתאַדֵּם
glower *vi* הִסתַּכֵּל בְּזַעַם
glowing *adj* לוֹהֵט; מַזהִיר
glow-worm *n* גַּחֲלִילִית
glucose *n* גלוּקוֹזָה
glue *n* דֶּבֶק נוֹזְלִי
glue *vt* דִּיבֵּק, הִדבִּיק
glue-pot *n* כְּלִי לְדֶבֶק
gluey *adj* דִּבקִי, דָּבִיק
glug *vi* בִּעבֵּעַ
glumaceous *adj* בַּעַל גְלוּמָה
glume *n* גְלוּמָה
glut *n* גּוֹדֶשׁ, עוֹדֵף
glut *vt, vi* הִשׂבִּיעַ; מִילֵּא עַד אֶפֶס מָקוֹם
glutton *n* זוֹלְלָן; רַעַבתָן
gluttonous *adj* זוֹלְלָנִי
gluttony *n* זְלִילָה
glycerine *n* גלִיצֶרִין
G.M. *abbr* General Manager, Grand Master
G-man *n* סוֹכֵן הַבּוֹלֶשֶׁת
G.M.T. *abbr.* Greenwich Mean Time
gnarled *adj* מְסוּקָס, מְחוּספָּס
gnash *vt, vi* חָרַק שִׁינַּיִים; נָשַׁךְ
gnat *n* יַתּוּשׁ, זְבוּבוֹן
gnaw *vt, vi* כִּרסֵם; כָּסַס
gnome *n* שֵׁדוֹן, גַּמָּד
go *vt, vi* הָלַךְ; נָסַע; עָזַב; עָבַר
go *n* הֲלִיכָה; מֶרֶץ; נִיסָּיוֹן
goad *n* דָּרְבָן; גֵירוּי
goad *vt, vi* הִכָּה בְּמַלמָד; גֵירָה
go-ahead *adj* מִתקַדֵּם
goal *n* מַטָּרָה; (בכדורגל) שַׁעַר
goalkeeper *n* שׁוֹעֵר
goal-line *n* קַו־הַשַּׁעַר
goal-post *n* קוֹרָה
goat *n* תַּיִשׁ, עֵז
goatee *n* זְקַן תַּיִשׁ
goatherd *n* רוֹעֵה עִזִּים
goatskin *n* עוֹר תַּיִשׁ
goatsucker *n* תַּחמָס אֵירוֹפִּי
gob *n* רוֹק
gob *vi* יָרַק
gobble *vt, vi* בָּלַע בְּחִיפָּזוֹן; חָטַף
gobbledegook *n* לָשׁוֹן מְעוּרפֶּלֶת
go-between *n* מְתַווּךְ
goblet *n* גָּבִיעַ
goblin *n* שֵׁדוֹן
goby *n* קַבְרנוּן
go-by *n* הִתעַלְּמוּת

go-cart *n* אוֹפַנִּית יְלָדִים
god *n* אֵל, אֱלִיל
God *n* אֱלֹקִים
godchild *n* יֶלֶד סַנְדְקָאוּת
goddaughter *n* בַּת סַנְדְקָאוּת
goddess *n* אֵלָה
godfather *n* סַנְדָק
godfather *vt* שִׁימֵּשׁ כְּסַנְדָק
God-fearing *adj* יְרֵא אֱלֹקִים
God-forsaken *adj* שְׁכוּחַ אֵל
Godhead *n* אֱלוֹהוּת
godless *adj* כּוֹפֵר
godly *adj* אֱלוֹהִי; יְרֵא אֱלֹקִים
godmother *n* סַנְדָקִית
God's acre *n* בֵּית קְבָרוֹת
godsend *n* מַתַּת אֱלֹהַ
godson *n* בֶּן סַנְדְקָאוּת
Godspeed *n* אִיחוּלֵי 'נְסִיעָה טוֹבָה', 'בְּהַצְלָחָה'
go-getter *n* יוֹזְמָן־תּוֹקְפָן
goggle *vi* גִּלְגֵּל בְּעֵינָיו
goggle-eyed *adj* תָּמֵהַּ
goggles *n pl* מִשְׁקְפֵי מָגֵן
going *n, adj* הֲלִיכָה; יְצִיאָה; מַצְלִיחַ
going concern *n* מִפְעָל מְשַׂגְשֵׂג
goings on *n pl* תַּעֲלוּלִים, מַעֲלָלִים
goiter, goitre *n* זַפֶּקֶת
gold *n, adj* זָהָב; מוּזְהָב
goldbeater *n* זְהָבִי
goldbeater's skin *n* עוֹר זְהָבִים
gold-brick *n* נֶתֶךְ זָהָב; חֵפֶץ מְזוּיָּף
goldcrest *n* מַלְכִּילוֹן
gold-digger *n* מְחַפֵּשׂ זָהָב
golden *adj* שֶׁל זָהָב; זָהוֹב
Golden Age *n* תּוֹר הַזָּהָב
golden calf *n* עֵגֶל הַזָּהָב
Golden Fleece *n* גִּיזַּת הַזָּהָב
golden mean *n* שְׁבִיל הַזָּהָב
golden plover *n* חוֹפָמִי זָהוֹב
golden rod *n* שֵׁבֶט הַזָּהָב
golden rule *n* כְּלַל הַזָּהָב
goldfield *n* מִכְרֵה זָהָב
goldfinch *n* חוֹחִית
goldfish *n* דַּג זָהָב, זְהַבְנוּן
goldilocks, goldylocks *n* זְהוּבַּת שֵׂיעָר; נוּרִית
gold-leaf *n* עֲלֵה זָהָב
gold-mine *n* מִכְרֵה זָהָב
gold plate *n* כְּלֵי זָהָב
gold-plate *vt* רִיקֵּעַ בְּזָהָב
goldsmith *n* צוֹרֵף זָהָב
gold standard *n* בְּסִיס הַזָּהָב
golf *n* גּוֹלְף
golf *vi* שִׂיחֵק בְּגוֹלְף
golf-club *n* אַלַּת גּוֹלְף; מוֹעֲדוֹן גּוֹלְף
golfer *n* גּוֹלְפַאי
golf-links *n pl* מִגְרַשׁ גּוֹלְף
Golgotha *n* גּוּלְגוֹלְתָּא, שְׁאוֹל
gondola *n* גּוֹנְדוֹלָה
gondolier *n* גּוֹנְדוֹלַאי
gone *adj* אָבוּד, בָּטֵל; נִכְשָׁל
gong *n* גּוֹנג, מְצִילָּה
gonorrhea, gonorrhoea *n* זִיבָה, גּוֹנוֹרֵיאָה
goo *n* חוֹמֶר דָּבִיק
good *adj* טוֹב
good *n* תּוֹעֶלֶת, יִתְרוֹן; הִצְטַיְּינוּת; דָּבָר רָצוּי
good afternoon *interj* שְׁעַת מִנְחָה טוֹבָה

goodby, goodbye *interj, n* הֱיֵה שָׁלוֹם!
good day *interj* שָׁלוֹם, בָּרוּךְ יוֹמְךָ
good evening *interj* עֶרֶב טוֹב
good fellow *n* בָּחוּר טוֹב
good fellowship *n* חֲבֵרוּת טוֹבָה
good-for-nothing *adj* לֹא־יוּצְלַח
good graces *n pl* מְצִיאַת חֵן, חֶסֶד
good-hearted *adj* טוֹב־לֵב
good-humored *adj* טוֹב־מֶזֶג
good-looking *adj* יְפֵה־תֹּאַר
good looks *n pl* יְפִי מַרְאֶה
goodly *adj* טוֹב, יָפֶה; רַב
good morning *interj* בֹּקֶר טוֹב
good-natured *n* טוֹב־מֶזֶג
Good Neighbor Policy *n* מְדִינִיּוּת הַשָּׁכֵן הַטּוֹב
goodness *n* טוּב; טוֹב; נְדִיבוּת
good night *interj* לַיְלָה טוֹב
goods *n pl* סְחוֹרָה, סְחוֹרוֹת, מִטְעָן
good sense *n* שֵׂכֶל
good-sized *adj* נִיכָּר בְּגוֹדְלוֹ
good speed *n* בְּהַצְלָחָה!
good-tempered *adj* בַּעַל מֶזֶג טוֹב
good time *n* הֲנָאָה, רְאִיַּת חַיִּים
good turn *n* טוֹבָה, חֶסֶד
goodwill *n* רָצוֹן טוֹב, יְדִידוּת; מוֹנִיטִין
goody *n* מַמְתָּק
gooey *adj* דָּבִיק
goof *n* טִיפֵּשׁ
goof *vi* הֶחֱטִיא, ׳פִּסְפֵּס׳
goofy *adj* טִיפְּשִׁי, אִידְיוֹטִי
goon *n* טִיפֵּשׁ, אִידְיוֹט; אֵימְתָן
goose *n* אַוָּז, אַוָּזָה; טִיפֵּשׁ
gooseberry *n* דּוּמְדְּמָנִית
goose egg *n* בֵּיצַת אַוָּז
goose flesh *n* סִמְרוּר בָּעוֹר
gooseneck *n* צַוַּאר אַוָּז
goose pimples *n pl* סִמְרוּר בָּעוֹר
goosestep *n* צְעִידַת אַוָּז
G.O.P. *abbr* Grand Old Party
gopher *n* סְנָאִית הָעֲרָבָה
gopher *n* עֵץ גּוֹפֶר
Gordian knot *n* קֶשֶׁר גּוֹרְדִי
gore *n* דָּם (שָׁפוּךְ וְקָרוּשׁ)
gore *vt* נָגַח
gorge *n* עָרוּץ; גַּיְא; גָּרוֹן
gorge *vt, vi* מִילֵּא כְּרֵסוֹ
gorgeous *adj* נֶהְדָּר
gorilla *n* גּוֹרִילָּה
gorse *n* אוּלֶקְס אֵירוֹפִּי
gory *adj* מְכוּסֶּה בְּדָם
gosh! *interj* אֱלֹקִים אַדִּירִים!
goshawk *n* נֵץ גָּדוֹל
gospel *n* בְּשׂוֹרַת הַנַּצְרוּת
gospel truth *n* אֱמֶת לַאֲמִיתָּהּ
gossamer *n, adj* קוּרֵי עַכָּבִישׁ; דַּק
gossip *n* רְכִילוּת, פִּטְפּוּט
gossip *vi* דִּיבֵּר רְכִילוּת
gossip columnist *n* בַּעַל טוּר רְכִילוּת
gossipy *adj* שֶׁל רְכִילוּת
Goth *n* גּוֹתִי; גַּס
Gothic *adj, n* גּוֹתִי; סִגְנוֹן גּוֹתִי; (שָׂפָה) גּוֹתִית
gouge *n* מַפְסֶלֶת; חָרִיץ; מִרְמָה
gouge *vt, vi* פִּיסֵּל; רִימָּה
goulash *n* גּוּלָשׁ
gourd *n* דְּלַעַת; נֹאד
gourmand *n* אַכְלָן
gourmet *n* מוּמְחֶה בְּמַאֲכָלִים

gout *n* צִינִית
gouty *adj, n* חוֹלֵה צִינִית
gov. *abbr* governor, government
govern *vt, vi* מָשַׁל; נִיהֵל
governess *n* אוֹמֶנֶת
government *n* מֶמְשָׁלָה
governmental *adj* מֶמְשַׁלְתִּי
government in exile *n* מֶמְשָׁלָה גוֹלָה
governor *n* מוֹשֵׁל; נָגִיד
governorship *n* כְּהוּנַּת מוֹשֵׁל
govt. *abbr* government
gown *n* שִׂמְלָה; גְלִימָה (שֶׁל שׁוֹפְטִים)
gown *vt* הִלְבִּישׁ (שִׂמלה אוֹ גלימה)
gr. *abbr* gram, grain, gross
grab *vt* חָטַף; תָּפַס
grab *n* חֲטִיפָה; תְּפִיסָה
grace *n* חֵן; חֶסֶד; בִּרְכַּת־הַמָּזוֹן
grace *vt* הוֹסִיף חֵן; הוֹסִיף כָּבוֹד
graceful *adj* חִינָּנִי
grace-note *n* (מוּסיקה) תַּו־עִיטּוּר
gracious *adj* גּוֹמֵל חֶסֶד, אָדִיב
grackle *n* זַרְזִיר
grad. *abbr* graduate
gradation *n* שִׁינּוּי בְּהַדְרָגָה; הַדְרָגָה
grade *n* מַעֲלָה, מַדְרֵגָה; אֵיכוּת; כִּיתָּה (שֶׁל בי"ס)
grade crossing *n* צוֹמֶת חַד מִפְלָסִי
grade-school *n* בֵּית־סֵפֶר יְסוֹדִי
grade *vt, vi* סִיוּוֵג; קָבַע צִיּוּנִים
gradient *adj* הַדְרָגָתִי; מְשׁוּפָּע
gradient *n* שִׁיפּוּעַ
gradual *adj* הַדְרָגָתִי, מוּדְרָג
gradually *adv* בְּהַדְרָגָה
graduate *n, adj* בּוֹגֵר אוּנִיבֶרְסִיטָה; שֶׁל בּוֹגֵר
graduate *vt, vi* סִיֵּים אוּנִיבֶרְסִיטָה; (בִּמכוֹנוֹת) שִׁינֵּת
graduate school *n* אוּנִיבֶרְסִיטָה לְתוֹאַר שֵׁנִי
graduate student *n* סְטוּדֶנְט לְתוֹאַר שֵׁנִי
graduate work *n* עֲבוֹדָה לְתוֹאַר שֵׁנִי
graduation *n* סִיּוּם; טֶקֶס סִיּוּם; סִימָנֵי דֵירוּג
graft *n* (בִּרפוּאה וכד׳) הַרְכָּבָה, רֶכֶב; שׁוֹחַד
graft *vt, vi* הִרְכִּיב; הוּרְכַּב
graham bread *n* לֶחֶם גְרַהַם, לֶחֶם חִיטָּה שְׁלֵמָה
graham flour *n* קֶמַח חִיטָּה שְׁלֵמָה
grain *n* גַּרְעִין; תְּבוּאָה; קוֹרְטוֹב; מִבְנֵה הַסִּיבִים
grain *vt* פּוֹרֵר לְגַרְעִינִים; צָבַע כְּמִרְקַם הָעֵץ
grain elevator *n* מַחְסַן תְּבוּאָה, אָסָם
grain field *n* שְׂדֵה בָּר
graining *n* צְבִיעָה כְּמִרְקַם הָעֵץ
gram *n* גְּרַם; תִּלְתָּן; שְׁעוּעִית
grammar *n* דִּקְדּוּק
grammarian *n* מְדַקְדֵּק
grammar school *n* (בִּבריטניה) בֵּית־סֵפֶר תִּיכוֹן עִיּוּנִי; (בארה"ב) בֵּית־סֵפֶר יְסוֹדִי (כיתות גבוהות)
grammatical *adj* דִּקְדּוּקִי
gramophone *n* מָקוֹל, פָּטֵיפוֹן
granary *n* אָסָם; גּוֹרֶן
grand *adj* נֶהְדָר; מְכוּבָּד; חָשׁוּב בְּיוֹתֵר
grand-aunt *n* דּוֹדָה־סַבְתָּא

grandchild *n* נֶכֶד, נֶכְדָה
granddaughter *n* נֶכְדָה
grand-duchess *n* הַדּוּכָּסִית הַגְּדוֹלָה
grand duchy *n* דּוּכָּסוּת
grand-duke *n* הַדּוּכָּס הַגָּדוֹל
grandee *n* אָצִיל סְפָרַדִּי
grandeur *n* גְּדוּלָּה; אֲצִילוּת
grandfather *n* סָב, סַבָּא
grandfatherly *adj* כְּסַבָּא
grandiose *adj* נֶהְדָר
grandiosely *adv* בִּמְהוּדָּר
grand jury *n* חֶבֶר מוּשְׁבָּעִים
grand lodge *n* לִשְׁכָּה גְּדוֹלָה
grandma *n* סַבְתָּא
grandmother *n* סָבָא
grandnephew *n* אַחְיָן־נֶכֶד
grandniece *n* אַחְיָנִית־נֶכְדָה
grand opera *n* אוֹפֶּרָה גְּדוֹלָה
grandpa *n* סַבָּא
grandparent *n* הוֹרֶה־סָב
grand piano *n* פְּסַנְתֵּר כָּנָף
grand slam *n* נְעִילָה נֶהְדֶּרֶת
grandson *n* נֶכֶד
grand-stand *n* בִּימַת הַצּוֹפִים
grand strategy *n* אַסְטְרָטֶגְיָה גְּדוֹלָה
grand-total *n* סַךְ־הַכּוֹל הַכְּלָלִי
grand-uncle *n* דּוֹד־הָאָב
grand vizier *n* וָזִיר רָאשִׁי
grange *n* חַוָּה
granite *n* שַׁחַם; קַשְׁיוּת
granolithic *adj* מוּצָק
grant *vt* נָתַן, הֶעֱנִיק; הִסְכִּים
grant *n* מַעֲנָק; מַתָּנָה
grantee *n* נֶהֱנֶה מִמַּעֲנָק
grant-in-aid *n* סִיּוּעַ מַעֲנָק
grantor *n* מַנְחִיל
granular *adj* גַּרְגִּירִי, גַּרְעִינִי
granulate *vt, vi* פּוֹרֵר; הִתְפּוֹרֵר
granule *n* גַּרְגִּיר
grape *n* עֵנָב; אָדוֹם־כֵּהֶה
grape arbor *n* סוּכַּת גֶּפֶן
grapefruit *n* אֶשְׁכּוֹלִית
grape hyacinth *n* יַקִּינְטוֹן בָּר
grape juice *n* מִיץ עֲנָבִים
grapeshot *n* צְרוֹר פְּגָזִים
grape-vine *n* גֶּפֶן; שְׁמוּעַת לְחָשִׁים
graph *n* עָקוֹם, גְּרָף; דִּיאַגְרַמָּה
graphic *adj* צִיּוּרִי; גְּרָפִי, עֲקוּמִי
graph paper *n* נְיָר מִילִימֶטְרִי
grapnel *n* מַתְפֵּס
grapple *vt, vi* אָחַז, תָּפַס; נֶאֱבַק
grapple *n* אַנְקוֹל; אֲחִיזָה
grasp *vt, vi* אָחַז, תָּפַס; הֵבִין
grasp *n* אֲחִיזָה; הֲבָנָה
grasping *adj* חַמְדָן, קַמְצָן
grass *n* עֵשֶׂב
grass court *n* מִגְרַשׁ דֶּשֶׁא
grasshopper *n* חָגָב
grass pea *n* אֲפוּנַת מִסְפּוֹא
grass roots *adj* שָׁרְשִׁי, מִתּוֹךְ הָעָם
grass seed *n* זֶרַע הַדֶּשֶׁא
grass widow *n* 'אַלְמָנַת קַשׁ'
grassy *adj* מַדְשִׁיא
grate *n* סְבָכָה; אָח
grate *vt, vi* רִיסֵּק; שִׁפְשֵׁף; צָרַם
grateful *adj* אֲסִיר־תּוֹדָה
grater *n* פּוּמְפִּיָּה; מָשׁוֹף
gratify *vt* הִשְׂבִּיעַ רָצוֹן; הִינָּה
gratifying *adj* מַשְׂבִּיעַ רָצוֹן; מְהַנֶּה
grating *n* סוֹרָג, סְבָכָה

gratis *adv*	חִינָּם
gratitude *n*	הַכָּרַת־טוֹבָה
gratuitous *adj*	נִיתָּן חִינָּם; לְלֹא סִיבָּה
gratuity *n*	מַתָּת
grave *adj*	רְצִינִי; חָמוּר
grave *n*	קֶבֶר
gravedigger *n*	קַבְּרָן
gravel *n*	חָצָץ; אַבְנִית
graven image *n*	פֶּסֶל, אֱלִיל
gravestone *n*	מַצֵּבָה
graveyard *n*	בֵּית־עָלְמִין
gravitate *vi*	נמשַׁך; נָע מִכּוֹחַ־הַמְּשִׁיכָה
gravitation *n*	כּוֹחַ־הַכּוֹבֶד, כְּבִידָה
gravity *n*	כּוֹחַ־הַמְּשִׁיכָה; רְצִינוּת
gravure *n*	פִּיתּוּחַ, גִילוּף; הֶדְפֵּס פִּיתּוּחַ
gravy *n*	רוֹטֶב בָּשָׂר
gravy dish *n*	קְעָרַת רוֹטֶב
gray, grey *adj, n*	אָפוֹר; עָגוּם
graybeard *n*	זָקֵן
gray-eyed *adj*	אֲפוֹר־עֵינַיִים
gray-haired *adj*	כְּסוּף שֵׂעָר
gray-headed *adj*	כְּסוּף־רֹאשׁ
grayhound *n*	כֶּלֶב־צַיִד
grayish *adj*	אֲפַרְפַּר
graylag *n*	אַוָּז אָפוֹר
grayling *n*	אִלְתִּית
gray matter *n*	(דיבּוּרית) שֵׂכֶל
grayness *n*	הַצֶּבַע הָאָפוֹר
graze *vt, vi*	רָעָה; הוֹצִיא לַמִּרְעֶה; הִתְחַכֵּך
grease *n*	שׁוּמָּן; שׁוּמַּן־סִיכָה
grease *vt*	מָשַׁח, סָך
grease-cup *n*	גּוּבַּתַּת־סִיכָה
grease-gun *n*	מַזְרֵק לְמִשְׁחַת־סִיכָה
grease lift *n*	מָנוֹף סִיכָה
grease-paint *n*	מִשְׁחַת־צֶבַע (לאיפּוּר בּתיאטרוֹן)
grease pit *n*	גּוֹב סִיכָה
grease spot *n*	נְקוּדַּת סִיכָה
greasy *adj*	מְשׁוּמָּן, מְלוּכְלָך
great *adj*	גָּדוֹל; רַב; נַעֲלֶה
great aunt *n*	דוֹדַת הָאָב (אוֹ הָאֵם)
Great Britain *n*	בְּרִיטַנְיָה הַגְּדוֹלָה
greatcoat *n*	מְעִיל עֶלְיוֹן
Greater London *n*	לוֹנדוֹן רַבָּתִי
Greater New York *n*	נוּ יוֹרק רַבָּתִי
great grandchild *n*	שִׁילֵּשׁ
great granddaughter *n*	שִׁילֵּשָׁה
great grandfather *n*	אָב שִׁילֵּשׁ
great grandmother *n*	אֵם שִׁילֵּשָׁה
great grandparent *n*	הוֹרֶה שִׁילֵּשׁ
great grandson *n*	שִׁילֵּשׁ
greatly *adv*	מְאוֹד, הַרְבֵּה
great nephew *n*	בֶּן הָאַחְיָין
great niece *n*	בַּת הָאַחְיָין
great uncle *n*	דוֹד־סָב
Grecian *adj, n*	יְוָנִי
Greece *n*	יָוָן
greed *n*	חֶמְדָּה; גַּרְגְּרָנוּת
greedy *adj*	תַּאַוְתָן; זוֹלֵל
Greek *adj, n*	יְוָנִי; הַשָּׂפָה הַיְּוָנִית
green *adj*	יָרוֹק; לֹא בָּשֵׁל; טִירוֹן
green *n*	צֶבַע יָרוֹק; מִדְשָׁאָה
green *vt, vi*	הוֹרִיק; כּוּסָּה דֶּשֶׁא
greenback *n*	יְרוֹק גַּב (שטר כּסף)
green-blind *adj*	עִיוֵּר לְצֶבַע יָרוֹק
green corn *n*	תִּירָס מָתוֹק
green earth *n*	גְלַאקוֹנִיט
greenery *n*	יֶרֶק; חֲמָמָה

green-eyed *adj* קַנָּאִי
greengage *n* שְׁזִיף יְרַקְרַק
green grasshopper *n* חָגָב יָרוֹק
greengrocer *n* יַרְקָן
greengrocery *n* חֲנוּת יְרָקוֹת
greenhorn *n* יָרוֹק, טִירוֹן
greenhouse *n* חֲמָמַת זְכוּכִית; מִשְׁתָּלָה
greenish *adj* יְרַקְרַק
Greenland *n* גְרֶנְלַנְד
greenness *n* יַרְקוּת
green room *n* חֲדַר מְנוּחָה (לשחקנים בתיאטרון)
greens *n pl* יְרָקוֹת
greensward *n* דֶשֶׁא
green thumb *n* יוֹדֵעַ גִינּוּן
green vegetables *n pl* יְרָקוֹת
greenwood *n* חוֹרֶשׁ יָרוֹק
greet *vt, vi* בֵּירֵךְ, דָרַשׁ שְׁלוֹם
greeting *n* בְּרָכָה
greeting card *n* כַּרְטִיס בְּרָכָה
gregarious *adj* עֶדְרִי; חַבְרוּתִי
Gregorian *adj* גְרֵגוֹרִיָאנִי
Gregorian calendar *n* לוּחַ גְרֵגוֹרִיָאנִי
grenade *n* רִימּוֹן
grenadier *n* חַיָּיל גְבַהּ קוֹמָה
grenadine *n* גְרֶנָדִין
grey *adj see* gray
gribble *n* סַרְטַן הָעֵץ
grid *n* סוֹרֵג, רֶשֶׁת; מַצְלֶה
griddle *n* מַחְתָּה
griddlecake *n* חֲרָרָה, מַרְקוֹעַ
gridiron *n* אַסְכָּלָה, מַצְלֶה
grid leak *n* דֶלֶף סָרִיג
grief *n* יָגוֹן, צַעַר
grievance *n* תְּלוּנָה, הִתְמַרְמְרוּת
grieve *vi, vt* הִתְאַבֵּל; צִיעֵר, הִכְאִיב
grievous *adj* גוֹרֵם צָרוֹת; מֵעִיק
griffin, griffon *n* גְרִיפִין
grill *vt, vi* צָלָה; עִינָּה
grill *n* סָרִיג; מַצְלֶה; צָלִי
grille *n* סְבָכַת שַׁעַר
grill-room *n* מִסְעֶדֶת־צָלִי
grim *adj* זוֹעֵם, זוֹעֵף; מַחֲרִיד
grimace *n* הַעֲוָויָה
grimace *vi* עִיוָּה פָּנָיו
grime *n* לִכְלוּךְ
grime *vt* לִכְלֵךְ
grimy *adj* מְלוּכְלָךְ
grin *n* חִיּוּךְ
grin *vt, vi* חִייֵּךְ
grind *vt, vi* טָחַן, שָׁחַק; הִשְׁחִיז; הִתְמִיד (בלימוד)
grind *n* טְחִינָה; הַתְמָדָה; עֲבוֹדָה קָשָׁה
grinder *n* טוֹחֵן; מַשְׁחֵזָה; שֵׁן טוֹחֶנֶת
grindstone *n* אֶבֶן מַשְׁחֶזֶת
gringo *n* (בין דרום־אמריקנים) זָר
grip *n* מִתְפָּס; תְּפִיסָה; יָדִית
grip *vi, vt* תָּפַס, אָחַז; צוֹדֵד
gripe *n* תְּלוּנָה
gripe *vt, vi* הִתְלוֹנֵן
grippe *n* שַׁפַּעַת
gripping *adj* מְצוֹדֵד, מְרַתֵּק
grisly *adj* מַבְעִית
grist *n* בַּר, דָגָן
gristle *n* חַסְחוּס
gristly *adj* חַסְחוּסִי
gristmill *n* טַחֲנַת קֶמַח
grit *n* גַרְגְרֵי אָבָק; גַרְגְרִים קָשִׁים
grit *vt* טָחַן; חָרַק (שיניים)
gritty *adj* חוֹלִי, אֲבָקִי

grizzly *adj* אַפְרוּרִי; אֲפוֹר שֵׂעָר
grizzly bear *n* דּוֹב גְרִיזְלִי
groan *n* אֲנָחָה; אֲנָקָה
groan *vi* נֶאֱנַח; נֶאֱנַק; גָּנַח
grocer *n* חֶנְוָנִי מַכּוֹלֶת
grocery *n* חֲנוּת מַכּוֹלֶת; מִצְרְכֵי מַכּוֹלֶת
grocery store *n* חֲנוּת מַכּוֹלֶת
grog *n* מֶזֶג, תַּמְזִיג
groggy *adj* כּוֹשֵׁל; שָׁתוּי
groin *n* מִפְשָׂעָה
groom *n* חָתָן; סַיָּס
groom *vt* טִיפֵּל, נִיקָּה, הִידֵּר
groomsman *n* שׁוּשְׁבִין נִבְחָר
groove *n* חָרִיץ
groove *vt* עָשָׂה חָרִיץ
grope *vt, vi* מִישֵּׁשׁ
gropingly *adv* בְּגִישּׁוּשׁ
grosbeak *n* פְּרוּשׁ גְדוֹל מַקּוֹר
gross *n* תְּרֵיסַר תְּרֵיסָרִים
gross *adj* גָּדוֹל; מְגוּשָּׁם; בְּרוּטוֹ
grossly *adv* בְּצוּרָה גַסָּה
gross national product *n* הַמּוּצָר הַלְּאוּמִּי הַכּוֹלֵל
gross profit *n* רֶוַח גּוֹלְמִי
gross weight *n* מִשְׁקָל בְּרוּטוֹ
grotesque *n, adj* דְּמוּת מוּזָרָה; מְשׁוּנֶּה; גְרוֹטֶסְקִי
grotto *n* מְעָרָה
grouch *vi* הָיָה מְמוּרְמָר
grouch *n* רוֹטְנָן; הִתְמַרְמְרוּת
grouchy *adj* נוֹחַ לִכְעוֹס
ground *n* אֲדָמָה, קַרְקַע; תַּחְתִּית; סִיבָּה; אַרְקָה (בְּחַשְׁמַל)
ground *adj* קַרְקָעִי; מְקוּרְקָע
ground *vt* בִּיסֵּס; הֶאֱרִיק (בְּחַשְׁמַל); קִרְקֵעַ (טַיָּס, מָטוֹס)
ground connection *n* תַּיִל מַאֲרִיק
ground crew *n* צֶוֶת קַרְקַע
grounder *n* כַּדּוּר מִתְגַּלְגֵּל
ground-floor *n* קוֹמַת קַרְקַע
ground-glass *n* זְכוּכִית דֵּהָה
ground-hog *n* מַרְמִיטָה אֲמֵרִיקָנִית
ground lead *n* תַּיִל מַאֲרִיק
groundless *n* חֲסַר יְסוֹד
groundplan *n* תּוֹכְנִית בִּנְיָן
ground-swell *n* סַעֲרַת רַעַשׁ (בַּיָּם)
ground troops *n pl* חֵיל יַבָּשָׁה
ground wire *n* תַּיִל מַאֲרִיק
groundwork *n* יְסוֹד, מַסָּד
group *n* קְבוּצָה, לַהַק
group *vt, vi* קִיבֵּץ, אִיגֵּד; הִתְקַבֵּץ; סִיוּוֵג
grouse *n* תַּרְנְגוֹל-בָּר; רַטְנָן
grouse *vi* רָטַן; הִתְלוֹנֵן
grout *n* חוֹמֶר דִּיוּס, מֶלֶט דִּיוּס
grout *vt, vi* דִּייֵּס; נָבַר
grovel *vi* זָחַל, הִתְרַפֵּס
grow *vt, vi* גִּידֵּל; הִצְמִיחַ; גָּדַל; צָמַח
growing child *n* יֶלֶד גָּדֵל
growl *vt, vi* נָהַם, רָטַן; הִתְלוֹנֵן
grown-up *adj, n* מְבוּגָּר
growth *n* גִּידּוּל, צְמִיחָה
growth stock *n* עֲלִיַּית מְנָיוֹת מִתְמֶדֶת
grub *n* דֶּרֶן, זַחַל; מָזוֹן
grub *vt, vi* חָפַר; שֵׁירֵשׁ; עָמַל
grubby *adj* שׁוֹרֵץ זְחָלִים; מְלוּכְלָךְ
grudge *vt* קִינֵּא בְּ...; נָתַן שֶׁלֹּא בְּרָצוֹן
grudge *n* טִינָה, אֵיבָה
grudgingly *adv* בְּלִי חֶמְדָּה; בְּעַיִן צָרָה

gruel *n* דַּייסָה
gruel *vt* נִיצֵל; הִתעַמֵּר בּ...
gruesome *adj* מַבעִית
gruff *adj* זוֹעֵף; גַּס; נִיחָר
grumble *vi* הִתאוֹנֵן, הִתלוֹנֵן; רָטַן
grumble *n* נְהִימָה, רִיטוּן
grumpy *adj* כּוֹעֵס, זוֹעֵף
grunt *n* נְחִירָה, נַחֲרָה
grunt *vt, vi* נָחַר; נָאַק
G-string *n* מֵיתַר־סוֹל; כִּיסוּי מוֹתנַיִים
gt. *abbr* great
Guadeloupe *n* גוּוַדֶלוּפּ
guan *n* פֵּנֶלוֹפָּה
guarantee *n* עֲרוּבָּה; מַשׁכּוֹן
guarantee *vt* עָרַב ל...; הִבטִיחַ
guarantor *n* עָרֵב
guaranty *n* אַחֲרָיוּת; עֲרֵבוּת; מַשׁכּוֹן
guard *vt, vi* שָׁמַר; הִשׁגִּיחַ עַל
guard *n* מִשׁמָר; שׁוֹמֵר
guardhouse *n* בֵּית־מִשׁמָר
guardian *n, adj* שׁוֹמֵר; אֶפִּיטרוֹפּוֹס
guardianship *n* אֶפִּיטרוֹפּסוּת, פִּיקוּחַ
guard-rail *n* מַעֲקֶה
guardroom *n* חֲדַר הַמִּשׁמָר
guardsman *n* זָקִיף, שׁוֹמֵר
Guatemalan *adj, n* גוּאַטֶמָלִי
guerrilla, guerilla *n* לוֹחֵם־גֵרִילָה; מִלחָמָה זְעִירָה
guerrilla warfare *n* לוֹחֲמַת גֵרִילָה
guess *vt, vi* שִׁיעֵר, נִיחֵשׁ
guess *n* הַשׁעָרָה; נִיחוּשׁ
guesswork *n* הַשׁעָרָה; נִיחוּשׁ
guest *n* אוֹרֵחַ
guest book *n* סֵפֶר הָאוֹרְחִים
guffaw *n* תְּרוּעַת צְחוֹק
guffaw *vi* צָחַק צְחוֹק גַּס
Guiana *n* גוּוִיאַנָה
guidance *n* הַדרָכָה; הַנהָגָה; הַנחָיָה
guide *n* מַדרִיךְ; מַנחֶה; סֵפֶר הַדרָכָה
guide *vt* הִנחָה, הִדרִיךְ
guideboard *n* לוּחַ הַנחָיוֹת
guidebook *n* מַדרִיךְ
guided missile *n* טִיל מוּנחֶה
guide dog *n* כֶּלֶב לְוַואי
guideline *n* קַו מַנחֶה
guidepost *n* תַּמרוּר
guidon *n* דִגלוֹן זִיהוּי
guild *n* אֲגוּדָּה מִקצוֹעִית
guildhall *n* בִּניַין הָעִירִייָה
guile *n* עוֹרמָה, תַּחבּוּלָה
guileful *adj* מָלֵא עוֹרמָה
guileless *adj* תָּמִים, יָשָׁר
guillotine *n, vt* גִילִיוֹטִינָה, עָרַף
guilt *n* אַשׁמָה
guiltless *adj* חַף מִפֶּשַׁע
guilty *adj* אָשֵׁם, חַייָב
guinea *n* גִינִי (מטבע)
guinea-fowl, guinea-hen *n* פְּנִינִייָה
guinea-pig *n* חֲזִיר־יָם
guise *n* צוּרָה, מַרְאֶה
guitar *n* גִיטָרָה
guitarist *n* גִיטָרָן
gulch *n* גַּיא, עָרוּץ
gulf *n* מִפרָץ, לְשׁוֹן־יָם; פַּעַר
gulf *vt* בָּלַע כִּתהוֹם
Gulf of Mexico *n* מִפרַץ מֶקסִיקוֹ
Gulf Stream *n* זֶרֶם הַגּוֹלף
gull *n* שַׁחַף
gull *vt* רִימָּה; פִּיתָּה

gullet *n* וֶשֶׁט

gullible *adj* נִפְתֶּה לְהַאֲמִין

gully *n* עָרוּץ; תְּעָלָה

gulp *vt, vi* בָּלַע מַהֵר

gulp *n* בְּלִיעָה

gum *n* גּוּמִי; חֲנִיכַיִים

gum *vt* הִדְבִּיק

gumboil *n* מוּרְסַת חֲנִיכַיִים

gumboot *n* נַעַל גּוּמִי

gumdrop *n* סוּכָּרִיַּית גּוּמִי

gummy *adj* דָּבִיק; גּוּמִיִּי

gumption *n* תּוּשִׁיָּה, יוֹזְמָה

gumshoe *n* נַעַל גּוּמִי

gumshoe *vt* הִתְגַּנֵּב

gun *n* רוֹבֶה; אֶקְדָּח; תּוֹתָח

gun *vi* יָרָה; רָדַף (עַל־מְנַת לַהֲרוֹג)

gunboat *n* סְפִינַת־תּוֹתָחִים

gun-carriage *n* גְּרֶרֶת־תּוֹתָח

gun-cotton *n* כּוּתְנַת־נֶפֶץ

gunfire *n* יְרִיָּיה, יְרִיּוֹת

gunman *n* אוֹחֵז בְּנֶשֶׁק

gun-metal *n* מַתֶּכֶת־תּוֹתָחִים

gunnel *see* gunwale

gunner *n* תּוֹתְחָן; קְצִין צִיּוּד

gunnery *n* תּוֹתְחָנוּת

gunny sack *n* שַׂק יוּטָה

gunpowder *n* אֲבַק־שְׂרֵיפָה

gunrunner *n* מַבְרִיחַ נֶשֶׁק

gunrunning *n* הַבְרָחַת נֶשֶׁק

gunshot *n* מְטַחֲוֵי רוֹבֶה

gunshot wound *n* פֶּצַע קָלִיעַ

gunsmith *n* נַשָּׁק

gun-stock *n* מִתְמַךְ־קְנֵה־רוֹבֶה

gunwale *n* (בִּימָאוּת) לַזְבֶּזֶת

guppy *n* גּוּפִּי

gurgle *vi* בִּעְבֵּעַ, בִּקְבֵּק

gurgle *n* בִּעְבּוּעַ, בִּקְבּוּק

gush *n* שֶׁטֶף, זֶרֶם

gush *vi* הִשְׁתַּפֵּךְ; דִּיבֵּר בְּשֶׁטֶף

gusher *n* בְּאֵר נֵפְט

gushing *adj* פּוֹרֵץ

gushy *adj* מִשְׁתַּפֵּךְ; מִתְרַגֵּשׁ

gusset *n* מְשׁוּלָּשׁ

gust *n* פֶּרֶץ רוּחַ, מַשָּׁב

gusto *n* הֲנָאָה, תַּעֲנוּג

gusty *adj* סוֹעֵר, פּוֹרְצָנִי

gut *n* מֵעַיִים, קְרָבַיִים; עוֹר הַמֵּעַיִים

gut *vt* הֵסִיר מֵעַיִים; שָׁדַד; הָרַס

guts *n p* מֵעַיִים; אוֹמֶץ־לֵב, 'דָּם'

gutta-percha *n* גּוּטָא־פֶּרְשָׁה

gutter *n* מַזְחִילָה (בַּגַּג), מַרְזֵב

gutter *vt, vi* נָמֵס טִיפּוֹת־טִיפּוֹת; תִּיעֵל

guttersnipe *n* נַעַר רְחוֹב

guttural *adj* שֶׁל הַגָּרוֹן; צָרוּד

guttural *n* הֶגֶה גְּרוֹנִי

guy *n* בָּחוּר, בַּרְנָשׁ

guy *vt, vi* הִיתֵּל בְּ...

guy wire *n* תַּיִל חִיזּוּק

guzzle *vt, vi* זָלַל, סָבָא

guzzle *n* סְבִיאָה, זְלִילָה

guzzler *n* סוֹבֵא, זוֹלֵל

gym *n* אוּלַם הִתְעַמְּלוּת

gymnasium *n* גִּימְנַסְיָה; אוּלַם הִתְעַמְּלוּת

gymnast *n* מוֹרֶה לְהִתְעַמְּלוּת

gymnastic *adj* הִתְעַמְּלוּתִי

gynecologist *n* רוֹפֵא לְמַחֲלוֹת נָשִׁים

gynecology *n* מַדַּע מַחֲלוֹת נָשִׁים

gyp *n* שַׁמָּשׁ; רַמָּאוּת

gyp *vt* רִימָּה, הוֹנָה

gypsum *n* גֶבֶס
gypsy, gipsy *n* צוֹעֲנִי; לְשׁוֹן הַצוֹעֲנִים
gypsyish *adj* דְמוּי צוֹעֲנִי
gypsy moth *n* עָשׁ הַצוֹעֲנִי
gyrate *vi, adj* סָבַב, מִתפַּתֵּל
gyroscope *n* גִ'ירוֹסקוֹפּ

H

H, h אֵיטשׁ (האות השמינית באלפבית)
h. *abbr* harbor, high, hour, husband
haberdasher *n* מוֹכֵר בִּגדֵי גְבָרִים; סִדקִי
haberdashery *n* חֲנוּת סִדקִית; סִדקִית
habit *n* מִנהָג, הֶרגֵל
habitat *n* מָעוֹן יִבעִי; מִשׁכָּן
habitation *n* מִשׁכָּן; הִשׁתַּכְּנוּת
habit forming *adj* הוֹפֵךְ לְהֶרגֵל; (לגבי סם) גוֹרֵם שְׁטִיפוּת
habitual *adj* נָהוּג; קָבוּעַ
habitué *n* מְבַקֵר קָבוּעַ
hack *vt, vi* בִּיקֵעַ; הִכָּה בְּיָרֵךְ; שִׁיבֵּב
hack *n* חָרִיץ, בְּקִיעַ; מַהֲלוּמָה
hack man *n* עֶגלוֹן; נַהַג מוֹנִית
hackney *n* סוּס רְכִיבָה
hackney *adj* שָׂכוּר, עוֹמֵד לִשׂכִירָה
hackneyed *adj* נָדוֹשׁ
hacksaw, hack saw *n* מַסּוֹר לְמַתֶּכֶת
haddock *n* חֲמוֹר־יָם
haft *n* יָדִית
haft *vt* עָשָׂה יָדִית
hag *n* זְקֵנָה בָּלָה
haggard *adj, n* כָּחוּשׁ, שָׁחוּף
haggle *n* הִתמַקְחוּת
haggle *vi* הִתמַקֵחַ
Hague, The *n* הַאג
hail *n* בָּרָד; קְרִיאַת שָׁלוֹם
hail *vt* קָרָא ל...; בֵּירֵךְ לְשָׁלוֹם
hail *interj* הֵידָד!
Hail Mary *n* תְּפִילַּת אָבֶה מָרִיָה
hailstone *n* אֶבֶן־בָּרָד
hailstorm *n* סוּפַת בָּרָד
hair *n* שַׂעֲרָה; שֵׂיעָר
hairbreadth *n, adj* חוּט הַשַּׂעֲרָה
hairbrush *n* מִשׂעֶרֶת
haircloth *n* אֲרִיג שֵׂיעָר
hair curler *n* מְתַלתֵּל
haircut *n* תִּספּוֹרֶת
hair-do *n* תִּסרוֹקֶת
hairdresser *n* סַפָּר
hair dryer *n* מְיַיבֵּשׁ שֵׂיעָר
hair dye *n* צֶבַע שֵׂיעָר
hairless *adj* חֲסַר שֵׂיעָר
hairnet *n* רֶשֶׁת שֵׂיעָר
hairpin *n* מַכבֵּנָה, סִיכַּת־רֹאשׁ
hair-raising *adj* מְסַמֵּר שֵׂיעָר

hair restorer *n* מְחַדֵּשׁ שֵׂעָר

hair ribbon *n* סֶרֶט שֵׂעָר

hair set *n* סֶרֶט שֵׂעָר

hair-shirt *n* כְּתֹנֶת שֵׂעָר

hairsplitting *adj, n* קַפְּדָנִי, נוֹקְדָנִי; פִּלְפּוּל

hairspring *n* קְפִיץ נִימִי

hair style *n* תִּסְרוֹקֶת

hair tonic *n* מְחַזֵּק שֵׂעָר

hairy *adj* שָׂעִיר; שֶׁל שֵׂעָר

hake *n* זְאֵב־יָם

halberd *n* רוֹמַח

halberdier *n* נוֹשֵׂא רוֹמַח

halcyon days *n pl* יְמֵי שֶׁקֶט, יְמֵי שָׁלוֹם

hale *adj* בָּרִיא, גְּבַרְתָּנִי

hale *vt* מָשַׁךְ, גָּרַר

half *n, adj, adv* חֲצִי, מַחֲצִית

half-and-half *adj, adv* חֵלֶק כְּחֵלֶק

halfback *n* רָץ (בכדורגל)

half-baked *adj* לֹא בָּשֵׁל, אָפוּי לְמֶחֱצָה

half-binding *n* כְּרִיכַת חֲצִי־עוֹר

half-blood *n* אָח חוֹרֵג; חוֹרְגוּת

half-boot *n* נַעַל חֲצָאִית

half-bound *adj* כָּרוּךְ חֲצִי־עוֹר

half-breed *adj* בֶּן־תַּעֲרוֹבֶת

half-brother *n* אָח חוֹרֵג

half-cocked *adj* בִּפְזִיזוּת

half fare *n* חֲצִי דְּמֵי נְסִיעָה

half-full *adj* מָלֵא בְּחֶצְיוֹ

half-hearted *adj* בְּלֹא חֶמְדָּה

half-holiday *n* חֲצִי יוֹם חוֹפֶשׁ

half-hose *n* גַּרְבַּיִים קְצָרִים

half-hour *adj, adv* הַנִּמְשָׁךְ חֲצִי שָׁעָה; בְּכָל חֲצִי שָׁעָה

half leather *n* כְּרִיכַת חֲצִי־עוֹר

half-length *adj* בַּחֲצִי הָאוֹרֶךְ

half-mast *n, adj* (בַּ)חֲצִי הַתּוֹרֶן

half-moon *n* חֲצִי יָרֵחַ

half-mourning *n* הֲקַלַּת הָאֵבֶל

half-note *n* חֲצִי תָּו

half-pay *n* חֲצִי הַשָּׂכָר

halfpenny *n* חֲצִי פֶּנִי

half pint *n* חֲצִי פַּיינְט; (דיבורית) נַנָּס

half-seas-over *adj* שָׁתוּי לְמֶחֱצָה, בְּגִילוּפִין

half shell *n* קַסְוָה (חֲצִי קוֹנְכִית)

half sister *n* אָחוֹת חוֹרֶגֶת

half sole *n* חֲצִי סוּלְיָה

half-sole *vt* תִּיקֵּן חֲצִי סוּלְיָה

half staff *n* חֲצִי הַתּוֹרֶן

half-timbered *adj* בָּנוּי חֲצִי עֵץ

half title *n* שֵׁם מְקוּצָּר (של ספר, לפני השער)

half-tone *n* גְּלוּפַת־רֶשֶׁת

half-track *n, adj* חֲצִי זַחֲלָן

half-truth *n* חֲצִי הָאֱמֶת

half-way *adj, adv* חֲצִי הַדֶּרֶךְ, אֶמְצַע

half-witted *adj* מְטוּמְטָם

halibut *n* דַּג־הַפּוּטִית

halide *n* הָאלִיד

halitosis *n* בּוֹאֶשֶׁת הַנְּשִׁימָה

hall *n* אוּלָם; פְּרוֹזְדוֹר

hallelujah, halleluiah *interj, n* הַלְלוּיָהּ!; מִזְמוֹר

hall-mark *n* סִימַן טִיב

hallo(a) *interj* הַלּוֹ!

hallow *vt* קִידֵּשׁ, עָשָׂה קָדוֹשׁ

hallowed *adj* מְקוּדָּשׁ

Halloween, Hallowe'en *n* 'לֵיל כָּל הַקְּדוֹשִׁים'

hallucination *n* תַּעְתּוּעַ חוּשִׁים
hallway *n* מִסְדְּרוֹן
halo *n* הִילָה
halogen *n* יוֹצֵר מֶלַח
halt *adj, n* צוֹלֵעַ; פָּגוּם; חֲנִייָה; עֲצִירָה
halt *interj* עֲמוֹד!, עֲצוֹר!
halt *vt, vi* עָצַר; נֶעֱצַר; פָּסַק מ...
halter *n* אַפְסָר; חֶבֶל תְּלִייָה
halting *adj* צוֹלֵעַ; מְהַסֵּס
halve *vt* חָצָה (לִשְׁנַיִים)
halves *pl of* half חֲצָאִים
halyard, halliard *n* חֶבֶל מִפְרָשׂ
ham *n* יָרֵךְ; בְּשַׂר הָעַרְקָב
Hamburger *n* אוּמְצַת הַמְבּוּרג; לַחְמָנִית הַמְבּוּרג
hamlet *n* כְּפָר קָטָן
hammer *n* פַּטִּישׁ
hammer *vt, vi* הָלַם בְּכוֹחַ; חִישֵּׁל; עָמַל
hammock *n* עַרְסָל
hamper *n* סַל־נְצָרִים
hamper *vt* עִיכֵּב; הִפְרִיעַ
hamster *n* אוֹגֵר
hamstring *n, vt* גִּיד הַבֶּרֶךְ; חָתַךְ אֶת גִּיד הַבֶּרֶךְ
hand *n* יָד; צַד; מָחוֹג; פּוֹעֵל; עֶזְרָה
hand *vt* מָסַר
handbag *n* תִּיק
hand baggage *n* זְוָד יָד
handball *n* כַּדּוּר יָד
handbill *n* עֲלוֹן פִּרְסוּם
handbook *n* סֵפֶר־עֵזֶר
handbreadth *n* מִידַּת רוֹחַב יָד
handcar *n* רֶכֶב יָד
handcart *n* מְרִיצָה
hand control *n* בֶּלֶם יָד
handcuff *vt* אָסַר בַּאֲזִיקִים
handcuffs *n pl* אֲזִיקִים
handful *n* מְלוֹא הַיָּד; קוֹמֶץ
hand-glass *n* מַרְאַת יָד
hand-grenade *n* רִימּוֹן יָד
handicap *vt* שָׂם מִכְשׁוֹל ל...
handicap *n* מִקְדָם; מִכְשׁוֹל
handicraft *n* אוּמָּנוּת; עֲבוֹדַת יָדַיִים
handiwork *n* מְלֶאכֶת יָד
handkerchief *n* מִמְחָטָה
handle *n* יָדִית
handle *vt* טִיפֵּל, הִשְׁתַּמֵּשׁ בַּיָּד; נָגַע
handle-bar *n* הֶגֶה (בְּאוֹפַנַּיִים)
handler *n* עוֹסֵק, מְטַפֵּל
handmade *adj* עֲבוֹדַת־יָד
handmaid *n* שִׁפְחָה
hand-me-down *n* בֶּגֶד מְשׁוּמָּשׁ
hand-organ *n* תֵּיבַת נְגִינָה
handout *n* נְדָבָה
hand-picked *adj* נִבְחָר
handrail *n* מַעֲקֶה
handsaw *n* מַסּוֹר יָד
handset *n* שְׁפוֹפֶרֶת טֶלֶפוֹן
handshake *n* לְחִיצַת יָד
handsome *adj* יָפֶה, נָאֶה
handspring *n* הִיפּוּךְ
hand-to-hand *adj* בִּקְרָב מַגָּע
hand-to-mouth *adj* מֵהַיָּד אֶל הַפֶּה
handwork *n* עֲבוֹדַת יָדַיִים
handwriting *n* כְּתָב, כְּתִיבָה
handy *adj, adv* נוֹחַ; זָמִין; שִׁימּוּשִׁי
handy-man *n* אוּמָּן לְכָל מְלָאכָה
hang *n* תְּלִייָה, אוֹפֶן הַתְּלִייָה
hang *vt, vi* תָּלָה; הָיָה תָּלוּי

hangar *n* סְכָכַת מָטוֹס
hangbird *n* תְּלוּי קֵן, זַהֲבָן בַּלְטִימוֹרִי
hanger *n* קוֹלָב; תְּלִי
hanger-on *n* גָּרוּר, תָּלוּי, נִלְוֶה
hanging *n* תְּלִיָּה; הַשְׁהָיָה
hanging *adj* רָאוּי לְהִיתָּלוֹת; תָּלוּי
hangman *n* תַּלְיָן
hangnail *n* צִלְצוּל צִיפּוֹרֶן
hangout *n* (דיבורית) מָקוֹם מְגוּרִים; מְאוּרָה
hangover *n* שְׁאֵרִית, יְרוּשָּׁה; דִּכְדּוּךְ שֶׁלְּאַחַר שְׁתִיָּה
hank *n* סְלִיל, פְּקַעַת
hanker *vi* הִשְׁתּוֹקֵק ל...
hanky *n* מִמְחָטָה
hanky-panky, hankey-pankey *n* עוֹרְמָה, תְּכָכִים
Hannibal *n* חַנִּיבַּעַל
haphazard *adj, adv* אַקְרַאי; אַקְרָאִית
hapless *adj* רַע־מַזָּל
happen *vi* אֵירַע, קָרָה
happening *n* מִקְרֶה, מְאוֹרָע
happily *adv* בְּשִׂמְחָה, בְּאוֹשֶׁר
happiness *n* אוֹשֶׁר, שִׂמְחָה
happy *adj* מְאוּשָּׁר, שָׂמֵחַ
happy-go-lucky *adj* חַי חַיֵּי שָׁעָה
happy medium *n* שְׁבִיל הַזָּהָב
Happy New Year *interj* שָׁנָה טוֹבָה!
harangue *n* נְאוּם נִלְהָב, נְאוּם רַעֲשָׁנִי
harangue *vt, vi* נָאַם (כנ״ל)
harass *vt* הִטְרִיד; הֵצִיק
harbinger *n* כָּרוֹז, מְבַשֵּׂר
harbinger *vt* בִּישֵּׂר, שִׁימֵּשׁ כָּרוֹז
harbor *n* חוֹף, מַחְסֶה, נָמָל
harbor *vt* נָתַן מַחְסֶה

hard *adj, adv* קָשֶׁה; נוּקְשֶׁה
hard-bitten *adj* נוּקְשֶׁה; עַקְשָׁן
hard-boiled *adj* (ביצה) קָשָׁה
hard cash *n* מְזוּמָּנִים
hard cider *n* מִיץ תַּפּוּחִים חָרִיף
hard coal *n* פֶּחָם קָשֶׁה, אַנְתְרַצִיט
hard-earned *adj* שֶׁהוּשַּׂג בְּעָמָל
harden *vt, vi* הִקְשָׁה; חִישֵּׁם; חִיסֵּן; הִתְקַשָּׁה; קָשַׁח
hardening *n* הַקְשָׁחָה
hard-fought *adj* שֶׁהוּשַּׂג בְּמִלְחָמָה קָשָׁה
hardheaded *adj* חֲזַק אוֹפִי, מַעֲשִׂי
hard-hearted *adj* קְשֵׁה־לֵב
hardihood *n* עַזּוּת
hardiness *n* נוּקְשׁוּת, כּוֹחַ עֲמִידָה
hard-luck story *n* סִיפּוּר מַזָּל רָע
hardly *adv* כִּמְעַט שֶׁלֹּא; בְּקוֹשִׁי
hardness *n* קַשְׁיוּת, נוּקְשׁוּת
hardpan *n* נָזָז; קַרְקַע מוּצָק
hard-pressed *adj* לָחוּץ
hard rubber *n* גּוּמִי מוּקְשֶׁה
hard sauce *n* רוֹטֶב נוּקְשֶׁה (לפשטידות)
hard-shell clam *n* צֶדֶף קָשֶׁה; עַקְשָׁן, נוּקְשֶׁה
hard-shell crab *n* סַרְטָן קָשֶׁה (שלא השיל עדיין את קליפתו)
hardship *n* מְצוּקָה, סֵבֶל
hardtack *n* מַרְקוֹעַ קָשֶׁה
hard to please *adj* קָשֶׁה לְרַצּוֹת
hard-up *adj* נִזְקָק לְכֶסֶף
hardware *n* כְּלֵי־מַתֶּכֶת
hardwareman *n* סוֹחֵר כְּלֵי מַתֶּכֶת
hardware store *n* חֲנוּת כְּלֵי מַתֶּכֶת

hard-won *adj* שֶׁהוּשַּׂג בְּעָמָל
hardwood *n* עֵץ קָשֶׁה
hardy *adj* אֵיתָן, חָסִין; עָמִיד
hare *n* אַרְנֶבֶת, אַרְנָב
harebrained *adj* פּוֹחֵז
harelip *n* שָׂפָה שְׁסוּעָה
harem *n* הַרמוֹן
hark *vi* הֶאֱזִין, הִקְשִׁיב
harken *vi* הֶאֱזִין
harlequin *n* בַּדְּחָן, מוּקיוֹן
harlot *n* יַצְאָנִית, זוֹנָה
harm *n* נֶזֶק, חַבָּלָה; רָעָה
harm *vt* הִזִּיק; הֵרַע ל...
harmful *adj* מַזִּיק; רַע
harmless *adj* לֹא מַזִּיק
harmonic *n, adj* צְלִיל הַרמוֹנִי
harmonica *n* מַפּוּחִית־פֶּה
harmonious *adj* נָעִים, עָרֵב, הַרמוֹנִי
harmonize *vt, vi* הִתְאִים, הִרמֵן; תָּאַם
harmony *n* הַתְאָמָה, הַרמוֹנְיָה
harness *n, vt* רִתְמָה; עוֹל; רָתַם
harness maker *n* רַצְעָן
harp *n* נֵבֶל
harpist *n* נַבְלַאי
harpoon *n, vt* צִלְצָל; הֵטִיל צִלְצָל
harpsichord *n* הַרפְּסִיכוֹרד, צֶ׳מְבָּלוֹ
harpy *n* טוֹרֵף, לוֹכֵד
harrow *n* מַשְׂדֵּדָה
harrow *vt* שִׂידֵּד; הֵצִיק
harrowing *adj* מַחֲרִיד, מְזַעְזֵעַ
harry *vt, vi* הֵצִיק, עִינָּה
harsh *adj* אַכְזָרִי; גַּס; מְחוּסְפָּס
harshness *n* גַּסּוּת; נוּקְשׁוּת; חוּמְרָה
hart *n* אַיָּל, עוֹפֶר
harum-scarum *adj, n, adv* פָּרוּעַ, פּוֹחֵז; בִּפְרָאוּת
harvest *n* קָצִיר, בָּצִיר, קָטִיף
harvest *vt* קָצַר, בָּצַר, קָטַף
harvester *n* קוֹצֵר, בּוֹצֵר, קוֹטֵף
harvest home *n* חַג הָאָסִיף
harvest moon *n* יֶרַח הָאָסִיף
has-been *n* מִי אוֹ מַה שֶׁהָיָה
hash *vt* רִיסֵּק, קִיצֵּץ
hash *n* צְלִי רֶסֶק; בְּלִיל
hashish, hasheesh *n* חֲשִׁישׁ
hasp *n* וָוִית
hasp *vt* הִידֵּק בְּוָוִית
hassle *n* רִיב
hassock *n* כָּרִית, מִרְפָּד
hastate *adj* (עלה) דְּמוּי רוֹמַח
haste *n, vi* חִיפָּזוֹן, מְהִירוּת; מִיהֵר, נֶחפַּז
hasten *vt, vi* הֵחִישׁ, זֵירֵז; מִיהֵר
hasty *adj* מָהִיר, מְזוֹרָז, נֶחפָּז
hat *n* כּוֹבַע
hatband *n* סֶרֶט כּוֹבַע
hatblock *n* אִימּוּם לְכוֹבַע
hatbox *n* קוּפסָה לְכוֹבַע
hatch *vt, vi* הִדְגִּיר; דָּגַר; יָצָא מִקְּלִיפָּתוֹ; זָמַם
hatch *n* דְּגִירָה; בְּקִיעָה מִקְּלִיפָּה
hat-check girl *n* עוֹבֶדֶת מֶלְתָּחָה
hatchet *n* בֶּן־כֵּילָף; כֵּילָף
hatchway *n* כַּוָּוה
hate *n* שִׂנְאָה
hate *vt* שָׂנֵא
hateful *adj* שָׂנוּי, שָׂנוּא
hatpin *n* מַכְבֵּנַת כּוֹבַע
hatrack *n* קוֹלָב לְכוֹבָעִים
hatred *n* שִׂנְאָה

hatter *n* כּוֹבָעָן
haughtiness *n* גַּאֲוָה, גּוֹדֶל־לֵבָב
haughty *adj* יָהִיר, רַבְרְבָן
haul *vt, vi* מָשַׁךְ, גָּרַר, הוֹבִיל
haul *n* מְשִׁיכָה, סְחִיבָה; שָׁלָל
haunch *n* מוֹתֶן, מוֹתְנַיִים
haunt *n* מָקוֹם בִּיקּוּרִים תְּכוּפִים; רוּחַ
haunt *vt* הוֹפִיעַ כְּרוּחַ; הֵצִיק; בִּיקֵּר תְּכוּפוֹת
haunted house *n* בֵּית רוּחוֹת
haute couture *n* אוֹפְנָה
Havana *n* סִיגָרַת הָאַבָּאנָה
have *vt, vi* הָיָה ל... (פּוֹעַל שַׁייכוּת); הָיָה בּ..., הֵכִיל; הִשִּׂיג; הָיָה עָלָיו
have *n* בַּעַל רְכוּשׁ
havelock *n* כּוֹבַע הַבְלוֹק
haven *n* מַעֲגָן, נָמָל; מִקְלָט
have-not *n* עָנִי
haversack *n* תַּרְמִיל צַד
havoc *n* הֶרֶס, שַׁמָּה
haw *n* עוּזְרָד; הוֹאוּ (הַבָּעַת פִּקְפּוּק)
haw *vt, vi* מִלְמֵל 'הוֹאוּ' כִּמְהַסֵּס
haw-haw *n, interj* צְחוֹק רָם
hawk *n* נֵץ; טוֹרֵף; כְּעָכוּעַ; לוּחַ טַיָּחִים
hawk *vt, vi* דָּרַס כְּנֵץ
hawker *n* רוֹכֵל; בַּזְיָיר
hawk's-bill *n* מַקּוֹר נֵץ
hawse *n* בֵּית־הָעוֹגֶן
hawsehole *n* חוֹר־הַחֶבֶל
hawser *n* עֲבוֹת הָאוֹנִיָּה
hawthorn *n* עוּזְרָד
hay *n* שַׁחַת; מִסְפּוֹא
hay-fever *n* קַדַּחַת הַשַּׁחַת
hayfield *n* שְׂדֵה שַׁחַת
hayfork *n* קִלְשׁוֹן
hayloft *n* מַתְבֵּן
haymaker *n* מִסְפּוֹאָן
haymow *n* מַתְבֵּן
hayrack *n* קְרוֹן שַׁחַת
hayrick *n* עֲרֵימַת שַׁחַת
hayseed *n* זֶרַע עֵשֶׂב
haystack *n* עֲרֵימַת־שַׁחַת
haywire *n, adj* תֵּיל שַׁחַת; תָּקוּל
hazard *n* הִסְתַּכְּנוּת, סִיכּוּן; מַזָּל
hazard *vt* סִיכֵּן; הִסְתַּכֵּן
hazardous *adj* מְסוּכָּן; תָּלוּי בְּמַזָּל
hazardously *adv* בְּסַכָּנָה, בְּסִיכּוּן
haze *n* אוֹבֶךְ
haze *vt, vi* הֶעֱמִיס עֲבוֹדָה; שִׁיטָּה בּ...
hazel *n* אִלְסָר
hazel *adj* חוּם־אֲדַמְדַּם
hazelnut *n* אֱגוֹז־הָאִלְסָר
hazy *adj* אָבִיךְ; מְעוּרְפָּל
H-bomb *n* פְּצָצַת מֵימָן
H.C. *abbr* House of Commons
hd. *abbr* head
hdqrs. *abbr* headquarters
H.E. *abbr* His Eminence, His Excellency
he *n* הוּא
head *n* רֹאשׁ, קוֹדְקוֹד
head *adj* רָאשִׁי
head *vt, vi* עָמַד בְּרֹאשׁ
headache *n* כְּאֵב רֹאשׁ
headband *n* סֶרֶט, שָׁבִיס
headboard *n* לוּחַ מְרַאֲשׁוֹת
headcheese *n* צְלִי רֹאשׁ
headdress *n* כִּיסּוּי, קִישּׁוּט רֹאשׁ
header *n* מַתְקִין רָאשִׁים; מְכוֹנַת רָאשִׁים

headfirst *adv* כְּשֶׁרֹאשׁוֹ לְפָנִים
headgear *n* כּוֹבַע, כִּסּוּי רֹאשׁ
head-hunter *n* צַיַּד רָאשִׁים
heading *n* נוֹשֵׂא כּוֹתֶרֶת
headland *n* כֵּף
headless *adj* טִיפֵּשׁ; לְלֹא מַנְהִיג
headlight *n* פַּנָּס קִדְמִי
headline *n* כּוֹתֶרֶת
headliner *n* עוֹרֵךְ לַיְלָה
headlong *adv* קָדִימָה, בָּרֹאשׁ; בְּחִיפָּזוֹן
headman *n* מַנְהִיג
headmaster *n* מוֹרֶה רָאשִׁי, מְנַהֵל
headmost *adj* הַקִּדְמִי בְּיוֹתֵר
head office *n* מִשְׂרָד רָאשִׁי
head of hair *n* רַעֲמַת שֵׂיעָר
head-on *adj* חֲזִיתִי
headphone *n* אוֹזְנִית
headpiece *n* קַסְדָה; מוֹחַ
headquarters *n pl* מִפְקָדָה
headrest *n* מִסְעַד רֹאשׁ
headset *n* מַעֲרֶכֶת רֹאשׁ
headship *n* רָאשׁוּת
headstone *n* אֶבֶן רֹאשָׁה
headstream *n* נָהָר רָאשִׁי
headstrong *adj* קְשֵׁה עוֹרֶף
headwaiter *n* מֶלְצַר רָאשִׁי
headwaters *n pl* מְקוֹרוֹת הַנָּהָר
headway *n* הִתְקַדְּמוּת
headwind *n* רוּחַ נֶגְדִּית
headwork *n* עֲבוֹדַת מוֹחַ
heady *adj* פָּזִיז; מְשַׁכֵּר
heal *vt, vi* רִיפֵּא; הִשְׁכִּיךְ; נִרְפָּא
healer *n* מְרַפֵּא
health *n* בְּרִיאוּת, שְׁלֵמוּת
healthful *adj* מַבְרִיא; בָּרִיא
healthy *adj* בָּרִיא; מַבְרִיא
heap *n* עֲרֵימָה; הָמוֹן
heap *vt, vi* עָרַם; נֶעֱרַם; הֶעֱנִיק בְּיָד רְחָבָה
hear *vt, vi* שָׁמַע
hearer *n* שׁוֹמֵעַ, מַאֲזִין
hearing *n* שְׁמִיעָה, שֵׁמַע
hearing-aid *n* מַכְשִׁיר שְׁמִיעָה
hearsay *n* שְׁמוּעָה; רְכִילוּת
hearse *n* עֶגְלַת הַמֵּת
heart *n* לֵב
heartache *n* כְּאֵב לֵב
heart attack *n* הֶתְקֵף לֵב
heartbeat *n* הוֹלֶם לֵב
heartbreak *n* שִׁבְרוֹן לֵב
heartbreaker *n* שׁוֹבֵר לְבָבוֹת
heartbroken *adj* שְׁבוּר־לֵב
heartburn *n* צָרֶבֶת; קִנְאָה
heart disease *n* מַחֲלַת לֵב
hearten *vt* חִיזֵּק, עוֹדֵד
heartfailure *n* חִדְלוֹן הַלֵּב
heartfelt *adj* לְבָבִי; כֵּן
hearth *n* אָח; כּוּר
hearthstone *n* אֶבֶן הָאָח; בַּיִת
heartily *adv* בְּכֵנוּת, בִּלְבָבִיּוּת
heartless *adj* חֲסַר לֵב, אַכְזָרִי
heart-rending *adj* קוֹרֵעַ לֵב
heartseed *n* לִיבָּן
heartsick *adj* מְדוּכְדָּךְ
heartstrings *n pl* רְגָשׁוֹת עֲמוּקִים
heart-to-heart *adj* גָּלוּי, כֵּן
heart trouble *n* מַחֲלַת לֵב
heart-whole *adj* בְּכָל לִבּוֹ; לֹא מְאוֹהָב

heartwood *n* לִיבַּת עֵץ
hearty *adj* לְבָבִי, חָבִיב
heat *n* חוֹם; הִתלַהֲבוּת; כַּעַס
heat *vt, vi* חִימֵם; שִׁלהֵב; הִתחַמֵּם; הִשׁתַּלהֵב
heated *adj* מְחוּמָּם; מְשׁוּלהָב
heater *n* מַכשִׁיר חִימוּם
heater man *n* מַסִּיק
heath *n* שְׂדֵה בּוּר, בָּתָה
heathen *n, adj* עוֹבֵד אֱלִילִים; כּוֹפֵר; אֱלִילִי
heathendom *n* אֱלִילִיוּת
heather *n* אַברָשׁ
heating *n* חִימוּם; הִתחַמְּמוּת
heat lightning *n* זְהַרוּרֵי עֶרֶב
heat shield *n* מָגֵן רקוּעַ
heatstroke *n* מַכַּת־שֶׁמֶשׁ
heat-wave *n* גַל חוֹם
heave *vt, vi* הֵרִים, הֵנִיף; גָעַשׁ
heave *n* הֲרָמָה, הֲנָפָה; נְסִיקָה
heaven *n* שָׁמַיִם; רָקִיעַ
heavenly *adj* שְׁמֵיימִי
heavenly body *n* גֶרֶם שְׁמֵיימִי
heavy *adj, adv* כָּבֵד; קָשֶׁה
heavyduty *adj* נָתוּן לְמֶכֶס גָבוֹהַּ
heavyset *adj* רְחַב כְּתֵפַיִם
heavyweight *n, adj* (שֶׁל) מִשׁקָל כָּבֵד
Hebrew *adj, n* עִברִי; עִברִית
hecatomb *n* זֶבַח צִיבּוּרִי; טֶבַח
heckle *n* מַסרֵק פִּשׁתָּן
heckle *vt, vi* קָרָא קְרִיאַת בֵּינַיִים
hectic *adj* קַדַּחתָּנִי
hedge *n* גֶדֶר, גֶדֶר חַיָּה
hedge *vt, vi* גָדַר; הִתגוֹנֵן נֶגֶד הֶפסֵדִים; הִתחַמֵּק
hedgehog *n* קִיפּוֹד
hedgehop *vi* הִנמִיךְ טוּס
hedgehopping *n* טִיסָה נְמוּכָה
hedgerow *n* שְׂדֵירַת גָדֵר
heed *n* תְּשׂוּמַת־לֵב; זְהִירוּת
heed *vt, vi* נָתַן דַעתּוֹ ל...
heedless *adj* לֹא אַחֲרָאִי, לֹא זָהִיר
heehaw *n, vt* נְעִירַת חֲמוֹר, נָעַר
heel *n* עָקֵב; (המונית) נָבָל
heel *vt, vi* עָקַב; עָשָׂה עֲקֵבִים
heeler *n* עוֹקֵב; חָסִיד שׁוֹטֶה
hefty *adj* כָּבֵד; בַּעַל מִשׁקָל
hegemony *n* מַנהִיגוּת
hegira, hejira *n* הַגִ'ירָה, 'הֲגִירָה'
heifer *n* עֶגלָה צְעִירָה
height *n* גוֹבַהּ, רוּם
heighten *vt, vi* הִגבִּיהַּ; הִגדִיל; גָבַהּ; גָדַל
heinous *adj* בָּזוּי, מְתוֹעָב
heir *n* יוֹרֵשׁ
heir apparent *n* יוֹרֵשׁ מוּחלָט
heirdom *n* יְרוּשָׁה
heiress *n* יוֹרֶשֶׁת
heirloom *n* נֶכֶס מוּנחָל
helicopter *n* מַסּוֹק, הֶלִיקוֹפּטֶר
heliotrope *n* פּוֹנֶה לַשֶּׁמֶשׁ (בבּוֹטניקה)
heliotrope *adj* אָדוֹם, אַרגְמָנִי
heliport *n* נְמַל מַסּוֹקִים
helium *n* הֶלִיוּם
helix *n* צוּרָה חֶלזוֹנִית, חִילָזוֹן
hell *n* גֵיהִינּוֹם; עֲזָאזֵל
hell-bent *adj* נְחוּשׁ הַחלָטָה
hellcat *n* חֲתוּלָה שְׂטָנִית; מְכַשֵּׁפָה
hellebore *n* יַחנוּן; וֶרַטרוֹן
Hellene *n* יְוָנִי (קדום או של ימינו)

Hellenic *adj, n* יְוָנִי; הֶלֵּנִית; יְוָנִית
hellfire, hell-fire *n* אֵשׁ הַשְּׁאוֹל
hellish *adj* נוֹרָא; מְרוּשָּׁע
hello, hullo *interj* הַלּוֹ!
hello girl *n* טֶלֶפוֹנָאִית
helm *n, vt* הֶגֶה (בִּכְלִי־שַׁיִט); נָהַג; נִיהֵל
helmet *n* קַסְדָּה
helmsman *n* הָאוֹחֵז בַּהֶגֶה, הַגַּאי
help *vt, vi* עָזַר, סִיֵּיעַ; הוֹעִיל
help *n* עֶזְרָה, סִיּוּעַ; עוֹזֵר
help! *interj* הַצִּילוּ!
helper *n* עוֹזֵר
helpful *adj* מוֹעִיל, עוֹזֵר
helping *n* מָנָה (שֶׁל אוֹכֶל)
helpless *adj* חֲסַר יֶשַׁע
helpmeet *n* עֵזֶר כְּנֶגְדּוֹ; בֶּן־זוּג; בַּת־זוּג
helter-skelter *adj, adv* בְּחִיפָּזוֹן, בְּאַנְדְּרָלָמוּסְיָה, בְּפִרְאוּת
helter-skelter *n* חִיפָּזוֹן, אַנְדְּרָלָמוּסְיָה
hem *n* שָׂפָה, אִמְרָה
hem *vt* תָּפַר אִמְרָה אוֹ שָׂפָה; סָגַר עַל
hem *vi* הִמְהֵם
hemisphere *n* חֲצִי־כַּדּוּר
hemistich *n* חֲצִי־שׁוּרָה
hemline *n* קַו הַשָּׂפָה (שֶׁל חֲצָאִית, מְעִיל וכד׳)
hemlock *n* רוֹשׁ
hemoglobin *n* הֶמוֹגְלוֹבִּין
hemophilia *n* דַּמֶּמֶת, הֶמוֹפִילְיָה
hemorrhage *n* דִּימּוּם
hemorrhoid *n* טְחוֹרִים
hemostat *n* עוֹצֵר דָּם
hemp *n* קַנַּבּוֹס
hemstitch *n* תֶּפֶר שָׂפָה

hemstitch *vt* תָּפַר אִמְרָה
hen *n* תַּרְנְגוֹלֶת
hence *adv* מִכָּאן שֶׁ...., לְפִיכָךְ; מֵעַתָּה וְאֵילָךְ
henceforth *adv* מֵעַתָּה וְאֵילָךְ
henchman *n* נֶאֱמָן, חָסִיד
hencoop *n* לוּל
henhouse *n* לוּל
henna *n, adj* (שֶׁל) כּוֹפֶר; חִנָּה
henna *vt* צָבַע בְּכוֹפֶר
henpeck *vt* רָדְתָה (בְּבַעְלָהּ)
henpecked *adj* שֶׁאִשְׁתּוֹ מוֹשֶׁלֶת עָלָיו
hep *adj* (הֲמוֹנִית) בַּעַל אִינְפוֹרְמַצְיָה טוֹבָה
her *pron* אוֹתָהּ; שֶׁלָּהּ; לָהּ
herald *n* מְבַשֵּׂר; שָׁלִיחַ
herald *vt* בִּישֵּׂר, הִכְרִיז
heraldic *adj* שֶׁל שִׁלְטֵי גִּיבּוֹרִים
heraldry *n* מַדַּע שִׁלְטֵי הַגִּיבּוֹרִים; מִשְׂרַת הַכָּרוֹז
herb *n* עֵשֶׂב, יֶרֶק
herbaceous *adj* עִשְׂבִּי; דְּמוּי עָלֶה
herbage *n* עֵשֶׂב; מִרְעֶה
herbal *adj* עִשְׂבִּי
herbal *n* מֶחְקָר עַל עֲשָׂבִים
herbalist *n* עוֹסֵק בְּצִמְחֵי מַרְפֵּא
herbarium *n* עִשְׂבִּיָּה
herb doctor *n* מְרַפֵּא בַּעֲשָׂבִים
Herculean *adj* הֶרְקוּלְיָאנִי, גְּבַרְתָּנִי, חָזָק; קָשֶׁה
herd *n* עֵדֶר
herd *vt, vi* קִיבֵּץ; הִתְקַבֵּץ; הָיָה לְעֵדֶר
herdsman *n* רוֹעֶה
here *adv, n* כָּאן; הֵנָּה
hereabout(s) *adv* בִּסְבִיבָה זוֹ

hereafter *adv, n* בֶּעָתִיד; הֶעָתִיד, הָעוֹלָם הַבָּא
hereby *adv* בָּזֶה, עַל־יְדֵי זֶה
hereditary *adj* תּוֹרַשְׁתִּי
heredity *n* יְרוּשָׁה, תּוֹרָשָׁה
herein *adv* כָּאן; הֵנָּה; לְאוֹר זֶה
hereof *adv* שֶׁל זֶה, בְּקֶשֶׁר לְכָךְ
hereon *adv* לְפִיכָךְ
heresy *n* אֶפִּיקוֹרְסוּת
heretic *n* אֶפִּיקוֹרוֹס
heretical *adj* אֶפִּיקוֹרְסִי
heretofore *adv* לִפְנֵי־כֵן
hereupon *adv* לְפִיכָךְ
herewith *adv* בָּזֶה
heritage *n* יְרוּשָׁה; מוֹרֶשֶׁת
hermetic(al) *adj* הֶרְמֵטִי, מְהוּדָּק
hermit *n* מִתְבּוֹדֵד, פָּרוּשׁ
hermitage *n* מְקוֹם מוֹשָׁבוֹ שֶׁל פָּרוּשׁ
hernia *n* שֶׁבֶר, פֶּקַע
hero *n* גִּיבּוֹר
heroic *adj* נוֹעָז, הֵירוֹאִי
heroin *n* הֵרוֹאִין
heroine *n* גִּיבּוֹרָה
heroism *n* גְּבוּרָה, תְּעוּזָה
heron *n* אֲנָפָה
herring *n* מָלִיחַ, דָּג מָלוּחַ
herringbone *n, adj* אִדְרָה; דְּמוּי אִדְרָה
hers *pron* שֶׁלָּהּ
herself *pron* הִיא עַצְמָהּ; בְּעַצְמָהּ; לְבַדָּהּ
hesitancy *n* הִיסּוּס, פִּקְפּוּק
hesitant *adj* מְהַסֵּס, מְפַקְפֵּק
hesitate *vi* הִיסֵּס
hesitation *n* הִיסּוּס

heterodox *adj, n* סוֹטֶה בֶּאֱמוּנָתוֹ
heterodyne *adj* אִיבּוּכִי, הֵטֵרוֹדִינִי
heterogeneity *n* רַב־סוּגִיּוּת, הֵטֵרוֹגֵנִיּוּת
heterogeneous *adj* רַב־סוּגִי, הֵטֵרוֹגֵנִי
heterogenesis *n* הֵטֵרוֹגֵנֵסִיס
hew *vt, vi* חָטַב, כָּרַת; גָּדַע
hex *n* מְכַשֵּׁפָה; כִּישּׁוּף
hex *vt* כִּישֵּׁף
hexameter *n* מִשְׁקָל מְשׁוּשֶּׁה, הֶקְסָמֶטֶר
hey *interj* הֵי!
heyday *n* תְּקוּפַת הַשִּׂיא
hf. *abbr* half
H.H. *abbr* His Highness, Her Highness; His Holiness
hiatus *n* פִּרְצָה; פֶּתַח
hibernate *vi* חָרַף
hibiscus *n* הִיבִּיסְקוּס
hiccup, hiccough *n, vi* שִׁיהוּק; שִׁיהֵק
hick *n, adj* בּוּר, כַּפְרִי
hickory *n* קַרְיָה
hickory nut *n* קַרְיָה, פֶּקָן
hidden *adj* חָבוּי, נִסְתָּר
hide *n* עוֹר חַיָּה, שֶׁלַח; (המונית) עוֹר אָדָם
hide *vt, vi* הֶחְבִּיא; נֶחְבָּא
hide-and-seek *n* מִשְׂחַק הַמַּחֲבוֹאִים
hidebound *adj* צַר־אוֹפֶק, נוּקְשֶׁה
hideous *adj* מִפְלַצְתִּי
hideout *n* מִקְלָט; מַחֲבוֹא
hiding *n* הַסְתָּרָה; מַחֲבוֹא
hiding-place *n* מַחֲבוֹא
hie *vt, vi* זֵירֵז; מִיהֵר; הִזְדָּרֵז
hierarchy *n* הִירַרְכִיָּה; מִבְנֶה מוּדְרָג

hieroglyphic *adj, n* הִירוֹגְלִיפִי

hi-fi *adj* גְבוֹהַּ אֲמִינוּת (לגבי צליל)

hi-fi fan *n* חוֹבֵב מוּסִיקָה גְבוֹהַת אֲמִינוּת

higgledy-piggledy *adv, adj, n* בְּבִלְבּוּל; מְבוּלְבָּל; בִּלְבּוֹלֶת

high *adj* גָבוֹהַּ, גָדוֹל; נַעֲלֶה; עַז

high *n* הִילּוּךְ גָבוֹהַּ

high *adv* גָבוֹהַּ, לְמַעְלָה, בְּגוֹבַהּ

high altar *n* מִזְבֵּחַ עִיקָּרִי (בכנסייה)

highball *n* מֶזֶג, תַּמְזִיג

high blood pressure *n* לַחַץ דָם גָבוֹהַּ

highborn *adj* אָצִיל מִלֵּידָה

highboy *n* שִׁידָּה

highbrow *n, adj* מַשְׂכִּיל; מַשְׂכִּילִי

highchair *n* כִּיסֵּא גָבוֹהַּ (לתינוק)

high command *n* פִּיקּוּד עֶלְיוֹן, מִפְקָדָה עֶלְיוֹנָה

higher education *n* חִינּוּךְ גָבוֹהַּ

higher-up *n* בָּכִיר יוֹתֵר

highfalutin(g) *adj* מִתְרַבְרֵב, מְנוּפָּח

high-frequency *n* תֶּדֶר גָבוֹהַּ

high gear *n* הִילּוּךְ גָבוֹהַּ

high grade *adj* בַּעַל אֵיכוּת גְבוֹהָה

high-handed *adj* קָשֶׁה, שְׁרִירוּתִי

high-hat *n, vt* צִילִינְדֶר; הִתְיַיחֵס בְּזִלְזוּל

high-hatted *adj* מִתְיַיהֵר

high-heeled shoe *n* נַעַל גְבוֹהַת עָקֵב

high horse *n* יַחַס יָהִיר

highjack – *see* hijack

highland *n, adj* רָמָה

high life *n* חַיֵּי הַחוּג הַנּוֹצֵץ

highlight *n* תּוֹפָעָה עִיקָּרִית; כּוֹתֶרֶת

highlight *vt* הִדְגִּישׁ, הִבְלִיט

highly *adv* בְּמִידָּה רַבָּה

High Mass *n* מִיסָּה חֲגִיגִית

highminded *adj* אֲצִיל־רוּחַ

highness *n* רָמָה; גוֹבַהּ; הוֹד מַעֲלָה

high noon *n* צָהֳרֵי יוֹם

high-pitched *adj* גָבוֹהַּ

high-powered *adj* רַב־עוֹצְמָה

high pressure *n* לַחַץ גָבוֹהַּ

high-priced *adj* יָקָר

high priest *n* כּוֹהֵן גָדוֹל

high rise *n* בַּיִת גָבוֹהַּ

high road *n* דֶּרֶךְ הַמֶּלֶךְ

high school *n* בֵּית־סֵפֶר תִּיכוֹן

high sea *n* יָם גוֹעֵשׁ

high society *n* הַחֶבְרָה הַגְּבוֹהָה

high speed *n* מְהִירוּת גְדוֹלָה

high-spirited *adj* מְרוֹמָם, גֵאֶה

high spirits *n pl* מַצַּב רוּחַ מְרוֹמָם

high-strung *adj* עַצְבָּנִי

high-test *adj* (דלק) בָּדוּק

high tide *n* גֵאוּת הַיָּם

high time *n* הַזְּמַן הַבָּשֵׁל; (המונית) בִּילּוּי מְשַׁעֲשֵׁעַ

high treason *n* בְּגִידָה בְּמַלְכוּת

highwater *n* גֵאוּת

highway *n* כְּבִישׁ רָאשִׁי

highwayman *n* לִסְטִים

hijack *vt* חָטַף (מטוס); גָנַב מִגַּנָּב

hike *vi, vt* צָעַד, הָלַךְ בָּרֶגֶל; הֶעֱלָה

hike *n* צְעִידָה, הֲלִיכָה

hiker *n* מְטַיֵּיל

hilarious *adj* עַלִּיז, צוֹהֵל

hill *n* גִבְעָה; תֵּל; עֲרֵימָה

hill *vt* תִּילֵּל, עָרַם

hillock *n* גִּבְעָה קְטַנָּה
hillside *n* צֵלַע הַגִּבְעָה
hilltop *n* רֹאשׁ הַגִּבְעָה
hilly *adj* רַב־גְּבָעוֹת
hilt *n* נִיצָּב; קַת
him *pron* לוֹ; אוֹתוֹ
himself *pron* עַצְמוֹ; אֶת עַצְמוֹ, לְעַצְמוֹ
hind *n* צְבִיָּה
hind *adj* אֲחוֹרִי
hinder *vt, vi* הֵנִיא, עִיכֵּב, מָנַע
hindmost *adj* אַחֲרוֹן
hindquarter *n* חֵלֶק אֲחוֹרִי (שֶׁל בַּעַל־חַיִּים)
hindrance *n* מְנִיעָה, עִיכּוּב
hindsight *n* מַחֲשָׁבָה לְאַחַר מַעֲשֶׂה
Hindu *n, adj* הוֹדִי; הִינְדִי
hinge *n* צִיר; פֶּרֶק
hinge *vt, vi* קָבַע צִיר; הָיָה תָּלוּי בּ...
hinny *n* רַמָּךְ
hint *vt* רָמַז
hint *n* רֶמֶז
hinterland *n* פְּנִים־הָאָרֶץ, עוֹרֶף
hip *n* יָרֵךְ
hip *interj* הֵידָד!
hip-bone *n* עֶצֶם הַיָּרֵךְ
hipped *adj* מְשׁוּגָּע לְדָבָר אֶחָד
hippety-hop *adv* בְּקְפִיצוֹת
hippo *n* סוּס־הַיְאוֹר, הִיפּוֹפּוֹטָמוּס
hippodrome *n* אִיצְטַדְיוֹן לְמֵרוֹצֵי סוּסִים
hippopotamus *n* סוּס־הַיְאוֹר, הִיפּוֹפּוֹטָמוּס
hip roof *n* גַּג מְשׁוּפָּע
hire *vt* שָׂכַר, חָכַר; הִשְׂכִּיר
hire *n* דְּמֵי שְׂכִירוּת; שְׂכִירָה; הַשְׂכָּרָה
hired girl *n* מְשָׁרֶתֶת
hired man *n* מְשָׁרֵת
hireling *n, adj* שָׂכִיר; שָׂכוּר
his *pron, adj* שֶׁלּוֹ
Hispanic *adj* סְפָרַדִּי
Hispaniola *n* הִיסְפַּנְיוֹלָה
hispanist *n* הִיסְפַּנִיסְט
hiss *n* שְׁרִיקַת בּוּז
hiss *vt, vi* שָׁרַק
hist *abbr* historian, history
histology *n* תּוֹרַת מִבְנֵה הָרְקָמוֹת
historian *n* הִיסְטוֹרְיוֹן
historic *adj* הִיסְטוֹרִי
historical *adj* הִיסְטוֹרִי
history *n* הִיסְטוֹרְיָה, תּוֹלָדוֹת; סִיפּוּר
histrionic(al) *adj* שֶׁל שַׂחְקָנִים, מְעוּשֶּׂה
hit *vt, vi* פָּגַע, הִכָּה
hit *n* פִּיגּוּעַ, מַהֲלוּמָה; קְלִיעָה; לָהִיט
hit-and-run *adj* שֶׁל פְּגַע וּבְרַח
hitch *vt, vi* קָשַׁר, עָנַד; הֵרִים
hitch *n* מִכְשׁוֹל, מַעֲצוֹר; צְלִיעָה
hitchhike *vi* טִיֵּיל בְּ'הַסָּעוֹת' (טרמפּ)
hitchhiker *n* 'טְרֶמְפִּיסְט'
hitchhiking *n* טִיּוּל בְּהַסָּעוֹת ('טרמפּים')
hitching post *n* עַמּוּד לְקְשִׁירַת סוּס
hither *adv, adj* הֵנָּה; בְּצַד זֶה
hitherto *adv* עַד כֹּה
hit-or-miss *adj* חֲסַר תִּכְנוּן; מִקְרִי
hit parade *n* מִצְעַד פִּזְמוֹנִים
hit record *n* תַּקְלִיט־לָהִיט
hit-run *adj* שֶׁל פְּגַע וּבְרַח
hive *n* כַּוֶּרֶת

hive *vt, vi* הִכְנִיס לְכַוֶּרֶת
hives *n pl* דַּלֶּקֶת הָעוֹר, חָרֶלֶת
H.M. *abbr* His (Her) Majesty
H.M.S. *abbr* His (Her) Majesty's Service; His (Her) Majesty's Ship
hoard *n* אוֹצָר, מִצְבָּר
hoard *vt, vi* אָגַר, צָבַר
hoarding *n* אֲגִירָה, הַטְמָנָה
hoarfrost *n* לוֹבֶן כְּפוֹר
hoarse *adj* צָרוּד
hoarseness *n* צְרִידוּת
hoary *adj* כְּסוּף שֵׂיעָר; סָב
hoax *n* תַּעֲלוּל
hoax *vt* שִׁיטָּה ב..., סִידֵּר
hob *n* דַּרְגָּשׁ לְיַד הָאָח; יָתֵד
hobble *vt, vi* דִּידָּה; צָלַע; קָשַׁר (רגלי סוס)
hobble *n* צְלִיעָה; כְּבִילָה; אֲסוּרֶגֶל (לסוס)
hobby *n* תַּחְבִּיב
hobbyhorse *n* סוּס־עֵץ
hobgoblin *n* שֵׁד, מַזִּיק
hobnail *n* מַסְמֶרֶת כַּדַּת רֹאשׁ
hobo *n* נַוָּד
Hobson's choice *n* בְּרֵירָה (בין קבלת ההצעה ובין לא כלום)
hock *n* מַשְׁכּוֹן
hock *vt* (המונית) נָתַן בַּעֲבוֹט
hock *n* קֶפֶץ, קַרְסוֹל; יֵין הוֹק
hockey *n* הוֹקִי
hockshop *n* בֵּית־עֲבוֹט
hocus-pocus *n* תַּעֲלוּל, לַהֲטוּט
hocus-pocus *vt, vi* הֶעֱרִים, לִיהֲטֵט
hod *n* לוּחַ־בַּנָּאִים; דְּלִי לְפֶחָמִים
hod carrier *n* פּוֹעֵל בִּנְיָן
hodgpodge *n* נָזִיד מְעוֹרָב; בִּלְבּוֹלֶת
hoe *n* מַעְדֵּר
hoe *vt, vi* עָדַר, נִיכֵּשׁ
hog *n* חֲזִיר
hog *vt, vi* הִתְנַהֵג כַּחֲזִיר
hogback *n* גַּב חֲזִיר
hoggish *adj* חֲזִירִי; מְזוֹהָם
hog Latin *n* לַטִּינִית מְשׁוּבֶּשֶׁת
hogshead *n* חָבִית קִיבּוּל
hogwash *n* פְּסוֹלֶת, זֶבֶל
hoist *vt* הֵנִיף, הֵרִים
hoist *n* הֲנָפָה, הֲרָמָה; מָנוֹף
hoity-toity *adj, interj* רַבְרְבָנִי, יָהִיר; הֲבָלִים
hokum *n* שְׁטוּיוֹת
hold *vt, vi* הֶחֱזִיק, תָּפַס ב...; שָׁמַר; הֵכִיל
hold *n* הַחְזָקָה, אֲחִיזָה; שְׁלִיטָה; (באונייה) סַפָּנָה
holder *n* יָדִית; בְּעָלִים
holding *n* אֲחִיזָה; אֲחוּזָּה; נְכָסִים
holding company *n* חֶבְרַת־גַּג
holdup *n* שׁוֹד בִּדְרָכִים
holdup man *n* שׁוֹדֵד דְּרָכִים
hole *n* חוֹר, נֶקֶב; בּוֹר
hole *vt* חָכַר, נָקַב; קָדַח
holiday *n* חַג; פַּגְרָה
holiday *adj* חֲגִיגִי, שָׂמֵחַ
holiday attire *n* בִּגְדֵי חַג
holiness *n* קְדוּשָּׁה; קוֹדֶשׁ
Holland *n* הוֹלַנְד
Hollander *n, adj* הוֹלַנְדִי
hollow *adj* נָבוּב, רֵיק; שָׁקוּעַ
hollow *n* חָלָל, שְׁקַעֲרוּרִית

hollow *vt, vi* רוֹקֵן, נַעֲשָׂה חָלוּל
holly *n* צִינִית
hollyhock *n* חוֹטמִית תַּרבּוּתִית
holm-oak *n* אַלוֹן הַצִּינִית
holocaust *n* שׁוֹאָה, הַשׁמָדָה
holster *n* נַרתִּיק עוֹר
holy *adj, n* מְקוּדָּשׁ, קָדוֹשׁ; צַדִּיק, חָסִיד
Holy Ghost *n* רוּחַ הַקּוֹדֶשׁ
Holy One *n* הַקָּדוֹשׁ בָּרוּךְ הוּא
Holy Land *n* אֶרֶץ־הַקּוֹדֶשׁ
Holy See *n* הַכֵּס הַקָּדוֹשׁ
Holy Sepulcher *n* הַקֶּבֶר הַקָּדוֹשׁ
Holy Writ *n* כִּתבֵי־הַקּוֹדֶשׁ
homage *n* כָּבוֹד, הַבָּעַת כָּבוֹד
home *n* בַּיִת, דִּירָה
home *vi* חָזַר הַבַּיתָה
home *adv* הַבַּיתָה, לַבַּיִת; לַיַּעַד
home-bred *adj* חֲנִיךְ בַּיִת, יְלִיד
home-brew *n* שֵׁיכַר בַּיִת
home-coming *n* שִׁיבָה הַבַּיתָה
home country *n* מוֹלֶדֶת
home delivery *n* מִשׁלוֹחַ הַבַּיתָה
home front *n* חֲזִית פְּנִימִית
homeland *n* אֶרֶץ־מוֹלֶדֶת
homeless *adj* חֲסַר בַּיִת
home life *n* חַיֵּי בַּיִת
home-loving *adj* אוֹהֵב חַיֵּי מִשׁפָּחָה
homely *adj* בֵּיתִי, לֹא יוּמרָנִי, לֹא יָפֶה
homemade *adj* תּוֹצֶרֶת בַּיִת
homemaker *n* עֲקֶרֶת־בַּיִת
home office *n* מִשׂרָד רָאשִׁי; מִשׂרַד הַפְּנִים (בבריטניה)
homeopath *n* מְרַפֵּא בְּהוֹמֵיאוֹפַּתיָה
homeopathy *n* הוֹמֵיאוֹפַּתיָה
home plate *n* (בבייסבול) קֶטַע הַגּמָר
home port *n* נְמַל הַבַּיִת
home rule *n* שִׁלטוֹן בַּיִת
home run *n* (בבייסבול) רִיצָה לַגּמָר
homesick *adj* מִתגַּעגֵּעַ הַבַּיתָה
homesickness *n* גַּעגוּעִים הַבַּיתָה
homespun *n, adj* אָרִיג טָווּי בַּבַּיִת; בֵּיתִי, פָּשׁוּט
homestead *n* בַּיִת וְנַחֲלָה
home stretch *n* קֶטַע גּמָר (במירוץ)
home town *n* עִיר מוֹלֶדֶת
homeward(s) *adv* הַבַּיתָה
homework *n* שִׁיעוּרֵי בַּיִת
homey *adj* בֵּיתִי, מִשׁפַּחתִּי, פָּשׁוּט
homicidal *adj* שֶׁל רֶצַח אָדָם
homicide *n* רֶצַח אָדָם; רוֹצֵחַ
homily *n* דְּרָשָׁה, הַטָּפָה
homing *adj* חוֹזֵר הַבַּיתָה
homing pigeon *n* יוֹנַת דּוֹאַר
hominy *n* קֶלַח תִּירָס
homogeneity *n* הוֹמוֹגֶנִיּוּת
homogeneous *adj* הוֹמוֹגֵנִי, שְׁוֵה חֲלָקִים
homogenize *vt* הֶאֱחִיד, עָשָׂה לְהוֹמוֹגֵנִי
homonym *n* הוֹמוֹנִים
homonymous *adj* הוֹמוֹנִימִי; שְׁוֵה־שֵׁם
homosexual *adj, n* הוֹמוֹסֶקסוּאָלִי
homosexuality *n* הוֹמוֹסֶקסוּאָלִיוּת, מִשׁכַּב זָכוּר
hon. *abbr* honorary כְּבוֹד־, מְכוּבָּד
Hon. *abbr* Honorable
Honduran *n, adj* הוֹנדוּרִי
hone *n* אֶבֶן מַשׁחֶזֶת

hone *vt* הִשְׁחִיז
honest *adj* יָשָׁר, הָגוּן
honesty *n* יוֹשֶׁר, הֲגִינוּת
honey *n* דְּבַשׁ
honeybee *n* דְּבוֹרַת הַדְּבַשׁ
honeycomb *n, adj* חַלַּת־דְּבַשׁ, יַעֲרַת־דְּבַשׁ
honeycomb *vt* חָדַר בַּכֹּל
honeydew melon *n* מֶלוֹן טַל הַדְּבַשׁ
honey-eater *n* יוֹנֵק־הַדְּבַשׁ, צוּפִית
honeyed *adj* מְמוּתָּק
honey locust *n* גְּלֶדִיצְיָה שְׁלוֹשׁ הַקּוֹצִים
honeymoon *n* יֶרַח־דְּבַשׁ
honeymoon *vi* בִּילָּה יֶרַח־דְּבַשׁ
honeysuckle *n* יַעֲרָה
honk *n* צְוִויחַת אַוַּז־הַבָּר; צְפִירַת מְכוֹנִית
honk *vt* צָוַח; צָפַר
honky-tonk *n* בֵּית־שַׁעֲשׁוּעִים זוֹל
honor *n* כָּבוֹד, פְּאֵר
honorary *adj* שֶׁל כָּבוֹד
honorific *adj* מַבִּיעַ כָּבוֹד
honor system *n* מִשְׁמַעַת כָּבוֹד
hood *n* בַּרְדָס; חִיפַּת הַמָּנוֹעַ
hood *vt* בִּרְדֵס; כִּיסָּה
hoodlum *n* בִּרְיוֹן, פּוֹחֵחַ
hoodoo *n* מְכַשֵּׁף; מַזָּל רַע
hoodoo *vt* הֵמִיט רָעָה
hoodwink *vt* רִימָּה; סִנְווֵר
hooey *n, interj* שְׁטוּיוֹת; בּוּז!
hoof *n* פַּרְסָה
hoof *vi* הָלַךְ; רָקַד
hoof beat *n* שַׁעֲטַת פְּרָסוֹת
hook *n* וָו, אוּנְקָל; חַכָּה
hook *vt, vi* הֶעֱלָה בְּחַכָּתוֹ; עִיקֵּם
hookah *n* נַרְגִּילָה
hook and eye *n* וָו וּלוּלָאָה
hook and ladder *n* אוּנְקָל וְסוּלָּם
hooknosed *adj* כְּפוּף חוֹטֶם
hook-up *n* תַּרְשִׁים־מַכְשִׁיר־רַדְיוֹ; מִתְלֶה
hookworm *n* כֶּרֶץ
hooky *adj* רַב־וָוִים; מְאוּנְקָל
hooligan *n* חוּלִיגָן, אֵימְתָן
hooliganism *n* חוּלִיגָנִיּוּת, בִּרְיוֹנוּת
hoop *n* טַבַּעַת, חִישׁוּק
hoop *vt* הִידֵּק בְּחִישׁוּק
hoot *n* קְרִיאַת גְּנַאי; יְלָלָה
hoot *vt* קָרָא קְרִיאַת גְּנַאי; יִילֵּל
hooter *n* צוֹפָר
hoot owl *n* יַנְשׁוּף
hop *n* נִיתּוּר, קְפִיצָה; רִיקּוּד
hop *vt, vi* קָפַץ, נִיתֵּר
hop *n* כִּישׁוּתִית
hope *n* תִּקְוָה
hope *vt, vi* קִיוָּה
hope chest *n* מְגֵירַת הַכַּלָּה
hopeful *adj, n* מְקַוֶּה; נוֹתֵן תִּקְווָה
hopeless *adj* חֲסַר תִּקְווָה
hopper *n* מְדַלֵּג, מְקַפֵּץ; חָרוּט הָפוּךְ
hopper car *n* קְרוֹן־מַשָּׂא רָכִין
hopscotch *n* 'אֶרֶץ' (משחק)
horde *n* עֵרֶב־רַב
horehound, hoarhound *n* מָרוּבִּיוֹן מָצוּי
horizon *n* אוֹפֶק
horizontal *adj, n* אוֹפְקִי; שָׁכוּב
hormone *n* הוֹרְמוֹן
horn *n* קֶרֶן; שׁוֹפָר

horn *vt* נָגַח; נָתַן קַרְנַיִם

hornet *n* צִרְעָה

hornet's nest *n* קַן צְרָעוֹת

hornpipe *n* חֲלִיל־הַקֶּרֶן

hornrimmed glasses *n pl* מִשְׁקָפַיִם מְחוּשָּׁקִים בְּקֶרֶן

horny *adj* קַרְנִי, נוּקְשֶׁה

horoscope *n* הוֹרוֹסְקוֹפּ

horrible *adj* נוֹרָא, מַחֲרִיד

horrid *adj* מַחֲרִיד; מְעוֹרֵר בְּחִילָה

horrify *vt* הִפְחִיד

horror *n* פַּחַד, פַּלָּצוּת; כִּיעוּר

horror-struck *adj* מוּכֵּה אֵימָה

hors d'oeuvre *n* מְתַאֲבֵן

horse *n* סוּס; (בשחמט) פָּרָשׁ

horse *vt*, *vi* רָתַם סוּס; נָשָׂא עַל גַּבּוֹ

horseback *n*, *adv* (עַל) גַּב הַסּוּס

horse blanket *n* שְׂמִיכָה לְסוּס

horse block *n* מִדְרָג לְסוּס

horse breaker *n* מְאַלֵּף סוּסִים

horse car *n* קְרוֹן סוּסִים

horse-chestnut *n* עַרְמוֹנִית הַסּוּסִים

horse collar *n* קוֹלָר סוּסִים

horse-dealer *n* סוֹחֵר סוּסִים

horse-doctor *n* רוֹפֵא בְּהֵמוֹת

horsefly *n* זְבוּב־סוּס

horsehair *n* שַׂעֲרַת סוּס

horsehide *n* עוֹר סוּס

horselaugh *n* צְחוֹק פָּרוּעַ

horseman *n* רוֹכֵב; פָּרָשׁ

horsemanship *n* אוּמָנוּת הָרְכִיבָה

horse meat *n* בְּשַׂר סוּסִים

horse opera *n* מַעֲרָבוֹן

horse pistol *n* אֶקְדַּח פָּרָשִׁים

horseplay *n* מִשְׂחָק פָּרוּעַ

horse-power *n* כּוֹחַ סוּס

horserace *n* מֵירוֹץ סוּסִים

horseradish *n* חֲזֶרֶת

horse-sense *n* שֵׂכֶל יָשָׁר

horseshoe *n* פַּרְסַת סוּס

horseshoe magnet *n* פַּרְסַת מַגְנֵט

horseshoe nail *n* מַסְמֵר פַּרְסָה

horse show *n* תְּצוּגַת סוּסִים

horsetail *n* שְׁבַטְבַּט

horse thief *n* גַּנַּב סוּסִים

horse trade *n* חִילּוּפֵי סוּסִים; מַשָּׂא וּמַתָּן עַרְמוּמִי

horse trading *n* נְשִׂיאָה וּנְתִינָה עַרְמוּמִית

horsewhip *n* שׁוֹט, מַגְלֵב

horsewhip *vt* הִצְלִיף בְּמַגְלֵב

horsewoman *n* רוֹכֶבֶת; סַיֶּסֶת

horsy *adj* סוּסִי; שָׁטוּף בְּספּוֹרט הַסּוּסִים; גַּמְלוֹנִי

horticultural *adj* גַּנָּנִי

horticulture *n* גַּנָּנוּת

horticulturist *n* גַּנָּן

hose *n* גֶּרֶב; זַרְנוּק

hose *vt* רָחַץ בְּזַרְנוּק, הִשְׁקָה בְּזַרְנוּק

hosier *n* מְייַצֵּר גַּרְבַּיִים; סוֹחֵר בְּגַרְבַּיִים

hosiery *n* גַּרְבַּיִים, תִּגְרוֹבֶת

hospice *n* אַכְסַנְיָה

hospitable *adj* מְאָרֵחַ טוֹב

hospital *n* בֵּית־חוֹלִים

hospitality *n* אֵירוּחַ

hospitalize *vt* אִשְׁפֵּז

host *n* מְאָרֵחַ

hostage *n* בֶּן־תַּעֲרוּבוֹת

hostel *n* אַכְסַנְיָה; מְעוֹן סְטוּדֶנְטִים

hostelry *n* פּוּנְדָק, אַכְסַנְיָה
hostess *n* מְאָרַחַת; אַכְסְנָאִית
hostile *adj* אוֹיֵב, עוֹיֵן
hostility *n* אֵיבָה, עוֹיְנוּת
hostler *n* שׁוֹמֵר סוּסִים, אוּרְוָן
hot *adj, adv* חַם, לוֹהֵט; עַז; חָרִיף; בְּחוֹם
hot air *n* לַהַג, רַבְרְבָנוּת
hot and cold running water מַיִם חַמִּים וְקָרִים
hot baths *n pl* מֶרְחֲצָאוֹת חַמִּים
hotbed *n* יָצוּעַ חַם; חֲמָמָה
hotblooded *adj* חָמוּם, חֲמוּם־מֶזֶג
hot cake *n* עוּגָה חַמָּה; מִצְרָךְ נֶחְטָף
hot dog *n* נַקְנִיקִית חַמָּה
hotel *n* מָלוֹן
hotelkeeper *n* מְלוֹנַאי
hothead *n* חֲמוּם־מוֹחַ
hotheaded *adj* חֲמוּם־מוֹחַ
hothouse *n* חֲמָמָה
hot-plate *n* צַלַּחַת בִּישׁוּל
hot springs *n pl* מַעְיָנוֹת חַמִּים
hot-tempered *adj* חַם־מֶזֶג, חָמוּם
hot water *n* מַיִם חַמִּים; מְצוּקָה
hot water boiler *n* דּוּד מַיִם חַמִּים
hot water bottle *n* בַּקְבּוּק חַם
hot water heater *n* דּוּד חִימּוּם
hot water heating *n* חִימּוּם מַיִם
hot water tank *n* דּוּד מַיִם חַמִּים
hound *n* כֶּלֶב צַיִד; מְנוּוָל
hound *vt* רָדַף
hour *n* שָׁעָה
hourglass *n* שְׁעוֹן־חוֹל
hour-hand *n* מְחוֹג הַשָּׁעוֹת
hourly *adj, adv* שָׁעָה־שָׁעָה, מִדֵּי שָׁעָה

house *n* בַּיִת, דִּירָה
house *vt, vi* שִׁיכֵּן, אִכְסֵן; הִשְׁתַּכֵּן
house arrest *n* מַעְצַר בַּיִת
houseboat *n* סִירָה־בַּיִת
housebreaker *n* פּוֹרֵץ
housebreaking *n* פְּרִיצָה
housebroken *adj* מְבוּיָּת
house cleaning *n* בֶּדֶק בַּיִת
house coat *n* מְעִיל בַּיִת
housefly *n* זְבוּב הַבַּיִת
houseful *n* מְלוֹא הַבַּיִת
house furnishings *n pl* חֲפָצֵי בַּיִת
household *n, adj* דַּיָּירֵי בַּיִת; מִשְׁפָּחָה; מֶשֶׁק; בֵּיתִי
householder *n* בַּעַל־בַּיִת
house hunt *n* חִיפּוּשׂ בַּיִת
housekeeper *n* מְנַהֶלֶת מֶשֶׁק־הַבַּיִת
housekeeping *n* הַנְהָלַת מֶשֶׁק־בַּיִת
house meter *n* מוֹנֶה בַּיִת
housemother *n* מְחַנֶּכֶת, אֵם בַּיִת
house of cards *n* בִּניַין קְלָפִים
house painter *n* צַבָּע
house physician *n* רוֹפֵא בַּיִת
housetop *n* גַּג הַבַּיִת
housewarming *n* חֲנוּכַּת בַּיִת
housewife *n* עֲקֶרֶת בַּיִת
housework *n* עֲבוֹדַת בַּיִת
housing *n* שִׁיכּוּן
housing shortage *n* מַחְסוֹר דִּיּוּר
hovel *n* בִּקְתָּה
hover *vi* רִיחֵף
how *adv* אֵיךְ
howdah *n* אַפִּרְיוֹן עַל גַּבֵּי פִּיל
however *adv* בְּכָל אוֹפֶן
howitzer *n* תּוֹתָח (קְצַר קָנֶה)

howl *vt, vi* יִילֵל; יִיבֵּב
howl *n* יְלָלָה; צְרִיחָה
howler *n* מְיַילֵל; הַקוֹף הַצוֹחֵק
hoyden, hoiden *n* נַעֲרָה גַסָּה
H.P., h.p. *abbr* horse power; high pressure; hire purchase
hr. *abbr* hour
H.R.H. *abbr* His (Her) Royal Highness
ht. *abbr* height
hub *n* טַבּוּר (שֶׁל גלגל); מֶרְכָּז
hubbub *n* הֲמוּלָה, מְהוּמָה
hubcap *n* מְגוּפַת טַבּוּר הַגַּלְגַל
huckster *n* רוֹכֵל סִדְקִית; מוֹכֵר יְרָקוֹת
huddle *vt, vi* הִתְקַהֵל; נֶחְפַּז לַעֲשׂוֹת
huddle *n* קָהָל צָפוּף
hue *n* צֶבַע, גָוֶן
huff *n* רוֹגֶז, הִתְפָּרְצוּת זַעַם
hug *vt, vi* חִיבֵּק, גִיפֵּף; דָבַק בּ...
hug *n* חִיבּוּק, גִיפּוּף
huge *adj* עֲנָקִי, גָדוֹל
huh! *interj* הָה! (להבעת תימהון, או אמונה או בוז)
hulk *n* גְוִיַת אוֹנִיָּה
hulking *adj* מְגוּשָּׁם
hull *n* קְלִיפָּה; מִכְסֶה; גוּף אוֹנִיָּה
hull *vt, vi* הֵסִיר מִכְסֶה; קִילֵף
hullabaloo *n* מְהוּמָה
hum *n* זִמְזוּם, הֶמְיָה
hum *vt, vi* זִמְזֵם; הִמְהֵם
hum *interj* הוּם ... הֶמ ...
human *adj, n* אֱנוֹשִׁי, אָדָם
human being (creature) *n* בֶּן־תְּמוּתָה
humane *adj* אֱנוֹשִׁי, רַחֲמָנִי
humanist *n, adj* הוּמָנִיסְט; הוּמָנִיסְטִי
humanitarian *n, adj* הוּמָנִיטָרִי, אוֹהֵב אָדָם
humanity *n* הָאֱנוֹשׁוּת; אֱנוֹשִׁיּוּת; (בריבוי) מַדָעֵי־הָרוּחַ
humankind *n* הַמִּין הָאֱנוֹשִׁי
humble *adj* עָנָיו, צָנוּעַ; עָלוּב
humble *vt* הִכְנִיעַ, הִשְׁפִּיל
humbug *n, vt* הוֹנָאָה, זִיּוּף; נוֹכֵל; הוֹנָה
humdrum *adj* מְשַׁעֲמֵם; שִׁיעֲמוּם
humerus *n* עֶצֶם הַזְרוֹעַ
humid *adj* לַח
humidifier *n* מְלַחלֵחַ
humidify *vt* לִחלֵחַ, הִרְטִיב
humidity *n* לַחוּת
humiliate *vt* הִשְׁפִּיל
humiliating *adj* מַשְׁפִּיל
humility *n* עֲנָוָה; כְּנִיעָה
humming *adj* מְזַמְזֵם; תּוֹסֵס
humming-bird *n* הַצִּיפּוֹר הַמְזַמְזֶמֶת
humor *n* מַצַּב־רוּחַ; בְּדִיחוּת; הִיתּוּל, הוּמוֹר
humor *vt* הִתְמַסֵּר ל...; הִסְתַּגֵּל ל...
humorist *n* כּוֹתֵב דִבְרֵי בְּדִיחוּת, בַּדְחָן
humoristic *adj* בַּדְחָנִי, הוּמוֹרִיסְטִי
humorous *adj* מְבַדֵּחַ, הִיתּוּלִי
hump *n* חֲטוֹטֶרֶת; תֵּל
humpback *n* גִיבֵּן
humus *n* רַקְבּוּבִית
hunch *n* חֲטוֹטֶרֶת; דַבֶּשֶׁת; חֲשָׁד
hunch *vt, vi* הִתְגַבֵּן; הֵגִיחַ
hunchback *n* גִיבֵּן
hundred *n* מֵאָה, מֵאִיָּה

hundredth *adj, n* מֵאִי; מֵאִית
hundredweight *n* מִשְׁקַל־מֵאָה
Hundred Years' War *n* מִלְחֶמֶת מְאַת הַשָּׁנִים
Hungarian *adj, n* הוּנגָּרִי; הוּנגָּרִית
Hungary *n* הוּנגַּרְיָה
hunger *n* רָעָב; תְּשׁוּקָה
hunger *vt, vi* רָעַב; הִשְׁתּוֹקֵק, הִתְאַוָּה
hunger-march *n* מִצְעַד רָעָב
hunger-strike *n* שְׁבִיתַת רָעָב
hungry *adj* רָעֵב; תָּאֵב
hunk *n* נֵתַח
hunt *vt, vi* צָד; בִּיקֵשׁ; חִיפֵּשׂ
hunt *n* צַיִד; חִיפּוּשׂ
hunter *n* צַיָּד; רוֹדֵף
hunting *n* צַיִד
hunting dog *n* כֶּלֶב־צַיִד
hunting-ground(s) *n* מְקוֹם צַיִד
hunting jacket *n* מְעִיל צַיִד
hunting lodge *n* מְלוּנַת צַיִד
hunting season *n* עוֹנַת צַיִד
huntress *n* צַיֶּדֶת
huntsman *n* צַיָּד
hurdle *n* מִכְשׁוֹל גָּדֵר, מְשׂוּכָה
hurdle *vt* קָפַץ וְעָבַר; הִתְגַּבֵּר עַל
hurdler *n* מְדַלֵּג עַל מִכְשׁוֹלִים
hurdle race *n* מֵירוֹץ מְשׂוּכוֹת
hurdy-gurdy *n* תֵּיבַת נְגִינָה
hurl *vt, vi* הִשְׁלִיךְ; זָרַק
hurl *n* הַשְׁלָכָה, הֲטָלָה
hurrah, hurray *interj, n, vi* הֵידָד!; קָרָא הֵידָד
hurricane *n* סוּפַת צִיקְלוֹן
hurried *adj* מְמַהֵר; פָּזִיז
hurry *vt, vi* זֵירֵז; מִיהֵר
hurry *n* חִיפָּזוֹן, מְהִירוּת
hurt *vt, vi* פָּגַע, פָּצַע; כָּאַב
hurt *n* פְּגִיעָה; פְּצִיעָה
hurtle *vt, vi* הֵטִיל, זָרַק; מִיהֵר בְּבֶהָלָה
husband *n* בַּעַל
husband *vt* נָהַג בְּחַסְכָנוּת, חָסַךְ
husbandman *n* חַקְלַאי
husbandry *n* חַקְלָאוּת; נִיהוּל מְחוּשָּׁב; חִיסָּכוֹן
hush *interj* הַס!
hush *adj, n* שָׁקֵט; שֶׁקֶט
hush *vt, vi* הִשְׁתִּיק; שָׁתַק
hushaby *interj* נוּמָה, נוּמָה
hush-hush *adj* סוֹדִי
hush money *n* דְּמֵי 'לֹא יֶחֱרַץ'
husk *n* קְלִיפָּה
husk *vt* קִילֵּף
husky *adj* רַב קְלִיפּוֹת; גְּבַרְתָּנִי; צָרוּד
husky *n* גְּבַרְתָּן
hussy, huzzy *n* נַעֲרָה גַּסָּה
hustle *vt, vi* דָּחַף, דָּחַק; נִדְחַף
hustle *n* הֲמוּלָּה; מֶרֶץ
hustler *n* פָּעִיל, עוֹבֵד בְּמֶרֶץ
hut *n* סוּכָּה, צְרִיף
hyacinth *n* יַקִינְתּוֹן (פרח, אבן־חן)
hybrid *n* בֶּן־כִּלְאַיִם, הִיבְּרִיד
hybridization *n* הַכְלָאָה
hydra *n* הִידְרָה; נְחַשׁ הַמַּיִם
hydrant *n* זַרְנוּק, מַעֲבִיר מַיִם
hydrate *n* הִידְרָט
hydrate *vt* מִיֵּם, הִרְכִּיב עִם מַיִם
hydraulic *adj* הִידְרוֹלִי
hydraulic ram *n* אַיִל הִידְרוֹלִי

hydraulics *n pl* הִידרוֹלִיקָה
hydriodic *adj* הִידרִיוֹדִי, שֶׁל חוּמצַת מֵימָן
hydrobromic *adj* שֶׁל מֵימָן בּרוֹמִי
hydrocarbon *n* פַּחמֵימָן
hydrochloric *n* מֵימָן כּלוֹרִי
hydroelectric *adj* הִידרוֹאֶלֶקטרִי
hydrofluoric *adj* הִידרוֹפלוּאוֹרִי
hydrofoil *n* סְנַפִּירִית
hydrogen *n* מֵימָן
hydrogen peroxide *n* מֵי חַמצָן
hydrogen sulfide *n* מֵימָן גוֹפרָתִי
hydrometer *n* הִידרוֹמֶטֶר, מַד־מַיִם
hydrophobia *n* כַּלֶּבֶת; בַּעַת־מַיִם
hydroplane *n* מְטוֹס־יָם
hydroxide *n* מֵימָה, הִידרוֹקסִיד
hyena, hyaena *n* צָבוֹעַ
hygiene *n* גֵהוּת, הִיגיֵינָה
hygienic *adj* גֵהוּתִי, הִיגיֵינִי
hymn *n* שִׁיר הַלֵּל (בּכנסייה), מִזמוֹר
hymnal *n, adj* סֵפֶר שִׁירֵי כְּנֵסִיָּה
hyp. *abbr* hypotenuse, hypothesis
hyperacidity *n* יֶתֶר־חוּמצִיּוּת
hyperbola *n* הִיפֶּרבּוֹלָה
hyperbole *n* גוּזמָה
hyperbolic *adj* הִיפֶּרבּוֹלִי; מוּגזָם
hypersensitive *adj* רָגִישׁ בְּיוֹתֵר
hypertension *n* לַחַץ יֶתֶר, לַחַץ דָם גָבוֹהַּ
hyphen *n* מַקָּף
hyphenate *vt* מִיקֵּף, חִיבֵּר בְּמַקָּף
hypnosis *n* הִפּנוּט, הִיפּנוֹזָה
hypnotic *adj, n* מְהַפּנֵט; מְהוּפּנָט
hypnotism *n* הִפּנוּט
hypnotist *n* מְהַפּנֵט
hypnotize *vt* הִפּנֵט
hypochondria *n* דִיכָּאוֹן (שמקורו במחלות מדומות)
hypocrisy *n* צְבִיעוּת
hypocrite *n* צָבוּעַ
hypocritical *adj* צָבוּעַ
hypodermic *adj* תַּת־עוֹרִי
hyposulfite *n* הִיפּוֹסוּלפִיט
hypotenuse *n* יֶתֶר (בּמשולש ישר־זווית)
hypothesis *n* הַשׁעָרָה, הַנָּחָה, הִיפּוֹתֵיזָה
hypothetic(al) *adj* הַשׁעָרָתִי, הִיפּוֹתֵיטִי
hyssop *n* אֵיזוֹב
hysteria *n* הִיסטֶריָה
hysteric(al) *adj* הִיסטֵרִי
hysterics *n pl* הֶתקֵף הִיסטֶריָה

I

I, i — אַי (האות התשיעית באלפבית)
I. *abbr* Island
I. — יוֹדִין
I *pron* — אֲנִי
iambic *adj, n* — יַאמְבִּי, יוֹרֵד; שִׁיר בְּמִקְצָב יוֹרֵד
ib. *abbr* ibidem — שָׁם, כַּנַּ״ל
Iberian *adj, n* — אִיבֵּרִי
ibex *n* — יָעֵל
ibis *n* — אִיבִּיס
ice *n* — קֶרַח
ice *vt* — צִיפָּה בְּקֶרַח; הִקְפִּיא
ice age *n* — עִידַּן הַקֶּרַח
ice-bag *n* — כָּרִית קֶרַח
iceberg *n* — קַרחוֹן
ice-boat *n* — סִירַת־קֶרַח
icebound *adj* — תָּקוּעַ בַּקֶּרַח
icebox *n* — אֲרוֹן־קֶרַח
icebreaker *n* — בּוֹקַעַת קֶרַח
icecap *n* — קוֹבַע קֶרַח; קַרחוֹן
ice cream *n* — גְּלִידָה
ice-cream cone *n* — גְּבִיעַ גְּלִידָה
ice-cream freezer *n* — מַקְפֵּאַת גְּלִידָה
ice-cream parlor *n* — חֲנוּת גְּלִידָה
ice-cream soda *n* — גְּלִידָה עִם סוֹדָה
ice cube *n* — קוּבִּיַּת קֶרַח
ice-hockey *n* — הוֹקִי־קֶרַח
Iceland *n* — אִיסלַנד
Icelander *adj, n* — אִיסלַנדִי
Icelandic *adj, n* — אִיסלַנדִי; אִיסלַנדִית
iceman *n* — מוֹכֵר קֶרַח
ice-pack *n* — שְׂדֵה קֶרַח צָף
ice pail *n* — דְּלִי קֶרַח (לצינון משקאות)
ice-pick *n* — מַכּוֹשׁ לְקֶרַח
ice tray *n* — תַּבְנִית קֶרַח
ice water *n* — מֵי קֶרַח
ichthyology *n* — חֵקֶר הַדָּגִים
icicle *n* — נְטִיף קֶרַח
icing *n* — צִיפּוּי בְּסוּכָּר; הִיקָּפְאוּת
iconoclasm *n* — שְׁבִירַת אֱלִילִים
iconoclast *n* — שׁוֹבֵר אֱלִילִים
iconoscope *n* — אִיקוֹנוֹסקוֹפּ
icy *adj* — מְצוּפֶּה קֶרַח; דְּמוּי קֶרַח; קַר
id. *abbr* idem — שָׁם, כַּנַּ״ל
id *n* — אִיד
I'd *abbr* I would, I should, I had
idea *n* — רַעיוֹן, מַחֲשָׁבָה; מוּשָּׂג
ideal *n* — מַשָּׂא־נֶפֶשׁ, שְׁאִיפָה; מוֹפֵת
ideal *adj* — דִּמיוֹנִי; מוֹפְתִי, אִידֵיאָלִי
idealist *n* — טְהוֹר שְׁאִיפָה, אִידֵיאָלִיסט
idealize *vt, vi* — עָשָׂה אִידֵיאָלִי, הִצִּיג בְּצוּרָה אִידֵיאָלִית
identical *adj* — זֵהֶה, דּוֹמֶה בְּהֶחלֵט
identification *n* — זִיהוּי, זֶהוּת; אִישׁוּר
identification tag *n* — תַּו זִיהוּי
identify *vt* — זִיהָה, קָבַע זֶהוּת
identikit *n* — קְלַסְתְּרוֹן
identity *n* — זֶהוּת
ideology *n* — הַשְׁקָפַת עוֹלָם
ides *n pl* — מוֹעֲדִים, אֵידִים
idiocy *n* — אִידיוֹטִיּוּת

idiolect *n* נִיב פְּרָטִי, אִידְיוֹלֶקְט
idiom *n* נִיב, אִידִיוֹם
idiomatic *adj* נִיבִי, אִידְיוֹמָטִי
idiosyncrasy *n* קַו אוֹפְיָנִי מְיוּחָד
idiot *n* שׁוֹטֶה גָמוּר; אִידְיוֹט
idiotic *adj* אֱוִילִי; אִידְיוֹטִי
idle *adj* בָּטֵל; מִתעַצֵּל
idle *vt, vi* בִּיטֵּל זְמַנּוֹ; הִתעַצֵּל
idleness *n* בַּטָּלָה, בִּיטּוּל זְמַן
idler *n* עַצְלָן, בַּטְלָן
idol *n* אֱלִיל; גִּיבּוֹר נַעֲרָץ
idolatry *n* עֲבוֹדַת אֱלִילִים; הַעֲרָצָה עִיוֶּרֶת
idolize *vt* הֶאֱלִיהַּ
idyll *n* שִׁירַת שַׁלְוָה, אִידִילְיָה
idyllic *adj* שָׁלֵו; אִידִילִי
if *conj* אִם, אִילּוּ
if *n* תְּנַאי, הַשְׁעָרָה
ignis fatuus *n* אוֹר תַּעְתּוּעִים
ignite *vt, vi* הִצִּית; שִׁלְהֵב; הִשְׁתַּלְהֵב
ignition *n* הַצָּתָה
ignition switch *n* מֶתֶג הַצָּתָה
ignoble *adj* שָׁפָל; נְחוּת דַרְגָה
ignominious *adj* מַשְׁפִּיל; שָׁפָל
ignoramus *n* בּוּר
ignorance *n* בּוּרוּת, אִי־יְדִיעָה
ignorant *adj* אֵינוֹ יוֹדֵעַ
ignore *vt* הִתעַלֵּם מִן
ilk *pron, n* אוֹתוֹ, כָּמוֹהוּ; מִשְׁפָּחָה, סוּג
ill. *abbr* illustrated, illustration
ill *adj, adv* חוֹלֶה; רַע; בְּאוֹפֶן מְרוּשָׁע
ill-advised *adj* לֹא נָבוֹן
ill-bred *adj* לֹא מְנוּמָּס
ill-considered *adj* לֹא שָׁקוּל, מוּטְעֶה
ill-disposed *adj* לֹא יְדִידוּתִי
illegal *adj* לֹא חוּקִי
illegible *adj* לֹא קָרִיא
illegitimate *adj, n* לֹא חוּקִי
ill fame *n* שִׁמְצָה, שֵׁם רָע
ill-fated *adj* רַע מַזָּל
ill-gotten *adj* שֶׁנִּרְכַּשׁ בְּעַוְלָה
ill health *n* חוֹלִי
ill-humored *adj* רַע מֶזֶג
illicit *adj* לֹא חוּקִי
illiteracy *n* בַּעֲרוּת, בּוּרוּת, אַנאַלְפַבֵּיתִיּוּת
illiterate *adj, n* בַּעַר, אַנאַלְפַבֵּיתִי
ill-mannered *adj* לֹא מְנוּמָּס
illness *n* מַחֲלָה
illogical *adj* לֹא הֶגְיוֹנִי
ill-spent *adj* מְבוּזְבָּז, שֶׁהוּצָא לָרִיק
ill-starred *adj* לְלֹא מַזָּל
ill-tempered *adj* זוֹעֵם, רַע מֶזֶג
ill-timed *adj* לֹא בִּזְמַנּוֹ
ill-treat *vt* נָהַג בְּאַכְזְרִיּוּת
illuminate *vt* הֵאִיר; הִבְהִיר; קִישֵּׁט
illuminating gas *n* גַּאז לְהֶאָרָה
illumination *n* תְּאוּרָה, אוֹר; הַבְהָרָה
illusion *n* אַשְׁלָיָה, אִילוּזְיָה
illusive *adj* מַשְׁלֶה
illusory *adj* מַטְעֶה
illustrate *vt* בֵּיאֵר; הִדְגִּים; אִייֵּר, עִיטֵּר
illustration *n* הַדְגָּמָה, הַבְהָרָה; אִיּוּר
illustrious *adj* מִצְטַיֵּין, מְפוּרְסָם
ill-will *n* אֵיבָה
image *n* דְּמוּת; תַּבְנִית; תַּדְמִית
imagery *n* צִיּוּרֵי דִמְיוֹן; דִּמְיוֹנִיּוּת
imaginary *adj* דִּמְיוֹנִי, מְדוּמֶּה
imagination *n* דִּמְיוֹן; כּוֹחַ הַדִּמְיוֹן

imagine *vt, vi* דִימָּה, דִמייֵן
imbecile *adj, n* מְטוּמטָם; אִימבֵּצִילִי
imbecility *n* טִמטוּם, אִימבֵּצִילִיוּת
imbibe *vt, vi* שָׁתָה; סָפַג; שָׁאַף
imbue *vt* מִילֵא (רגשות); הִלהִיב; השׂרה, הרטיב
imitate *vt* חִיקָּה
imitation *n* חִיקּוּי
immaculate *adj* לְלֹא רְבָב
immaterial *adj* בִּלתִי־חוּמרִי; לֹא חָשׁוּב
immaterialism *n* אִימָטֶרִיָלִיזם
immature *adj* שֶׁלִפנֵי זְמַנּוֹ; לֹא מְבוּגָּר
immeasurable *adj* לֹא מָדִיד
immediacy *n* דְחִיפוּת, תְּכִיפוּת
immediate *adv* מִיָּדִי, דָחוּף
immediately *adv* מִיָּד, תֵּיכֶף
immemorial *adj* קָדוּם
immense *adj* עָצוּם, עֲנָקִי
immerge *vi* טָבַל, שָׁקַע
immerse *vt* טָבַל; הִשׁקִיעַ; שָׁקַע
immersion *n* טְבִילָה, הַטבָּלָה, שְׁרִייָה; שְׁקִיעָה
immigrant *n, adj* מְהַגֵּר, עוֹלֶה (לישׂראל)
immigrate *vi* הִיגֵּר, עָלָה (לישׂראל)
immigration *n* הֲגִירָה, עֲלִייָה (לישׂראל)
imminent *adj* קָרוֹב לְהִתרַחֵשׁ, מְמַשְׁמֵשׁ וּבָא
immobile *adj* לֹא זָע, נַייָּח
immobilize *vi* הִדמִים; נִייֵּחַ
immoderate *adj* לֹא מָתוּן; מַפרִיז
immodest *adj* לֹא צָנוּעַ, לֹא הָגוּן
immoral *adj* בִּלתִי־מוּסָרִי
immortal *adj, n* בֶּן־אַלמָוֶת; נִצחִי
immortalize *vt* הֶעֱנִיק חַיֵּי נֵצַח
immune *adj, n* מְחוּסָּן, חָסִין
immunize *vt* חִיסֵּן
imp *n* שֵׁדוֹן
impact *n* הִתנַגְּשׁוּת גּוּפִים; פְּגִיעָה
impair *vt* קִלקֵל, פָּגַם
impanel *vt* צֵירֵף לַצָּוֶות
impart *vt* הֶעֱנִיק, הִקנָה
impartial *adj* לֹא נוֹשֵׂא פָּנִים, חֲסַר פְּנִיּוֹת
impassable *adj* לֹא עָבִיר
impasse *n* מָבוֹי סָתוּם
impassibility *n* קֵהוּת לִכאֵב; אֲדִישׁוּת
impassible *adj* לֹא רָגִישׁ לִכאֵב; לֹא נָזִיק
impassibly *adv* בַּאֲדִישׁוּת
impassion *vt* שִׁלהֵב יֵצֶר
impassioned *adj* מְשׁוּלהָב; תַּאַוותָנִי
impassive *adj* חֲסַר רֶגֶשׁ, קֵהֶה
impatience *n* אִי־סַבלָנוּת
impatient *adj* לֹא סַבלָן, קְצַר רוּחַ
impeach *vt* הֶאֱשִׁים בְּהִתנַהֲגוּת לֹא הוֹגֶנֶת
impeachment *n* הַאֲשָׁמָה פּוּמבִּית
impeccable *adj* טָהוֹר, לֹא פָּגוּם
impecunious *adj* חֲסַר כֶּסֶף
impedance *n* עַכָּבָה
impede *vt* עִיכֵּב; מָנַע
impediment *n* מוּם; מַעצוֹר
impel *vt* הִמרִיץ, דָחַף
impending *adj* עוֹמֵד לְהִתרַחֵשׁ
impenetrable *adj* לֹא חָדִיר
impenitent *adj, n* לֹא חוֹזֵר בִּתשׁוּבָה
imperative *n* צִיוּוּי

imperative *adj* הֶכרֵחִי; מְצַוֶּוה
imperceptible *adj* לֹא מוּחָשׁ, סָמוּי
imperfect *adj, n* לֹא מוּשלָם; עָבָר לֹא נִשלָם; (בעברית) עָתִיד
imperfection *n* אִי־שְׁלֵמוּת, לִקוּת
imperial *adj* קֵיסָרִי; נֶהדָר
imperial *n* זְקַן הַשָּׂפָה הַתַּחתּוֹנָה
imperialist *n* דוֹגֵל בְּאִימפֶּרְיָלִיזם
imperil *vt* הֶעֱמִיד בְּסַכָּנָה
imperious *adj* מוֹשֵׁל, מְצַוֶּה; דָחוּף
imperishable *adj* שֶׁאֵינוֹ נִיתָּן לְהִישָּׁמֵד
impersonal *adj* לְלֹא פְּנִיָּה אִישִׁית; סְתָמִי
impersonate *vt* גִילֵּם; הִתחַזָּה ל...
impertinence *n* חוּצפָּה, עַזּוּת־פָּנִים
impertinent *adj* עַז־פָּנִים, חָצוּף
impetuous *adj* קְצַר־רוּחַ, נִמהָר
impetus *n* דַחַף, מֵנִיעַ
impiety *n* חִילּוּל קוֹדֶשׁ
impinge *vi* הִתנַגֵּשׁ; הִסִּיג גְבוּל
impious *adj* מְחַלֵּל קוֹדֶשׁ; כּוֹפֵר
impish *adj* שׁוֹבָבִי
implant *vt* הֶחדִיר, הִנחִיל; נָטַע
implement *vt* הִגשִׁים, בִּיצֵּעַ
implement *n* מַכשִׁיר; אֶמצָעִי
implicate *vt* גָרַר, סִיבֵּךְ
implication *n* מַשׁמָעוּת, הַשׁלָכָה
implicit *adj* לְלֹא סְיָג; מוּבהָק; מִשׁתַּמֵּעַ, מְרוּמָּז
implied *adj* מִתחַייֵּב מ...; מְרוּמָּז
implore *vt* הִפצִיר, הִתחַנֵּן
imply *vt* רָמַז; חִייֵּב
impolite *adj* לֹא מְנוּמָּס
import *vt, vi* יִיבֵּא; רָמַז; הִבִּיעַ; נָגַע ל...
import *n* יְבוּא; מוּבָן, כַּוָּונָה
importance *n* חֲשִׁיבוּת
important *adj* חָשׁוּב, נִכבָּד
importation *n* יִיבּוּא; יְבוּא
importer *n* יְבוּאָן
importunate *adj* דָחוּף, נָחוּץ; מַפצִיר, מֵצִיק
importune *vt* הֵצִיק, הִפצִיר
impose *vt, vi* כָּפָה, הִטִּיל
imposing *adj* רַב־רוֹשֶׁם
imposition *n* הַטָּלַת חוֹבָה; דְרִישָׁה נִפרֶזֶת
impossible *adj* אִי־אֶפשָׁרִי
impostor *n* רַמַּאי בְּדוּי־שֵׁם
imposture *n* נְכָלִים, הוֹנָאָה
impotence, impotency *n* אֵין־אוֹנוּת, אִימפּוֹטֶנצִיָּה
impotent *adj* חֲסַר כּוֹחַ־גַברָא
impound *vt* סָגַר בְּמִכלָאָה; סָכַר
impoverish *vt* רוֹשֵׁשׁ, מִסכֵּן
impracticable *adj* לֹא מַעֲשִׂי; לֹא שִׁימוּשִׁי
impractical *adj* לֹא מַעֲשִׂי
impregnable *adj* מְבוּצָר, עָמִיד
impregnate *vt* סִיפֵּג, רִיוָּה; הִפרָה
impresario *n* אֲמַרגָן
impress *vt* הִרשִׁים; טָבַע, חָתַם
impression *n* רוֹשֶׁם; הַשׁפָּעָה; מוּשָּׂג
impressionable *adj* נוֹחַ לְהִתרַשֵּׁם, רָגִישׁ
impressive *adj* מַרשִׁים
imprint *vt* הִדפִּיס; הֶחתִּים; שִׁינֵּן
imprint *n* סִימָן, עָקֵב, תָּו
imprison *vt* אָסַר, כָּלָא
imprisonment *n* מַאֲסָר

improbable *adj* שֶׁלֹּא יִתָּכֵן; לֹא סָבִיר

impromptu *adv* בְּאִלְתּוּר, כִּלְאַחַר יָד

impromptu *adj, n* מְאוּלְתָּר

improper *adj* לֹא מַתְאִים; לֹא נָכוֹן, לֹא הוֹגֵן

improve *vt, vi* שִׁיפֵּר, הִשְׁבִּיחַ; הִשְׁתַּפֵּר

improvement *n* שִׁיפּוּר, הַשְׁבָּחָה

improvident *adj* אֵינוֹ רוֹאֶה מֵרֹאשׁ; מְבַזְבֵּז

improvise *vt, vi* אִלְתֵּר

imprudent *adj* לֹא זָהִיר, פָּזִיז

impudence *n* חוּצְפָּה

impudent *adj* חָצוּף, חוּצְפָּן

impugn *vt* הִטִּיל חֲשָׁד בּ...

impulse *n* דַּחַף; מִתְקָף

impulsive *n* שֶׁבְּדַחַף; פָּזִיז, אִימְפּוּלְסִיבִי

impunity *n* חוֹסֶר עוֹנֶשׁ

impure *adj* לֹא טָהוֹר; טָמֵא

impurity, impureness *n* אִי־טוֹהֳרָה

impute *vt* יִיחֵס (אשמה), טָפַל

in *prep, adv, n, adj* בּ..., בְּתוֹךְ; פְּנִימָה; בַּבַּיִת

inability *n* אִי־יְכוֹלֶת

inaccessible *adj* לֹא נָגִישׁ

inaccuracy *n* אִי־דִּיוּק

inaccurate *adj* לֹא מְדוּיָּק

inaction *n* מֶחְדָּל; בַּטָּלָה

inactive *adj* לֹא פָּעִיל; נִרְפֶּה

inactivity *n* מֶחְדָּל, אִי־פְּעוּלָּה

inadequate *adj* לֹא כָּשִׁיר; לֹא מַסְפִּיק

inadvertent *adj* שֶׁלֹּא בְּכַוּוָנָה; רַשְׁלָנִי

inadvisable *adj* לֹא רָצוּי, לֹא כְּדָאִי

inane *adj, n* רֵיק, שְׁטוּתִי; רֵיקוּת

inanimate *adj* לֹא חַי, דּוֹמֵם

inappreciable *adj* לֹא נִיכָּר

inappropriate *adj* לֹא מַתְאִים, לֹא כַּשּׁוּרָה

inarticulate *adj* עִילֵּג; מְגוּמְגָם; מְגַמְגֵם

inartistic *adj* לֹא אוּמָּנוּתִי

inasmuch (as) *conj* הוֹאִיל וְ...

inattentive *adj* לֹא מַקְשִׁיב; זוֹנֵחַ

inaugural *adj, n* שֶׁל פְּתִיחָה; נְאוּם פְּתִיחָה

inaugurate *vt* פָּתַח רִשְׁמִית; הִכְנִיס לְתַפְקִיד בְּטֶקֶס

inauguration *n* פְּתִיחָה רִשְׁמִית

inborn *adj* שֶׁמִּלֵּידָה

inbreeding *n* הַרְבָּעָה שֶׁל בַּעֲלֵי־חַיִּים מֵאוֹתוֹ סוּג

inc. *abbr* inclosure, included, including, incorporated, increase

Inca *n* אִינְקָה

incandescent *adj* זוֹהֵר, לוֹהֵט

incapable *adj* חֲסַר יְכוֹלֶת; לֹא מְסוּגָּל

incapacitate *vt* הֶחֱלִישׁ; שָׁלַל כּוֹשֶׁר

incapacity *n* אִי־יְכוֹלֶת; אִי־כְּשִׁירוּת

incarcerate *vt* אָסַר, כָּלָא

incarnate *vt, adj* גִּישֵּׁם; גִּילֵּם

incarnation *n* הַעֲלָאַת בָּשָׂר, הִתְגַּשְּׁמוּת

incendiarism *n* הַצָּתָה זְדוֹנִית

incendiary *adj, n* מַצִּית; מְגָרֶה

incense *vt* הִקְטִיר; הִרְגִּיז

incense *n* קְטוֹרֶת

incense burner *n* מַקְטֶרֶת, מַקְטֵר

incentive *adj, n* מְעוֹרֵר, מְגָרֶה; תַּמְרִיץ

inception *n* הַתְחָלָה, רֵאשִׁית
incertitude *n* אִי־בִּטָּחוֹן
incessant *adj* לֹא פּוֹסֵק
incest *n* גִּילּוּי־עֲרָיוֹת
incestuous *adj* שֶׁבְּגִילּוּי־עֲרָיוֹת
inch *n* אִינְץ׳; קוֹרֶט
inch *vt, vi* הֵנִיעַ לְאִטּוֹ; נָע לְאִטּוֹ
incidence *n* תְּחוּלָה
incident *adj* עָשׂוּי לָחוּל; קָשׁוּר ל...
incident *n* מִקְרֶה, תַּקְרִית
incidental *adj* מִקְרִי, צְדָדִי
incidental *n* מִקְרֶה, אֵירוּעַ
incidentally *adv* בְּמִקְרֶה, אַגַּב
incipient *adj* מַתְחִיל, מְבַצְבֵּץ
incision *n* חָתָךְ; חִיתּוּךְ
incisive *adj* חַד, חוֹדֵר
incite *vt* הֵסִית, שִׁיסָּה
incl. *abbr* inclosure, inclusive
inclemency *n* אִי־רַחֲמָנוּת
inclement *adj* לֹא רַחֲמָנִי
inclination *n* נְטִיָּיה, פְּנִיָּיה; מוֹרָד
incline *n, vt, vi* שִׁיפּוּעַ; הִטָּה; נָטָה
inclose *vt* סָגַר עַל, גָּדַר, צֵירֵף (במכתב)
inclosure *n* מִגְרָשׁ גָּדוּר; גָּדֵר; רָצוּף
include *vt* הֵכִיל, כָּלַל
including *adv* כּוֹלֵל, לְרַבּוֹת
inclusive *adj* כּוֹלֵל, וְעַד בִּכְלָל
incognito *adj, adv, n* בְּעִילּוּם־שֵׁם; עֲלוּם־שֵׁם
incoherent *adj* מְבוּלְבָּל; לֹא אָחִיד
incombustible *adj* לֹא דָלִיק
income *n* הַכְנָסָה
income-tax *n* מַס הַכְנָסָה
income-tax return *n* דו״ח מַס הַכְנָסָה
incoming *adj, n* נִכְנָס
incomparable *adj* שֶׁאֵין דּוֹמֶה לוֹ
incompatible *adj, n* מְנוּגָּד, לֹא מַתְאִים
incompetent *adj* לֹא מוּכְשָׁר, לֹא מְסוּגָּל
incomplete *adj* לֹא שָׁלֵם; פָּגוּם
incomprehensible *adj, n* לֹא מוּבָן
inconceivable *adj* שֶׁאֵין לְהַעֲלוֹת עַל הַדַּעַת
inconclusive *adj* לֹא מַסְקָנִי, לְלֹא תּוֹצָאוֹת
incongruous *adj* לֹא תּוֹאֵם
inconsequential *adj* לְלֹא תּוֹצָאוֹת; לֹא עָקִיב; לֹא רָצִיף
inconsiderate *adj* לֹא מִתְחַשֵּׁב
inconsistency *n* אִי־הַתְאָמָה; אִי־עֲקִיבוּת
inconsistent *adj* לֹא מַתְאִים; לֹא עָקִיב
inconsolable *adj* שֶׁאֵינוֹ מִתְנַחֵם
inconspicuous *adj* לֹא נִיכָּר; לֹא בּוֹלֵט
inconstant *adj* לֹא יַצִּיב, הֲפַכְפַּךְ
incontinent *adj* לֹא מַבְלִיג, לֹא מִתְאַפֵּק
inconvenience *n, vt* אִי־נוֹחוּת; גָּרַם אִי־נוֹחוּת
inconvenient *adj* לֹא נוֹחַ
incorporate *vt, vi* אִיחֵד; הִכְלִיל; ייִסֵּד חֶבְרַת מְנָיוֹת
incorporation *n* הַכְלָלָה; אִיחוּד; הֲקָמַת חֶבְרַת מְנָיוֹת
incorrect *adj* לֹא נָכוֹן, מוּטְעֶה
increase *vt, vi* הִגְדִּיל; הִרְבָּה; גָּדַל
increase *n* הוֹסָפָה, תּוֹסֶפֶת; הַגְדָּלָה

increasingly *adv* בְּמִידָּה גְדֵלָה וְהוֹלֶכֶת
incredible *adj* שֶׁלֹּא יֵיאָמֵן
incredulous *adj* סַפְקָנִי
increment *n* הַגְדָּלָה, תּוֹסֶפֶת
incriminate *vt* הִפְלִיל
incrimination *n* הַפְלָלָה
incrust *vt* כִּיסָּה בְּקְרוּם קָשֶׁה
incubate *vi, vt* דָּגְרָה; הִדְגִּיר
incubator *n* מַדְגֵּרָה, אִינְקוּבָּטוֹר
inculcate *vt* הִשְׁרִישׁ, הִנְחִיל
incumbency *n* הַחְזָקַת מִשְׂרָה
incumbent *adj, n* מוּטָל עַל; נוֹשֵׂא מִשְׂרָה
incunabula *n pl* שְׁלַבִּים רִאשׁוֹנִיִּים; אִינְקוּנַבּוּלוֹת
incur *vt* נִפְגַּע בּ..., נִכְנַס ל...
incurable *adj, n* חֲשׂוּךְ מַרְפֵּא
incursion *n* פְּלִישָׁה, פְּשִׁיטָה
ind. *abbr* independent, industrial
indebted *adj* חַיָּיב; מַחֲזִיק טוֹבָה
indecency *n* אִי־הֲגִינוּת; אִי־צְנִיעוּת
indecent *adj* לֹא הָגוּן, גַּס
indecisive *adj* הַסְסָנִי
indeclinable *adj, n* לֹא נִיטֶּה
indeed *adv, interj* בֶּאֱמֶת, לְמַעֲשֶׂה
indefatigable *adj* לֹא מִתְעַיֵּיף
indefensible *adj* שֶׁאִי־אֶפְשָׁר לְהַצְדִּיקוֹ
indefinable *adj* לֹא נִיתָּן לְהַגְדָּרָה
indefinite *adj* לֹא מְדוּיָּק, סָתוּם; סְתָמִי
indelible *adj* לֹא מָחִיק
indelicate *adj* לֹא עָדִין; לֹא טַקְטִי
indemnification *n* תַּשְׁלוּם פִּיצּוּיִים; פְּטוֹר
indemnify *vt* פִּיצָּה, שִׁיפָּה
indemnity *n* תַּשְׁלוּם נֶזֶק, פִּיצּוּי
indent *vt* שִׁינֵּן; הִפְנִים (שורה)
indent *n* שִׁינּוּן; פְּרִיצָה; הַזְמָנָה
indentation *n* שִׁינּוּן; הַפְנָמָה
indenture *n* הֶסְכֵּם בִּכְתָב (בעיקר בהעסקת שוליה)
indenture *vt* קָשַׁר בְּהֶסְכֵּם בִּכְתָב
independence *n* אִי־תְּלוּת, עַצְמָאוּת
independency *n* אִי־תְּלוּת, עַצְמָאוּת
independent *adj, n* לֹא תָּלוּי, עַצְמָאִי
indescribable *adj* שֶׁאֵין לְתָאֲרוֹ
indestructible *adj* שֶׁאֵין לְהָרְסוֹ
indeterminate *adj* לֹא בָּרוּר; לֹא קָבוּעַ
index *n* מַפְתֵּחַ, מַדָּד (*pl* indexes *or* indices)
index *vt* עָרַךְ מַפְתֵּחַ, מִפְתֵּחַ
index card *n* כַּרְטִיס שֶׁל כַּרְטֶסֶת
index finger *n* הָאֶצְבַּע הַמַּרְאָה
index tab *n* תָּוִית אִינְדֶקְס
India *n* הוֹדּוּ
India ink *n* דְּיוֹת, 'טוּשׁ'
Indian *adj* הוֹדִּי; אִינְדִיאָנִי
Indian club *n* אַלַּת הִתְעַמְּלוּת
Indian corn *n* תִּירָס
Indian file *n* טוּר עוֹרְפִּי
Indian Ocean *n* הָאוֹקְיָינוֹס הַהוֹדִּי
India-rubber *n* גוּמִּי
indicate *vt* הֶרְאָה, הִצְבִּיעַ; סִימֵּן
indication *n* סִימָן, סֶמֶל; הַצְבָּעָה
indicative *adj* מְצַיֵּין
indicative mood *n* דֶּרֶךְ הַחִיּוּוּי
indicator *n* מַרְאֶה, מְכַוֵּן; מָחוֹג
indict *vt* הֶאֱשִׁים

indictment *n* הַאֲשָׁמָה; כְּתַב אִישׁוּם
indifferent *adj* אָדִישׁ; רַשְׁיל
indigenous *adj* יְלִיד, יְלִידִי
indigent *adj* עָנִי
indigestible *adj* לֹא עַכִּיל
indigestion *n* אִי־עִיכּוּל, אִי־עַכִּילוּת
indignant *adj* מְמוּרְמָר, זוֹעֵם
indignation *n* הִתְמַרְמְרוּת
indignity *n* פְּגִיעָה בְּכָבוֹד
indigo *n* צֶבַע כָּחוֹל, אִינְדִיגוֹ
indirect *adj* לֹא יָשָׁר, לֹא יָשִׁיר
indiscernible *adj* לֹא נִיכָּר, סָמוּי
indiscreet *adj* לֹא זָהִיר; פַּטְפְּטָנִי
indispensable *adj* שֶׁאֵין לְוַותֵּר עָלָיו
indispose *vt* פָּגַע בַּמַּצָּב הַתָּקִין שֶׁל
indisposed *adj* לֹא בְּקַו הַבְּרִיאוּת
indissoluble *adj* לֹא מָסִיס
indistinct *adj* לֹא בָּרוּר, מְעוּרְפָּל
indite *vt* חִיבֵּר (נאום וכד׳)
individual *adj* יְחִידָנִי
individual *n* יָחִיד
individuality *n* יִיחוּד; אוֹפִי מְיוּחָד
Indo-China *n* הוֹדוּ־סִין
Indo-Chinese *adj*, *n* הוֹדוּ־סִינִי
indoctrinate *vt* דִקטֵרֵן, לִימֵּד
Indo-European *adj* הוֹדוּ־אֵירוֹפִּי
indolent *adj* עַצְלָנִי
Indonesia *n* אִינְדוֹנֶזְיָה
Indonesian *adj*, *n* אִינְדוֹנֵזִי
indoor *adj* פְּנִימִי, בֵּיתִי
indoors *adv* בַּבַּיִת
indorse *vt* אִישֵּׁר; הֵסֵב
indorsee *n* מוּסָר
indorsement *n* הֲסָבָה
indorser *n* מֵסֵב

induce *vt* הִשְׁפִּיעַ עַל; פִּיתָּה
inducement *n* פִּיתּוּי
induct (into) *vt* גִייֵּס, חִייֵּל
induction *n* הַשְׁרָאָה; אִינְדוּקְצִיָה
indulge *vi*, *vt* הִתְמַכֵּר; פִּינֵּק
indulgence *n* הִתְמַכְּרוּת; פִּיּוּס; סוֹבְלָנוּת
indulgent *adj* נוֹחַ, סוֹבְלָנִי
industrial *adj* תַּעֲשִׂיָּיתִי
industrialist *n* תַּעֲשִׂיָּן
industrialize *vt* תִּיעֵשׂ
industrious *adj* חָרוּץ
industry *n* תַּעֲשִׂיָּה; חָרִיצוּת
inebriation *n* שִׁכְרוּת
inedible *adj* לֹא אָכִיל
ineffable *adj* שֶׁלֹּא יְבוּטָּא; לֹא יְתוֹאָר
ineffective *adj* לֹא מוֹעִיל
ineffectual *adj* לֹא יָעִיל
inefficacious *adj* לֹא מוֹעִיל
inefficacy *n* אִי־יְעִילוּת
inefficient *adj* לֹא יָעִיל
ineligible *adj*, *n* לֹא רָאוּי לִבְחִירָה; פָּסוּל
inequality *n* אִי־שִׁוְויוֹן
inequity *n* אִי־צֶדֶק, אִי־יוֹשֶׁר
ineradicable *adj* לֹא נִיתָּן לִמְחִיָּיה
inertia *n* אִי־פְּעוּלָּה, הֶתְמֵד
inescapable *adj* שֶׁאֵין לְהִימָּנַע מִמֶּנּוּ
inevitable *adj* בִּלְתִּי־נִמְנָע
inexact *adj* לֹא מְדוּיָּק
inexcusable *adj* שֶׁלֹּא יִיסָּלֵחַ
inexhaustible *adj* לֹא אַכְזָב
inexorable *adj* לֹא מְרַחֵם; שֶׁאֵין לְשַׁנּוֹתוֹ
inexpedient *adj* לֹא כְּדָאִי

inexpensive *adj* זוֹל
inexperience *n* חוֹסֶר נִיסָּיוֹן
inexplicable *adj* שֶׁאֵין לְבָאֲרוֹ
inexpressible *adj* שֶׁאֵין לְבַטְּאוֹ
Inf. *abbr* Infantry
infallible *adj*, *n* שֶׁאֵינוֹ שׁוֹגֶה
infamous *adj* נוֹדָע לְגְנַאי
infamy *n* אִי־כָּבוֹד
infancy *n* יַלְדוּת, יַנְקוּת
infant *n* עוֹלָל
infantile *adj* יַלְדוּתִי
infantry *n* חֵיל־רַגְלִים
infantryman *n* חַיָּיל רַגְלִי
infatuated *adj* מוּקְסָם, מְאוֹהָב אַהֲבָה עִיוֶּרֶת
infect *vt*, *vi* אִילֵּחַ, הִדְבִּיק בְּמַחֲלָה; הִשְׁפִּיעַ
infection *n* אִילּוּחַ, זִיהוּם
infectious *adj* מִידַּבֵּק
infer *vt*, *vi* הִסִּיק; הִקִּישׁ
inferior *adj*, *n* נָחוּת, נוֹפֵל בְּעֶרְכּוֹ; נְחוּת דַּרְגָּה
inferiority *n* נְחִיתוּת
inferiority complex *n* תַּסְבִּיךְ נְחִיתוּת
infernal *adj* שְׁאוֹלִי; אַכְזָרִי
infest *vt* שָׁרַץ בּ...
infidel *adj*, *n* כּוֹפֵר
infidelity *n* אִי־נֶאֱמָנוּת; בְּגִידָה
infield *n* (בְּבֵייסְבּוֹל) שֶׁטַח הַמִּשְׂחָק
infiltrate *vt*, *vi* סִינֵּן; הִסְתַּנֵּן
infinite *adj*, *n* אֵין־סוֹפִי; אֵין־סוֹף
infinitive *adj*, *n* שֶׁל מָקוֹר; מָקוֹר
infinity *n* אֵין־סוֹף; נֶצַח
infirm *adj* חָלוּשׁ; חוֹלֶה
infirmary *n* בֵּית־חוֹלִים, מִרְפָּאָה
infirmity *n* חוּלְשָׁה; מֵחוֹשׁ; הִיסּוּס
infix *vt* קָבַע, תָּקַע
infix *n* תּוֹכִית, אִינְפִיקְס
inflame *vt*, *vi* הִדְלִיק; הֵסִית; הִשְׁתַּלְהֵב
inflammable *adj* דָּלִיק
inflammation *n* דַּלֶּקֶת; הִתְלַקְּחוּת
inflate *vt*, *vi* נִיפַּח; הִתְנַפֵּחַ
inflation *n* נִיפּוּחַ; אִינְפְלַצְיָה
inflect *vt*, *vi* כָּפַף; הִטָּה
inflection *n* הַטָּיָה; כְּפִיפָה
inflexible *adj* לֹא גָמִישׁ, נוּקְשֶׁה
inflict *vt* גָּרַם (אֲבֵידוֹת וכד׳); הִטִּיל (עוֹנֶשׁ וכד׳)
influence *n* הַשְׁפָּעָה, ׳פְּרוֹטֶקְצְיָה׳
influence *vt* הִשְׁפִּיעַ עַל
influent *adj*, *n* זוֹרֵם אֶל; יוּבַל
influential *adj* בַּעַל הַשְׁפָּעָה
influenza *n* שַׁפַּעַת
inform *vt* הוֹדִיעַ, מָסַר; הִלְשִׁין
informal *adj* לֹא רִשְׁמִי
information *n* מֵידָע, אִינְפוֹרְמַצְיָה
informational *adj* שֶׁל אִינְפוֹרְמַצְיָה
informed sources *n pl* מְקוֹרוֹת יוֹדְעֵי דָבָר
infraction *n* שְׁבִירָה; הֲפָרָה (שֶׁל הֶסְכֵּם, שֶׁל חוֹק וכד׳)
infra-red *adj* אִינְפְרָה־אָדוֹם
infrequent *adj* לֹא תָּדִיר, נָדִיר
infringe *vt* עָבַר, הֵפֵר
infringement *n* עֲבֵירָה, הֲפָרָה
infuriate *vt* הִקְצִיף
infuse *vt*, *vi* מִילֵּא, יָצַק אֶל, עֵירָה
infusion *n* מִילּוּי, יְצִיקָה
ingenious *adj* מְחוּכָּם

ingenuity *n* שְׁנִינוּת, כּוֹחַ הַמְצָאָה
ingenuous *adj* כֵּן, יָשָׁר; תָּמִים
ingenuousness *n* כֵּנוּת, יוֹשֶׁר; תְּמִימוּת
ingest *vt* הִכְנִיס מָזוֹן לַקֵּיבָה
ingoing *adj, n* נִכְנָס
ingot *n* מְטִיל יָצוּק
ingraft *vt* הִרְכִּיב; נָטַע
ingrate *adj, n* כְּפוּי־טוֹבָה
ingratiate *vt* קָנָה אַהֲבַת הַזּוּלַת
ingratiating *adj* מִתְחַנֵּף
ingratitude *n* כְּפִיַּית טוֹבָה
ingredient *n* מַרְכִּיב
ingrowing nail *n* צִיפּוֹרֶן חוֹדֶרֶת לַבָּשָׂר
inhabit *vt* דָּר בּ..., חַי בּ...
inhabitant *n* תּוֹשָׁב, דַּיָּיר
inhale *vt* שָׁאַף
inherent *adj* טִבְעִי, עַצְמִי
inherit *vt* יָרַשׁ
inheritance *n* יְרוּשָּׁה
inheritor *n* יוֹרֵשׁ
inhibit *vt* עִיכֵּב, מָנַע
inhibition *n* עַכָּבָה
inhospitable *adj* לֹא מַסְבִּיר פָּנִים
inhuman *adj* לֹא אֱנוֹשִׁי, אַכְזָרִי
inhumane *adj* לֹא אֱנוֹשִׁי
inhumanity *n* חוֹסֶר רֶגֶשׁ אֱנוֹשִׁי
inimical *adj* מְנוּגָּד, מַזִּיק
iniquity *n* עָוֶול
initial *adj* רִאשׁוֹנִי, רָאשִׁי
initial *vt* חָתַם בְּרָאשֵׁי־תֵּיבוֹת
initial *n* רֹאשׁ תֵּיבָה
initiate *vt* הִתְחִיל בּ...; יָזַם
initiation *n* הִתְקַבְּלוּת רִשְׁמִית
initiative *n* יוֹזְמָה

inject *vt* הִזְרִיק; הִכְנִיס
injection *n* זְרִיקָה; הַכְנָסָה
injudicious *adj* לֹא נָבוֹן
injunction *n* צַו; צַו מוֹנֵעַ
injure *vt* פָּצַע, הִזִּיק; פָּגַע
injurious *adj* מַזִּיק
injury *n* פֶּצַע; הֶיזֵּק, נֶזֶק
injustice *n* אִי־צֶדֶק
ink *n, vt* דְּיוֹ; סִימֵּן בִּדְיוֹ; כִּיסָּה בִּדְיוֹ
inkling *n* רֶמֶז
inkstand *n* דְּיוֹתָה
inkwell *n* קֶסֶת
inlaid *adj* מְשׁוּבָּץ, חָרוּט
inland *n, adj, adv* (שֶׁל) פְּנִים הָאָרֶץ
in-law *n* קְרוֹב מִשְׁפָּחָה מִכּוֹחַ נִישּׂוּאִין
inlay *vt, n* שִׁיבֵּץ; שִׁיבּוּץ
inlet *n* מִפְרָץ קָטָן
inmate *n* דַּיָּיר
inn *n* פּוּנְדָק, אַכְסַנְיָה
innate *adj* מוּטְבָּע, טָבוּעַ; פְּנִימִי
inner *adj* פְּנִימִי, תּוֹכִי
inner-spring mattress *n* מִזְרַן קְפִיצִים
inner tube *n* אַבּוּב 'פְּנִימִי'
inning *n sing, pl* מַחֲזוֹר
innkeeper *n* פּוּנְדָקִי
innocence *n* חַפּוּת מִפֶּשַׁע, תּוֹם
innocent *adj, n* חַף מִפֶּשַׁע, תָּמִים
innovate *vi* חִידֵּשׁ, הִמְצִיא
innovation *n* חִידּוּשׁ, הַמְצָאָה
innuendo *n* רֶמֶז גְּנַאי
innumerable *adj* רַב מִסְּפוֹר
inoculate *vt, vi* הִרְכִּיב נַסְיוּב
inoculation *n* הַרְכָּבַת נַסְיוּב
inoffensive *adj* לֹא מַזִּיק
inopportune *adj* לֹא בְּעִתּוֹ

inordinate *adj* מוּפְרָז, לֹא מְרוּסָּן
inorganic *adj* אִי־אוֹרְגָנִי
input *n* כּוֹחַ; קֶלֶט (בְּמכוֹנה)
inquest *n* תַּחְקִיר, חֲקִירַת סִיבַּת מָוֶת
inquire, enquire *vt*, *vi* שָׁאַל, חָקַר
inquirer *n* חוֹקֵר
inquiry, enquiry *n* חֲקִירָה וּדְרִישָׁה
inquisition *n* חֲקִירָה
inquisitive *adj* סַקְרָנִי
inroad *n* הַסָּגַת גְּבוּל
ins. *abbr* insulated, insurance
insane *adj* לֹא שָׁפוּי
insanely *adv* בְּשִׁיגָּעוֹן
insanity *n* אִי־שְׁפִיּוּת
insatiable *adj* שֶׁאֵינוֹ יוֹדֵעַ שׂוֹבְעָה
inscribe *vt* רָשַׁם; חָקַק
inscription *n* כְּתוֹבֶת; חֲקִיקָה
inscrutable *adj* שֶׁאֵין לַהֲבִינוֹ
insect *n* חָרָק
insecticide *n* קוֹטֵל חֲרָקִים
insecure *adj* חֲסַר בִּיטָּחוֹן עַצְמִי, רָעוּעַ
inseparable *adj* שֶׁלֹּא יִינָּתֵק
insert *vt*, *n* הִכְנִיס; הַבְלָעָה; מוֹדָעָה
insertion *n* קְבִיעָה; הַכְנָסָה; תּוֹסֶבֶת
inset *n* הַבְלָעָה; מִילּוּאָה
inset *vt* שָׂם בּ...
inshore *adv*, *adj* סָמוּךְ לַחוֹף
inside *adj*, *n* פְּנִימִי; פְּנִים
inside *adv* פְּנִימָה
inside *prep* בְּתוֹךְ, בּ...
inside information *n* יְדִיעָה פְּנִימִית
insider *n* יוֹדֵעַ דָּבָר
insidious *adj* מִתְגַּנֵּב, מַפִּיל בְּרֶשֶׁת
insight *n* תּוֹבָנָה
insignia *n pl* סִימָנֵי דַּרְגָּה, עִיטּוּרִים
insignificant *adj* שֶׁל מַה־בְּכָךְ
insincere *adj* לֹא כֵּן, לֹא יָשָׁר
insinuate *vt*, *vi* רָמַז בְּעוֹרְמָה; הִגְנִיב
insipid *adj* תָּפֵל, חֲסַר טַעַם
insist *vi* עָמַד עַל, דָּרַשׁ בְּתוֹקֶף
insofar *adv* בְּמִידָּה שֶׁ...
insolence *n* חוּצְפָּה
insolent *adj* חָצוּף
insoluble *adj* לֹא מָסִיס; לֹא פָּתִיר
insolvency *n* פְּשִׁיטַת־רֶגֶל
insomnia *n* חוֹסֶר שֵׁינָה
insomuch *adv* בְּמִידָּה; כָּךְ שֶׁ...
inspect *vt* פִּיקֵּחַ; בָּדַק, בָּחַן
inspection *n* פִּיקּוּחַ; בְּדִיקָה
inspiration *n* הַשְׁרָאָה; הִתְלַהֲבוּת
inspire *vt*, *vi* עוֹרֵר רוּחַ; הִשְׁרָה
inspiring *adj* מַלְהִיב
inst. *abbr* instant
Inst. *abbr* Institute, Institution
instability *n* אִי־יַצִּיבוּת
install *vt* הִתְקִין, קָבַע; הִכְנִיס לְמִשְׂרָה
installment *n* תַּשְׁלוּם חֶלְקִי; הֶמְשֵׁךְ
installment buying *n* רְכִישָׁה בְּתַשְׁלוּמִים
installment plan *n* תָּכְנִית רְכִישָׁה בְּתַשְׁלוּמִים
instance *n* דּוּגְמָה; סַמְכוּת; אִינְסְטַנְצְיָה
instance *vt* הִדְגִּים
instant *adj* מִיָּדִי
instant *n* רֶגַע
instantaneous *adj* מִיָּדִי
instantly *adv* מִיָּד
instead *adv* בִּמְקוֹם
instep *n* גַּב הָרֶגֶל

instigate *vt* הִסִּית, גֵּירָה
instill *vt* הֶחדִיר, שִׁינֵּן; טִפטֵף
instinct *n* חוּשׁ טִבעִי, אִינסטִינקט
instinctive *adj* יִצרִי, אִינסטִינקטִיבִי
institute *vt* יָסַד, הֵקִים
institute *n* מָכוֹן
institution *n* מוֹסָד
instruct *vt* הִדרִיך, לִימֵּד
instruction *n* לִימּוּד; הוֹרָאָה
instructive *adj* מְאַלֵּף
instructor *n* מַדרִיך
instrument *n* מַכשִׁיר; אֶמצָעִי
instrumentalist *n* נַגָּן
instrumentality *n* אֶמצָעוּת; עֶזרָה
insubordinate *n* לֹא כָּנִיעַ, פּוֹרֵק עוֹל
insufferable *adj* לֹא נִסבָּל
insufficient *adj* לֹא מַספִּיק
insular *adj* אִיִּי; שׁוֹכֵן בְּאִי; צַר אוֹפֶק
insulate *vt* בִּידֵּד; בּוֹדֵד
insulation *n* בִּידּוּד
insulator *n* מַבדֵּד
insulin *n* אִינסוּלִין
insult *vt* הֶעֱלִיב, פָּגַע בּ...
insult *n* עֶלבּוֹן, פְּגִיעָה
insurance *n* בִּיטּוּחַ
insure *vt* בִּיטֵּחַ; הִבטִיחַ
insurer *n* מְבַטֵּחַ
insurgent *n* מִתקוֹמֵם
insurmountable *adj* שֶׁאֵין לְהִתגַּבֵּר עָלָיו
insurrection *n* הִתקוֹמְמוּת, מְרִידָה
insusceptible *adj* לֹא מִתרַשֵּׁם
int. *abbr* interest, interior, internal, international
intact *adj* שָׁלֵם, לֹא נִיזָּק
intake *n* כְּנִיסָה; הַכנָסָה
intake manifold *n* סַעֶפֶת הַשְּׁאִיפָה
intake valve *n* שַׁסתּוֹם כְּנִיסָה
intangible *adj* לֹא מָשִׁישׁ; לֹא מוּחָשׁ
integer *n* מִספָּר שָׁלֵם
integral *adj* לֹא נִפרָד; שָׁלֵם, אִינטֶגרָלִי
integration *n* הִתכַּלְלוּת, מִיזוּג
integrity *n* שְׁלֵמוּת
intellect *n* שֵׂכֶל, בִּינָה
intellectual *adj, n* (שֶׁל) אִישׁ־רוּחַ
intellectuality *n* כּוֹשֶׁר בִּינָה
intelligence *n* בִּינָה, הֲבָנָה; מוֹדִיעִין
intelligence bureau *n* אֲגַף מוֹדִיעִין
intelligence quotient (I.Q.) *n* מְנַת הַמִּשׂכָּל
intelligent *adj* נָבוֹן, אִינטֶלִיגֶנטִי
intelligentsia *n* אַנשֵׁי־רוּחַ
intelligible *adj* מוּבָן, נִתפָּס
intemperance *n* אִי־מְתִינוּת
intemperate *adj* לֹא מָתוּן, מַפרִיז
intend *vt* נָטָה, הִתכַּוֵּן
intendance *n* הַשׁגָּחָה, הַחזָקָה
intendant *n* מַשׁגִּיחַ
intended *adj, n* מְכוּוָּן, מְיוּעָד
intense *adj* חָזָק; עַז; מְאוּמָץ
intensity *n* עוֹצמָה; חוֹזֶק
intensive *adj* חָזָק, נִמרָץ
intent *adj* מְאוּמָץ; מְכוּוָּן
intent *n* כַּוָּונָה, מַטָּרָה
intention *n* כַּוָּונָה, מַטָּרָה
intentional *adj* שֶׁבְּמֵזִיד
inter *vt* קָבַר, טָמַן
interact *vi* פָּעֲלוּ הֲדָדִית
interaction *n* פְּעוּלָה הֲדָדִית

inter-American *adj* בֵּין־אֲמֵרִיקָנִי

interbreed *vt* הִכְלִיא

intercalate *vt* הִבְלִיעַ, שָׂם בֵּין

intercede *vi* הִשְׁתַּדֵּל בְּעַד

intercept *vt* תָּפַס בַּדֶּרֶךְ, יָרַט

interceptor *n* עוֹצֵר, מְעַכֵּב; מָטוֹס מְיַיָּרֵט

interchange *vt, vi* הֶחֱלִיף; הִתְחַלֵּף

interchange *n* חֲלִיפִין

intercollegiate *adj* בֵּין־אוּנִיבֶרְסִיטָאִי

intercom *n* תִּקְשׁוֹרֶת פְּנִימִית

intercourse *n* מַגָּע; מַגָּע וּמַשָּׂא

intercross *vt* חָצוּ זֶה אֶת זֶה; הִצְלִיב

interdict *vt* אָסַר, מָנַע

interdict *n* אִיסּוּר

interest *vt* עִנְייֵן

interest *n* עִנְייָן; תּוֹעֶלֶת; רִיבִּית

interested *adj* מִתְעַנְייֵן, מְעוּנְייָן; נֶהֱנֶה

interesting *adj* מְעַנְייֵן

interfere *vi* הִתְעָרֵב

interference *n* הִתְעָרְבוּת; הַפְרָעָה

interim *n, adj* תְּקוּפַת בֵּינַיִים; זְמַנִּי

interior *adj, n* פְּנִימִי; פְּנִים

interject *vt, vi* זָרַק בְּאֶמְצַע

interjection *n* זְרִיקָה אֶל תּוֹךְ; קְרִיאָה

interlard *vt* תִּיבֵּל

interline *vt* הוֹסִיף בֵּין הַשִּׁיטִין

interlining *n* בִּטְנָה פְּנִימִית

interlink *vt* רִיתֵּק

interlock *vt, vi* שִׁילֵּב; תָּאַם

interlock *n* שׁוֹלָב

interlope *vi* נִדְחַק, הִתְעָרֵב

interloper *n* דּוֹחֵק אֶת עַצְמוֹ

interlude *n* נְגִינַת־בֵּינַיִים; מְאוֹרַע־בֵּינַיִים

intermarriage *n* נִישּׂוּאֵי תַּעֲרוֹבֶת

intermediary *adj, n* בֵּינַיִימִי; אֶמְצָעִי; מְתַוֵּךְ

interment *n* קְבוּרָה

intermezzo *n* אִינְטֶרְמֶצּוֹ

intermingle *vt, vi* עֵירֵב; הִתְעָרֵב

intermittent *adj* סֵירוּגִי

intermix *vt, vi* בָּלַל; הִתְבּוֹלֵל

intern *vt, vi* כָּלָא בְּהֶסְגֵּר

intern(e) *n* רוֹפֵא פְּנִימוֹנִי

internal *adj* פְּנִימִי, תּוֹכִי

internal revenue *n* מִסֵּי הַמְּדִינָה

international *adj* בֵּין־לְאוּמִּי

international date line *n* קַו הַתַּאֲרִיךְ

internationalize *vt* בִּנְאֵם

internecine *adj* הַרְסָנִי אַהֲדָדִי

internee *n* כָּלוּא

internist *n* רוֹפֵא פְּנִימִי

internment *n* כְּלִיאָה

internship *n* תְּקוּפַת הִתְמַחוּת

interpellate *vt* הִגִּישׁ שְׁאִילְתָּה

interplay *n* פְּעוּלָּה הֲדָדִית

interpolate *vt* שִׁינָּה טֶקְסְט; שִׁרְבֵּב

interpose *vt, vi* שָׂם, עָמַד בֵּין

interpret *vt, vi* פֵּירֵשׁ, הִסְבִּיר; הֵבִין

interpreter *n* מְתוּרְגְּמָן; מְפָרֵשׁ

interrogate *vt, vi* חָקַר וְדָרַשׁ

interrogation *n* תַּחְקִיר

interrogation point (mark, note) *n* סִימַן שְׁאֵלָה

interrogative *adj* חוֹקֵר וְדוֹרֵשׁ

interrupt *vt, vi* הִפְסִיק; הִפְרִיעַ; שִׁיסֵּעַ

interscholastic *adj* שֶׁבְּמִסְפַּר בָּתֵּי־סֵפֶר תִּיכוֹנִיִּים

intersection *n* חֲצִיָּיה; חִיתּוּךְ

intersperse *vt* זָרָה; שִׁבֵּץ
interstice *n* מִרווַח־בֵּינַיִים
intertwine *vt, vi* שָׁזַר; הִשְׁתַּזֵּר
interval *n* הַפְסָקָה, הֲפוּגָה
intervene *vi* הִפְרִיעַ, הִתְעָרֵב
intervening *adj* בֵּינַיִים; מַפְרִיד
intervention *n* הִתְעָרְבוּת; חֲצִיצָה
interview *n* רֵיאָיוֹן
interview *vt, vi* רִאייֵן
interweave *vt* סָרַג, אָרַג
intestate *adj, n* לְלֹא צַווָּאָה
intestine *n* מֵעַיִים
intimacy *n* מַגָּע הָדוּק; סוֹדִיוּת; אִינטִימִיוּת
intimate *adj, n* קָרוֹב, הָדוּק, אִינטִימִי; יְדִיד קָרוֹב
intimate *vt* רָמַז; הוֹדִיעַ
intimation *n* רֶמֶז; הוֹדָעָה
intimidate *vt* הִפחִיד; אִילֵּץ
into *prep* אֶל, אֶל תּוֹך
intolerant *adj, n* לֹא סוֹבְלָנִי
intombment *n* קְבוּרָה
intonation *n* הֲנָנָה, אִינטוֹנַציָה
intone *vt* הִטעִים, הִנגִין
intoxicant *n* מְשַׁכֵּר
intoxicate *vt* שִׁיכֵּר
intoxication *n* שִׁכרוּת
intractable *adj* לֹא מְמוּשׁמָע, סוֹרֵר
intransigent *n, adj* לֹא נוֹטֶה לְפשָׁרָה, נוּקשֶׁה
intransitive *n, adj* פּוֹעַל עוֹמֵד; עוֹמֵד (פּוֹעַל)
intrench *vi* הִתחַפֵּר; הִסִּיג גְבוּל
intrepid *adj* לְלֹא חַת
intrepidity *n* אִי־מוֹרָא, אוֹמֶץ
intricate *adj* מְסוּבָּך
intrigue *vi* סִכסֵך; סִקרֵן; זָמַם
intrigue *n* תַּחבּוּלָה; מְזִימָּה; תְּכָכִים
intrinsic(al) *adj* עַצמִי; פְּנִימִי
intrinsically *adv* בִּיסוֹדוֹ
introduce *vt* הִצִּיג; הֵבִיא, הִכנִיס
introduction *n* מָבוֹא; הַכנָסָה; הַצָּגָה
introductory, introductive *adj* מַצִּיג, מַקדִים
introit *n* הַקדָמַת מִזמוֹר
introspect *vt* הִסתַּכֵּל לִפנִימִיוּתוֹ
introvert *n* מוּפנָם
intrude *vi, vt* פָּרַץ, נִדחַק, הִדחִיק
intruder *n* נִדחָק, לֹא קָרוּא
intrusive *adj* מַפרִיעַ
intrust *vt* הִפקִיד; הִטִּיל עַל
intuition *n* טְבִיעַת־עַיִן, אִינטוּאִיצִיָה
inundate *vt* שָׁטַף, הֵצִיף
inundation *n* שְׁטִיפָה, הֲצָפָה
inure *vt, vi* הִרגִיל בּ...; נִכנַס לְתוֹקֶף
inv. *abbr* inventor, invoice
invade *vt* פָּלַשׁ
invader *n* פּוֹלֵשׁ
invalid *adj* חֲסַר תּוֹקֶף
invalid *n, adj* חוֹלֶה, נָכֶה
invalidate *vt* פָּסַל, שָׁלַל תּוֹקֶף
invalidity *n* חוֹסֶר תּוֹקֶף
invaluable *adj* רַב־עֵרֶך
invariable *adj* לֹא מִשׁתַּנֶּה
invasion *n* פְּלִישָׁה
invective *n* גִידּוּף
inveigh *vi* הִתקִיף בַּחֲרִיפוּת
inveigle *vt* פִּיתָּה
invent *vt* הִמצִיא; חִידֵּשׁ
invention *n* הַמצָאָה

inventive *adj* בַּעַל כּוֹחַ הַמְצָאָה
inventiveness *n* כִּשְׁרוֹן הַמְצָאָה
inventor *n* מַמְצִיא
inventory *n, vt* רְשִׁימַת פְּרִיטִים
inverse *adj, n* הָפוּךְ, הוֹפְכִי; הֵפֶךְ
inversion *n* הֲפִיכָה; סֵירוּס
invert *vt* הָפַךְ
invert *adj, n* הָפוּךְ
invertebrate *adj, n* חֲסַר חוּלְיוֹת
invest *vt, vi* הִשְׁקִיעַ; הֶעֱנִיק
investigate *vt* חָקַר
investigation *n* חֲקִירָה
investment *n* הַשְׁקָעָה; מָצוֹר
investor *n* מַשְׁקִיעַ הוֹן
inveterate *adj* רָגִיל, מַתְמִיד
invidious *adj* פּוֹגֵעַ, עוֹקְצָנִי
invigorate *vt* הִגְבִּיר, הִמְרִיץ
invigoration *n* חִיזּוּק, הַמְרָצָה
invincible *adj* לֹא מְנוּצָּח
invisible *adj* לֹא נִרְאֶה
invitation *n* הַזְמָנָה
invite *vt* הִזְמִין, קָרָא
inviting *adj* מַזְמִין; מְפַתֶּה
invoice *n* תְּעוּדַת מִשְׁלוֹחַ
invoice *vt* הֵכִין חֶשְׁבּוֹן
invoke *vt* קָרָא בִּתְפִילָּה; פָּנָה
involuntary *adj* שֶׁלֹּא מֵרָצוֹן
involution *n* לִיפּוּף, כִּיסּוּי; הִצְטַמְּקוּת
involve *vt* גָּרַר, סִיבֵּךְ; הֶעֱסִיק
invulnerable *adj* לֹא פָּגִיעַ
inward *adj, n, adv* פְּנִימִי; פְּנִימָה
iodide *n* יוֹדִיד
iodine *n* יוֹד
ion *n* יוֹן

ionize *vt, vi* יוֹנֵן; הִתְיוֹנֵן
IOU, I.O.U. *n* שְׁטַר־חוֹב
Iran *n* אִירָן, פָּרַס
Iranian *adj, n* אִירָנִי, פַּרְסִי; פַּרְסִית (השפה)
Iraq *n* עִירָאק
Iraqi *adj, n* עִירָאקִי
irate *adj* כּוֹעֵס
ire *n* כַּעַס
Ireland *n* אִירְלַנְד
iris *n* קַשְׁתִּית (העין); אִירוּס (פרח)
Irish *adj, n* אִירִי, אִירִית
Irishman *n* אִירִי
Irishwoman *n* אִירִית
irk *vt, vi* הִרְגִּיז
irksome *adj* מַרְגִּיז, מַטְרִיד
iron *n* בַּרְזֶל; מַגְהֵץ
iron *adj* בַּרְזִילִי; שֶׁל בַּרְזֶל
iron *vt* גִּיהֵץ
ironbound *adj* עוֹטֶה בַּרְזֶל, מְשׁוּרְיָין
ironclad *n* סְפִינַת שִׁרְיוֹן
ironclad *adj* מְצוּפֶּה בַּרְזֶל
iron curtain *n* מָסַךְ הַבַּרְזֶל
iron digestion *n* קֵיבַת בַּרְזֶל
iron horse *n* (דיבורית) רַכֶּבֶת
ironic, ironical *adj* מְלַגְלֵג, אִירוֹנִי
ironing *n* גִּיהוּץ
ironing board *n* לוּחַ גִּיהוּץ
ironware *n* כְּלֵי בַּרְזֶל וּמַתֶּכֶת
iron will *n* רְצוֹן בַּרְזֶל
ironwork *n* עֲבוֹדַת בַּרְזֶל
ironworker *n* עוֹבֵד בַּרְזֶל
irony *n* אִירוֹנְיָה, לִגְלוּג
irradiate *vt, vi* הֵאִיר; חָשַׂף לְהַקְרָנָה
irrational *adj, n* לֹא הֶגְיוֹנִי

irrecoverable *adj* שֶׁאֵין לְקַבְּלוֹ חֲזָרָה
irredeemable *adj* שֶׁאֵין לְהַחֲזִירוֹ
irrefutable *adj* שֶׁאֵין לְהַפְרִיכוֹ
irregular *adj*, *n* לֹא סָדִיר, חָרִיג
irrelevance, irrelevancy *n* אִי־שַׁיָּכוּת לָעִנְיָן
irrelevant *adj* לֹא שַׁיָּךְ לָעִנְיָן
irreligious *adj* לֹא דָתִי
irremediable *adj* שֶׁלְּלֹא תַּקָּנָה
irremovable *adj* לֹא נִיתָּן לַהֲזָזָה
irreparable *adj* לֹא נִיתָּן לְתִיקּוּן
irreplaceable *adj* שֶׁאֵין לוֹ תְּמוּרָה, שֶׁאֵין לוֹ תַּחֲלִיף
irrepressible *adj* לֹא מִתְרַסֵּן
irreproachable *adj* לְלֹא דוֹפִי
irresistible *adj* שֶׁאֵין לַעֲמוֹד בְּפָנָיו
irrespective *adj* לְלֹא הִתְחַשְּׁבוּת
irresponsible *adj* לֹא אַחֲרָאִי
irretrievable *adj* שֶׁאֵין לַהֲשִׁיבוֹ
irreverent *adj* חֲסַר רֶגֶשׁ כָּבוֹד
irrevocable *adj* שֶׁאֵין לְשַׁנּוֹתוֹ
irrigate *vt* הִשְׁקָה
irrigation *n* הַשְׁקָיָה
irritant *adj*, *n* מַרְגִּיז; סַם גֵּירוּי
irritate *vt* הִרְגִּיז, הִכְעִיס
irruption *n* פְּלִישָׁה; הִתְפָּרְצוּת
is. *abbr* island
isinglass *n* דֶּבֶק דָּגִים
isl. *abbr* island
Islam *n* אִיסְלָם
island *n*, *adj* אִי; אִיִּי, שֶׁל אִי
islander *n* יוֹשֵׁב אִי
isle *n* אִי קָטָן
isolate *vt* בּוֹדֵד; הִבְדִּיל
isolation *n* בִּידּוּד; הַבְדָּלָה; הֶסְגֵּר
isolationist *n* בַּדְלָן
isosceles *adj* שְׁוֵה־שׁוֹקַיִים
isotope *n* אִיזוֹטוֹפּ
Israel *n* יִשְׂרָאֵל, עַם יִשְׂרָאֵל; מְדִינַת יִשְׂרָאֵל
Israeli *adj*, *n* יִשְׂרְאֵלִי
Israelite *n* יְהוּדִי, יִשְׂרְאֵלִי
issuance *n* הַנְפָּקָה
issue *n* הוֹצָאָה, נִיפּוּק; בְּעָיָה; גִּילָּיוֹן; בֵּן
issue *vt*, *vi* הִנְפִּיק; הוֹצִיא; יָצָא
isthmus *n* מֵיצַר יַבָּשָׁה
it *pron* הוּא; לוֹ; אוֹתוֹ
ital. *abbr* italics
Ital. *abbr* Italian, Italy
Italian *adj*, *n* אִיטַלְקִי; אִיטַלְקִית (הַשָּׂפָה)
italic *n*, *adj* (שֶׁל) אוֹת כְּתָב
Italic *adj*, *n* אִיטַלְקִי
italicize *vt* הִדְפִּיס בְּאוֹתִיּוֹת קוּרְסִיב
Italy *n* אִיטַלְיָה
itch *n* גֵּירוּי; עִקְצוּץ
itch *vi* חָשׁ גֵּירוּי; חָשַׁק
itchy *adj* מְגָרֶה, מְגָרֵד
item *n* פְּרִיט; יְדִיעָה (בְּעִיתּוֹן)
itemize *vt* רָשַׁם פְּרָטִים
itinerant *adj*, *n* עוֹרֵךְ סִיבּוּב; נוֹדֵד
itinerary *n* מַסְלוּל סִיּוּר
its *pron*, *adj* שֶׁלּוֹ, שֶׁלָּהּ
it's – it is; it has
itself *pron* (שֶׁל) עַצְמוֹ
ivied *adj* מְכוּסֶּה קִיסוֹס
ivory *n* שֶׁנְהָב
ivy *n* קִיסוֹס

J

J, j גְ׳י (האות העשירית באלפבית)
J. *abbr* Judge, Justice
jab *vt* תָּקַע, נָעַץ
jabber *n, vi* פִּטפּוּט; פִּטפֵּט
jabot *n* צַוְוארוֹן מַלמָלָה
jack *n* בָּחוּר (כלשהו); מַלָּח; מַגבֵּהַ
jack *vt, vi* הֵרִים, הִגבִּיהַּ
jackal *n* תַּן
jackanapes *n* יָהִיר
jackass *n* שׁוֹטֶה
jackdaw *n* עוֹרֵב אֵירוֹפִּי
jacket *n* זִיג, מִקטוֹרֶן; עֲטִיפָה (של ספר)
jackhammer *n* נֶקֶר
jack-in-the-box *n* מְזַנֵּק; זִיקוּק אֵשׁ
jackknife אוֹלָר גָּדוֹל
jack-of-all-trades *n* ׳מוּמחֶה׳ לַכּוֹל
jack-o'-lantern *n* אוֹר מַתעֶה
jackpot *n* קוּפָּה (במשחק קלפים)
jack-rabbit *n* אַרנָב גָּדוֹל
jackscrew *n* מַגבֵּהַ בּוֹרגִי
jackstone *n* אֶבֶן מִשׂחָק
jack-tar *n* (דיבורית) מַלָּח
jade *n* יַרקָן; סוּס תָּשׁוּשׁ; פְּרוּצָה
jade *vt* עִיֵּיף
jaded *adj* עָיֵיף
jag *n* שֵׁן, שֶׁן־סֶלַע
jag *vt* שִׁיכֵּן
jagged *adj* חַדוּדִי, מְשׁוּנָּן
jaguar *n* יָגוּאָר
jail *n* מַאֲסָר, כֶּלֶא
jail *vt* אָסַר, כָּלָא
jailbird *n* אָסִיר, פּוֹשֵׁעַ מוּעָד
jail delivery *n* בְּרִיחָה מִכֶּלֶא
jailor *n* סוֹהֵר
jalopy *n* מְכוֹנִית מְיוּשֶׁנֶת
jam *n* רִיבָּה; הִידָּחֲקוּת; צָרָה; פְּקָק (תנועה)
jam *vt, vi* דָּחַק; נִדחָק; מִילֵּא (אולם וכד׳)
Jamaican *n, adj* גְ׳מַאיקָאִי
jamb *n* מְזוּזָה; מוֹק, שִׁריוֹן רֶגֶל
jamboree *n* גְ׳מבּוֹרִי, כִּינּוּס צוֹפִים
jamming *n* בִּילּוּל; הַצרָמָה
jam nut *n* אוֹם חוֹסֶמֶת
jam-packed *adj* מָלֵא עַד אֶפֶס מָקוֹם
jam-session *n* מְסִיבַּת מוּסִיקָאִים
jangle *vi* צָרַם; הִתקוֹטֵט
jangle *n* צְרִימָה; קְטָטָה
janitor *n* חַצרָן, שׁוֹעֵר
janitress *n* חַצרָנִית, שׁוֹעֶרֶת
January *n* יָנוּאָר
Japan *n* יַפָּן
japan *n* לַכָּה יַפָּנִית
japan *vt* לִיכָּה (כנ״ל)
Japanese *n, adj* יַפָּנִי; יַפָּנִית (השפה)
Japanese beetle *n* חִיפּוּשִׁית יַפָּנִית
Japanese lantern *n* פַּנַס יַפָּנִי
jar *n* צִנצֶנֶת; חֲרִיקָה, תַּצרוּם
jar *vi* חָרַק, צָרַם אוֹזֶן; הִתנַגֵּשׁ
jardinière *n* עָצִיץ
jargon *n* לְשׁוֹן עִילְגִים, זַ׳רגוֹן; לָשׁוֹן מִקצוֹעִית

jasmine *n* יַסְמִין

jasper *n* יוֹשְׁפֵה

jaundice *n* צַהֶבֶת; רְאִייָה מְעוּוֶּתֶת

jaundiced *adj* חוֹלֵה צַהֶבֶת; אֲכוּל קִנְאָה

jaunt *n* טִיּוּל, מַסָּע

jaunt *vt* טִייֵּל

jaunty *adj* עַלִּיז, קַלִּיל

Javanese *adj, n* יָאוָואנִי; לְשׁוֹן יָאוָוה

javelin *n* רוֹמַח

jaw *n* לֶסֶת; פֶּה

jaw *vi, vt* דִּיבֵּר, פִּטְפֵּט

jaw-bone *n* עֶצֶם הַלֶּסֶת

jaw-breaker *n* מִלָּה 'מְשַׁבֶּרֶת שִׁנַּיִם'

jay *n* עוֹרְבָנִי

jay-walk *vi* חָצָה כְּבִישׁ שֶׁלֹּא כַּהֲלָכָה

jaywalker *n* חוֹצֵה כְּבִישׁ (כנ"ל)

jazz *n* גַ'אז

jazz *vt* נִיגֵּן גַ'אז

J.C. *abbr* Jesus Christ, Julius Caesar

jct. *abbr* junction

jealous *adj* קַנָּאִי

jealousy *n* קִנְאָה

Jeanne d'Arc *n* זַ'אן דַ'ארק

jeans *n pl* מִכְנְסֵי־עֲבוֹדָה, גִ'ינס

jeep *n* גִ'יפּ

jeer *vt, vi* לִגְלֵג

jeer *n* לִגְלוּג

Jehovah *n* ה', שֵׁם הֲוָיָה

jell *vt* נִקְרַשׁ, נִקְפָּא; (דיבורית) תָּפַס, הֵבִין

jell *n* קָרִישׁ, מִקְפָּא

jelly *n* קָרִישׁ, מִקְפָּא

jelly *vt, vi* הִקְרִישׁ; קָרַשׁ

jellyfish *n* מֵדוּזָה

jeopardize *vt* סִיכֵּן

jeopardy *n* סִיכּוּן

jeremiad *n* קִינָה

Jericho *n* יְרִיחוֹ

jerk *vt* מָשַׁךְ פִּתְאוֹם

jerk *n* תְּנוּעַת פִּתְאוֹם; (המונית) שׁוֹטֶה, בּוּר

jerked beef *n* רְצוּעוֹת בְּשַׂר בָּקָר מְיוּבָּשׁוֹת

jerkin *n* מוֹתְנִייָּה, זִיג

jerkwater *adj* סוֹטֶה; טָפֵל

jerky *adj* עַצְבָּנִי

Jerome *n* הִירוֹנִימוּס

jersey *n* אֲפוּדַּת צֶמֶר

Jerusalem *n* יְרוּשָׁלַיִם

jest *n* הֲלָצָה, בְּדִיחָה

jest *vi* הִתְלוֹצֵץ

jester *n* לֵיצָן, בַּדְחָן

Jesuit *n* יֵשׁוּעִי

Jesuitic, Jesuitical *adj* יֵזוּאִיטִי

Jesus Christ *n* יֵשׁוּ הַנּוֹצְרִי

jet *n* קִילּוּחַ, סִילוֹן

jet *vt, vi* קִילֵּחַ; קָלַח

jet age *n* עִידַּן הַסִּילוֹן

jet black *adj* שָׁחוֹר כְּזֶפֶת

jet bomber *n* מַפְצִיץ סִילוֹנִי

jet coal *n* פַּחַם חֵימָר

jet engine *n* מְנוֹעַ סִילוֹן

jet-fighter *n* מְטוֹס קְרָב סִילוֹנִי

jet-liner *n* מָטוֹס מִסְחָרִי סִילוֹנִי

jet-plane *n* מָטוֹס סִילוֹנִי

jet propulsion *n* הֲנָעָה סִילוֹנִית

jetsam *n* פְּלֵיטַת יָם

jet stream *n* סוּפַת סִילוֹן

jettison *n* הַשְׁלָכָה מֵאוֹנִיָּה
jettison gear *n* מַשְׁלֵךְ (בְּמָטוֹס)
jetty *n* מֵזַח; רְצִיף נָמָל
Jew *n* יְהוּדִי
jewel *n* אֶבֶן טוֹבָה
jewel *vt* שִׁיבֵּץ, קִישֵּׁט
jewel-case (box) *n* תֵּיבַת תַּכְשִׁיטִים
jeweler, jeweller *n* צוֹרֵף
jewelry, jewellery *n* תַּכְשִׁיטִים
jewelry shop *n* חֲנוּת תַּכְשִׁיטִים
Jewess *n* יְהוּדִיָּה
jewfish *n* דַּקָּר
Jewish *adj* יְהוּדִי
Jewry *n* יַהֲדוּת
Jew's harp *n* נֵבֶל לֶסֶת
Jezebel *n* אִיזֶבֶל, מִרְשַׁעַת
jib *n* מִפְרָשׂ חָלוּץ
jib *vi* סֵירֵב לְהִתְקַדֵּם
jib-boom *n* זְרוֹעַ הַמִּפְרָשׂ
jibe, gibe *vt* לָעַג; (דִיבּוּרִית) הִסְכִּים עִם
jiffy *n* הֶרֶף עַיִן
jig *n* ג׳יג (רִיקּוּד)
jig *vi*, *vt* רָקַד ג׳יג, כִּרְכֵּר
jigger *n* רוֹקֵד, מְכַרְכֵּר; מִפְרָשׂ קָטָן
jiggle *vt*, *vi* הִתְנוֹעֵעַ, הִיטַּלְטֵל
jiggle *n* נִעְנוּעַ
jig-saw *n* מַסּוֹר־נִימָה
jihad *n* מִלְחֶמֶת־מִצְוָה, ג׳יהָאד
jilt *vt*, *vi* נָטְשָׁה אָהוּב, נָטַשׁ אֲהוּבָה
jingle *n* צִלְצוּל; מְצִילָּה
jingle *vi* צִלְצֵל, קִשְׁקֵשׁ
jingo *n* לְאוּמָנִי רַבְרְבָן
jingoism *n* לְאוּמָנוּת רַבְרְבָנִית, ג׳ינגוֹאִיזם
jitters *n pl* עַצְבָּנוּת
jittery *adj* מְעוּצְבָּן
Joan of Arc *n* זַ׳אן דַ׳ארק
job *n* מִשְׂרָה, עֲבוֹדָה; מְשִׂימָה; תַּפְקִיד
job analysis *n* נִיתּוּחַ בִּיצוּעִים
jobber *n* מְבַצֵּעַ עֲבוֹדוֹת
jobholder *n* מַחֲזִיק בְּמִשְׂרָה
jobless *adj* מוּבְטָל
job lot *n* תַּעֲרוֹבֶת כּוֹלֶלֶת
job-printer *n* מַדְפִּיס הַזְמָנוֹת קְטַנּוֹת
job printing *n* הַזְמָנוֹת דְּפוּס קְטַנּוֹת
job-work *n* הַזְמָנוֹת קְטַנּוֹת שֶׁל דְּפוּס
jockey *n* רוֹכֵב בְּמֵרוֹצֵי סוּסִים
jockey *vt* תִּמְרֵן, תִּכְסֵס
jockstrap *n* מִכְנָסִית
jocose *adj* בַּדְּחָנִי
jocular *adj* מְבַדֵּחַ, עַלִּיז
jog *vt*, *vi* דָּחַף, הֵסִיט
jog *n* דְּחִיפָה קַלָּה
jog trot *n* צְעִידָה אִטִּית
John Bull *n* הָעָם הָאַנְגְלִי
John Hancock *n* (דִיבּוּרִית) חֲתִימַת־יָד אִישִׁית
johnnycake *n* עוּגַת תִּירָס
Johnny-come-lately *n* מִקָּרוֹב בָּא
Johnny-jump-up *n* אַמְנוֹן וְתָמָר
Johnny-on-the-spot *adj*, *n* הַמּוּכָן תָּמִיד
John the Baptist *n* יוֹחָנָן הַמַּטְבִּיל
join *vt*, *vi* צֵירֵף, אִיחֵד; הִצְטָרֵף
join *n* מְקוֹם חִיבּוּר; תֶּפֶר
joiner *n* נַגָּר; (דִיבּוּרִית) מִצְטָרֵף מוּעָד
joint *n* חִיבּוּר, מַחְבָּר
joint *adj* מְאוּגָּד, מְשׁוּתָּף
joint account *n* חֶשְׁבּוֹן מְשׁוּתָּף

Joint Chiefs of Staff *n pl* רָאשֵׁי מַטֶּה מְשׁוּתָּפִים
jointly *adv* בְּמְשׁוּתָּף
joint owner *n* שׁוּתָּף בְּבַעֲלוּת
joint session *n* יְשִׁיבָה מְשׁוּתֶּפֶת
joint-stock company *n* חֶבְרַת מְנָיוֹת
joist *n*, *vt* קוֹרָה; קֵירָה
joke *n* בְּדִיחָה
joke *vt*, *vi* הִתלוֹצֵץ
joke book *n* סֵפֶר בְּדִיחוֹת
joker *n* לֵיצָן
jolly *adj*, *adv* עַלִּיז; מְשַׂמֵּחַ; (המונית) מְאוֹד
jolly *vt*, *vi* קִנְטֵר; הִתלוֹצֵץ
jolt *vt*, *vi* הָדַף; הִתנַדנֵד
jolt *n* הֲדִיפָה, טִלטוּל
Jonah *n* יוֹנָה; מְבַשֵּׂר רָע
jongleur *n* זַמָּר נוֹדֵד
jonquil *n* יוֹנקִיל
Jordan *n* יַרדֵּן
Jordan almond *n* שָׁקֵד מְסוּכָּר
josh *vt* הִתלוֹצֵץ עַל חֶשׁבּוֹן
jostle *n* הִידָּחֲקוּת, הִיתָּקְלוּת
jostle *vt*, *vi* דָּחַף; נִדחַף
jot *n* יוּ״ד, נְקוּדָּה
jot (down) *vt* רָשַׁם בְּקִיצּוּר
jounce *vt*, *vi* טִלטֵל; נִיטַּלטֵל
jounce *n* הִיטַּלטְלוּת
journal *n* עִיתּוֹן; יוֹמָן
journalese *n* סִגנוֹן הָעִיתּוֹנוּת
journalism *n* עִיתּוֹנָאוּת
journalist *n* עִיתּוֹנַאי
journey *n* מַסָּע
journey *vi* נָסַע
journeyman *n* אוּמָּן שָׂכִיר
joust *n* קְרַב פָּרָשִׁים
joust *vi* נֶאֱבַק
jovial *adj* עַלִּיז
joviality *n* עֲלִיצוּת
jowl *n* לֶסֶת
joy *n* שִׂמחָה
joyful *adj* עַלִּיז, שָׂמֵחַ
joyless *adj* עָגוּם
joyous *adj* שָׂמֵחַ
joy-ride *n* נְסִיעַת תַּעֲנוּג
jubilant *adj* צוֹהֵל
jubilation *n* צָהֳלָה
jubilee *n* יוֹבֵל; חֲגִיגָה
Judaism *n* יַהֲדוּת
judge *n* שׁוֹפֵט; פּוֹסֵק
judge *vi*, *vt* שָׁפַט; פָּסַק
judge-advocate *n* פְּרַקלִיט
judgeship *n* שְׁפִיטָה, שׁוֹפְטוּת
judgment, judgement *n* פְּסַק־דִּין, שְׁפִיטָה; בִּינָה
judgment-day *n* יוֹם־הַדִּין
judgment seat *n* כֵּס הַמִּשְׁפָּט
judicature *n* מִנהָל מִשׁפָּטִי; שׁוֹפְטוּת
judicial *adj* מִשׁפָּטִי, לְפִי הַדִּין; בִּקְרָנִי
judiciary *n*, *adj* מַעֲרֶכֶת בָּתֵּי־מִשׁפָּט
judicious *adj* נָבוֹן, מְיוּשָּׁב
jug *n* כַּד; (המונית) בֵּית־סוֹהַר
juggle *vt*, *vi* לִיהֲטֵט
juggle *n* אֲחִיזַת־עֵינַיִם, לִיהֲטוּט
juggler *n* לַהֲטוּטָן
jugular *adj*, *n* צַוָּארִי; וְרִיד הַצַּוָּאר
juice *n* מִיץ, עָסִיס
juicy *adj* עֲסִיסִי

jukebox *n* מָקוֹל אוטוֹמָטִי
julep *n* מַשְׁקֶה מָתוֹק
julienne *n* מְרַק יְרָקוֹת
July *n* יוּלִי
jumble *n* עִרְבּוּבְיָה, בְּלִיל
jumble *vt, vi* עִרְבֵּב; הִתְעַרְבֵּב
jumbo *n* עֲנָק
jump *n* קְפִיצָה
jump *vt, vi* הִקְפִּיץ; פָּסַח; קָפַץ
jumper *n* קַפְצָן, קוֹפֵץ; אֲפוּדָה
jumping jack *n* קַפְצָן
jumping-off place *n* מָקוֹם נִידָּח
jump seat *n* כִּיסֵּא קְפִיצִי, כִּיסֵּא מִתְקַפֵּל
jump spark *n* נִצְנוּץ חַשְׁמַל
jumpy *adj* עַצְבָּנִי
junc. *abbr* junction
junction *n* חִיבּוּר, אִיחוּד; צוֹמֶת
juncture *n* חִיבּוּר, מַחְבָּר; מוֹעֵד
June *n* יוּנִי
jungle *n* ג׳וּנגל
junior *adj, n* זוּטָר, צָעִיר
juniper *n* עַרְעָר
juniper berry *n* פְּרִי הָעַרְעָר
junk *n* מִפְרָשִׂית סִינִית; גְרוּטָאוֹת
junk *vt* הִשְׁלִיךְ כִּנְיצוֹלֶת
junk dealer *n* סוֹחֵר גְרוּטָאוֹת
junket *n* חֲבִיצַת חָלָב; טוּזִיג
junket *vi* הִשְׁתַּתֵּף בְּטִיּוּל בַּזְבְּזָנִי

junkman *n* סוֹחֵר גְרוּטָאוֹת
junk room *n* חֲדַר גְרוּטָאוֹת
junkshop *n* מַחסַן יַמָּאִים
junkyard *n* מִגְרַשׁ גְרוּטָאוֹת
juridical *adj* מִשְׁפָּטִי
jurisdiction *n* סַמְכוּת חוּקִית
jurisprudence *n* תּוֹרַת הַמִּשְׁפָּטִים
jurist *n* מִשְׁפְּטָן
juror *n* מוּשְׁבָּע, שׁוֹפֵט מוּשְׁבָּע
jury *n* חֶבֶר מוּשְׁבָּעִים
jurybox *n* תָּא חֶבֶר מוּשְׁבָּעִים
juryman *n* מוּשְׁבָּע
Jus. P. *abbr* Justice of the Peace
just *adj, adv* צוֹדֵק, הוֹגֵן; בְּדִיּוּק
just now *adv* בְּרֶגַע זֶה
justice *n* צֶדֶק, יוֹשֶׁר; שׁוֹפֵט
justifiable *adj* שֶׁאֶפְשָׁר לְהַצְדִּיקוֹ
justify *vt* הִצְדִּיק, צִידֵּק
justly *adv* בְּצֶדֶק; בְּדִיּוּק
jut *vi* בָּלַט
jute *n* יוּטָה
Jutland *n* יוּטלַנד
juvenile *adj, n* שֶׁל יְלָדִים; יַלְדוּתִי; שֶׁל נוֹעַר
juvenile delinquency *n* עֲבַרְיָינוּת נוֹעַר
juvenile lead *n* תַּפְקִיד שֶׁל צָעִיר (בְּתֵיאַטְרוֹן)
juvenilia *n pl* יֶלֶד; צָעִיר; נוֹעַר
juxtapose *vt* הִנִּיחַ זֶה בְּצַד זֶה

K

K, k קִי (האות האחת־עשׂרה באלפבית)

K. *abbr* King, Knight

k. *abbr* karat, kilogram

Kabbala, Kabala *n* קַבָּלָה

kale *n* כְּרוּב; חֲמִיצַת כְּרוּב

kaleidoscope *n* קָלֵיידוֹסקוֹפּ

kangaroo *n* קֶנְגוּרוּ

kapok *n* הַבֵּיצָה הַמְחוּמֶּשֶׁת, קַפּוֹק

karyosome *n* גוּפִיף שֶׁבַּגַּרְעִין

kasher, kosher *adj, vt* כָּשֵׁר; הִכְשִׁיר

katydid *n* קָטִידִיד

kedge *n, vi, vt* עוֹגֶן גְּרִירָה; נִגְרַר (אונייה)

keel *vt, vi* הָפַךְ סְפִינָה; הָפַךְ

keel *n* שִׁדְרִית; אוֹנִיָּה

keen *adj* חָרִיף, חַד; נִלְהָב

keen *n* קִינָה

keen *vt, vi* קוֹנֵן

keep (kept) *vt, vi* שָׁמַר, הֶחֱזִיק; פִּרְנֵס; הִמְשִׁיךְ

keep *n* פַּרְנָסָה; מִבְצָר

keeper *n* שׁוֹמֵר

keeping *n* שְׁמִירָה; פִּרְנוּס; הַתְאָמָה

keepsake *n* מַזְכֶּרֶת

keg *n* חָבִיוֹנָה

ken *n* הַשָּׂגָה, יְדִיעָה

kennel *n* מְלוּנָה

kepi *n* כּוֹבַע־מִצְחָה

kept woman *n* פִּילֶגֶשׁ

kerchief *n* רְדִיד; מִמְחָטָה

kerchoo *inter* עַטְשִׁי!, הַפְּצִ׳י! (קול עיטוש)

kernel *n* גַּרְעִין; זֶרַע

kerosene *n* נֵפְט

kerplunk *adv* בְּקוֹל שָׁאוֹן עָמוּם

ketchup *n* תַּבְלִין עַגְבָנִיּוֹת

kettle *n* קוּמְקוּם; דּוּד

kettledrum *n* תּוֹף הַדּוּד

key *n* מַפְתֵּחַ; פִּתְרוֹן; קָלִיד; מַקָּשׁ

key *vt* חִיבֵּר, הִידֵּק; כִּוְונֵן

keyboard *n* מִקְלֶדֶת

key fruit *n* כַּנְפִית

keyhole *n* חוֹר הַמַּפְתֵּחַ

keynote *n* צְלִיל מוֹבִיל

keynote speech *n* נְאוּם מְכַוֵּן

key-ring *n* טַבַּעַת לְמַפְתְּחוֹת

keystone *n* אֶבֶן רֹאשָׁה, עִיקָּרוֹן

key word *n* מִלַּת מַפְתֵּחַ

kg. *abbr* kilogram

khaki *n* חָקִי, כָּהוֹב

khedive *n* כֵּדִיב

kibitz *vi* יָעַץ בְּלִי שֶׁנִּשְׁאַל

kibitzer *n* ׳קִיבִּיצֵר׳, יוֹעֵץ (כַּנַ״ל)

kiblah *n* הַפְּנִיָּה לְמֶכָּה, קִיבְלָה

kibosh *n* שְׁטוּיוֹת

kick *vt* בָּעַט

kick *n* בְּעִיטָה; (ברובה) רֶתַע; (דיבורית) סִיפּוּק

kickback *n* תְּשׁוּבָה כַּהֲלָכָה; נִיכּוּי

kickoff *n* הַתְחָלָה

kid *n, adj* גְּדִי; יֶלֶד

kid *vt* שִׁיטָּה בּ...; קִנְטֵר

kidder *n* מְשַׁטֶּה
kid-glove *adj* רַךְ, עָדִין
kidnap *vt* חָטַף
kidnap(p)er *n* חוֹטֵף
kidney *n* כִּלְיָה
kidney-bean *n* שְׁעוּעִית
kidney stone *n* אֶבֶן כִּלְיָה
kill *vt, vi* הָרַג, הֵמִית
kill *n* הֲרִיגָה, טְבִיחָה; טֶרֶף
killer *n* הוֹרֵג, רוֹצֵחַ
killer whale *n* לִוְיָתָן מְרַצֵּחַ
killing *adj* מוֹשֵׁךְ אֶת הָעַיִן; מְעַיֵּף; מַצְחִיק בְּיוֹתֵר
killing *n* הֲרִיגָה; צַיִד
kill-joy *n* מֵפֵר שִׂמְחָה
kiln *n* כִּבְשָׁן, מִשְׂרָפָה
kilo *n* קִילוֹ
kilocycle *n* קִילוֹסַייקל
kilogram(me) *n* קִילוֹגְרַם
kilometer *n* קִילוֹמֶטֶר
kilometric *adj* קִילוֹמֶטְרִי
kilowatt *n* קִילוֹוָט
kilowatt-hour *n* קִילוֹוָט־שָׁעָה
kilt *n* שִׂמְלַת־גֶּבֶר (סקוטית)
kilter *n* מַצָּב תָּקִין
kimono *n* קִימוֹנוֹ
kin *n* קָרוֹב; מִשְׁפָּחָה
kind *adj* טוֹב־לֵב, מֵטִיב
kind *n* סוּג
kindergarten *n* גַּן־יְלָדִים
kindergartner *n* לוֹמֵד בְּגַן
kindhearted *adj* טוֹב־לֵב
kindle *vt, vi* שִׁלְהֵב; עוֹרֵר; נִדְלַק
kindling *n* חוֹמֶר הַצָּתָה
kindling wood *n* עֵץ הַצָּתָה
kindly *adj* נְעִים מֶזֶג
kindly *adv* בַּאֲדִיבוּת
kindness *n* חֶסֶד, טוּב־לֵב
kindred *n, adj* מִשְׁפָּחָה, קְרוֹבִים; קָרוֹב, מְקוֹרָב
kinescope *n* שְׁפוֹפֶרֶת טֶלֶוִיזְיָה
kinetic *adj* פָּעִיל, נָע
kinetic energy *n* אֵנֶרְגִיָה שֶׁבִּתְנוּעָה
king *n* מֶלֶךְ
kingbolt *n* לוֹלָב עִיקָּרִי
kingdom *n* מַלְכוּת, מְלוּכָה; מַמְלָכָה
kingfisher *n* שַׁלְדָּג גַּמָּדִי
kingly *adj, adv* כְּמֶלֶךְ, מַלְכוּתִי
kingpin *n* רֹאשׁ הַמְדַבְּרִים; הָעִיקָּר
king post *n* עַמּוּד הַתָּוֶךְ (בגג)
king's (queen's) English *n* אַנְגְלִית צָחָה
king's evil *n* חַזֶּרֶת, חֲזִירִית
kingship *n* מַלְכוּת
king-size *adj* גָּדוֹל
king's ransom *n* הוֹן עָתָק
kink *n* עֶקֶל; תִּלְתּוּל; גַּחַם, גַּחֲמָנוּת
kink *vt, vi* תִּלְתֵּל; עִיקֵּל; תּוּלְתַּל
kinky *adj* מְפוּתָּל; גַּחֲמוֹנִי
kinsfolk *n pl* קְרוֹבֵי־דָם
kinship *n* קִרְבַת־מִשְׁפָּחָה
kinsman *n* קְרוֹב־דָּם
kinswoman *n* קְרוֹבַת־דָּם
kipper *n* דָּג מְעוּשָּׁן
kipper *vt* עִישֵּׁן דָּג
kiss *n* נְשִׁיקָה
kiss *vt, vi* נִישֵּׁק; הִתְנַשֵּׁק
kit *n* צִיּוּד; תַּרְמִיל, זְוָדָה
kitchen *n* מִטְבָּח

kitchenette *n* מִטְבָּחוֹן
kitchen garden *n* גִּינַּת יְרָקוֹת וּפֵירוֹת
kitchen maid *n* עוֹבֶדֶת מִטְבָּח
kitchen police *n pl* (בצבא) תּוֹרָנֵי מִטְבָּח
kitchen range *n* תַּנּוּר מִטְבָּח
kitchen sink *n* כִּיּוֹר מִטְבָּח
kitchenware *n* כְּלֵי־מִטְבָּח
kite *n* דַּיָּה, בַּז; עֲפִיפוֹן
kith and kin *n pl* מַכָּרִים וּקְרוֹבִים
kitten *n* חֲתַלְתּוּל
kittenish *adj* חֲתוּלִי; תְּחַנְחָנִי
kitty *n* חֲתַלְתּוּל
kleptomaniac *n* גַּנְּבָן, קְלֶפְּטוֹמָן
knack *n* כִּשְׁרוֹן, מְיוּמָּנוּת
knapsack *n* תַּרְמִיל־גַּב
knave *n* נָבָל, נוֹכֵל
knavery *n* נְכָלִים
knead *vt* לָשׁ
knee *n* בֶּרֶךְ
knee-breeches *n* אַבְרָקֵי־בִּרְכַּיִים
kneecap *n* פִּיקַּת־הַבֶּרֶךְ
knee-deep *adj* עָמוֹק עַד הַבִּרְכַּיִים
knee-high *adj* גָּבוֹהַּ עַד הַבִּרְכַּיִים
kneehole *n* מִרְוָח לְבִרְכַּיִים
knee jerk *n* זְנִיקַת בֶּרֶךְ
kneel *vi* כָּרַע, הִשְׁתַּחֲוָה
kneepad *n* רְפִידַת בֶּרֶךְ, מָגֵן בֶּרֶךְ
knell *n* צִלְצוּל פַּעֲמוֹנִים (כסימן אבל); סִימָן רַע
knell *vt, vi* צִלְצֵל בְּפַעֲמוֹנִים (כנ״ל); בִּישֵּׂר רַע
knickers *n pl* אַבְרָקַיִים
knicknack, nicknack *n* תַּכְשִׁיט, אֲבִזַר קִישּׁוּט

knife *n* סַכִּין
knife *vt* דָּקַר בְּסַכִּין
knife sharpener *n* מַשְׁחִיז סַכִּינִים
knife switch *n* מֶתֶג לְהָבִים
knight *n* אַבִּיר; פָּרָשׁ
knight *vt* הֶעֱנִיק תּוֹאַר אָצִיל
knight-errant *n* אַבִּיר נוֹדֵד; הַרְפַּתְקָן
knight-errantry *n* הַרְפַּתְקָנוּת
knighthood *n* אַבִּירוּת, מַעֲמַד הָאַבִּירִים
knightly *adj* אַבִּירִי
Knight of the Rueful Countenance *n* אַבִּיר הַפָּנִים הָעֲצוּבוֹת, דוֹן קִישׁוֹט
knit *vt, vi* סָרַג; כִּיוֵּץ בְּקִימּוּט; הִתְכַּוֵּץ
knit goods *n pl* סְרִיגִים
knitting *n* סְרִיגָה
knitting-machine *n* מַסְרֵגָה, מְכוֹנַת־סְרִיגָה
knitting-needle *n* מַסְרֶגֶת, מַחַט־סְרִיגָה
knitwear *n* סְרִיגִים, לְבוּשׁ סָרוּג
knob *n* בְּלִיטָה, חַבּוּרָה, גּוּלָּה; כַּף
knock *vt, vi* הִכָּה, הָלַם, הִקִּישׁ
knock *n* דְּפִיקָה, מַכָּה
knocker *n* מַקּוֹשׁ דֶּלֶת; (דיבורית) מוֹתֵחַ בִּיקּוֹרֶת
knock-kneed *adj* עִיקֵּל
knockout *n* מִיגּוּר, ׳נוֹק־אָאוּט׳
knockout drops *n pl* מַשְׁקֶה מְהַמֵּם
knoll *n* גִּבְעָה, תֵּל
knot *n* קֶשֶׁר; סִיבּוּךְ; קֶשֶׁר יַמִּי
knot *vt, vi* חִיבֵּר בְּקֶשֶׁר
knothole *n* חוֹר עַיִן (בעץ)
knotty *adj* מָלֵא קְשָׁרִים; מְסוּבָּךְ

know *vt, vi* יָדַע; הִכִּיר

know *n* יְדִיעָה

knowable *adj* הֶעָשׂוּי לְהִיוָּדַע

knowhow *n* יֶדַע, יְדִיעַת הָאֵיךְ

knowingly *adv* בִּידִיעָה

know-it-all *n* יוֹדֵעַ הַכּוֹל, רַבְרְבָן

knowledge *n* יְדִיעָה, יֶדַע

knowledgeable *adj* בַּעַל יְדִיעוֹת

know-nothing *n* בּוּר

knuckle *n* פֶּרֶק אֶצְבַּע

knurl *n* שֶׁנֶת, בְּלִיטָה

knurled *adj* מְחוֹרָץ

Koran *n* קוּרְאָן

Korea *n* קוֹרֵיאָה

Korean *n, adj* קוֹרֵיאִית, קוֹרֵיאִי

kosher *adj, n* כָּשֵׁר; אֲמִיתִּי

kosher *vt* הִכְשִׁיר

Kt. *abbr* Knight

kudos *n* תִּפְאֶרֶת, פִּרְסוּם

kw. *abbr* kilowatt

K.W.H. *abbr* kilowatt-hour

L

L, l אֶל (האות השתים־עשׂרה באלפבית)

l. *abbr* liter, line, league, length

L. *abbr* Latin, Low

label *n* תָּוִית, תָּו

label *vt* הִדְבִּיק תָּוִית; סִיוֵּג

labial *adj, n* שְׂפִי, שְׂפָתִי; הֶגֶה שְׂפָתִי

labor *n* עֲבוֹדָה, עָמָל; חֶבְלֵי־לֵידָה

labor *vt, vi* עָמַל; הִתְאַמֵּץ

labor and management *n pl* עוֹבְדִים וּמַעֲסִיקִים

laboratory *n* מַעְבָּדָה

labored *adj* מְעוּבָּד; לֹא טִבְעִי

laborer *n* פּוֹעֵל, עוֹבֵד

laborious *adj* עוֹבֵד קָשֶׁה; מְיַיגֵּעַ

labor-management *n* (יחסי) עוֹבְדִים וּמַעֲסִיקִים

labor union *n* אִיגּוּד עוֹבְדִים

Labourite *n* חֲבֵר מִפְלֶגֶת הָעֲבוֹדָה

Labrador *n* לַבְּרָדוֹר

labyrinth *n* מָבוֹךְ, לַבִּירִינְת

lace *n* שְׂרוֹךְ; תַּחֲרִים

lace *vt, vi* קָשַׁר בִּשְׂרוֹךְ; קִישֵּׁט בְּתַחֲרִים

lace trimming *n* עִיטּוּרֵי תַּחֲרִים

lace work *n* תַּחֲרִים

lachrymose *adj* מַדְמִיעַ

lacing *n* רִקְמָה; שְׂרוֹךְ

lack *n* חוֹסֶר

lack *vt, vi* חָסַר, הָיָה חָסֵר

lackadaisical *adj* אָדִישׁ

lacking *prep, adj* בְּלִי; חָסֵר

lackluster *n, adj* חוֹסֶר זוֹהַר, עֲמִימוּת; חֲסַר זוֹהַר, עָמוּם

laconic, laconical *adj* לָקוֹנִי, קָצָר, מְמַעֵט בְּמִלִּים
lacquer *n, vt* לַכָּה; לִיכָּה
lacuna *n* שֶׁקַע; קֶטַע חָסֵר
lacy *adj* שֶׁל תַּחֲרִים
lad *n* צָעִיר, בָּחוּר
ladder *n* סוּלָּם, כֶּבֶשׁ
ladder *vi* נִקְרַע כְּ״רַכֶּבֶת״
ladder-truck *n* מַשָּׂאִית כַּבָּאִים
laden *adj* טָעוּן, עָמוּס
ladies' room *n* בֵּית־כִּיסֵּא לְנָשִׁים
ladle *n* מַצֶּקֶת
ladle *vt* יָצַק בְּמַצֶּקֶת
lady *n* גְּבֶרֶת
ladybird *n* פָּרַת מֹשֶׁה רַבֵּנוּ
ladyfinger *n* אֶצְבָּעִית
lady-in-waiting *n* נַעֲרַת הַמַּלְכָּה
ladykiller *n* ״קוֹטֵל נָשִׁים״
ladylike *adj* כִּגְבֶרֶת, כְּלֵידִי
ladylove *n* אֲהוּבָה
ladyship *n* הוֹד מַעֲלַת הַגְּבֶרֶת, מַעֲמָדָהּ שֶׁל לֵיידִי
lady's-maid *n* מְשַׁמֶּשֶׁת שֶׁל גְּבֶרֶת
lady's man *n* גֶּבֶר כָּרוּךְ אַחַר נָשִׁים
lag *vi, n* פִּיגֵּר; פִּיגּוּר
lager beer *n* בִּירָה יְשָׁנָה
laggard *n, adj* מִתְמַהְמֵהַּ, פַּגְרָן
lagoon *n* מִפְרָץ מַיִם רְדוּדִים
laid paper *n* נְיָיר מְסוּרגָל
lair *n* מִרְבָּץ
laity *n* הֶדְיוֹטוּת; הֶדְיוֹטוֹת
lake *n* אֲגַם
lamb *n* טָלֶה, שֶׂה, כֶּבֶשׂ
lambaste *vt* הִכָּה נִמְרָצוֹת
lamb chop *n* צֵלַע כֶּבֶשׂ
lambkin *n* טָלֶה רַךְ
lambskin *n* עוֹר כְּבָשִׂים
lame *adj* חִיגֵּר, נְכֵה רַגְלַיִים
lame *vt, vi* שִׁיתֵּק, הֵטִיל מוּם
lamé *n* לָמֶה
lament *vt, vi* בָּכָה עַל, קוֹנֵן
lament *n* זְעָקָה, נְהִי
lamentable *adj* מְצַעֵר; מַעֲצִיב
lamentation *n* בְּכִי תַּמְרוּרִים, מִסְפֵּד
laminate *vt* הִפְרִיד לִשְׁכָבוֹת דַּקּוֹת
lamp *n* מְנוֹרָה, עֲשָׁשִׁית
lampblack *n, vt* פִּיחַ; פִּייֵּחַ
lamplight *n* אוֹר מְנוֹרָה
lamplighter *n* מַדְלִיק מְנוֹרוֹת־רְחוֹב
lampoon *n, vt* (חִיבֵּר) סָטִירָה חֲרִיפָה
lamppost *n* עַמּוּד פַּנַּס־רְחוֹב
lampshade *n* סוֹכֵךְ
lance *n* רוֹמַח
lance *vt* דָּקַר בְּאִזְמֵל; דָּקַר בְּרוֹמַח
lancet *n* אִזְמֵל
land *n* יַבָּשָׁה, אֶרֶץ, אֲדָמָה
land *vt, vi* עָלָה לַיַּבָּשָׁה; נָחַת; הִגִּיעַ, נִקְלַע
land breeze *n* רוּחַ קַלָּה (מהיבשה)
landed *adj* בַּעַל־אֲחוּזוֹת
landfall *n* רְאִיַּית יַבָּשָׁה
land grant *n* הַקְצָאַת קַרְקַע
landholder *n* אָרִיס, חוֹכֵר
landing *n* עֲלִייָּה לַיַּבָּשָׁה, נְחִיתָה
landing craft *n* כְּלִי־נְחִיתָה, נַחֶתֶת
landlady *n* בַּעֲלַת־בַּיִת
landless *adj* חֲסַר קַרְקַע, חֲסַר מוֹלֶדֶת
landlocked *adj* מְנוּתָּק מִן הַיָּם
landlord *n* בַּעַל־בַּיִת, בַּעַל אַכְסַנְיָה

landlubber *n* ״אוֹהֵב הַיַּבָּשָׁה״; בּוּר בְּהִלְכוֹת יָם
landmark *n* צִיּוּן דֶּרֶךְ
land office *n* מִשְׂרַד קַרְקָעוֹת, טַבּוּ
landowner *n* בַּעַל קַרְקָעוֹת
landscape *n* נוֹף, תְּמוּנַת נוֹף
landscapist *n* צַיַּיר נוֹף
landslide *n* מַפּוֹלֶת הָרִים
landward *adv, adj* נִשְׁקָף אֶל פְּנֵי הַיַּבָּשָׁה
lane *n* רְחוֹב צַר, שְׁבִיל צַר
langsyne, lang syne *adv* לִפְנֵי זְמַן רַב
language *n* לָשׁוֹן, שָׂפָה
languid *adj* חֲסַר מֶרֶץ, נִרְפֶּה
languish *vi* נֶחֱלַשׁ; נָבַל; נָמַק בְּגַעֲגוּעִים
languor *n* חוּלְשָׁה גוּפָנִית, עֲיֵיפוּת
languorous *adj* חֲסַר עֵרָנוּת, חֲסַר חִיּוּנִיּוּת
lank *adj* כָּחוּשׁ וְגָבוֹהַּ
lanky *adj* גָּבוֹהַּ וְרָזֶה
lantern *n* פַּנָּס, תָּא הָאוֹר
lanyard *n* חֶבֶל קָצָר
lap *n* חֵיק
lap *vt, vi* קִיפֵּל, עָטַף; לִיקֵק; חָפַף
lapboard *n* קֶרֶשׁ
lap-dog *n* כְּלַבְלָב
lapel *n* דַּשׁ הַבֶּגֶד
lapful *n* מְלוֹא
Laplander *adj* לַפְּלַנְדִּי
Lapp *adj, n* לַפִּי; לַפִּית
lapse *n* שְׁגִיאָה קַלָּה; סְטִיָּה; עֲבִירָה (שׁל זמן)
lapse *vi* שָׁגָה, כָּשַׁל
lapwing *n* קִיוּוִית
larceny *n* גְּנֵיבָה
larch *n* אַרְזִית
lard *n* שׁוּמַּן חֲזִיר
lard *vt* שִׁימֵּן בְּשׁוּמַּן חֲזִיר
larder *n* מְזָוֶוה
large *adj* גָּדוֹל
large intestine *n* הַמְּעִי הַגַּס
largely *adv* בְּמִידָּה רַבָּה
largeness *n* גּוֹדֶל; רוֹחַב־לֵב
large-scale *adj* גְּדוֹל קְנֵה־מִידָּה
lariat *n* פְּלָצוּר
lark *n* עֶפְרוֹנִי
lark *vi* עָלַץ, הִשְׁתַּעֲשֵׁעַ
larkspur *n* דָּרְבָנִית, דֶּלְפִינְיוּם
larva *n* זַחַל
laryng(e)al *adj* גְּרוֹנִי
laryngitis *n* דַּלֶּקֶת הַגָּרוֹן
laryngoscope *n* רְאִי־גָרוֹן
larynx *n* גָּרוֹן
lascivious *adj* תַּאַוְותָנִי
lasciviousness *n* תַּאַוְותָנוּת
lash *n* מַלְקוֹת; שׁוֹט; עַפְעַף
lash *vt* הִלְקָה, הִצְלִיף; חִיזֵּק, רִיתֵּק; הִידֵּק בְּחֶבֶל
lashing *n* הַלְקָאָה; הַתְקָפַת דְּבָרִים
lass *n* נַעֲרָה, בַּחוּרָה
lasso *n* פְּלָצוּר
last *adj, adv* אַחֲרוֹן; לָאַחֲרוֹנָה
last *vi* נִמְשַׁךְ, אָרַךְ; נִשְׁאַר קַיָּם
last *n* אִימּוּם
lasting *adj* נִמְשָׁךְ; עָמִיד
lastly *adv* לְבַסּוֹף, לָאַחֲרוֹנָה
last name *n* שֵׁם מִשְׁפָּחָה
last night *n* אֶמֶשׁ
last straw *n* קַשׁ אַחֲרוֹן
Last Supper *n* הַסְּעוּדָה הָאַחֲרוֹנָה

last will and testament *n* צַוָּאָה אַחֲרוֹנָה
last word *n* מִלָּה אַחֲרוֹנָה
lat. *abbr* latitude
Lat. *abbr* Latin
latch *n* תֶּפֶס הַמַּנְעוּל, בְּרִיחַ
latch *vt, vi* סָגַר בִּבְרִיחַ
latchkey *n* מַפְתֵּחַ
latchstring *n* חֶבֶל בְּרִיחַ
late *adj, adv* מְאוּחָר; קוֹדֵם; מְאַחֵר; נִפְטָר; בִּמְאוּחָר
latecomer *n* מְאַחֵר לָבוֹא
lateen sail *n* מִפְרָשׂ לָטִינִי
lateen yard *n* סְקַרְיָה לְמִפְרָשׂ לָטִינִי
lately *adv* לָאַחֲרוֹנָה
latent *adj* כָּמוּס, נִסְתָּר
lateral *adj* צְדָדִי, כְּלַפֵּי הַצַּד
lath *n* בַּד, בַּדִּיד
lathe *n* מַחֲרֵטָה
lathe *vi* פָּעַל בְּמַחֲרֵטָה
lather *n* קֶצֶף
lather *vt, vi* הֶעֱלָה קֶצֶף; הִקְצִיף
Latin *adj, n* לָטִינִי, רוֹמִי; לָטִינִית
Latin American *n, adj* (שֶׁל) אֲמֵרִיקָה הַלָּטִינִית
latitude *n* קַו־רוֹחַב; רוֹחַב
latrine *n* בֵּית־כִּסֵּא, מַחֲרָאָה
latter *adj* מְאוּחָר יוֹתֵר, שֵׁנִי, אַחֲרוֹן
lattice *n, vt* סְבָכָה, רֶשֶׁת; רִישֵּׁת
latticework *n* מַעֲשֵׂה סְבָכָה
Latvia *n* לַטְבִיָּה
laudable *adj* רָאוּי לְשֶׁבַח
laudanum *n* מִשְׁרַת אוֹפְּיוּם
laudatory *adj* מְשַׁבֵּחַ
laugh *vi, vt, n* צָחַק; צְחוֹק
laughable *adj* מְבַדֵּחַ, מַצְחִיק
laughing-gas *n* גַּאז מַצְחִיק
laughingstock *n* מַטָּרָה לְלַעַג
laughter *n* צְחוֹק
launch *vt, vi* שִׁילֵּחַ; הִשִּׁיק; הִתְחִיל
launch *n* סִירָה גְדוֹלָה
launching *n* הַשָּׁקָה; שִׁילּוּחַ (טִיל)
launder *vt, vi* כִּיבֵּס וְגִיהֵץ
launderer *n* כּוֹבֵס
laundress *n* כּוֹבֶסֶת
laundry *n* מִכְבָּסָה; כְּבִיסָה
laundryman *n* כּוֹבֵס, בַּעַל מִכְבָּסָה
laundrywoman *n* כּוֹבֶסֶת
laureate *adj* עֲטוּר עֲלֵי דַפְנָה
laurel *n, vt* הָעָר הָאָצִיל; דַּפְנָה; תְּהִילָּה; עָנַד דַּפְנָה
lava *n* לָבָה
lavatory *n* חֲדַר־רַחְצָה
lavender *n* אַרְגָּמָן־כְּחַלְחַל
lavender water *n* מֵי בּוֹשֶׂם
lavish *adj* פַּזְרָנִי
lavish *vt* פִּיזֵּר
law *n* חוֹק, מִשְׁפָּט; כְּלָל
law-abiding *adj* שׁוֹמֵר חוֹק
law-breaker *n* עֲבַרְיָין
law court *n* בֵּית־מִשְׁפָּט
lawful *adj* חוּקִי
lawless *adj* מוּפְקָר, פּוֹרֵעַ חוֹק
lawmaker *n* מְחוֹקֵק
lawn *n* מִדְשָׁאָה
lawn mower *n* מַכְסַחַת דֶּשֶׁא
law office *n* מִשְׂרַד עוֹרֵךְ־דִּין
law student *n* סְטוּדֶנְט לְמִשְׁפָּטִים
lawsuit *n* תְּבִיעָה מִשְׁפָּטִית
lawyer *n* מִשְׁפְּטָן, עוֹרֵךְ־דִּין

lax *adj, n* רוֹפֵף; מְרוּשָׁל; סַלמוֹן צְפוֹנִי
laxative *adj, n* מְשַׁלְשֵׁל
lay *adj* חִילוֹנִי; לֹא מִקצוֹעִי
lay *vt, vi* (laid) הִנִּיחַ, שָׂם; הִשׁכִּיב
layer *n* שִׁכבָה, נִדבָּך
layer cake *n* עוּגַת רְבָדִים
layette *n* צוֹרכֵי תִּינוֹק
lay figure *n* גוֹלֶם אִישׁ
layman *n* חִילוֹנִי; הֶדיוֹט; לֹא מִקצוֹעִי
layoff *n* פִּיטוּרִים זְמַנִּיִּים
lay of the land *n* מַרְאֵה הַשֶּׁטַח
layout *n* שִׁיטוּחַ; מַעֲרָך
lay-over *n* דְחִייָה
lay sister *n* אָחוֹת חִילוֹנִית
laziness *n* עַצלוּת
lazy *adj* עָצֵל
lazybones *n* עָצֵל
lb. *abbr* pound
l.c. *abbr* lower case
lea *n* שָׂדֶה
lead *vt, vi* נָהַג, הוֹבִיל; הָלַך בְּרֹאשׁ
lead *n* קְדִימָה; הֶקדֵם; הַנהָגָה
lead *n* עוֹפֶרֶת, גְרָפִיט
leaden *adj* יְצוּק עוֹפֶרֶת, כָּבֵד
leader *n* מַנהִיג, רֹאשׁ; מַאֲמָר רָאשִׁי
leader-dog *n* כֶּלֶב רָאשִׁי
leadership *n* מַנהִיגוּת
leading *adj* עִיקָּרִי, רָאשִׁי
leading article *n* מַאֲמָר רָאשִׁי
leading man (lady) *n* שַׂחְקָן (ית)
רָאשִׁי (ת)
leading question *n* שְׁאֵלָה מַנחָה
leading-strings *n pl* מוֹשְׁכוֹת תִּינוֹק
lead-in-wire *n* תַּיִל כְּנִיסָה
lead pencil *n* עִיפָּרוֹן

leaf *n* עָלֶה; דַף
leaf *vi, vt* עִלעֵל; לִבלֵב
leafless *n* חֲסַר עָלִים
leaflet *n* עֲלעָל; עָלוֹן, כְּרוּז
leafy *adj* דְמוּי עָלֶה
league *n* לִיגָה, חֶבֶר
League of Nations *n* חֶבֶר הַלְּאוּמִּים
leak *n* דֶלֶף, דְלִיפָה
leak *vi, vt* דָלַף, נָזַל; הִתגַלָּה
leakage *n* דְלִיפָה
leaky *adj* דָלִיף, דוֹלֵף
lean *vi, vt* נִשׁעַן; הִטָּה
lean *adj* כָּחוּשׁ; רָזֶה
leaning *n* נְטִיָּה, מְגַמָּה
lean-to *n* סְכָכָה
leap *vt, vi* דִילֵג, קָפַץ; זִינֵּק
leap *n* דִילוּג, קְפִיצָה
leapfrog *n* מִשׂחָק, קְפִיצַת מִשׂחָק
leap year *n* שָׁנָה מְעוּבֶּרֶת
learn *vt, vi* לָמַד; נוֹכַח
learn by heart *vt* לָמַד עַל־פֶּה
learned *adj* מְלוּמָּד
learned journal *n* כְּתַב־עֵת מַדָּעִי
learned society *n* חֶברָה מַדָּעִית
learner *n* לוֹמֵד, מִתלַמֵּד
learning *n* לְמִידָה, לִימוּד; יְדִיעָה
lease *n, vt* חֲכִירָה, הֶחכִּיר; חָכַר
leasehold *n* חֲכִירָה
leaseholder *n* חוֹכֵר
leash *n* רְצוּעָה, אַפסָר
leash *vt* אָסַר בִּרצוּעָה
least *adj, n, adv* הַפָּחוּת בְּיוֹתֵר;
פָּחוּת מִכּוֹל
leather *n* עוֹר (מעוּבּד)
leatherneck *n* חַיָּל בְּחֵיל הַנְּחָתִים

leathery *adj* דְמוּי עוֹר
leave *n* רְשׁוּת; חוּפְשָׁה; פְּרֵידָה
leave *vt* הִשְׁאִיר, עָזַב; נִפְרַד
leaven *vt* הֶחְמִיץ, תָּסַס; הִשְׁפִּיעַ
leaven *n* שְׂאוֹר; תְּסִיסָה; הַשְׁפָּעָה
leavening *n* הַחְמָצָה
leave of absence *n* חוּפְשָׁה
leavetaking *n* פְּרֵידָה
leavings *n pl* שִׁירַיִים
Lebanese *adj, n* לְבָנוֹנִי
Lebanon *n* לְבָנוֹן
lecher *n* שְׁטוּף תַּאֲווֹת בְּשָׂרִים
lechery *n* זִימָּה
lectern *n* קָתֶדְרָה
lecture *n* הַרְצָאָה; הַטָּפָה
lecture *vi* הִרְצָה; הִטִּיף מוּסָר
lecturer *n* מַרְצֶה; מַטִּיף
ledge *n* לִזְבֵּז; זִיז; אֹזֶן
ledger *n* סֵפֶר חֶשְׁבּוֹנוֹת
lee *n* חֲסִי, סֵתֶר רוּחַ
leech *n* עֲלוּקָה; טַפִּיל
leek *n* שׁוּם הַכְּרָשׁ
leer *n* מַבָּט מְלוּכסָן, מַבָּט נַכלוּלִי
leer *vi* הִבִּיט בִּמלוּכסָן,
הִבִּיט מַבָּט נַכלוּלִי
leery *adj* חוֹשְׁדָנִי, נִזְהָר
leeward *adj, n, adv* עִם הָרוּחַ; חָסוּי
Leeward Islands *n pl* אִיֵּי הַחֲסִי
leeway *n* סְחִיפָה, מִטרַד רוּחַ
left *adj, adv* עָזוּב; שְׂמָאלִי; שְׂמֹאלָה
left *n* (צַד) שְׂמֹאל
left-hand drive *n* הֶגֶה שְׂמָאלִי
left-handed *adj, adv* שְׂמָאלִי
leftish *adj* שְׂמֹאלָנִי
leftist *n* שְׂמָאלִי
leftover *n* שִׁירַיִים
leftwing *n* אֲגַף שְׂמָאלִי
left-winger *n* אִישׁ הַשְּׂמֹאל
leg *n* רֶגֶל; יָרֵךְ; קֶטַע
legacy *n* יְרוּשָׁה
legal *adj* חוּקִי; מִשׁפָּטִי
legality *n* חוּקִיּוּת
legalize *vt* אִישֵׁר חוּקִית
legal tender *n* מַטבֵּעַ חוּקִי,
הֵילָךְ חוּקִי
legatee *n* יוֹרֵשׁ
legation *n* שְׁלִיחַת צִיר;
מִשׁלַחַת צִירוּת
legend *n* אַגָּדָה
legendary *adj, n* אַגָּדִי; קוֹבֶץ אַגָּדוֹת
legerdemain *n* לַהֲטוּטִים
leggings *n* מוּקַיִים, חוֹתָלוֹת
leggy *adj* אֶרֶךְ רַגלַיִים
Leghorn *n* לֶגהוֹרן (גזע תרנגולות)
legible *adj* קָרִיא
legion *n* לִגיוֹן; חַיִל, יְחִידָה
legislate *vi, vt* חָקַק
legislation *n* חֲקִיקָה, תְּחִיקָה
legislative *adj* מְחוֹקֵק
legislator *n* מְחוֹקֵק
legislature *n* בֵּית־מְחוֹקְקִים
legitimacy *n* כַּשרוּת, חוּקִיּוּת
legitimate *adj* חוּקִי, כָּשֵׁר, מוּתָּר
legitimate *vt* אִישֵׁר כְּחוּקִי
legitimatize *vt* אִישֵׁר כְּחוּקִי
leg work *n* (דיבּוּרית) עֲבוֹדַת רַגלַיִים
leisure *n* פְּנַאי
leisure class *n* מַעֲמַד הַנֶּהֱנָתָנִים
leisurely *adj, adv* מְבוּצָּע
בְּמתִינוּת; בִּמתִינוּת

lemon *n* לִימוֹן; מִיץ הַלִּימוֹן
lemonade *n* לִימוֹנָדָה
lemon squeezer *n* מַסחֵט לִימוֹנִים
lemon verbena *n* עֵץ הַלִּימוֹן
lend *vt, vi* הִשְׁאִיל; הִלוְוָה (כֶּסֶף)
length *n* אוֹרֶךְ, מֶשֶׁךְ זְמַן
lengthen *vt, vi* הֶאֱרִיךְ; אָרַךְ
lengthwise *adv* לָאוֹרֶךְ
lengthy *adj* אָרוֹךְ
leniency *n* רַכּוּת, יָד רַכָּה
lenient *adj* רַךְ, רַחֲמָנִי, נוֹחַ
lens *n* עֲדָשָׁה
Lent *n* לֶנט
Lenten *adj* לֶנטִי
lentil *n* עֲדָשָׁה
leopard *n* נָמֵר
leotard *n* גַּרבּוֹנִים
leper *n* מְצוֹרָע
leprosy *n* צָרַעַת
leprous *adj* מְצוֹרָע
Lesbian *adj* לֶסבּוֹאִי
lesbian *adj* סוֹלְלָנִית, לֶסבִּית
Lesbianism *n* סוֹלְלָנוּת, לֶסבִּיוּת
lese majesty *n* עֲבֵירָה נֶגֶד הַשִּׁלטוֹן
lesion *n* פְּגִיעָה, לִיקוּי
less *adj, prep, n, adv* פָּחוֹת; קָטָן יוֹתֵר; מְעַט
lessee *n* חוֹכֵר, שׂוֹכֵר
lessen *vt, vi* הִפחִית; הִתמַעֵט
lesser *adj* פָּחוּת
lesson *n* שִׁיעוּר
lessor *n* מַשׂכִּיר
lest *conj* פֶּן, שֶׁמָּא
let *n* מַעצוֹר
let *vt, vi* הִרשָׁה, אִפשֵׁר; הִשׂכִּיר
letdown *n* אַכזָבָה; הַשְׁפָּלָה
lethal *adj* מֵמִית
lethargic, lethargical *adj* יָשֵׁן, מְיוּשָּׁן; אִטִּי
lethargy *n* רִפיוֹן אֵיבָרִים
Lett *n* לֶטִי, לַטבִי; לַטבִית
letter *n* אוֹת, אוֹת־דְּפוּס
letter-box *n* תֵּיבַת־מִכתָּבִים
letter carrier *n* דַוָּור
letter drop *n* תֵּיבַת־מִכתָּבִים
letterhead *n* כּוֹתֶרֶת נְיַיר מִכתָּבִים
lettering *n* כְּתִיבַת אוֹתִיוֹת
letter of credit *n* מִכתַּב אַשרַאי
letter opener *n* פּוֹתחַן מִכתָּבִים
letter-paper *n* נְיַיר מִכתָּבִים
letter-perfect *adj* בָּקִי בְּתַפקִידוֹ
letterpress *n* הַטֶּקסט הַמּוּדפָּס
letter scales *n pl* מֹאזנֵי דוֹאַר
Lettish *adj, n* לַטבִי; לַטבִית
lettuce *n* חַסָּה
letup *n* הַפסָקָה
leukemia, leucemia *n* לֵאוּקֶמיָה
Levant *n* הַמִּזרָח; מִזרַח הַיָּם הַתִּיכוֹן
Levantine *n, adj* לֶבַנטִינִי, מִזרָחִי
levee *n* סֶכֶר דָיֵיק; קַבָּלַת־פָּנִים (ע״י מלך)
level *n, adj* מִשׁטָח; גּוֹבַה, רוּם
level *vt* יִישֵּׁר, שִׁיוָוה; אִיזֵּן
level-headed *adj* מְיוּשָּׁב בְּדַעתּוֹ
levelling rod *n* מוֹט אִיזּוּן
lever *n* מָנוֹף, מוֹט
lever *vt, vi* הִשׁתַּמֵּשׁ בְּמָנוֹף
leverage *n* הֲנָפָה; מַעֲרֶכֶת מְנוֹפִים
leviathan *n* לִוְויָתָן; סְפִינַת עֲנָק; עֲנָקִי

levitation *n* רִיחוּף

levity *n* קַלּוּת־דַעַת

levy *vt, vi* הִטִּיל מַס, גָּבָה מַס

levy *n* מִיסּוּי; מַס

lewd *adj* שֶׁל זִימָּה, זִימָּנִי, תַּאַוותָנִי

lewdness *n* זִימָּה

lexicographer *n* מְחַבֵּר מִילּוֹן, לֶקְסִיקוֹגְרָף

lexicographic(al) *adj* מִילּוֹנִי

lexicon *n* מִילּוֹן, לֶקְסִיקוֹן

liability *n* אַחֲרָיוּת, עֵירָבוֹן

liability insurance *n* בִּיטּוּחַ חָבוּת

liable *adj* עָלוּל, מְסוּגָּל; חַיָּיב

liaison *n* קִישּׁוּר, קֶשֶׁר; יַחֲסֵי אַהֲבָה לֹא חוּקִיִּים

liar *n* שַׁקְרָן

libel *n* הוֹצָאַת לַעַז בִּכְתָב

libel *vt* הוֹצִיא לַעַז בִּכְתָב

libelous *adj* מְהַוֶּוה הוֹצָאַת דִּיבָּה בִּכְתָב

liberal *adj, n* סוֹבְלָנִי לִיבֶּרָלִי; רְחַב־אוֹפֶק

liberality *n* נְדִיבוּת

liberal minded *adj* לִיבֶּרָלִי בְּגִישָׁתוֹ

liberate *vt* שִׁחְרֵר

liberation *n* שִׁחְרוּר

liberator *n* מְשַׁחְרֵר

libertine *n, adj* מוּפְקָר

liberty *n* חוֹפֶשׁ, חֵירוּת

libidinous *adj* תַּאַוותָנִי

libido *n* תַּאֲוַות־מִין; אֲבִיּוֹנָה

librarian *n* סַפְרָן

library *n* סִפְרִיָּיה

library school *n* בֵּית סֵפֶר לְסַפְרָנוּת

library science *n* סַפְרָנוּת

libretto *n* לִבְּרִית

licence, license *n* רִשְׁיוֹן, הַרְשָׁאָה; תְּעוּדַת־סְמִיכוּת; פְּרִיצוּת

licence plate *n* לוּחִית מִסְדָר

licentious *adj* מוּפְקָר; לֹא מוּסָרִי

lichen *n* חֲזָזִית (צמח); יַלֶּפֶת

lick *vt, vi* לָקַק; לִיחֵךְ; לִחְלֵחַ

lick *n* לִיקּוּק, לִקְלוּק

licorice, liquorice *n* הַשּׁוּשׁ הַקֵּרֵחַ

lid *n* מִכְסֶה, כִּיסּוּי; עַפְעַף

lie *vi* שָׁכַב; שִׁיקֵּר

lie *n* אוֹפֶן תְּנוּחָה; מִרְבָּץ; שֶׁקֶר, כָּזָב

lie detector *n* מְכוֹנַת־אֱמֶת

lien *n* עִיכָּבוֹן, שִׁעְבּוּד

lieu *n* מָקוֹם

lieutenant *n* לֶפְטֶנֶט, סֶגֶן

lieutenant-colonel *n* סְגַן־אַלּוּף

lieutenant-commander *n* לֶפְטֶנֶט־קוֹמַנְדֵּר

lieutenant-governor *n* סְגַן מוֹשֵׁל

lieutenant junior grade *n* סֶגֶן מִשְׁנֶה

life *n* חַיִּים, נֶפֶשׁ, חִיּוּנִיּוּת

life annuity *n* קִצְבַּת עוֹלָם

lifebelt *n* חֲגוֹרַת־הַצָּלָה

life boat *n* סִירַת הַצָּלָה

life-buoy *n* מְצוֹף־הַצָּלָה

life float *n* גַּלְגַּל הַצָּלָה

life guard *n* מִשְׁמַר חַיָּילִים; מַצִּיל

life imprisonment *n* מַאֲסַר עוֹלָם

life insurance *n* בִּיטּוּחַ חַיִּים

life jacket *n* חֲגוֹרַת־הַצָּלָה

lifeless *adj* חֲסַר חַיִּים; מֵת

lifelike *adj* דּוֹמֶה לַמְּצִיאוּת

lifeline *n* חֶבֶל הַצָּלָה

lifelong *adj* הַנִּמְשָׁךְ כָּל הַחַיִּים

life of leisure *n* חַיֵּי בַּטָּלָה
life-preserver *n* חֲגוֹרַת־הַצָּלָה
lifer *n* נִידּוֹן לְמַאֲסַר־עוֹלָם
lifesaver *n* מַצִּיל
life sentence *n* מַאֲסַר־עוֹלָם
life-size *n, adj* (דְמוּת) בְּגוֹדֶל טִבְעִי
lifetime *n* תְּקוּפַת הַחַיִּים
lifework *n* עֲבוֹדַת חַיִּים
lift *vt, vi* הֵרִים; רוֹמֵם; נָשָׂא; הִתְפַּזֵּר (עֲרָפֶל וכד׳)
lift *n* הֲרָמָה, הֲנָפָה; הַסָּעָה; מַעֲלִית
ligament *n* רְצוּעָה; מֵיתָר
ligature *n* שֶׁנֶץ; קְשִׁירָה; קֶשֶׁר
light *n* אוֹר
light *adj* בָּהִיר; מוּאָר; קַל
light *vt, vi* (lit) הִדְלִיק, הֵאִיר
light *adv* קַל, בְּקַלּוּת
light bulb *n* נוּרָה
light complexion *n* עוֹר בָּהִיר
lighten *vt, vi* הֵקֵל; הִפְחִית מִשְׁקָל; הִרְגִּישׁ הֲקַלָּה; הֵאִיר
lighter *n* דוֹבְרָה; מַצִּית
light-fingered *adj* זָרִיז
light-footed *adj* קַל־רֶגֶל
lightheaded *adj* קַל־רֹאשׁ
light-hearted *adj* חֲסַר דְּאָגָה
lighthouse *n* מִגְדַּלּוֹר
lighting *n* הַעֲלָאַת אוֹר
lighting fixtures *n pl* אַבְזְרֵי תְּאוּרָה
lightly *adj* בְּקַלּוּת מִשְׁקָל; בְּנַחַת
lightness *n* אוֹר, לוֹבֶן
lightning *n* בָּרָק
lightning rod *n* כַּלִּיא־רַעַם, כַּלִּיא בָּרָק
lightship *n* סְפִינַת מִגְדַּלּוֹר
light-weight *adj* קַל מִשְׁקָל; קַל־עֵרֶךְ
light-year *n* שְׁנַת־אוֹר
lignite *n* פֶּחָם חוּם
lignum vitae *n* עֵץ הַחַיִּים
likable *adj* חָבִיב, נָעִים
like *adj, adv, prep, conj* דּוֹמֶה ל...; כְּמוֹ; שָׁוֶה
like *n* דָּבָר דּוֹמֶה; נְטִיָּה, חִיבָּה
like *vt, vi* חִיבֵּב, רָצָה
likelihood *n* נִרְאוּת, אֶפְשָׁרוּת
likely *adj, adv* מִתְקַבֵּל עַל הַדַּעַת
like-minded *adj* תְּמִים־דֵּעִים
liken *vt* הִשְׁווָה
likeness *n* דְּמוּת, תְּמוּנַת אָדָם; זֶהוּת
likewise *adv, conj* וְכֵן, בְּאוֹתוֹ אוֹפֶן
liking *n* נְטִיָּה, חִיבָּה
lilac *n, adj* לִילָךְ
Lilliputian *n, adj* לִילִיפּוּטִי, גַּמָּד; גַּמָּדִי
lilt *n* שִׁיר קָצוּב; תְּנוּעָה קְצוּבָה
lily *n* לִילְיוּם; חֲבַצֶּלֶת
lily of the valley *n* פַּעֲמוֹנֵי מַאי
lily pad *n* עֲלֵה שׁוֹשַׁנַּת־מַיִם
Lima bean *n* שְׁעוּעִית שַׂהֲרוֹנִית
limb *n* גַּף, אֵיבָר
limber *adj* גָּמִישׁ
limber *vi* הִגְמִישׁ
limbo *n* גֵּיהִינּוֹם; שִׁכְחָה
lime *vt* סִייֵּד; צָד עוֹפוֹת
limekiln *n* כִּבְשַׁן סִיד
limelight *n* אֲלוּמַּת־אוֹר; מֶרְכַּז הִתְעַנְיְינוּת
limit *n* גְּבוּל; קָצֶה
limit *vt* הִגְבִּיל, תָּחַם; צִמְצֵם
limited *adj* מוּגְבָּל; בְּעֵירָבוֹן מוּגְבָּל

limitless *adj* לְלֹא גְבוּל

limp *vi, n* צָלַע; צְלִיעָה

limp *adj* נֶעְדַר קַשִׁיוּת, רַךְ

limpid *adj* צָלוּל, בָּרוּר

linage *n* מִסְפַּר הַשּׁוּרוֹת (בחומר מודפס)

linchpin *n* קַטְרָב

linden, linden tree *n* טִילְיָה

line *n* קַו, שׁוּרָה; שִׂרְטוּט; מֶסֶר

line *vi, vt* סִידֵּר (בשורה); הָלַךְ לְאוֹרֶךְ הַקַּו; כִּיסָּה בְּקְמָטִים; בִּיטֵּן

lineage *n* שַׁלְשֶׁלֶת יוּחֲסִין

lineament *n* קַו קְלַסְתֵּר

linear *adj* קַוִּי

lineman *n* קַוָּן

linen *n* פִּשְׁתָּן; לְבָנִים

linen closet *n* אֲרוֹן לְבָנִים

line of battle *n* קַו הַחֲזִית

liner *n* אוֹנִיַּת נוֹסְעִים

lineup *n* שׁוּרָה, מִסְדָר; מַעֲרָךְ

linger *vi* הִשְׁתַּהָה; הֶאֱרִיךְ בּ...

lingerie *n* לְבָנִים

lingering *adj* מִשְׁתַּהֶה

lingual *adj, n* לְשׁוֹנִי; הֶגֶה לְשׁוֹנִי

linguist *n* בַּלְשָׁן

linguistic *adj* לְשׁוֹנִי; בַּלְשָׁנִי

liniment *n* מְסִיכָה, מִשְׁחָה

lining *n* אֲרִיג בִּטְנָה; בִּטְנָה

link *n* חוּלְיָה; קֶשֶׁר; חִיבּוּר

link *vt, vi* קִישֵּׁר, חִיבֵּר, הִתְחַבֵּר

linnet *n* חוֹחִית תַּפּוּחִית

linoleum *n* שַׁעֲמָנִית, לִינוֹל

linotype *n* מַסְדֶּרֶת לַיְינוֹטַייפּ

linotype *vt, vi* סִידֵּר בְּלַיְינוֹטַייפּ

linotype operator *n* סַדַּר לַיְינוֹטַייפּ

linseed *n* זֶרַע פִּשְׁתָּה

linseed oil *n* שֶׁמֶן פִּשְׁתִּים

lint *n* מִרְפָּד

lintel *n* מַשְׁקוֹף

lion *n* אַרְיֵה

lioness *n* לְבִיאָה

lionhearted *adj* אַמִּיץ־לֵב

lionize *vt* כִּיבֵּד אֲרָיוֹת שֶׁבַּחֲבוּרָה

lion's den *n* גּוֹב אַרְיֵה

lion's share *n* חֵלֶק הָאֲרִי

lip *n* שָׂפָה, שְׂפָתַיִים; דִיבּוּר

lip-read *vi* קָרָא בַּשְּׂפָתַיִים

lip-service *n* מַס שְׂפָתַיִים

lipstick *n* שְׂפָתוֹן

liq. *abbr* liquid, liquor

liquefy *vt, vi* הָפַךְ לְנוֹזֵל

liqueur *n* לִיקֶר

liquid *adj* נוֹזֵל, נוֹזְלִי; בָּהִיר

liquid *n* נוֹזֵל

liquidate *vt, vi* שִׁילֵּם, חִיסֵּל; רָצַח; פֵּירֵק

liquidity *n* נְזִילוּת

liquor *n* מַשְׁקֶה מְזוּקָּק

Lisbon *n* לִיסַבּוֹן

lisle *n* חוּטֵי לַיְיל

lisp *vi* שִׁפְתֵּת

lisp *n* שִׁפְתּוּת

lissom(e) *adj* גָמִישׁ

list *n* רְשִׁימָה; נְטִיָּה לַצַּד (של אונייה)

list *vt, vi* עָרַךְ רְשִׁימָה; נָטְתָה לַצַּד

listen *vi* הִקְשִׁיב, הֶאֱזִין

listener *n* מַאֲזִין

listening-post *n* מוּצַב הַאֲזָנָה

listless *adj* אָדִישׁ

lit. *abbr* liter, literal, literature
litany *n* תְּחִינּוֹת
liter, litre *n* לִיטֶר
literacy *n* יְדִיעַת קְרוֹא וּכְתוֹב
literal *adj, n* כִּכְתָבוֹ, מִילּוּלִי
literal translation *n* תַּרְגּוּם מִילּוּלִי
literary *adj* סִפְרוּתִי; בָּקִיא בְּסִפְרוּת
literate *adj* יוֹדֵעַ קְרוֹא וּכְתוֹב
literature *n* סִפְרוּת
lithe *adj* גָּמִישׁ
lithia *n* תַּחְמוֹצֶת לִיתְיוּם
lithium *n* לִיתְיוּם
lithograph *n, vi* לִיתוֹגְרָף; הִדְפִּיס בְּלִיתוֹגְרָף
lithography *n* לִיתוֹגְרַפְיָה
litigant *n, adj* מְעוֹרָב בִּתְבִיעָה מִשְׁפָּטִית
litigate *vt, vi* הִגִּישׁ תְּבִיעָה
litigation *n* הִתְדַּיְּינוּת
litmus *n* לַקְמוּס
litter *n* אַפִּרְיוֹן; אַשְׁפָּה; וְלָדוֹת שֶׁל הַמְלָטָה אַחַת
litter *vt* הֵכִין מַצַּע תֶּבֶן; פִּיזֵּר אַשְׁפָּה
litterateur *n* אִישׁ־סֵפֶר
litter bug *n* לַכְלְכָן
little *n* כַּמּוּת קְטַנָּה
little *adj* פָּעוּט, קָטָן; מְעַט, קְצָת
little *adv* בְּמִידָּה מוּעֶטֶת
Little Bear *n* הַדּוֹב הַקָּטָן
Little Dipper *n* הָעֲגָלָה הַקְּטַנָּה
little finger *n* זֶרֶת
little-neck *n* (צֶדֶף) קְצַר צַוָּאר
little owl *n* יַנְשׁוּף קָטָן
Little Red Riding Hood *n* כִּיפָּה אֲדוּמָּה
little slam *n* (בִּבְרִידְג׳) מַכָּה קְטַנָּה
liturgic(al) *adj* פּוּלְחָנִי, לִיטוּרְגִי
liturgy *n* פּוּלְחָן
livable *adj* מַתְאִים לִחְיוֹת בּוֹ
live *vt, vi* חַי; חָיָה, גָּר
live *adj* חַי; מַמָּשִׁי; מָלֵא חַיִּים
livelihood *n* מִחְיָה
liveliness *n* פְּעִילוּת, רַעֲנַנּוּת
livelong *adj* אָרוֹךְ; שָׁלֵם
lively *adj* מָלֵא חַיִּים, פָּעִיל
liven *vt, vi* עוֹרֵר; הִתְעוֹרֵר
liver *n* כָּבֵד
livery *n* מַדֵּי מְשָׁרְתִים
livery *adj* בְּצֶבַע כָּבֵד
liveryman *n* סַיָּס
livery-stable *n* אוּרְוָה
livestock *n* הַמֶּשֶׁק הַחַי
livid *adj* כְּחַלְחַל; כָּחוֹל־אָפוֹר
living *n, adj* חַיִּים, פַּרְנָסָה; חַי, קַיָּם
living quarters *n pl* מְגוּרִים
living-room *n* טְרַקְלִין
lizard *n* לְטָאָה, חַרְדּוֹן
load *n* מִטְעָן, עוֹמֶס; הֶסְפֵּק; סֵבֶל
load *vt, vi* הִטְעִין (גם נשק); טָעַן; הֶעְמִיס; נִטְעַן
loaded *adj* טָעוּן, עָמוּס; (דיבורית) שָׁתוּי
loaf *n (pl* loaves) כִּיכָּר (לֶחֶם)
loaf *vi, vt* הִתְבַּטֵּל, בִּיטֵּל זְמַן
loafer *n* בַּטְלָן; נַעַל קַלָּה
loam *n* טִיט, חוֹמֶר
loamy *adj* חֲמַרְתִּי
loan *n* הַלְוָאָה; מִלְוֶה
loan *vt* הִלְוָה (כסף); הִשְׁאִיל
loan-shark *n* נוֹשֶׁךְ נֶשֶׁךְ

loath, loth *adj* חֲסַר רָצוֹן, מְמָאֵן

loathe *vt* שָׂנָא, תִּיעֵב

loathing *n* תִּיעוּב

loathsome *adj* נִתְעָב

lob *vi, vt* תִּילֵל (בטניס)

lobby *n* מִסְדְרוֹן; קְבוּצַת שְׁתַדְלָנִים

lobby *vt, vi* הִשְׁתַּדֵּל בְּעַד

lobbying *n* שְׁתַדְלָנוּת

lobbyist *n* שְׁתַדְלָן

lobster *n* סַרְטַן־יָם

lobster-pot *n* מַלְכּוֹדֶת סַרְטָנִים

local *adj* מְקוֹמִי; חֶלְקִי

local *n* תּוֹשַׁב אֵיזוֹר; עוֹבֵד מְקוֹמִי; סְנִיף מְקוֹמִי (של איגוד מקצועי)

locale *n* מָקוֹם, סְבִיבָה

locality *n* מָקוֹם, סְבִיבָה

localize *vt* עָשָׂה לִמְקוֹמִי; הִגְבִּיל לְמָקוֹם

locate *vt, vi* מִיקֵם; אִיתֵּר; הִתְיַישֵּׁב

location *n* מָקוֹם; מְקוֹם־מְגוּרִים; סְבִיבָה

loc. cit. *abbr* loco citato (Latin) בַּמָּקוֹם הַמְצוּטָט

lock *n* מַנְעוּל; בְּרִיחַ (גם ברובה); סֶכֶר; קְווּצַת שֵׂיעָר

lock *vt, vi* נָעַל, חָסַם, עָצַר; נֶעֱצַר; חִיבֵּר; שִׁילֵּב; הִתְחַבֵּר; הִשְׁתַּלֵּב

locker *n* נוֹעֵל; אֲרוֹנִית

locket *n* מַשְׂכִּייָה

lockjaw *n* צַפֶּדֶת הַלְּסָתוֹת

lock-out *n* הַשְׁבָּתָה

locksmith *n* מְתַקֵּן מַנְעוּלִים

lock step *n* צְעָדַת עָקֵב בְּצַד אֲגוּדָל

lockstitch *n* תֶּפֶר־קֶשֶׁר

lock tender *n* שׁוֹמֵר סֶכֶר

lockup *n* סְגִירָה; כֶּלֶא

lock washer *n* דִיסְקִית בְּטִיחוּת

locus *n* (*pl* loci) מָקוֹם, סְבִיבָה

locust *n* אַרְבֶּה

lode, load *n* עוֹרֵק (של מרבצים)

lodestar, loadstar *n* כּוֹכָב מֵאִיר דֶּרֶךְ

lodge *vi, vt* לָן, הִתְאַכְסֵן; הֵלִין, אֵירֵחַ; הִפְקִיד (מסמך וכד׳); תָּקַע, נִתְקַע

lodge *n* אַכְסַנְיָה; צְרִיף

lodger *n* דַּייָר; מִתְאַכְסֵן

lodging *n* מְקוֹם־מְגוּרִים

loft *n* עֲלִיַּת־גַּג

lofty *adj* מְרוֹמָם; נִשְׂגָּב; מִתְגָּאֶה

log *n* קוֹרַת עֵץ

log *vi* כָּרַת עֵצִים; רָשַׁם בְּיוֹמַן אוֹנִיָּה

logarithm *n* לוֹגָרִיתְם

logbook *n* יוֹמַן אוֹנִיָּה

log-cabin *n* צְרִיף עֵץ

log driving *n* הוֹבָלַת קוֹרוֹת עֵץ בַּנָּהָר

logger *n* חוֹטֵב עֵצִים

loggerhead *n* בּוּל עֵץ, טִיפֵּשׁ

loggia *n* גְזוּזְטְרָה

logic *n* הִגָּיוֹן, תּוֹרַת הַהִגָּיוֹן

logical *adj* הֶגְיוֹנִי

logician *n* מוּמְחֶה בְּתוֹרַת הַהִגָּיוֹן

logistic *adj* לוֹגִיסְטִי

logistics *n pl* לוֹגִיסְטִיקָה

log jam *n* פְּקָק בִּתְנוּעַת קוֹרוֹת עֵץ

logroll *vi, vt* עָשָׂה קְנוּנְיָה לְעֶזְרָה הֲדָדִית

loin *n* מוֹתֶן, חֶלֶץ

loincloth *n* לְבוּשׁ חֲלָצַיִים

loiter *vt, vi* הִשְׁתַּהָה, שׁוֹטֵט

loiterer *n* הוֹלֵךְ בָּטֵל

loll *vi* יָשַׁב בַּהֲסִיבָּה
lollipop, lollypop *n* סוּכָּרִיַּית מַקֵּל
London *n* לונדון
lone *adj* בּוֹדֵד; לֹא מְיוּשָּׁב
loneliness *n* בְּדִידוּת
lonely *adj* בּוֹדֵד, גַּלְמוּדִי
lonesome *adj* גַּלְמוּד
long. *abbr* longitude
long *adj*, *adv* אָרוֹךְ, מְמוּשָּׁךְ; מִזְּמַן
long *vi* הִתְגַּעְגֵּעַ
long-boat *n* הַסִּירָה הַגְּדוֹלָה
long distance call *n* שִׂיחַת־חוּץ
long-drawn-out *adj* מְמוּשָּׁךְ
longevity *n* אֲרִיכוּת־יָמִים
longhair *n* אִינְטֶלֶקְטוּאָל, מַשְׂכִּיל
longhand *n* כְּתִיבָה רְגִילָה
longing *n* גַּעְגּוּעִים
longing *adj* מִתְגַּעְגֵּעַ
longitude *n* קַו־אוֹרֶךְ
long-lived *adj* מַאֲרִיךְ יָמִים
long-playing record *n* תַּקְלִיט אֲרִיךְ־נֶגֶן
long primer *n* פְּרַיימֶר אָרוֹךְ
long-range *adj* לְטוֹוָח אָרוֹךְ
longshore *adj* שֶׁלְּאוֹרֶךְ הַחוֹף
longshoreman *n* סַוָּור
long-standing *adj* מִשֶּׁכְּבָר
long-suffering *adj*, *n* סַבְלָן; סַבְלָנוּת
long-term *adj* לִזְמַן אָרוֹךְ
long-winded *adj* אַרְכָן, מַרְבֶּה לְדַבֵּר
long-windedly *adv* בַּאֲרִיכוּת יֶתֶר
look *vi*, *vt* הִסְתַּכֵּל, הִבִּיט; נִרְאָה
look *n* מַבָּט; מַרְאֶה
looker-on *n* צוֹפֶה
looking-glass *n* מַרְאָה, רְאִי
lookout *n* מִצְפֶּה; מַרְאֶה; צְפִיָּה; זָקִיף
loom *n* נוֹל, מַאֲרָגָה, מְכוֹנַת־אֲרִיגָה
loom *vi* הוֹפִיעַ בִּמְעוּרְפָּל; אָרַג בְּנוֹל
loony *adj*, *n* סַהֲרוּרִי, מְשׁוּגָּע
loop *n*, *vt* לוּלָאָה; עָשָׂה לוּלָאָה
loophole *n* אֶשְׁנָב; סֶדֶק; מָנוֹס
loose *adj* רָפֶה; תָּלוּשׁ; לֹא קָשׁוּר, חוֹפְשִׁי; מוּפְקָר; לֹא מְדוּיָּק; לֹא אָרוּז; לֹא צָפוּף
loose *vt* נִיתֵּק, הִתִּיר
loose end *n* חוֹסֶר עִיסּוּק
loose-leaf notebook *n* דַּפְדֶּפֶת נִתְלָשִׁים
loosen *vt*, *vi* הִתִּיר, שִׁחְרֵר; נִיתַּר; רוֹפֵף
looseness *n* רִפְיוֹן, הִתְרוֹפְפוּת
loosestrife *n* לִיסִימַכְיָה מְצוּיָה; שָׁנִית גְּדוֹלָה
loose-tongued *adj* אֶרֶךְ־לָשׁוֹן
loot *n* שָׁלָל
loot *vt*, *vi* שָׁלַל
lop *vt* גָּזַם, זָמַר; כָּרַת
lopsided *adj* נוֹטֶה לְצַד אֶחָד
loquacious *adj* מַרְבֶּה דִיבּוּר
lord *n* אָדוֹן; אָצִיל; ה׳
lord *vi* נָהַג כְּלוֹרְד, הִתְנַשֵּׂא
lordly *adj* גֵּא; נֶהְדָּר; לוֹרְדִי
lordship *n* אֲצִילוּת
Lord's supper *n* סְעוּדַת הָאָדוֹן
lore *n* יֶדַע
lorry *n* מַשָּׂאִית
lose *vt*, *vi* אִיבֵּד; אָבַד לוֹ; הִפְסִיד; שָׁכַל
loser *n* מַפְסִיד; מְאַבֵּד
loss *n* אֲבֵידָה

loss of face *n* אוֹבְדַן יוּקְרָה
lost *adj* אָבוּד; אוֹבֵד; נִפְסָד
lost sheep *n* (דיבּוּרית) כִּבְשָׂה תּוֹעָה
lot *n* חֵלֶק; כַּמּוּת; גּוֹרָל
lotion *n* תְּמִיסָה; תַּרְחִיץ
lottery *n* הַגְרָלָה
lotus *n* לוֹטוּס
loud *adj* צַעֲקָנִי, קוֹלָנִי
loud *adv* בְּקוֹל רָם
loudmouthed *adj* צַעֲקָן
loudspeaker *n* רַמקוֹל
lounge *vi* הֵסֵב; הִתְהַלֵּךְ בַּעֲצַלְתַּיִים
lounge *n* חֲדַר־אוֹרְחִים
lounge-lizard *n* שָׂכִיר לְרִיקּוּד
louse *n* (*pl* lice) כִּינָּה, טַפִּיל
lousy *adj* מְכוּנָּם; נִתְעָב
lout *n* בּוּר; אָדָם מְסוּרְבָּל
lovable *adj* חָבִיב
love *n* אַהֲבָה; אָהוּב
love *vt*, *vi* אָהַב, הָיָה מְאוֹהָב
love-affair *n* פָּרָשַׁת אֲהָבִים
lovebird *n* אֲגַפּוֹרְנִיס
love-child *n* יֶלֶד לֹא חוּקִי
loveless *adj* חֲסַר אַהֲבָה
lovely *adj* נֶחְמָד, נֶהְדָר
lovematch *n* נִישּׂוּאִין שֶׁבְּאַהֲבָה
lover *n* אוֹהֵב, מְחַזֵּר
love-seat *n* מוֹשָׁב לִשְׁנַיִים
lovesick *adj* חוֹלֵה אַהֲבָה
love-song *n* שִׁיר אַהֲבָה
loving-kindness *n* אַהֲבָה מִתּוֹךְ חֶסֶד
low *adj*, *adv* נָמוּךְ; יָרוּד; חַלָּשׁ
low *n* דָּבָר נָמוּךְ; שֵׁפֶל; גְּעִיַּית פָּרָה
low *vi* גָּעָה
lowborn *adj* לֹא בַּעַל יִיחוּס
low-brow *n*, *adj* בַּעַל עֶרְכֵּי תַּרְבּוּת נְמוּכִים
Low Countries *n pl* אַרצוֹת־הַשְּׁפֵלָה
low-down *adj* נָמוּךְ, שָׁפֵל
low-down *n* עוּבדוֹת אֲמִיתִּיּוֹת
lower *vt* הִנְמִיךְ; הִפְחִית; הוֹרִיד
lower *adj* נָמוּךְ יוֹתֵר
lower, lour *vi* זָעַף, קָדַר
lower berth *n* מִיטַּת מַדָּף תַּחְתִּית
Lower California *n* קָלִיפוֹרְנִיָּה הַתַּחתּוֹנָה
lower middle class *n* הַמַּעֲמָד הַבֵּינוֹנִי הַנָּמוּךְ
low frequency *n* תֶּדֶר נָמוּךְ
low gear *n* הִילּוּךְ נָמוּךְ
lowland *n* שְׁפֵלָה
lowly *adj* פָּשׁוּט; נָמוּךְ; עָנָיו
Low Mass *n* טֶקֶס כְּנֵסִיָּיתִי נָמוּךְ
low-minded *adj* שִׁפְלוּתִי, גַּס
low-neck *adj* בַּעַל מַחשׂוֹף
low-pitched *adj* נְמוּךְ צְלִיל
low-pressure *adj* בַּעַל לַחַץ נָמוּךְ
low-priced *adj* זוֹל
low shoe *n* נַעַל בַּעֲלַת עָקֵב נָמוּךְ
low-speed *adj* נְמוּךְ מְהִירוּת
low spirits *n pl* דִּיכָּאוֹן, דִּכדוּךְ
low tide *n* שֵׁפֶל (בּים)
low visibility *n* רְאִיוּת נְמוּכָה
low water *n* שֵׁפֶל (בּים);מַיִם רְדוּדִים
loyal *adj*, *n* נֶאֱמָן
loyalist *n* נֶאֱמָן (למשטר)
loyalty *n* נֶאֱמָנוּת
lozenge *n* כְּמוּסָה
L.P. *abbr.* long playing (record)
Ltd. *abbr* Limited

lubricious *adj* מוּפְקָר
lubricity *n* חֲלַקְלַקּוּת, שַׁמְנוּנִיּוּת
lucerne, lucern *n* אַסְפֶּסֶת מְצוּיָה
lucid *adj* מֵאִיר; בָּהִיר; בָּרוּר
Lucifer *n* לוּצִיפֶר
luckily *adv* לְמַרְבֵּה הַמַּזָּל
luckless *adj* חֲסַר מַזָּל
lucky *adj* שֶׁל מַזָּל
lucky hit *n* מַכַּת מַזָּל
lucrative *adj* מִשְׁתַּלֵּם
ludicrous *adj* מְגוּחָךְ
lug *vt, vi* מָשַׁךְ, סָחַב
lug *n* יָדִית; אָבִיק; חָף
luggage *n* מִטְעָן; מִזְווָדוֹת
lugubrious *adj* נוּגֶה
lukewarm *adj* פּוֹשֵׁר
lull *vt, vi* יִישֵּׁן; נִרְגַּע
lull *n* הֲפוּגָה
lullaby *n* שִׁיר עֶרֶשׂ
lumbago *n* מָתְנֶת
lumber *n* גְּרוּטָאוֹת; עֵצִים
lumber *vt, vi* הִתְנַהֵל בִּכְבֵדוּת
lumberjack *n* כּוֹרֵת עֵצִים
lumber-yard *n* מִגְרָשׁ לְמַחְסַן עֵצִים
luminary *n* גֶּרֶם שָׁמַיִם; מָאוֹר
luminescent *adj* נְהוֹרָנִי
luminous *adj* מֵאִיר; מוּאָר
lummox *n* גּוֹלֶם, שׁוֹטֶה
lump *n, adj* גּוּשׁ; חַבּוּרָה
lump *vt, vi* צָבַר; כָּלַל; הִצְטַבֵּר
lumpy *adj* מָלֵא גּוּשִׁים
lunacy *n* סַהֲרוּרִיּוּת
lunar *adj* יַרְחִי
lunar landing *n* נְחִיתָה עַל הַיָּרֵחַ
lunatic *adj, n* לֹא שָׁפוּי
lunatic asylum *n* בֵּית־חוֹלֵי־רוּחַ
lunatic fringe *n* מִיעוּט פָּנָאטִי
lunch *n* אֲרוּחַת־צָהֳרַיִים
lunch *vi* סָעַד בַּצָּהֳרַיִים
lunch basket *n* תִּיק אוֹכֶל
lunch cloth *n* מַפִּית אוֹכֶל
lunchroom *n* מִסְעָדָה לַאֲרוּחוֹת קַלּוֹת
lung *n* רֵיאָה
lunge *n, vi* תְּחִיבָה; גִּיחָה; תָּחַב; הָדַף
lurch *n* רְתִיעָה הַצִּדָּה; מְבוּכָה
lurch *vi* הוּסַט לְצַד
lure *n, vt* מִתְקַן פִּיתּוּי; פִּיתָּה
lurid *adj* נוֹרָא בִּצְבָעָיו; אָיוֹם
lurk *vi* אָרַב; הִסְתַּתֵּר
luscious *adj* טָעִים, עָרֵב; מְגָרֶה
lush *adj* עֲסִיסִי; שׁוֹפֵעַ
Lusitanian *n, adj* לוּזִיטָנִי, פּוֹרטוּגָלִי
lust *n, vi* תַּאֲוָה; עֲגַב, הִתְאַוָּה
luster, lustre *n* זוֹהַר
lusterware *n* כְּלִי־חֶרֶס מַבְהִיק
lustful *adj* תַּאַוותָנִי
lustrous *adj* מַבְרִיק, מַזְהִיר
lusty *adj* חָסוֹן; נִמְרָץ
lute *n* קַתְרוֹס; מֶרֶק, טִיחַ
Lutheran *adj, n* לוּתֵרָנִי
luxuriance *n* שֶׁפַע, עוֹשֶׁר
luxuriant *adj* שׁוֹפֵעַ, מְשׁוּפָּע
luxurious *adj* שֶׁל מוֹתָרוֹת
luxury *n* מוֹתָרוֹת
lye, lie *n* תְּמִיסַת חִיטּוּי
lying *adj* מְשַׁקֵּר; שׁוֹכֵב
lying-in *n, adj* שְׁכִיבַת יוֹלֶדֶת
lymph *n* לִימְפָה
lymphatic *adj* נִרְפֶּה, אִטִּי

lynch *vt* עָשָׂה מִשְׁפַּט לִינץ׳
lynching *n* עֲשִׂיַּת לִינץ׳
lynx *n* חֲתוּל פֶּרֶא
lynx-eyed *adj* חַד־רְאוּת

lyre *n* כִּינּוֹר דָּוִד
lyric *n* לִירִיקָה; שִׁיר לִירִי
lyrical *adj* לִירִי
lyricist *n* מְשׁוֹרֵר לִירִי

M

M, m *n* אֶם (האות השלוש־עשׂרה באלפבּית)
ma'am *n* גְּבֶרֶת
macadam *adj* עָשׂוּי שִׁכְבוֹת חָצָץ (לפי שיטת מקאדם)
macadamize *vt* רִיבֵּד בְּחָצָץ (כנ״ל)
macaroni *n* אִטְרִיּוֹת
macaroon *n* מַקָּרוֹן
macaw *n* מָקָאוֹ
mace *n* שַׁרְבִיט; מוּסְקָטִית רֵיחָנִית
machination *n* תַּחְבּוּלָה, מְזִימָּה
machine *vt* יִיצֵר בְּמְכוֹנָה
machine *n* מְכוֹנָה
machine-gun *n* מְכוֹנַת־יְרִיָּיה
machine-made *adj* מְיוּצָר בִּמְכוֹנָה
machinery *n* מַעֲרֶכֶת־מְכוֹנוֹת
machine screw *n* בּוֹרֶג לְמַתֶּכֶת
machine shop *n* מַסגֵרִיָּיה לְתִיקּוּן מְכוֹנוֹת
machine tool *n* מְכוֹנַת כֵּלִים
machinist *n* מְכוֹנַאי
mackerel *n* קוֹלְיָס
mac(k)intosh *n* מְעִיל־גֶּשֶׁם
mad *adj* מְטוֹרָף; מְשׁוּגָּע; רוֹגֵז

madam(e) *n* גְּבֶרֶת; גְּבִרְתִּי
madcap *n* עֵרָנִי, פָּזִיז
madden *vt* שִׁיגֵּעַ; הִרגִּיז
made-to-order *adj* עָשׂוּי לְפִי מִידָּה, עָשׂוּי לְפִי הַזְמָנָה
madhouse *n* בֵּית־חוֹלֵי־רוּחַ
madman *n* מְטוֹרָף, מְשׁוּגָּע
madness *n* טֵירוּף, שִׁיגָּעוֹן
Madonna *n* מָדוֹנָה
maelstrom *n* מְעַרְבּוֹלֶת
magazine *n* כְּתַב־עֵת; מַחסַן־תַּחמוֹשֶׁת
maggot *n* רִימָּה, זַחַל זְבוּב
Magi (*pl of* magus) הָאַמגוּשִׁים
magic *n* קֶסֶם, כִּישׁוּף
magic *adj* שֶׁל קֶסֶם
magician *n* קוֹסֵם
magistrate *n* שׁוֹפֵט שָׁלוֹם
magnanimous *adj* גְּדוֹל־נֶפֶשׁ
magnesium *n* מַגנִיּוֹן, מַגנֶזִיּוּם
magnet *n* מַגנֵט
magnetic *adj* מַגנֵטִי, מוֹשֵׁךְ
magnetism *n* מַגנֵטִיּוּת; כּוֹחַ מְשִׁיכָה
magnetize *vt* מִגנֵט
magneto *n* מַגנֵטוֹ

magnificent *adj* רַב־הוֹד, מְפוֹאָר
magnify *vt* הִגְדִיל; הִגְזִים, פֵּיאֵר
magnifying glass *n* זְכוּכִית מַגדֶלֶת
magnitude *n* גּוֹדֶל; גּוֹדֶל רַב
magpie *n* עוֹרֵב הַנְחָלִים
Magyar *adj, n* מַדְיָארִי; הוּנגָרִית
mahlstick *n* מַקַל צַיָּרִים
mahogany *n* תּוֹלַעְנָה
Mahomet *see* Mohammed
maid *n* עַלְמָה, לֹא נְשׂוּאָה; מְשָׁרֶתֶת
maiden *adj* לֹא נְשׂוּאָה
maiden *n* נַעֲרָה, בַּחוּרָה
maidenhair *n* שַׂעֲרוֹת שׁוּלַמִּית
maidenhead *n* בְּתוּלִיּוּת, בְּתוּלִים
maidenhood *n* בְּתוּלִיּוּת
maiden lady *n* רַוָּקָה
maid-in-waiting *n* שׁוֹשְׁבִינָה
maidservant *n* מְשָׁרֶתֶת
mail *n* דּוֹאַר, דִּבְרֵי דּוֹאַר
mail *vt* שָׁלַח בַּדּוֹאַר
mailbag *adj* שַׂק דּוֹאַר
mailboat *n* אוֹנִיַּת־דּוֹאַר
mailbox *n* תֵּיבַת־מִכתָּבִים
mail car *n* מְכוֹנִית־דּוֹאַר
mail carrier *n* דַּוָּר
mailing list *n* רְשִׁימַת נִמעָנִים
mailing permit *n* רִשְׁיוֹן לְהַחתָּמַת 'שׁוּלַם'
mailman *n* דַּוָּר
mail-order house *n* חֶבְרַת אַסְפָּקָה בַּדּוֹאַר
maim *vt* גָּרַם נָכוּת
main *adj* עִיקָּרִי, רָאשִׁי
main *n* עִיקָּר; גְּבוּרָה
main deck *n* סִיפּוּן רָאשִׁי
mainland *n* יַבֶּשֶׁת
main line *n* קַו רָאשִׁי
mainly *adv* בְּעִיקָּר
mainmast *n* תּוֹרֶן רָאשִׁי
mainsail *n* מִפְרָשׂ רָאשִׁי
mainspring *n* קְפִיץ עִיקָּרִי
mainstay *n* סָמוֹךְ מֶרכָּזִי; מְפַרנֵס
maintain *vt* תָּמַךְ; קִיֵּם; טָעַן
maintenance *n* אַחֲזָקָה; הַמְשָׁכָה
maitre d'hotel *n* מְנַהֵל הַמָּלוֹן
maize *n* תִּירָס
majestic *adj* מַלכוּתִי, נֶהדָר
majesty *n* רוֹמְמוּת; הָדָר
major *adj* עִיקָּרִי; בָּכִיר; מָז'וֹרִי; רוּבָּנִי
major *n* רַב־סֶרֶן; מִקצוֹעַ רָאשִׁי
major *vi* בָּחַר כְּמִקצוֹעַ רָאשִׁי
Majorca *n* מָיוֹרקָה
major general *n* אַלּוּף, מֵיג'וֹר גֵ'נֵרַל
majority *n, adj* (שֶׁל) רוֹב; בַּגרוּת
make *n* תּוֹצֶרֶת, מוּצָר
make *vt, vi* (made) עָשָׂה, יָצַר; הִיוָה
make-believe *n, adj* (שֶׁל) הַעֲמָדַת־פָּנִים
maker *n* עוֹשֶׂה, יוֹצֵר; הַבּוֹרֵא
make-up *n* אִיפּוּר
make-up man *n* מְאַפֵּר
malachite *n* מָלָכִיט
maladjustment *n* אִי־הַתאָמָה
malady *n* מַחֲלָה
malaise *n* הַרְגָּשַׁת חוֹלִי
malaria *n* קַדַּחַת
Malay *n, adj* מָלָאִי; מָלָאִית
malcontent *adj, n* לֹא מְרוּצֶה; מַר־נֶפֶשׁ

male *adj*, *n* (שֶׁל) זָכָר; (שֶׁל) גֶּבֶר
malediction *n* קְלָלָה
malefactor *n* גּוֹמֵל רָע
male nurse *n* אָח (רחמן)
malevolent *adj* מְרוּשָׁע
malice *n* רֶשַׁע, רִשְׁעוּת
malicious *adj* נוֹטֵר אֵיבָה, זְדוֹנִי
malign *vt* הִלְעִיז עַל
malign *adj* מַזִּיק, מַשְׁחִית
malignant *adj* רָע; מַמְאִיר
malignity *n* רוֹעַ
malinger *vi* הִתְחַלָּה
mall *n* שְׂדֵירָה
mallet *n* מַקֶּבֶת; פַּטִּישׁ עֵץ
malnutrition *n* תְּזוּנָה לְקוּיָה, תַּתְזוּנָה
malodorous *adj* מַסְרִיחַ
malt *n* לֶתֶת; בִּירָה
maltreat *vt* נָהַג בְּאַכְזְרִיּוּת כְּלַפֵּי
mamma, mama *n* אִמָּא
mammal *n* יוֹנֵק
mammalian *adj* שַׁיָּךְ לַיּוֹנְקִים
mammoth *n*, *adj* מַמּוּתָה
man *n* (*pl* men) אָדָם, אִישׁ; גֶּבֶר
man *vt* סִיפֵּק אֲנָשִׁים, אִיֵּשׁ
manacle *n*, *vt* כְּבָלִים; כָּבַל
manage *vt*, *vi* נִיהֵל; עָלָה בְּיָדוֹ
manageable *adj* שֶׁאֶפְשָׁר לְנַהֲלוֹ; שֶׁאֶפְשָׁר לְהִשְׁתַּלֵּט עָלָיו
management *n* הַנְהָלָה; נִיהוּל
manager *n* מְנַהֵל; אֲמַרְגָּן (לגבי שחקן)
managerial *adj* הַנְהָלָתִי, מִנְהָלָתִי
mandate *n* מַנְדָט; מְמוּנּוּת; צַו
mandolin(e) *n* מַנְדּוֹלִינָה
mane *n* רַעְמָה

manful *adj* גַּבְרִי, אַמִּיץ
manganese *n* מַנְגָן
mange *n* שְׁחִין בְּהֵמוֹת
manger *n* אֵיבוּס
mangle *vt* רִיסֵּק; עִיגֵּל
mangle *n* מַעְגִּילָה
mangy *adj* נְגוּעַ שְׁחִין
manhandle *vt* טִיפֵּל בְּצוּרָה גַּסָּה
manhole *n* כַּוּוָה, גּוֹב
manhood *n* גַּבְרוּת; בַּגְרוּת; אוֹמֶץ
manhunt *n* צֵיד אָדָם
mania *n* שֶׁגַע, שִׁיגָּעוֹן, מַנְיָה
maniac *n*, *adj* שִׁיגֵּעַ, מוּכֵּה שִׁיגָּעוֹן
manicure *n* תִּצְפּוֹרֶת, תִּשְׁפּוֹרֶת־צִפּוֹרְנַיִם, מָנִיקוּרָה
manicure *vt* תִּצְפֵּר, טִיפֵּל בַּצִּפּוֹרְנַיִם, עָשָׂה מָנִיקוּרָה
manicurist *n* מָנִיקוּרִיסְט
manifest *adj*, *n* בָּרוּר; מִצְהָר
manifest *vt*, *vi* הֶרְאָה בָּרוּר; נִרְאָה
manifesto *n* גִּילּוּי־דַּעַת, מִנְשָׁר
manifold *adj*, *n* (דבר) רַב־פָּנִים; עוֹתֶק
manifold *vt* שִׁכְפֵּל
manikin *n* גַּמָּד; דוּגְמָן
manipulate *vt*, *vi* פָּעַל בְּיָדָיו; טִיפֵּל בִּתְבוּנָה; הִפְעִיל בְּעוֹרְמָה
manipulation *n* טִיפּוּל, פְּעוּלָּה; הַשְׁפָּעָה לֹא הוֹגֶנֶת
mankind *n* הָאֱנוֹשׁוּת
manliness *n* גַּבְרִיּוּת
manly *adj* גַּבְרִי
manned spaceship *n* חֲלָלִית מְאוּיֶּשֶׁת
mannequin *n* אִימּוּם; דוּגְמָן, דוּגְמָנִית
manner *n* אוֹפֶן, דֶּרֶךְ; נוֹהַג; נִימּוּס; סוּג

mannish *adj* גַּבְרִי; גַּבְרִית
man of letters *n* אִישׁ סִפְרוּת
man of means *n* בַּעַל אֶמְצָעִים
man of the world *n* אִישׁ הָעוֹלָם הַגָּדוֹל
man-of-war *n* אוֹנִיַּת־מִלְחָמָה
manor *n* אֲחוּזָּה
manorhouse *n* בֵּית בַּעַל אֲחוּזָּה
manpower *n* כּוֹחַ אָדָם
mansard *n* גַּג דוּ־שִׁיפּוּעִי
manservant *n* מְשָׁרֵת
mansion *n* אַרְמוֹן, בַּיִת גָּדוֹל
manslaughter *n* הֲרִיגַת אָדָם
mantel, mantelpiece *n* אֶדֶן הָאָח
mantle *n* מְעִיל, כְּסוּת
mantle *vt, vi* כִּיסָּה; הִסְמִיק
manual *adj* שֶׁל יָד
manual *n* מַדְרִיךְ, סֵפֶר שִׁימּוּשִׁי
manual training *n* אִימּוּן בִּמְלֶאכֶת־יָד
manufacture *vt, vi* יִיצֵּר; הִמְצִיא
manufacture *n* חֲרוֹשֶׁת, יִיצּוּר
manufacturer *n* חֲרוֹשְׁתָּן, יַצְּרָן
manuscript *n* כְּתַב־יָד
many *adj* רַבִּים, הַרְבֵּה
manysided *adj* רַב־צְדָדִי
map *n, vt* מַפָּה; מִיפָּה
maple *n* אֶדֶר
maquette *n* דֶּגֶם רִאשׁוֹנִי
mar *vt* הִזִּיק, הִשְׁחִית
maraud *vi, vt* פָּשַׁט, שָׁדַד
marauder *n* פּוֹשֵׁט, שׁוֹדֵד
marble *n, adj* שַׁיִשׁ; שֵׁישִׁי; צוֹנֵן
marble *vt* שִׁייֵּשׁ
marbles *n pl* גּוּלּוֹת
March *n* מַארס
march *n* צְעִידָה, מִצְעָד, צְעָדָה; נְגִינַת־לֶכֶת; גְּבוּל
march *vt, vi* צָעַד, צָעַד בְּקֶצֶב; הִצְעִיד; גָּבַל
marchioness *n* מַרְקִיזָה
mare *n* סוּסָה
margarine *n* מַרְגָּרִינָה
margin *n* שׁוּלַיִים; קָצֶה
marginal *adj* שׁוּלִי, גְּבוּלִי
margin release *n* מַתִּיר הַשּׁוּלַיִים
marigold *n* עוֹגֶל, טָגֵטֵס
marihuana, marijuana *n* קַנַּבּוֹס הוֹדִי, מָרִיכוּאָנָה
marine *adj* יַמִּי, צִיִּי
marine *n* צִי הַמְּדִינָה; נֶחָת
mariner *n* מַלָּח, יוֹרֵד יָם
marionette *n* בּוּבַּת תֵּיאַטְרוֹן, מַרְיוֹנֶטָּה
marital *adj* שֶׁל נִישּׂוּאִים
marital status *n* מַעֲמָד אֶזְרָחִי
maritime *adj* יַמִּי; צִיִּי; חוֹפִי
marjoram *n* אֲזוֹבִית; אֵיזוֹב
mark *n* סִימָן; עִקְבָה; צִיּוּן; מַארק (מטבע)
mark *vt, vi* צִיֵּין, סִימֵּן; הִתְווָה
mark-down *n* הֲנָחָה (במחיר)
market *n* שׁוּק
market *vt, vi* שִׁיוֵּק
marketable *adj* שָׁוִיק
marketing *n* שִׁיווּק
market-place *n* שׁוּק, רַחֲבַת־שׁוּק
marking gauge *n* מְסַמֵּן קַו
marksman *n* קַלָּע
marksmanship *n* קַלָּעוּת

mark-up *n* הַעֲלָאַת מְחִיר

marl *n, vt* חִוָּרָה; דִּישֵּׁן בְּחִוָּרָה

marmalade *n* מִרְקַחַת, מַרְמֶלָדָה

maroon *n, adj* זִיקוּק אֵשׁ

maroon *vt* נָטַשׁ בְּחוֹף אוֹ בְּאִי שׁוֹמֵם

marquee *n* אוֹהֶל גָּדוֹל

marquis *n* מַרְקִיז

marquise *n* מַרְקִיזָה

marriage *n* נִישּׂוּאִים

marriageable *adj* שֶׁהִגִּיעַ לְפִרְקוֹ

marriage portion *n* נְדוּנְיָה

married *adj* נָשׂוּי, נְשׂוּאָה

marrow *n* לְשַׁד, מוֹחַ עֲצָמוֹת; קִישׁוּא

marry *vi, vt* נָשָׂא אִשָּׁה, נִישְּׂאָה; הִשִּׂיא

Mars *n* מַרְס; מַאְדִּים

Marseille *n* מַרְסֵיי

marsh *n* בִּיצָה

marshal *n* מַרְשָׁל

marshal *vt* סִידֵּר, אִרְגֵּן; הִכְוִין

marsh-mallow *n* חוֹטְמִית רְפוּאִית, סוּכָּרִיַּית חוֹטְמִית

marshy *adj* בִּיצָתִי

martial *adj* מִלְחַמְתִּי; צְבָאִי

martially *adv* כְּלוֹחֵם, בְּמִלְחַמְתִּיּוּת

martin *n* סְנוּנִית

martinet *n* תּוֹבֵעַ מִשְׁמַעַת נוּקְשָׁה

martyr *n* מְקוּדַּשׁ שֵׁם

martyr *vt* עָשָׂה לְקָדוֹשׁ

marvel *n, vi* פֶּלֶא; הִתְפַּעֵל

marvelous *adj* נִפְלָא, נֶהְדָּר

Marxist *n* מַרְקְסִיסְט

masc. *abbr* masculine

mascara *n* פּוּךְ עֵינַיִים

mascot *n* קָמֵיעַ

masculine *adj* גַּבְרִי; מִמִּין זָכָר

mash *n* כְּתוֹשֶׁת; בְּלִילָה

mash *vt* כָּתַשׁ; רִיסֵּק

masher *n* מַרְסֵק

mask *n* מַסֵּכָה

mask *vt, vi* כִּיסָּה בְּמַסֵּכָה, הִתְחַפֵּשׂ

mason *n* בַּנַּאי; בּוֹנֶה חוֹפְשִׁי

masonry *n* בְּנִי אֶבֶן, בְּנִיָּיה

Masora *n* מָסוֹרָה

Masoretic *adj* שֶׁל הַמָּסוֹרָה, עַל־פִּי הַמָּסוֹרֶת

masquerade *n, vt* תַּחְפּוֹשֶׂת; הַעֲמָדַת־פָּנִים; הִתְחַפֵּשׂ; הֶעֱמִיד פָּנִים

masquerade ball *n* נֶשֶׁף־מַסֵּכוֹת

mass *n* מִיסָּה (קָתוֹלִית)

mass *vt, vi* צָבַר, קִיבֵּץ; נֶעֱרַם; הִקְהִיל; נִקְהַל

massacre *n, vt* טֶבַח; טָבַח

massage *n, vt* מַשָּׁשׁ, עִיסּוּי; עִיסָּה

masseur *n* עַסְיָין

masseuse *n* עַסְיָינִית

massive *adj* מָלֵא, מַסִּיבִי; כָּבֵד

mast *n* תּוֹרֶן; פְּרִי עֲצֵי יַעַר

master *vt, vi* הִשְׁתַּלֵּט עַל, מָשַׁל; הִתְמַחָה בּ...

master *n* אָדוֹן; מוּסְמָךְ; מוֹרֶה; אוּמָּן

master builder *n* קַבְּלָן בִּנְיָין, מְהַנְדֵּס

masterful *adj* אַדְנוּתִי; נִמְרָץ

master-key *n* כּוֹל פּוֹתֵחַ

masterly *adj, adv* אוּמָּנוּתִי; כָּרָאוּי לְמוּמְחֶה

master mechanic *n* רַב־מְכוֹנַאי

mastermind *n* מְתַכְנֵן רָאשִׁי

Master of Arts (Science) *n* מוּסְמָךְ לְמַדָּעֵי־הָרוּחַ (הַטֶּבַע)

masterpiece *n* יְצִירָה מְעוּלָּה
master-stroke *n* צַעַד גְאוֹנִי
mastery *n* מוּמחִיוּת; שְׁלִיטָה
masthead *n* רֹאשׁ הַתּוֹרֶן
masticate *vt* לָעַס
mastiff *n* מַסטִיף
masturbate *vi* אוֹנֵן
mat *n* מִדרָסָה, מַחֲצֶלֶת
mat *vt* רִיפֵּד, קָלַע
mat(t) *adj, n* עָמוּם, דֵהֶה
mat(t) *vt* הִכהָה, הִדהָה
match *n* אָדָם שָׁקוּל כְּנֶגֶד; גַפרוּר; תַּחֲרוּת; שִׁידּוּךְ
match *vt, vi* הֶעֱמִיד כְּמִתחָרֶה; הִתאִים; תֵּיאֵם; זִיוּוֵג
matchless *adj* אֵין כָּמוֹהוּ
matchmaker *n* שַׁדְכָן
mate *n* (בשחמט) מַט; חָבֵר, עָמִית; בֶּן־זוּג
mate *vt, vi* חִיתֵּן, שִׁידֵּךְ; הִתחַבֵּר; הִתחַתֵּן; (בשחמט) נָתַן מַט
material *adj* חוֹמרִי, מָטֶריָאלִי
material *n* חוֹמֶר; אָרִיג
materialism *n* חוֹמרָנוּת
materialize *vt, vi* הִתגַשֵּׁם; קִיבֵּל צוּרָה מוּחָשִׁית
maternal *adj* אִמָּהִי; מִצַּד הָאֵם
maternity *n* אִמָּהוּת
matey *n* (דיבורית) חָבֵר
mathematical *adj* מָתֵימָטִי
mathematician *n* מָתֵימָטִיקַאי
mathematics *n* מָתֵימָטִיקָה
matinee, matinée *n* הַצָּגַת בּוֹקֶר, הַצָּגָה יוֹמִית
mating season *n* עוֹנַת הַהִזדַוְּגוּת

matins *n* תְּפִילַּת שַׁחֲרִית (בכנסייה האנגליקנית)
matriarch *n* מַטרִיאַרכִית
matricide *n* הוֹרֵג אִמּוֹ; רֶצַח אֵם
matriculate *vt, vi* רָשַׁם (וכן נרשם) לְבֵית־סֵפֶר גָבוֹהַּ
matrimony *n* נִישּׂוּאִים
matron *n* אִישָּׁה נְשׂוּאָה; אֵם בַּיִת; מַטרוֹנָה
matronly *adj* כְּמַטרוֹנָה
matter *n* חוֹמֶר; דְּבַר דְּפוּס; עִניָין
matter *vi* הָיָה חָשׁוּב
matter-of-fact *adj* כַּהֲוָויָתוֹ, עוּבדָתִי
mattock *n* טוּרִייָה, מַעדֵר
mattress *n* מִזרָן, מַצָּע
mature *adj* בָּשֵׁל, מְבוּגָּר
mature *vt, vi* בָּשַׁל, בָּגַר
maturity *n* בַּגרוּת, בְּשֵׁלוּת
maudlin *adj* בַּכייָנִי
maul, mall *vt* חִיבֵּל; נָהַג בְּגַסּוּת
maulstick *n* מַקֵּל צַייָּרִים
Maundy Thursday *n* יוֹם הַחֲמִישִׁי הַקָּדוֹשׁ (בנצרות)
mausoleum *n* מָאוּזוֹלֵאוּם
maw *n* פֶּה, זֶפֶק; קֵיבָה
mawkish *adj* גוֹעֲלִי; רַגשָׁנִי
max. *abbr* maximum
maxim *n* מֵימְרָה, מָשָׁל
maximum *n, adj* הַמְּרוּבֶּה, מֵירָב; מֵירָבִי
may (might) *vi* מוּתָּר, אֶפשָׁר, הַלְוַואי; אוּלַי
May Day *n* אֶחָד בְּמַאי
maybe *adv* אוּלַי, יִיתָּכֵן
mayhem *n* חַבָּלָה זְדוֹנִית בְּגוּף

mayonnaise *n* מָיוֹנִית
mayor *n* רֹאשׁ עִיר
mayoress *n* (אִישָׁה) רֹאשׁ עִיר
maze *n* מָבוֹךְ; מְבוּכָה
M.C. *abbr* Master of Ceremonies, Member of Congress, Military Cross
me *pron* אוֹתִי; לִי
meadow *n* אָחוּ
meadowland *n* אַדְמַת־מִרְעֶה
meager, meagre *adj* רָזֶה; דַל; זָעוּם
meal *n* אֲרוּחָה
mealtime *n* זְמַן אֲרוּחָה
mean *n* דֶרֶךְ, אוֹפֶן; (בּרבּים) אֶמְצָעִים; מְמוּצָּע
mean *adj* תִּיכוֹן, בֵּינוֹנִי; שָׁפָל; קַמְצָן
mean *vt, vi* הִתְכַּוֵּן; יָעַד
meander *vi* הִתְפַּתֵּל
meaning *n, adj* מוּבָן, מַשְׁמָע, מַשְׁמָעוּת; בַּעַל מַשְׁמָעוּת
meaningful *adj* מַשְׁמָעוּתִי
meaningless *adj* חֲסַר מַשְׁמָעוּת
meanness *n* שִׁפְלוּת; קַטְנוּנִיוּת; קַמְצָנוּת
meantime *n, adv* בֵּינָתַיִים
meanwhile *n, adv* בֵּינָתַיִים
measles *n* חַצֶּבֶת
measly *adj* נְגוּעַ חַצֶּבֶת
measurable *adj* מָדִיד
measure *n* גּוֹדֶל; מִידָּה; מְדִידָה; אַמַּת־מִידָּה
measure *vt, vi* מָדַד; הִתְמוֹדֵד; גּוֹדלוֹ הָיָה
measurement *n* מִידָּה; מְדִידָה
meat *n* בָּשָׂר
meat ball *n* קְצִיצָה
meat market *n* אִטְלִיז
meaty *adj* בְּשָׂרִי; רַב בָּשָׂר
mechanic *n* מְכוֹנַאי
mechanical *adj* מֵכָנִי; שֶׁל מְכוֹנוֹת; מְלָאכוּתִי
mechanics *n pl* מְכוֹנָאוּת; מֵכָנִיקָה
mechanism *n* מִבְנֵה מְכוֹנָה; מַנְגָּנוֹן
mechanize *vt* מִיכֵּן, אִטמֵט
med. *abbr* medicine, medieval
medal *n* מֵדַלְיוֹן; עִיטּוּר
medallion *n* תְּלִיוֹן, מֵדַלְיוֹן
meddle *vi* הִתְעָרֵב; בָּחַשׁ
meddler *n* מִתְעָרֵב; בּוֹחֵשׁ
meddlesome *adj* מִתְעָרֵב; בּוֹחֵשׁ
median *adj, n* אֶמְצָעִי, תִּיכוֹן; קַו חוֹצֶה
mediate *vi, vt* תִּיוֵּךְ
mediation *n* תִּיווּךְ
mediator *n* מְתַוֵּוךְ
medical *adj* רְפוּאִי; מְרַפֵּא
medical student *n* סטוּדֶנט לִרפוּאָה
medicine *n* רְפוּאָה; תְּרוּפָה
medicine cabinet *n* אֲרוֹן תְּרוּפוֹת
medicine kit *n* מַעֲרֶכֶת צִיוּד רְפוּאִי
medicine man *n* רוֹפֵא אֱלִיל, קוֹסֵם
medieval *adj* בֵּינַיימִי
medievalist *n* מוּמחֶה בִּימֵי־הַבֵּינַיִים
mediocre *adj* בֵּינוֹנִי
mediocrity *n* בֵּינוֹנִיוּת
meditate *vi, vt* הִרהֵר, שָׁקַל
Mediterranean *adj, n* יָם־תִּיכוֹנִי, (שֶׁל) הַיָּם הַתִּיכוֹן
Mediterranean Sea *n* הַיָּם הַתִּיכוֹן
medium *n, adj* אֶמְצָעוּת; אֶמְצָעִי; (בּספּיריטוּאליזם) מְתַוֵּוךְ, מֶדיוּם (*pl* mediums, media)

medlar *n* שֶׁסֶק גֶרמָנִי
medley *n, adj* תַּעֲרוֹבֶת, עִרבּוּבְיָה; מְעוֹרָב
meek *adj* שְׁפַל־רוּחַ, עָנָיו
meekness *n* שִׁפלוּת־רוּחַ, עֲנָוָה
meerschaum *n* מֶרשָׁאוּם
meet *vt, vi* (*pt* met) פָּגַשׁ; קִיבֵּל פְּנֵי; סִיפֵּק; נִפְגַשׁ
meet *adj* מַתְאִים
meeting *n* פְּגִישָׁה; אֲסֵיפָה
meeting of minds *n* הִזדַהוּת רוּחָנִית; תְּמִימוּת־דֵעִים
meeting-place *n* מְקוֹם הִתוַעֲדוּת
megacycle *n* מֶגָאסַייקל
megaphone *n* רַמקוֹל, מֶגָפוֹן
melancholia *n* מָרָה שְׁחוֹרָה, דִיכָּאוֹן
melancholy *n, adj* מָרָה שְׁחוֹרָה, דִיכָּאוֹן; מְדוּכדָך; מַעֲצִיב; מְדַכדֵך
melee, mêlée *n* הִתכַּתְּשׁוּת
mellow *adj* רַך, מָתוֹק; בָּשֵׁל; מָתוּן
mellow *vt, vi* רִיכֵּך; הִתרַכֵּך
melodious *adj* מֶלוֹדִי, מְתרוֹנֵן
melodramatic *adj* מֶלוֹדרָמָתִי
melody *n* נְעִימָה
melon *n* מֵלוֹן
melt *vi, vt* נָמַס, נִיתַּך; הֵמֵס, הִתִּיך
melting-pot *n* כּוּר הִיתּוּך
member *n* חָבֵר (באגודה וכד׳)
membership *n* חֲבֵרוּת
membrane *n* קְרוּמִית
memento *n* מַזכֶּרֶת
memo *see* memorandum
memoirs *n pl* זִכרוֹנוֹת
memorandum *n* תַּזכִּיר; תְּזכּוֹרֶת
memorial *adj, n* שֶׁל זִיכָּרוֹן; אַזכָּרָה, מַצֶּבֶת־זִיכָּרוֹן
memorial arch *n* קֶשֶׁת זִיכָּרוֹן
Memorial Day *n* יוֹם הַזִיכָּרוֹן
memorialize *vt* אִזכֵּר; הִזכִּיר
memorize *vt* לָמַד עַל פֶּה
memory *n* זִיכָּרוֹן
menace *n, vt* אִיוּם; סַכָּנָה; אִיֵּים; סִיכֵּן
ménage, menage *n* הַנהָלַת מֶשֶׁק־בַּיִת
menagerie *n* בֵּיבָר
mend *vt, vi* תִּיקֵּן; שִׁיפֵּץ; הֶחֱלִים
mend *n* תִּיקּוּן
mendacious *adj* שַׁקְרָן, כּוֹזֵב, לֹא נָכוֹן
mendicant *n* פּוֹשֵׁט יָד
menfolk *n pl* גְבָרִים
menial *adj* נִכנָע, מִתרַפֵּס; בָּזוּי
menial *n* מְשָׁרֵת בַּיִת
menses *n pl* וֶסֶת
men's room *n* בֵּית־כִּיסֵּא לִגבָרִים
menstruate *vi* בָּאָה וִסתָּהּ
mental *adj* נַפשִׁי, רוּחָנִי, שִׂכלִי
mental illness *n* מַחֲלַת־רוּחַ
mental reservation *n* הִסתַּייְגוּת לֹא מְבוּטֵּאת
mental test *n* בְּחִינַת מִשׂכָּל
mention *n, vt* אִזכּוּר; הִזכִּיר
menu *n* תַּפרִיט
mercantile *adj* מִסחָרִי
mercenary *n, adj* חַיָּיל שָׂכִיר (במדינה לא שלו); שֶׁבְּעַד בֶּצַע כֶּסֶף
merchandise *n* סְחוֹרוֹת, טוּבִין
merchant *n, adj* סוֹחֵר; מִסחָרִי
merchant vessel *n* אוֹנִייַּת סוֹחֵר
merciful *adj* רַחֲמָנִי
merciless *adj* חֲסַר רַחֲמִים

mercury *n* כַּסְפִּית
mercy *n* רַחֲמִים; חֲנִינָה
mere *adj* סְתָם, רַק
meretricious *adj* מוּפְקָר, זְנוּתִי; זוֹל, מְזוּיָּף
merge *vt, vi* הִבְלִיעַ; מִיזֵּג; נִבְלַע; הִתְמַזֵּג
merger *n* הִתְמַזְּגוּת
meridian *adj, n* שֶׁל צָהֳרַיִים; קַו־אוֹרֶךְ
meringue *n* מִקְצֶפֶת
merino *n, adj* מֵרִינוֹ (סוּג צֹאן)
merit *n* הִצְטַיְּינוּת, עֵרֶךְ
merit *vt* הָיָה רָאוּי ל...
merlin *n* בַּז גַּמָּדִי
merlon *n* שֵׁן חוֹמָה
mermaid *n* בְּתוּלַת־יָם
merriment *n* שִׂמְחָה, עֲלִיצוּת
merry *adj* שָׂמֵחַ, עַלִּיז
merry-go-round *n* סְחַרְחֶרֶת
merrymaker *n* עַלִּיז שֶׁבַּחֲבוּרָה
mesh *n* רֶשֶׁת, עַיִן, עֵינִית
mesh *vt, vi* לָכַד בְּרֶשֶׁת; הִסְתַּבֵּךְ
mess *n* אִי־סֵדֶר, בִּלְבּוּל, לִכְלוּךְ; אֲרוּחָה (בִּצְוותא)
mess *vi, vt* בִּלְבֵּל, עִרְבֵּב; לִכְלֵךְ
message *n* הוֹדָעָה, מֶסֶר, שְׁלִיחוּת
messenger *n* שָׁלִיחַ
Messiah, Messias *n* מָשִׁיחַ
mess kit *n* זְוַוד אוֹכֶל
mess of pottage *n* נְזִיד עֲדָשִׁים
Messrs. *abbr* messieurs אֲדוֹנִים
messy *adj* מְבוּלְבָּל, פָּרוּעַ
metal *n, adj* מַתֶּכֶת; עָשׂוּי מַתֶּכֶת
metallic *adj* מַתַּכְתִּי

metallurgy *n* מֵטַלּוּרגִיָה, מַדַּע מַתָּכוֹת
metal polish *n* מִשְׁחַת נִיקּוּי מַתֶּכֶת
metalwork *n* מְלֶאכֶת מַתֶּכֶת
metamorphosis *n* שִׁינּוּי צוּרָה, גִלְגּוּל, מֵטָמוֹרפוֹזִיס
metaphor *n* הַשְׁאָלָה, מֵטָפוֹרָה
metaphoric(al) *adj* מוּשְׁאָל
mete *vt* הִקְצִיב, חִילֵּק בְּמִידָּה
meteor *n* שַׁלְהָב, מֵטֵאוֹר
meteorology *n* חֲזָאוּת, מֵטֵאוֹרוֹלוֹגְיָה
meter, metre *n* (בְּמוּסִיקָה) מִקְצָב; (בְּשִׁירָה) מִשְׁקָל; מֶטֶר
meter *n* מַד, מוֹנֶה, מוֹדֵד
metering *n* מְדִידָה, מְנִיָּיה
methane *n* מֵתָין
method *n* שִׁיטָה, דֶּרֶךְ, מֵתוֹדָה
methodic(al) *adj* מֵתוֹדִי, שִׁיטָתִי
Methodist *n* מֵתוֹדִיסט
Methuselah *n* מְתוּשֶׁלַח
meticulous *adj* קַפְּדָנִי
metric(al) *adj* מֶטְרִי
metronome *n* מַד־קֶצֶב
metropolis *n* עִיר־אֵם, מֶטרוֹפּוֹלִין
metropolitan *adj* מֶטרוֹפּוֹלִינִי, שֶׁל כְּרַךְ
mettle *n* אוֹפִי; לַהַט; אוֹמֶץ־לֵב
mettlesome *adj* מָלֵא אוֹמֶץ
mew *n, vi* יְלָלַת חָתוּל; יִילֵּל
mews *n pl* אוּרָווֹת סְבִיב חָצֵר פְּתוּחָה
Mexico *n* מֶקְסִיקוֹ
mezzanine *n* קוֹמַת בֵּינַיִים
mfr. *abbr* manufacturer
mica *n* נָצִיץ
microbe *n* חַיְדַּק
microbiology *n* מִיקְרוֹבִּיּוֹלוֹגְיָה

microfilm *n* סֶרֶט זִיעוּר
microgroove *n* חֲרִיץ מִיקרוֹ
microphone *n* מִיקרוֹפוֹן
microscope *n* מִיקרוֹסקוֹפּ
microscopic *adj* מִיקרוֹסקוֹפִּי
microwave *n* גַל זָעִיר
mid *adj* אֶמצָעִי
midday *n* צָהֳרַיִים
middle *adj* אֶמצָעִי; תִּיכוֹנִי
middle *n* אֶמצַע, תָּוֶך
middle age *n* גִיל הָעֲמִידָה
Middle Ages *n pl* יְמֵי הַבֵּינַיִים
middle-class *n, adj* (שֶׁל) הַמַּעֲמָד הַבֵּינוֹנִי
middleman *n* מְתַוֵּך
middling *adj, adv* בֵּינוֹנִי; בְּמִידָה בֵּינוֹנִית
middy *n* (בצי) פֶּרַח קְצוּנָּה
midget *n* גַּמָּד
midland *adj, n* (שֶׁל) פְּנִים־הָאָרֶץ
midnight *n, adj* (שֶׁבַּ)חֲצוֹת הַלַּיְלָה
midriff *n* סַרעֶפֶת, טַרפֵּשׂ
midshipman *n* (בצי ארה"ב) פֶּרַח קְצוּנָּה; (בבריטניה) קָצִין זוּטָר
midst *n* קֶרֶב, תּוֹך; שָׁלָב אֶמצָעִי
midstream *n* לֵב הַנָּהָר
midsummer *n* עִיצוּמוֹ שֶׁל קַיִץ
midway *adj, adv, n* (שֶׁ)בְּאֶמצַע הַדֶּרֶך; אֶמצַע הַדֶּרֶך
midweek *n, adj* (שֶׁבְּ)אֶמצַע הַשָּׁבוּעַ
midwife *n* מְיַילֶּדֶת
midwinter *n, adj* עִיצוּמוֹ שֶׁל חוֹרֶף
mien *n* הַבָּעָה
miff *n* רוֹגֶז, 'בְּרוֹגֶז'
miff *vt, vi* הֶעֱלִיב; נֶעֱלַב

might *pt of* may
might *n* כּוֹחַ, עוֹצמָה
mighty *n, adj, adv* רַב־עוֹצמָה, חָזָק
migrate *vi* הִיגֵּר, נָדַד
migratory *adj* מְהַגֵּר, נוֹדֵד
mil. *abbr* military, militia
milch *adj* נוֹתֶנֶת חָלָב
mild *adj* מָתוּן; נָעִים; קַל
mildew *n* טַחַב, יֵרָקוֹן
mile *n* מַייל
mileage *n* מִספַּר הַמַּייל̇ים
milepost *n* אֶבֶן מַייל
milestone *n* צִיּוּן דֶּרֶך
milieu *n* הֲוַי, סְבִיבָה
militancy *n* מִלחַמתִּיּוּת
militant *adj* מִלחַמתִּי, לוֹחֲמָנִי
militarism *n* מִלחַמתִּיּוּת, צְבָאִיּוּת
militarist *n* דוֹגֵל בִּצבָאִיּוּת
militarize *vt* צִיבֵּא, נָתַן צִביוֹן צְבָאִי
military *adj, n* צְבָאִי; צָבָא
militate *vi* פָּעַל; הִשפִּיעַ
militia *n* מִשׁמַר עַם, מִילִיצְיָה
milk *n* חָלָב
milk *vt, vi* חָלַב; סָחַט; יָנַק; נָתְנָה חָלָב
milk can *n* כַּד חָלָב
milking *n* חֲלִיבָה
milkmaid *n* חוֹלֶבֶת
milkman *n* חַלְבָּן
milk-shake *n* חָלָב מְשׁוּכשָׁך
milksop *n* גֶּבֶר נָשִׁי, נַשְׁיָן
milkweed *n* מִשׁפַּחַת הָאַסקלֶפִּיִּים
milky *adj* חֲלָבִי
Milky Way *n* שְׁבִיל הֶחָלָב
mill *n* טַחֲנָה; רֵיחַיִים; מַטחֵנָה
mill *vt, vi* טָחַן

mill edge *n* שָׂפָה חֲתוּכָה
millenium *n* תְּקוּפַת אֶלֶף שָׁנָה
miller *n* טוֹחֵן; בַּעַל טַחֲנָה
millet *n* זִיפָן אִיטַלְקִי
milligram *n* מִילִיגְרַם
millimeter, millimetre *n* מִילִימֶטֶר
milliner *n* כּוֹבָעָן (לנשים)
millinery *n* כּוֹבָעִים וַאֲבִזְרֵיהֶם
milling *n* טְחִינָה; כִּרְסוּם
million *n* מִילְיוֹן
million(n)aire *n* מִילְיוֹנֶר
millionth *adj, n* הַמִּילְיוֹנִי
mill-pond *n* בְּרֵיכַת טַחֲנָה
mill-race *n* תְּעָלַת הַטַּחֲנָה
millstone *n* אֶבֶן רֵיחַיִים
mill wheel *n* גַּלְגַּל טַחֲנָה
mime *n* בַּדְחָן; מוּקְיוֹן
mime *vt, vi* חִיקָּה; שִׂיחֵק בְּלִי מִלִּים
mimeograph *n, vt* שַׁכְפֵּלָה; שִׁכְפֵּל
mimic *n, vt* חִיקּוּי; חִיקָּה
mimicry *n* חַקְיָינוּת
min. *abbr* minimum, minute
minaret *n* חוֹד מִגְדָּל (במסגד)
mince *vt, vi* טָחַן (בשׂר); טָפַף;
הִתְבַּטֵּא בַּעֲדִינוּת מְעוּשָׂה
mincemeat *n* בָּשָׂר טָחוּן
mince-pie *n* פַּשְׁטִיד בָּשָׂר
mincing *adj* מְגוּנְדָּר
mind *n* מוֹחַ; דֵּעָה; מַחֲשָׁבָה; תּוֹדָעָה
mind *vt, vi* נָתַן דַּעְתּוֹ, שָׂם לֵב; הִשְׁגִּיחַ
mindful *adj* זָהִיר, נוֹתֵן דַּעְתּוֹ
mind-reader *n* קוֹרֵא מַחֲשָׁבוֹת
mine *pron* שֶׁלִּי
mine *n* מִכְרֶה; מוֹקֵשׁ
mine *vi, vt* כָּרָה; מִיקֵּשׁ

minefield *n* שְׂדֵה מוֹקְשִׁים
miner *n* כּוֹרֶה; חַבְּלָן
mineral *adj, n* מִינֶרָלִי, מַחְצָבִי;
מַחְצָב, מִינֶרָל
mineralogy *n* תּוֹרַת הַמַּחְצָבִים
mine-sweeper *n* שׁוֹלַת מוֹקְשִׁים
mingle *vt, vi* עֵירֵב; הִתְעָרֵב;
הָיָה מְעוֹרָב
miniature *n, adj* זְעֵיר־אַנְפִּין,
מִינְיָטוּרָה; מִינְיָטוּרִי
minimal *adj* מִזְעָרִי, מִינִימָלִי
minimize *vt* הִמְעִיט עֵרֶךְ; צִמְצֵם
minimum *adj* מִינִימָלִי, מִזְעָרִי
mining *n* כְּרִייָה
minion *n* מְשָׁרֵת
minister *n* שָׂר; כּוֹהֵן דָּת;
צִיר (דיפלומט)
minister *vt* שֵׁירֵת, טִיפֵּל בּ...
ministerial *adj* שֶׁל שַׂר;
לְצַד הַמֶּמְשָׁלָה
ministry *n* מִשְׂרָד (ממשלתי); כְּהוּנָּה
mink *n* חוֹרְפָּן; פַּרְוַת חוֹרְפָּן
minnow *n* גַּסְטְרוֹסְטֵאוּס
minor *adj, n* קָטָן; קָטִין; זוּטָר; מִשְׁנִי
Minorca *n* מִינוֹרְקָה
minority *n* מִיעוּט; קְטִינוּת
minstrel *n* מִינְסְטְרֶל, שַׂחֲקָן־בַּדְּחָן
mint *n* נַעֲנָה, מִנְתָּה; מִטְבָּעָה
mint *vt* טָבַע כֶּסֶף; טָבַע מִלִּים
minuet *n* מִינוּאֶט (ריקוד)
minus *prep, adj* פָּחוֹת, מִינוּס;
שֶׁל חִיסּוּר; שְׁלִילִי
minute *n* דַּקָּה
minute *adj* קְטַנְטַן; מְדוּקְדָּק
minutes *n pl* פְּרוֹטוֹקוֹל

minutiae *n pl* פְּרָטִים פְּעוּטִים
minx *n* נַעֲרָה חֲצוּפָה, נַעֲרָה עַגְבָנִית
miracle *n* נֵס, פֶּלֶא
miraculous *adj* מַפְלִיא; נִסִּי
mirage *n* מַחֲזֵה תַּעְתּוּעִים, מִירַאז׳
mire *n* אַדמַת בִּיצָה, יָוֵן
mirror *n, vt* מַרְאָה, רְאִי; שִׁיקֵף
mirth *n* עַלִּיזוּת, עֲלִיצוּת
miry *adj* מְרוּפָּשׁ
misadventure *n* מַזָּל בִּישׁ
misanthropy *n* שִׂנְאַת־בְּרִיּוֹת
misapprehension *n* אִי־הֲבָנָה
misappropriation *n* שִׁימּוּשׁ לֹא נָכוֹן; מְעִילָה
misbehave *vt, vi* הִתְנַהֵג רָע
misbehavior *n* הִתְנַהֲגוּת רָעָה
miscalculation *n* חֶשְׁבּוֹן מוּטְעֶה
miscarriage *n* עִיוּוּת; הַפָּלָה (שֶׁל עוּבָּר)
miscarry *vi* נִכְשַׁל; הִפִּילָה
miscellaneous *adj* מְעוּרָב; שׁוֹנִים
miscellany *n* קוֹבֶץ מְעוֹרָב
mischief *n* פְּגִיעָה, נֶזֶק; תַּעֲלוּל, קוּנְדֵסוּת
mischief-maker *n* תַּכְכָן
mischievous *adj* מַזִּיק; מְקַנְטֵר; שׁוֹבָב
misconception *n* מוּשָּׂג מוּטְעֶה
misconduct *n* הִתְנַהֲגוּת פְּסוּלָה
misconstrue *vt* פֵּירֵשׁ לֹא נָכוֹן
miscount *n* טָעוּת בִּסְפִירָה
miscue *n* הַחֲטָאָה
misdeed *n* חֵטְא
misdemeanor *n* מַעֲשֶׂה רַע, עָווֹן
misdirect *vt* הִנְחָה לֹא נָכוֹן
misdoing *n* מַעֲשֶׂה רַע
miser *n* כִּילַי, קַמְצָן
miserable *adj* עֲלוּב חַיִּים, מִסְכֵּן
miserly *adj* קַמְצָן, כִּילַי
misery *n* מְצוּקָה, מַחְסוֹר, דִּכְדּוּךְ
misfeasance *n* עֲבֵירָה
misfire *n* אִי־יְרִיָּה
misfire *vi* הֶחֱטִיא
misfit *n* אִי־הַתְאָמָה; (דָבָר אוֹ אָדָם) לֹא מַתְאִים
misfortune *n* מַזָּל בִּישׁ
misgiving *n* חֲשָׁשׁ, סָפֵק
misgovern *vt* מָשַׁל בְּאוֹפֶן רַע
misguided *adj* תּוֹעֶה, מוּלָךְ שׁוֹלָל
mishap *n* תַּקְרִית לֹא נְעִימָה, תַּקָּלָה
misinform *vt* מָסַר יְדִיעוֹת מוּטְעוֹת
misinterpret *vt* פֵּירֵשׁ שֶׁלֹּא כַּהֲלָכָה
misjudge *vt* טָעָה בְּשִׁיפּוּטוֹ
mislay *vt* הִנִּיחַ לֹא בִּמְקוֹמוֹ
mislead *vt* הִטְעָה
misleading *adj* מַטְעֶה
mismanagement *n* נִיהוּל כּוֹשֵׁל
misnomer *n* כִּינּוּי בְּשֵׁם מוּטְעֶה
misplace *vt* הִנִּיחַ בְּמָקוֹם לֹא נָכוֹן
misprint *n* טָעוּת דְּפוּס
mispronounce *vt* טָעָה בַּהֲגִיָּה
mispronunciation *n* טָעוּת בַּמִּבְטָא
misquote *vt* צִיטֵּט לֹא נָכוֹן
misrepresent *vt* תֵּיאֵר תֵּיאוּר מְסוּלָּף
Miss *n* עַלְמָה
miss *vt, vi* הֶחֱטִיא; הֶחְמִיץ
miss *n* הַחֲטָאָה; כִּישָּׁלוֹן
missal *n* סֵפֶר תְּפִילּוֹת
misshapen *adj* מְעוּוַּת צוּרָה
missile *n* טִיל; דָּבָר נִזְרָק

missing *adj* חָסֵר; נֶעְדָּר
mission *n* שְׁלִיחוּת; מִשְׁלַחַת; מִיסְיוֹן
missionary *n, adj* מִיסְיוֹנֶר, שָׁלִיחַ דָּתִי; שָׁלִיחַ
missive *n* אִיגֶּרֶת
misspell *vi, vt* שָׁגָה בִּכְתִיב
misspent *adj* בּוּזְבַּז לָרִיק
misstatement *n* הוֹדָעָה כּוֹזֶבֶת
missy *n* (דיבורית) גְּבֶרֶת צְעִירָה
mist *n* אֵד, עֲרָפֶל
mistake *vt, n* טָעָה; טָעוּת, שְׁגִיאָה
mistaken *adj* מוּטְעֶה
mistakenly *adv* בְּטָעוּת
Mister *n* אָדוֹן, מַר
mistletoe *n* הַדִּבְקוֹן הַלָּבָן
mistreat *vt* נָהַג לֹא כַּשּׁוּרָה
mistreatment *n* הִתְעַלְּלוּת
mistress *n* בַּעֲלַת־בַּיִת; פִּילֶגֶשׁ; מוֹרָה
mistrial *n* עִיוּוּת־דִּין
mistrust *n* אִי־אֵמוּן
mistrust *vt, vi* חָשַׁד בּ...
mistrustful *adj* חַשְׁדָנִי
misty *adj* מְעוּרְפָּל; סָתוּם
misunderstand *vt* הֵבִין לֹא נָכוֹן
misunderstanding *n* אִי־הֲבָנָה
misuse *vt* הִשְׁתַּמֵּשׁ שֶׁלֹּא כַּהוֹגֶן
misuse *n* שִׁימוּשׁ לֹא נָכוֹן
mite *n* פְּרוּטָה; קְטַנְטַן
miter *n* מִצְנֶפֶת (של בִּישׁוֹף וכד׳); מַחְבָּר זָוִויתִי
miter box *n* מִתְקַן הַמְדָּרָה
mitigate *vt, vi* הֵקֵל, שִׁיכֵּךְ; הוּקַל
mitt *n* כְּפָפַת בֵּיסְבּוֹל; כְּסָיָה
mitten *n* כְּסָיָה (לא מאוצבעת)
mix *vt, vi* עֵירֵב, עִרְבֵּב; בָּלַל; הִתְעַרְבֵּב; הִתְרוֹעֵעַ
mix *n* תַּעֲרוֹבֶת, עִרְבּוּב; עִרְבּוּבְיָה
mixed *adj* מְעוּרְבָּב; מְבוּלְבָּל
mixed company *n* חֶבְרָה מְעוֹרֶבֶת
mixed drink *n* מַשְׁקֶה מְעוֹרָב
mixed feelings *n pl* רְגָשׁוֹת מְעוֹרָבִים
mixer *n* מְעַרְבֵּל, מִיקְסֶר; אִישׁ רֵעִים
mixture *n* תַּעֲרוֹבֶת, מְזִיגָה
mix-up *n* בִּלְבּוּל, תִּסְבּוֹכֶת
mizzen *n* מִפְרָשׂ אֲחוֹרִי; מִפְרָשׂ שְׁלִישִׁי
M.O. *abbr* Money Order
moan *vi* נֶאֱנַח, נֶאֱנַק
moan *n* אֲנָחָה, אֲנָקָה
moat *n* תְּעָלַת־מָגֵן
mob *n* הָמוֹן, אֲסַפְסוּף
mob *vt, vi* (לגבי המון) הִתְקַהֵל; הִתְנַפֵּל; הִתְפָּרֵעַ
mobile *adj* מִתְנַיֵּיעַ, נַיָּד
mobility *n* הִתְנַיְּיעוּת; הִשְׁתַּנּוּת
mobilization *n* גִּיּוּס
mobilize *vt, vi* גִּיֵּס; הִתְגַּיֵּס
mobster *n* (המונית) פָּרוּעַ, אַלִּים
moccasin *n* מוֹקַסִּין
mock *vt* לִגְלֵג עַל, שִׂיטָּה בּ...; חִיקָּה
mock *n* לִגְלוּג, לַעַג; חִיקּוּי
mock *adj* מְדוּמֶּה; מְזוּיָּף; מְבוּיָּם
mockery *n* לִגְלוּג, חוּכָא וטלוּלָא
mockingbird *n* חַקְיָין
mock privet *n* לִיגוּסְטְרוּם מְדוּמֶּה
mock-turtle soup *n* מְרַק צָב מְדוּמֶּה
mock-up *n* דֶּגֶם מְכוֹנָה, דֶּגֶם מִתְקָן
mode *n* אוֹפֶן, אוֹרַח; אוֹפְנָה
model *n* תַּבְנִית, דֶּגֶם; דוּגְמָן, דוּגְמָנִית
model *adj* תַּבְנִיתִי, מְשַׁמֵּשׁ דוּגְמָה, מוֹפְתִי

model *vt, vi* עִיצֵּב לְפִי דֶגֶם; צָר צוּרָה; שִׁימֵּשׁ כְּדוּגְמָן (אוֹ דוּגמָנִית)

model airplane *n* דֶגֶם מָטוֹס

model airplane builder *n* בּוֹנֵה דִגמֵי מְטוֹסִים

model sailing *n* הֲשָׁטַת דִגמֵי סְפִינוֹת

moderate *vt, vi* מִיתֵּן, רִיכֵּךְ; הִמעִיט; הִנחָה (דיון)

moderate *adj, n* מָתוּן; מוּעָט (לגבי יכולת וכד׳)

moderation *n* מְתִינוּת; הִתאַפְּקוּת

moderator *n* מְמַתֵּן, מְשַׁכֵּךְ; יוֹשֵׁב רֹאשׁ (בדיון או באסיפה)

modern *adj* חָדִישׁ, חָדָשׁ, מוֹדֶרנִי

modernize *vt* חִידֵּשׁ, מִדרֵן

modest *adj* צָנוּעַ, עָנָיו; מְצוּמצָם

modesty *n* צְנִיעוּת; צִמצוּם; הֲגִינוּת

modicum *n* מִידָּה מְצוּמצֶמֶת; שֶׁמֶץ

modifier *n* מְשַׁנֶּה, מְתָאֵם; (בדקדוק) מַגבִּיל

modify *vt* שִׁינָּה, הִתאִים; סִיגֵּל; (בדקדוק) הִגבִּיל

modish *adj* אוֹפנָתִי

modulate *vt, vi* תֵּיאֵם; (במוסיקה) סִילֵּם; גִיוֵּן (קוֹל)

modulation *n* תֵּיאוּם; סִילּוּם; גִיוּוּן

mohair *n* מוֹהֵיר, מְעַזִּית אַנגוֹרָה

Mohammed *n* מוּחַמָּד

Mohammedan *adj, n* מוּחַמָּדִי, מוּסלְמִי

Mohammedanism *n* אִיסלָם

moist *adj* לַח, רָטוֹב

moisten *vt, vi* הִרטִיב, לִחלֵחַ; הִתלַחלֵחַ

moisture *n* לַחוּת; לֵחוּת, לֵחַ

molar *n, adj* (שֵׁן) טוֹחֶנֶת

molasses *n* דִבשָׁה

mold *n* אִימּוּם; מַטבַּעַת; כִּיוּר, דְפוּס; כַּרכּוֹב, עוֹבֶשׁ

molder *n* מְעַצֵּב; דַפָּס

molder *vi* הִתפּוֹרֵר; עָבַשׁ

molding *n* דְפוּס; כַּרכּוֹב

moldy *n* עָבֵשׁ, נִרקָב

mole *n* בַּהֶרֶת, כֶּתֶם; חוֹלֶד, חֲפַרפֶּרֶת; שׁוֹבֵר־גַלִּים

molecule *n* מוֹלֶקוּלָה

molehill *n* תֵּל חוּלדוֹת

moleskin *n* פַּרוַות חוֹלֶד

molest *vt* הֵצִיק, הִטרִיד

moll *n* פִּילַגשׁוֹ שֶׁל גַנָּב

mollify *vt* פִּייֵּס, רִיכֵּךְ

mollusk *n* רַכִּיכָה

mollycoddle *n* נַשִׁיָין (מפונק)

mollycoddle *vt* פִּינֵּק

molt *vi* הִשִּׁיר

molten *adj* נָמֵס; מְעוּצָּב

moment *n* רֶגַע; חֲשִׁיבוּת

momentary *n* רִגעִי

momentous *adj* רַב־חֲשִׁיבוּת

momentum *n* תְּנוּפָה

monarch *n* מוֹנַרך, מֶלֶךְ

monarchist *adj* מוֹנַרכִיסטִי

monarchy *n* מוֹנַרכְיָה, מְלוּכָנוּת

monastery *n* מִנזָר

monastic *adj* מִנזָרִי

monasticism *n* מִנזָרִיּוּת

Monday *n* יוֹם שֵׁנִי (לשבוע)

monetary *adj* שֶׁל מַטבֵּעַ הַמְּדִינָה; כַּספִּי

money *n* כֶּסֶף, מָמוֹן
moneybag *n* תִּיק כֶּסֶף; עָשִׁיר
moneychanger *n* שׁוּלְחָנִי, חַלְפָן
moneyed *adj* עָשִׁיר, בַּעַל הוֹן
moneylender *n* מַלְוֶה בְּרִיבִּית
moneymaker *n* צוֹבֵר הוֹן, דָבָר מַכְנִיס
money-order *n* הַמְחָאַת־כֶּסֶף (בַּדוֹאר)
Mongol מוֹנגוֹלִי; מוֹנגוֹלִית
mongoose *n* נְמִייָה הוֹדִית
mongrel *adj*, *n* בֶּן־כִּלְאַיִים
monitor *n* תּוֹרָן, מַשְׁגִיחַ; מַאֲזִין (בּרדיו)
monitor *vt*, *vi* פִּיקֵּחַ, הִשְׁגִיחַ; הֶאֱזִין (לשידור)
monk *n* נָזִיר
monkey *n* קוֹף; שׁוֹבָב
monkey business *n* עֲסָקִים לֹא הוֹגְנִים
monkey-wrench *n* מַפְתֵּחַ אַנגלִי
monkshood *n* אֲקוֹנִיטוֹן רְפוּאִי
monocle *n* מוֹנוֹקל, מִשְׁקָף
monogamy *n* מוֹנוֹגַמְיָה
monogram *n* מִשְׁלֶבֶת, מוֹנוֹגְרַם
monograph *n* מוֹנוֹגְרַפְיָה
monolithic *adj* מֵאֶבֶן אַחַת; מוֹנוֹלִיתִי
monologue *n* מוֹנוֹלוֹג, חַד שִׂיחַ
monomania *n* שִׁיגָּעוֹן לְדָבָר אֶחָד
monopolize *vt* הִשִּׂיג מוֹנוֹפּוֹל; הִשְׁתַּלֵּט עַל
monopoly *n* מוֹנוֹפּוֹל; הִשְׁתַּלְּטוּת גְמוּרָה
monorail *n* רַכֶּבֶת חַד־פַּסִּית
monosyllable *n* מִלָּה חַד־הֲבָרִית
monotheist *n* מוֹנוֹתֵיאִיסְט
monotonous *adj* חַד־צְלִילִי; חַדגוֹנִי
monotony *n* חַדגוֹנִיּוּת
monotype *n* מַסדֶרֶת מוֹנוֹטַייפּ, מַסדֶרֶת אוֹתִיּוֹת (בּדפוּס)
monotype operator *n* סַדָּר מוֹנוֹטַייפּ
monoxide *n* תַּחמוֹצֶת חַד־חַמצָנִית
monsignor *n* מוֹנסִינְיוֹר
monsoon *n* מוֹנסוּן
monster *n* מִפלֶצֶת
monstrosity *n* מִפלַצתִּיּוּת; יְצוּר מִפלַצתִּי, מִפלֶצֶת
monstrous *adj* מִפלַצתִּי; אָיוֹם
month *n* חוֹדֶשׁ
monthly *adj*, *adv*, *n* חוֹדשִׁי; אַחַת לַחוֹדֶשׁ; יַרחוֹן
monument *n* מַצֵּבָה, אַנדַרטָה
moo *vt*, *n* גָּעָה כְּפָרָה; גְּעִייָה
mood *n* מַצַּב־רוּחַ
moody *adj* נָתוּן לְמַצְּבֵי־רוּחַ
moon *n* יָרֵחַ, לְבָנָה
moonbeam *n* קֶרֶן יָרֵחַ
moonlight *n* אוֹר הַלְּבָנָה
moonlighting *n* עֲבוֹדָה בִּשְׁתֵּי מִשְׂרוֹת
moonshine *n* אוֹר הַלְּבָנָה
moonshot *n* הַזְנָקָה לַיָּרֵחַ
moor *n* אַדמַת בּוּר
moor *vt*, *vi* רָתַק (ספינה), קָשַׁר
Moorish *adj* מוּרִי
moorland *n* אַדמַת־בּוּר
moose *n* צְבִי אֲמֵרִיקָנִי
moot *adj* נִיתָּן לְוִיכּוּחַ, מְפוּקפָּק
moot *vt* הֶעֱלָה לְדִיּוּן
mop *n*, *vi* סְמַרטוּט, מַטלִית; נִיגֵּב
mope *vi* שָׁקַע בְּעַצבוּת
moral *adj* מוּסָרִי, שֶׁל מוּסַר הַשֵּׂכֶל
moral *n* מוּסָר, מִידּוֹת; לֶקַח, עִיקָּרוֹן מוּסָרִי

morale *n* מִשְׁמַעַת מוּסָרִית, מוֹרָל
morality *n* מוּסָרִיוּת; מַדַּע הַמּוּסָר
morass *n* בִּיצָה
moratorium *n* מוֹרָטוֹרִיוּם, אַרְכָּה רִשְׁמִית
morbid *adj* מַחֲלָתִי, שֶׁל מַחֲלָה
mordant *adj* צוֹרֵב
more *n*, *adj*, *adv* נוֹסָף, תּוֹסֶפֶת; יוֹתֵר; עוֹד; רַב יוֹתֵר
moreover *adv* יְתֵרָה מִזּוֹ, יָתֵר עַל כֵּן
morgue *n* חֲדַר־מֵתִים; (בעיתון) גַּנְזַךְ
moribund *adj* גּוֹסֵס
morning *n*, *adj* בּוֹקֶר; בּוֹקְרִי
morning coat *n* מִקְטוֹרֶן בּוֹקֶר
morning-glory *n* לְפוּפִית (צמח)
morning sickness *n* מַחֲלַת בּוֹקֶר
morning star *n* נוֹגַהּ; אַיֶּלֶת הַשַּׁחַר
Moroccan *adj*, *n* מָרוֹקָנִי
morocco *n* עוֹר מָרוֹקָנִי
moron *n* מוֹרוֹן, קְהוּי שֵׂכֶל; מְטוּמְטָם
morose *adj* חָמוּץ, עָגוּם
morphine *n* מוֹרְפִין, מוֹרפיוּם
morphology *n* מוֹרפוֹלוֹגְיָה
morrow *n* מָחֳרָת
morsel *n* נְגִיסָה, נֶגֶס; חֲתִירָה
mortal *adj*, *n* שֶׁל מָוֶת; בֶּן־מָוֶת; שֶׁל הָעוֹלָם; בָּשָׂר וָדָם
mortality *n* תְּמוּתָה
mortar *n* מַכְתֵּשׁ; מְדוֹכָה; מַרְגֵּמָה; טִיחַ, מֶלֶט
mortarboard *n* כַּן מֶלֶט; מִגְבַּעַת אֲקָדֵמִית
mortgage *n* מַשְׁכַּנְתָּה; שִׁעְבּוּד
mortgage *vt* מִשְׁכֵּן
mortician *n* קַבְּלָן לִקְבוּרָה
mortify *vt*, *vi* הִשְׁפִּיל, דִּיכֵּא; הִסְתַּגֵּף; נִרְקַב
mortise *n* שֶׁקַע; חִישׁוּר
mortise lock *n* מַנְעוּל חָבוּי
mortuary *n*, *adj* בֵּית־מֵתִים; שֶׁל מָוֶת
Mosaic *adj* שֶׁל תּוֹרַת מֹשֶׁה
mosaic *n*, *adj* פְּסֵיפָס; פְּסֵיפָסִי
Moscow *n* מוֹסְקְבָה
Moses *n* מֹשֶׁה רַבֵּנוּ
Moslem *adj*, *n* מוּסְלְמִי
mosque *n* מִסְגָּד
mosquito *n* יַתּוּשׁ
mosquito net *n* כִּילָה
moss *n* אֵיזוֹב; קַרְקַע סְפוֹגִית
mossback *n* מַחֲזִיק בְּנוֹשָׁנוּת
mossy *adj* מְכוּסֶּה אֵיזוֹב
most *adj*, *adv*, *n* הַיּוֹתֵר, הֲכִי; בְּעִיקָר; הָרוֹב
mostly *adv* עַל־פִּי רוֹב; בְּעִיקָּר
moth עָשׁ
mothball *n* כַּדּוּר נֶגֶד עָשׁ
moth-eaten *adj* אֲכוּל עָשׁ; מְיוּשָּׁן
mother *n* אֵם; אִמָּא
mother *vt* יָלְדָה; טִיפֵּל כְּאֵם
mother country *n* אֶרֶץ הָאֵם
Mother Goose *n* אִמָּא אַוָּזָה
motherhood *n* אִימָהוּת
mother-in-law *n* חָמוֹת (אם הבעל); חוֹתֶנֶת (אם האישה)
motherland *n* מוֹלֶדֶת
motherless *adj* יְתוֹם מֵאִמּוֹ
motherly *adj* אִמָּהִי
mother-of-pearl *n* אֵם הַפְּנִינָה
mother superior *n* אֵם מִנְזָר

mother wit *n* שֵׂכֶל יָשָׁר
mothy *adj* עָשִׁי; אֲכוּל עָשׁ
motif *n* מוֹטִיב, תֵּנַע
motion *n* תְּנוּעָה, נִיעָה; מַהֲלָךְ; הַצָּעָה (לבית־נבחרים וכד׳)
motion *vt, vi* הִנְחָה, כִּיוֵּן
motionless *adj* חֲסַר תְּנוּעָה
motivate *vt* הֵנִיעַ, גָּרַם
motive *n, adj* מֵנִיעַ, מְנִיעִי
motley *adj, n* מְעוֹרָב, סַסגוֹנִי; תַּעֲרוֹבֶת מְבוּלְבֶּלֶת
motor *n* מָנוֹעַ; רֶכֶב מְמוּנָּע
motor *adj* שֶׁל תְּנוּעָה; מוֹטוֹרִי
motorboat *n* סִירַת־מָנוֹעַ
motorbus *n* אוֹטוֹבּוּס
motorcade *n* שְׁיָירַת מְכוֹנִיּוֹת
motorcar *n* מְכוֹנִית
motorcycle *n* אוֹפַנּוֹעַ
motorist *n* נֶהָג
motorize *vt* מִינֵּעַ
motor launch *n* סִירַת־מָנוֹעַ
motorman *n* נַהַג חַשְׁמַלִּית
motor scooter *n* קַטנוֹעַ
motor ship *n* סְפִינַת־מָנוֹעַ
motor vehicle *n* רֶכֶב מְמוּנָּע
mottle *vt, n* נִימֵּר
motto *n* סִיסְמָה, מוֹטוֹ
mould *see* mold
moulder *see* molder
moulding *see* molding
mouldy *see* moldy
mound *n* תֵּל, גִּבְעָה; עֲרֵימָה
mount *n* כַּן; הַר; מֶרְכָּב (כגון סוס)
mount *vi, vt* עָלָה; הִצִּיב (משמר); קָבַע (תמונה)
mountain *n* הַר
mountain climbing *n* טִיפּוּס הָרִים
mountaineer *n* מְטַפֵּס בֶּהָרִים
mountainous *adj* הֲרָרִי
mountebank *n, vi* רוֹפֵא נוֹכֵל; נוֹכֵל
mounting *n* כַּנָּה; מִקְבָּע; רְכִיבָה
mourn *vi, vt* הִתְאַבֵּל
mourner *n* אָבֵל
mournful *adj* עָצוּב, עָגוּם
mourning *n, adj* אֵבֶל; הִתְאַבְּלוּת; שֶׁל אֲבֵילוּת
mouse *n* (*pl* mice) עַכְבָּר
mouser *n* טוֹרֵף עַכְבָּרִים
mousetrap *n* מַלְכּוֹדֶת עַכְבָּרִים
moustache, mustache *n* שָׂפָם
mouth *n* פֶּה; פֶּתַח; שֶׁפֶךְ (נהר)
mouthful *n* לְגִימָה אַחַת; מְלוֹא לוּגְמָה
mouth-organ *n* מַפּוּחִית־פֶּה
mouthpiece *n* פּוּמִית; דּוֹבֵר
mouthwash *n* תְּמִיסָה לִשְׁטִיפַת פֶּה
movable *adj* נַיָּד, בַּר־נִיעָה
move *vt, vi* הֵנִיעַ, הֵזִיעַ; עָבַר מִדִּירָה לְדִירָה; נָע; נָגַע עַד לֵב; הִצִּיעַ (באסיפה וכד׳)
move *n* הֲנָעָה; תְּנוּעָה; צַעַד; תּוֹר (במשחק)
movement *n* תְּנוּעָה; תְּנוּדָה; פֶּרֶק (במוסיקה); פְּעוּלַּת מֵעַיִם
movie *n* קוֹלְנוֹעַ
moviegoer *n* מְבַקֵּר בְּקוֹלְנוֹעַ
moviehouse *n* בֵּית־קוֹלְנוֹעַ
moving *adj* מִתְנוֹעֵעַ, נָע; נוֹגֵעַ עַד לֵב
moving picture *n* סֶרֶט קוֹלְנוֹעַ
moving spirit *n* רוּחַ חַיָּה
mow *vt, vi* קָצַר, כִּסַּח

mower *n* מַכסֵחָה
mowing machine *n* מַכסֵחָה
M.P. *abbr* Member of Parliament, Military Police
Mr. *abbr* Mister
Mrs. *abbr* Mistress
MS., ms. *abbr* manuscript
Mt. *abbr* Mount
much *n, adj, adv* הַרבֵּה; רַב; מְאוֹד
mucilage *n* רִיר חַלָּמוּת
muck *n* זֶבֶל מֶשֶׁק; לִכלוּך; גוֹעַל־נֶפֶשׁ
muckrake *vi* גִילָּה שְׁחִיתוּת
muckrake *n* שְׁחִיתוּת; מַגרֵפָה לְזֶבֶל
mucous *adj* רִירִי
mucous membrane *n* קְרוּמִית רִירִית
mucus *n* רִיר, לֵחַ
mud *n* בּוֹץ, רֶפֶשׁ
muddle *vt* גָרַם עִרבּוּבְיָה; בִּלבֵּל
muddle *n* עִרבּוּבְיָה; בִּלבּוּל
muddlehead *n* מְבוּלבָּל
muddy *adj* בּוֹצִי; דָלוּחַ
mudguard *n* (בּמכונית) כָּנָף
mudslinger *n* מַתִּיז רֶפֶשׁ, מַשמִיץ
muezzin *n* מוּאַזִּין
muff *n* יְדוֹנִית; הַחֲטָאָה (בּמשׂחק)
muff *vt* נִכשַׁל; 'פִּספֵּס'
muffle *vi, vt* עָטַף, עָטָה; הִתְעַטֵּף
muffler *n* סוּדַר צַוָּאר; עַמָּם (בּמכונית)
mufti *n* לְבוּשׁ אֶזרָחִי
mug *n* סֵפֶל גָדוֹל (המונית); פַּרצוּף (המונית); טִיפֵּשׁ
mug *vt, vi* צִילֵּם; הִתקִיף (לגבּי שׁודד)
muggy *adj* לַח וְחַם
mulatto *n* מוּלָט
mulberry *n* תּוּת
mulct *vt, vi* עָנַשׁ; קָנַס
mule *n* פִּרדָה, פֶּרֶד
muleteer *n* נַהַג פְּרָדוֹת
mulish *adj* פִּרדִי, עַקשָׁנִי
mull *vt, vi* הִרהֵר (בּדבר); הֵכִין תַּמזִיג (יין)
mullion *n* מוּליוֹן, זָקִף תִּיכוֹן
multigraph *n, vt* שַׁכפֵּלָה; שִׁכפֵּל
multilateral *adj* רַב־צְדָדִי
multiple *adj* כָּפוּל, מְכוּפָּל; רַב־פָּנִים
multiple *n* כְּפוּלָה; מִכפָּל
multiplicity *n* רִיבּוּי, רוֹב
multiply *vt, vi* הִכפִּיל; הִתרַבָּה
multitude *n* הַרבֵּה; הָמוֹן
mum *adj* אִילְמִי (דיבּוּרית)
mum *n* אִמָּא
mumble *vt, vi* מִלמֵל
mumble *n* מִלמוּל, לַחַשׁ
mummery *n* הַצָּגָה רֵיקָה
mummy *n* מוּמיָה, גוּף חָנוּט; אִמָּא
mumps *n pl* חַזֶּרֶת
munch *vt, vi* לָעַס
mundane *adj* שֶׁל הָעוֹלָם, אַרצִי
municipal *adj* עִירוֹנִי
municipality *n* עִירִיָּה
munificent *adj* נָדִיב, רְחַב־לֵב
munition dump *n* מִצבּוֹר תַּחמוֹשֶׁת
munitions *n pl* תַּחמוֹשֶׁת
mural *adj* כּוֹתלִי; שֶׁבֵּין כְּתָלִים
mural *n* צִיּוּר קִיר
murder *n, vt* רֶצַח; רָצַח
murderer *n* רוֹצֵחַ
murderess *n* רוֹצַחַת

murderous *adj*	רוֹצְחָנִי
murky *adj*	קוֹדֵר; אָפֵל
murmur *n*	הֲמִיָּה, הֶמְיָה
murmur *vi, vt*	הָמָה, מִלְמֵל
muscle *n*	שְׁרִיר
muscular *adj*	שְׁרִירִי
muse *vi*	הִרְהֵר
museum *n*	בֵּית־נְכוֹת, מוּזֵיאוֹן
mush *n*	כְּתוֹשֶׁת רַכָּה; דַייסָה
mushroom *n, adj*	פִּטְרִייָה; פִּטְרִייָתִי
mushy *adj*	דְמוּי דַייסָה; רַגְשָׁנִי
music *n*	מוּסִיקָה
musical *n*	מַחֲזֶמֶר, קוֹמֶדְיָה מוּסִיקָלִית
musical *adj*	מוּסִיקָלִי
music-box *n*	תֵּיבַת נְגִינָה
music-hall *n*	אוּלַם בִּידוּר מוּסִיקָלִי
musician *n*	מוּסִיקַאי
musicologist *n*	מוּסִיקוֹלוֹג
music-stand *n*	כַּן תָּווִים
musk *n*	מוּשְׁק (אייל המוּשק)
musk-deer *n*	אַיַּל הַמּוּשָׁק
musket *n*	מוּסְקֶט
musketeer *n*	רוֹבַאי, מוּסְקֶטֶר
muskmelon *n*	מֵלוֹן
muskrat *n*	אוֹנְדַטְרָה
muslin *n*	מַלְמָלָה
muss *n*	אִי־סֵדֶר
muss *vt*	הָפַךְ סְדָרִים
Mussulman *n*	מוּסְלְמִי; (בּמחנות הריכּוּז) מוּזֶלְמָן
mussy *adj*	לֹא מְסוּדָּר
must *n*	הֶכְרֵחַ, חוֹבָה; עוֹבֶשׁ
must *vi aux*	הָיָה צָרִיךְ
mustard *n*	חַרְדָּל
muster *n*	מִפְקַד צָבָא; הִתְקַבְּצוּת
muster *vt, vi*	אָסַף לְבִיקּוֹרֶת; רִיכֵּז; נִתְקַבְּצוּ
musty *adj*	עָבֵשׁ, מְעוּפָּשׁ
mutation *n*	הִשְׁתַּנּוּת, מוּטַצְיָה
mute *adj*	שׁוֹתֵק; אִילֵּם
mute *n*	אִילֵּם; עַמְעֶמֶת
mute *vt*	הִשְׁקִיט
mutilate *vt*	קָטַע אֵיבָר; עִיוּוֵת
mutineer *n*	מִתְמָרֵד
mutinous *adj*	מַרְדָנִי
mutiny *n*	מֶרֶד, קֶשֶׁר
mutiny *vi*	מָרַד, הִתְמָרֵד
mutt *n*	כֶּלֶב; פֶּתִי
mutter *vi, vt*	מִלְמֵל; רָטַן
mutter *n*	מִלְמוּל; רִיטוּן
mutton *n*	בְּשַׂר כֶּבֶשׂ
mutton-chop *n*	צֶלַע כֶּבֶשׂ
mutual *adj*	הֲדָדִי; שֶׁל גּוֹמְלִין
muzzle *n*	זְמָם, מַחְסוֹם; לוֹעַ (של כּלי־נשק)
muzzle *vt*	חָסַם, שָׂם מַחְסוֹם
my *pron*	שֶׁלִּי
myriad *n, adj*	אֵין־סְפוֹר; רִיבּוֹא
myrrh *n*	הַמּוֹר הַטּוֹב
myrtle *n*	הַהֲדַס הַמָּצוּי
myself *pron*	אֲנִי עַצְמִי; אוֹתִי; לְבַדִּי
mysterious *adj*	טָמִיר, מִסְתּוֹרִי
mystery *n*	תַּעֲלוּמָה, מִסְתּוֹרִין
mystic(al) *adj*	מִסְטִי, עָלוּם
mystic *n*	דָּבֵק בְּמִסְתּוֹרִין
mysticism *n*	תּוֹרַת הַנִּסְתָּר, מִיסְטִיצִיזְם
mystification *n*	מַתַּן צִבְיוֹן סוֹדִי; הַטְעָיָה
mystify *vt*	הִטְעָה; הֵבִיךְ

myth *n* מִיתוֹס

mythic *adj* מִיתוֹסִי, בָּדוּי

mythological *adj* מִיתוֹלוֹגִי, אַגָּדִי

mythology *n* מִיתוֹלוֹגְיָה

N

N, n אֶן (האות הארבע־עשׂרה באלפבית)

n. *abbr* neuter, nominative, noon, north, noun, number

N.A. *abbr* National Academy, National Army, North America

nab *vt* תָּפַס, אָסַר

nag *n* סוּס קָטָן, סְייָח

nag *vt, vi* הֵצִיק (בנזיפות וכד׳), ׳נִדנֵד׳, טִרחֵן

naiad *n* נִימפַת־מַיִם

nail *n* צִיפּוֹרֶן; מַסמֵר

nail *vt* מִסמֵר; תָּפַס

nail-file *n* מָשׁוֹף לְצִפּוֹרנַיִים

nail polish *n* לַכָּה לְצִיפּוֹרנַיִים

nailset *n* קוֹבֵעַ מַסמֵר

naive *adj* תָּמִים, נָאִיבִי

naked *adj* עָרוֹם, חָשׂוּף

name *n* שֵׁם, כִּינּוּי

name *vt* כִּינָּה, קָרָא בְּשֵׁם

name day *n* יוֹם הַקָּדוֹשׁ

nameless *adj* בֶּן בְּלִי שֵׁם; לְלֹא שֵׁם

namely *adv* כְּלוֹמַר

namesake *n* בַּעַל אוֹתוֹ שֵׁם

nanny-goat *n* תַּיִשָׁה, עֵז

nap *n* תְּנוּמָה, שֵׁינָה קַלָּה

napalm *n* נַפָּאלם

nape *n* מַפרֶקֶת

naphtha *n* נֵפְט

napkin *n* מַפִּית שׁוּלחָן

napkin ring *n* טַבַּעַת מַפִּית

Naples *n* נַפּוֹלִי; סַם

Napoleonic *adj* נַאפּוֹלֵיאוֹנִי

narcosis *n* אִלחוּשׁ, נַרקוֹזָה

narcotic *adj, n* נַרקוֹטִי

narrate *vt* סִיפֵּר

narration *n* סִיפּוּר, הַגָּדָה

narrative *adj, n* סִיפּוּרִי; סִיפּוּר

narrator *n* מְסַפֵּר

narrow *n* מַעֲבָר צַר

narrow *adj* צַר, דָחוּק

narrow *vt, vi* הֵצֵר, צִמצֵם; הִצטַמצֵם

narrow-gauge *n, adj* (מסילת־ברזל) צָרָה

narrow-minded *adj* צַר־אוֹפֶק

nasal *adj* אַפִּי, חוֹטמִי

nasturtium *n* כּוֹבַע הַנָּזִיר

nasty *adj* מְטוּנָּף

natal *adj* שֶׁל לֵידָה

nation *n* אוּמָּה, לְאוֹם

national *adj* לְאוּמִי

national *n* אֶזְרָח

nationalism *n* לְאוּמִיּוּת

nationalist *n* לְאוּמִי

nationality *n* לְאוּמִיּוּת, הִשְׁתַּיְּכוּת לְאוּמִית

nationalize *vt* הִלְאִים

native *adj* טִבְעִי, טָבוּעַ מִלֵּידָה; יָלִיד

native *n* יְלִיד; תּוֹשָׁב מְקוֹמִי

native land *n* מוֹלֶדֶת

nativity *n* לֵידָה

N.A.T.O. *n* נָאטוֹ (ארגון הברית הצפון־אטלנטית)

natty *adj* מְסוּדָּר וְנָקִי

natural *adj* טִבְעִי

natural *n* מְפַגֵּר מִלֵּידָה; מוּצלָח

naturalism *n* טִבְעִיּוּת, נָטוּרָלִיזם

naturalist *n* חוֹקֵר טֶבַע; נָטוּרָלִיסט

naturalization *n* הִתְאַזְרְחוּת; אִזְרוּחַ

naturalization papers *n pl* תְּעוּדַת הִתְאַזְרְחוּת

naturalize *vt*, *vi* אִזְרֵחַ; הִתְאַזְרֵחַ

naturally *adv* בְּדֶרֶךְ הַטֶּבַע; כַּמּוּבָן

nature *n* טֶבַע; אוֹפִי

naught *n* אֶפֶס

naughty *adj* שׁוֹבָב; רַע, גַּס

nausea *n* בְּחִילָה

nauseate *vt*, *vi* הִגְעִיל; סָלַד מ...

nauseating *adj* מַגְעִיל, מַסְלִיד

nauseous *adj* מַגְעִיל, מַסְלִיד

nautical *adj* יַמִּי

naval *adj* שֶׁל הַצִּי, שֶׁל חֵיל־הַיָּם

naval station *n* תַּחֲנַת שֵׁירוּת חֵיל הַיָּם

nave *n* טַבּוּר הַגַּלְגַּל; תּוֹךְ הָאוּלָם (של כנסייה)

navel *n* טַבּוּר

navel orange *n* תַּפּוּז טַבּוּרִי

navigability *n* אֶפְשָׁרוּת הָעֲבִירָה

navigable *adj* עָבִיר (ים, למשל)

navigate *vi*, *vt* נָהַג בְּאוֹנִיָּה; נִיוֵּט

navigation *n* נִיוּוּט; שַׁיִט

navigator *n* נַוָּט; עוֹבֵר יַמִּים

navvy *n* פּוֹעֵל שָׁחוֹר

navy *n* חֵיל־הַיָּם

navy blue *adj* כָּחוֹל כֵּהֶה

navy yard *n* מִסְפֶּנֶת חֵיל־הַיָּם

Nazarene *n* תּוֹשַׁב נָצְרַת; נוֹצְרִי

Nazi *n* נָאצִי

N.B. *abbr* Nota Bene נ.ב., עִיקָר שָׁכַחְתִּי

N–bomb *n* פִּצְצַת חַנְקָן

Neapolitan *adj* נַפּוֹלִיטָנִי

neap tide *n* הַגֵּאוּת הַנְּמוּכָה בְּיוֹתֵר בְּזֶרֶם הַיָּם

near *adj*, *adv*, *prep* קָרוֹב, סָמוּךְ, לְיַד

nearby *adj* סָמוּךְ

Near East *n* הַמִּזְרָח הַקָּרוֹב

nearly *adv* כִּמְעַט, בְּקֵירוּב

nearsighted *adj* קְצַר־רְאוּת

nearsightedness *n* קוֹצֶר־רְאוּת

neat *adj* מְסוּדָּר וְנָקִי; עָשׂוּי יָפֶה; (משקה) לֹא מָהוּל

nebula *n* עַרְפִילִית; עֲמוּמָה (בעין)

nebular *adj* עַרְפִילִי

nebulous *adj* מְעוּרְפָּל

necessary *adj*, *n* דָּרוּשׁ, הֶכְרֵחִי; מִצְרָךְ חִיּוּנִי

necessitate *vt* הִצְרִיךְ

necessitous *adj* נִצְרָךְ

necessity *n* צוֹרֶךְ, הֶכְרֵחַ

neck *n* צַוָּאר; גָּרוֹן

neck *vi* הִתְעַלְּסוּ
neckband *n* צַוָּאר (של בגד)
necklace *n* עֲנָק, מַחֲרוֹזֶת
necktie *n* עֲנִיבָה
necrology *n* נֶקְרוֹלוֹג;רְשִׁימַת מֵתִים
necromancy *n* אוֹב
née *adj* נוֹלְדָה, לְבֵית...
need *n* צוֹרֶךְ; מְצוּקָה
need *vt, vi* הִצְטָרֵךְ, הָיָה זָקוּק ל...
needful *adj* דָּרוּשׁ
needle *n* מַחַט
needle *vt* תָּפַר בְּמַחַט; (המונית) עָקַץ, הִקְנִיט
needle-point *n* חוּד מַחַט
needless *adj* שֶׁלֹּא לְצוֹרֶךְ
needlework *n* תְּפִירָה, רִקְמָה
needs *adv* בְּהֶכְרֵחַ
needy *adj* נִצְרָךְ
ne'er-do-well *n, adj* לֹא־יוּצְלַח
negation *n* שְׁלִילָה, בִּיטּוּל; הֶעְדֵּר
negative *adj* שְׁלִילִי; נֶגָטִיבִי
negative *n* שְׁלִילָה; גּוֹדֶל שְׁלִילִי, נֶגָטִיב
negative *vt* דָּחָה, שָׁלַל
neglect *n* הַזְנָחָה; רַשְׁלָנוּת; מֶחְדָּל
neglect *vt* הִזְנִיחַ, הִתְרַשֵּׁל לְגַבֵּי; חָדַל לָתֵת דַּעְתּוֹ
neglectful *adj* רַשְׁלָנִי, מַזְנִיחַ
negligée *n* חָלוּק שֶׁל אִשָּׁה, נֶגְלִיזֶ'ה
negligence *n* רַשְׁלָנוּת
negligent *adj* רַשְׁלָנִי, מְרוּשָּׁל
negligible *adj* שֶׁאֶפְשָׁר לְהִתְעַלֵּם מִמֶּנּוּ
negotiable *n* עָבִיר; סָחִיר
negotiate *vi, vt* נָשָׂא וְנָתַן; עָבַר (על מכשול וכד׳)
negotiation *n* מַשָּׂא־וּמַתָּן

Negro, negro *n, adj* כּוּשִׁי, שְׁחוֹם עוֹר
neigh *vi, n* צָהַל; צָהֳלָה
neighbor *n* שָׁכֵן
neighborhood *n* שְׁכֵנוּת; סְבִיבָה
neighboring *adj* שָׁכֵן, סָמוּךְ
neighborly *adj* מִתְיַיחֵס כָּרָאוּי לְשָׁכֵן, יְדִידוּתִי
neither *adj, pron* אַף אֶחָד (משניים); גַּם לֹא
Nemesis *n* נֶמֶזִיס; הַיָּד הַנּוֹקֶמֶת
neologism *n* מִלָּה חֲדָשָׁה; תַּחְדִּישׁ
neomycin *n* נֵיאוֹמִיצִין
neon *n* נֵיאוֹן
neophyte *n* טִירוֹן
Nepal *n* נֶאפָּל, נֶפָּל
nephew *n* אַחְיָין
Neptune *n* נֶפְטוּן
neptunium *n* נֶפְטוּנְיוּם
Nereid *n* נֵרֵאִידָה
Nero *n* נֵירוֹן
nerve *n* עָצָב; קוֹר־רוּחַ; תְּעוּזָּה; חוּצְפָּה; (בריבוי) עַצְבָּנוּת
nerve-racking *adj* מוֹרֵט עֲצַבִּים
nervous *adj* עַצְבָּנִי; עֲצַבִּי
nervousness *n* עַצְבָּנוּת, חֲרָדָה
nervy *adj* עַצְבָּנִי; מְעַצְבֵּן
nest *n, vi* קֵן; קִינֵּן
nest-egg *n* בֵּיצַת־קֵן; כֶּסֶף שָׁמוּר (לשעת חירום)
nestle *vi, vt* שָׁכַב בִּנְוֹחִיּוּת; הִתְרַפֵּק
net *n* רֶשֶׁת; מִכְמוֹרֶת
net *vt, vi* עָשָׂה רֶשֶׁת; לָכַד בְּרֶשֶׁת
net *adj, vt* נֶטוֹ, נָקִי; הִרְוִיחַ (רווח נקי)
Netherlander *adj* הוֹלַנְדִּי
Netherlands *n* הוֹלַנְד

netting *n* רִישׁוּת

nettle *n, vt* סִרְפָּד; עָקַץ

network *n* מַעֲשֵׂה־רֶשֶׁת; הִסְתָּעֲפוּת

neuralgia *n* נֶבְרַלְגִּיָה

neurology *n* נֶבְרוֹלוֹגְיָה

neurosis *n* נֶבְרוֹזָה

neurotic *adj, n* נֶבְרוֹטִי

neut. *abbr* neuter

neuter *adj, n* סְתָמִי; מְחוּסַּר מִין

neutral *adj, n* נֵיטְרָלִי

neutralism *n* מְדִינִיּוּת נֵיטְרָלִית

neutrality *n* נֵיטְרָלִיּוּת

neutralize *vt* נִטְרֵל

neutron *n* נוֹיטְרוֹן

never *adv* לְעוֹלָם לֹא

nevermore *adv* לֹא עוֹד

nevertheless *n* אַף־עַל־פִּי־כֵן

new *adj, adv* חָדָשׁ

new arrival *n* מִקָּרוֹב בָּא

newborn *adj* שֶׁזֶּה עַתָּה נוֹלַד

newcomer *n* מִקָּרוֹב בָּא

new-fangled *adj* חָדִישׁ

Newfoundland *n* נְיוּפַאוּנְדְלַנְד

newly *adv* זֶה לֹא כְּבָר; מֵחָדָשׁ

newlywed *adj, n* נָשׂוּי זֶה לֹא כְּבָר

new moon *n* מוֹלַד הַיָּרֵחַ

news *n* חֲדָשׁוֹת

news agency *n* סוֹכְנוּת יְדִיעוֹת

news beat *n* גִּזְרַת יְדִיעוֹת

newscast *n* מִשְׁדַּר חֲדָשׁוֹת

newscaster *n* קַרְיַין חֲדָשׁוֹת

news conference *n* מְסִיבַּת עִיתּוֹנָאִים

news coverage *n* סִיקּוּר חֲדָשׁוֹת

newsman *n* מוֹכֵר עִיתּוֹנִים

newspaper *n* עִיתּוֹן

newspaperman *n* עִיתּוֹנַאי

newsprint *n* נְיַיר עִיתּוֹנִים

newsreel *n* יוֹמַן חֲדָשׁוֹת

newsstand *n* דּוּכַן עִיתּוֹנִים

newsworthy *adj* רָאוּי לְפִרְסוּם

newsy *adj, n* שׁוֹפֵעַ חֲדָשׁוֹת

New Testament *n* הַבְּרִית הַחֲדָשָׁה

new-world *adj* שֶׁל הָעוֹלָם הֶחָדָשׁ

New Year's card כַּרְטִיס בְּרָכָה לַשָּׁנָה הַחֲדָשָׁה

New Year's Day *n* רֹאשׁ הַשָּׁנָה

New Year's Eve *n* עֶרֶב רֹאשׁ הַשָּׁנָה

New York *n* נְיוּ יוֹרְק

New Yorker *n* נְיוּ יוֹרְקִי

New Zealand *n* נְיוּ זִילַנְד

next *adj, adv* הַקָּרוֹב; הַבָּא; שֶׁלְּאַחַר

next best *n* אַחֲרֵי הַטּוֹב בְּיוֹתֵר

next-door *adj* שָׁכֵן, סָמוּךְ

next of kin *n* הַקָּרוֹב בְּיוֹתֵר בַּמִּשְׁפָּחָה

niacin *n* חוּמְצַת נִיקוֹטִין

Niagara Falls *n pl* מַפְּלֵי נִיאַגָרָה

nibble *vt, vi* כִּרְסֵם; נִיגֵּס

nibble *n* כִּרְסוּם, נֶגֶס

Nicaraguan *adj, n* נִיקָרָגוּאִי

nice *adj* נָאֶה; נֶחְמָד; עָדִין; טָעִים; דַּק

nice looking *adj* נָאֶה לְמַרְאֶה

nicely *adv* הֵיטֵב, כָּרָאוּי

nicety *n* קַפְּדָנוּת; דִּיּוּק; עֲדִינוּת

niche *n* גּוּמְחָה

nick *n, vt* חֲתָךְ קָטָן, חָרִיץ; עָשָׂה חָרִיץ

nickel *n* נִיקֶל

nickel-plate *vt, n* צִיפָּה בְּנִיקֶל; צִיפּוּי בְּנִיקֶל

nick-nack *n* תַּכְשִׁיט קָטָן

nickname *n* כִּינּוּי חִיבָּה; שֵׁם לְוַאי
nicotine *n* נִיקוֹטִין
niece *n* אַחְיָינִית
nifty *adj* יָפֶה, הָדוּר
niggard *adj, n* קַמְּצָן, כִּילַי
night *n* לַיְלָה
nightcap *n* כִּיפַּת לַיְלָה; כּוֹסִית אַחֲרוֹנָה
night-club *n* מוֹעֲדוֹן לַיְלָה
nightfall *n* עֲרוֹב יוֹם
nightgown *n* כְּתוֹנֶת לַיְלָה
nightingale *n* זָמִיר
night letter *n* מִבְרַק לַיְלָה
nightlong *adj* שֶׁנִּמְשָׁךְ כָּל הַלַּיְלָה
nightly *adj* לֵילִי
nightmare *n* חֲלוֹם בַּלָּהוֹת
nightmarish *adj* סִיוּטִי
night-owl *n* צִיפּוֹר לַיְלָה
nightshirt *n* כְּתוֹנֶת לַיְלָה
night-time *n* חֶשְׁכַת לַיְלָה
nightwalker *n* מְשׁוֹטֵט בַּלַּיְלָה
night-watchman *n* שׁוֹמֵר לַיְלָה
nihilism *n* נִיהִילִיזם, אַפְסָנוּת
nihilist *n* נִיהִילִיסט, אַפְסָן
Nile *n* נִילוּס, הַיְאוֹר
nimble *adj* זָרִיז, מָהִיר
nimbus *n* הִילָּה
nincompoop *n* אֶפֶס, חֲסַר אוֹפִי
nine *adj, n* תִּשְׁעָה, תֵּשַׁע
nine hundred *n* תְּשַׁע מֵאוֹת
nineteen *adj, n* תִּשְׁעָה־עָשָׂר; תְּשַׁע־עֶשְׂרֵה
nineteenth *adj, n* הַתִּשְׁעָה־עָשָׂר, הַתְּשַׁע־עֶשְׂרֵה
ninetieth *adj* הַתִּשְׁעִים
ninety *adj, n* תִּשְׁעִים
ninth *adj, n* הַתְּשִׁיעִי; תְּשִׁיעִית
nip *n* צְבִיטָה, נְשִׁיכָה; קוֹר; לְגִימָה
nip *vt* צָבַט, נָשַׁךְ
nipple *n* דַּד, פִּטְמָה
Nippon *n* נִיפּוֹן, יַפָּן
nippy *adj, n* זָרִיז; קַר; חָרִיף
nit *n* בֵּיצַת כִּינָּה
nitrate *n* חַנְקָה
nitric acid *n* חוּמְצָה חַנְקָנִית
nitrogen *n* חַנְקָן
nitroglycerin(e) *n* נִיטרוֹגלִיצֵרִין
nitwit *n* סָכָל
no *adj, adv* לֹא; לְלֹא
Noah *n* נֹחַ
nobby *adj* (המונית) טַרְזָן
nobility *n* אֲצִילוּת
noble *adj* אָצִיל, יְפֵה־נֶפֶשׁ
nobleman *n* אָצִיל
nobody *n* אַף לֹא אֶחָד
nocturnal *adj* לֵילִי
nod *n* נִעְנוּעַ רֹאשׁ
nod *vt, vi* הֵנִיעַ רֹאשׁוֹ; שָׁמַט רֹאשׁוֹ (מתוך נמנום)
node *n* בְּלִיטָה, גוּלָה; קֶשֶׁר
nohow *adv* (דיבורית) בְּשׁוּם דֶּרֶךְ
noise *n* רַעַשׁ, שָׁאוֹן
noise *vt, vi* פִּרְסֵם, הֵפִיץ
noiseless *adj* שָׁקֵט
noisy *adj* רוֹעֵשׁ, רַעֲשָׁנִי
nomad *n, adj* נַוָּד
nomadic *adj* נַוָּדִי
no man's land *n* שֶׁטַח הֶפְקֵר
nominal *adj* שֶׁמִּי; (ערך וכד׳) נָקוּב
nominate *vt* הִצִּיעַ (כמועמד)

nomination *n* הַצָּעַת מוּעֲמָד
nominative *adj, n* נוֹשֵׂא, נוֹשְׂאִי
nominee *n* מוּעֲמָד
non-belligerent *adj* לֹא לוֹחֵם
nonchalance *n* שִׁווְיוֹן־נֶפֶשׁ
nonchalant *adj* קַר־רוּחַ, אָדִישׁ
noncombatant *adj, n* לֹא לוֹחֵם
noncommissioned officer *n* מַשַּׁ״ק
noncommittal *adj* בִּלְתִּי־מְחַייֵב
nonconformist *n* לֹא מִסְתַּגֵּל; לֹא תּוֹאֲמָן
nondescript *adj* שֶׁאֵינוֹ נִיתָּן לְתֵיאוּר
none *pron, adj, adv* אַף לֹא אֶחָד; כְּלָל לֹא
nonentity *n* (לְגַבֵּי אדם) אֶפֶס; אִי־קִיוּם
nonfiction *n* לֹא סִיפּוֹרֶת
nonfulfillment *n* אִי־בִּיצוּעַ, אִי־מִילּוּי
nonintervention *n* אִי־הִתְעָרְבוּת
nonmetallic *adj* אַלְמַתַּכְתִּי
nonplus *vt* הֵבִיךְ
nonprofit *adj* שֶׁלֹּא עַל־מְנַת לְהָפִיק רֶווַח
nonresident *n, adj* לֹא תּוֹשָׁב
nonresidential *adj* שֶׁלֹּא לִמְגוּרִים
nonscientific *adj* לֹא מַדָּעִי
nonsectarian *adj* אַל כִּיתָּתִי
nonsense *n* הֲבָלִים
nonsensical *adj* טִיפְּשִׁי
non-skid *adj* מְחוּסָּן נֶגֶד הַחֲלָקָה
nonstop *adj, adv* יָשִׁיר; לְלֹא הֶפְסֵק
noodle *n* אִטְרִייָּה; פֶּתִי
nook *n* פִּינָּה
noon *n* צָהֳרַיִים
no-one *n* אַף לֹא אֶחָד

noontime, noontide *n* שְׁעַת צָהֳרַיִים
noose *n* לוּלָאָה; קֶשֶׁר
nor *conj* לֹא, וְאַף לֹא
Nordic *n, adj* נוֹרְדִי
norm *n* נוֹרְמָה, תֶּקֶן
normal *adj* תָּקִין, תִּקְנִי, נוֹרְמָלִי
Normandy *n* נוֹרְמַנְדִיָה
Norse *adj, n* נוֹרְבֵגִי; נוֹרְבֵגִית
Norseman *n* נוֹרְבֵגִי
north *n, adj, adv* צָפוֹן; צְפוֹנִי; צָפוֹנָה
North America *n* אֲמֵרִיקָה הַצְּפוֹנִית
North American *adj, n* צְפוֹן־אֲמֵרִיקָנִי
northeaster *n* רוּחַ צְפוֹנִית־מִזְרָחִית
northern *adj* צְפוֹנִי
North Korea *n* צְפוֹן קוֹרֵיאָה
north wind *n* רוּחַ צְפוֹנִית
Norway *n* נוֹרְבֶגְיָה
Norwegian *adj, n* נוֹרְבֵגִי; נוֹרְבֵגִית
nos. *abbr* numbers
nose *n* אַף, חוֹטֶם
nose *vt, vi* רִחְרֵחַ; חִיטֵּט
nosebag *n* שַׂק מִספּוֹא
nosebleed *n* דֶּמֶם אַף
nosedive *n* צְלִילָה (שֶׁל מָטוֹס)
nosegay *n* זֵר
nose-ring *n* נֶזֶם
nostalgia *n* גַּעֲגוּעִים לֶעָבָר; נוֹסְטַלְגְיָה
nostalgic *adj* מַעֲלֶה גַּעֲגוּעִים; נוֹסְטַלְגִי
nostril *n* נְחִיר
nosy *adj, n* גְּדוֹל אַף; סַקְרָנִי
not *adv* אַיִן, אֵין; לֹא
notable *adj, n* רָאוּי לְצִיּוּן; אִישִׁיּוּת דְּגוּלָה
notarize *vt, vi* קִיֵּם, אִישֵּׁר

notary *n* נוֹטַריוֹן
notch *n* חֵרֶק, חָרִיץ
notch *vt* חֵירֵק, חָרַץ
note *n* פֶּתֶק, פִּתְקָה; רְשִׁימָה; (במוסיקה) תָּו
note *vt* רָשַׁם; שָׂם לֵב
notebook *n* פִּנְקָס
noted *adj* מְפוּרסָם
notepaper *n* נְיַיר מִכְתָּבִים
noteworthy *adj* רָאוּי לְצִיּוּן
nothing *n* אֶפֶס, לֹא־כְלוּם
notice *n* הוֹדָעָה; מוֹדָעָה; הַתְרָאָה; תְּשׂוּמֶת־לֵב
notice *vt* שָׂם לֵב, הִבְחִין
noticeable *adj* בּוֹלֵט, נִיכָּר
notify *vt* הוֹדִיעַ
notion *n* מוּשָּׂג, רַעְיוֹן; נְטִיָּיה
notoriety *n* פִּרסוּם לְשִׁמְצָה
notorious *adj* יָדוּעַ לְשִׁמְצָה
no-trump *adj, n* לֹא (אָדָם) מַזְהִיר
notwithstanding *prep, adv, conj* לַמרוֹת שֶׁ..., לַמרוֹת
nougat *n* נוּגָט
nought *n* אֶפֶס
noun *n* שֵׁם־עֶצֶם
nourish *vt, vi* זָן; הֵזִין
nourishing *adj* מֵזִין
nourishment *n* הֲזָנָה
nova *n* כּוֹכָב חָדָשׁ
Nova Scotia *n* נוֹבָה סקוֹטִיָה
novel *n* רוֹמָן
novelist *n* סוֹפֵר, מְחַבֵּר רוֹמָנִים
novelty *n* חִידּוּשׁ; זָרוּת
November *n* נוֹבֶמבֶּר
novice *n* טִירוֹן
novocaine *n* נוֹבוֹקָאִין
now *adv, conj, n* עַתָּה, עַכְשָׁיו, כָּעֵת; עַתָּה שֶׁ...; הֲרֵי
nowadays *adv* בְּיָמֵינוּ
noway, noways *adv* כְּלָל לֹא
nowhere *adv* בְּשׁוּם מָקוֹם לֹא
noxious *adj* מַזִּיק
nozzle *n* נְחִיר, זַרבּוּבִית
nth. *adj* שֶׁל n, בְּחֶזְקַת n
nuance *n* גּוּנוּן
nub *n* גַּבשׁוּשִׁית; עִיקָר
nuclear *adj* גַּרעִינִי
nucleus *n* (*pl* nuclei) גַּרעִין
nude *adj, n* עָרוֹם; עֵירוֹם
nudge *n, vt* דְּחִיפָה קַלָּה; דָּחַף קַלּוֹת
nugget *n* גּוּשׁ זָהָב גּוֹלְמִי
nuisance *n* מִטְרָד; טַרדָן
null *adj* בָּטֵל
nullify *vt* אִיפֵּס; בִּיטֵּל
nullity *n* אַפסוּת; חוֹסֶר קִיּוּם
numb *adj* חֲסַר תְּחוּשָׁה
numb *vt* גָּרַם לְאוֹבדַן תְּחוּשָׁה
number *n* מִספָּר; סִפְרָה; כַּמּוּת
number *vt, vi* סָפַר; מִספֵּר
numberless *adv* לְאֵין־סְפוֹר
numeral *adj, n* מִספָּרִי; סִפְרָה
numerical *adj* מִספָּרִי
numerous *adj* רַב, רַבִּים
numskull *n* טִיפֵּשׁ
nun *n* נְזִירָה
nuptial *adj* שֶׁל נִישּׂוּאִים
nurse *n* אָחוֹת רַחֲמָנִיָּה
nurse *vt* הֵינִיקָה; טִיפֵּל (בחולה)
nursery *n* חֲדַר יְלָדִים; מִשְׁתָּלָה
nurseryman *n* בַּעַל מִשְׁתָּלָה

nursery school *n* גַן־יְלָדִים
nursing *n* מִקצוֹעַ הָאָחוֹת; טִיפּוּל
nursing bottle *n* בַּקבּוּק לְתִינוֹק
nursing home *n* בֵּית־חוֹלִים פְּרָטִי
nurture *vt* הֵזִין, טִיפֵּחַ
nut *n* אֱגוֹז; אוֹם; אָדָם מוּזָר
nutcracker *n* מַפצֵחַ
nutmeg *n* אֱגוֹז מוּסקָט
nutriment *n* מָזוֹן מֵזִין
nutrition *n* תְּזוּנָה; הֲזָנָה
nutritious *adj* מֵזִין
nutshell *n* קְלִיפַּת אֱגוֹז; תַּמצִית
nutty *adj* מָלֵא אֱגוֹזִים; אֱגוֹזִי; (דיבורית) מְטוֹרָף
nuzzle *vt, vi* חִיכֵּך אֶת הָאַף
nylon *n* נַיילוֹן
nymph *n* נִימפָה, צְעִירָה יָפָה

O

O, o אוֹ (האות החמש־עשׂרה באלפבית)
O *interj* הוֹ!, הוֹי!, אוֹי!
oaf *n* גּוֹלֶם, שׁוֹטֶה
oak *n* אַלּוֹן; עֵץ אַלּוֹן
oaken *adj* מֵאַלּוֹן
oakum *n* נְעוֹרֶת חֲבָלִים
oar *n* מָשׁוֹט; חוֹתֵר
oarsman *n* מְשׁוֹטַאי
oasis *n* (*pl* oases) נְאַת מִדבָּר
oat *n* שִׁיבּוֹלֶת־שׁוּעָל
oath *n* שְׁבוּעָה, נֶדֶר
oatmeal *n* קֶמַח שִׁבּוֹלֶת־שׁוּעָל
ob. *abbr* obiit (Latin) נִפטַר
obbligato *adj, n* הֶכרֵחִי (קטע)
obduracy *n* עַקשָׁנוּת
obdurate *adj* עַקשָׁן
obedience *n* צִיוּת, צַייְתָנוּת
obedient *adj* מְצַייֵת, צַייְתָן
obeisance *n* קִידָּה
obelisk *n* אוֹבֶּלִיסק
obese *adj* שָׁמֵן בְּיוֹתֵר
obesity *n* שׁוֹמֶן הַגּוּף
obey *vt* צִייֵת
obituary *n* הֶספֵּד
object *vt, vi* הִתנַגֵּד, עִרעֵר עַל
object *n* חֵפֶץ; נוֹשֵׂא; תַּכלִית; (בדקדוק) מוּשָׂא
objection *n* הִתנַגְּדוּת; עִרעוּר
objectionable *adj* מְעוֹרֵר הִתנַגְּדוּת
objective *adj* אוֹבּייֶקטִיבִי; לֹא מְשׁוּחָד
objective *n* מַטָּרָה; יַעַד
obligate *vt* חִייֵּב, הִכרִיחַ
obligation *n* הִתחַייְבוּת, חוֹבָה
oblige *vt* הִכרִיחַ, חִייֵּב
obliging *adj* מֵיטִיב, גּוֹמֵל טוֹבָה
oblique *adj* מְשׁוּפָּע, מְלוּכסָן
obliterate *vt* מָחָה; הִכחִיד

oblivious *adj* מִתעַלֵם, אֵינוֹ חָשׁ
oblong *adj, n* מוֹאֳרָך, מַלבֵּנִי; מַלבֵּן
obnoxious *adj* נִתעָב
oboe *n* אַבּוּב
oboist *n* מְנַגֵן בְּאַבּוּב
obs. *abbr* obsolete
obscene *adj* מְגוּנֶה, שֶׁל זִימָּה
obscenity *n* נִיבּוּל־לָשׁוֹן
obscure *adj* אָפֵל; מְעוּרפָּל; סָתוּם
obscure *vt* הִסתִּיר; הֶאֱפִיל
obscurity *n* אֲפֵילָה; אִי־בְּהִירוּת
obsequies *n pl* טֶקֶס קְבוּרָה
obsequious *adj* מִתרַפֵּס
observance *n* קִיוּם (מצוות או חוקים)
observant *adj, n* פְּקוּחַ עַיִן; שׁוֹמֵר מִצווֹת
observation *n* הִתבּוֹנְנוּת, תַּצפִּית; הֶעָרָה
observatory *n* מִצפֶּה
observe *vt, vi* הִתבּוֹנֵן; צָפָה; קִיֵים (חוק וכד׳)
observer *n* מַשׁקִיף
obsess *vt* הִשׁתַּלֵט עַל
obsession *n* שִׁיגָעוֹן לְדָבָר אֶחָד
obsolete *adj, n* מְיוּשָׁן, לֹא בְּשִׁימוּשׁ
obstacle *n* מִכשׁוֹל
obstetric(al) *adj* שֶׁל מְיַילְדוּת
obstetrics *n* מְיַילְדוּת
obstinacy *n* עַקשָׁנוּת
obstinate *adj* עַקשָׁן
obstruct *vt* שָׂם מִכשׁוֹל; חָסַם
obstruction *n* מִכשׁוֹל; הַפרָעָה
obtain *vt* הִשִּׂיג, רָכַשׁ
obtrusive *adj* נִדחָק, טַרדָנִי
obtuse *adj* קֵהֶה (בצורה, ברגש, בתפיסה)
obviate *vt* הֵסִיר (מכשול), מָנַע
obvious *adj* בָּרוּר, פָּשׁוּט
occasion *n* הִזדַמְנוּת
occasion *vt* גָרַם
occasional *adj* הִזדַמְנוּתִי, שֶׁלִפעָמִים
occident *n* אַרצוֹת הַמַעֲרָב
occult *adj* מִסתּוֹרִי, כָּמוּס; מִיסטִי
occupancy *n* הַחֲזָקָה; דַייָרוּת
occupant *n* דַייָר; מַחֲזִיק
occupation *n* מִשׁלַח יָד; כִּיבּוּשׁ
occupy *vt, vi* תָּפַס (מקום, זמן); הֶעֱסִיק; כָּבַשׁ
occur *vi* קָרָה; עָלָה (על הדעת)
occurrence *n* מְאוֹרָע, הִתרַחֲשׁוּת
ocean *n* אוֹקייָנוֹס
oceanic *adj* אוֹקייָנוֹסִי
o'clock *adv* עַל־פִּי הַשָׁעוֹן
octave *n* אוֹקטָבָה
October *n* אוֹקטוֹבֶּר
octopus *n* תְּמַנוּן
octoroon *n* שְׁמִינִיוֹן
ocular *adj* עֵינִי, רְאִייָתִי
oculist *n* רוֹפֵא עֵינַיִים
O.D. *abbr* officer of the day
odd *adj, n* פֶּרֶט; שׁוֹנֶה; מוּזָר
oddity *n* מוּזָרוּת; מוּזָר
odd jobs *n pl* עֲבוֹדוֹת מִקרִיוֹת
odd lot *n* שְׁאֵרִית, מִכלוֹל לֹא־אָחִיד
odds *n pl* סִיכּוּיִים; תְּנָאֵי הִימוּר
odds and ends *n pl* שְׁאֵרִיוֹת
ode *n* אוֹדָה
odious *adj* דוֹחֶה, שָׂנוּא
odor *n* רֵיחַ
odorous *adj* רֵיחָנִי
odorless *adj* חֲסַר רֵיחַ

Odyssey *n* אוֹדִיסֵיאָה
of *prep* שֶׁל, מִן, עַל
off *adv, prep* בְּמֶרְחָק; רָחוֹק
off *adj* מְרוּחָק יוֹתֵר
offal *n* שִׁירַיִים
offbeat *adj* יוֹצֵא דוֹפֶן
offchance *n* אֶפְשָׁרוּת רְחוֹקָה
offend *vt, vi* פָּגַע בּ...; הֶעֱלִיב
offender *n* מֵפֵר חוֹק, אָשֵׁם
offense *n* פְּגִיעָה; חֵטְא
offensive *adj* שֶׁל הַתְקָפָה; דוֹחֶה, פּוֹגֵעַ
offensive *n* מִתְקָפָה
offer *vt, vi* הִצִּיעַ; הִגִּישׁ, הוֹשִׁיט
offer *n* הַצָּעָה
offering *n* קוֹרְבָּן; מַתָּנָה
offhand *adj, adv* כִּלְאַחַר יָד
office *n* מִשְׂרָד; מִשְׂרָה
office-boy *n* נַעַר שָׁלִיחַ
office holder *n* נוֹשֵׂא מִשְׂרָה
office seeker *n* שׁוֹאֵף לְתַפְקִיד
officer *n* קָצִין
office supplies *n pl* צוֹרְכֵי מִשְׂרָד
official *adj, n* רִשְׁמִי; פָּקִיד
officiate *vi* כִּיהֵן, שִׁימֵּשׁ בְּתַפְקִיד
officious *adj* מִתְעָרֵב (שֶׁלֹּא לְצוֹרֶךְ)
off-peak load *n* עוֹמֶס לֹא מְרַבִּי
offprint *n* תַּדְפִּיס
offset *vt* אִיזֵּן, קִיזֵּז; הִדְפִּיס בְּאוֹפְסֶט
offset printing *n* הַדְפָּסַת צִילּוּם
offshoot *n* נֵצֶר; פּוֹעַל יוֹצֵא
offshore *adj, adv* מִן הַחוֹף וָהָלְאָה
offspring *n* צֶאֱצָא, יְלָדִים
off-stage *n* קָלְעֵי הַבִּימָה
off-the-record *adj* לֹא לְפִרְסוּם
often *adv* לְעִתִּים קְרוֹבוֹת
ogle *vt* הֵעִיף מַבָּט חַשְׁקָנִי
ogre *n* מִפְלֶצֶת
ohm *n* אוֹם
oil *n* שֶׁמֶן; נֵפְט
oil *vt, vi* שִׁימֵּן
oilcan *n* קַנְקַן שֶׁמֶן
oilcloth *n* שַׁעֲוָונִית
oil-gauge *n* מַד־שֶׁמֶן
oil pan *n* אַמְבַּט שֶׁמֶן
oil-tanker *n* מֵיכָלִית
oily *adj* שַׁמְנִי; מָלֵא שֶׁמֶן
ointment *n* מִשְׁחָה
O.K. *adj, n* נָכוֹן; אִישּׁוּר; אִישֵּׁר
okra *n* בַּמְיָה
old *adj* יָשָׁן; זָקֵן; בֶּן (...שָׁנִים)
old age *n* זִקְנָה
old boy *n* תַּלְמִיד לְשֶׁעָבַר
old-clothesman *n* סוֹחֵר בִּבְגָדִים יְשָׁנִים
old-fashioned *adj* מְיוּשָּׁן
Old Glory *n* דֶּגֶל אַרהַ״ב
Old Guard *n* הַוָּתִיקִים; שַׁמְרָנֵי הַמִּפְלָגָה הָרֶפּוּבְּלִיקָנִית
old hand *n* עוֹבֵד מְנוּסֶּה, בַּעַל נִיסָּיוֹן
old maid *n* בְּתוּלָה זְקֵנָה
old master *n* צַיָּיר אוֹ צִיּוּר קְלַאסִּי
old moon *n* יָרֵחַ מִתְמַעֵט
old salt *n* מַלָּח וָתִיק
old school *n* אַסְכּוֹלָה יְשָׁנָה
old time *n* זְמַנִּים עָבְרוּ
old timer *n* וָתִיק
old wives' tale *n* סִפּוּר שֶׁל סַבְתָּא
old-world *adj* שֶׁל הָעוֹלָם הָעַתִּיק
oleander *n* הַרְדּוּף

oligarchy *n* אוֹלִיגַרְכְיָה
olive *n* זַיִת; צֶבַע הַזַּיִת
olive *adj* שֶׁל זַיִת
olive grove *n* כֶּרֶם זֵיתִים
Olympiad *n* אוֹלִימְפִּיאָדָה
Olympian *n*, *adj* מִשְׁתַּתֵּף בַּמִּשְׂחָקִים הָאוֹלִימְפִּיִּים; (אדם) נִישָּׂא, מְרוּחָק
Olympic *adj* אוֹלִימְפִּי
omelet, omelette *n* חֲבִיתָה
omen *n* סִימָן לַבָּאוֹת
ominous *adj* מְבַשֵּׂר רָע
omission *n* הַשְׁמָטָה; אִי־בִּיצוּעַ
omit *vt* הִשְׁמִיט; נִמְנַע מִן
omnibus *n* אוֹטוֹבּוּס
omnipotent *adj* כּוֹל יָכוֹל
omniscient *adj* יוֹדֵעַ הַכּוֹל
omnivorous *adj* אוֹכֵל הַכּוֹל
on *prep* עַל, עַל גַּבֵּי; בּ...
on *adv*, *adj* עַל; בִּתְמִידוּת; לְפָנִים; קָדִימָה
once *adv* פַּעַם
once *conj*, *n* בְּרֶגַע שֶׁ...; פַּעַם אַחַת
onceover *n* (דיבּוּרית) מַבָּט בּוֹחֵן מָהִיר
one *adj* אֶחָד, אַחַת; פְּלוֹנִי
onerous *adj* מַכְבִּיד
oneself *pron* הוּא עַצְמוֹ
one-sided *adj* חַד־צְדָדִי
one-track *adj* חַד־נְתִיבִי
one-way *adj* חַד־סִטְרִי
onion *n* בָּצָל
onionskin *n* נְיָר שָׁקוּף דַּק
onlooker *n* מִסְתַּכֵּל מִן הַצַּד
only *conj*, *adv* רַק; אֶלָּא שֶׁ...; בִּלְבַד
only *adj* יָחִיד; יְחִידִי
onset *n* הַתְקָפָה; הַתְחָלָה
onward *adv* קָדִימָה
onyx *n* אֶנֶךְ, שׁוֹהַם
ooze *n* טִפְטוּף, פִּכְפּוּךְ
ooze *vt*, *vi* פִּיכָּה, נָטַף; דָּלַף
opal *n* לֶשֶׁם
opaque *adj* אָטוּם; עָמוּם
open *adj* פָּתוּחַ; פָּנוּי
open *vt*, *vi* פָּתַח; פָּתַח בּ...; נִפְתַּח
open-air *adj* בָּאֲוִויר הַפָּתוּחַ
open-eyed *adj* מִשְׁתָּאֶה; פְּקוּחַ־עַיִן
openhanded *adj* נָדִיב
openhearted *adj* גְּלוּי־לֵב
opening *n* פֶּתַח; פְּתִיחָה; הַתְחָלָה; מִשְׂרָה פְּנוּיָה; הַצָּגַת־בְּכוֹרָה
opening night *n* עֶרֶב בְּכוֹרָה
opening number *n* פְּרִיט פּוֹתֵחַ
open-minded *adj* רְחַב־אוֹפֶק
open secret *n* סוֹד גָּלוּי
openwork *n* עֲבוֹדַת רֶשֶׁת
opera *n* אוֹפֵּרָה
opera-glasses *n pl* מִשְׁקֶפֶת אוֹפֵּרָה
operate *vi*, *vt* פָּעַל; תִּפְעֵל; נִיתֵּחַ
operatic *adj* שֶׁל אוֹפֵּרָה
operating-room *n* חֲדַר־נִיתּוּחִים
operating-table *n* שׁוּלְחַן־נִיתּוּחִים
operation *n* פְּעוּלָּה; תִּפְעוּל; נִיתּוּחַ
operator *n* פּוֹעֵל; מַפְעִיל
operetta *n* אוֹפֵּרֶטָּה, אוֹפֵּרִית
opiate *n*, *adj* סַם מְיַישֵּׁן
opinion *n* דֵּעָה, סְבָרָה; חֲוּוֹת־דַּעַת
opinionated *adj* עַקְשָׁנִי בְּדַעְתּוֹ
opium *n* אוֹפִּיוּם
opium-den *n* מְאוּרַת אוֹפִּיוּם
opponent *n*, *adj* יָרִיב, מִתְנַגֵּד

opportune *adj* בְּעִתּוֹ

opportunist *n* סְתַגְּלָן, אוֹפּוֹרטוּנִיסט

opportunity *n* הִזדַמְּנוּת

oppose *vt* הִתנַגֵּד; הֶעֱמִיד לְעוּמַּת

opposite *adj, adv* שֶׁמִּמּוּל; מְנוּגָּד; נֶגֶד, מוּל

opposition *n* הִתנַגְּדוּת; אוֹפּוֹזִיצְיָה

oppress *vt* הֵעִיק עַל; דִיכֵּא

oppression *n* נְגִישָׂה, לַחַץ

oppressive *adj* מְדַכֵּא; מַכבִּיד; מֵעִיק

opprobrious *adj* מְגוּנֶּה; מֵבִישׁ

opprobrium *n* בּוּשָׁה; גְנַאי

optic *adj* עֵינִי; שֶׁל הָעַיִן

optical *adj* רְאוּתִי, אוֹפּטִי

optician *n* אוֹפּטִיקַאי

optimism *n* אוֹפּטִימִיוּת

optimist *n* אוֹפּטִימִיסט

option *m n* בְּרֵירָה, אוֹפּצִיָה

optional *adj* שֶׁבִּרשׁוּת

optometrist *n* אוֹפּטוֹמֶטרִיסט

opulent *adj* עָשִׁיר, שׁוֹפֵעַ

or *conj* אוֹ

oracle *n* אוֹרַקל; אוּרִים וְתוּמִּים

oracular *adj* עוֹשֶׂה רוֹשֶׁם מוּסמָך; מְעוּרפָּל

oral *adj, n* שֶׁבְּעַל־פֶּה; שֶׁל פֶּה; בְּחִינָה בְּעַל־פֶּה

orange *n, adj* תַּפּוּחַ־זָהָב, תַּפּוּז; תָּפוּז

orangeade *n* מִיץ תַּפּוּזִים בְּמַיִם, אוֹרַנזָ'דָה

orange-blossom *n* פֶּרַח הַתַּפּוּז

orange grove *n* פַּרדֵס

orange juice *n* מִיץ תַּפּוּזִים

orang-outang *n* אוֹרַנג־אוּטַנג

oration *n* נְאוּם (חֲגִיגִי)

orator *n* נוֹאֵם (מְחוֹנָן)

oratorical *adj* נְאוּמִי

oratorio *n* אוֹרָטוֹריָה

orb *n* כּוֹכָב, גֶּרֶם שָׁמַיִם; גַּלגַּל הָעַיִן

orbit *n* מַסלוּל (שֶׁל כּוֹכָב); תְּחוּם פְּעוּלָּה

orbit *vi* נָע בְּמַסלוּל

orchard *n* בּוּסתָּן

orchestra *n* תִּזמוֹרֶת

orchestrate *vt* תִּזמֵר

orchid *n* סַחלָב

ordain *vt* (בנצרות) הִסמִיךְ; צִיוָּה

ordeal *n* מִבחָן, נִיסָּיוֹן קָשֶׁה; יִיסּוּרִים

order *n* סֵדֶר; מִשׁטָר; תְּקִינוּת; מִסדָר (דתי)

order *vt* פָּקַד; הִזמִין; הִסדִיר

orderly *adj* מְסוּדָר; שׁוֹמֵר סֵדֶר

orderly *n* מְשַׁמֵּשׁ, תּוֹרָן; (בְּבֵית־חוֹלִים) אָח

ordinal *adj, n* שֶׁל מַעֲרֶכֶת; מִספָּר סוֹדֵר

ordinance *n* פְּקוּדָה; חוֹק

ordinary *adj* רָגִיל, שָׁכִיחַ

ordnance *n* תּוֹתָחִים; חִימּוּשׁ

ore *n* עַפרָה

organ *n* עוּגָב; אֵיבָר; בִּיטָּאוֹן

organ-grinder *n* מְנַגֵּן בְּתֵיבַת־נְגִינָה

organic *adj* שֶׁל אֵבְרֵי הַגּוּף; חִיּוּנִי, יְסוֹדִי, אוֹרגָנִי

organism *n* יְצוּר חַי, מַנגְנוֹן

organist *n* מְנַגֵּן בְּעוּגָב

organization *n* אִרגּוּן

organize *vt* אִרגֵּן

orgy *n* הִתהוֹלְלוּת מִינִית, אוֹרגִיָה

orient *n, adj* מִזְרָח, אַרְצוֹת הַמִּזְרָח; מִזְרָחִי

oriental *adj, n* מִזְרָחִי; בֶּן מִזְרָח

orientation *n* הִתְמַצְּאוּת

orifice *n* פּוּמִית; פִּיָּה

origin *n* מָקוֹר

original *adj* מְקוֹרִי

original *n* אַב־טִיפּוּס; אָדָם מְקוֹרִי, יוֹצֵא דוֹפֶן

originate *vi, vt* נוֹלַד, צָמַח; הִמְצִיא, הִצְמִיחַ

oriole *n* זַהֲבָן

ormolu *n* אוֹרְמוֹלוּ; זָהָב מְזוּיָּף

ornament *n* קִישּׁוּט; תַּכְשִׁיט

ornament *vt* קִישֵּׁט

ornate *adj* מְהוּדָּר לְרַאֲוָוה; מְלִיצִי

orphan *n, adj* יָתוֹם; מְיוּתָּם

orphan *vt* יִיתֵּם

orphanage *n* בֵּית־יְתוֹמִים

orthodox *adj* שַׁמְרָנִי, אוֹרְתּוֹדוֹקְסִי

orthography *n* כְּתִיב נָכוֹן

oscillate *vi, vt* הִתְנוֹדֵד; פִּקְפֵּק

osier *n* עֲרָבָה אֲדוּמָּה

ossify *vt, vi* הָפַךְ לְעֶצֶם; נַעֲשָׂה לְעֶצֶם

ostensible *adj* מוּצְהָר, רַאֲוותָנִי

ostentatious *adj* רַאֲוותָנִי

ostracism *n* נִידּוּי

ostrich *n* יָעֵן, בַּת־יַעֲנָה

other *adj, pron, adv* אַחֵר, שׁוֹנֶה; נוֹסָף; מִלְּבַד

otherwise *adv* אַחֶרֶת, וָלֹא

otter *n* לוּטְרָה, כֶּלֶב הַנָּהָר

Ottoman *adj, n* עוֹתוֹמָנִי

ouch *interj* אוּף! (קריאה)

ought *v aux* חַיָּיב; הָיָה חַיָּיב

ought *n, adv* דְּבַר־מָה; מִכָּל בְּחִינָה

ounce *n* אוּנְקִיָּה; קוֹרֶט

our *pron* שֶׁלָּנוּ

ours *pron* שֶׁלָּנוּ

ourselves *pron* אָנוּ עַצְמֵנוּ; אוֹתָנוּ; לָנוּ

oust *vt* גֵּירֵשׁ; עָקַר מִמְּקוֹמוֹ

out *adv* לַחוּץ, הַחוּצָה; מִחוּץ ל...

out *n* בְּלִיטָה; הֵיחָלְצוּת

out-and-out *adj* מוּשְׁלָם, גָּמוּר

out-and-outer *n* קִיצוֹנִי

outbid *vt* הִצִּיעַ מְחִיר רַב יוֹתֵר

outbreak *n* הִתְפָּרְצוּת; מְהוּמוֹת

outbuilding *n* אֲגַף בִּנְיָן

outburst *n* הִתְפָּרְצוּת

outcast *n* מְנוּדֶּה

outcome *n* תּוֹצָאָה

outcry *n* זְעָקָה

outdated *adj* מְיוּשָּׁן

outdo *vt* עָלָה עַל

outdoor *adj* שֶׁבַּחוּץ

outdoors *adv, n* בַּחוּץ, בָּאֲוִויר הַצַּח, תַּחַת כִּיפַּת הַשָּׁמַיִם

outer space *n* הֶחָלָל הַחִיצוֹן

outfield *n* שָׂדֶה קִיצוֹנִי (במשחק)

outfit *n* מַעֲרֶכֶת כֵּלִים; תִּלְבּוֹשֶׁת; צִיּוּד

outfit *vt* צִיֵּיד, סִיפֵּק

outgoing *adj, n* יוֹצֵא; חַבְרוּתִי; (בריבוי) סְכוּם הוֹצָאוֹת

outgrow *vt* גָּדַל יוֹתֵר מִן; נִגְמַל מִן

outgrowth *n* תּוֹלָדָה

outing *n* יְצִיאָה, טִיּוּל

outlandish *adj* מוּזָר, תִּמְהוֹנִי

outlast *vt* חַי יוֹתֵר

outlaw *n* שֶׁמִּחוּץ לַחוֹק

outlaw *vt* הִפְקִיר, הוֹצִיא מִחוּץ לַחוֹק
outlay *n, vt* הוֹצָאוֹת; הוֹצִיא כֶּסֶף
outlet *n* מוֹצָא
outline *n* מִתְאָר, הֶיקֵף; תַּמְצִית
outline *vt* רָשַׁם מִתְאָר
outlive *vt* הֶאֱרִיךְ יָמִים יוֹתֵר מ...
outlook *n* הַשְׁקָפָה; סִיכּוּי
outlying *adj* מְרוּחָק מִמֶּרְכָּז
outmoded *adj* שֶׁאֵינוֹ בָּאוֹפְנָה
outnumber *vt* עָלָה בְּמִסְפָּרוֹ עַל
out-of-date *adj* לֹא מְעוּדְכָּן, מְיוּשָּׁן
out-of-doors *n pl* הָאֲוִויר הַצַּח
out-of-print *adj* (ספר) שֶׁאָזַל
out-of-the-way *adj* רָחוֹק, נִידָּח; לֹא רָגִיל
outpatient *n* חוֹלֵה־חוּץ
outpost *n* מוּצַב־חוּץ
output *n* תְּפוּקָה
outrage *n* נְבָלָה; שַׁעֲרוּרִייָה
outrage *vt* פָּגַע חֲמוּרוֹת בּ...
outrageous *adj* מְזַעְזֵעַ
outrank *vt* עָלָה בְּדַרְגָּה עַל
outrider *n* פָּרָשׁ חוּץ
outright *adj* גָּמוּר, מוּחְלָט
outright *adv* בִּשְׁלֵמוּת; בְּבַת אַחַת; גְלוּיוֹת
outset *n* הַתְחָלָה, פְּתִיחָה
outside *n, adj* חוּץ; חִיצוֹנִיּוּת; חִיצוֹנִי
outside *adv, prep* הַחוּצָה; מִחוּץ ל...; חוּץ מִן
outsider *n* הַנִּמְצָא בַּחוּץ; לֹא מִשְׁתַּיֵּיךְ
outskirts *n pl* שׁוּלַיִים
outspoken *adj* מוּבָּע גְלוּיוֹת; מְדַבֵּר גְלוּיוֹת
outstanding *adj* בּוֹלֵט; דָּגוּל; לֹא נִפְרָע, תָּלוּי וְעוֹמֵד
outward *adj, adv* כְּלַפֵּי חוּץ
outweigh *vt* הִכְרִיעַ בְּמִשְׁקָל
outwit *vt* הָיָה פִּיקֵּחַ יוֹתֵר
oval *adj* בֵּיצִי, סְגַלְגַּל
ovary *n* שַׁחֲלָה
ovation *n* תְּשׁוּאוֹת
oven *n* תַּנּוּר, כִּבְשָׁן
over *adv, prep* עַל, מֵעַל; בְּמֶשֶׁךְ; שׁוּב; נוֹסָף
over-all, overall *adj* כּוֹלֵל הַכּוֹל
overalls *n pl* סַרְבָּל
overbearing *adj* שְׁתַלְּטָנִי, שַׁחֲצָנִי
overboard *adv* מִן הַסְּפִינָה לַמַּיִם
overcast *adj* מְעוּנָּן; קוֹדֵר
overcharge *vt* הִפְקִיעַ מְחִיר
overcharge *n* מְחִיר מוּפְקָע; הֶעְמִיס יוֹתֵר מִדַּי
overcoat *n* מְעִיל עֶלְיוֹן
overcome *vt* גָּבַר, הִתְגַּבֵּר עַל
overdo *vt, vi* הִפְרִיז; הִגְדִּישׁ אֶת הַסְּאָה
overdose *n* מָנָה יְתֵרָה
overdraft *n* מְשִׁיכַת־יֶתֶר
overdraw *vt* מָשַׁךְ מְשִׁיכַת־יֶתֶר (בּבּאנק)
overdue *adj* שֶׁעָבַר זְמַנּוֹ
overeat *vt* זָלַל
overexertion *n* מַאֲמַץ־יֶתֶר
overexposure *n* חֲשִׂיפָה יְתֵרָה
overfeed *vt* הֵזִין יוֹתֵר מִדַּי, הִלְעִיט
overflow *vt, vi* הִשְׁתַּפֵּךְ, שָׁטַף; עָלָה עַל גְּדוֹתָיו
overflow *n* מִגְלָשׁ; קָהָל עוֹדֵף
overgrown *adj* מְגוּדָּל מִדַּי

overhang *vt*, *vi* בָּלַט מֵעַל
overhang *n* בְּלִיטָה, זִיז
overhaul *n* שִׁיפּוּץ
overhaul *vt* שִׁיפֵּץ, תִּיקֵּן; הִדבִּיק, הִשִּׂיג
overhead *adv* מֵעַל לָרֹאשׁ
overhead *adj* עִילִי; (הוֹצאה) כְּלָלִית
overhear *vt* שָׁמַע בְּאַקרַאי
overheat *vt* חִימֵּם יוֹתֵר מִדַּי
overjoyed *adj* שָׂמֵחַ בְּיוֹתֵר, צוֹהֵל
overland *adv*, *adj* שֶׁבְּדֶרֶךְ הַיַּבָּשָׁה
overlap *vt*, *vi* חָפַף; עָדַף
overload *vt* הֶעמִיס יֶתֶר עַל הַמִּידָּה
overlook *vt* הֶעלִים עַיִן; נִשׁקַף עַל
overly *adv* יוֹתֵר מִדַּי
overnight *adv*, *adj* בֶּן־לַיְלָה; לְלַיְלָה אֶחָד
overnight bag *n* זְוַד לִינָה
overpass *n* צוֹמֶת עִילִי
overpopulate *vt* מִילֵּא אֲנָשִׁים יֶתֶר עַל הַמִּידָּה
overpower *vt* הִכנִיעַ; גָּבַר עַל
overpowering *adj* מְהַמֵּם, מִשׁתַּלֵּט
overproduction *n* תְּפוּקַת־יֶתֶר
overrate *vt* הִפרִיז בְּהַעֲרָכָה
overrun *vt* (*pt* overran) פָּשַׁט כְּפוֹלֵשׁ; הִתפַּשֵּׁט מַהֵר
overseas *adj*, *adv* (שֶׁל) מֵעֵבֶר לַיָּם
overseer *n* מַשׁגִּיחַ
overshadow *vt* הֶאֱפִיל עַל
overshoe *n* עַרדָּל
oversight *n* טָעוּת שֶׁבְּהַעֲלָמַת־עַיִן
oversleep *vi* הֶאֱרִיךְ לִישׁוֹן
overt *adj* פָּתוּחַ, גָּלוּי
overtake *vt* עָקַף; הִדבִּיק; בָּא פִּתאוֹם
overthrow *n* הֲפִיכָה, הַפָּלָה
overthrow *vt* הִפִּיל
overtime *adv*, *n* שָׁעוֹת נוֹסָפוֹת
overtrump *vt*, *vi* (בקלפים) עָלָה עַל... בִּקלָף גָבוֹהַּ יוֹתֵר
overture *n* פְּתִיחָה, אוֹבֶרטוּרָה
overweening *adj* יָהִיר מִדַּי
overweight *n*, *adj* (בַּעַל) מִשׁקָל עוֹדֵף
overwhelm *vt* הִכרִיעַ תַּחתָּיו; הָמַם
overwork *n* עֲבוֹדָה מֵעֵבֶר לַכּוֹחוֹת
overwork *vt*, *vi* הֶעֱבִיד בְּפֶרֶךְ; עָבַד יֶתֶר עַל הַמִּידָּה
ow *interj* אוֹי!
owe *vt*, *vi* חָב, הָיָה חַיָּב ל...
owing *adj* (חוֹב) מַגִּיעַ
owl *n* יַנשׁוּף
own *adj*, *n* שֶׁל, שֶׁל עַצמוֹ
own *vt* הָיָה בְּעָלִים שֶׁל; הוֹדָה
owner *n* בַּעַל, בְּעָלִים
ownership *n* בַּעֲלוּת
ox *n* (*pl* oxen) שׁוֹר
oxide *n* תַּחְמוֹצֶת
oxidize *vt*, *vi* חִמצֵן; הִתחַמצֵן
oxygen *n* חַמצָן
oyster *n* צִדפָּה
oyster bed *n* מִרבַּץ צְדָפוֹת
oyster-knife *n* סַכִּין צְדָפוֹת
oysterman *n* מְגַדֵּל צְדָפוֹת
oyster-shell *n* שִׁריוֹן הַצִּדפָּה
oyster stew *n* מְרַק צְדָפוֹת
oz. *abbr* ounce
ozone *n* אוֹזוֹן

P

P, p פִּי (הָאוֹת הַשֵּׁשׁ־עֶשְׂרֵה בָּאָלֶפְבֵּית)

p. *abbr* page, participle

P.A. *abbr* Passenger Agent, power of attorney, Purchasing Agent

pace *n* פְּסִיעָה; קֶצֶב

pace *vt, vi* צָעַד, פָּסַע

pacemaker *n* קוֹצֵב

pacific *adj* אוֹהֵב שָׁלוֹם; מְפַיֵּס; שָׁלֵו

Pacific Ocean *n* הָאוֹקְיָנוֹס הַשָּׁקֵט

pacifier *n* עוֹשֶׂה שָׁלוֹם; מַשְׁקִיט

pacifism *n* אַהֲבַת שָׁלוֹם; פָּצִיפִיזְם

pacifist *n* פָּצִיפִיסְט

pacify *vt* הִרְגִּיעַ; הִשְׁכִּין שָׁלוֹם

pack *n* חֲבִילָה, חֲפִיסָה; חֲבוּרָה, לַהֲקָה

pack *vt* אָרַז, צָרַר; צוֹפֵף

package *n* חֲבִילָה, צְרוֹר

package *vt* צָרַר, עָשָׂה חֲבִילָה

package deal *n* עִסְקַת חֲבִילָה

pack animal *n* בֶּהֱמַת מַשָּׂא

packing box *n* תֵּיבַת אֲרִיזָה

packing-house *n* בֵּית־אֲרִיזָה

pack-saddle *n* מַרְדַּעַת

pact *n* אֲמָנָה, בְּרִית

pad *n* רֶפֶד; כָּרִית; פִּנְקָס

pad *vt* מִילֵּא לְרִיפּוּד; נִיפֵּחַ (נְאוּם וכד׳)

paddle *n* מָשׁוֹט; מַבְחֵשׁ

paddle *vt, vi* חָתַר; שִׁכְשֵׁךְ

paddle wheel *n* מְשׁוֹטָה

paddock *n* דִּיר, קַרְפִּיף

padlock *n, vt* מַנְעוּל; נָעַל

pagan *n, adj* עוֹבֵד אֱלִילִים (עכו״ם)

paganism *n* מַעֲשֵׂי עַכּוּ״ם

page *n, vt* עַמּוּד (שֶׁל דַּף); נַעַר מְשָׁרֵת; מִסְפֵּר דַּפִּים

pageant *n* הַצָּגַת רַאֲוָה

pageantry *n* מַחֲזוֹת מַרְהִיבֵי עַיִן

pail *n* דְּלִי

pain *n* כְּאֵב, מֵיחוּשׁ

pain *vt* הִכְאִיב, גָּרַם צַעַר

painful *adj* מַכְאִיב, כּוֹאֵב

painkiller *n* סַם מַרְגִּיעַ

painless *adj* לְלֹא כְּאֵב

painstaking *adj* מְדַקְדֵּק וּמַקְפִּיד

paint *vt, vi* צִיֵּר; צָבַע

paint *n* צֶבַע; פּוּךְ

paintbox *n* קוּפְסַת צְבָעִים

paintbrush *n* מִכְחוֹל

painter *n* צַיָּר; צַבָּע

painting *n* צִיּוּר; צְבִיעָה

pair *n* זוּג, צֶמֶד

pair *vt, vi* זִיוֵּג; נַעֲשׂוּ זוּג; הִזְדַּוְּגוּ

pajamas, pyjamas *n* פִּיגָ׳מָה

Pakistan *n* פָּאקִיסְטָן

pal *n* (דִּיבּוּרִית) חָבֵר

palace *n* אַרְמוֹן

palatable *adj* טָעִים, נָעִים לַחֵךְ

palatal *adj* חִכִּי

palate *n* חֵךְ; חוּשׁ הַטַּעַם

pale *adj* חִיוֵּר

pale *vi* הֶחֱוִיר; עָמַם

pale *n* מִכְלָאָה; תְּחוּם
paleface *n* לְבֶן־פָּנִים
palette *n* לוּחַ צְבָעִים (שֶׁל צַייר)
palisade *n* מְסוּכָה, גֶּדֶר יְתֵדוֹת
pall *vt, vi* עִייֵּף; נַעֲשָׂה חֲסַר טַעַם
pall *n* אֲרִיג אֵבֶל; מִיטַּת מֵת
pallbearer *n* נוֹשֵׂא מִיטַּת מֵת
palliate *vt* הֵקֵל, הִרגִּיעַ
pallid *adj* חִיוֵּר
pallor *n* חִיוָּרוֹן
palm *n* דֶּקֶל, תָּמָר; כַּף הַיָּד
palm *vt* שִׁיחֵד; שָׂם כַּפּוֹ
palmetto *n* דִּקלוֹן, תְּמָרָה
palmist *n* מְנַחֵשׁ עַל־פִּי כַּף הַיָּד
palmistry *n* חָכמַת הַיָּד
palm-oil *n* שֶׁמֶן תְּמָרִים
palpable *adj* מָשִׁישׁ; מַמָּשִׁי
palpitate *vi* פִּרפֵּר, רָעַד
palsy *n* שִׁיתּוּק
palsy *vt* שִׁיתֵּק; הִדהִים
paltry *adj* חֲסַר עֵרֶךְ, מְבוּטָּל
pamper *vt* פִּינֵּק
pamphlet *n* פַּמפלֵט, עָלוֹן
pan *n* מַחֲבַת
pan *vt, vi* בִּישֵּׁל בְּמַחֲבַת; שָׁטַף (עפרות זהב)
panacea *n* פָּנַצֵיאָה, תְּרוּפָה לַכּוֹל
Panama Canal *n* תְּעָלַת פַּאנָמָה
Panamanian *adj, n* פַּאנָמָנִי
Pan-American *adj* פַּן־אֲמֵרִיקָנִי
pancake *n* לֶחֶם־דְּפוּסִים
pancreas *n* לַבלָב
pander *n* רוֹעֵה זוֹנוֹת
pander *vt* סִרסֵר לִדבַר עֲבֵירָה; עוֹדֵד (דברים שליליים)

pane *n* שִׁמשָׁה; פָּן
panel *n* לוּחִית; רְשִׁימַת אֲנָשִׁים; צֶוֶות
panel vt מִילֵּא; קִישֵּׁט
panel discussion *n* דִּיוּן צֶוֶות
panelist *n* חֲבֵר צֶוֶות דִּיוּן
pang *n* כְּאֵב פִּתאוֹמִי, מַכאוֹב
panhandle *n* יָד שֶׁל מַחֲבַת
panhandle *vt, vi* בִּיקֵּשׁ נְדָבוֹת
panic *n* תַּבהֵלָה, פָּנִיקָה
panic *vt, vi* עוֹרֵר בֶּהָלָה; אִיבֵּד עֶשׁתּוֹנוֹת
panic-stricken *adj* אֲחוּז בֶּהָלָה
panoply *n* חֲגוֹר מָלֵא
panorama *n* נוֹף; תְּמוּנָה מַקִּיפָה
pansy *n* אַמנוֹן וְתָמָר; (דיבורית) הוֹמוֹסֶקסוּאָלִיסט
pant *vi, vt* הִתנַשֵּׁף
pant *n* נְשִׁימָה כְּבֵדָה; (ברבים) מִכנָסַיִים
pantheism *n* פַּנתֵּאִיזם
pantheon *n* פַּנתֵּיאוֹן
panther *n* נָמֵר, פַּנתֵּר
panties *n pl* תַּחתּוֹנִים קְצָרִים (של נשים)
pantomime *n* פַּנטוֹמִימָה
pantry *n* מְזָוֶוה
papacy *n* אַפִּיפיוֹרוּת
paper *n* נְייָר; תְּעוּדָה; חִיבּוּר; עִיתּוֹן
paper *adj* עָשׂוּי נְייָר; לַהֲלָכָה
paper *vt* כִּיסָּה בִּנייָר
paper-back *n* סֵפֶר בַּעַל כְּרִיכַת נְייָר
paper-boy *n* מְחַלֵּק עִיתּוֹנִים
paper-clip *n* מְהַדֵּק
paper cone *n* חֲרוּט נְייָר

paper-cutter *n* מְחַתֵּךְ נְיָר
paper doll *n* בּוּבַּת נְיָר
paper-hanger *n* רַפַּד קִירוֹת
paper-knife *n* סַכִּין לִנְיָר
paper-mill *n* בֵּית־חֲרוֹשֶׁת לִנְיָר
paper profits *n pl* רְווָחִים שֶׁעַל הַנְּיָר
paper tape *n* סֶרֶט מְנוּקָּב
paper-work *n* נַיֶּירֶת
paprika *n* פִּלְפֵּל אָדוֹם, פִּלְפֶּלֶת
papyrus *n* פַּפִּירוּס
par. *abbr* paragraph, parallel, parenthesis, parish
par *n, adj* שׁוֹוִי; שָׁוֶה
parable *n* מָשָׁל
parachute *vt, vi* הִצְנִיחַ; צָנַח
parachutist *n* צַנְחָן
parade *n* מִצְעָד; תַּהֲלוּכָה
parade *vt, vi* הִצִּיג לְרַאֲוָוה; עָבַר בְּמִסְדָּר
paradise *n* גַּן־עֵדֶן
paradox *n* פָּרָדוֹקְס
paradoxical *adj* פָּרָדוֹקְסִי
paraffin *n* פָּרָפִין
paragon *n* מוֹפֵת, דוּגְמָה
paragraph *n* סָעִיף, פִּסְקָה
paragraph *vt* חִילֵּק לִסְעִיפִים
Paraguay *n* פָּארָאגְוַואי
parakeet *n* תּוּכִּי־הַצַּוָּארוֹן
parallel *adj, n* מַקְבִּיל; קַו מַקְבִּיל
paralysis *n* שִׁיתּוּק
paralyze *vt* הִכָּה
paralytic *adj, n* מְשׁוּתָּק
paramount *adj, n* רָאשִׁי; עֶלְיוֹן
paranoiac *adj, n* מְשׁוּגַּע גַּדְלוּת
parapet *n* מַעֲקֶה, מִסְעָד
paraphernalia *n pl* מַכְשִׁירִים; אַבְזָרִים
parasite *n* טַפִּיל
parasitic(al) *adj* טַפִּילִי
parasol *n* שִׁמְשִׁייָּה, סוֹכֵךְ
paratrooper *n* חַיָּיל צַנְחָן
paratroops *n pl* חֵיל צַנְחָנִים
parboil *vt* בִּישֵּׁל פָּחוֹת מִדַּי
parcel *n* חֲבִילָה, צְרוֹר
parcel *vt* חִילֵּק, עָטַף
parch *vt, vi* יִיבֵּשׁ (יותר מדי), הִצְמִיא
parchment *n* גְּוִויל, קְלָף
pardon *n* מְחִילָה, סְלִיחָה
pardon *vt* סָלַח, מָחַל
pardonable *adj* סָלִיחַ, בַּר־סְלִיחָה
pardon board *n* וַעֲדַת חֲנִינָה
pare *vt* גָּזַר; קִלֵּף
parent *n* הוֹרֶה
parentage *n* הוֹרוּת
parenthesis *n* סוֹגְרַיִים
parenthood *n* הוֹרוּת
pariah *n* פַּרְיָה; מְנוּדֶּה
parish *n* (אצל הנוצרים) קְהִילָּה
parishioner *n* מִשְׁתַּיֵּיךְ לַקְּהִילָּה
Parisian *adj, n* פָּרִיזָאִי
parity *n* שִׁוויוֹן
park *n* גַּן צִיבּוּרִי
park *vt, vi* חָנָה; הֶחֱנָה
parking *n* חֲנִייָּה
parking lot *n* מִגְרַשׁ חֲנִייָּה
parking ticket *n* דּוּ״חַ חֲנִייָּה
parkland *n* אֵיזוֹר דֶּשֶׁא וְעֵצִים
parkway *n* מְסִילַּת שְׂדֵירוֹת וָדֶשֶׁא
parley *vi* נִיהֵל מַשָּׂא וּמַתָּן

parley *n* דִּיּוּן, מַשָּׂא וּמַתָּן

parliament *n* בֵּית־נִבְחָרִים; (בישראל) כְּנֶסֶת

parlor *n* טְרַקְלִין

parochial *adj* עֲדָתִי; קַרְתָּנִי

parody *n* פָּרוֹדְיָה; חִיקּוּי־לַעַג

parody *vi, vt* חִיבֵּר פָּרוֹדְיָה; חִיקָּה בְּצוּרָה לַעֲגָנִית

parole *n* דִּיבּוּר; הֵן צֶדֶק

parole *vt* שִׁחְרֵר (על סמך הן צדק)

parquet *n* פַּרְקֶט

parricide *n* הוֹרֵג אָבִיו

parrot *n* תּוּכִּי

parrot *vt* חִיקָּה כְּתוּכִּי

parry *vt* הָדַף; הִתְחַמֵּק (ממכה וכד׳)

parse *vt* נִיתַּח מִשְׁפָּט

parsley *n* כַּרְפַּס־נְהָרוֹת, פֶּטְרוֹסְלִינוֹן

parsnip *n* גֶּזֶר לָבָן

parson *n* כּוֹמֶר, כּוֹהֵן

part *n* חֵלֶק; תַּפְקִיד; צַד

part *vt, vi* הִפְרִיד; נִפְרַד

partake *vi* נָטַל חֵלֶק, הִשְׁתַּתֵּף

Parthenon *n* פַּרְתֵּנוֹן

partial *adj* חֶלְקִי; נוֹשֵׂא פָּנִים

participate *vi, vt* הִשְׁתַּתֵּף, נָטַל חֵלֶק

participle *n* בֵּינוֹנִי פּוֹעֵל

particle *n* חֶלְקִיק, קוּרְטוֹב

particular *n* פְּרָט, פָּרִיט

particular *adj* מְיוּחָד, מְסוּיָּם; מְדַקְדֵּק

partisan *adj* חַד־צְדָדִי

partisan *n* חַיָּיל לֹא סָדִיר, פַּרְטִיזָן

partition *n* מְחִיצָּה; חֲלוּקָּה

partition *vt* חִילֵּק; הֵקִים מְחִיצָּה

partner *n* שׁוּתָּף; בֶּן־זוּג

partner *vt* שִׁימֵּשׁ כְּשׁוּתָּף

partnership *n* שׁוּתָּפוּת

partridge *n* חוֹגְלָה

part-time *adj* חֶלְקִי

party *n* קְבוּצָה; מִפְלָגָה; מְסִיבָּה; צַד (בוויכוח וכד׳)

party line *n* קַו טֶלֶפוֹן מְשׁוּתָּף; קַו הַמִּפְלָגָה

party politics *n pl* מִפְלַגְתִּיּוּת

pass *vt, vi* עָבַר; חָלַף; אִישֵּׁר; מָסַר; עָמַד (בבחינה)

pass *n* מַעֲבָר; תְּעוּדַת מַעֲבָר

passable *adj* עָבִיר; מַנִּיחַ אֶת הַדַּעַת

passage *n* מַעֲבָר; קֶטַע; פְּרוֹזְדוֹר

passbook *n* פִּנְקַס בַּנְק

passenger *n* נוֹסֵעַ

passerby *n* עוֹבֵר אוֹרַח

passing *adj* עוֹבֵר, חוֹלֵף

passing *n* מָוֶות, הִסְתַּלְּקוּת; עֲמִידָה (בבחינה)

passion *n* תְּשׁוּקָה; הִתְלַהֲבוּת

passionate *adj* עַז רֶגֶשׁ; מִתְלַהֵב, רַגְשָׁנִי

passive *adj* סָבִיל, פַּסִּיבִי; חֲסַר יוּזְמָה

passive *n* (בדקדוק) בִּנְיַין סָבִיל

passkey *n* מַפְתֵּחַ פְּתַחְכּוֹל

Passover *n* פֶּסַח

passport *n* דַּרְכּוֹן

password *n* סִיסְמָה

past *adj, n* שֶׁעָבַר

past *prep, adv* מֵעֵבֶר ל...

paste *n, vt* עִיסָּה; דֶּבֶק; הִדְבִּיק

pasteboard *n* קַרְטוֹן (לכריכה)

pasteurize *vt* פִּסְטֵר

pastime *n* בִּילּוּי זְמַן, הִינָּפְשׁוּת

pastor *n* רוֹעֶה (רוּחָנִי); כּוֹמֶר

pastoral *adj* פַּסטוֹרָלִי; שֶׁל רוֹעִים

pastoral(e) *n* פַּסטוֹרָלֶה, אִידִילְיָה

pastry *n* עוּגִיָּה, תּוּפִין

pastry-cook *n* אוֹפֵה עוּגוֹת

pastry shop *n* מִגְדָנִיָּה

pasture *n* אַדמַת מִרעֶה

pasture *vt, vi* הוֹלִיךְ לַמִּרעֶה; רָעָה

pasty *adj* דָבִיק, בְּצֵקִי

pat *adj, adv* מַתאִים, בְּעִתּוֹ

pat *n, vt* לְטִיפָה, טְפִיחָה; טָפַח בְּחִיבָּה

patch *n* טְלַאי; אִיספְּלָנִית

patch *vt* הִטלִיא

patent *n* פָּטֶנט; הַרשָׁאָה

patent *vt* קִיבֵּל פָּטֶנט

paternal *adj* אַבהִי

paternity *n* אַבהוּת

path *n* שְׁבִיל, דֶרֶךְ, מַסלוּל

pathetic *adj* פָּתֶטִי, מְעוֹרֵר רַחֲמִים

pathfinder *n* מְגַלֵּה נְתִיבוֹת, גַשָּׁשׁ

pathology *n* תּוֹרַת הַמַּחֲלוֹת

pathos *n* פָּתוֹס

pathway *n* שְׁבִיל, נָתִיב

patience *n* סַבלָנוּת; פַּסִיאַנס (מִשׂחק קלפים)

patient *adj* סַבלָן

patient *n* פַּצִיאֶנט, חוֹלֶה

patriarch *n* אָב רִאשׁוֹן

patrician *adj, n* פַּטרִיצִי; אָצִיל

patricide *n* הֲרִיגַת אָב

patrimony *n* מוֹרָשָׁה, נַחֲלַת אָבוֹת

patriot *n* אוֹהֵב מוֹלַדְתּוֹ, פַּטרִיוֹט

patriotic *adj* שֶׁל אַהֲבַת־הַמּוֹלֶדֶת

patriotism *n* אַהֲבַת־הַמּוֹלֶדֶת

patrol *vt, vi* פִּטרֵל, סִייֵר

patrol *n* פַּטרוֹל, סִיוּר

patrolman *n* סַיָּר; שׁוֹטֵר מְקוֹמִי

patrol wagon *n* מְכוֹנִית עֲצוּרִים

patron *n* תּוֹמֵךְ; מֵצֵנָט

patronize *vt* נָהַג כְּלָקוֹחַ קָבוּעַ כְּלַפֵּי; הִתנַשֵּׂא כְּלַפֵּי

patter *vi* נָקַשׁ נְקִישָׁה (כגשם); רָץ בִּצְעָדִים קְצָרִים

patter *n* זַ'רגוֹן שֶׁל מַעֲמָד מְסוּיָּם; פִּטפּוּט (של קוֹמִיקָאִים)

pattern *n, vt* תַּבנִית; דְגָם; קָבַע תַּבנִית

P.A.U. *abbr* Pan American Union

patty *n* פַּשׁטִידִית

paucity *n* מִיעוּט בְּמִספָּר

Paul *n* שָׁאוּל הַתַּרסִי

paunch *n* כָּרֵס, בֶּטֶן

pauper *n* עָנִי; קַבְּצָן

pause *n, vi* הַפסָקָה, הֲפוּגָה; הִפסִיק

pave *vt* רִיצֵּף, סָלַל

pavement *n* מִדרָכָה; מַרצֶפֶת

pavilion *n* בִּיתָן

paw *n* רֶגֶל (של חיה)

paw *vt, vi* תָּפַף בְּרַגלוֹ; נָגַע בְּיָד גַסָּה

pawn *vt* מִשׁכֵּן

pawn *n* (בשחמט) רַגלִי; מַשׁכּוֹן

pawnbroker *n* מַלוֶוה בַּעֲבוֹט

pawnshop *n* בֵּית־עֲבוֹט

pawn ticket *n* קַבָּלַת מַשׁכּוֹן

pay *vt, vi* שִׁילֵּם; הָיָה כְּדַאי; נָתַן רֶוַוח

pay *n* שָׂכָר, מַשׂכּוֹרֶת

payable *adj* בַּר־תַּשׁלוּם

pay check *n* שֶׁק מַשׂכּוֹרֶת

payday *n* יוֹם הַתַּשׁלוּם

payee *n* מְקַבֵּל
pay envelope *n* מַעֲטֶפֶת שָׂכָר
payer *n* מְשַׁלֵּם, שַׁלָּם
pay load *n* מִטְעָן מַכְנִיס
paymaster *n* שַׁלָּם
payment *n* תַּשְׁלוּם; גְמוּל
pay roll *n* רְשִׁימַת מְקַבְּלֵי שָׂכָר
pay station *n* טֶלֶפוֹן גּוֹבֶה
pd. *abbr* paid
pea *n* אָפוּן, אֲפוּנָה
peace *n* שָׁלוֹם; שַׁלְוָה
peaceable *adj* שָׁלֵו; אוֹהֵב שָׁלוֹם
peaceful *adj* שָׁקֵט, שָׁלֵו
peacemaker *n* עוֹשֶׂה שָׁלוֹם
peace of mind *n* שַׁלְוַת־נֶפֶשׁ
peach *n* אֲפַרְסֵק
peachy *adj* (המונית) מְפוֹאָר, עָצוּם
peacock *n* טַוָּס
peak *vi* נֶחֱלַשׁ, רָזָה
peak *n* פִּסְגָּה; שִׂיא
peak load *n* עוֹמֶס שִׂיא
peal *n* צִלְצוּל פַּעֲמוֹנִים
peal *vi, vt* צִלְצֵל; רָעַם
peal of laughter *n* רַעֲמֵי צְחוֹק
peal of thunder *n* קוֹל רַעַם
peanut *n* אֱגוֹז־אֲדָמָה, בּוֹטֶן
pear *n* אַגָּס
pearl *n* מַרְגָּלִית, פְּנִינָה
pearl oyster *n* צִדְפַּת הַפְּנִינִים
peasant *n* אִיכָּר, פַּלָּח
peashooter *n* יוֹרֶה אֲפוּנָה
peat *n* כָּבוּל
pebble *n* אֶבֶן חָצָץ
peck *vt, vi* נִיקֵר, הִקִּישׁ בְּמַקּוֹר
peck *n* פֶּק (מידת היבש)

peculate *vt* מָעַל
peculiar *adj* מוּזָר; מְיוּחָד; בַּעַל יִיחוּד
pedagogue *n* מְחַנֵּךְ, פֵּדָגוֹג
pedagogy *n* תּוֹרַת הַהוֹרָאָה
pedal *adj* שֶׁל הָרֶגֶל
pedal *n* דַּוְושָׁה; מִדְרָס
pedant *n* קַפְּדָן, דַּקְדְּקָן
pedantic *adj* מַקְפִּיד בְּקַטְנוּת
pedantry *n* קַפְּדָנוּת עִיקֶּשֶׁת
peddle *vi* רָכַל
peddler *n* רוֹכֵל
pedestal *n* כַּן, בָּסִיס
pedestrian *n, adj* הוֹלֵךְ רֶגֶל; שֶׁל הֲלִיכָה בָּרֶגֶל; לְלֹא הַשְׁרָאָה
pediatrics *n pl* תּוֹרַת רִיפּוּי יְלָדִים
pedigree *n* אִילַן הַיִּיחוּס
peek *n* הֲצָצָה, מַבָּט חָטוּף
peek *vi* חָטַף מַבָּט
peel *vt, vi* קָלַף, קִילֵּף; הִתְקַלֵּף
peel *n* קְלִיפָּה
peep *vi* הֵצִיץ; צִפְצֵף
peep *n* הֲצָצָה; צִפְצוּף
peephole *n* חוֹר הֲצָצָה
peer *vi, vt* הִתְבּוֹנֵן מִקָּרוֹב
peer *n* פִּיר (אציל); שָׁוֶה
peerless *adj* שֶׁאֵין שֵׁנִי לוֹ
peeve *vt* הִרְגִּיז
peevish *adj* רָגִיז, כַּעֲסָנִי
peg *n* יָתֵד, מַסְמֵר
peg *vt, vi* חִיזֵּק בִּיתֵדוֹת; תָּקַע
peg-top *n* סְבִיבוֹן
Peking *n* פֶּקִין
Pekin(g)ese *n, adj* פֶּקִינִי; פֶּקִינְגִי (כלב)
pelf *n* כֶּסֶף, מָמוֹן

pell-mell, pellmell *adv*, *adj* בְּעִרְבּוּבְיָה, בְּאִי־סֵדֶר
Peloponnesus *n* פֶּלֶפּוֹנֵז
pelota *n* פֶּלוֹטָה
pelt *vt*, *vi* סָקַל, רָגַם; נִיתַּךְ; מִיהֵר
pelt *n* עוֹר פַּרְוָה; מְהִירוּת
pen *n* דִּיר, גְּדֵרָה; עֵט
pen *vt* הִכְנִיס לְדִיר; סָגַר; כָּתַב בְּעֵט
penal *adj* שֶׁל עוֹנֶשׁ; עוֹנְשִׁי
penalize *vt* עָנַשׁ
penalty *n* עוֹנֶשׁ
penance *n* תְּשׁוּבָה, חֲרָטָה
penchant *n* חִיבָּה, נְטִייָה
pencil *n* עִיפָּרוֹן; מִכְחוֹל
pendent *adj* תָּלוּי וְעוֹמֵד
pending *adj*, *prep* תָּלוּי, תָּלוּי וְעוֹמֵד
pendulum *n* מְטוּטֶלֶת
penetrate *vt*, *vi* חָדַר; הֶחְדִּיר
penguin *n* פֶּנגּוּוִין
penholder *n* מַחֲזִיק־עֵט
penicillin *n* פֶּנִיצִילִין
peninsula *n* חֲצִי־אִי
peninsular *adj* דְּמוּי חֲצִי־אִי
penis *n* גִּיד, אֵיבַר־הַזַּכְרוּת, שׁוֹפְכָה
penitence *n* חֲרָטָה, תְּשׁוּבָה
penitent *adj*, *n* בַּעַל־תְּשׁוּבָה
penknife *n* אוֹלָר
penmanship *n* אוּמָנוּת הַכְּתִיבָה הַתַּמָּה
pen-name *n* כִּינּוּי סִפְרוּתִי
penniless *adj* חֲסַר פְּרוּטָה
pennon *n* דִּגְלוֹן
penny *n* פֶּנִי
pennyweight *n* פֶּנִּיוֵויְט
pen pal *n* חָבֵר לְעֵט
pen point *n* חוֹד הָעֵט
pension *n* קִצְבָּה, פֶּנְסְיָה; פֶּנְסְיוֹן
pension *vt* הֶעֱנִיק קִצְבָּה
pensioner *n* מְקַבֵּל קִצְבָּה
pensive *adj* מְהוּרְהָר
Pentecost *n* חַג הַשָּׁבוּעוֹת
penthouse *n* דִּירַת־גַּג
pent up *adj* סָגוּר, עָצוּר
penult *adj* לִפְנֵי הָאַחֲרוֹן
penurious *adj* עָנִי; קַמְצָנִי
penury *n* חוֹסֶר כּוֹל
penwiper *n* מְנַגֵּב עֵט
people *n* עַם; אֲנָשִׁים
people *vt* אִכְלֵס
pep *n*, *vt* מֶרֶץ, זְרִיזוּת; הִמְרִיץ
pepper *n*, *vt* פִּלְפֵּל; פִּלְפֵּל
peppermint *n* נַעֲנָה, מִנְתָּה
per *prep* בְּאֶמְצָעוּת; לְכָל
perambulator *n* עֶגְלַת יְלָדִים
per capita *adj* לַגּוּלְגּוֹלֶת
percent *n* אָחוּז (למאה)
perceive *vt*, *vi* הֵבִין; הִבְחִין
percentage *n* אֲחוּזִים לְמֵאָה
perception *n* תְּפִיסָה; תְּחוּשָׁה
perch *n* מוֹט לִמְנוּחַת עוֹפוֹת; מָקוֹם מוּגְבָּה; דַּקָּר מַיִם מְתוּקִים
perch *vi*, *vt* יָשַׁב (הוֹשִׁיב) עַל מַשֶּׁהוּ גָּבוֹהַּ
percolator *n* מְסַנֵּן
perdition *n* כְּלָיָה, אוֹבְדָן, גֵּיהִינּוֹם
perennial *adj*, *n* רַב־שְׁנָתִי, נִצְחִי
perfect *adj* שָׁלֵם, מוּשְׁלָם; לְלֹא מוּם
perfect *n* (בדקדוק) עָבָר גָּמוּר
perfect *vt* הִשְׁלִים, שִׁכְלֵל
perfidy *n* כַּחַשׁ, בְּגִידָה

perforate *vt* נִקֵּב
perforce *adv* בְּהֶכְרֵחַ
perform *vt, vi* בִּיצֵּעַ, הוֹצִיא לַפּוֹעַל; שִׂיחֵק
performance *n* בִּיצּוּעַ; הַצָּגָה
performer *n* שַׂחְקָן; מוֹצִיא לַפּוֹעַל
perfume *n, vt* בּוֹשֶׂם; בִּישֵּׂם
perfunctory *adj* כִּלְאַחַר יָד
perhaps *adv* שֶׁמָּא, אוּלַי
peril *n* סַכָּנָה
perilous *adj* מְסוּכָּן
period *n* תְּקוּפָה; עוֹנַת הַוֶּסֶת; סוֹף פָּסוּק, נְקוּדָה
period *adj* שַׁיָּךְ לִתְקוּפָה מְסוּיֶּמֶת
periodical *n* כְּתַב־עֵת
periphery *n* פֵּרִיפֶרְיָה; הֶיקֵּף
periscope *n* פֵּרִיסְקוֹפ
perish *vi* אָבַד, נִסְפָּה; נִתְקַלְקֵל
perishable *adj, n* אָבִיד
periwig *n* פֵּאָה נוֹכְרִית
perjure *vt* נִשְׁבַּע לַשֶּׁקֶר
perjury *n* שְׁבוּעַת־שֶׁקֶר
perk *vt, vi* הִגְבִּיהַּ רֹאשׁ
permanence *n* קֶבַע, קְבִיעוּת
permanency *n* קֶבַע; דָּבָר שֶׁל קֶבַע
permanent *adj, n* קָבוּעַ, תְּמִידִי; סִלְסוּל תְּמִידִי
permeate *vt* חִלְחֵל, הִתְפַּשֵּׁט
permission *n* רְשׁוּת, הֶיתֵּר
permissive *adj* מַתִּירָנִי
permit *vt* הִרְשָׁה, הִתִּיר
permit *n* רִשְׁיוֹן
permute *vt* שִׁינָּה סֵדֶר
pernicious *adj* הַרְסָנִי; מַמְאִיר
pernickety *adj* קַפְּדָן, נַקְרָן
peroration *n* סִיּוּם מְסַכֵּם שֶׁל נְאוּם
peroxide *n* עַל־תַּחְמוֹצֶת
peroxide *vt* חִמְצֵן
peroxide blonde *n* זַהֲבוֹנִית תַּחְמוֹצֶת הַמֵּימָן
perpendicular *adj, n* מְאוּנָּךְ, אֲנָכִי
perpetrate *vt* בִּיצֵּעַ (מעשה רע)
perpetual *adj* נִצְחִי, תְּמִידִי
perpetuate *vt* הִנְצִיחַ
perplex *vt* הֵבִיךְ; בִּלְבֵּל
perplexity *n* מְבוּכָה; תִּסְבּוֹכֶת
persecute *vt* רָדַף
persecution *n* רְדִיפָה
persevere *vi* דָּבַק בְּדַרְכּוֹ; הִתְמִיד, שָׁקַד
Persian *n, adj* פַּרְסִי; פַּרְסִית
persimmon *n* אֲפַרְסְמוֹן
persist *vi* הִתְמִיד; הִתְעַקֵּשׁ
persistent *adj* עוֹמֵד עַל דַּעְתּוֹ, מַתְמִיד, עַקְשָׁן
person *n* בֶּן־אָדָם, אֱנוֹשׁ; (בדקדוק) גּוּף
personage *n* אָדָם נִכְבָּד
persona grata *n* אִישִׁיּוּת רְצוּיָה
personal *adj* אִישִׁי, פְּרָטִי
personality *n* אִישִׁיּוּת
personality cult *n* פּוּלְחַן אִישִׁיּוּת
personify *vt* הֶאֱנִישׁ, גִּילֵּם
personnel *n, vt* מַנְגָּנוֹן, סֶגֶל
perspective *n* פֶּרְסְפֶּקְטִיבָה; סִיכּוּי
perspicacious *adj* בַּעַל תְּפִיסָה חַדָּה
perspire *vi, vt* הִזִּיעַ
persuade *vt* שִׁידֵּל, שִׁכְנֵעַ
persuasion *n* שִׁידּוּל, שִׁכְנוּעַ
pert *adj* חָצוּף, שׁוֹבָב

pertain *vi* הָיָה נוֹגֵעַ ל...
pertinacious *adj* עָקִיב; עַקְשָׁן
pertinent *adj* מִמִּין הָעִנְיָן
perturb *vt* הִדְאִיג
Peru *n* פֶּרוּ
perusal *n* עִיּוּן
peruse *vt* קָרָא בְּעִיּוּן; עִיֵּן
Peruvian *adj, n* אִישׁ פֶּרוּ
pervade *vt* פָּשָׁה; מִילֵּא
perverse *adj* סוֹטֶה; אִיפְּכָא מִסְתַּבְּרָא
perversion *n* שְׁחִיתוּת הַמִּידּוֹת; סְטִיָּיה
perversity *n* עִקְשׁוּת; שְׁחִיתוּת הַמִּידּוֹת
pervert *vt* עִיוּוֵת, סִילֵּף
pervert *n* סוֹטֶה, מוּשְׁחָת
pesky *adj* מְיַיגֵּעַ
pessimism *n* פֶּסִימִיּוּת
pessimist *n* רוֹאֶה שְׁחוֹרוֹת
pessimistic *adj* פֶּסִימִי
pest *n* טַרְדָן, טַרְחָן; דֶּבֶר
pester *vt* הֵצִיק
pesticide *n* מַשְׁמִיד כִּנִּימוֹת
pestiferous *adj* אַרְסִי; מַדְבִּיק
pestilence *n* מַגֵּיפָה
pestle *n* עֱלִי
pet *n, adj* גּוּר שַׁעֲשׁוּעִים; יֶלֶד שַׁעֲשׁוּעִים; מוּעֲדָף; חָבִיב
pet *vt, vi* לִיטֵּף; חִיבֵּק
pet *n* הַתְקָפַת רוֹגֶז
petal *n* עֲלֵה כּוֹתֶרֶת
petard *n* מְכוֹנַת תּוֹפֶת
petcock *n* שַׁסְתּוֹם קָטָן
Peter *n* פֶּטְרוּס
petition *n* פֶּטִיצְיָה, עֲצוּמָה
petition *vt* הִגִּישׁ עֲצוּמָה
pet-name *n* כִּינּוּי חִיבָּה
Petrarch *n* פֶּטְרַארְכוּס
petrify *vt, vi* אִיבֵּן; הִתְאַבֵּן
petrol *n* בֶּנְזִין, פֶּטְרוֹל
petroleum *n* נֵפְט, שֶׁמֶן־אֲדָמָה
petticoat *n* תַּחְתּוֹנִית
petty *adj* פָּעוּט, קַל־עֵרֶךְ; קַטְנוּנִי
petty cash *n* קוּפָּה קְטַנָּה
petty larceny *n* גְּנֵיבַת דְּבָרִים פְּחוּתֵי־עֵרֶךְ
petulant *adj* תַּבְעָנִי, רַגְזָן
pew *n* מוֹשָׁב בַּכְּנֵסִיָּיה
pewter *n, adj* נֶתֶךְ (בְּדִיל וְעוֹפֶרֶת); כְּלִי־נֶתֶךְ
phalanx *n* הָמוֹן
phantasm(a) *n* חֶזְיוֹן תַּעְתּוּעִים
phantom *n, adj* רוּחַ, שֵׁד; דִּמְיוֹנִי
Pharaoh *n* פַּרְעֹה
Pharisee *n* פְּרוּשִׁי
pharmaceutic(al) *adj* שֶׁל רוֹקְחוּת
pharmacist *n* רוֹקֵחַ
pharmacy *n* בֵּית־מִרְקַחַת
pharynx *n* לוֹעַ
phase *n* מַרְאֵה כּוֹכַב־לֶכֶת; שָׁלָב
phase *vt* בִּיצֵּעַ בִּשְׁלַבִּים
pheasant *n* פַּסְיוֹן
phenomenal *adj* בִּלְתִּי־רָגִיל; שֶׁל תּוֹפָעָה
phenomenon *n* תּוֹפָעָה; דָּבָר (אוֹ אָדָם) מְיוּחָד בְּמִינוֹ
phial *n* בַּקְבּוּקוֹן
philanderer *n* עַגְבָן
philanthropist *n* נַדְבָן, פִילַנְטְרוֹפּ
philanthropy *n* נַדְבָנוּת, פִילַנְטְרוֹפִּיָה
philately *n* בּוּלָאוּת

Philistine *n*, *adj* פְּלִשְׁתִּי; חֲסַר תַּרְבּוּת
philologist *n* בַּלְשָׁן, פִּילוֹלוֹג
philology *n* בַּלְשָׁנוּת, פִּילוֹלוֹגְיָה
philosopher *n* פִּילוֹסוֹף
philosophic(al) *adj* שָׁקוּל; פִּילוֹסוֹפִי
philter *n* שִׁיקּוּי אַהֲבָה
phlebitis *n* דַּלֶּקֶת הַוְּרִידִים
phlegm *n* רִיר, לֵיחָה
phlegmatic(al) *adj* פלֶגמָטִי
Phoenicia *n* פֵּנִיקְיָה
Phoenician *adj*, *n* פֵּנִיקִי
phoenix *n* חוֹל (עוֹף אגדי)
phone *n*, *vt* טֶלֵפוֹן; טִלְפֵּן
phone call *n* צִלְצוּל טֶלֵפוֹן
phonetic *adj* פוֹנֵטִי
phonograph *n* מָקוֹל
phonology *n* תּוֹרַת הַהֲגָיִים
phon(e)y *adj*, *n* מְזוּיָּף
phosphate *n* זַרְחָה, פוֹסְפָט
phosphorescent *adj* זַרְחוּרִי
phosphorous *adj* זַרְחָנִי
photo *n* תַּצְלוּם, תְּמוּנָה
photoengraving *n* פִּיתּוּחַ אוֹר
photo finish *n* גְּמָר מְצוּלָּם (שֶׁל מירוֹץ)
photo-finish camera *n* מַצְלֵמַת גְּמָר
photogenic *adj* צָלִים, נוֹחַ לְצִילּוּם, פוֹטוֹגֵנִי; מְחוֹלֵל אוֹר
photograph *n* תַּצְלוּם, תְּמוּנָה
photograph *vt* צִילֵּם
photographer *n* צַלָּם
photography *n* צִילּוּם
photostat *n* פוֹטוֹסְטָט
phrase *n* פְרָזָה; מְלִיצָה
phrase *vt* הִבִּיעַ בְּמִלִּים, נִיסֵּחַ
phrenology *n* פרֶנוֹלוֹגְיָה
phys. *abbr* physical, physician, physics, physiology
physic *n* תְּרוּפָה, סַם
physical *adj* גוּפָנִי, גַּשְׁמִי; פִיסִי
physician *n* רוֹפֵא
physicist *n* פִיסִיקַאי
physics *n pl* פִיסִיקָה
physiognomy *n* פַּרְצוּפָאוּת, פִּיסִיוֹנוֹמְיָה; פַּרְצוּף
physiologic(al) *adj* פִיסִיוֹלוֹגִי
physiology *n* פִיסִיוֹלוֹגְיָה
physique *n* מִבְנֵה גוּף
piano *n* פְּסַנְתֵּר
picaresque *adj* (ספרוּת) פִּיקָרֶסְקִית
picayune *n*, *adj* פְּרוּטָה; חֲסַר עֵרֶךְ
piccolo *n* חֲלִילוֹן
pick *vt*, *vi* בָּחַר, בֵּירֵר; קָטַף; קָרַע
pick *n* בְּרֵירָה; בָּחִיר; מַעְדֵּר
pickax *n* מַעְדֵּר
picket *n* כְּלוֹנָס, יָתֵד; מִשְׁמָר
picket *vt*, *vi* גָּדַר; הִשְׁתַּתֵּף בְּמִשְׁמֶרֶת שׁוֹבְתִים
pickle *vt* כָּבַשׁ
pickle *n* מֵי כְּבוּשִׁים; כְּבוּשִׁים; מַצָּב בִּישׁ
pick-me-up *n* 'מְחַיֶּה נְפָשׁוֹת'
pickpocket *n* כַּיָּיס
pickup *n* מַכִּיר מִקְרִי; מַשָּׂאִית קַלָּה
picnic *n* טוּזִיג, פִּיקְנִיק
picnic *vi* הִשְׁתַּתֵּף בְּטוּזִיג
pictorial *adj* צִיּוּרִי
picture *n* תְּמוּנָה; צִיּוּר; סֶרֶט
picture *vt* תֵּיאֵר; דִּמְיֵין
picture-gallery *n* גַּלֶּרְיָה לְצִיּוּרִים

picture postcard *n* גְלוּיַת תְּמוּנָה
picture-show *n* הַצָּגַת קולנוֹעַ
picturesque *adj* צִיוּרִי, צִיוּרָנִי; סַסגוֹנִי
picture window *n* חַלּוֹן נוֹף
piddling *adj* חֲסַר־עֵרֶךְ
pie *n* כִּיסָן; תַּעֲרוֹבֶת אוֹתִיּוֹת־דְּפוּס
pie *vt* עִרְבֵּב (אוֹתִיּוֹת־דפוּס)
piece *n* חֲתִיכָה; פְּרוּסָה (לחם); פִּיסָּה (נייר); נֵתַח (בשׂר)
piece *vt, vi* חִיבֵּר, אִיחָה
piecework *n* עֲבוֹדָה בְּקַבְּלָנוּת
pier *n* מֵזַח; רָצִיף
pierce *vt, vi* חָדַר; נָקַב
piercing *adj* חוֹדֵר, חוֹדְרָנִי
piety *n* אֲדִיקוּת, דָּתִיּוּת
piffle *n* שְׁטוּת, הֲבָלִים
pig *n* חֲזִיר; יַצֶּקֶת
pigeon *n* יוֹנָה
pigeonhole *n* גוּמחָה; תָּאוֹן
pigeonhole *vt* שָׂם בְּתָא; סִידֵּר
pigeon house *n* שׁוֹבַךְ יוֹנִים
piggish *adj* חֲזִירִי
pigheaded *adj* עַקְשָׁן
pig-iron *n* בַּרְזֶל יְצִיקָה
pigment *n* צִבְעָן, פִּיגמֶנט
pigpen *n* דִּיר חֲזִירִים
pigsticking *n* צֵיד חֲזִירֵי־בָּר
pigsty *n* דִּיר חֲזִירִים
pigtail *n* צַמָּה עוֹרְפִּית
pike *n* רוֹמַח; תַּחֲנַת מַס דְּרָכִים; זְאֵב־הַיָּם
piker *n* אָדָם חֲסַר עֵרֶךְ
Pilate *n* פּוֹנטְיוּס פִּילָטוֹס
pile *n* עֲרֵימָה; כַּמּוּת גְדוֹלָה
pile *vt, vi* עָרַם, צָבַר
pilfer *vt, vi* גָּנַב, ׳סָחַב׳
pilgrim *n* עוֹלֵה־רֶגֶל, צַלְיָין
pilgrimage *n* עֲלִיָּיה לְרֶגֶל
pill *n* גְלוּלָה; כַּדּוּר
pillage *n* בִּיזָּה; שָׁלָל
pillage *vt, vi* בָּזַז, שָׁדַד
pillar *n* עַמּוּד
pillory *vt* הֶעֱמִיד לְיַד עַמּוּד הַקָּלוֹן, בִּיזָּה
pillory *n* עַמּוּד קָלוֹן
pillow *n* כַּר
pillow *vt, vi* הִנִּיחַ עַל כַּר; שִׁימֵּשׁ כַּר
pillowcase *n* צִיפָּה
pilot *n* קַבַּרְנִיט (במטוס), נַוּוָט (באונייה)
pilot *vt* נָהַג; שִׁימֵּשׁ כְּקַבַּרְנִיט; הוֹבִיל
pimp *n, vi* סַרסוּר זְנוּת; סִרסֵר לִזנוּת
pimple *n* חֲטָט
pimply *adj* מְחוּטָּט
pin *n* סִיכָּה; יָתֵד
pin *vt* פָּרַף; חִיבֵּר בְּסִיכָּה
pinafore *n* סִינַּר יְלָדִים
pinball *n* כַּדּוּר וִיתֵדוֹת
pince-nez *n* מִשְׁקְפֵי־אַף
pincers *n pl* מִצְבָּטַיִים
pinch *vt, vi* צָבַט; לָחַץ; קִימֵּץ
pinch *n* צְבִיטָה; לְחִיצָה
pinchcock *n* מַלְחֵץ
pincushion *n* כָּרִית לְסִיכּוֹת
pine *n* אוֹרֶן
pine *vt* נָמַק; הִתגַּעגֵּעַ
pineapple *n* אֲנָנָס
pine cone *n* אִיצטְרוֹבָּל
ping *n, vi* זִמזוּם; זִמזֵם

pinhead *n* גּוּלַּת סִיכָּה; טִיפֵּשׁ
pink *n* צִיפּוֹרֶן; מַצָּב מְצוּיָּן
pink *adj* וָרוֹד
pin money *n* כֶּסֶף לְהוֹצָאוֹת אִישִׁיּוֹת (שֶׁל אִישָּׁה)
pinnacle *n* פִּסְגָּה
pinpoint *vt* אִיתֵּר בִּמְדוּיָּק
pinpoint *n* חוּד סִיכָּה
pinprick *n* דִּקְרוּר; הַקְנָטָה
pin-up girl *n* תְּמוּנַת עַלְמָה נַעֲרָצָה
pinwheel *n* גַּלְגַּל פִּין
pioneer *n* חָלוּץ
pioneer *vi, vt* הָיָה חָלוּץ; סָלַל
pious *adj* אָדוּק, צַדִּיק
pip *n* חַרְצָן; כּוֹכָב (שֶׁל קָצִין)
pipe *n* צִינּוֹר; (בְּמוּסִיקָה) קָנֶה; מִקְטֶרֶת
pipe *vi, vt* חִילֵּל; צָפַר
pipe cleaner *n* מְנַקֵּה מִקְטֶרֶת
pipe dream *n* הֲזָיָה
pipe-line *n* צִינּוֹר, קַו צִינּוֹרוֹת
pipe organ *n* עוּגָב
piper *n* חֲלִילָן
pipe wrench *n* מַפְתֵּחַ צִינּוֹרוֹת
piquant *adj* שָׁנוּן, מְפוּלְפָּל
pique *n* טִינָה, הֵיעָלְבוּת
pique *vt* הִרְגִּיז, עוֹרֵר טִינָה
Piraeus *n* פִּירֵאוּס
pirate *n* שׁוֹדֵד־יָם, פִּירָט
pirate *vt, vi* שָׁדַד; הִשְׁתַּמֵּשׁ בְּלֹא רְשׁוּת
pirouette *n* פִּירוּאֶט
pistol *n* אֶקְדָּח
piston *n* בּוּכְנָה; (בְּמוּסִיקָה) שַׁסְתּוֹם
piston-ring *n* טַבַּעַת הַבּוּכְנָה
piston-rod *n* מוֹט הַבּוּכְנָה

pit *n* בּוֹר, תְּהוֹם; אוּלָם (תֵּיאַטְרוֹן); שְׁקִיעָה (בְּבֶטֶן)
pit *vt, vi* עָשָׂה חוֹרִים, הֶעֱמִיד לִקְרָב
pitch *vt, vi* נָטָה (אוֹהֶל); אָהַל; הֶעֱמִיד
pitch *n* גּוֹבַהּ, רָמָה; גּוֹבַהּ הַצְּלִיל
pitcher *n* כַּד; מַגִּישׁ (בְּמִשְׂחֲקֵי כַּדּוּר)
pitchfork *n* קִלְשׁוֹן, מַזְלֵג
pitfall *n* מַלְכּוֹדֶת, פַּח
pith *n* עִיקָּר, תַּמְצִית; כּוֹחַ
pithy *adj* תַּמְצִיתִי; נִמְרָץ
pitiful *adj* מְעוֹרֵר רַחֲמִים; בָּזוּי
pitiless *adj* חֲסַר רַחֲמִים
pity *n, vt* רַחֲמָנוּת; רִיחֵם
pivot *n* צִיר, יָד
pivot *vt, vi* הִרְכִּיב; סָב עַל צִיר
placard *n* כְּרָזָה, פְּלָקָט
placard *vt* הִדְבִּיק כְּרָזוֹת
place *n* מָקוֹם
place *vt, vi* שָׂם, הִנִּיחַ, הֶעֱמִיד, מִיקֵּם
place card *n* כַּרְטִיס מָקוֹם
placement *n* הֲשָׂמָה; הַמְצָאַת עֲבוֹדָה
placid *adj* שָׁלֵו, שָׁקֵט
plagiarism *n* גְּנֵיבַת יְצִירַת הַזּוּלַת, פְּלַגְיָט
plagiarize *vt* גָּנַב (יְצִירַת הַזּוּלַת)
plague *n* מַגֵּיפָה, דֶּבֶר
plague *vt* הִכָּה בְּדֶבֶר; הִטְרִיד
plaid *n* אָרִיג מְלוּכְסָן
plain *adj* פָּשׁוּט; בָּרוּר; גָּלוּי
plain *n* מִישׁוֹר, עֲרָבָה
plain-clothes man *n* בַּלָּשׁ בִּלְבוּשׁ אֶזְרָחִי
plainsman *n* יוֹשֵׁב הַמִּישׁוֹר
plaintiff *n* תּוֹבֵעַ

plaintive *adj* מַבִּיעַ תַּרְעוֹמֶת

plan *n* תּוֹכְנִית; תַּרְשִׁים

plan *vt, vi* תִּכְנֵן, הֵכִין תּוֹכְנִית

plane *n* (עץ) דּוֹלֶב; מִשְׁטָח מִישׁוֹרִי; מָטוֹס

plane *adj* שָׁטוּחַ; מִישׁוֹרִי

plane *vt* הִקְצִיעַ

planet *n* כּוֹכַב־לֶכֶת

plane tree *n* דּוֹלֶב

planing mill *n* נַגָּרִייָה מֵכָנִית

plank *n* קֶרֶשׁ; סְעִיף (במצע מדיני)

plant *n* צֶמַח; נֶטַע, שָׁתִיל; בֵּית־חֲרוֹשֶׁת

plant *vt* זָרַע, נָטַע; שָׁתַל

plantation *n* מַטָּע, אֲחוּזַּת מַטָּעִים

planter *n* בַּעַל מַטָּעִים

plaster *n* אִיסְפְּלָנִית; טִיחַ

plaster *vt* טָח; כִּייֵּר; הִדְבִּיק

plasterboard *n* לוּחַ טִיחַ

plastic *adj, n* פְּלַסְטִי, גָּמִישׁ; חוֹמֶר פְּלַסְטִי

plate *n* צַלַּחַת; כְּלֵי שׁוּלְחָן

plate *vt* צִיפָּה; רִיקֵּעַ

plateau *n* רָמָה; טַס

plate-glass *n* זְכוּכִית מְעוּרְגֶּלֶת

plate-layer *n* פּוֹעֵל מְסִילַּת־בַּרְזֶל

platform *n* בָּמָה, דּוּכָן; רְצִיף

platform car *n* עֲגָלַת רְצִיף

platinum *n* פְּלָטִינָה

platitude *n* אִמְרָה נְדוֹשָׁה

Plato *n* אַפְּלָטוֹן

platoon *n* מַחְלָקָה

platter *n* צַלַּחַת

plausible *adj* סָבִיר לִכְאוֹרָה, חֲלַקְלַק

plausibly *adv* בְּאוֹפֶן סָבִיר

play *vi, vt* שִׂיחֵק; נִיגֵּן

play *n* מִשְׂחָק; שַׁעֲשׁוּעַ; מַחֲזֶה

playbill *n* מוֹדָעַת הַצָּגָה

playful *adj* אוֹהֵב שְׂחוֹק

playgoer *n* מְבַקֵּר תֵּיאַטְרוֹן קָבוּעַ

playground *n* מִגְרַשׁ מִשְׂחָקִים

playhouse *n* תֵּיאַטְרוֹן

playing-cards *n pl* קְלָפִים לְמִשְׂחָק

playing-field *n* מִגְרַשׁ מִשְׂחָקִים

playoff *n* תַּחֲרוּת מַכְרַעַת

playpen *n* לוּל

plaything *n* צַעֲצוּעַ

playwright *n* מַחֲזַאי

playwriting *n* מַחֲזָאוּת

plea *n* טַעֲנָה; כְּתַב־הֲגַנָּה

plead *vi, vt* (במשפט) טָעַן, סִנֵּגֵר; הִפְצִיר

pleasant *adj* נָעִים, נוֹחַ

pleasantry *n* הִיתּוּל, הֲלָצָה

please *vt, vi* מָצָא חֵן בְּעֵינֵי, הִנְעִים

please *interj* בְּבַקָּשָׁה

pleasing *adj* מְנַעִים, מְהַנֶּה

pleasure *n* הֲנָאָה

pleat *n, vt* קִיפּוּל, קֶמֶט; עָשָׂה קְפָלִים

plebeian *n, adj* פְּשׁוּט־עַם, פְּלֶבֵּאִי

pledge *n* מַשְׁכּוֹן; עֵרָבוֹן; הִתְחַייְּבוּת

pledge *vt* מִשְׁכֵּן; הִתְחַייֵּב

plentiful *adj* שׁוֹפֵעַ, גָּדוּשׁ

plenty *n* שֶׁפַע, רְווָחָה

plenty *adv* דַּי וְהוֹתֵר; מְאוֹד

pleurisy *n* דַּלֶּקֶת הָאֶדֶר

pliable *adj* כָּפִיף, גָּמִישׁ

pliers *n pl* מֶלְקָחַיִים

plight *n* מַצָּב (שלילי)

plight *vt* הִבְטִיחַ (נישואין)

plod *vi, vt* הָלַךְ בִּכְבֵדוּת

plot *n* קֶשֶׁר; עֲלִילָה; מִגְרָשׁ

plot *vi, vt* קָשַׁר קֶשֶׁר, זָמַם; תִּכְנֵן

plow, plough *n, vt, vi* מַחֲרֵשָׁה; חָרַשׁ

plowman *n* חוֹרֵשׁ

plowshare *n* סַכִּין הַמַּחֲרֵשָׁה

plover *n* חוֹפָמִי

pluck *vt* קָטַף, תָּלַשׁ

pluck *n* אוֹמֶץ־לֵב

plucky *adj* אַמִּיץ

plug *n* מַצָּת; פְּקָק; (בחשמל) תֶּקַע; תַּעֲמוּלָה מִסְחָרִית

plug *vt, vi* סָתַם, פָּקַק; עָשָׂה פִּרְסוֹמֶת

plum *n* שָׁזִיף; בָּחִיר

plumage *n* נוֹצוֹת הָעוֹף

plumb *n* אֲנָךְ

plumb *adj, adv* זָקוּף, מְאוּנָּךְ; בִּמְאוּנָּךְ; מוּחְלָט

plumb *vt* מָדַד בַּאֲנָךְ; בָּדַק

plumb-bob *n* מִשְׁקוֹלֶת אֲנָךְ

plumber *n* שְׁרַבְרָב, אִינְסְטָלָטוֹר

plumbing *n* שְׁרַבְרָבוּת

plumbing fixtures *n pl* צַנֶּרֶת (מים, ביוב); אִינְסְטָלַצְיָה

plumb-line *n* אֲנָךְ, אַמַּת־הַמִּדָּה

plum-cake *n* עוּגַת צִימּוּקִים

plume *n* נוֹצָה; קִישּׁוּט נוֹצוֹת

plummet *n* אֲנָךְ, מִשְׁקוֹלֶת הָאֲנָךְ

plummet *vi* יָרַד בִּמְאוּנָּךְ

plump *adj* שְׁמַנְמַן

plump *vi, vt* נָפַל, הִצְלִיל

plump *adv* בִּנְפִילָה פִּתְאוֹמִית

plum-pudding *n* פַּשְׁטִידַת שְׁזִיפִים

plunder *vt* שָׁדַד

plunder *n* שׁוֹד; בִּיזָּה; גְּנֵיבָה

plunge *vi, vt* הִתְפָּרֵץ; קָפַץ (למים); הֵטִיל

plunge *n* טְבִילָה, קְפִיצָה לַמַּיִם

plunger *n* קוֹפֵץ, צוֹלֵל; מְהַמֵּר

plunk *vi, vt* פָּרַט (על כלי); נָפַל בְּחוֹזְקָה; הֵטִיל

plural *adj, n* שֶׁל רִיבּוּי; רַבִּים

plus *prep, n, adj* וְעוֹד, בְּצֵירוּף; פְּלוּס; חִיּוּבִי

plush *n, adj* קְטִיפָה

plutonium *n* פְּלוּטוֹנִיּוּם

ply *vt, vi* עָבַד בְּמֶרֶץ בּ...; הִפְעִיל; סִיפֵּק בְּשֶׁפַע

ply *n* שִׁכְבָה, עוֹבִי; מְגַמָּה

plywood *n* לָבִיד

pneumatic *adj* אֲוִירִי, מֵכִיל אֲוִיר

pneumonia *n* דַּלֶּקֶת רֵיאוֹת

pneumonic *adj* שֶׁל דַּלֶּקֶת הָרֵיאוֹת

P.O. *abbr* Post Office

poach *vt, vi* חָלַט (ביצה); הִסִּיג גְּבוּל

poacher *n* צָד בְּלִי רְשׁוּת; מַסִּיג גְּבוּל

pock *n* אֲבַעְבּוּעָה

pocket *n* כִּיס; שַׂק

pocket *vt* הִכְנִיס לַכִּיס; לָקַח לְעַצְמוֹ

pocket-book *n* פִּנְקַס כִּיס

pocket handkerchief *n* מִמְחָטָה

pocketknife *n* אוֹלָר

pocket money *n* דְּמֵי־כִּיס

pockmark *n* סְטִיפָה

pod *n* תַּרְמִיל (קטניות)

poem *n* שִׁיר, פּוֹאֵימָה

poet *n* מְשׁוֹרֵר, פַּיְיטָן

poetess *n* מְשׁוֹרֶרֶת, פַּיְיטָנִית

poetic, poetical *adj* שִׁירִי, פִּיּוּטִי

poetry *n* שִׁירָה, פִּיּוּט

pogrom *n* פְּרָעוֹת, פּוֹגְרוֹם

poignancy *n* חֲרִיפוּת; נְגִיעָה לַלֵּב
poignant *adj* חָרִיף; מַכְאִיב, מְעוֹרֵר רְגָשׁוֹת
point *n* נְקוּדָה; חוֹד; דָּגֵשׁ; עִיקָר; תַּכְלִית; תְּכוּנָה
point *vt, vi* שָׂם נְקוּדָה; חִידֵּד; הִצְבִּיעַ
point-blank *adj, adv* מִקָּרוֹב; בְּגָלוּי; מִנֵּיהּ וּבֵיהּ
pointed *adj* חַד, מְחוּדָּד; קוֹלֵעַ; עוֹקֵץ
pointer *n* מַחֲוָן, מוֹרֶה; מָחוֹג; כֶּלֶב צַיִד
poise *n* שִׁיווּי־מִשְׁקָל; זְקִיפוּת רֹאשׁ
poise *vt, vi* אִיזֵּן; שָׁמַר שִׁיווּי־מִשְׁקָל; הֶחֱזִיק מוּכָן
poison *n, vt* רַעַל, אֶרֶס; הִרְעִיל
poisonous *adj* מַרְעִיל, אַרְסִי
poke *vt, vi* תָּחַב, תָּקַע
poke *n* תְּחִיבָה; דְּחִיפָה קַלָּה
poker *n* מַחְתָּה; פּוֹקֶר
poky *adj* דַּל, צַר; קַטְנוּנִי
Poland *n* פּוֹלַנְיָה
polar bear *n* הַדּוֹב הַלָּבָן
polarize *vt* קִיטֵּב
pole *n* מוֹט; עַמּוּד; קוֹטֶב
polecat *n* חָמוּס
polestar *n* כּוֹכַב הַקּוֹטֶב
pole-vault *vi* קָפַץ בְּמוֹט
police *n, vt* מִשְׁטָרָה; שִׁיטֵּר
policeman *n* שׁוֹטֵר
policy *n* מְדִינִיּוּת, קַו־פְּעוּלָּה; תְּעוּדַת בִּיטּוּחַ
polio *n* שִׁיתּוּק יְלָדִים
polish *vt, vi* לִיטֵּשׁ; צִחְצַח
polish *n* צִחְצוּחַ; לִיטּוּשׁ; עִידּוּן
polisher *n* מְצַחְצֵחַ, מְלַטֵּשׁ
polite *adj* מְנוּמָּס, נִימוּסִי
politeness *n* אֲדִיבוּת, נִימוּס
politic *adj* נָבוֹן, מְחוּכָּם
political *adj* מְדִינִי
politician *n* פּוֹלִיטִיקַאי
politics *n pl* מְדִינִיּוּת, פּוֹלִיטִיקָה
poll *n* סְפִירַת קוֹלוֹת; הַצְבָּעָה
poll *vt, vi* עָרַךְ הַצְבָּעָה; קִיבֵּל קוֹלוֹת; נָתַן קוֹלוֹ
pollen *n* אֲבָקָה
pollinate *vt* הֶאֱבִיק (צמח)
polling booth *n* תָּא הַצְבָּעָה
poll-tax *n* מַס גּוּלְגּוֹלֶת
pollute *vt* זִיהֵם, טִינֵּף
pollution *n* זִיהוּם, טִינּוּף
polo *n* פּוֹלוֹ
polygamist *n* פּוֹלִיגָמִיסט, רַב־נָשִׁים
polyglot *adj, n* רַב־לְשׁוֹנִי; יוֹדֵעַ לְשׁוֹנוֹת
polygon *n* מְצוּלָּע; רַב־צְלָעוֹת
polyp *n* פּוֹלִיפ
polytheist *n* מַאֲמִין בֵּאֵלִים רַבִּים
pomade *n* מִשְׁחַת בְּשָׂמִים
pomegranate *n* רִימּוֹן
pommel *vt* הִכָּה בְּאֶגְרוֹף
pomp *n* הוֹד, זוֹהַר
pompadour *n* תִּסְרוֹקֶת פּוֹמְפָּדוּר
pompous *adj* מִתְגַּנְדֵּר; מְנוּפָּח
pond *n* בְּרֵיכָה
ponder *vt, vi* שָׁקַל, הִרְהֵר
ponderous *adj* כָּבֵד
pontiff *n* אַפִּיפְיוֹר
pontoon *n* סִירַת גְּשָׁרִים
pony *n* סְיָיח
poodle *n* פּוּדֶל

pool *n* מִקְוֵה מַיִם; קוּפָּה מְשׁוּתֶּפֶת
pool *vt* הִפְקִידוּ בְּקֶרֶן מְשׁוּתֶּפֶת
poolroom *n* אוּלַם בִּילְיַארְד
poop *n* בֵּית־אַחֲרָה
poor *adj* עָנִי, דַל; מִסְכֵּן
poor-box *n* קוּפַּת צְדָקָה
poorhouse *n* לִינַת־צֶדֶק
poorly *adv*, *adj* בְּקוֹשִׁי; בְּקַמְצָנוּת; חוֹלָנִי
pop. *abbr* popular, population
pop *vi*, *vt* פָּקַק; יָרָה; בָּא בְּחִיפָּזוֹן; פָּעַר
pop *n* פֶּקֶק; יְרִיַּית רוֹבֶה; מַשְׁקֶה תּוֹסֵס
pop *adj* עֲמָמִי, פּוֹפּוּלָרִי
popcorn *n* תִּירָס קָלוּי
pope *n* אַפִּיפְיוֹר
popeyed *adj* פְּעוּר עֵינַיִם
popgun *n* רוֹבֶה פְּקָקִים
poplar *n* צַפְצָפָה
poppy *n* פֶּרֶג
poppycock *n* שְׁטוּיוֹת
populace *n* הֲמוֹן הָעָם
popular *adj* אָהוּד; עֲמָמִי, פּוֹפּוּלָרִי
popularize *vt* הָפַךְ לְפּוֹפּוּלָרִי; הֵפִיץ בָּעָם
populous *adj* רַב־אוּכְלוּסִין
porcelain *n* חַרְסִינָה
porch *n* מִרְפֶּסֶת
porcupine *n* קִיפּוֹד
pore *n* נַקְבּוּבִית
pore *vi* הָיָה שָׁקוּעַ בְּעִיּוּן
pork *n* בְּשַׂר חֲזִיר
porous *adj* נַקְבּוּבִי
porphyry *n* פּוֹרְפִיר
porpoise *n* פּוֹקֵנָה

porridge *n* דַּייסָה
port *n* נָמֵל; שְׂמֹאל (האונייה); יֵין אוֹפּוֹרְטוֹ
portable *adj*, *n* בַּר־טִלְטוּל
portal *n* שַׁעַר, דֶּלֶת
portend *vt* בִּישֵּׂר, נִיבֵּא
portent *n* אוֹת לַבָּאוֹת
portentous *adj* מְבַשֵּׂר, מְנַבֵּא
porter *n* סַבָּל; שׁוֹעֵר
portfolio *n* תִּיק נְיָירוֹת; מִשְׂרַת שַׂר
porthole *n* אֶשְׁנָב
portico *n* שְׂדֵירַת עַמּוּדִים
portion *n* חֵלֶק; מָנָה; נְדוּנְיָה
portly *adj* כַּרְסָן, שְׁמַנְמַן
portmanteau *n* מִזְווָדָה גְּדוֹלָה
portrait *n* פּוֹרְטְרֶט, דְּיוֹקָן
portray *vt* צִייֵּר; תֵּיאֵר
portrayal *n* צִיּוּר; תֵּיאוּר
Portugal *n* פּוֹרְטוּגָל
port wine *n* יֵין אוֹפּוֹרְטוֹ
pose *vt*, *vi* הִצִּיג (בעיה וכד׳); יָשַׁב לִפְנֵי צַיָּיר; הֶעֱמִיד פָּנִים
pose *n* פּוֹזָה, צֶגַע; הַעֲמָדַת־פָּנִים
posh *adj* מְהוּדָּר, מְצוּחְצָח
position *n* מַצָּב, (בצבא) מוּצָב; מַעֲמָד; עֶמְדָה (בוויכוח)
position *vt* הֶעֱמִיד בַּמָּקוֹם
positive *adj* חִיּוּבִי; קוֹנְסְטְרוּקְטִיבִי; מוּחְלָט
positive *n* פּוֹזִיטִיב (בצילום); חִיּוּב
possess *vt* הֶחֱזִיק בּ...; הָיָה לוֹ
possession *n* בַּעֲלוּת, חֲזָקָה
possible *adj* אֶפְשָׁרִי
possum *n* אוֹפּוֹסוּם
post *n* עַמּוּד; דּוֹאַר; (בצבא) עֶמְדָה

post *vt, vi* שָׁלַח בַּדּוֹאַר; הִדְבִּיק (מודעה וכד׳)
postage *n* דְּמֵי־דוֹאַר
postage meter *n* מַחְתֵּמָה
postage stamp *n* בּוּל דּוֹאַר
postal *adj, n* שֶׁל דּוֹאַר; גְּלוּיָה
postal order *n* הַמְחָאַת דּוֹאַר
postcard *n* גְּלוּיַת־דּוֹאַר
postdate *vt* קָבַע תַּאֲרִיךְ מְאוּחָר
poster *n* כְּרָזָה, פְּלָקָט
posterior *n* אֲחוֹרַיִים
posthaste *adv* בִּמְהִירוּת רַבָּה
posthumous *adj* שֶׁלְּאַחַר הַמָּוֶת
postman *n* דַּוָּר
postmark *n* חוֹתֶמֶת דּוֹאַר
postmark *vt* חָתַם (חותמת־דואר)
postmaster *n* מְנַהֵל דּוֹאַר
post-mortem *adj, n* (בְּדִיקָה) שֶׁלְּאַחַר הַמָּוֶת
post-office *n* בֵּית־דּוֹאַר
post-office box *n* תָּא־דּוֹאַר
postpaid *adj* שֶׁדְּמֵי־הַדּוֹאַר שׁוּלְּמוּ
postpone *vt* דָּחָה, הִשְׁהָה
postscript *n* הוֹסָפָה לַכָּתוּב
posture *n* מַעֲרַךְ הַגּוּף, תְּנוּחָה
postwar *adj* שֶׁלְּאַחַר הַמִּלְחָמָה
posy *n* זֵר פְּרָחִים
pot *n* סִיר; כְּלִי־בַּיִת; (המונית) חֲשִׁישׁ
potash *n* פַּחְמַת אַשְׁלְגָן
potassium *n* אַשְׁלְגָן
potato *n* תַּפּוּחַ־אֲדָמָה, תַּפּוּד
potbellied *adj* כְּרֵסָנִי
potency *n* עוֹצְמָה; כּוֹחַ־גַּבְרָא, אוֹן
potent *adj* חָזָק; בַּעַל כּוֹחַ־גַּבְרָא
potentate *n* שַׁלִּיט

potential *adj, n* שֶׁבְּכוֹחַ, פּוֹטֶנְצְיָאלִי; פּוֹטֶנְצְיָאל; אֶפְשָׁרוּת מֵירַבִּית
pothook *n* אַנְקוֹל הַסִּיר
potion *n* שִׁיקּוּי; לְגִימָה
pot-luck *n* הָאוֹכֶל שֶׁבַּבַּיִת, מַה שֶּׁיֵּשׁ
potshot *n* יְרִיָּיה לֹא מְכוּוֶּנֶת
potter *n* קַדָּר, יוֹצֵר
potter *vi* עָבַד בַּעֲצַלְתַּיִים; ׳הִסְתּוֹבֵב׳
potter's clay *n* חוֹמֶר יוֹצֵר
pottery *n* קַדָּרוּת; כְּלֵי־חֶרֶס
pouch *n* כִּיס, שַׂק, שַׂקִּיק
poulterer *n* סוֹחֵר עוֹפוֹת
poultice *n* אִיסְפְּלָנִית מְרוּחָה בְּחוֹמֶר מְרַפֵּא
poultry *n* עוֹפוֹת בַּיִת
pounce *vt, vi* זִינֵּק, עָט עַל
pound *n* לִיטְרָה (משקל); לִירָה (כסף)
pound *vt, vi* הָלַם, הִכָּה
pour *vt, vi* שָׁפַךְ, מָזַג; נִיתַּךְ (גשם)
pout *vi* שִׁרְבֵּט (שפתיים); כָּעַס
poverty *n* עוֹנִי, דַּלּוּת
P.O.W. *abbr* Prisoner of War
powder *n* אֲבָקָה, פּוּדְרָה (קוסמטית)
powder *vt, vi* אִיבֵּק; שָׁחַק; פִּידֵּר
powder-puff *n* כָּרִית לְפוּדְרָה
powder-room *n* בֵּית־שִׁימּוּשׁ (לנשים)
powdery *adj* אֲבָקִי
power *n* כּוֹחַ, חוֹזֶק; יְכוֹלֶת; שִׁלְטוֹן; חֶזְקָה (מתימטיקה)
power *vt* סִיפֵּק כּוֹחַ
power-dive *n* צְלִילַת עוֹצְמָה
powerful *adj* חָזָק, רַב־כּוֹחַ
powerhouse *n* תַּחֲנַת־כּוֹחַ

powerless *adj* אֵין־אוֹנִים
power mower *n* מַכְסֵחַת מָנוֹעַ
power of attorney *n* יִיפּוּי־כּוֹחַ
power-plant *n* תַּחֲנַת־כּוֹחַ
power steering *n* הֶגֶה הִידרוֹלִי
pp. *abbr* pages
practical *adj* מַעֲשִׂי, תּוֹעַלְתִּי
practically *adv* מִבְּחִינָה מַעֲשִׂית; כִּמְעַט
practice *n* אִימוּן, תִּרגוּל; הֶרגֵל; פְּרַקְטִיקָה (שֶׁל רוֹפֵא וכד׳)
practice, practise *vt, vi* תִּרגֵל; הִתאַמֵּן; עָסַק בְּמִקצוֹעַ
practitioner *n* עוֹסֵק (בְּמִקצוֹעַ)
Prague *n* פְּרָאג
prairie *n* עֲרָבָה, פְּרֶרִיָה
prairie dog *n* כֶּלֶב הָעֲרָבָה
praise *n, vt* שֶׁבַח, הַלֵּל; שִׁיבֵּחַ, הִלֵּל
pram *n* עֶגלַת יְלָדִים
prance *vi* קִיפֵּץ, פִּיזֵז
prank *n* מַעֲשֶׂה קוּנדֵס
prate *vi* פִּטפֵּט
prattle *n* פִּטפּוּט, שְׁטוּיוֹת
pray *vt, vi* הִתפַּלֵּל, הִתחַנֵּן
prayer *n* תְּפִילָּה
prayer-book *n* סִידּוּר תְּפִילָּה
preach *vi, vt* הִטִּיף; דָּרַשׁ דְּרָשָׁה
preacher *n* דַּרשָׁן
preamble *n* הַקדָמָה
precarious *adj* מְסוּכָּן; רוֹפֵף
precaution *n* אֶמצָעֵי־זְהִירוּת
precede *vt, vi* קָדַם; הִקדִּים
precedent *n* תַּקדִּים
precept *n* מִצווָה
precinct *n* אֵיזוֹר, סְבִיבָה
precious *adj* יָקָר מְאוֹד
precious *adv* מְאוֹד
precipice *n* נֵד, צוּק תָּלוּל
precipitate *vt, vi* הִפִּיל בְּעוֹצמָה; זֵירֵז, הֵאִיץ
precipitate *adj* נֶחפָּז
precipitous *adj* תָּלוּל
precise *adj* מְדוּיָּק, מְדוּקדָּק
precision *n* דִּיוּק
preclude *vt* הוֹצִיא מִכְּלַל חֶשבּוֹן
precocious *adj* מְפוּתָּח בְּלֹא עֵת
predatory *adj* טוֹרֵף; חַמסָן
predicament *n* מַצָּב מֵעִיק
predict *vt, vi* נִיבֵּא, חָזָה מֵרֹאשׁ
prediction *n* נִיבּוּי; חִיזּוּי
predispose *vt* הִטָּה מֵרֹאשׁ; הִכשִׁיר
predominant *adj* שׁוֹלֵט; מַכרִיעַ
preeminent *adj* דָּגוּל, נַעֲלֶה
preempt *vt* קָנָה בִּזכוּת קְדִימָה
preen *vt* נִיקָּה בְּמַקּוֹר; הִתהַדֵּר
prefab *n* בַּיִת טְרוֹמִי
prefabricate *vt* יִיצֵר מֵרֹאשׁ
preface *n, vt* הַקדָמָה; הִקדִּים
prefer *vt* הֶעדִיף, בִּיכֵּר
preferable *adj* עָדִיף
preference *n* הַעדָפָה
prefix *n* תְּחִילִית, קִידוֹמֶת
prefix *vt* שָׂם לִפנֵי
pregnant *adj* הָרָה; פּוֹרֶה
prejudice *n* מִשׁפָּט קָדוּם; נֶזֶק
prejudice *vt* נָטַע דֵּעָה קְדוּמָה בְּלֵב (הַזוּלַת); פָּגַע (בִּזכוּת וכד׳)
prejudicial *adj* גּוֹרֵם דֵּעָה קְדוּמָה; מַזִּיק
prelate *n* כּוֹמֶר בָּכִיר

preliminary *adj, n* קוֹדֵם, מֵכִין; פְּעוּלָּה מְכִינָה
prelude *n* פְּרֵלוּד, אַקְדָּמָה
premeditate *vt, vi* תִּכְנֵן מֵרֹאשׁ
premier *adj* רִאשׁוֹן; רֹאשׁ; רֹאשׁ מֶמְשָׁלָה
première *n* הַצָּגַת־בְּכוֹרָה
premise, premiss *n* הַנָּחַת יְסוֹד; (בריבוי) חֲצֵרִים
premium *n* דְּמֵי־בִּיטּוּחַ, פְּרֶמְיָה; הֲטָבָה
premonition *n* תְּחוּשָׁה מוּקְדֶּמֶת
preoccupancy *n* תְּפִיסָה מֵרֹאשׁ
preoccupation *n* שְׁקִיעָה בְּמַחֲשָׁבוֹת; דְּאָגָה
preoccupy *vt* תָּפַס מֵרֹאשׁ; הֶעֱסִיק אֶת הַדַּעַת
prepaid *adj* שֶׁשּׁוּלַּם מֵרֹאשׁ
preparation *n* הֲכָנָה, הַכְשָׁרָה
preparatory *adj* מֵכִין; מַכְשִׁיר
prepare *vt, vi* הֵכִין; הִכְשִׁיר; הִתְכּוֹנֵן
preparedness *n* נְכוֹנוּת, כּוֹנְנוּת
prepay *vt* שִׁילֵּם מֵרֹאשׁ
preponderant *adj* מַכְרִיעַ
preposition *n* מִלַּת־יַחַס
prepossessing *adj* עוֹשֶׂה רוֹשֶׁם טוֹב
preposterous *adj* מְגוּחָךְ, אֱוִילִי
prep-school *n* מְכִינָה
prerequisite *adj, n* דָּרוּשׁ מֵרֹאשׁ; תְּנַאי מוּקְדָּם
prerogative *n* זְכוּת מְיוּחֶדֶת
Pres. *abbr* Presbyterian, President
presage *vt* נִיבֵּא, בִּישֵּׂר
Presbyterian *adj, n* פְּרֶסְבִּיטֶרִי
prescribe *vt, vi* (רופא) רָשַׁם מַתְכּוֹן; הִצִּיעַ
prescription *n* מִרְשָׁם
presence *n* נוֹכְחוּת; הוֹפָעָה
present *adj, n* נוֹכֵחַ; הוֹוֶה (זמן); מַתָּנָה
present *vt* הֶעֱנִיק, נָתַן; הִצִּיג
presentable *adj* יָאֶה לְהַצָּגָה בְּצִיבּוּר
presentation *n* הַצָּגָה; הַגָּשָׁה
presentation copy *n* עוֹתֶק מַתָּנָה
presentiment *n* רֶגֶשׁ מְנַבֵּא רָעוֹת
presently *adv* מִיָּד
preserve *vt* שִׁימֵּר; שָׁמַר עַל
preserve *n* רִיבָּה; שְׁמוּרָה; תְּחוּם פְּרָטִי
preside *vi* יָשַׁב רֹאשׁ
presidency *n* נְשִׂיאוּת
president *n* נָשִׂיא
press *vt, vi* לָחַץ, דָּחַק; גִּיהֵץ
press *n* גִּיהוּץ; לַחַץ; מַגְהֵץ; עִיתּוֹנוּת; אָרוֹן
press agent *n* סוֹכֵן פִּרְסוֹמֶת
press conference *n* מְסִיבַּת עִיתּוֹנָאִים
pressing *adj* דָּחוּף; לוֹחֵץ; גִּיהוּץ
pressure *n* לַחַץ
pressure cooker *n* סִיר לַחַץ
prestige *n* יוּקְרָה, פְּרֶסְטִיזָ׳ה
presumably *adv* כְּפִי שֶׁמִּסְתַּבֵּר
presume *vt, vi* הִנִּיחַ; הִרְשָׁה לְעַצְמוֹ
presumption *n* הַנָּחָה, סְבָרָה; חוּצְפָּה
presumptuous *adj* מַרְהִיב עוֹז
presuppose *vt* הִנִּיחַ מֵרֹאשׁ
pretend *vt, vi* הִתְיַימֵּר; הֶעֱמִיד פָּנִים
pretense *n* הַעֲמָדַת־פָּנִים
pretentious *adj* יוּמְרָנִי

pretty *adj* נֶחְמָד, יָפֶה
pretty *adv* לְמַדַּי
pretty-pretty *n* יוֹפִי מְעוּשֶׂה
prevail *vi* נִיצַּח; שָׂרַר
prevailing *adj* שׂוֹרֵר, רוֹוֵחַ
prevalent *adj* רוֹוֵחַ; נָפוֹץ
prevaricate *vi* שִׁיקֵּר
prevent *vt* מָנַע
preventable *adj* בַּר־מְנִיעָה
prevention *n* מְנִיעָה
preventive *adj* מוֹנֵעַ
preview *n* הַצָּגָה מוּקְדֶמֶת
previous *adj*, *adv* קוֹדֵם; נֶחְפָּז
prewar *adj* קְדַם־מִלְחַמְתִּי
prey *n*, *vt* טֶרֶף; שָׁדַד; טָרַף; הֵעִיק
price *n* מְחִיר
price *vt* קָבַע מְחִיר; הֶעֱרִיךְ מְחִיר
price-control *n* פִּיקּוּחַ עַל מְחִירִים
price-cutting *n* הוֹרָדַת מְחִירִים
price fixing *n* קְבִיעַת מְחִירִים
price freezing *n* הַקְפָּאַת מְחִירִים
priceless *adj* שֶׁאֵין עֲרוֹךְ לוֹ
prick *n* דְּקִרוּר; (המונית) שׁוֹפְכָה
prick *vt* דִּקְרֵר, דָּקַר
prickly *adj* דוֹקְרָנִי
prickly heat *n* חֲרָרָה
prickly pear *n* צַבָּר
pride *n* גַּאֲוָה
pride *v reflex* הִתְגָּאָה
priest *n* כּוֹהֵן; כּוֹמֶר
priesthood *n* כְּהוּנָּה
prig *n* מְדַקְדֵּק דִּקְדּוּקֵי עֲנִיוּת
prim *adj* צְנוּעְתָנִי; מְעוּמְלָן
primary *adj*, *n* רִאשׁוֹנִי; עִיקָּרִי; רִאשׁוֹן; בְּחִירָה מוּקְדֶמֶת
primary school *n* בֵּית־סֵפֶר יְסוֹדִי
prime *adj*, *n* רִאשׁוֹן בְּמַעֲלָה; חֵלֶק מוּבְחָר
prime *vt* הִפְעִיל; הִתְנִיעַ; סִיפֵּק (אבק־שריפה, ידיעות)
prime minister *n* רֹאשׁ מֶמְשָׁלָה
primer *n* אַלְפוֹן
primitive *adj* פְּרִימִיטִיבִי; קָדוּם; נֶחֱשָׁל
primp *vt*, *vi* קִישֵּׁט; הִתְגַנְדֵּר
primrose *n*, *adj* רַקֶּפֶת; רַקַּפְתִּי
primrose path *n* שְׁבִיל תַּעֲנוּגוֹת
prince *n* נָסִיךְ
princess *n* נְסִיכָה
principal *adj* עִיקָּרִי, רָאשִׁי
principal *n* מְנַהֵל, רֹאשׁ; קֶרֶן
principle *n* עִיקָּרוֹן
print *n* דְּפוּס; אוֹתִיּוֹת־דְּפוּס
print *vt*, *vi* הִדְפִּיס; כָּתַב בְּאוֹתִיּוֹת־דְּפוּס
printed matter *n* דִּבְרֵי־דְפוּס
printer *n* מַדְפִּיס
printer's devil *n* שׁוּלְיַית מַדְפִּיס
printer's ink *n* צֶבַע דְּפוּס
printer's mark *n* סִימָן מִסְחָרִי שֶׁל מַדְפִּיס
printing *n* הַדְפָּסָה; אוֹתִיּוֹת־דְּפוּס
prior *adj* קוֹדֵם
prior *n* רֹאשׁ מִנְזָר
priority *n* זְכוּת־בְּכוֹרָה
prism *n* מִנְסָרָה
prison *vt* בֵּית־סוֹהַר
prisoner *n* אָסִיר
prissy *adj* קַפְּדָן
privacy *n* פְּרָטִיּוּת, צִנְעָה

private *adj* פְּרָטִי, אִישִׁי
private *n* טוּרַאי
private first class *n* טוּרַאי רִאשׁוֹן
private view *n* הַצָּגָה פְּרָטִית
privet *n* לִיגוּסטרוּם
privilege *n* זְכוּת מְיוּחֶדֶת, פְּרִיבִילֶגְיָה
privy *adj, n* מוּחבָּא; סוֹדִי; בֵּית־כִּיסֵּא
prize *n, adj* פְּרָס; מְעוּלֶּה
prize *vt* הֶעֱרִיךְ מְאוֹד
prize-fight *n* תַּחֲרוּת אִגרוּף לְכֶסֶף
pro *adv, n* (נִימּוּק, הַצְבָּעָה) בְּעַד; מִקְצוֹעִי, מִקְצוֹעָן
probability *n* הִסתַּבְּרוּת
probable *adj* מִסתַּבֵּר
probation *n* מִבחָן, נִיסָּיוֹן
probe *n* בְּדִיקָה; מַבדֵּק
probe *vt, vi* בָּחַן, בָּדַק
problem *n* בְּעָיָה
procedure *n* נוֹהַל
proceed *vi* הִתנַהֵל, הִתקַדֵּם
proceeding *n* הָלִיךְ; מַהֲלַךְ הָעִניָינִים
proceeds *n pl* הַכנָסוֹת
process *n* תַּהֲלִיךְ
process *vt* עִיבֵּד
proclaim *vt* הִכרִיז, הִצהִיר
proclitic *adj, n* (מִלָּה) נִגרֶרֶת
procrastinate *vt, vi* הִשׁהָה מִיּוֹם לְיוֹם; הִיסֵּס
procure *vt, vi* הִשִּׂיג, רָכַשׁ; סִרסֵר
prod *n* דְּחִיפָה
prod *vt* דָּחַף; דִּרבֵּן
prodigal *adj, n* בַּזבְּזָנִי; בַּזבְּזָן
prodigious *adj* מַפלִיא; עָצוּם
prodigy *n* פֶּלֶא, נֵס; עִילּוּי
produce *vt* הִצִּיג; יָלַד; הֵפִיק
produce *n* יְבוּל; תּוֹצֶרֶת
product *n* תּוֹצָר, מוּצָר
production *n* תְּפוּקָה, יִיצּוּר
profane *vt* טִימֵּא, חִילֵּל
profane *adj* חִילּוֹנִי; טָמֵא; גַּס
profanity *n* חִילּוּל הַקּוֹדֶשׁ; חֵירוּף
profess *vt, vi* טָעַן, הִתיַימֵּר
profession *n* מִקצוֹעַ; הַצהָרָה
professor *n* פּרוֹפֶסוֹר
proffer *vt, n* הִצִּיעַ; הַצָּעָה
proficient *adj* מְיוּמָּן, מוּמחֶה
profile *n* צְדוּדִית, פּרוֹפִיל
profile *vt* הִתקִין פּרוֹפִיל
profit *n* רֶוַוח
profit *v* הֵפִיק רֶוַוח אוֹ תּוֹעֶלֶת
profitable *adj* מֵבִיא רֶוַוח
profiteer *n, vi* מַפקִיעַ שְׁעָרִים
profit taking *n* מִימּוּשׁ רְוָוחִים
profligate *adj, n* מוּפקָר
pro forma invoice *n* חֶשְׁבּוֹן פּרוֹפוֹרמָה
profound *adj* עָמוֹק
profuse *adj* פַּזְרָנִי, שׁוֹפֵעַ
progeny *n* צֶאֱצָאִים
prognosis *n* תַּחֲזִית; אַבחָנָה
prognostic *n, adj* נִיבּוּיִי, תַּחֲזִיתִי
program *n* תּוֹכנִית; תּוֹכנִיָּה
progress *n* הִתקַדְּמוּת; קִדמָה
progress *vi* הִתקַדֵּם
progressive *adj, n* פּרוֹגרֶסִיבִי; מִתקַדֵּם
prohibit *vt* אָסַר
project *n* תּוֹכנִית, פּרוֹייֶקט
project *vt, vi* תִּכנֵן; הֵטִיל; הִקרִין; הִשׁלִיךְ; בָּלַט

projectile *n, adj* קָלִיעַ, טִיל
projection *n* תִּכְנוּן; הֲטָלָה; הַשְׁלָכָה; בְּלִיטָה
projector *n* מָטוֹל
proletarian *adj, n* פְּרוֹלֶטָרִי
proletariat *n* מַעֲמַד הַפּוֹעֲלִים
proliferate *vi* פָּרָה וְרָבָה
prolific *adj* פּוֹרֶה; שׁוֹפֵעַ
prolix *adj* רַב־מֶלֶל
prologue *n* מָבוֹא, פְּרוֹלוֹג
prolong *vt* הֶאֱרִיךְ, חִידֵּשׁ (תּוֹקֶף)
promenade *n* טִיוּל, טַיֶּלֶת
promenade *vi, vt* טִיֵּל; הוֹלִיךְ לְרַאֲוָה
prominent *adj* בּוֹלֵט; יָדוּעַ, נִכְבָּד
promise *n, vt* הַבְטָחָה; הִבְטִיחַ
promising *adj* מַבְטִיחַ
promissory *adj* מִתְחַיֵּיב
promissory note *n* שְׁטַר־חוֹב
promontory *n* צוּק־חוֹף
promote *vt* הֶעֱלָה בְּדַרְגָּה; קִידֵּם
promotion *n* עֲלִיָּיה בְּדַרְגָּה; קִידּוּם
prompt *adj* מָהִיר
prompt *vt* הֵנִיעַ; סִייֵּעַ (לְנוֹאֵם); לָחַשׁ (לְשַׂחְקָן)
prompter *n* לַחֲשָׁן
promulgate *vt* פִּרְסֵם
prone *adj* שָׁכוּב עַל כְּרֵסוֹ; מוּעָד ל...
prong *n* שֵׁן
pronoun *n* כִּינּוּי הַשֵּׁם
pronounce *vt* בִּיטֵּא; הִכְרִיז
pronouncement *n* הַכְרָזָה, הַצְהָרָה
pronunciation *n* מִבְטָא, הִיגּוּי
proof *n* הוֹכָחָה, רְאָיָה; הַגָּהָה
proof *adj* בָּדוּק; חָסִין
proofreader *n* מַגִּיהַּ
prop *n* סָמוֹךְ, מִשְׁעָן
prop *vt* תָּמַךְ, סָעַד
propaganda *n* תַּעֲמוּלָה
propagate *vt, vi* הֵפִיץ; הִטִּיף ל...; רִיבָּה
propel *vt* הֵנִיעַ, דָּחַף
propeller *n* מַדְחֵף
propensity *n* נְטִיָּיה טִבְעִית
proper *adj* אֲמִיתִּי; מַתְאִים; הָגוּן, כָּשֵׁר
proper noun *n* שֵׁם־עֶצֶם פְּרָטִי
property *n* רְכוּשׁ נְכָסִים; תְּכוּנָה
prophecy *n* נְבוּאָה
prophesy *vt* נִיבָּא
prophet *n* נָבִיא
prophylactic *adj, n* מוֹנֵעַ (מחלה)
propitiate *vt* פִּייֵּס, רִיצָּה
propitious *adj* מְעוֹדֵד, מְסַייֵּעַ
propjet *n* סִילוֹן מַדְחֵף
proportion *n* יַחַס; פְּרוֹפּוֹרְצִיָּה
proportionate *adj* פְּרוֹפּוֹרְצִיוֹנִי, יַחֲסִי
proposal *n* הַצָּעָה, הַצָּעַת נִישּׂוּאִים
propose *vt, vi* הִצִּיעַ, הִצִּיעַ נִישּׂוּאִין
proposition *n* הַצָּעָה; הַנָּחָה
propound *vt* הִצִּיעַ, הֶעֱלָה
proprietor *n* בְּעָלִים
proprietress *n* בַּעֲלַת נֶכֶס
propriety *n* הֲגִינוּת, יָאוּת
prosaic *adj* פְּרוֹזָאִי
proscribe *vt* נִידָּה; גֵּירֵשׁ
prose *n* פְּרוֹזָה
prosecute *vt, vi* תָּבַע לְדִין; הִתְמִיד בּ...
prosecutor *n* תּוֹבֵעַ, קָטֵגוֹר

proselyte *n* גֵר, גֵר־צֶדֶק
prosody *n* תּוֹרַת הַמִּשְׁקָל, פְּרוֹסוֹדְיָה
prospcct *n* מַרְאֶה נוֹף נִרְחָב; סִיכּוּי
prospect *vt, vi* בָּדַק בְּחִיפּוּשׂ (זהב וכד׳)
prosper *vi, vt* שִׂגְשֵׂג; גָּרַם לְהַצְלָחָה
prosperity *n* שֶׁפַע, שִׂגְשׂוּג
prosperous *adj* מְשַׂגְשֵׂג
prostitute *vt* מָכַר (עַצְמוֹ; כִּשְׁרוֹנוֹ)
prostitute *n* זוֹנָה
prostrate *adj* מִשְׁתַּטֵּחַ; מוּכְנָע
prostrate *vt* הִפִּיל אַרְצָה; הִשְׁתַּטֵּחַ
prostration *n* אֲפִיסַת כּוֹחוֹת
protagonist *n* מְצַדֵּד
protect *vt* הֵגֵן, שָׁמַר עַל
protection *n* הֲגַנָּה, שְׁמִירָה, חָסוּת
protégé(e) *n* בֶּן־חָסוּת
protein *n* חֶלְבּוֹן, פְּרוֹטֵאִין
pro tem(pore) *adj* זְמַנִּי
protest *vt, vi* מָחָה; טָעַן בְּתוֹקֶף
protest *n* מְחָאָה
protestant *n* פְּרוֹטֶסְטַנְט
protocol *n* פְּרוֹטוֹקוֹל
protoplasm *n* פְּרוֹטוֹפְּלַסְמָה
prototype *n* אַבְטִיפּוּס
protozoon *adj, n* חַד־תָּאִי; חַיָּה קְדוּמָה
protract *vt* הֶאֱרִיךְ
protrude *vi* בָּלַט, הִזְדַּקֵּר
proud *adj* גֵּא, גֵּאֶה; שַׁחֲצָן
prove *vt, vi* הוֹכִיחַ; הוּכַח
proverb *n* מָשָׁל, פִּתְגָּם
provide *vt, vi* סִיפֵּק; קָבַע; דָּאַג ל...
provided *conj* בִּתְנַאי
providence *n* דְּאָגָה מֵרֹאשׁ; הַהַשְׁגָּחָה הָעֶלְיוֹנָה
providential *adj* מֵאֵת הַהַשְׁגָּחָה הָעֶלְיוֹנָה
providing *conj* אִם
province *n* מָחוֹז; תְּחוּם
provision *n* הַסְפָּקָה; אַסְפָּקָה; אֶמְצָעִי; תְּנַאי
proviso *n* תְּנַאי
provocation *n* הִתְגָּרוּת; פְּרוֹבוֹקַצְיָה
provocative *adj* מְגָרֶה; מִתְגָּרֶה
provoke *vt* הִתְגָּרָה בּ...; גֵּירָה
provoking *adj* מְקַנְטֵר; מְגָרֶה
prow *n* חַרְטוֹם
prowess *n* אוֹמֶץ־לֵב, גְּבוּרָה
prowl *vi* שִׁיחֵר לְטֶרֶף
prowler *n* מְשׁוֹטֵט
proximity *n* קִרְבָה
proxy *n* בָּא־כּוֹחַ
prude *n* מִצְטַנֵּעַ, מִתְחַסֵּד
prudence *n* תְּבוּנָה; זְהִירוּת
prudent *adj* נָבוֹן; זָהִיר
prudery *n* הִצְטַנְּעוּת
prudish *adj* מִצְטַנֵּעַ
prune *n* שְׁזִיף מְיוּבָּשׁ
prune *vt* גָּזַם, זָמַר
pry *vt* חִיטֵּט; הֵצִיץ (ללא רשות)
P.S. *abbr* Postscript
psalm *n* מִזְמוֹר, מִזְמוֹר תְּהִילִּים
Psalms *n pl* תְּהִילִּים
pseudo *adj* מְזוּיָּף, מְדוּמֶּה
pseudonym *n* שֵׁם בָּדוּי, פְּסֶבְדוֹנִים
psyche *n* פְּסִיכֶה; נְשָׁמָה
psychiatrist *n* פְּסִיכִיאָטֶר
psychiatry *n* פְּסִיכִיאַטְרִיָּה
psychic *adj, n* נַפְשִׁי, פְּסִיכִי
psychoanalysis *n* פְּסִיכוֹאֲנָלִיזָה

psychoanalyze *vt* טִיפֵּל בְּאוֹרַח פְּסִיכוֹאֲנָלִיטִי
psychological *adj* פְּסִיכוֹלוֹגִי
psychologist *n* פְּסִיכוֹלוֹג
psychology *n* תּוֹרַת־הַנֶּפֶשׁ, פְּסִיכוֹלוֹגְיָה
psychopath *n* חוֹלֵה־נֶפֶשׁ
psychosis *n* פְּסִיכוֹזָה, טֵירוּף
psychotic *adj* סוֹבֵל מִפְּסִיכוֹזָה
pt. *abbr* part, pint, point
pub *n* מִסְבָּאָה
puberty *n* בַּגְרוּת
public *adj* פּוּמְבִּי, צִיבּוּרִי
public *n* צִיבּוּר, קָהָל
publication *n* הוֹצָאָה לָאוֹר, פִּרְסוּם
public conveyance *n* רֶכֶב צִיבּוּרִי
publicity *n* פִּרְסוֹמֶת
publicize *vt* נָתַן פִּרְסוּם ל...
public speaking *n* נְאִימָה בַּצִּיבּוּר
public toilet *n* בֵּית־כִּיסֵּא צִיבּוּרִי
publish *vt* פִּרְסֵם; הוֹצִיא לָאוֹר
publisher *n* מוֹצִיא לָאוֹר, מו״ל
publishing house *n* הוֹצָאָה לָאוֹר, מו״ל
pucker *vt*, *vi* קִימֵּט; הִתְקַמֵּט
pudding *n* חֲבִיצָה
puddle *n* שְׁלוּלִית
pudgy *adj* גּוּץ
puerile *adj* יַלְדוּתִי, טִיפְּשִׁי
puerility *n* יַלְדוּתִיּוּת, טִיפְּשׁוּת
Puerto Rican *n*, *adj* פּוֹרְטוֹרִיקָנִי
puff *n* נְשִׁימָה; נְשִׁיפָה (של עשן); כָּרִית; שֶׁבַח מוּגְזָם
puff *vi*, *vt* נָשַׁם; נָשַׁף; הִתְנַפֵּחַ; נִיפֵּחַ
pugilism *n* אֶגְרוֹפָנוּת
pugilist *n* אֶגְרוֹפָן
pug-nosed *adj* בַּעַל אַף קָצָר וְרָחָב
puke *n*, *vt*, *vi* (המונית) קִיא; הֵקִיא
pull *vi*, *vt* מָשַׁךְ; מָתַח
pull *n* מְשִׁיכָה; (המונית) הַשְׁפָּעָה, פְּרוֹטֶקְצְיָה
pullet *n* פַּרְגִּית
pulley *n* גַּלְגֶּלֶת
pulp *n* חֵלֶק בְּשָׂרִי; צִיפָּה (של פרי); כְּתוֹשֶׁת
pulp *vt*, *vi* מִיֵּיךְ; נִתְמַיֵּיךְ
pulpit *n* דּוּכָן; בִּימָה
pulsate *vi* הָלַם, פָּעַם
pulsation *n* פְּעִימָה
pulse *n* דּוֹפֶק; קִטְנִיּוֹת
pulse *vi* פָּעַם
pulverize *vt* שָׁחַק, כִּיתֵּת; הָרַס
pumice (stone) *n* אֶבֶן ספוג
pummel *vt* הִכָּה בְּאֶגְרוֹף
pump *n* מַשְׁאֵבָה; נַעַל־סִירָה
pump *vt*, *vi* שָׁאַב; נִיפֵּחַ; ׳סָחַט׳ (ידיעות)
pumpkin *n* דְּלַעַת
pump-priming *n* סִבְסוּד
pun *n* מִשְׂחַק מִלִּים
pun *vi* שִׂיחֵק בְּמִלִּים
punch *n* מְכוֹנַת־נִיקּוּב, מַקָּב; פּוּנְץ׳ (משקה); מַכַּת אֶגְרוֹף
punch *vt* הִכָּה בְּאֶגְרוֹף; נִיקֵּב
punch-bag *n* אַגַּס אִגְרוּף
punch clock *n* שְׁעוֹן רִישׁוּם נוֹכְחוּת
punch-drunk *adj* הָלוּם כַּהֲלָכָה
punched tape *n* סֶרֶט נָקוּב
punctilious *adj* דַּקְדְּקָנִי
punctual *adj* דַּייְקָן, דַּקְדְּקָן

punctuate *vt, vi* פִּיסֵּק; שִׁיסֵּעַ
punctuation *n* פִּיסּוּק; נִיקּוּד
punctuation mark *n* סִימַן פִּיסּוּק
puncture *n* נֶקֶר (בצמיג), תֶּקֶר
puncture *vt* נִיקֵּב
puncture-proof *adj* חֲסִין נֶקֶר
pundit *n* פַּנְדִּיט (חכם הודי); מְלוּמָּד
pungent *adj* חָרִיף; צוֹרֵב
punish *vt* עָנַשׁ, הֶעֱנִישׁ; הִכָּה קָשׁוֹת
punishable *adj* בַּר־עוֹנֶשׁ
punishment *n* עוֹנֶשׁ
punk *n* עֵץ רָקוּב; נוֹכֵל; פָּרוּעַ
punster *n* מְשַׂחֵק בְּמִלִּים
puny *adj* קְטַנְטַן; חֲסַר־עֵרֶךְ
pup *n* כְּלַבְלָב
pupil *n* אִישׁוֹן; תַּלְמִיד
puppet *n* בּוּבָּה
puppet-show *n* מַחֲזֵה־בּוּבּוֹת
puppy love *n* אַהֲבָה רִאשׁוֹנָה
purchase *vt, n* קָנָה; קְנִיָּיה
purchasing power *n* כּוֹחַ קְנִיָּיה
pure *adj* טָהוֹר
purgative *adj, n* מְטַהֵר; סַם שִׁלְשׁוּל
purge *vt, vi* טִיהֵר; שִׁלְשֵׁל
purge *n* טִיהוּר
purify *vt* טִיהֵר, זִיכֵּךְ
Puritan *n, adj* פּוּרִיטָן, פּוּרִיטָנִי
purity *n* טוֹהַר
purloin *vt* גָּנַב
purple *n, adj* אַרְגָּמָן
purport *vt* הִתְכַּוֵּון; הִתְיַימֵּר
purport *n* כַּוָּונָה, מַשְׁמָעוּת
purpose *n* תַּכְלִית, כַּוָּונָה
purposely *adj* בְּכַוָּונָה
purr *n* פּוּרר (קול חתול שבע־נחת)

purse *n* אַרְנָק
purse *vt* כִּיוּוֵץ; הִתְכַּוּוֵץ
purser *n* גִּזְבָּר
purse-strings *n pl* שְׂרוֹכֵי הַצְּרוֹר
pursue *vt* רָדַף; הִתְמִיד
pursuer *n* רוֹדֵף
pursuit *n* רְדִיפָה; מִשְׁלַח־יָד
purvey *vt* סִיפֵּק, צִייֵּד
pus *n* מוּגְלָה
push *vt, vi* דָּחַף; דָּחַק; נִדְחַף
push *n* דְּחִיפָה; מַאֲמָץ; יוֹזְמָה
push-button *n* לְחִיץ
push-button control *n* הַפְעָלָה בִּלְחִיצַת כַּפְתּוֹר
pushcart *n* עֶגְלַת־יָד
pushing *adj* דּוֹחֵף, תּוֹקְפָנִי
pusillanimous *adj* פַּחְדָן
puss *n* חָתוּל, חֲתוּלָה
pussy *n* חֲתוּלָה
pussy-willow *n* עֲרָבָה
pustule *n* אֲבַעְבּוּעָה מוּגְלָתִית
put *vt* שָׂם, הִנִּיחַ, נָתַן
put-out *adj* מְרוּגָּז, מְעוּצְבָּן
putrid *adj* רָקוּב, נִרְקָב
putsch *n* נִיסְיוֹן הֲפִיכָה
putter *n* מַחְבֵּט גּוֹלְף
putty *n* מֶרֶק
putty *vt* דִּיבֵּק
put-up *adj* מְתוּחְבָּל
puzzle *n* חִידָה; חִידַת הַרְכָּבָה
puzzle *vt, vi* הִתְמִיהַּ; הִתְלַבֵּט
puzzler *n* מַתְמִיהַּ; בְּעָיָה קָשָׁה
P.W. *abbr* Prisoner of War
pygmy, pigmy *n* נַנָּס
pylon *n* עַמּוּד

pyramid *n* פִּירָמִידָה
pyramid *vi, vt* בָּנָה בְּצוּרַת
פִּירָמִידָה; נִיהֵל בְּצוּרָה סַפְסָרִית
pyre *n* מְדוּרָה
Pyrenees *n pl* הָרֵי הַפִּירֵנֵאִים
pyrites *n* אֶבֶן הָאֵשׁ, אַבְנוּר
בַּרְזֶל גּוֹפְרִיתִי
pyrotechnics *n pl* פִּירוֹטֶכְנִיקָה
python *n* פֶּתֶן
pyx *n* כְּלִי לַלֶּחֶם הַקָּדוֹשׁ

Q

Q, q קִיוּ (הָאוֹת הַשְּׁבַע־עֶשְׂרֵה
בָּאָלֶפְבֵּית)
Q-boat *n* אוֹנִיַּת מִסְתּוֹרִין
Q-fever *n* קַדַּחַת בַּת יוֹמָהּ
Q.M. *abbr* Quartermaster
qr. *abbr* quarter, quire
qt. *abbr* quantity, quart
quack *vi, n* קִרְקֵר; קִרְקוּר
quack *n* מִתְחַזֶּה כְּרוֹפֵא
quackery *n* נוֹכְלוּת, רַמָּאוּת
quadrangle *n* חָצֵר מְרוּבַּעַת
quadrant *n* רֶבַע עִיגּוּל
quadroon *n* קְוַודְרוֹן, שָׁחוֹר לִרְבִיעַ
quadruped *adj, n* מְהַלֵּךְ־אַרְבַּע
quadruple *vt, vi* רִיבֵּעַ; כָּפַל בְּאַרְבַּע
quadruplet *n* רְבִיעִיָּה
quaff *vt, vi* גָּמַע, לָגַם
quail *vi* פָּחַד, נָמַס לִבּוֹ
quail *n* שְׂלָיו
quaint *adj* מוּזָר, שׁוֹנֶה
quake *vi* רָעַד
quake *n* חַלְחָלָה; רְעִידַת־אֲדָמָה
Quaker *n* קְווֵיקֶר
qualify *vt, vi* הִסְמִיךְ;
הִכְשִׁיר אֶת עַצְמוֹ; מִיתֵּן, רִיכֵּךְ
quality *n* אֵיכוּת, טִיב
qualm *n* הִיסּוּס; מוּסַר־כְּלָיוֹת
quandary *n* מְבוּכָה
quantity *n* כַּמּוּת
quantum *n* קְוַונְטוּם
quarantine *n* הֶסְגֵּר
quarantine *vt* שָׂם בְּהֶסְגֵּר
quarrel *n* רִיב, תִּגְרָה
quarrel *vi* רָב, הִתְקוֹטֵט
quarrelsome *adj* אִישׁ רִיב וּמָדוֹן
quarry *n* מַחְצָבָה; נִרְדָּף
quarry *vt* חָצַב
quart *n* רְבִיעִית שֶׁל גַּלּוֹן
quarter *n* רֶבַע; רֶבַע דּוֹלָר; רוֹבַע
quarter *vt* חִילֵּק לְאַרְבָּעָה; אִכְסֵן
quarter-deck *n* סִיפּוּן אַחְרָה
quarterly *adj, adv, n* שֶׁל רֶבַע
שָׁנָה; רִבְעוֹן
quartermaster *n* אַפְסְנַאי; הַגַּאי
quartet *n* רְבִיעִיָּה
quartz *n* בְּדוֹלַח־הָרִים

quash *vt* דִּיכֵּא; בִּיטֵּל
quaver *vi* רָעַד
quaver *n* רַעַד, סִלְסוּל
quay *n* רָצִיף, מֵזַח
queen *n* מַלְכָּה
queen-dowager *n* אַלְמְנַת הַמֶּלֶךְ
queenly *adv*, *adj* כְּמַלְכָּה
queen olive *n* מַלְכַּת הַזֵּיתִים
queen-post *n* אוֹמְנָה
queer *adj* מוּזָר, מְשׁוּנֶּה; (המונית) הוֹמוֹסֶקְסוּאָלִי
queer *vt* קִלְקֵל; שִׁיבֵּשׁ
quell *vt* הִכְנִיעַ; הִשְׁקִיט
quench *vt* כִּיבָּה; רִיוָּה
query *n* שְׁאֵלָה; סִימַן־שְׁאֵלָה
query *vt* שָׁאַל, הִקְשָׁה
quest *n* חִיפּוּשׂ, בִּיקּוּשׁ
question *n* שְׁאֵלָה
question *vt* שָׁאַל, חָקַר
questionable *adj* מְסוּפָּק
question-mark *n* סִימַן־שְׁאֵלָה
questionnaire *n* שְׁאֵלוֹן
queue *n*, *vi* תּוֹר; עָמַד בַּתּוֹר
quibble *vi* הִתְפַּלְפֵּל
quick *adj* מָהִיר, זָרִיז
quicken *vt*, *vi* מִיהֵר, זֵירֵז; הִזְדָּרֵז
quicklime *n* סִיד חַי
quickly *adv* מַהֵר
quicksand *n* חוֹל טוֹבְעָנִי
quicksilver *n* כַּסְפִּית
quiet *adj*, *n* שָׁקֵט; שֶׁקֶט
quiet *vt*, *vi* הִשְׁקִיט, הִרְגִּיעַ; שָׁקַט, נִרְגַּע
quill *n* נוֹצָה, קוּלְמוֹס
quilt *n* כֶּסֶת
quince *n* חַבּוּשׁ
quinine *n* כִּינִין
quinsy *n* דַּלֶּקֶת שְׁקֵדִים
quintessence *n* תַּמְצִית, עִיקָּר
quintet(te) *n* קְווִינְטֶט, חֲמִשָּׁה
quintuplet *n* חֲמִישִׁיָּה
quip *n* הֶעָרָה שְׁנוּנָה
quip *vt*, *vi* הֵעִיר בִּשְׁנִינוּת
quire *n* קְווִירָה; קוּנְטְרֵס דַּפִּים
quirk *n* תְּכוּנָה מוּזָרָה
quit *vt*, *vi* נָטַשׁ; עָזַב
quit *adj* פָּטוּר, מְשׁוּחְרָר
quite *adv* לְגַמְרֵי; לְמַדַּי
quitter *n* מִתְיָיאֵשׁ בְּקַלּוּת
quiver *vi* רָטַט
quiver *n* רֶטֶט; אַשְׁפָּה (לחיצים)
quixotic *adj* דּוֹן־קִישׁוֹטִי
quiz *n* מִבְחָן; חִידוֹן
quizzical *adj* מוּזָר, מְשׁוּנֶּה; הִיתּוּלִי
quoit *n* דִּיסְקוּס, טַבַּעַת
quondam *adj* לְשֶׁעָבַר
quorum *n* מִנְיָין
quota *n* מִכְסָה
quotation *n* צִיטָטָה; מְחִיר נָקוּב
quotation marks *n pl* מֵרְכָאוֹת
quote *vt*, *vi* צִיטֵּט; נָקַב (מחיר)
quotient *n* מָנָה
q.v. *abbr Latin* quod vide רְאֵה, ר׳

R

R, r אַר (האות השמונה־עשׂרה באלפבית)

r. *abbr* railroad, railway, road, rod, ruble, rupee

R. *abbr* Regina (Latin, Queen), Republican, response, Rex (Latin, King), River, Royal

rabbet *n* דֶרֶג

rabbet *vt, vi* שִׁילֵב, חִיבֵּר

rabbi *n* רַבִּי, רַב

Rabbinate *n* רַבָּנוּת

rabbinic(al) *adj* רַבָּנִי

rabbit *n* אַרנָב, אַרנֶבֶת

rabble *n* אֲסַפסוּף

rabble rouser *n* מַסִּית לְמהוּמוֹת

rabies *n* כַּלֶּבֶת

raccoon *n* דוֹב רוֹחֵץ

race *n* מֵירוֹץ; גֶזַע; זֶרֶם מַיִם מָהִיר

race *vt, vi* הִשְׁתַּתֵּף בְּמֵירוֹץ; רָץ בִּמהִירוּת

racehorse *n* סוּס מֵירוֹץ

race riots *n pl* הִתפָּרְעוּיוֹת גִזעָנִיּוֹת

race-track *n* מַסלוּל מֵירוֹץ

racial *adj* גִזעִי, גִזעָנִי

rack *n* כּוֹנָן; סוֹרֵג; מְצוּקָה

rack *vt* עִינָּה, יִיסֵּר

racket *n* רַעַשׁ; סַחטָנוּת; הוֹנָאָה; מַחבֵּט טֶנִיס

racketeer *n* מִתפַּרנֵס מִסַּחטָנוּת

racy *adj* חַי, מָלֵא חַיִּים; עֲסִיסִי

radar *n* מַכָּ״ם, רָדָאר

radiant *adj* זוֹהֵר; קוֹרֵן

radiate *vi, vt* קָרַן (אור וכד׳)

radiate *adj* קוֹרֵן; יוֹצֵא מִן הַמֶּרכָּז

radiation *n* קְרִינָה

radiation sickness *n* מַחֲלַת קְרִינָה, קָרֶנֶת

radiator *n* מַקרֵן

radiator cap *n* מְגוּפַת הַמַּקרֵן

radical *adj, n* רָדִיקָלִי, קִיצוֹנִי

radio *n* רַדיוֹ; אַלחוּט

radio *vt, vi* שִׁידֵּר

radioactive *adj* רַדיוֹאַקטִיבִי

radio announcer *n* קַריַין רַדיוֹ

radio broadcasting *n* שִׁידּוּרֵי רַדיוֹ

radio frequency *n* תֶּדֶר רַדיוֹ

radio listener *n* מַאֲזִין רַדיוֹ

radiology *n* מַדַּע הַקְּרִינָה, רַדיוֹלוֹגְיָה

radio network *n* רֶשֶׁת רַדיוֹ

radio newscaster *n* עוֹרֵך חַדשׁוֹת רַדיוֹ

radio receiver *n* מַקלֵט רַדיוֹ

radio set *n* מַכשִׁיר רַדיוֹ

radish *n* צְנוֹן, צְנוֹנִית

radium *n* רַדיוּם

radius *n* רַדיוּס, מָחוֹג

raffle *n, vt* הַגרָלָה; הִגרִיל

raft *n* רַפסוֹדָה, דוֹברָה

rafter *n* קוֹרָה

rag *n* סְמַרטוּט; סְחָבָה

ragamuffin *n* לְבוּשׁ קְרָעִים

rage *n* זַעַם, חֵימָה; בּוּלמוּס

ragged *adj* לֹא מְהוּקצָע; שָׁחוּק

raid *n, vt, vi* פְּשִׁיטָה; עָרַךְ פְּשִׁיטָה

rail *n* מַעֲקָה; מְסִילַּת־בַּרְזֶל
rail *vi* פָּרַץ בְּזַעַם
rail fence *n* מַעֲקֵה פַּסֵּי־בַּרְזֶל
railhead *n* סוֹף הַקַּו (של רכבת)
railing *n* פַּסִּים; מַעֲקָה
railroad *n* מְסִילַּת־בַּרְזֶל
railroad *vt, vi* הֶעֱבִיר בִּמְסִלַּת־בַּרְזֶל; אִילֵּץ; כָּלָא לְלֹא צֶדֶק
railway *n* מְסִילַּת־בַּרְזֶל
raiment *n* לְבוּשׁ
rain *n* גֶּשֶׁם, מָטָר
rain *vi, vt* יָרַד גֶּשֶׁם; הִמְטִיר
rainbow *n* קֶשֶׁת (בענן)
raincoat *n* מְעִיל־גֶּשֶׁם
rainfall *n* כַּמּוּת גֶּשֶׁם
raise *vt, vi* הֵרִים, הֶעֱלָה; גִּידֵּל
raise *n* הַעֲלָאָה
raisin *n* צִימּוּק
rake *n* מַגְרֵפָה; רוֹדֵף תַּעֲנוּגוֹת
rake *vt* גָּרַף; עָרַם
rake-off *n* מִיקַּח חֵלֶק
rakish *adj* מִתְהַדֵּר, עַלִּיז; הוֹלֵל
rally *n* כִּינּוּס, כֶּנֶס; הִתְאוֹשְׁשׁוּת
rally *vt, vi* כִּינֵּס, קִיבֵּץ; לִיכֵּד; הִתְלַכֵּד; הִתְאוֹשֵׁשׁ
ram *n* אַיִל; אֵיל־בַּרְזֶל
ram *vt* דָּחַף בְּחוֹזְקָה
ramble *vi* שׁוֹטֵט, טִיֵּיל; דִּיבֵּר (או כתב) שֶׁלֹּא לָעִנְיָן
ramble *n* טִיּוּל, שׁוֹטְטוּת
ramify *vt, vi* סִיעֵף; הִסְתָּעֵף
ramp *n* מַעֲבָר מְשׁוּפָּע
rampage *n* הִשְׁתּוֹלְלוּת
rampart *n* סוֹלְלָה, דָּיֵק
ramrod *n* שַׁרְבִיט; חוֹטֶר
ranch *n* חַוָּה (לבקר)
rancid *adj* מַבְאִישׁ
rancor *n* שִׂנְאָה
random *adj* מִקְרִי, לְלֹא מַטָּרָה
range *vt, vi* עָרַךְ, סִידֵּר; נֶעֱמַד לְצַד; טִיוּוַח; הִתְיַיצֵּב; הִשְׂתָּרַע
range *n* רֶכֶס; שׁוּרָה; טְוָח; תְּחוּם; מִבְחָר, מִגְוָן
range-finder *n* מַד־טְוָח
rank *n* דַּרְגָּה, מַעֲמָד; שׁוּרָה חֲזִיתִית
rank *vt, vi* עָרַךְ בְּשׁוּרָה; הָיָה בַּעַל דַּרְגָּה
rank *adj* פּוֹרֶה (מדי); פָּרוּעַ
rank and file *n* אַנְשֵׁי הַשּׁוּרָה
rankle *vi* כִּרְסֵם, הִטְרִיד
ransack *vt* חִיטֵּט; בָּזַז
ransom *n* כּוֹפֶר נֶפֶשׁ
ransom *vt* נָתַן כּוֹפֶר; פָּדָה
rant *vi* הִתְרַבְרֵב
rap *vt* הִכָּה, טָפַח
rap *n* טְפִיחָה; קוֹל דְּפִיקָה
rapacious *adj* חַמְסָנִי; עוֹשֵׁק; טוֹרֵף
rape *vt, n* אָנַס; אוֹנֶס
rapid *adj* מָהִיר
rapid *n* אֶשֶׁד נָהָר
rapid-fire *adj* מְהִיר יְרִיָּה
rapier *n* סַיִף
rapt *adj* שָׁקוּעַ עָמוֹק; מְרוּתָּק
rapture *n* אֶקְסְטָזָה, שִׁלְהוּב
rare *adj* נָדִיר; קָלוּשׁ
rarefy *vt* הִקְלִישׁ, דִּבְלֵל
rarely *adv* לְעִיתִּים רְחוֹקוֹת
rascal *n* נוֹכֵל, נָבָל
rash *n* תִּפְרַחַת (בעור)
rash *adj* פּוֹחֵז; פָּזִיז

rasp *vt*, *vi* שִׁיֵּף, פָּצַר; עִצְבֵּן;
צָרַם (את האוזן)

rasp *n* מָשׁוֹף; קִרצוּף

raspberry *n* פֶּטֶל

rat *n* חוּלְדָה

rat *vi* לָכַד עַכבָּרִים;
(המונית) עָרַק, בָּגַד

ratchet, ratch *n* מַחגֵר שִׁינַּיִים

rate *n* שִׁיעוּר, קֶצֶב; אַרנוֹנָה;
שַׁעַר (מטבע)

rate *vt*, *vi* הֶעֱרִיך

rate of exchange *n* שַׁעַר חֲלִיפִין

rather *adv* מוּטָב שֶׁ...;
אֶל־נָכוֹן; לְמַדַּי

rather! *interj* בְּהֶחלֵט

ratify *vt* קִיֵּם, אִשֵׁר

ratio *n* יַחַס

ration *n* מָנָה קְצוּבָה

ration *vt* הִנהִיג צֶנַע, קִיצֵב

ration book *n* פִּנקַס מָזוֹן

rational *adj* שִׂכלְתָנִי, רַציוֹנָלִי

rattle *vi*, *vt* נָקַשׁ; טִרטֵר

rattle *n* נְקִישָׁה, טִרטוּר;
קִשקוּשׁ; רַעֲשָׁן

rattlesnake *n* נְחַשׁ נְקִישָׁה

raucous *adj* צָרוּד, צוֹרֵם

ravage *n* הֶרֶס, חוּרבָּן

ravage *vt* הָרַס, הֶחֱרִיב

rave *vi* דִיבֵּר בְּטֵירוּף; הִשׁתּוֹלֵל

raven *n* עוֹרֵב שָׁחוֹר

ravenous *adj* רָעֵב מְאוֹד

ravine *n* גֵיא הָרִים

ravish *vt* מִילֵא הִתפַּעֲלוּת; אָנַס

ravishing *adj* מְעוֹרֵר הִתפַּעֲלוּת,
מַקסִים

raw *adj* גוֹלמִי; גַס;
חַי (פצע, מזון); פּרִימִיטִיבִי

rawhide *n* שֶׁלַח

raw materials *n pl* חוֹמרֵי גֶלֶם

ray *n* קֶרֶן; תְּרִיסָנִית (דג)

rayon *n* זְהוֹרִית

raze *vt* הָרַס (עד היסוד)

razor *n* תַּעַר, סַכִּין־גִילוּחַ

razor-blade *n* סַכִּין־גִילוּחַ

razor-strop *n* רְצוּעַת הַשׁחָזָה

R.C. *abbr* Red Cross, Reserve
Corps, Roman Catholic

reach *vt*, *vi* הִגִיעַ, הִשִּׂיג; הִשׂתָּרֵעַ

reach *n* הֶישֵׂג־יָד; הַשָּׂגָה

react *vi* הֵגִיב; הֵשִׁיב

reaction *n* תְּגוּבָה; רֵיאַקציָה

reactionary *n*, *adj* רֵיאַקציוֹנֶר,
נִלחָם בְּקִדמָה

read *vt*, *vi* קָרָא; הִקרִיא; הָיָה כָּתוּב

reader *n* קוֹרֵא; בַּעַל קְרִיאָה (בבית־
כנסת); לֶקטוֹר; מִקרָאָה (ספר)

readily *adv* בְּרָצוֹן

reading *n* גִרסָה; קַרייָנוּת; הַקרָאָה

reading-desk *n* שׁוּלחַן־קְרִיאָה

reading-glasses *n pl* מִשׁקְפֵי־קְרִיאָה

ready *adj*, *adv* מוּכָן; מְיוּמָן

ready *vt* הֵכִין

ready-made suit *n* חֲלִיפָה מוּכָנָה

reagent *n* מַפעִיל, מְעוֹרֵר

real *adj* מַמָּשִׁי, אֲמִיתִּי, רֵיאָלִי

real estate *n* מְקַרקְעִים

realism *n* מְצִיאוּתִיוּת, רֵיאָלִיזם

realist *n* רֵיאָלִיסט

reality *n* מְצִיאוּת, מַמָּשׁוּת

realize *vt* הִגשִׁים; הִמחִישׁ; מִימֵּשׁ; נוֹכַח

realm *n* מַמלָכָה; תְּחוּם

realtor *n* סוֹכֵן מְקַרקְעִים

realty *n* מְקַרקְעִים

ream *n* חֲבִילַת נְייָר

reap *vt, vi* קָצַר, אָסַף

reaper *n* קוֹצֵר; מַקצֵרָה

reappear *vi* הוֹפִיעַ מֵחָדָשׁ

reapportionment *n* חֲלוּקָה מֵחָדָשׁ

rear *n, adj* עוֹרֶף, אָחוֹר

rear *vt, vi* גִידֵל; הֵרִים; הִתרוֹמֵם

rear-admiral *n* סְגַן־אַדמִירָל

rear drive *n* הֶינֵעַ אֲחוֹרָנִי

rearmament *n* חִימוּשׁ מֵחָדָשׁ

rear-view mirror *n* מַרְאַת תַּשׁקִיף

reason *n* כּוֹחַ מַחֲשָׁבָה, שֵׂכֶל; סִיבָּה; הִיגָּיוֹן

reason *vi* חָשַׁב בְּהִיגָּיוֹן; שָׁקַל; נִימֵּק

reasonable *adj* הֶגיוֹנִי, סָבִיר

reassert *vt* חָזַר וְהִצהִיר

reassessment *n* הַעֲרָכָה מֵחָדָשׁ

reassure *vt* פִּיזֵּר חֲשָׁשׁוֹת

reawaken *vi, vt* הִתעוֹרֵר מֵחָדָשׁ; הֵעִיר מֵחָדָשׁ

rebate *n* הֲנָחָה; הֲטָבָה

rebel *n, adj* מוֹרֵד

rebel *vt* מָרַד, הִתקוֹמֵם

rebellion *n* מֶרֶד, מְרִידָה

rebellious *adj* מַרדָנִי

rebirth *n* תְּחִייָה

rebound *n* רְתִיעָה, רֶתַע

rebound *vi* נִרתַּע, קָפַץ בַּחֲזָרָה

rebroadcast *vt, vi* הֶעֱבִיר שִׁידּוּר, שִׁידֵּר שׁוּב

rebuff *n* הֲשָׁבָה רֵיקָם

rebuff *vt* הֵשִׁיב פָּנִים רֵיקָם

rebuke *vt* יִיסֵּר, הוֹכִיחַ

rebuke *n* תּוֹכָחָה

rebut *vt* סָתַר

rebuttal *n* סְתִירָה

recall *vt* קָרָא בַּחֲזָרָה; בִּיטֵּל

recall *n* זְכִירָה; בִּיטּוּל

recant *vt, vi* חָזַר בּוֹ

recap *vt* גִיפֵּר

recapitulation *n* חֲזָרָה בְּרָאשֵׁי פְּרָקִים

recast *vt* יָצַק מֵחָדָשׁ; עִיצֵּב מֵחָדָשׁ

recast *n* יְצִיקָה מֵחָדָשׁ; עִיצּוּב מֵחָדָשׁ

recd. *abbr* received

recede *vi* נָסוֹג; נִרתַּע

receipt *n* קַבָּלָה

receipt *vt, vi* אִישֵּׁר קַבָּלָה

receive *vt* קִיבֵּל; קִיבֵּל פְּנֵי

receiver *n* מְקַבֵּל; אוֹזנִית (טלפון); מַקלֵט (רדיו)

receiving set *n* מַקלֵט רַדיוֹ

recent *adj* שֶׁמִּקָּרוֹב

recently *adv* לָאַחֲרוֹנָה

receptacle *n* בֵּית־קִיבּוּל

reception *n* קַבָּלָה; קַבָּלַת־פָּנִים

receptionist *n* פְּקִיד־קַבָּלָה

receptive *adj* מְהִיר־תְּפִיסָה

receptiveness *n* כּוֹשֶׁר קְלִיטָה

recess *n* הַפסָקָה; גוּמחָה

recess *vt, vi* כָּנַס (קיר); הוּפסְקָה (אסיפה וכד׳)

recession *n* יְרִידָה זְמַנִּית

recipe *n* מַתכּוֹן, מִרשָׁם

reciprocal *adj* הֲדָדִי; שֶׁל גוֹמלִין

reciprocity *n* הֲדָדִיּוּת

recital *n* (בְּמוּסִיקָה) רֵסִיטָל; דִקלוּם

recite *vt* דִקְלֵם

reckless *adj* פּוֹחֵז

recklessly *adv* בְּפַחֲזָנוּת

reckon *vt* חִישֵׁב; סָבַר

reclaim *vt* הֶחֱזִיר לְמוּטָב; טִייֵב

recline *vt, vi* נִשְׁעַן לְאָחוֹר; הֵסֵב

recluse *n, adj* פָּרוּשׁ

recognize *vt* הִכִּיר, הִבחִין

recoil *vi, n* נִרתַּע, נָסוֹג; רְתִיעָה, רֶתַע

recollect *vt, vi* נִזכַּר, זָכַר

recommend *vt* הִמלִיץ עַל

recompense *n* גְמוּל, פִּיצּוּי

reconcile *vt* הִשלִים; יִישֵׁב

reconnaissance *n* סִיּוּר

reconnoiter *vt, vi* סִייֵר; סָקַר

reconsider *vt* עִייֵן מֵחָדָשׁ

reconstruct *vt* שִׁחזֵר; קוֹמֵם

reconversion *n* הַחֲזָרָה לְקַדמוּתוֹ

record *vt, vi* רָשַׁם; הִקלִיט

record *n* רְשִׁימָה; פּרוֹטוֹקוֹל; תַּקלִיט; שִׂיא

record changer *n* מַחֲלִיף תַּקלִיטִים

record holder *n* שִׂיאָן, בַּעַל שִׂיא

recording *adj, n* רוֹשֵׁם; הַקלָטָה

record player *n* פָּטֵיפוֹן, מָקוֹל

records *n pl* רְשׁוּמוֹת

recount *vt* סִיפֵּר, דִיוּוֵחַ

re-count *n, vt* מִניָין נוֹסָף; מָנָה שׁוּב

recourse *n* פְּנִייָה; מִפלָט

recover *vt, vi* הִתאוֹשֵׁשׁ; קִיבֵּל בַּחֲזָרָה

re-cover *vt* כִּיסָּה שׁוּב

recovery *n* הַחֲלָמָה, הִתאוֹשְׁשׁוּת; קַבָּלָה בַּחֲזָרָה

recreation *n* בִּידּוּר

recruit *vt* גִייֵס, חִייֵל

recruit *n* מְגוּיָּס; מִצטָרֵף כְּחָבֵר

rectangle *n* מַלבֵּן

rectify *vt* תִּיקֵן

rectum *n* חַלחוֹלֶת

recumbent *adj* שָׁכוּב, שָׁעוּן

recuperate *vt, vi* הֵשִׁיב לְאֵיתָנוֹ; הֶחֱלִים

recur *vi* חָזַר; נִשְׁנָה

red *adj, n* אָדוֹם; אוֹדֶם

red-baiter *n* מֵצִיק לְקוֹמוּנִיסטִים

red-bird *n* חֲצוֹצְרָן

red-blooded *adj* נִמרָץ; תַּאַוותָן

redcap *n* סַבָּל; שׁוֹטֵר צְבָאִי

red cell *n* כַּדּוּרִית אֲדוּמָּה

redcoat *n* חַייָל אַנגלִי (בהיסטוריה)

redden *vt, vi* אִידֵּם; הִתאַדֵּם

redeem *vt* גָאַל; קִייֵם (הבטחה)

redeemer *n* גוֹאֵל, פּוֹדֶה

redemption *n* גְאוּלָּה

red-haired *adj* אֲדוֹם־שֵׂיעָר, אַדמוֹנִי

redhead *n* אַדמוֹנִי

red herring *n* הַסָּחַת־דַעַת

red-hot *adj* אָדוֹם לוֹהֵט; טָרִי

rediscover *vt* גִילָּה שׁוּב

re-do *vt* צָבַע שׁוּב; עָשָׂה שׁוּב

redolent *adj* מַעֲלֶה רֵיחַ (שֶׁל)

redoubt *n* בִּיצּוּר סָגוּר

redound *vi* תָּרַם, הוֹסִיף

redress *vt, n* תִּיקֵן מְעוּוָּת; תִּיקּוּן מְעוּוָּת

Red Ridinghood *n* כִּיפָּה אֲדוּמָּה

redskin *n* אִינדִיָאנִי, אֲדוֹם־עוֹר

red tape *n* סַחֶבֶת, נַיֶּירֶת

reduce *vt, vi* הִקטִין, צִמצֵם; הִכנִיעַ; פִּישֵׁט; יָרַד בְּמִשׁקָל

reducing exercises *n pl* תַּרגִילֵי הַרזָיָה

redundant *adj* מְיוּתָּר, עוֹדֵף

reed *n* קָנֶה; סוּף

re-edit *vt* עָרַךְ מֵחָדָשׁ, שִׁיעֲרֵךְ

reef *n* רִיף, שׁוּנִית

reefer *n* זִיג מַלָּחִים

reek *vi, vt* הִסְרִיחַ; הֶעֱלָה עָשָׁן

reel *n* סְלִיל; סְחַרְחוֹרֶת

reel *vt, vi* כָּרַךְ בִּסְלִיל; הִתְנוֹדֵד, הָיָה סְחַרְחַר

re-election *n* בְּחִירָה מֵחָדָשׁ

re-enlist *vi, vt* הִתְגַיֵּיס שׁוּב; גִּיֵּיס שׁוּב

re-entry *n* כְּנִיסָה מֵחָדָשׁ

re-examination *n* בְּדִיקָה מֵחָדָשׁ

ref. *abbr* referee, reference

refer *vt, vi* יִיחֵס; הִפְנָה; הִתְיַיחֵס

referee *n* שׁוֹפֵט

referee *vt, vi* שָׁפַט

reference *n* מְסִירָה; אִזְכּוּר; מַרְאֵה מָקוֹם; עִיוּן; הַמְלָצָה

reference book *n* סֵפֶר יַעַץ

referendum *n* מִשְׁאַל־עָם

refill *vt, n* מִילֵּא מֵחָדָשׁ; מִילּוּי

refine *vt, vi* זִיקֵּק, עִידֵּן

refinement *n* זִיקּוּק, עִידּוּן

refinery *n* בֵּית־זִיקּוּק

reflect *vt, vi* הֶחֱזִיר (אוֹר); שִׁיקֵּף; הִשְׁתַּקֵּף; הִרְהֵר

reflection *n* הַחֲזָרָה (שֶׁל אוֹר); הִרְהוּר; הַטָּלַת דּוֹפִי

reforestation *n* יִיעוּר מֵחָדָשׁ

reform *vt, vi* תִּיקֵּן; הֶחֱזִיר לְמוּטָב; חָזַר לְמוּטָב

reform *n* תִּיקּוּן, רֵפוֹרְמָה

reformation *n* תִּיקּוּן, שִׁינּוּי לְמוּטָב; (בְּהִיסְטוֹרְיָה) רֵפוֹרְמַצְיָה

reformatory *n* מוֹסָד לַעֲבַרְיָינִים צְעִירִים

reform school *n* מוֹסָד מְתַקֵּן

refraction *n* הִשְׁתַּבְּרוּת

refrain *vi* נִמְנַע; הִתְאַפֵּק

refrain *n* פִּזְמוֹן חוֹזֵר

refresh *vt, vi* רִיעֲנֵן; הֵשִׁיב נֶפֶשׁ

refreshment *n* רִיעֲנוּן; תִּקְרוֹבֶת

refrigerator *n* מְקָרֵר, מַקְרֵר

refuel *vt* תִּדְלֵק

refuge *n* מִקְלָט, מִפְלָט

refugee *n* פָּלִיט

refund *vt, vi* שִׁילֵּם בַּחֲזָרָה

refund *n* הַחֲזָרַת תַּשְׁלוּם

refurnish *vt* רִיהֵט מֵחָדָשׁ

refusal *n* סֵירוּב, דְּחִיָּיה

refuse *vi, vt* סֵירֵב, דָּחָה

refuse *n* פְּסוֹלֶת

refute *vt* הִפְרִיךְ

regain *vt* רָכַשׁ שׁוּב; הִגִּיעַ שׁוּב

regal *adj* מַלְכוּתִי

regale *vt* אָכַל (שָׁתָה) בַּהֲנָאָה; הִגִּישׁ בְּשֶׁפַע

regalia *n* סִימָנֵי מַלְכוּת; בִּגְדֵי שְׂרָד

regard *n* מַבָּט; תְּשׂוּמֶת־לֵב; הוֹקָרָה

regard *vt* הִתְיַיחֵס לְ...; הִתְבּוֹנֵן

regardless *adj* בְּלֹא לְהִתְחַשֵּׁב

regenerate *vt, vi* חִידֵּשׁ; יָצַר מֵחָדָשׁ; נוֹצַר מֵחָדָשׁ

regent *n* עוֹצֵר

regicide *n* הוֹרֵג מֶלֶךְ; הֲרִיגַת מֶלֶךְ

regime *n* מִשְׁטָר

regiment *n* גְּדוּד

regiment *vt* אִרְגֵּן בְּמִשְׁטָר מִשְׁמַעְתִּי

region *n* אֵיזוֹר

regional *adj* אֵיזוֹרִי
register *n* פִּנְקַס רִישּׁוּם; מִרְשָׁם; מִשְׁלָב (בִּצְלִיל)
register *vt, vi* רָשַׁם; שָׁלַח בְּדוֹאַר רָשׁוּם
registrar *n* רַשָּׁם; מַזְכִּיר אֲקָדֵמִי
registration fee *n* אַגְרַת רִישּׁוּם
regret *vt* הִצְטַעֵר, הִתְחָרֵט
regret *n* צַעַר, חֲרָטָה
regrettable *adj* מְצַעֵר
regular *adj* סָדִיר; קָבוּעַ
regular *n* חַיָּל קֶבַע; אוֹרֵחַ קָבוּעַ
regulate *vt* כִּיוּוֵן (שָׁעוֹן); תֵּיאֵם; וִיסֵּת
rehabilitate *vt* שִׁיקֵּם; הֵשִׁיב אֶת כְּבוֹדוֹ
rehearsal *n* חֲזָרָה
rehearse *vt* חָזַר
reign *n, vi* מַלְכוּת; שִׁלְטוֹן; מָלַךְ
reimburse *vt* הֶחֱזִיר הוֹצָאוֹת
rein *n* מוֹשְׁכָה
rein *vt* עָצַר, בָּלַם; רִיסֵּן
reincarnation *n* גִּלְגּוּל חָדָשׁ
reindeer *n* אַיַּל מְבוּיָּת
reinforce *vt* תִּגְבֵּר
reinforcement *n* תִּגְבּוֹרֶת
reinstate *vt* הֵשִׁיב עַל כַּנּוֹ
reiterate *vt* חָזַר וְשָׁנָה
reject *vt* דָּחָה, מָאַס בּ...
rejection *n* דְּחִיָּיה
rejoice *vi, vt* שָׂמַח
rejoinder *n* תְּשׁוּבָה
rejuvenation *n* חִידּוּשׁ נְעוּרִים
rekindle *vt* הִלְהִיב מֵחָדָשׁ
relapse *vi* חָזַר לְסוּרוֹ
relapse *n* הֲרָעַת מַצָּב
relate *vt, vi* סִיפֵּר; יִיחֵס ל...
related *adj* קָשׁוּר ל...; קָרוֹב
relation *n* קֶשֶׁר; זִיקָה; קְרוֹב מִשְׁפָּחָה
relationship *n* קֶשֶׁר; קִרְבָה מִשְׁפַּחְתִּית; זִיקָה
relative *adj* יַחֲסִי; נוֹגֵעַ ל...
relative *n* קָרוֹב, שְׁאֵר בָּשָׂר
relax *vt, vi* הִרְפָּה; הִתְפָּרֵק, נִינוֹחַ
relaxation *n* הַרְפָּיָה, נִינוֹחוּת
relaxing *adj* מַרְפֶּה, מַרְגִּיעַ
relay *n* הַעֲבָרָה; הַמְסָרָה; סוּסֵי הַחֲלָפָה
relay *vt* הִמְסִיר
relay race *n* מֵירוֹץ שְׁלִיחִים
release *vt* שִׁחְרֵר; הִתִּיר
release *n* שִׁחְרוּר; הֶיתֵּר
relent *vi* הִתְרַכֵּךְ
relentless *adj* לְלֹא רַחֵם
relevant *adj* נוֹגֵעַ לָעִנְיָן
reliable *adj* מְהֵימָן
reliance *n* אֵימוּן, בִּטְחָה
relic *n* שָׂרִיד, מַזְכֶּרֶת
relief *n* הֲקַלָּה; פּוּרְקָן; תַּבְלִיט
relieve *vt* הֵקֵל; חִילֵּץ; הֶחֱלִיף
religion *n* דָּת
religious *adj, n* דָּתִי; חָרֵד
relinquish *vt* זָנַח, וִיתֵּר עַל
relish *n* טַעַם נָעִים; תַּבְלִין; חֵשֶׁק
relish *vt, vi* נָתַן טַעַם; הִתְעַנֵּג
reluctance *n* אִי־רָצוֹן
reluctant *adj* לֹא נוֹטֶה; כָּפוּי
rely *vi* סָמַךְ, בָּטַח
remain *vi* נִשְׁאַר
remainder *n* שְׁאֵרִית; יִתְרָה
remark *vi, vt* הֵעִיר; שָׂם לֵב

remark *n* הֶעָרָה; תְּשׂוּמֶת־לֵב
remarkable *adj* רָאוּי לְצִיּוּן; בּוֹלֵט
remarry *vt* נִישָּׂא (נִישְּׂאָה) שׁוּב
remedy *n* מַרְפֵּא; תְּרוּפָה; תַּקָּנָה
remedy *vt* הֵבִיא תַּקָּנָה
remember *vt* נִזְכַּר, זָכַר
remembrance *n* זִיכָּרוֹן, הִיזָּכְרוּת
remind *vt* הִזְכִּיר
reminder *n* תִּזְכּוֹרֶת; תַּזְכִּיר
reminisce *vi* הֶעֱלָה זִכְרוֹנוֹת
remiss *adj* רַשְׁלָנִי
remit *vt, vi* שָׁלַח; הֶעֱבִיר; מָחַל
remittance *n* הַעֲבָרַת כֶּסֶף
remnant *n* שְׁאֵרִית
remodel *vt* עִיצֵּב שׁוּב
remonstrate *vi* מָחָה, טָעַן נֶגֶד
remorse *n* מוּסַר־כְּלָיוֹת
remorseful *adj* מָלֵא חֲרָטָה
remote *adj* מְרוּחָק, נִידָּח
removable *adj* נִיתָּן לְסִילּוּק
removal *n* הֲסָרָה; סִילּוּק
remove *vt, vi* הֵסִיר; סִילֵּק;
עָבַר דִּירָה, הֶעְתִּיק מְגוּרִים
remuneration *n* שָׂכָר, תַּשְׁלוּם
renaissance *n* תְּחִיָּיה
rend *vt* קָרַע, בָּקַע
render *vt* מָסַר; הִגִּישׁ; בִּיצֵּעַ; הָפַךְ
rendezvous *n* רֵיאָיוֹן; פְּגִישָׁה; מִפְגָּשׁ
rendition *n* בִּיצּוּעַ; תַּרְגּוּם
renege *vt* הִתְכַּחֵשׁ
renew *vt, vi* חִידֵּשׁ; הִתְחִיל מֵחָדָשׁ
renewable *adj* נִיתָּן לְחִידּוּשׁ
renewal *n* חִידּוּשׁ
renounce *vt, vi* וִיתֵּר; הִסְתַּלֵּק מִן
renovate *vt* חִידֵּשׁ, שִׁיפֵּץ

renown *n* מוֹנִיטִין
renowned *adj* מְפוּרְסָם
rent *adj* קָרוּעַ
rent *n* דְּמֵי שְׂכִירוּת; קֶרַע
rent *vi, vt* שָׂכַר; הִשְׂכִּיר
rental *n* דְּמֵי שְׂכִירוּת
renunciation *n* וִיתּוּר, הִסְתַּלְּקוּת
reopen *vt, vi* פָּתַח מֵחָדָשׁ
reorganize *vt* אִרְגֵּן מֵחָדָשׁ
repair *vt, vi* תִּיקֵּן, שִׁיפֵּץ
repair *n* תִּיקּוּן; מַצָּב תָּקִין
reparation *n* תִּיקּוּן; פִּיצּוּי
repartee *n* תְּשׁוּבָה שְׁנוּנָה
repast *n* אֲרוּחָה
repatriate *vt* הֶחֱזִיר לַמּוֹלֶדֶת
repatriate *n* חוֹזֵר לַמּוֹלֶדֶת
repay *vt* שִׁילֵּם בַּחֲזָרָה
repayment *n* הֶחְזֵר תַּשְׁלוּם
repeal *vt, n* בִּיטֵּל; בִּיטּוּל
repeat *vt, vi* חָזַר עַל
repeat *n* הַדְרָן; תּוֹכְנִית חוֹזֶרֶת
repel *vt* הָדַף; דָּחָה
repent *vi* הִתְחָרֵט
repentant *n* מִתְחָרֵט
repertory theatre *n* תֵּיאַטְרוֹן
רֶפֶּרְטוּאָרִי
repetition *n* חֲזָרָה; הִישָּׁנוּת
repine *vi* הִתְמַרְמֵר
replace *vt* הֶחֱלִיף
replacement *n* הַחֲלָפָה;
מִילּוּי מָקוֹם; תַּחֲלִיף
replenish *vt* מִילֵּא שׁוּב
replete *adj* גָּדוּשׁ, שׁוֹפֵעַ
replica *n* הֶעְתֵּק, רֶפְּלִיקָה
reply *vt, n* עָנָה, הֵשִׁיב; תְּשׁוּבָה

report *vt, vi* דִּיוּוַחַ
report *n* דִּין וְחֶשְׁבּוֹן; דו״חַ; יְדִיעָה
reportage *n* כַּתָּבָה, רְשִׁימָה
reportedly *adv* כְּפִי הַנִּמְסָר
reporter *n* כַּתָּב
reporting *n* עֲבוֹדַת כַּתָּב
repose *vi, vt* נָח; שָׁכַב (לנוח); הִנִּיחַ
repose *n* מְנוּחָה, מַרגוֹעַ
reprehend *vt* גָּעַר; מָצָא פְּגָם
represent *vt* יִיצֵּג; סִימֵּל; תֵּיאֵר
representative *adj* יִיצוּגִי, רֶפּרֵזֶנטָטִיבִי
representative *n* נָצִיג, בָּא־כּוֹחַ
repress *vt* דִּיכֵּא; הִדחָה (רגשות)
reprieve *vt* דָּחָה (הוצאה להורג); נָתַן אַרכָּה
reprieve *n* דְּחִיַּת הוֹצָאָה לַהוֹרֵג; אַרכָּה
reprimand *n* נְזִיפָה, גְּעָרָה
reprimand *vt* נָזַף, גָּעַר
reprint *vt* הִדפִּיס שׁוּב
reprint *n* הַדפָּסָה חֲדָשָׁה
reprisal *n* פְּעוּלַּת תַּגמוּל
reproach *vt* נָזַף, הוֹכִיחַ
reproach *n* נְזִיפָה, הוֹכָחָה
reproduce *vt, vi* יָצַר שׁוּב; הֶעתִּיק, שִׁעתֵּק, שִׁחזֵר; הוֹלִיד
reproduction *n* יְצִירָה מֵחָדָשׁ; הֶעתֵּק; שַׁעתּוּק; שִׁחזוּר
reproof *n* הוֹכָחָה
reprove *vt* הוֹכִיחַ
reptile *n, adj* זוֹחֵל; רֶמֶשׂ
republic *n* רֶפּוּבּלִיקָה, קְהִילִיָּה
republican *adj, n* רֶפּוּבּלִיקָנִי
repudiate *vt* הִכחִישׁ; כָּפַר בּ...
repugnant *adj* דּוֹחֶה, מְעוֹרֵר הִתנַגְּדוּת, נוֹגֵד
repulse *vt* הָדַף; דָּחָה
repulse *n* הֲדִיפָה; סֵירוּב
repulsive *adj* דּוֹחֶה, מַגעִיל
reputation *n* שֵׁם; מוֹנִיטִין
repute *vt* חָשַׁב, חִישֵּׁב
repute *n* מוֹנִיטִין; שֵׁם
reputedly *adv* לְפִי הַשְּׁמוּעָה
request *vt, n* בִּיקֵּשׁ; בַּקָּשָׁה; מִשאָלָה
require *vt, vi* תָּבַע, דָּרַשׁ; הָיָה זָקוּק ל...
requirement *n* צוֹרֶךְ; דְּרִישָׁה
requisite *adj, n* דָּרוּשׁ; צוֹרֶךְ
requital *n* גְּמוּל, תַּגמוּל
requite *vt* גָּמַל, שִׁילֵּם
reread *vt* קָרָא שׁוּב
rescind *vt* בִּיטֵּל
rescue *vt, n* הִצִּיל; הַצָּלָה
research *n, vt* מֶחקָר; חָקַר
re-sell *vt* מָכַר מֵחָדָשׁ
resemblance *n* דִּמְיוֹן
resemble *vt* דָּמָה
resent *vt* נֶעֱלַב; שָׁמַר טִינָה
resentful *adj* כּוֹעֵס; שׁוֹמֵר טִינָה
resentment *n* כַּעַס; טִינָה
reservation *n* הַזמָנַת מָקוֹם; הִסתַּייְגוּת; מָקוֹם שָׁמוּר; שְׁמוּרָה
reserve *n* רֶזֶרבָה; שְׁמוּרָה; הִסתַּייְגוּת; עֲתוּדָה (בצבא); יַחַס קָרִיר
reserve *vt* שָׁמַר; הִזמִין
reservoir *n* מַאֲגָר; מֵיכָל; מְלַאי
reship *vt, vi* שִׁילַּח (או יָרַד) שׁוּב בְּאוֹנִיָּה
reshipment *n* שִׁילּוּחַ חוֹזֵר בָּאוֹנִיָּה

reside *vi* גָּר; הָיָה קַיָּם
residence *n* מְגוּרִים, מָעוֹן
resident *adj*, *n* תּוֹשָׁב
residue *n* שְׁאֵרִית, שְׁיָרִים
resign *vt*, *vi* הִתְפַּטֵּר; הִשְׁלִים
resignation *n* הִתְפַּטְּרוּת; הַשְׁלָמָה
resin *n* שְׂרָף
resist *vt*, *vi* פָּעַל נֶגֶד; עָמַד בִּפְנֵי
resistance *n* הִתְנַגְּדוּת, עֲמִידוּת
resole *vt* שָׂם סוּלְיָה חֲדָשָׁה
resolute *adj* מוּחְלָט; תַּקִּיף
resolution *n* הַחְלָטָה; תַּקִּיפוּת
resolve *vt*, *vi* הֶחְלִיט; פָּתַר; הִתִּיר
resolve *n* הֶחְלֵטִיּוּת
resorption *n* סְפִיגָה מֵחָדָשׁ
resort *vi* פָּנָה אֶל, אָחַז בְּ...
resort *n* מְקוֹם מַרְגּוֹעַ
resound *vi* הִדְהֵד
resource *n* אֶמְצָעִי; תּוּשִׁיָּה; מַשְׁאָב
resourceful *adj* בַּעַל תּוּשִׁיָּה
respect *n* כָּבוֹד; בְּחִינָה; דַּ"שׁ
respect *vt* כִּיבֵּד; הוֹקִיר
respectability *n* נִכְבָּדוּת
respectable *adj* נִכְבָּד, מְהוּגָּן
respectful *adj* בַּעַל יִרְאַת כָּבוֹד
respectfully *adv* בְּדֶרֶךְ־אֶרֶץ
respecting *prep* בְּעִנְיַן־, בִּדְבַר־
respective *adj* שֶׁל כָּל אֶחָד וְאֶחָד
respire *vt*, *vi* נָשַׁם, שָׁאַף; הִתְאוֹשֵׁשׁ
respite *n* אַרְכָּה; הַרְוָוחָה
resplendent *adj* מַזְהִיר, מַבְרִיק
respond *vi* נַעֲנָה; עָנָה
response *n* תְּשׁוּבָה, תְּגוּבָה
responsibility *n* אַחֲרָיוּת; חוֹבָה
responsible *adj* אַחֲרָאִי; מְהֵימָן

rest *n* מְנוּחָה; מִשְׁעָן; (בְּמוּסִיקָה) הֶפְסֵק; שְׁאֵרִית, שְׁאָר
rest *vi*, *vt* נָח, נָפַשׁ; נָתַן מְנוּחָה
restaurant *n* מִסְעָדָה
restful *adj* מַרְגִּיעַ, שָׁקֵט
restitution *n* הַחְזָרָה; שִׁילּוּב
restock *vt*, *vi* רָכַשׁ מְלַאי חָדָשׁ
restore *vt* הֶחֱזִיר; שִׁיקֵּם; שִׁחְזֵר
restrain *vt* עָצַר, בָּלַם
restraint *n* רִיסּוּן; הַבְלָגָה, הִתְאַפְּקוּת
restrict *vt* הִגְבִּיל, צִמְצֵם
restroom *n* חֲדַר־מְנוּחָה; חֲדַר־נוֹחִיּוּת
result *vi* נָבַע; הִסְתַּיֵּם
result *n* תּוֹצָאָה
resume *vt*, *vi* לָקַח מֵחָדָשׁ; הִתְחִיל שׁוּב
résumé *n* סִיכּוּם
resurrect *vt*, *vi* הֵקִים לִתְחִיָּה
resurrection *n* תְּחִיַּת הַמֵּתִים
resuscitate *vt*, *vi* הֶחֱזִיר לִתְחִיָּה; אוֹשֵׁשׁ
retail *n*, *adj*, *adv* קִמְעוֹנוּת; קִמְעוֹנִי; בְּקִמְעוֹנוּת
retail *vt*, *vi* מָכַר (אוֹ נִמְכַּר) בְּקִמְעוֹנוּת; חָזַר עַל (סִיפּוּר)
retailer *n* קִמְעוֹנַאי
retain *vt* הֶחֱזִיק בְּ..., שָׁמַר
retaliate *vi* גָּמַל
retaliation *n* תַּגְמוּל
retard *vt* הֵאֵט, עִיכֵּב
retch *vi* הִתְאַמֵּץ לְהָקִיא
retching *n* רֶפְלֶקְס הֲקָאָה
reticence *n* שַׁתְקָנוּת
reticent *adj* שַׁתְקָנִי
retinue *n* פָּמַלְיָה
retire *vi*, *vt* פָּרַשׁ; נָסוֹג; שָׁכַב לִישׁוֹן

retirement annuity *n* קִצְבַּת פְּרִישָׁה
retort *vt, vi* הֵשִׁיב כַּהֲלָכָה
retort *n* תְּשׁוּבָה נִמְרֶצֶת; (בכימיה) אַבִּיק
retouch *vt* שִׁיפֵּר; (בצילום) דִיֵּית
retrace *vt* חָזַר (על עיקבותיו)
retract *vi, vt* חָזַר בּוֹ; הִתְכַּחֵשׁ
retread *vt* גִיפֵּר שׁוּב
retreat *n* נְסִיגָה; פְּרִישָׁה; מִפְלָט
retreat *vi* נָסוֹג
retrench *vt* קִיצֵּץ, קִימֵּץ
retribution *n* תַּגמוּל, גְמוּל
retrieve *vt* הִשִּׂיג בַּחֲזָרָה; הִצִּיל (ממצב רע)
retriever *n* (כלב) מַחֲזִיר
retroactive *adj* רֶטרוֹאַקטִיבִי, מַפרֵעִי
retrospect *n* מַבָּט לְאָחוֹר
retrospective *adj* סוֹקֵר לְאָחוֹר; רֶטרוֹספֶּקטִיבִי
retry *vt* דָן מֵחָדָשׁ
return *vi, vt* חָזַר; הֶחֱזִיר
return *n* חֲזָרָה; הַחֲזָרָה; תְּמוּרָה
return address *n* כְּתוֹבֶת לִתשׁוּבָה
return game *n* מִשְׂחָק גוֹמְלִין
return ticket *n* כַּרטִיס הָלוֹךְ וָחָזוֹר
return trip *n* נְסִיעָה הָלוֹךְ וָחָזוֹר
reunification *n* אִיחוּד מֵחָדָשׁ
reunion *n* אִיחוּד מֵחָדָשׁ; כִּינּוּס
reunite *vt, vi* אִיחֵד שׁוּב; הִתאַחֵד שׁוּב
Rev. *abbr* Revelation, Reverend
rev *n* סִיבּוּב, סְבָב
rev *vt* הִתנִיעַ
revamp *vt* פִּינֵּת מֵחָדָשׁ (נעל); חִידֵּשׁ (לחן)

reveal *vt, n* גִילָּה; גִילּוּי
reveille *n* תְּרוּעַת הַשׁכָּמָה
revel *vi* הִתהוֹלֵל, הִתעַנֵּג
revel *n* הִילּוּלָה, הִתהוֹלְלוּת
revelation *n* גִילּוּי; גִילּוּי מַפתִּיעַ
revelry *n* הִתהוֹלְלוּת
revenge *vt, n* נָקַם; גָמַל; נְקָמָה
revengeful *adj* נַקמָנִי
revenue *n* הַכנָסָה
revenue cutter *n* סִירַת מִשׁטֶרֶת הַמֶּכֶס
revenue stamp *n* בּוּל הַכנָסָה
reverberate *vt, vi* הִדהֵד; הֶחֱזִיר (חום); שִׁיקֵף (אור)
revere *vt* הוֹקִיר
reverence *n* יִראַת־כָּבוֹד
reverence *vt* הוֹקִיר
reverie *n* חֲלוֹם בְּהָקִיץ
reversal *n* הֲפִיכָה
reverse *adj, n* הָפוּךְ; הֵפֶךְ, הִיפּוּךְ; כִּישָׁלוֹן
reverse *vt, vi* הָפַךְ; נָהַג אֲחוֹרַנִּית
revert *vi* חָזַר (לקדמותו)
review *n* סְקִירָה, בְּחִינָה מֵחָדָשׁ
review *vt* סָקַר, בָּחַן
revile *vt, vi* חֵירֵף, גִידֵּף
revise *vt* בָּדַק; עָרַךְ; שִׁינָּה
revision *n* עֲרִיכָה; בְּדִיקָה מֵחָדָשׁ
revisionism *n* רֵבִיזיוֹנִיזם
revival *n* תְּחִייָה, הַחֲיָאָה
revive *vi, vt* הֶחֱיָה, הֵשִׁיב נֶפֶשׁ; קָם לִתחִייָה
revoke *vt, vi* בִּיטֵּל; עָשָׂה לְאַיִן
revolt *n* מֶרֶד, הִתקוֹמְמוּת; בְּחִילָה
revolt *vi, vt* מָרַד, הִתקוֹמֵם; הִבחִיל

revolting *adj* מַבְחִיל
revolution *n* מַהְפֵּכָה; סִיבּוּב
revolutionary *adj, n* מַהְפְּכָנִי
revolve *vi, vt* הִסְתּוֹבֵב; סוֹבֵב
revolver *n* אֶקְדָּח
revolving door *n* דֶּלֶת סוֹבֶבֶת
revolving fund *n* קֶרֶן חוֹזֶרֶת
revue *n* תְּסְקוֹרֶת, רֶבִיוּ (בתיאטרון)
revulsion *n* שִׁינּוּי פִּתְאוֹמִי
reward *vt* שִׁילֵּם תְּמוּרָה; גָּמַל
reward *n* גְּמוּל; פְּרָס
rewarding *adj* כְּדָאִי
rewrite *vt* שִׁכְתֵּב; עִיבֵּד
R.F. *abbr* radio frequency
rhapsody *n* הַבָּעָה נִרְגֶּשֶׁת; רַפְּסוֹדְיָה
Rhesus *n* רֶזוּס (קוֹף הוֹדִי)
rhetoric *n* רֵטוֹרִיקָה
rhetorical *adj* רֵטוֹרִי
rheumatic *adj, n* שִׁיגְרוֹנִי
rheumatism *n* שִׁיגָּרוֹן
Rhine *n* רַיין
Rhineland *n* חֶבֶל הָרַיין
rhinestone *n* אֶבֶן הָרַיין
rhinoceros *n* קַרְנַף
Rhodes *n* רוֹדוֹס
rhubarb *n* רִיבָּס
rhyme *n* חָרוּז, חֲרִיזָה
rhyme *vi* חָרַז, כָּתַב חֲרוּזִים
rhythm *n* קֶצֶב, רִיתְמוּס
rhythmic(al) *adj* קִצְבִּי, רִיתְמִי
rib *n* צֵלָע
rib *vt* צִילֵּעַ, חִיזֵּק בִּצְלָעוֹת; (המונית) קִנְטֵר
ribald *adj* מְנַבֵּל פִּיו, מְבַייֵּשׁ
ribbon *n* סֶרֶט
rice *n* אוֹרֶז
rich *adj* עָשִׁיר; מְהוּדָּר
rickets *n* רַכֶּכֶת
rickety *adj* סוֹבֵל מֵרַכֶּכֶת; רוֹפֵף
rid *vt* שִׁחְרֵר; טִיהֵר; הֵסִיר
riddance *n* הִשְׁתַּחְרְרוּת
riddle *n* חִידָה; מָשָׁל
riddle *vt* חָד; דִּיבֵּר בְּחִידוֹת; נִיקֵּב כִּכְבָרָה
ride *vi* רָכַב; נָסַע בְּרֶכֶב
ride *n* טִיּוּל (בנסיעה או ברכיבה)
rider *n* פָּרָשׁ; סֶפַח (לחוק וכד')
ridge *n* רֶכֶס; תֶּלֶם
ridgepole *n* מוֹט אוֹהֶל; מְרִישׁ גַּג
ridicule *n* לַעַג, קֶלֶס
ridicule *vt* לָעַג, הִתְקַלֵּס
ridiculous *adj* מְגוּחָךְ
riding academy *n* בֵּית־סֵפֶר לִרְכִיבָה
riding-habit *n* תִּלְבּוֹשֶׁת רְכִיבָה
rife *adj* נָפוֹץ, מָצוּי
riffraff *n* אֲסַפְסוּף
rifle *n* רוֹבֶה
rifle *vt* שָׁדַד; לָקַח שָׁלָל
rift *n* סֶדֶק, פִּרְצָה; קֶרַע
rig *v* עָרַךְ מַעֲטָה; הִרְכִּיב חֲלָקִים
rig *n* (באונייה) מַעֲרַךְ הַמַּעֲטָה
rigging *n* חִיבֵּל; הַרְכָּבָה
right *adj* צוֹדֵק; נָכוֹן; יְמָנִי
right *n* (צַד) יָמִין; זְכוּת; צֶדֶק
right *adv* יָשָׁר, יְשִׁירוּת; בְּצֶדֶק; כַּשּׁוּרָה
right *vt, vi* יִישֵּׁר, תִּיקֵּן
righteous *adj* צַדִּיק
rightful *adj* בַּעַל זְכוּת; הוֹגֵן
right-hand drive *n* הֶגֶה יְמָנִי

right-hand man *n* יַד יָמִין
rightist *n, adj* יְמָנִי
rightly *adv* בְּצֶדֶק
right-minded *adj* בַּעַל דֵעוֹת נְכוֹנוֹת
right of way *n* זְכוּת קְדִימָה
rights of man *n pl* זְכוּיוֹת הָאָדָם
right-wing *adj* שֶׁל הָאֲגַף הַיְמָנִי
rigid *adj* עִיקֵשׁ, נוּקְשֶׁה
rigmarole *n* גִיבּוּב מִלִּים
rigorous *adj* קַפְּדָנִי
rile *vt* הִרְגִיז
rill *n* פֶּלֶג
rim *n* קָצֶה, שָׂפָה; שׁוּל
rime *n* כְּפוֹר; חָרוּז
rind *n* קְרוּם, קְלִיפָּה
ring *vi, vt* צִלְצֵל; טִלְפֵּן; הִקִּיף, כִּיתֵּר
ring *n* צִלְצוּל; צְלִיל; טַבַּעַת; עִיגוּל
ring-around-a-rosy *n* עוּגָה, עוּגָה, עוּגָה... בַּמַּעְגָל נָחוּגָה
ringing *adj* מְצַלְצֵל, מְהַדְהֵד
ringing *n* צִלְצוּל; זִמְזוּם (בָּאוֹזְנַיִים)
ringleader *n* מַנְהִיג (בְּקֶשֶׁר, מֶרֶד וכד׳)
ringmaster *n* מְנַהֵל זִירָה
ringside *n* שׁוּרָה רִאשׁוֹנָה
ringworm *n* גַּזֶּזֶת
rink *n* חֲלַקְלַקָּה
rinse *n, vt* שְׁטִיפָה; שָׁטַף
riot *n* פְּרָעוֹת; הִשְׁתּוֹלְלוּת
riot *vt* פָּרַע; הִתְפָּרֵעַ
rioter *n* פּוֹרֵעַ
rip *vt, vi* קָרַע; נִיתֵּק; נִקְרַע
rip *n* שִׁיבּוֹלֶת
ripe *adj* בָּשֵׁל
ripen *vi* בָּשַׁל; הִתְבַּגֵּר
ripple *vt, vi* הֶעֱלָה אַדְווֹת; הִתְגַלְיֵין
ripple *n* אַדְווָה; גַּל קָטָן
rise *vi* קָם, הִתְרוֹמֵם; עָלָה; הִתְקוֹמֵם
rise *n* עֲלִיָּיה; שִׁיפּוּעַ; הַעֲלָאָה
risk *n* סִיכּוּן
risk *vt* סִיכֵּן, הִסְתַּכֵּן בּ...
risky *adj* כָּרוּךְ בְּסִיכּוּן, מְסוּכָּן
risqué *adj* נוֹעָז
rite *n* טֶקֶס, פּוּלְחָן
ritual *adj, n* שֶׁל טֶקֶס דָתִי; סֵדֶר טֶקֶס
rival *n, vt* מִתְחָרֶה; הִתְחָרָה בּ...
rivalry *n* הִתְחָרוּת
river *n* נָהָר
river-bed *n* אֲפִיק נָהָר
river front *n* שְׂפַת נָהָר
riverside *n* שְׂפַת נָהָר
rivet *n* מַסְמֶרֶת
rivet *vt* סִמְרֵר; רָקַע
rm. *abbr* ream, room
roach *n* לֵיאוּצִיקוּס; מְקָק
road *n* דֶרֶךְ, כְּבִישׁ
roadbed *n* מַצַּע הַכְּבִישׁ
roadblock *n* מַחְסוֹם דֶרֶךְ
road-house *n* פּוּנְדָק
road laborer *n* פּוֹעֵל כְּבִישׁ
road service *n* שֵׁירוּת דְרָכִים
roadside *n, adj* (בּ)צַד הַכְּבִישׁ
roadside inn *n* פּוּנְדָק
road sign *n* שֶׁלֶט דֶרֶךְ
roadstead *n* מְבוֹא־יָם
roadway *n* כְּבִישׁ, דֶרֶךְ
roam *vi, vt* שׁוֹטֵט, נָדַד
roam *n* נְדִידָה; נוֹדֵד
roar *vi, n* שָׁאַג; שְׁאָגָה
roast *vt, vi* צָלָה, קָלָה; נִצְלָה

roast *n, adj* צָלִי; צָלוּי
roast beef *n* צְלִי בָּקָר
rob *vt* שָׁדַד
robber *n* שׁוֹדֵד
robbery *n* שׁוֹד
robe *n* גְלִימָה, חָלוּק
robe *vt, vi* הִלְבִּישׁ; הִתְלַבֵּשׁ
robin *n* אֲדוֹם־הֶחָזֶה
robot *n* רוֹבּוֹט
robust *adj* חָסוֹן
rock *n* סֶלַע, צוּר
rock *vt, vi* נִדְנֵד, נִעְנֵעַ; הִתְנַדְנֵד, הִתְנַעְנֵעַ
rock-bottom *n, adj* תַּחְתִּית, קַרְקָעִית; נָמוּךְ בְּיוֹתֵר
rock crystal *n* בְּדוֹלַח הַסֶּלַע
rocker *n* כִּסְנוֹעַ
rocket *n* טִיל
rocket *vt, vi* הִתְקִיף בְּטִילִים; (מחיר) הֶאֱמִיר
rocket bomb *n* טִיל, רָקֵטָה
rocket launcher *n* מַזְנִיק טִילִים
rock-garden *n* גִינַּת סְלָעִים
rocking-chair *n* כִּסְנוֹעַ
rocking-horse *n* סוּס נַדְנֵדָה
Rock of Gibraltar *n* סֶלַע גִיבְּרַלְטָר
rock-salt *n* מֶלַח גְבִישִׁי
rocky *adj* סַלְעִי; (המונית) רָעוּעַ
rod *n* מוֹט, מַטֶּה
rodent *n adj* מְכַרְסֵם
rodman *n* מוֹדֵד
roe *n* אַיָּלָה; בֵּיצֵי דָגִים
rogue *n* נוֹכֵל, רַמַּאי
roguish *adj* נוֹכֵל; שׁוֹבָב
role *n* תַּפְקִיד
roll *vi, vt* הִתְגַלְגֵל, הִסְתּוֹבֵב; סוֹבֵב; גִלְגֵל
roll *n* גָלִיל; לַחְמָנִית; רְשִׁימָה; מְגִילָה; קוֹל (רעם)
roller *n* מַכְבֵּשׁ; גָלִיל; מַעגִילָה
roller skate *n* גַלְגַלִּית
roller-skate *vt* הֶחֱלִיק בְּגַלְגַלִּיּוֹת
roller-towel *n* מַגֶּבֶת חֲגוֹרָה
rolling-pin *n* מַעגִילָה
rolling stone *n* אֶבֶן מִתְגַלְגֶלֶת; (אדם) נוֹדֵד
roly-poly *n* פַּשְׁטִידַת רוֹלָדָה
Roman *n, adj* רוֹמָאִי; רוֹמִי
Romance *adj* רוֹמָנִי
romance *n* רוֹמַנְס; רוֹמָן; פָּרָשַׁת אֲהָבִים
romance *vi* הִפְרִיז; שִׁיקֵר
Roman Empire *n* הַקֵיסָרוּת הָרוֹמִית
Romanesque *adj* שֶׁל רוֹמַנְסִים
romantic *adj* דִמְיוֹנִי; רוֹמַנְטִי, רִגְשִׁי
romanticism *n* רוֹמַנְטִיקָה
romp *n* הִתְרוֹצְצוּת יְלָדִים
romp *vi* הִתְרוֹצֵץ (במשחק)
rompers *n pl* מַעֲפוֹרֶת
roof *n* גַג
roof *vt* קֵירָה, כִּיסָּה בְּגַג
roofer *n* רַעָף
rook *vt* הוֹנָה
rook *n* עוֹרֵב; רַמַּאי
rookie *n* טִירוֹן
room *n* חֶדֶר; מָקוֹם
room and board *n* חֶדֶר וְאוֹכֶל, אֶשֶׁל
room clerk *n* פְּקִיד־קַבָּלָה
roomer *n* דַיָּיר בְּחֶדֶר
rooming-house *n* בַּיִת שֶׁמַּשְׂכִּירִים בּוֹ חֲדָרִים

roomy *adj* מְרוּוָּח
roost *n* מוֹט; לוּל
roost *vi* נָח עַל מוֹט; יָשֵׁן; הֵלִין
rooster *n* תַּרְנְגוֹל
root *n* שׁוֹרֶשׁ; מָקוֹר
root *vt* הִשְׁרִישׁ; הִשְׁתָּרֵשׁ; הֵרִיעַ
rope *n* חֶבֶל; כֶּבֶל
rope *vt* קָשַׁר; פִּלְצֵר
rosary *n* עֲרוּגַת שׁוֹשַׁנִּים
rose *n* וֶרֶד, שׁוֹשַׁנָּה
rose *adj* וָרוֹד
rosebud *n* נִיצַּת וֶרֶד
rosebush *n* שִׂיחַ וְרָדִים
rose-colored *adj* וָרוֹד; אוֹפְּטִימִי
rose garden *n* גַּן וְרָדִים
rosemary *n* כְּלִיל־הַר
rose of Sharon *n* חֲבַצֶּלֶת הַשָּׁרוֹן
rosewood *n* סִיסָם
rosin *n* נָטָף
roster *n* לוּחַ תּוֹרָנוּת
rostrum *n* בָּמָה, דוּכָן
rosy *adj* וָרוֹד
rot *n* רָקָב; הִידַּרְדְּרוּת
rot *vi*, *vt* נִרְקַב; הִרְקִיב
rotate *vi*, *vt* הִתְחַלֵּף; סוֹבֵב; סִידֵּר לְפִי מַחֲזוֹרִיּוּת
rote *n* שִׁגְרָה
rotogravure *n* דְּפוּס שֶׁקַע
rotten *adj* רָקוּב; קְלוֹקֵל
rotund *adj* עָגוֹל; עֲגַלְגַּל
rouge *n* אוֹדֶם
rough *adj* מְחוּסְפָּס, גַּס; מְשׁוֹעָר
rough-cast *adj*, *n* מְטוּיָּח גַּס; מְנוּסָּח כְּלָלִית; טְיוּטָה גוֹלְמִית
roughly *adv* בְּגַסּוּת; בְּקֵירוּב
roulette *n* מַקֵּדָה; רוּלֶטָה
round *adj* עָגוֹל; מַעְגָּלִי; שָׁלֵם
round *n* עִיגּוּל; הֶיקֵּף; סִיבּוּב; שָׁלָב
round *vt*, *vi* עִיגֵּל; הִשְׁלִים
round *adv* בְּעִיגּוּל; מִסָּבִיב
round *prep* סָבִיב ל...
roundabout *adj*, *n* עָקִיף; סְחַרְחֵרָה; כִּיכָּר
roundhouse *n* בֵּית־כֶּלֶא
round-shouldered *adj* כְּפוּף גֵּו
round-trip ticket *n* כַּרְטִיס הָלוֹךְ וָשׁוֹב
round-up *n* סִיכּוּם; מָצוֹד
rouse *n*, *vi* הֵעִיר; שִׁלְהֵב; הִתְעוֹרֵר
rout *n* הִתְגּוֹדְדוּת; מְהוּמָה
rout *vt* הֵבִיס
route *n* נָתִיב, דֶּרֶךְ
route *vt* קָבַע נְתִיב מִשְׁלוֹחַ
routine *n*, *adj* שִׁגְרָה; שִׁגְרָתִי
rove *vi* שׁוֹטֵט
row *n* שׁוּרָה
row *vi* חָתַר
row *n* רַעַשׁ, מְרִיבָה
row *vi*, *vt* רָב; נָזַף
rowboat *n* סִירַת־מְשׁוֹטִים
rowdy *n*, *adj* פֶּרֶא אָדָם
rower *n* חוֹתֵר
royal *adj* מַלְכוּתִי
royalist *n*, *adj* מְלוּכָנִי
royalty *n* מַלְכוּת; תַּמְלוּג
rub *vt*, *vi* שִׁפְשֵׁף; הִשְׁתַּפְשֵׁף
rub *n* שִׁפְשׁוּף, חִיכּוּךְ; קוֹשִׁי
rubber *n* גּוּמִי; מוֹחֵק
rubber band *n* גּוּמִיָּה
rubber plantation *n* מַטַּע גּוּמִי

rubber stamp *n* חוֹתֶמֶת גוּמִי
rubber-stamp *vt* שָׂם חוֹתֶמֶת; אִישֵּׁר אוֹטוֹמָטִית
rubbish *n* אַשְׁפָּה, זֶבֶל; שְׁטוּיוֹת
rubble *n* שִׁבְרֵי אֶבֶן
rubdown *n* עִיסּוּי
rube *n* כַּפְרִי, מְסוּרְבָּל
ruby *n, adj* אוֹדֶם (אבן); אָדוֹם לוֹהֵט
rudder *n* הֶגֶה
ruddy *adj* אַדְמוֹנִי
rude *adj* גַּס
rudiment *n* יְסוֹדוֹת רִאשׁוֹנִיִּים
rue *vt* הִתְחָרֵט, הִצְטַעֵר
rueful *adj* עָגוּם; עָצוּב
ruffian *n* בִּרְיוֹן אַכְזָר, אַלָּם
ruffle *vt* פֵּרַע; קִימֵּט; הִרְגִּיז
ruffle *n* אַדְווָה
rug *n* שְׂמִיכַת צֶמֶר, שָׁטִיחַ
rugged *adj* מְטוֹרָשׁ; גַּבְנוּנִי
ruin *n* חוּרְבָּן, הֶרֶס; עִיֵּי מַפּוֹלֶת
ruin *vt* הָרַס, הֶחֱרִיב
rule *n* כְּלָל, תַּקָּנָה; שִׁלְטוֹן; סַרְגֵל
rule *vt, vi* שָׁלַט, מָלַךְ; קָבַע
rule of law *n* שִׁלְטוֹן הַחוֹק
ruler *n* שַׁלִּיט; סַרְגֵל
ruling *adj* שׁוֹלֵט; רוֹוֵחַ
ruling *n* פְּסָק, קְבִיעָה
rum *n, adj* רוּם; (המונית) מוּזָר
Rumanian *adj, n* רוֹמָנִית; רוֹמָנִי
rumble *vi, vt* רָעַם, רָעַשׁ
rumble *n* רַעַם; הֶמְיָה
ruminate *vi* הֶעֱלָה גֵּירָה; הִרְהֵר
rummage *vt* חִיטֵּט, חִיפֵּשׂ בִּיסוֹדִיּוּת
rummage sale *n* מְכִירַת שְׁיָרִים
rumor *n, vt* שְׁמוּעָה; הֵפִיץ שְׁמוּעָה

rump *n* עַכּוּז
rumple *vt, vi* פֵּרַע; קִימֵּט
rumpus *n* (דיבּוּרית) רַעַשׁ, מְהוּמָה
run *vi, vt* רָץ; נָטַף; נִמְשַׁךְ; נִיהֵל
run *n* רִיצָה; מַהֲלָךְ; (בּגרב) קֶרַע
runaway *adj* בּוֹרֵחַ; שֶׁהוּשַּׂג בְּקַלּוּת
run-down *adj* לֹא מְכוּנָן; נֶחֱלָשׁ
rung *n* חָווֹק (של כיסא); שָׁלָב (של סולם)
runner *n* רָץ, שָׁלִיחַ; שָׁטִיחַ צַר
runner-up *n* שֵׁנִי בְּתַחֲרוּת
running *adj* רָץ; זוֹרֵם; רָצוּף
running-board *n* מִדְרָךְ
running head *n* כּוֹתֶרֶת שׁוֹטֶפֶת
run-proof *adj* חֲסִין קֶרַע
runt *n* נַנָּס
runway *n* מַסְלוּל הַמְרָאָה
rupture *n* שֶׁבֶר; נִיתּוּק
rupture *vt, vi* נִיתֵּק, קָרַע; גָּרַם שֶׁבֶר; סָבַל מִשֶּׁבֶר
rural *adj* כַּפְרִי
rural policeman *n* שׁוֹטֵר כַּפְרִי
rush *vi, vt* חָפַז; גָּח; זִינֵּק; הִסְתַּעֵר; הֵאִיץ
rush *n* חוּפְזָה; זִינּוּק
rushlight *n* נֵר אַגְמוֹן
rush order *n* הַזְמָנָה דְחוּפָה
russet *adj* חוּם־אֲדַמְדַּם
Russia *n* רוּסְיָה
Russian *adj, n* רוּסִי; רוּסִית (לשון)
Russianization *n* עֲשִׂיָּיה לְרוּסִי; רוּסִיפִיקַצְיָה
rust *n* חֲלוּדָה
rust *vi, vt* הֶעֱלָה חֲלוּדָה, נֶחֱלַד
rustic *adj* כַּפְרִי; בֶּן־כְּפָר

rustle *vi, vt* רִשְׁרֵשׁ; הִזְדָּרֵז
rustle *n* רִשְׁרוּשׁ
rusty *adj* חָלוּד
rut *n* תֶּלֶם; חָרִיץ; שִׁגְרָה;
(בחיות) הִתְיַיחֲמוּת
ruthless *adj* אַכְזָרִי
Ry. *abbr* railway
rye *n* שִׁיפוֹן; וִיסְקִי שִׁיפוֹן

S

S, s *n* אֶס (האות התשע־עשרה
באלפבית)
s. *abbr* second, shilling, singular
Sabbath *n* שַׁבָּת; יוֹם א׳ (בנצרות)
sabbatical year *n* שְׁנַת שַׁבָּתוֹן
sable *n, adj* צוֹבֶל
sabotage *n* חַבָּלָה, סַבּוֹטָז׳
sabotage *vt, vi* חִיבֵּל
sack *vt* בָּזַז; הִכְנִיס לְשַׂק; פִּיטֵּר
sack *n* שַׂק; פִּיטוּרִין; בִּזָּיָה (של עיר
כבושה); סֶק (יין לבן)
sackcloth *n* לְבוּשׁ שַׂק; שַׂק
sacrament *n* טֶקֶס נוֹצְרִי;
סְעוּדַּת קוֹדֶשׁ
sacred *adj* קָדוֹשׁ; מְקוּדָּשׁ
sacrifice *n* קוֹרְבָּן; זֶבַח; הַקְרָבָה
sacrifice *vt* הִקְרִיב
Sacrifice of the Mass *n* קָרְבַּן
הַמִּזְבֵּחַ (בנצרות)
sacrilege *n* חִילּוּל הַקּוֹדֶשׁ
sacrilegious *adj* שֶׁל חִילּוּל הַקּוֹדֶשׁ
sacristan *n* שַׁמַּשׁ כְּנֵסִיָּיה
sad *adj* עָצוּב; עָגוּם; מְצַעֵר
sadden *vt, vi* הֶעֱצִיב
saddle *n* אוּכָּף; מוֹשָׁב (אופניים)
saddle *vt* שָׂם אוּכָּף עַל; הֶעֱמִיס
saddlebag *n* אַמְתַּחַת
sadist *n* סָדִיסְט, עַנַּאי
sadistic *adj* סָדִיסְטִי, עַנָּאִי
sadness *n* עַצְבוּת, תּוּגָה
safe *adj* בָּטוּחַ, שָׁלֵם
safe *n* כַּסֶּפֶת; תֵּיבָה
safe-conduct *n* (רשיון) מַעֲבָר
safe-deposit *n* בֵּית־כַּסָּפוֹת
safe-deposit box *n* כַּסֶּפֶת בַּנְק
safeguard *n* אֶמְצָעִי בִּיטָּחוֹן; סְייָג
safeguard *vt* שָׁמַר, אִבְטֵחַ
safety *n* בִּיטָּחוֹן; מִבְטָח; בְּטִיחוּת
safety-belt *n* חֲגוֹרַת בְּטִיחוּת
safety match *n* גַּפְרוּר בְּטִיחוּת
safety-pin *n* סִיכַּת בִּיטָּחוֹן
safety rail *n* מַעֲקֶה בִּטָּחוֹן
safety razor *n* מְגַלֵּחַ בְּטִיחוּת
safety-valve *n* שַׁסְתּוֹם בְּטִיחוּת
saffron *n, adj* זְעַפְרָן צָהוֹב; כַּרְכּוּמִי
sag *vi* הִתְקַעֵר; שָׁקַע; הָיָה שָׁמוּט
sag *n* שְׁקִיעָה; הִתְקַעֲרוּת; יְרִידָה
sagacious *adj* נָבוֹן, מְפוּקָּח

sage *adj, n* נָבוֹן, גָדוֹל בְּחָכְמָה; מַרוָוה; לַעֲנָה

sail *n* מִפְרָשׂ; מִפְרָשִׂית

sail *vi, vt* שָׁט בִּכְלִי־שַׁיִט; הִפְלִיג; הֵשִׁיט

sailcloth *n* אֲרִיג מִפְרָשִׂים

sailing *n* שַׁיִט; הַפְלָגָה

sailing boat *n* מִפְרָשִׂית

sailor *n* מַלָּח, יַמַּאי

saint *n* קָדוֹשׁ

saintliness *n* קְדוּשָּׁה, קוֹדֶשׁ

sake *n* סִיבָּה; אִינטֶרֶס

salaam *n* בִּרְכַּת שָׁלוֹם (מזרחית)

salable *adj* מָכִיר

salad *n* סָלָט, לִקְטָן

salad bowl *n* קַעֲרַת סָלָט

salad oil *n* שֶׁמֶן סָלָט

salami *n* סָלָמִי, נַקְנִיק מְתוּבָּל

salary *n* מַשְׂכּוֹרֶת

sale *n* מְכִירָה

salesclerk *n* זַבָּן

saleslady *n* זַבָּנִית

salesman *n* זַבָּן, סוֹחֵר

sales manager *n* מְנַהֵל מְכִירוֹת

salesmanship *n* אוּמָנוּת הַמְּכִירָה

sales tax *n* מַס מְכִירוֹת

saliva *n* רוֹק, רִיר

sallow *adj* צְהַבְהַב, חִיוֵּר

sally *n* גִּיחָה; הִתְפָּרְצוּת; הַבְרָקָה

sally *vi* הֵגִיחַ; הִתְפָּרֵץ

salmon *n, adj* אִלְתִּית; וָרוֹד־תָּפוּז

salon *n* טְרַקְלִין; חֲדַר־תְּצוּגָה

saloon *n* מִסְבָּאָה; (באונייה) אוּלַם הַנּוֹסְעִים

salt *n* מֶלַח; שְׁנִינוּת

salt *adj* מָלֵחַ; מָלוּחַ

salt *vt* הִמְלִיחַ; תִּיבֵּל

saltcellar *n* מִמְלָחָה

salted peanuts *n pl* בּוֹטְנִים מְמוּלָחִים

salt-lick *n* מִלְקַק מֶלַח

saltpetre, saltpeter *n* מְלַחַת

salt shaker *n* מִמְלָחָה

salty *n* מָלוּחַ

salubrious *adj* בָּרִיא; מַבְרִיא

salutation *n* בְּרָכָה; פְּנִיַּת־נִימוּסִין

salute *vt, vi* בֵּירֵךְ לְשָׁלוֹם; הִצְדִּיעַ

salute *n* הַצְדָּעָה; יְרִיּוֹת כָּבוֹד

salvage *n* נְצוֹלֶת; רְכוּשׁ שֶׁנִּיצַּל; חִילּוּץ אוֹנִיָּה; נִיצּוּל פְּסוֹלֶת

salvage *vt* הִצִּיל; חִילֵּץ (אונייה); נִיצֵּל פְּסוֹלֶת

salvation *n* גְּאוּלָּה, יְשׁוּעָה

Salvation Army *n* צְבָא יְשׁוּעָה

salve *n* מִשְׁחָה; מָזוֹר

salve *vt* הֵבִיא מַרְפֵּא

salvo *n* מַטַּח יְרִי; מַטָּח

Samaritan *n, adj* שׁוֹמְרוֹנִי; שׁוֹמְרוֹנִית; נָדִיב

same *adj, pron, adv* זֵהֶה, הוּא עַצְמוֹ; דּוֹמֶה; אָחִיד; הַנַּ"ל

sample *n* דּוּגְמָה; מִדְגָּם

sample *vt* נָטַל מִדְגָּם

sanctify *vt* הָפַךְ לִמְקוּדָּשׁ

sanctimonious *adj* מִתְחַסֵּד

sanction *n* הַרְשָׁאָה; אִישּׁוּר; (בריבוי) סַנקְצִיּוֹת, עוֹנֶשׁ

sanction *vt* נָתַן תּוֹקֶף; אִישֵּׁר

sanctuary *n* מְקוֹם קָדוֹשׁ; מִקְדָּשׁ; מִקְלָט

sand *n* חוֹל

sand *vt* זָרָה חול; מֵירֵק בְּחול
sandal *n* סַנְדָל
sandalwood *n* עֵץ הַסַּנְדָל; אַלְמוֹג
sandbag *n* שַׂק חול
sandbag *vt* בִּיצֵּר בְּשַׂקֵּי חול; הִיכָּה בְּשַׂק חול
sand-bar *n* שִׂרְטוֹן
sandblast *n* סִילוֹן חול
sandbox *n* אַרְגַּז חול
sand dune *n* חולָה, דְיוּנָה
sandglass *n* שְׁעוֹן חול
sandpaper *n* נְייַר־זְכוּכִית
sandpaper *vt* שִׁפְשֵׁף בִּנְייַר־זְכוּכִית
sandstone *n* אֶבֶן־חול
sandstorm *n* סוּפַת־חול
sandwich *n, vt* כָּרִיךְ; עָשָׂה כָּרִיךְ
sandy *adj* חולִי; מִצֶּבַע הַחול
sane *adj* שָׁפוּי; מְפוּקָח
sanguinary *adj* עָקוֹב מִדָּם; צָמֵא לְדָם
sanguine *adj* בּוֹטֵחַ, אוֹפְּטִימִי
sanitary *adj* בְּרִיאוּתִי; תַּבְרוּאִי
sanitary napkin *n* תַּחְבּוֹשֶׁת הִיגְיֵינִית
sanitation *n* תַּבְרוּאָה
sanity *n* שְׁפִיּוּת
Santa Claus *n* סַנְטָה קְלוֹז
sap *n* מוֹהַל (שֶׁל צֶמַח); לַחְלוּחִית; חִיּוּת; (הֲמוֹנִית) טִיפֵּשׁ
sap *vt* מָצַץ; הִתִּישׁ
saphead *n* שׁוֹטֶה
sapling *n* שָׁתִיל; נֵצֶר רַךְ
sapphire *n* סַפִּיר
saraband *n* סָרַבַּנְדָה
Saracen *n* סָרָצֵנִי, מוּסְלְמִי (בִּתְקוּפַת הַצַּלְבָנִים)

sardine *n* טָרִית, סַרְדִין
sash *vt* מִסְגֵר; עִיטֵּר בְּסֶרֶט
sash *n* מִסְגֶרֶת־שִׁמְשָׁה
sash window *n* חַלּוֹן זָחִיחַ
satchel *n* יַלְקוּט
sateen *n* סָטִין
satellite *n* יָרֵחַ; לַוְייָן; גָּרוּר; חָסִיד
satellite country *n* מְדִינָה גְרוּרָה
satiate *adj* שָׂבֵעַ
satiate *vt* הִשְׂבִּיעַ
satin *n, adj* סָטִין; מְשִׁיִי
satiric(al) *adj* סָטִירִי
satirist *n* סָטִירִיקָן
satirize *vt* תֵּיאֵר בְּסָטִירִיוּת
satisfaction *n* שְׂבִיעוּת־רָצוֹן; סִיפּוּק
satisfactory *adj* מְסַפֵּק; מֵנִיחַ אֶת הַדַּעַת
satisfy *vt, vi* סִיפֵּק; הִשְׂבִּיעַ רָצוֹן
saturate *vt* רִיוָּה, הִרְוָה
Saturday *n* שַׁבָּת
sauce *n* רוֹטֶב; תַּבְלִין; (דִיבּוּרִית) חוּצְפָּה
sauce *vt* תִּיבֵּל; הִתְחַצֵּף
saucepan *n* אִלְפָּס
saucer *n* תַּחְתִּית
saucy *adj* חָצוּף; עֲסִיסִי
sauerkraut *n* כְּרוּב כָּבוּשׁ
saunter *n* טִיוּל שׁוֹטְטוּת
saunter *vi* טִייֵּל לַהֲנָאָתוֹ
sausage *n* נַקְנִיק; נַקְנִיקִית
savage *adj* פְּרָאִי; זוֹעֵף; פֶּרֶא
savant *n* מְלוּמָד, מַדְעָן
save *vt, vi* הִצִּיל; חָסַךְ
save *prep, conj* מִלְּבַד, חוּץ מִן
saving *adj* מַצִּיל, גוֹאֵל; חוֹסֵךְ

saving *prep, conj* מִלְּבַד, פְּרָט ל...
savings *n pl* חֶסכונות
Savior, savior *n* מָשִׁיחַ, גוֹאֵל
savor *n* טַעַם; תַּבלִין; סַמְמָן
savor *vi, vt* הָיָה לוֹ טַעַם; נִיכְּרוּ בּוֹ סִימָנִים
savory *n* צַתְרָה; פַּרפֶּרֶת
savory *adj* טָעִים, בָּשִׂים; נָעִים
saw *n* מַסּוֹר; פִּתגָם
saw *vt* נִיסֵּר
sawbuck *n* חֲמוֹר נְסִירָה
sawdust *n* נְסוֹרֶת
sawmill *n* מַנסֵרָה (מכונה)
Saxon *n, adj* סַקסוֹנִי; סַקסוֹנִית
saxophone *n* סַקסוֹפוֹן
say *vt, vi* אָמַר
say *n* זְכוּת דִיבּוּר, דֵעָה
saying *n* אֲמִירָה; מֵימְרָה
scab *n* גֶלֶד; גָרֶדֶת; מֵפֵר שְׁבִיתָה
scabbard *n* נָדָן
scabby *adj* עִם פְּצָעִים מוּגלָדִים
scabrous *adj* מָלֵא קַשׂקַשִּׂים; מְסוּבָּךְ
scaffold *n* גַרדוֹם; פִּיגּוּם
scaffolding *n* מַעֲרֶכֶת פִּיגוּמִים
scald *vt* כָּוָוה
scale *n* סוּלָם; דֵירוּג
scale *vt, vi* טִיפֵּס; עָלָה בְּהַדרָגָה; הִתקַלֵּף
scallop *n* צִדפָּה מְחוֹרֶצֶת
scallop *vt* עָשָׂה סִלסוּלִים גַלִּיִים
scalp *n* קַרקֶפֶת
scalp *vt* קִרקֵף; פָּשַׁט עוֹר; רִימָּה; סִפְסֵר (בּכרטיסים)
scalpel *n* אִזמֵל
scaly *adj* מְכוּסֶּה קַשׂקַשִּׂים

scamp *n* בֶּן־בְּלִיַּעַל
scamp *vt, vi* עָשָׂה מְלָאכֶת־רְמִיָּה
scamper *vi* נָס בְּבֶהִילוּת
scamper *n* בְּרִיחָה מְבוֹהֶלֶת
scan *vt* תָּר (שטח); קָרָא בְּרִפרוּף
scandal *n* שַׁעֲרוּרִייָה
scandalize *vt* עוֹרֵר שַׁעֲרוּרִייָה
scandalous *adj* מַחפִּיר, שַׁעֲרוּרִי
scansion *n* קְבִיעַת מִשׁקָל (שֶׁל שִׁיר)
scant *adj* זָעוּם, דַל
scant *vt, vi* קִימֵּץ; צִמצֵם
scanty *adj* זָעוּם, דַל
scapegoat *n* שָׂעִיר לַעֲזָאזֵל
scar *n* צַלֶּקֶת
scar *vt, vi* צִילֵּק; הִצטַלֵּק
scarce *adj* נָדִיר; לֹא מַספִּיק
scarcely *adj* בְּקוֹשִׁי
scare *vt, vi* הִפחִיד; פָּחַד
scare *n* בֶּהָלָה
scarecrow *n* דַחלִיל
scarf *n* סוּדָר; מַפָּה
scarf-pin *n* סִיכַּת עֲנִיבָה
scarlet *n, adj* אָדוֹם כַּשָּׁנִי
scarlet fever *n* שָׁנִית, סקַרלָטִינָה
scary *adj* מַבהִיל; נוֹחַ לִפחוֹד
scat *interj* הָלְאָה!
scathing *adj* חָרִיף
scatter *vt, vi* פִּיזֵּר; הִתפַּזֵּר
scatterbrained *adj* מְפוּזָר; קַל־דַעַת
scattered showers *n pl* מְמטָרִים פְּזוּרִים
scenario *n* תַּסרִיט
scene *n* סצֵנָה; מְקוֹם הִתרַחֲשׁוּת; שַׁעֲרוּרִייָה; תְּמוּנָה (בּמחזה)
scenery *n* נוֹף; תַּפאוּרָה

scene-shifter *n* מַחֲלִיף תַּפאוּרוֹת
scent *vt, vi* הֵרִיחַ; חָשַׁד
scent *n* רֵיחַ; נִיחוֹחַ; בּוֹשֶׂם; חוּשׁ־רֵיחַ
scepter *n* שַׁרבִיט
sceptic(al) *adj, n* סַפקָנִי; סַפקָן
schedule *n* לוּחַ־זְמַנִּים; מִפרָט
schedule *vt* תִּכנֵן (כנ״ל)
scheme *n* תּוֹכנִית; מַעֲרֶכֶת; קֶשֶׁר
scheme *vt, vi* זָמַם; עִיבֵּד תּוֹכנִית
schemer *n* אִישׁ מְזִימּוֹת
scheming *adj* בַּעַל מְזִימּוֹת
schism *n* פִּילּוּג
scholar *n* מְלוּמָּד, תַּלמִיד־חָכָם; תַּלמִיד
scholarly *adj* מְלוּמָּד, לַמדָנִי
scholarship *n* יֶדַע, חָכמָה; מִלגָה
school *n* בֵּית־סֵפֶר; אַסכּוֹלָה
school *vt* חִינֵּךְ, הִדרִיךְ; נִיהֵל
school attendance *n* בִּיקּוּר בְּבֵית־סֵפֶר
school-board *n* מוֹעֶצֶת חִינּוּךְ
schoolboy *n* תַּלמִיד בֵּית־סֵפֶר
schoolgirl *n* תַּלמִידַת בֵּית־סֵפֶר
schooling *n* הַשׂכָּלָה
schoolmate *n* חָבֵר לְבֵית־הַסֵּפֶר
schoolroom *n* כִּיתָּה
school year *n* שְׁנַת לִימּוּדִים
schooner *n* מִפרָשִׂית
sci. *abbr* science, scientific
science *n* מַדָּע
scientific *adj* מַדָּעִי
scientist *n* מַדְּעָן
scil. *abbr* scilicet (Latin) דְּהַיינוּ
scimitar *n* חֶרֶב מִזרָחִית
scintillate *vi* נִצנֵץ, הִבהֵב; הִברִיק
scion *n* חוֹטֶר; צֶאֱצָא
Scipio *n* עַקרָב
scissors *n pl* מִספָּרַיִים
scoff *vi* לָעַג
scold *n* אֵשֶׁת־מְדָנִים
scold *vi, vt* גָּעַר, נָזַף
scoop *n* יָעֶה; מַצֶּקֶת; יְדִיעָה מַרעִישָׁה
scoop *vt* דָּלָה, גָּרַף
scoot *vi* זִינֵּק וָרָץ
scooter *n* אוֹפַנִּית, גַּלגַּלַּיִים; קַטנוֹעַ
scope *n* הֶיקֵּף, תְּחוּם; מֶרחָב
scorch *vt, vi* חָרַךְ, צָרַב; נֶחרַךְ, נִצרַב
scorch *n* כְּוִויָה קַלָּה
scorching *adj* צוֹרֵב, חוֹרֵךְ
score *n* מַצַּב הַנְּקוּדּוֹת (בתחרות)
score *vt, vi* זָכָה בִּנקוּדּוֹת; רָשַׁם נְקוּדּוֹת; (במוסיקה) תִּזמֵר יְצִירָה
scoreboard *n* לוּחַ נִיקּוּד
scorn *n* בּוּז; לַעַג
scorn *vt* בָּז ל...; דָּחָה בְּבוּז
scornful *adj* מָלֵא בּוּז
scorpion *n* עַקרָב
Scot *adj, n* סקוֹטִי
Scotch *adj, n* סקוֹטִי; סקוֹטִית; סקוֹטש (ויסקי)
scotch *vt* שָׂם קֵץ, בָּלַם
Scotchman *n* סקוֹטִי
Scotland *n* סקוֹטלַנד
Scottish *adj, n* סקוֹטִי; (עם) הַסקוֹטִים
scoundrel *n* נָבָל, נוֹכֵל
scour *vt* מֵירֵק; נִיקָּה; גָּרַף; סָרַק
scourge *n* פַּרגּוֹל; מַטֵּה זַעַם; נֶגַע
scourge *vt* יִיסֵּר; הֵבִיא פּוּרעָנוּת עַל
scout *n* סַיָּר; צוֹפֶה

scout *vt, vi* עָסַק בְּסִיוּר; גִּישֵּׁשׁ; חִיפֵּשׂ
scoutmaster *n* מַדְרִיךְ צוֹפִים
scowl *vi, vt* הִזְעִים עַפעַפַּיִים
scowl *n* מַבָּט זוֹעֵף
scramble *vi, vt* הִתגַּבֵּר עַל דֶּרֶךְ (תלולה); חָתַר לְהַשִּׂיג; גִּיבֵּב
scramble *n* טִיפּוּס בְּקוֹשִׁי; הִדָּחֲקוּת
scrambled egg *n* בֵּיצָה טְרוּפָה
scrap *n* חֲתִיכָה, פֵּירוּר, פִּיסָּה; גְרוּטָה
scrap *vt* הִשׁלִיךְ
scrapbook *n* סֵפֶר הַדְבָּקוֹת, תַּלקִיט
scrape *vt, vi* גֵּרֵד, שִׁיֵּיף
scrape *n* גֵּירוּד, שִׁיּוּף; שָׂרֶטֶת; מַצָּב בִּישׁ
scrap-iron *n* גְרוּטָאוֹת
scrap-paper *n* נְיַיר טְיוּטָה
scratch *vt, vi* סֵרַט, גֵּרֵד; מָחַק; הִתגָּרֵד
scratch *n* גֵּירוּד, סְרִיטָה; שָׂרֶטֶת
scratch *adj* שֶׁל טְיוּטָה; שְׁוֵוה תְּנָאִים
scratch paper *n* נְיַיר טְיוּטָה
scrawl *vt, vi* קִשׁקֵשׁ, שִׁרבֵּט
scrawl *n* קִשׁקוּשׁ, שִׁרבּוּט
scrawny *adj* דַּק בָּשָׂר
scream *vi* צָווַח, צָרַח
scream *n* צְוָוחָה, צְרִיחָה
screech *vi, n* צָוַח; צְוָוחָה
screech-owl *n* תִּנשֶׁמֶת
screen *n* מָסָךְ, חַיִץ; סוֹכֵךְ
screen *vt, vi* קָבַע חַיִץ, חָצַץ; הִקרִין; הִסרִיט
screenplay *n* תַּסרִיט
screw *n* בּוֹרֶג, סְלִיל; סִיבּוּב בּוֹרְגִי
screw *vt, vi* בָּרַג, הִבְרִיג; כָּפָה; הִתבָּרֵג
screwball *n* אָדָם מוּזָר
screwdriver *n* מַבְרֵג
screw-jack *n* מַגְבֵּהַ בּוֹרְגִי
screw propeller *n* מַדחֵף בּוֹרְגִי
scribal error *n* פְּלִיטַת קוּלמוּס
scribble *vi. vt* שִׁרבֵּט
scribble *n* כְּתַב חַרטוּמִּים; שִׁרבּוּט
scribe *n* סוֹפֵר; מַעתִּיק
scrimp *vt, vi* קִימֵּץ
scrip *n* כְּתָב; אִיגֶּרֶת חוֹב
script *n* כְּתַב; אוֹתִיּוֹת כְּתָב; כְּתַב־יָד
Scripture *n* כִּתבֵי־הַקּוֹדֶשׁ
script-writer *n* תַּסרִיטָן
scrofula *n* חֲזִירִית
scroll *n* מְגִילָּה
scrollwork *n* מַעֲשֵׂה חֶלזוֹנִית
scrub *vt* רָחַץ וְשִׁפשֵׁף
scrub *n* רְחִיצָה וְשִׁפשׁוּף, קִרצוּף; סְבַךְ שִׂיחִים
scrub oak *n* אַלּוֹנִית
scruff *n* עוֹרֶף
scruple *n* הִיסּוּס מַצפּוּנִי; קַמצוּץ
scruple *vt, vi* סָבַל מִנְּקִיפוֹת לֵב
scrupulous *adj* בַּעַל מַצפּוּן; דַקדְקָן
scrutinize *vt* בָּדַק, בָּחַן
scrutiny *n* בְּדִיקָה מְדוּקדֶקֶת
scuff *vt* גֵּרֵר רַגלַיִים; דִשדֵשׁ; חִספֵּס
scuffle *vi* הִשתַּתֵּף בְּתִגרָה
scuffle *n* תִּגרָה מְבוּלבֶּלֶת
scull *n* מָשׁוֹט; סִירַת מֵירוֹץ
scull *vt, vi* חָתַר; הֵנִיעַ סִירָה בְּמָשׁוֹט
scullery *n* קִיטוֹן הַמְּבַשְּׁלִים
scullery maid *n* מְשָׁרֶתֶת מִטבָּח
scullion *n, adj* מְשָׁרֵת מִטבָּח
sculptor *n* פַּסָּל
sculptress *n* פַּסֶּלֶת

sculpture *n* פִּיסּוּל; פַּסָּלוּת; פֶּסֶל
sculpture *vt, vi* פִּיסֵּל, גִּילֵּף
scum *n* זוּהֲמָה; חֶלְאָה
scum *vt, vi* הֵסִיר זוּהֲמָה, קִיפָּה
scummy *adj* מְכוּסֶּה קְרוּם; שָׁפָל
scurf *n* קַשְׂקַשִּׂים
scurrilous *adj* שֶׁל נִיבּוּל־פֶּה
scurry *vi* אָץ־רָץ
scurvy *adj* מָאוּס, נִבְזֶה
scurvy *n* צַפְדִּינָה
scuttle *n* דְּלִי לְפֶחָם;
פִּתְחָה (בסיפון, למשל)
scuttle *vi, vt* רָץ מַהֵר;
נִיקֵּב (אונייה לטובעה)
Scylla *n* סְקִילָּה
scythe *n* חֶרְמֵשׁ
sea *n* יָם
sea *adj* שֶׁל הַיָּם
seaboard *n* חוֹף יָם
sea-breeze *n* רוּחַ יָם
sea-dog *n* כֶּלֶב־יָם; יַמַּאי וָתִיק
seafarer *n* יוֹרֵד־יָם
sea-food *n* מָזוֹן יַמִּי
seagull *n* שַׁחַף
seal *n* חוֹתָם, חוֹתֶמֶת; כֶּלֶב־יָם
seal *vt* שָׂם חוֹתָם; אִישֵּׁר; אָטַם
sea-legs *n pl* רַגְלֵי סַפָּן מְנוּסֶּה
sea level *n* פְּנֵי הַיָּם
sealing-wax *n* דּוֹנַג חוֹתָם
seam *n* תֶּפֶר; סֶדֶק
seaman *n* אִישׁ יָם, יַמַּאי
seamless *adj* חֲסַר תֶּפֶר
seamstress *n* תּוֹפֶרֶת
seamy *adj* לֹא נָעִים, גָּרוּעַ; מְצוּלָּק
seance *n* מוֹשָׁב; סֵיאַנְס

seaplane *n* מְטוֹס־יָם
seaport *n* נָמֵל; עִיר נָמֵל
sea power *n* עוֹצְמָה יַמִּית;
מַעֲצָמָה יַמִּית
sear *adj* יָבֵשׁ, קָמֵל
sear *vt, vi* חָרַךְ;
צָרַב, סִימֵּן בְּבַרְזֶל מְלוּבָּן
search *vt* חִיפֵּשׂ, גִּישֵּׁשׁ
search *n* חִיפּוּשׂ, בְּדִיקָה
searchlight *n* זַרְקוֹר
search-warrant *n* פְּקוּדַּת־חִיפּוּשׂ
seascape *n* (תמונת) נוֹף יַמִּי
sea-shell *n* קוֹנְכִית
seashore *n* חוֹף־יָם
seasick *adj* חוֹלֵה יָם
seasickness *n* מַחֲלַת־יָם
seaside *n* חוֹף־יָם
sea-snake *n* נְחַשׁ־יָם
season *n* עוֹנָה
season *vt* תִּיבֵּל; הִבְשִׁיל
seasonal *adj* עוֹנָתִי
seasoning *n* תַּבְלִין; תִּיבּוּל
sea-swallow *n* שְׁחָפִית־יָם
seat *n* מוֹשָׁב; מְקוֹם יְשִׁיבָה; יַשְׁבָן
seat *vt* הוֹשִׁיב
seat belt *n* חֲגוֹרַת מוֹשָׁב
seat cover *n* כִּיסּוּי מוֹשָׁב
S.E.A.T.O. *abbr* South East Asia Treaty Organization סִיאָטוֹ
sea-wall *n* חוֹמַת־יָם
seaway *n* נְתִיב יַמִּי
seaweed *n* אַצַּת־יָם
sea wind *n* רוּחַ־יָם
seaworthy *adj* כָּשֵׁר לְשַׁיִט
secede *vi* פָּרַשׁ

secession *n* פְּרִישָׁה
seclude *vt* הִדִּיר מִן; בּוֹדֵד
secluded *adj* מוּפְרָשׁ; מְבוּדָּד
seclusion *n* בִּידּוּד; הִתְבּוֹדְדוּת
second *adj* שֵׁנִי
second *n* שֵׁנִי, שְׁנִיָּה; עוֹזֵר; שׁוֹשְׁבִין
second *vt* תָּמַךְ בּ...;
הִשְׁאִיל (פקיד וכד׳)
secondary *adj* שְׁנִיִּי, מִשְׁנִי
secondary school *n* בֵּית־סֵפֶר
תִּיכוֹן
second-class *adj* מִמַּדְרֵגָה שְׁנִיָּה
second hand *n* מְחוֹג הַשְּׁנִיּוֹת
secondhand *adj* מְשׁוּמָּשׁ
second lieutenant *n* סֶגֶן מִשְׁנֶה
second-rate *adj, n* מִמַּדְרֵגָה
שְׁנִיָּה; בֵּינוֹנִי
second sight *n* רְאִיָּה נְבוּאִית
second wind *n* נְשִׁימָה גּוֹבֶרֶת
secrecy *n* סוֹדִיּוּת; סֵתֶר
secret *n, adj* סוֹד, סוֹדִי, חֲשָׁאִי
secretary *n* מַזְכִּיר; שַׂר
Secretary of State *n* שַׂר הַחוּץ
secrete *vt* הִפְרִישׁ; הִסְתִּיר
secretive *adj* מִתְעַטֵּף בְּסוֹדִיּוּת
sect *n* כַּת, כִּיתָּה
sectarian *adj, n* שֶׁל כַּת, כִּיתָּתִי
section *n* קֶטַע; סָעִיף; חֵלֶק;
מַחְלָקָה; אֵיזוֹר
secular *adj* חִילּוֹנִי
secularism *n* רוּחַ חִילּוֹנִיּוּת
secure *adj* בָּטוּחַ; בּוֹטֵחַ
secure *vt* הִשִּׂיג; אִבְטֵחַ; בִּיצֵּר; שָׁמַר
securely *adv* בְּבִיטָּחוֹן; לָבֶטַח;
(סגירה וכד׳) הֵיטֵב

security *n* בִּיטָּחוֹן; עֲרוּבָּה;
(בריבוי) נְיָירוֹת־עֵרֶךְ
Security Council *n* מוֹעֶצֶת הַבִּיטָּחוֹן
sedate *adj* מְיוּשָּׁב בְּדַעְתּוֹ
sedative *adj, n* מַרְגִּיעַ; סַם מַרְגִּיעַ
sedentary *adj* שֶׁל יְשִׁיבָה
sediment *n* מִשְׁקָע
sedition *n* הֲסָתָה לְמֶרֶד
seditious *adj* מֵסִית לְמֶרֶד
seduce *vt* פִּיתָּה
seducer *n* מְפַתֶּה, פַּתְיָין
seduction *n* הֲדָּחָה; פִּיתּוּי
seductive *adj* מְפַתֶּה; מוֹשֵׁךְ
sedulous *adj* שַׁקְדָן; מַתְמִיד
see *n* בִּישׁוֹפוּת
see *vt, vi* רָאָה; חָזָה; לִיוּוָה; סָבַר
seed *n* זֶרַע
seed *vi, vt* זָרַע, טָמַן זֶרַע; גִּרְעֵן
seedling *n* שָׁתִיל; זָרִיעַ
seedy *adj* מָלֵא גַּרְעִינִים;
מוּזְנָח (בהופעה); חוֹלֶה
seeing *conj* לְאוֹר
seek *vt* חִיפֵּשׂ, בִּיקֵּשׁ לִמְצוֹא
seem *vi* נִרְאָה, הָיָה נִדְמֶה
seemingly *adv* לִכְאוֹרָה
seemly *adj* הָגוּן, יָאֶה, הוֹלֵם
seep *vi* חִלְחֵל, הִסְתַּנֵּן
seer *n* חוֹזֶה
seesaw *n* נַדְנֵדַת קוֹרָה
seesaw *vi* הִתְנַדְנֵד
seethe *vi* רָתַח, סָעַר
segment *n* חֵלֶק, פֶּלַח; קֶטַע
segregate *vt, vi* הִפְרִיד, הִבְדִּיל
segregation *n* הַפְרָדָה
segregationist *n* חֲסִיד הַפְרָדָה גִּזְעִית

seismograph *n* מַדְרַעַד, מַדְרַעַשׁ
seismology *n* סֵיסְמוֹלוֹגְיָה
seize *vt* תָּפַס; חָטַף; הֶחֱרִים; תָּקַף
seizure *n* תְּפִיסָה, לְכִידָה; הַחֲרָמָה
seldom *adv* לְעִיתִּים רְחוֹקוֹת
select *adj* נִבְחָר, מוּבְחָר
select *vt* בָּחַר
selectee *n* מְגוּיָּס
selection *n* בְּחִירָה; מִבְחָר, הִיבָּחֲרוּת
sclf *n, adj, pron* עַצְמִיּוּת, זֶהוּת
self-abuse *n* בִּיזּוּי עַצְמִי
self-addressed envelope *n* מַעֲטֶפֶת תְּשׁוּבָה
self-centered *adj* אֶגוֹצֶנְטְרִי, אָנוֹכִיִּי
self-conscious *adj* רָגִישׁ לְעַצְמוֹ; נָבוֹךְ בְּחֶבְרָה
self-control *n* שְׁלִיטָה עַצְמִית
self-defense *n* הֲגַנָּה עַצְמִית
self-denial *n* הִתְנַזְּרוּת
self-determination *n* הַגְדָּרָה עַצְמִית
self-educated *n* בַּעַל הַשְׂכָּלָה עַצְמִית
self-employed *adj* (עוֹבֵד) עַצְמָאִי
self-evident *adj* מוּבָן מֵאֵלָיו
self-explanatory *adj* מִתְבָּאֵר מֵאֵלָיו
self-government *n* מִמְשָׁל עַצְמִי
self-important *adj* חָשׁוּב בְּעֵינֵי עַצְמוֹ
self-indulgence *n* הִתְמַכְּרוּת לַהֲנָאָתוֹ
self-interest *n* טוֹבַת עַצְמוֹ
selfish *adj* אָנוֹכִיִּי
selfishness *n* אָנוֹכִיּוּת
selfless *adj* בִּלְתִּי־אָנוֹכִיִּי
self-love *n* אַהֲבָה עַצְמִית
self-portrait *n* דְּיוֹקַן עַצְמוֹ
self-possessed *adj* מוֹשֵׁל בְּרוּחוֹ
self-preservation *n* שְׁמִירַת הַקִּיּוּם (הָעַצְמִי)
self-reliant *adj* בָּטוּחַ בְּעַצְמוֹ
self-respecting *adj* בַּעַל כָּבוֹד עַצְמִי
self-righteous *adj* צַדִּיק בְּעֵינֵי עַצְמוֹ
self-sacrifice *n* הַקְרָבָה עַצְמִית
selfsame *adj* אוֹתוֹ עַצְמוֹ, זֵהֶה
self-satisfied *adj* שְׂבַע־רָצוֹן מֵעַצְמוֹ
self-seeking *n, adj* אָנוֹכִיּוּת; אָנוֹכִיִּי
self-service restaurant *n* מִסְעֶדֶת שֵׁירוּת עַצְמִי
self-starter *n* מַתְנֵעַ
self-support *n* הַחֲזָקָה עַצְמִית
self-taught *adj* בַּעַל הַשְׂכָּלָה עַצְמִית
self-willed *adj* תַּקִּיף בְּדַעְתּוֹ
sell *vt, vi* מָכַר; נִמְכַּר
sell *n* תַּרְמִית
seller *n* מוֹכֵר, זַבָּן
sell-out *n* מְכִירָה כְּלָלִית
Seltzer water *n* מֵי סוֹדָה
selvage *n* שָׂפָה (שֶׁל אָרִיג)
semantic *adj* סֵמַנְטִי; שֶׁל תּוֹרַת הַמַּשְׁמָעִים
semaphore *n* סֵמָפוֹר
semblance *n* מַרְאֶה; מַרְאִית־עַיִן
semen *n* זֶרַע
semester *n* סֵמֶסְטֶר, זְמַן
semicolon *n* נְקוּדָּה וּפְסִיק (;)
semiconscious *adj* בְּהַכָּרָה לְמֶחֱצָה
semifinal *adj, n* (שֶׁל) חֲצִי־גְּמָר
semi-learned *adj* מְלוּמָּד לְמֶחֱצָה
semimonthly *n, adj, adv* דּוּ־שָׁבוּעוֹן; דּוּ־שְׁבוּעוֹנִי
seminar *n* סֶמִינַרְיוֹן
seminary *n* בֵּית־סֵפֶר גָּבוֹהַּ לִנְעָרוֹת; סֶמִינַרְיוֹן

Semite *n* שֵׁמִי
Semitic *adj* שֵׁמִי
semitrailer *n* גּוֹרֵר לְמֶחֱצָה
semiweekly *adj*, *n*, *adv* חֲצִי־שְׁבוּעִי
semiyearly *adj*, *adv* חֲצִי־שְׁנָתִי
Sen. *abbr* Senator, Senior
senate *n* סֵנָט
senator *n* סֵנָטוֹר
send *vt* שָׁלַח
sender *n* שׁוֹלֵחַ; מְמַעֵן
send-off *n* פְּרֵידָה חֲגִיגִית
senile *adj* שֶׁל זִקְנָה; סֵנִילִי
senility *n* תְּשִׁישׁוּת מִזִּקְנָה; סֵנִילִיּוּת
senior *adj*, *n* בָּכִיר
senior citizens *n pl* זְקֵנִים
seniority *n* וֶתֶק
sensation *n* תְּחוּשָׁה; מִרְעָשׁ, סֶנְסַצְיָה
sense *n* חוּשׁ; רֶגֶשׁ; הַכָּרָה; שֵׂכֶל; מַשְׁמָע
sense *vt* חָשׁ
senseless *adj* חֲסַר טַעַם
sensibility *n* כּוֹשֶׁר חִישָּׁה; תְּבוּנָה
sensible *adj* נָבוֹן; הֶגְיוֹנִי; נִיכָּר; חָשׁ
sensitive *adj* רָגִישׁ
sensitize *vt* עָשָׂה לְרָגִישׁ
sensory *adj* חוּשִׁי
sensual *adj* חוּשָׁנִי; תַּאַוְתָנִי
sensuous *adj* חוּשִׁי, רָגִישׁ לְגֵירוּי חוּשִׁי
sentence *n* מִשְׁפָּט (תחבירי); גְּזַר־דִּין
sentence *vt* דָּן; חָרַץ דִּין
sentiment *n* רֶגֶשׁ, סֶנְטִימֶנְט
sentimentality *n* רִגְשִׁיּוּת, רַגְשָׁנוּת
sentinel *n* זָקִיף
sentry *n* זָקִיף; מִשְׁמָר
sentry-box *n* תָּא זָקִיף

separate *vt*, *vi* הִפְרִיד; חָצַץ; נִפְרַד
separate *adj* נִפְרָד, נִבְדָּל; מְנוּתָּק
Sephardic *adj* סְפָרַדִּי (יהודי)
Sephardim *n pl* (יהודים) סְפָרַדִּים
September *n* סֶפְּטֶמְבֶּר
septet *n* שַׁבְעִית
septic *adj*, *n* (חומר) אָלוּחַ
sepulcher *n* קֶבֶר, קְבוּרָה
sequel *n* הֶמְשֵׁךְ; תּוֹלָדָה
sequence *n* הִשְׁתַּלְשְׁלוּת, רֶצֶף; סֵדֶר
sequester *vt* הִפְקִיעַ
seraph *n* שָׂרָף, מַלְאָךְ
Serb *n* סֶרְבִּי
sere *adj* יָבֵשׁ, כָּמוּשׁ
serenade *n* סֵרֵנָדָה
serenade *vt* סִרְנֵד
serene *adj* שָׁלֵו, רוֹגֵעַ; רַם מַעֲלָה
serenity *n* שַׁלְוָה, רוֹגַע
serf *n* צָמִית, עֶבֶד
serfdom *n* שִׁעְבּוּד
sergeant *n* סַמָּל
sergeant-at-arms *n* קְצִין הַטֶּקֶס
sergeant-major *n* רַב־סַמָּל
serial *adj*, *n* סוֹדֵר; סִיפּוּר בְּהֶמְשֵׁכִים
series *n* סִדְרָה
serious *adj* רְצִינִי, חָמוּר
sermon *n* דְּרָשָׁה
sermonize *vt*, *vi* הִטִּיף; נָשָׂא דְּרָשָׁה
serpent *n* נָחָשׁ
serum *n* נַסְיוּב
servant *n* מְשָׁרֵת
servant-girl (maid) *n* עוֹזֶרֶת (בית), מְשָׁרֶתֶת
serve *vt*, *vi* שֵׁירֵת; עָבַד אֶת; כִּיהֵן בּ...; תִּיפְקֵד; הִגִּישׁ

serve *n* (בטניס) חֲבָטַת פְּתִיחָה

service *n* שֵׁירוּת; אַחֲזָקָה; טוֹבָה; חֲבָטַת פְּתִיחָה (בטניס)

service *vt* נָתַן שֵׁירוּת

serviceable *adj* שָׁמִישׁ; תַּכְלִיתִי

serviceman *n* חַיָּל; אִישׁ שֵׁירוּת

servile *adj* מִתרַפֵּס

servitude *n* עַבדוּת, שִׁעבּוּד

sesame *n* שׁוּמשׁוּם

session *n* מוֹשָׁב; יְשִׁיבָה

set *vt, vi* שָׂם, הִנִּיחַ; קָבַע; הוֹשִׁיב; עָרַךְ (שולחן); סִידֵּר (בּדפוּס); כִּיוּנֵן (שעון וכד׳)

set *adj* קָבוּעַ מֵרֹאשׁ; מְיוּעָד; מְכוּוָּן

set *n* מַעֲרֶכֶת; סִדרָה; קְבוּצָה (של אנשים); תַּפאוּרָה (בתיאטרון)

setback *n* הֵיעָצְרוּת, בְּלִימָה

setscrew *n* בּוֹרֶג כִּוונוּן

settee *n* סַפָּה

setting *n* קְבִיעָה, סִידּוּר; מִסגֶּרֶת, רֶקַע

settle *n* סַפסָל נוֹחַ

settle *vt, vi* סִידֵּר, הִסדִּיר; הֶחֱלִיט; פָּרַע (חוב); בָּא לָגוּר; הוֹשִׁיב, הִשׁכִּין; יִישֵּׁב (סכסוך); הִתייַשֵּׁב

settlement *n* סִידּוּר; הֶסדֵּר; הֶסכֵּם; פֵּירָעוֹן (חוב); הוֹרָשָׁה; יִישּׁוּב, הִתייַשְּׁבוּת

settler *n* מִשׁתַּקֵּעַ, מִתייַשֵּׁב

set-up *n* (דיבּוּרית) מִבנֶה, צוּרַת אִרגּוּן

seven *adj, n* (של) שִׁבעָה, שֶׁבַע

seven hundred *adj, n* שְׁבַע מֵאוֹת

seventeen *adj, n* שִׁבעָה־עָשָׂר, שְׁבַע־עֶשׂרֵה

seventeenth *adj, n* הַשִּׁבעָה־עָשָׂר, הַשְּׁבַע־עֶשׂרֵה

seventh *adj, n* שְׁבִיעִי; שְׁבִיעִית

seventieth *adj, n* הַשִּׁבעִים; הַחֵלֶק הַשִּׁבעִים

seventy *adj, n* שִׁבעִים

sever *vt, vi* נִיתֵּק

several *adj* אֲחָדִים

severance pay *n* פִּיצּוּיֵי פִּיטוּרִים

severe *adj* חָמוּר

sew *vt, vi* תָּפַר, אִיחָה

sewage *n* שׁוֹפָכִים, מֵי בִּיוּב

sewer *n* בִּיב

sewerage *n* בִּיּוּב; שׁוֹפָכִים

sewing machine *n* מְכוֹנַת תְּפִירָה

sex *n* מִין

sex appeal *n* חֵן מִינִי

sextant *n* סֶקסטַנט

sextet *n* שִׁיתִּית (בּמוּסיקה); שִׁישִׁיָּה

sexton *n* שַׁמַּשׁ כְּנֵסִיָּה

sexual *adj* מִינִי

sexy *adj* מְעוֹרֵר תְּשׁוּקָה מִינִית

shabby *adj* מְרוּפָּט

shack *n* בִּקתָּה

shackle *n* אֶצעָדַת אֲזִיקִים

shade *n* צֵל; גָּוֶן

shade *vt, vi* יָצַר צֵל; הֵצֵל עַל; (בּציוּר) קִוּוקֵו צְלָלִים

shadow *n* צֵל

shadow *vt* הֵצֵל; עָקַב אַחֲרֵי

shadowy *adj* צְלָלִי; קָלוּשׁ; מְעוּרפָּל

shady *adj* מֵצֵל; (דיבּוּרית) מְפוּקפָּק

shaft *n* מוֹט, כְּלוֹנָס

shaggy *adj* שָׂעִיר, מְדוּבלָל

shake *vt, vi* נִענַע, טִלטֵל; זִעזַע; הִתנַדנֵד

shake *n* נִענוּעַ, טִלטוּל

shakedown *n* יָצוּעַ; (המונית) סְחִיטָה בְּעִינּוּיִים
shake-up *n* שִׁידּוּד מַעֲרָכוֹת
shaky *adj* לֹא יַצִּיב
shall *v aux* (פּוֹעַל־עזר לציון העתיד גוף ראשון)
shallow *adj* רָדוּד; שִׁטְחִי
sham *n* זִיּוּף, הַעֲמָדַת־פָּנִים
sham *vt, vi* הֶעֱמִיד פָּנִים
sham battle *n* תַּרְגִּיל קְרָב
shambles *n* בֵּית־מִטְבָּחַיִים; שְׂדֵה־הֶרֶג
shame *n* בּוּשָׁה; חֶרְפָּה
shame *vt* בִּייֵשׁ; הִשְׁפִּיל
shameful *adj* מֵבִישׁ, מַחְפִּיר
shameless *adj* חֲסַר בּוּשָׁה
shampoo *vt* חָפַף רֹאשׁ (בְּשַׁמפּוּ)
shampoo *n* שַׁמפּוּ; חֲפִיפָה
shamrock *n* תִּלְתָּן
shank *n* שׁוֹק, רֶגֶל
shanty *n* בִּקְתָּה, צְרִיף
shape *n* צוּרָה; דְמוּת
shape *vt, vi* צָר (צורה), עִיצֵּב; גִּיבֵּשׁ; לָבַשׁ צוּרָה
shapeless *adj* חֲסַר צוּרָה
shapely *adj* יְפֵה צוּרָה, חָטוּב
share *n* חֵלֶק; מְנָיָה
share *vt, vi* חִילֵּק; נָטַל חֵלֶק
shareholder *n* בַּעַל מְנָיָה
shark *n* כָּרִישׁ; נוֹכֵל
sharp *adj* חַד; שָׁנוּן, מְמוּלָּח
sharp *adv* בְּדִיּוּק נִמְרָץ; בְּעֵרָנוּת
sharpen *vt, vi* חִידֵּד; הִתְחַדֵּד
sharper *n* רַמַּאי
sharpshooter *n* קַלָּע
shatter *vt, vi* נִיפֵּץ; הִתְנַפֵּץ
shatterproof *adj* חֲסִין הִתְנַפְּצוּת
shave *vt, vi* גִּילֵּחַ; קִילֵּף; הִתְגַּלֵּחַ
shave *n* גִּילּוּחַ, תִּגְלַחַת
shavings *n pl* שִׁיפּוּיִים
shawl *n* סוּדָר
she *pron, n* הִיא
sheaf *n* אֲלוּמָּה
shear *vt* גָּזַר; סִיפֵּר
shears *n pl* מִסְפָּרַיִים (גדולים)
sheath *n* נָדָן; תִּיק
sheathe *vt* הִכְנִיס לַנָּדָן
shed *n* צְרִיף; סְכָכָה
shed *vt* הִזִּיל (דמעות); שָׁפַךְ (דם); הֵפִיץ (אור); הִשִּׁיל (עור וכד׳)
sheen *n* בָּרָק, זוֹהַר
sheep *n* צֹאן; כֶּבֶשׂ
sheep-dog *n* כֶּלֶב רוֹעִים
sheepish *adj* מְבוּיָּשׁ; נָבוֹךְ
sheepskin *n* עוֹר כֶּבֶשׂ; קְלָף
sheer *vi* סָטָה
sheer *adj* דַּק וְשָׁקוּף; טָהוֹר; תָּלוּל מְאוֹד
sheet *n* סָדִין (מיטה); לוּחַ; רִיקּוּעַ; גִּילָּיוֹן (נייר)
sheik *n* שֵׁייךְ
shelf *n* מַדָּף
shell *n* קְלִיפָּה; קוֹנְכִית; פָּגָז
shell *vt* קִילֵּף, הוֹצִיא מֵהַקְּלִיפָּה
shellac *n* שֶׁלָּק (לכה)
shell hole *n* פִּיר פָּגָז
shell-shock *n* הֶלֶם קְרָב
shelter *n* מַחְסֶה; מִקְלָט
shelter *vt, vi* שִׁימֵּשׁ מַחְסֶה; חָסָה
shelve *vi, vt* הִשְׁתַּפֵּעַ; גָּנַז; מִידֵּף

shepherd *n* רוֹעֶה
shepherd *vt* רָעָה; הוֹבִיל
sheriff *n* שֶׁרִיף
sherry *n* שֶׁרִי
shield *n* מָגֵן
shield *vt* הֵגֵן עַל, חִיפָּה עַל
shift *vt*, *vi* הֶעתִּיק, הֶעֱבִיר; זָז
shift *n* הַעתָּקָה, הֲזָזָה; מִשׁמֶרֶת; חִילוּף
shift key *n* מַחֲלֵף
shiftless *adj* חֲסַר תּוּשִׁיָה; לֹא יָעִיל
shifty *adj* עָרוּם, תַּחבְּלָנִי
shilling *n* שִׁילִינג
shimmer *vi* נִצנֵץ; הִבלִיחַ
shimmer *n* נִצנוּץ; הַבלָחָה
shin *n* שׁוֹק
shin *vi* טִיפֵּס
shinbone *n* שׁוֹקָה
shine *vi* זָהַר, זָרַח
shine *n* זוֹהַר; בָּרָק
shingle *n* רַעַף; תִּספּוֹרֶת קְצָרָה
shingle *vt* רִיעֵף; גָזַז (שֵׂיעָר)
shining *adj* מַבהִיק
shiny *adj* מַבְרִיק, נוֹצֵץ
ship *n* אוֹנִיָּה
ship *vt*, *vi* הִטעִין בִּספִינָה; שִׁיגֵּר; הִפלִיג
shipboard *n* אוֹנִיָּה
shipbuilder *n* בּוֹנֵה אוֹנִיּוֹת
shipmate *n* מַלָּח חָבֵר
shipment *n* הַטעָנָה; מִטעָן
shipper *n* קַבְּלַן הוֹבָלָה
shipping *n* מִשׁלוֹחַ; סַפָּנוּת; שַׁיִט
shipshape *adj*, *adv* בְּסֵדֶר נָאֶה
shipside *n* מֵזַח, רְצִיף נָמֵל
shipwreck *n* הִיטָּרְפוּת סְפִינָה
shipwreck *vt*, *vi* טִיבֵּעַ סְפִינָה; נִטרְפָה סְפִינָתוֹ
shipyard *n* מִספָּנָה
shirk *vt* הִשׁתַּמֵּט
shirk, shirker *n* מִשׁתַּמֵּט
shirred eggs *n pl* בֵּיצִים אֲפוּיוֹת
shirt *n* כּוּתוֹנֶת
shirt-front *n* חֲזִית כּוּתוֹנֶת
shirtsleeve *n* שַׁרווּל חוּלצָה
shirttail *n* זְנַב חוּלצָה
shirtwaist *n* חוּלצַת נָשִׁים
shiver *vi* רָעַד
shiver *n* רַעַד, רֶטֶט
shoal *n* מַיִם רְדוּדִים; שִׂרטוֹן
shock *n* זַעֲזוּעַ, הֶלֶם; סְבַך (שֶׁל שֵׂיעָר)
shock *vt*, *vi* גָּרַם הֶלֶם, זִעֲזַע
shocking *adj* מְזַעֲזֵעַ
shoddy *n*, *adj* אָרִיג זוֹל; זוֹל
shoe *n* נַעַל; פַּרסָה
shoe *vt* הִנעִיל; פִּרזֵל
shoeblack *n* מְצַחצֵחַ נַעֲלַיִים
shoehorn *n* כַּף לְנַעֲלַיִים
shoelace *n* שְׂרוֹך נַעַל
shoemaker *n* סַנדְּלָר
shoeshine *n* צִחצוּחַ נַעֲלַיִים
shoestring *n* שְׂרוֹך נַעַל
shoe-tree *n* אִימּוּם (לנעל)
shoot *vt*, *vi* יָרָה בּ...; יָרָה; הִסרִיט
shoot *n* יְרִי; צַיִד; תַּחֲרוּת קְלִיעָה; נֶטַע רַך
shooting match *n* תַּחֲרוּת קְלִיעָה
shooting star *n* כּוֹכָב נוֹפֵל
shop *n* חֲנוּת; בֵּית־מְלָאכָה
shop *vi*, *vi* עָרַך קְנִיּוֹת

shopgirl *n* זַבָּנִית
shopkeeper *n* חֶנְוָנִי
shoplifter *n* גַּנָּב בַּחֲנוּיוֹת
shopper *n* עוֹרֵךְ קְנִיּוֹת
shopping district *n* אֵיזוֹר חֲנוּיוֹת
shopwindow *n* חַלּוֹן־רַאֲוָה
shopworn *adj* בְּלוּי חֲנוּת
shore *n* חוֹף, גָּדָה
shore *vt* תָּמַךְ (במתמך)
shore leave *n* חוּפְשַׁת חוֹף
shore patrol *n* מִשְׁמַר חוֹפִים
short *adj* קָצָר; (אדם) נָמוּךְ
short *n* קֶצֶר; סֶרֶט קָצָר
short *adv* פִּתְאוֹם; בְּקִיצּוּר; בְּגַסּוּת
short *vt, vi* גָּרַם אוֹ נִגְרַם קֶצֶר
shortage *n* מַחְסוֹר
shortcake *n* עוּגָה פְּרִיכָה
shortchange *vt, vi* נָתַן עוֹדֶף פָּחוֹת מִן הַמַּגִּיעַ
short circuit *n* קֶצֶר
shortcoming *n* חִסָּרוֹן, מִגְרַעַת
short cut *n* קַפֶּנְדַּרְיָה
shorten *vt, vi* קִיצֵּר; הִתְקַצֵּר
shorthand *n, adj* (שֶׁל) קַצְרָנוּת
shorthand-typist *n* קַצְרָנִית־כַּתְבָנִית
short-lived *adj* קְצַר־יָמִים
shortly *adv* בְּקָרוֹב; בְּקִיצּוּר
short-range *adj* קְצַר־טְוָח
shorts *n pl* מִכְנָסַיִם קְצָרִים
shortsighted *adj* קְצַר־רְאִיָּה
short stop *n* (בְּבֵּייסְבּוֹל) מֵגֵן
short-tempered *adj* קְצַר־אַפַּיִם
short-term *adj* קְצַר־מוֹעֵד
shot *n* יְרִיָּה; נִיסָּיוֹן; זְרִיקָה
shotgun *n* רוֹבֵה־צַיִד
shot-put *n* הֲדִיפַת־כַּדּוּר
should *v aux* צָרִיךְ, מִן הַדִּין שֶׁ...
shoulder *n* כָּתֵף; שֶׁכֶם
shoulder *vt* דָּחַף, הָדַף; נָשָׂא
shoulder-blade *n* עֶצֶם הַשֶּׁכֶם
shoulder-strap *n* רְצוּעַת כָּתֵף
shout *n* צְעָקָה, צְוָחָה
shout *vt, vi* צָעַק, צָוַח
shove *vt, vi* דָּחַף, הָדַף; נִדְחַק
shove *n* דְּחִיפָה
shovel *n* יָעֶה; אֵת
shovel *vt* הֶעֱבִיר בְּיָעֶה, יִיעָה
show *vt, vi* הֶרְאָה; הִצִּיג; נִרְאָה; הוֹפִיעַ
show *n* גִּילּוּי, הוֹפָעָה; הַצָּגָה; רַאֲוָה
show bill *n* מוֹדָעַת תֵּיאַטְרוֹן
showcase *n* תֵּיבַת רַאֲוָה
showdown *n* גִּילּוּי הַקְּלָפִים
shower *n* מִמְטָר; מִקְלַחַת
shower *vt, vi* הִמְטִיר; הִתְקַלֵּחַ
shower-bath *n* מִקְלַחַת
show-girl *n* שַׂחְקָנִית בְּלַהֲקָה
showman *n* מְנַהֵל הַצָּגוֹת
show-off *n* הַצָּגָה לְרַאֲוָה; מִתְהַדֵּר
showpiece *n* פְּאֵר הַתּוֹצֶרֶת
showplace *n* אֲתַר רַאֲוָה
showroom *n* חֲדַר תְּצוּגָה
show-window *n* חַלּוֹן רַאֲוָה
showy *adj* רַאַוְתָנִי
shrapnel *n* שְׁרַפְנֶל
shred *n* קֶרַע; רְסִיס
shred *vt* קָרַע לִגְזָרִים
shrew *n* גַּדְּפָנִית, מִרְשַׁעַת
shrewd *adj* פִּיקֵּחַ, חָרִיף
shriek *vi* צָוַח, צָרַח

shriek *n* צְוָחָה, צְרִיחָה
shrill *adj* צַרְחָנִי
shrimp *n* סַרְטָן (קטן, לאכילה); אָדָם קָטָן
shrine *n* אֲרוֹן־קוֹדֶשׁ; מִקְדָשׁ
shrink *vi, vt* הִתְכַּוֵּץ; כִּיוֵּץ
shrinkage *n* הִתְכַּוְּצוּת; פְּחָת
shrivel *vi, vt* כָּמַשׁ; הִכְמִישׁ
shroud *n* סְדִין תַּכְרִיכִים
shroud *vt* כָּרַךְ בְּתַכְרִיכִים; כִּיסָּה
Shrove Tuesday *n* יוֹם ג׳ שֶׁלִּפְנֵי צוֹם לֶנט
shrub *n* שִׂיחַ
shrubbery *n* שִׂיחִים
shrug *vt, vi* מָשַׁךְ בִּכְתֵפָיו
shrug *n* מְשִׁיכַת כְּתֵפַיִים
shudder *vi* רָעַד, הִתְחַלְחֵל
shudder *n* רַעַד, חַלְחָלָה
shuffle *vt, vi* גָּרַר רַגְלָיו; הִשְׁתָּרֵךְ; טָרַף (קלפים)
shuffle *n* גְּרִירַת רַגְלַיִים; טְרִיפַת קְלָפִים
shuffleboard *n* לוּחַ הַחֲלָקָה
shun *vt* הִתְרַחֵק מִן
shunt *vt* הִטָּה לְמַסלוּל צְדָדִי
shut *vt, vi* סָגַר, הֵגִיף (תריס); עָצַם (עיניים); נִסגַר
shut up! *interj* בְּלוֹם פִּיךָ!
shutdown *n* סְגִירָה, הַשְׁבָּתָה
shutter *n* תְּרִיס; סֶגֶר
shuttle *vi* נָע הָלוֹךְ וָשׁוֹב
shuttle train *n* רַכֶּבֶת הָלוֹךְ וָשׁוֹב
shy *adj* בַּיְישָׁן
shy *vi, vt* נִרתַּע בְּבֶהָלָה; הִשְׁלִיךְ (אבן וכד׳)

shyster *n* פְּרַקְלִיט נַכלוּלִים
Siamese *adj, n* סִיאָמִי; סִיאָמִית
Siberian *adj, n* סִיבִּירִי
sibilant *adj, n* (הגה) שׁוֹרֵק
sibyl *n* סִיבִּילָה; מְכַשֵּׁפָה
sic *adv, adj* כָּךְ
Sicilian *adj, n* סִיצִילְיָאנִי
sick *adj* חוֹלֶה; מַרגִישׁ בְּחִילָה
sickbed *n* עֶרֶשׂ דְוַי
sicken *vi, vt* נֶחֱלָה; הֶחֱלָה; חָשׁ (אוֹ עוֹרֵר) בְּחִילָה
sickening *adj* מַחֲלֶה; מַבחִיל
sickle *n* חֶרמֵשׁ
sick-leave *n* חוּפשַׁת מַחֲלָה
sickly *adj* חוֹלָנִי
sickness *n* מַחֲלָה, חוֹלִי
side *n* צַד, עֵבֶר
side *adj* צִדִּי
side *vi* צִידֵּד בּ...
side-arms *n pl* נֶשֶׁק צַד
sideboard *n* מִזנוֹן; דוֹפֶן צִדִּי
sideburns *n pl* זְקַן לְחָיַיִם
side-dish *n* תּוֹסֶפֶת (בסעודה)
side effect *n* תּוֹצָאָה מִשְׁנִית
side glance *n* מַבָּט מְלוּכסָן
side issue *n* עִניָין צְדָדִי
side-line *n* עִיסּוּק צְדָדִי
sidereal *adj* שֶׁלְּפִי הַכּוֹכָבִים
sidesaddle *n* אוּכַּף נָשִׁים
side-show *n* ׳פַּרפֶּרֶת׳
sidesplitting *adj* מְגַלגֵל מִצְחוֹק
sidetrack *vt* הִטָּה לַצַּד
sidetrack *n* מַסלוּל צְדָדִי
side view *n* רְאִיָּיה צְדָדִית
sidewalk *n* מִדרָכָה

sideward *adv, adj* הַצִּדָּה, לַצַּד
sideway(s) *adv, adj* הַצִּדָּה
side whiskers *n* זְקַן לְחָיַיִם
siding *n* מְסִילָּה צְדָדִית
sidle *vi* הָלַךְ בְּצִידוּד
siege *n* מָצוֹר
sieve *n* נָפָה, כְּבָרָה
sift *vt, vi* סִינֵּן, נִיפָּה; בָּדַק; חוּשַּׂר
sigh *vi, vt* נֶאֱנַח; הִבִּיעַ בַּאֲנָחוֹת
sigh *n* אֲנָחָה
sight *n* מַרְאֶה; רְאִיָּה; (ברובה) כַּוֶּנֶת
sight *vt* כִּיוּוֵּן בְּכַוֶּנֶת; גִּילָּה (מרחוק)
sight draft *n* מִמְשָׁךְ בְּהַצָּגָה
sight read *n* נִיגֵּן בִּקְרִיאָה רִאשׁוֹנָה
sight reader *n* מְנַגֵּן בִּקְרִיאָה רִאשׁוֹנָה
sightseeing *n* תִּיּוּר, סִיּוּר
sightseer *n* תַּיָּר, מְסַיֵּיר
sign *n* סִימָן, סֶמֶל; שֶׁלֶט; מֶחְוָה
sign *vt* חָתַם; רָמַז
signal *n* אוֹת
signal *vt, vi* נָתַן אוֹת, אוֹתֵת
signal *adj* מוּבְהָק, בּוֹלֵט
Signal Corps *n* חֵיל־הַקֶּשֶׁר
signal tower *n* מִגְדַּל אִיתוּת
signatory *n, adj* חוֹתֵם
signature *n* חֲתִימָה
signboard *n* שֶׁלֶט
signer *n* חוֹתֵם
signet ring *n* טַבַּעַת־חוֹתָם
significant *adj* בּוֹלֵט, מַשְׁמָעוּתִי
signify *vt, vi* צִיֵּין, הוֹדִיעַ;
הָיָה בַּעַל מַשְׁמָעוּת
signpost *n* תַּמְרוּר
signpost *vt* הִצִּיב צִיּוּנֵי־דֶרֶךְ
silence *n, vt* שְׁתִיקָה; הִשְׁתִּיק

silent *adj* שׁוֹתֵק, שַׁתְקָן
silhouette *n* צְלָלִית
silk *n* מֶשִׁי
silk *adj* מִשְׁיִי; שֶׁל מֶשִׁי
silken *adj* מִשְׁיִי; רַךְ כְּמֶשִׁי
silkworm *n* תּוֹלַעַת מֶשִׁי
silky *adj* מִשְׁיִי
sill *n* אֶדֶן חַלּוֹן; סַף
silly *adj, n* טִיפְּשִׁי; שׁוֹטֶה
silo *n* מִגְדַּל הַחמָצָה
silt *n* מִשְׁקַע סְחוֹפֶת
silver *n, adj* כֶּסֶף; שֶׁל כֶּסֶף
silver *vt, vi* צִיפָּה כֶּסֶף; הִכְסִיף
silverfish *n* דַּג הַכֶּסֶף
silver foil *n* רִיקּוּעַ כֶּסֶף
silver lining *n* קֶרֶן אוֹר
silver screen *n* מָסַךְ הַקּוֹלְנוֹעַ
silver spoon *n* כְּתוֹנֶת פַּסִּים
silver-tongue *n* (נוֹאם) מַזְהִיר
silverware *n* כְּלֵי־כֶסֶף
similar *adj* דּוֹמֶה
simile *n* מָשָׁל, דִּימּוּי
simmer *vt, vi* הֶחֱזִיק בְּמַצָּב
פִּעְפּוּעַ; פִּעְפַּע
simoon *n* סִימוּם, סוּפָה מִדְבָּרִית
simper *n* חִיּוּךְ מְטוּפָּשׁ
simple *adj* פָּשׁוּט; רָגִיל; תָּמִים
simpleminded *adj* תָּם; לָקוּי בְּשִׂכְלוֹ
simple substance *n* יְסוֹד פָּשׁוּט
simpleton *n* פֶּתִי, שׁוֹטֶה
simulate *vt* הֶעֱמִיד פָּנִים; חִיקָּה
simultaneous *adj* בּוֹזְמַנִּי
sin *n, vi* חֵטְא; חָטָא
since *adv, prep, conj* מֵאָז; מִלִּפְנֵי;
מִכֵּיוָן שֶׁ...

sincere *adj* כֵּן, אֲמִיתִּי
sincerity *n* כֵּנוּת, יוֹשֶׁר
sinecure *n* סִינֵקוּרָה
sinew *n* גִּיד; שְׁרִירִיּוּת
sinful *adj* חוֹטֵא; שֶׁל חֵטְא
sing *vi, vt* שָׁר, זִימֵּר
singe *vt* חָרַךְ, צָרַב
singer *n* זַמָּר
single *adj* יָחִיד, בּוֹדֵד; לֹא נָשׂוּי
single *vt, vi* בָּחַר, בָּרַר
single blessedness *n* בִּרְכַּת הָרַוָּקוּת
single-breasted *adj* (מעיל) בַּעַל חֲזִית חַד־רוֹבְדִית
single file *n* טוּר עוֹרְפִּי
single-handed *adj, adv* בְּכוֹחוֹת עַצְמוֹ
single-track *adj* חַד־מְסִילָתִי
singsong *n* שִׁירָה בְּצִיבּוּר
singsong *adj* חַדְגּוֹנִי
singular *adj* יָחִיד; בּוֹדֵד
sinister *adj* מְבַשֵּׂר רָעוֹת
sink *vi, vt* שָׁקַע; צָלַל, טָבַע; טִיבֵּעַ
sink *n* בּוֹר שׁוֹפָכִים
sinking-fund *n* קֶרֶן לְפִדְיוֹן
sinner *n* חוֹטֵא
sinuous *adj* מִתְפַּתֵּל
sinus *n* גַּת, סִינוּס
sip *vt, vi* לָגַם
sip *n* לְגִימָה
siphon *n* גִּשְׁתָּה, סִיפוֹן
siphon *vt, vi* שָׁאַב, זָרַם בְּגִשְׁתָּה
sir *n* אָדוֹן, אֲדוֹנִי
sire *n* אָב; בֶּהֱמַת הַרְבָּעָה
sire *vt* הוֹלִיד
siren *n* בְּתוּלַת־יָם; אִישָּׁה מְפַתָּה
sirloin *n* בְּשַׂר מוֹתֶן
sissy *n* (גבר) רַכְרוּכִי
sister *n* אָחוֹת
sister-in-law *n* גִּיסָה
(*pl* sisters-in-law)
sit *vi* יָשַׁב; הָיָה מוּנָּח
sit-down strike *n* שְׁבִיתַת שֶׁבֶת
site *n, vt* אֲתַר, מָקוֹם; מִיקֵּם
sitting *n* יְשִׁיבָה; מוֹשָׁב
sitting duck *n* מַטָּרָה קַלָּה
sitting-room *n* טְרַקְלִין
situate *vt* מִיקֵּם, הִנִּיחַ
situation *n* מַצָּב; מִיקּוּם
six *adj, n* שֵׁשׁ, שִׁישָּׁה
six hundred *n, adj* שֵׁשׁ מֵאוֹת
sixteen *n, adj* שִׁישָּׁה־עָשָׂר, שֵׁשׁ־עֶשְׂרֵה
sixteenth *adj, n* הַשִּׁישָּׁה־עָשָׂר, הַשֵּׁשׁ־עֶשְׂרֵה; הַחֵלֶק הַשִּׁישָּׁה־עָשָׂר
sixth *adj, n* שִׁישִּׁי; שִׁישִּׁית
sixtieth *adj, n* הַשִּׁישִּׁים; אֶחָד מִשִּׁישִּׁים
sixty *n* שִׁישִּׁים
sizable *adj* נִיכָּר, גָּדוֹל
size *n* מִידָּה, שִׁיעוּר, גּוֹדֶל
sizzle *vi* לָחַשׁ, רָחַשׁ
sizzle *n* רְחִישָׁה
S.J. *abbr* Society of Jesus
skate *n* גַּלְגִּלִּית; (בּרבּים) מַחֲלִיקַיִים; תְּרִיסָנִית (דג)
skate *vi* הֶחֱלִיק (בּמחליקיים אוֹ בּגלגליוֹת)
skating-rink *n* מַסְלוּל הַחֲלָקָה
skein *n* דּוֹלְלָה, כְּרִיכָה (של חוּטים)
skeleton *n, adj* שֶׁלֶד; שִׁלְדִּי
skeleton key *n* פּוֹתַחַת
sketch *n* מִתְוָוה, סְקִיצָה; סִרְטוּט

sketch *vt* עָרַךְ מִתְוָה; תִּיוְּוָה
sketchbook *n* פִּנְקַס מִרְשָׁמִים
skewer *n* שַׁפּוּד
skewer *vt* שִׁיפֵּד
ski *n* מִגְלָשׁ, סְקִי
ski *vi* הֶחֱלִיק בְּמִגְלָשַׁיִים
skid *n* יְגִייָה (בְּמכוֹנִית); סַפָּג (שֶׁל זעזועים); מַגְלֵשׁ (שֶׁל מטוֹס); סָמוֹךְ
skid *vi, vt* יָגָה; תָּמַךְ בְּסָמוֹךְ
skiff *n* סִירָה קַלָּה
skiing *n* גְּלִישָׁה
ski jacket *n* חֲגוֹרַת סְקִי
ski-jump *n* קְפִיצַת מִגְלָשַׁיִים
ski lift *n* מֵנִיף סְקִי
skill *n* מְיוּמָּנוּת
skilled *adj* מְיוּמָּן
skillet *n* אִלְפָּס
skil(l)ful *adj* מְיוּמָּן; מַעֲשֵׂה חוֹשֵׁב
skim *vt, vi* קִיפָּה; רִפְרֵף מֵעַל
skimmer *n* מְקַפָּה; סִירַת־מָנוֹעַ קַלָּה
skim-milk *n* חָלָב רָזֶה
skimp *vt, vi* נָתַן בְּצִמצוּם
skimpy *adj* קַמְּצָנִי, זָעוּם
skin *n* עוֹר; קְלִיפָּה (שֶׁל פרי וכד׳)
skin *vt, vi* פָּשַׁט עוֹר; רִימָּה
skin-deep *adj, adv* שִׁטְחִי
skinflint *n* קַמְּצָן
skin-game *n* תַּרְמִית
skinny *adj* דַּק בָּשָׂר; כָּחוּשׁ
skip *vi* דִּילֵג, פָּסַח עַל
skip *n* דִּילּוּג
ski pole *n* מַטֵּה סְקִי
skipper *n* רַב־חוֹבֵל; מַנְהִיג
skirmish *n* הִתְכַּתְּשׁוּת
skirmish *vi* הִתְכַּתֵּשׁ, הִתְנַגֵּשׁ
skirt *n* חֲצָאִית
skirt *vt* הִקִּיף אֶת הַשּׁוּלַיִים שֶׁל
ski run *n* מַסְלוּל סְקִי
ski stick *n* מַטֵּה סְקִי
skit *n* חִיבּוּר הִיתּוּלִי, מַהֲתַלָּה
skittish *adj* קַפְּרִיזִי; שׁוֹבָבִי
skulduggery *n* תְּכָכִים שְׁפָלִים
skull *n* קוֹדקוֹד, קַרְקֶפֶת
skullcap *n* כִּיפָּה
skunk *n* צַחֲנָן; בְּזוּי אָדָם
sky *n* שָׁמַיִים
skylark *n* זַרְעִית הַשָּׂדֶה
skylark *vi* הִשְׁתּוֹבֵב
skylight *n* צוֹהַר (בתקרה)
skyline *n* קַו־אוֹפֶק
skyrocket *n* זִיקּוּק־אֵשׁ
skyrocket *vi* הִמְרִיא; הֶאֱמִיר
skyscraper *n* גּוֹרֵד שְׁחָקִים
skywriting *n* כְּתִיבַת עָשָׁן (שֶׁל מטוֹס)
slab *n* לוּחַ, טַבְלָה
slack *adj, adv* רָפוּי, מְרוּשָּׁל, אִטִּי
slack *vi* הִתְבַּטֵּל
slack *n* חֵלֶק רָפוּי (שֶׁל חבל וכד׳)
slacker *n* מִשְׁתַּמֵּט
slag *n* סִיגִים
slake *vt* הִרְוָה (צמאוֹ); הִשְׂבִּיעַ (נקם)
slam *vt* טָרַק (דלת); הֵטִיל בְּהַטָּחָה
slam *n* טְרִיקָה
slam-bang *n* טְרִיקָה חֲזָקָה
slander *n* דִּיבָּה, לַעַז
slander *vt* הוֹצִיא דִּיבָּה
slanderous *adj* מוֹצִיא דִּיבָּה
slang *n* הֲמוֹנִית, סְלֶנג
slang *vt* חֵירֵף

slant *vi, vt*	הִתְלַכְסֵן; נָטָה; הִטָּה
slant *n*	שִׁיפּוּעַ; נְטִיָּיה
slap *n, vt*	סְטִירָה; סָטַר, טָפַח
slash *vt*	חָתַךְ, סָרַט בְּחֶרֶב אוֹ בְּסַכִּין
slash *n*	חֲתָךְ, פֶּצַע, סְרִיטָה
slat *n*	פָּסִיס
slate *n*	צִפְחָה; רַעַף; רְשִׁימַת מוּעֲמָדִים
slate *vt*	בִּיקֵּר קָשׁוֹת; הִכְלִיל בִּרְשִׁימָה
slate roof *n*	גַּג רְעָפִים
slattern *n*	אִישָּׁה מְרוּשֶּׁלֶת
slaughter *n*	שְׁחִיטָה, טֶבַח
slaughter *vt*	שָׁחַט, טָבַח
slaughterhouse *n*	בֵּית־מִטְבָּחַיִים
Slav *n*	סְלָבִי
slave *n*	עֶבֶד, שִׁפְחָה
slave-driver *n*	נוֹגֵשׂ
slaveholder *n*	בַּעַל עֲבָדִים
slavery *n*	עַבְדוּת
slave-trade *n*	סְחַר עֲבָדִים
Slavic *adj*	סְלָבִי
slay *vt*	הָרַג, טָבַח
slayer *n*	הוֹרֵג, רוֹצֵחַ
sled *n*	מִזְחֶלֶת
sledge-hammer *n*	קוּרְנָס, הַלְמוּת
sleek *adj*	חָלָק; מְלוּטָּשׁ
sleek *vt*	הֶחֱלִיק; לִיטֵּשׁ
sleep *n*	שֵׁינָה
sleep *vi, vt*	יָשֵׁן; נִרְדַּם; הֵלִין
sleeper *n*	נַמְנְמָן; אֶדֶן (שֶׁל פסי רכבת)
sleeping-bag *n*	שַׂק שֵׁינָה
sleeping car *n*	קְרוֹן שֵׁינָה
sleeping partner *n*	שׁוּתָּף לֹא פָּעִיל
sleeping pill *n*	גְלוּלַת שֵׁינָה
sleepless *adj*	חֲסַר שֵׁינָה
sleepwalker *n*	סַהֲרוּרִי
sleepy *adj*	מְנוּמְנָם, רָדוּם, אֲחוּז שֵׁינָה
sleepyhead *n*	מְנוּמְנָם, קֵהֶה
sleet *n*	חֲנָמַל
sleeve *n*	שַׁרְווּל
sleigh *n*	מִזְחֶלֶת
sleigh *vi*	נָסַע בְּמִזְחֶלֶת
slender *adj*	דַּק גֵו, עָדִין
sleuth *n*	בַּלָּשׁ
slew *n*	סִיבּוּב, פְּנִיָּיה
slice *n*	פְּרוּסָה
slice *vt, vi*	פָּרַס, חָתַךְ פְּרוּסָה
slick *vt*	הֶחֱלִיק, לִיטֵּשׁ
slick *adj*	חֲלַקְלַק
slide *vi, vt*	הֶחֱלִיק, גָּלַשׁ
slide *n*	(מַסְלוּל) הַחֲלָקָה; שְׁקוּפִית
slide fastener *n*	רוֹכְסָן, סְגוֹרָץ
slide rule *n*	סַרְגֵל־חִישּׁוּב
slide valve *n*	שַׁסְתּוֹם הַחֲלָקָה
sliding door *n*	דֶּלֶת הֲזָזָה
slight *adj*	קַל, שֶׁל מַה־בְּכָךְ; דַּק
slight *vt, n*	הֶעֱלִיב; עֶלְבּוֹן
slim *adj*	דַּק, צַר
slim *vi*	הִרְזָה; רָזָה
slime *n*	טִיט, יָוֵן
slimy *adj*	מְכוּסֶּה טִיט; (אדם) שָׁפָל
sling *n*	מִקְלַעַת, קֶלַע; לוּלָאָה; מִתְלֶה
sling *vt*	הִשְׁלִיךְ בְּקֶלַע
slingshot *n*	קֶלַע, מִקְלַעַת
slink *v*	הִתְגַּנֵּב
slip *vi*	הֶחֱלִיק וּמָעַד; נִשְׁמַט
slip *n*	טָעוּת; מַעֲשֶׂה כֶּשֶׁל; הַחֲלָקָה; תַּקָּלָה; תַּחְתּוֹנִית
slip of the pen (tongue) *n*	פְּלִיטַת קוּלְמוֹס (פֶּה)
slipper *n*	נַעַל־בַּיִת

slippery *adj* חֲלַקְלַק, חֲמַקְמַק
slip-up *n* מִשׁוּגָה, טָעוּת
slit *n* סֶדֶק, חָתָךְ
slit *vt, vi* חָתַךְ לָאוֹרֶךְ, חָרַץ
slobber *vi* רָר; הֵרִיר (מתוך רגשנות)
slogan *n* סִיסְמָה
sloop *n* סְפִינָה חַד־תּוֹרְנִית
slop *vt* שָׁפַךְ, נָתַן לִגלוֹשׁ; נִשְׁפַּךְ, גָּלַשׁ
slope *n* שִׁיפּוּעַ, מִדְרוֹן
slope *vi, vt* הִשְׁתַּפֵּעַ; מִדְרֵן
sloppy *adj* רָטוֹב וּמְלוּכְלָךְ
slot *n* חָרִיץ; חֶרֶץ
sloth *n* עַצְלוּת
slot machine *n* אוֹטוֹמָט מוֹכֵר
slot meter *n* מוֹנֶה גּוֹבֶה
slouch *n* תְּנוּחַת רִישׁוּל
slouch *vi* עָמַד מְרוּשָּׁל
slouch hat *n* כּוֹבַע רְחַב־אוֹגֶן
slough *n* נֶשֶׁל
slough *vi, vt* נָשַׁל; הִשִּׁיל
Slovak *n, adj* סלוֹבָקִי
slovenly *adj* מְרוּשָּׁל, מוּזְנָח
slow *adj* אִטִּי
slow *vt, vi* הֵאֵט
slow *adv* לְאַט
slowdown *n* הָאָטָה
slow-motion *adj* (סרט) מוּקְרָן לְאַט
slow poke *n* זַחְלָן
slug *n* חִילָּזוֹן עָרוֹם
slug *vi* הִכָּה, הִרְבִּיץ
sluggard *n* עַצְלָן
sluggish *adj* עַצְלָנִי, אִטִּי
sluice *n* מָגוֹף; אֲרוּבָּה (בּסכר); תְּעָלָה
sluicegate *n* אֲרוּבָּה (בּסכר)
slum *n* מִשְׁכַּן־עוֹנִי
slum *vi* סִיֵּיר בְּמִשְׁכְּנוֹת־עוֹנִי
slumber *vi* נָם, יָשֵׁן
slumber *n* תְּנוּמָה
slump *n* שֵׁפֶל פִּתְאוֹמִי
slump *vi* יָרַד פִּתְאוֹם
slur *vt* הִבְלִיעַ (הגייה); הֶעֱלִיב
slur *n* פְּגָם, דוֹפִי
slush *n* מֵי־רֶפֶשׁ
slut *n* אִישָּׁה מְרוּשֶּׁלֶת; חֲצוּפָה, פְּרוּצָה
sly *adj* עַרְמוּמִי; חֲשָׁאִי; שָׁנוּן
smack *n* סְטִירָה מְצַלְצֶלֶת; טַעַם
smack *vt, vi* סָטַר בְּקוֹל; הָיָה בּוֹ רֵיחַ שֶׁל
smack *adv* יָשָׁר, הַיְשֵׁר
small *adj* קָטָן, פָּעוּט, זָעִיר
small arms *n pl* נֶשֶׁק קַל
small beer *n* אָדָם (דָּבָר) לֹא חָשׁוּב
small change *n* כֶּסֶף קָטָן
small fry *n* זַאֲטוּטִים; דְּגֵי רְקָק
small hours *n pl* הַשָּׁעוֹת הַקְּטַנּוֹת
small intestines *n pl* מֵעַיִים דַּקִּים
small-minded *adj* צַר מוֹחִין
smallpox *n* אֲבַעְבּוּעוֹת
small-time *adj* פָּעוּט, קַל־עֵרֶךְ
small-town *adj* קַרְתָּנִי
smart *vi* סָבַל כְּאֵבִים
smart *n* כְּאֵב חַד
smart *adj* פִּיקֵּחַ, מְמוּלָּח; נוֹצֵץ; נִמְרָץ
smart aleck *n* תְּחַכְּמָן, יְהִירָן
smart set *n* חוּג נוֹצֵץ
smash *n* נִיפּוּץ, הִתְנַפְּצוּת; הִתמוֹטְטוּת
smash *vt, vi* נִיפֵּץ, מָחַץ; הִתנַפֵּץ; הִתמוֹטֵט
smash-hit *n* לָהִיט הָעוֹנָה
smashup *n* הֶרֶס גָּמוּר

smattering *n* יְדִיעָה שִׁטְחִית

smear *vt* מָרַח, סָךְ; הִשְׁמִיץ; טִינֵּף

smear *n* כֶּתֶם, רְבָב

smear campaign *n* מַסַּע הַשְׁמָצָה

smell *vi, vt* הֵפִיץ רֵיחַ; הֵרִיחַ

smell *n* חוּשׁ רֵיחַ; רֵיחַ; רֵיחַ רַע

smelling-salts *n pl* מִלְחֵי הֲרָחָה

smelly *adj* מַסְרִיחַ

smelt *vt* הִתִּיךְ

smile *vi, n* חִייֵּךְ; חִיּוּךְ

smiling *adj* מְחַייֵּךְ, חַייְכָנִי

smirk *vi* חִייֵּךְ בְּמֵעוּשֶׂה

smirk *n* חִיּוּךְ מְעוּשֶׂה

smite *vt* הִכָּה

smith *n* נַפָּח, חָרָשׁ

smithy *n* מַפָּחָה

smock *n* חָלוּק, מַעֲפוֹרֶת

smog *n* עַרְפִּיחַ, סמוֹג

smoke *n* עָשָׁן

smoke *vi, vt* הֶעֱלָה עָשָׁן; עִישֵּׁן

smoked glasses *n pl* מִשְׁקָפַיִים כֵּהִים

smoker *n* מְעַשֵּׁן; קְרוֹן־עִישּׁוּן

smoke rings *n pl* טַבְּעוֹת עָשָׁן

smoke-screen *n* מָסַךְ עָשָׁן

smokestack *n* אֲרוּבָּה, מַעֲשֵׁנָה

smoking *n* עִישּׁוּן

smoking car *n* קְרוֹן־עִישּׁוּן

smoking jacket *n* מִקְטוֹרֶן בַּיִת

smoking room *n* חֲדַר עִישּׁוּן

smoky *adj* דְּמוּי עָשָׁן; אָפוּף עָשָׁן

smooth *adj* חָלָק, חֲלַקְלַק

smooth *vt, vi* הֶחֱלִיק, יִישֵּׁר (הדורים)

smooth *n* הַחֲלָקָה, יִישּׁוּר

smooth-spoken *adj* בַּעַל לָשׁוֹן מְשַׁכְנַעַת

smoothy *n* מְדַבֵּר חֲלַקְלַקּוֹת

smother *vt* הֶחֱנִיק; הִדְחִיק; הֵצִיף

smudge *n* מְדוּרַת־עָשָׁן; כֶּתֶם

smudge, smutch *vt, vi* טִשְׁטֵשׁ, מָרַח (כתב); הִיטַּשְׁטֵשׁ

smug *adj* שְׂבַע־רָצוֹן מֵעַצְמוֹ

smuggle *vt* הִבְרִיחַ, הִגְנִיב

smuggler *n* מַבְרִיחַ

smuggling *n* הַבְרָחָה

smut *n* פְּתוֹת פִּיחַ

smutty *adj* שֶׁל נִיבּוּל־פֶּה; מְלוּכְלָךְ

snack *n* אֲרוּחָה קַלָּה

snag *n* תַּקָּלָה; מִזְקָר חַד

snail *n* חִילָּזוֹן, שַׁבְּלוּל

snake *n* נָחָשׁ

snake in the grass *n* אוֹיֵב נִסְתָּר

snap *n* פְּקִיעָה; תֶּפֶס קְפִיצִי; גַּל קוֹר

snap *adj* שֶׁל פֶּתַע, שֶׁל חֶתֶף

snap *vt, vi* פָּקַע; הִשְׁמִיעַ פִּצְפּוּץ; דִּיבֵּר בְּכַעַס; (כלב) חָטַף לְפֶתַע בְּשִׁינַּיִים; נִפְקַע

snapdragon *n* לוֹעַ הָאֲרִי

snap judgment *n* הַחְלָטַת חֶתֶף

snappy *adj* נַשְׁכָנִי; חֲרִיף תְּגוּבָה; זָרִיז

snapshot *n* תַּצְלוּם־בָּזָק

snare *vt* לָכַד בְּמַלְכּוֹדֶת

snare *n* מַלְכּוֹדֶת, פַּח

snarl *vi* (לגבי כלב) נָהַם; רָטַן; סִיבֵּךְ; הִסְתַּבֵּךְ

snarl *n* נְהִימָה; סְבַךְ

snatch *vt* חָטַף; תָּפַס

snatch *n* חֲטִיפָה

sneak *vi, vt* הִתְגַּנֵּב; הִגְנִיב; הִלְשִׁין

sneak *n* בָּזוּי; מַלְשִׁין

sneaker *n* נַעַל הִתְעַמְּלוּת

sneak-thief *n*	גַּנָּב חַטְפָן
sneaky *adj*	גַּנְּבָנִי
sneer *n*	הִבִּיעַ לַעַג
sneeze *vi, n*	הִתְעַטֵּשׁ; עִיטוּשׁ
snicker *vi*	צָחַק צְחוֹק טִיפְּשִׁי
sniff *vi, vt*	רִחְרֵחַ
sniff *n*	רִחְרוּחַ; מְשִׁיכַת חוֹטֶם
sniffle *vi*	מָשַׁךְ בִּנְחִירָיו
sniffle *n*	שְׁאִיפַת נְחִירַיִים; נַזֶּלֶת
snip *vi, vt*	גָּזַר בְּמִסְפָּרַיִים
snipe *n*	חַרְטוּמִית
snipe *vi*	צָלַף
sniper *n*	צַלָּף
snippet *n*	קֶטַע גָּזוּר
snitch *vt, vi*	(המונית) חָטַף, גָּנַב
snivel *vi*	הִתְבַּכְייֵן
snob *n*	סְנוֹב
snobbery *n*	סְנוֹבִּיוּת
snobbish *adj*	סְנוֹבִּי
snoop *vi*	(המונית) חִיטֵּט בְּעִנְייָנִים לֹא לוֹ
snoop *n*	(המונית) חִיטּוּט (כנ״ל); מְחַטֵּט (כנ״ל)
snoopy *adj*	חַטְטָנִי, סַקְרָנִי
snoot *n*	(המונית) חוֹטֶם, פַּרְצוּף
snooty *adj*	סְנוֹבִּי
snooze *n*	תְּנוּמָה קַלָּה
snooze *vi*	חָטַף תְּנוּמָה
snore *vi, n*	נָחַר; נְחִירָה
snort *n*	חִרְחוּר, נַחַר
snort *vi, vt*	חִרְחֵר, נָחַר
snot *n*	מֵי חוֹטֶם
snotty *adj*	מְלוּכְלָךְ (כנ״ל)
snout *n*	חַרְטוֹם
snow *n, vi*	שֶׁלֶג; יָרַד שֶׁלֶג
snowball *n*	כַּדּוּר שֶׁלֶג
snowball *vi*	הָלַךְ וְגָדַל
snowblind *adj*	מְסוּנְוָר שֶׁלֶג
snowcapped *adj*	עֲטוּר שֶׁלֶג
snowdrift *n*	סַחַף שֶׁלֶג
snowfall *n*	שְׁלִיגָה
snowflake *n*	פְּתוֹת שֶׁלֶג
snowman *n*	אִישׁ שֶׁלֶג
snowplow *n*	מַחֲרֵשַׁת שֶׁלֶג
snowshoe *n*	נַעַל שֶׁלֶג
snowstorm *n*	סוּפַת שֶׁלֶג
snowy *adj*	שָׁלוּג, מוּשְׁלָג
snub *n*	הַשְׁפָּלָה, זִלְזוּל; חוֹטֶם סוֹלֵד
snub *vt*	נָהַג בּוֹ זִלְזוּל
snubby *adj*	(חוטם) סוֹלֵד; עוֹלֵב
snuff *vt, vi*	רִחְרֵחַ; הֵרִיחַ; כִּיבָּה (נר); (המונית) חִיסֵּל
snuff *n*	טַבַּק הֲרָחָה
snuffbox *n*	קוּפְסַת טַבַּק הֲרָחָה
snuffers *n pl*	מַמְחֵט
snug *adj*	מוּקָּף רוֹךְ וָחוֹם
snuggle *vi*	הִתְרַפֵּק; חִיבֵּק
so *adv, pron, conj, interj*	כָּךְ; כָּל־כָּךְ; וּבְכֵן, עַל־כֵּן; כְּמוֹ־כֵן
soak *vt, vi*	סָפַג; שָׁרָה, הִשְׁרָה, הִסְפִּיג
so-and-so *n*	כָּךְ וְכָךְ; פְּלוֹנִי
soap *n*	סַבּוֹן
soap *vt*	סִיבֵּן; הִסְתַּבֵּן
soapbox *n*	אַרְגַּז סַבּוֹן; בָּמַת רְחוֹב
soapbox orator *n*	נוֹאֵם רְחוֹב
soap dish *n*	סַבּוֹנִית
soap-flakes *n*	שְׁבָבֵי סַבּוֹן
soapstone *n*	חוֹמֶר סַבּוֹן
soapsuds *n pl*	קֶצֶף סַבּוֹן
soapy *adj*	מֵכִיל סַבּוֹן, שֶׁל סַבּוֹן

soar *vi* הִגְבִּיהַּ עוּף
sob *vi, n* הִתְיַיפֵּחַ; הִתְיַיפְּחוּת
sober *adj* פִּיכֵּחַ, מְפוּכָּח
sober *vi* הִתְפַּכֵּחַ
sobriety *n* פִּיכָּחוֹן
sob story *n* סִיפּוּר סוֹחֵט דְמָעוֹת
so-called *adj* (הַ)מִתְקָרֵא
soccer *n* כַּדּוּרֶגֶל
sociable *adj, n* חַבְרוּתִי; אוֹהֵב חֶבְרָה
social *adj* חֶבְרָתִי; סוֹצְיָאלִי
social climber *n* חוֹתֵר לַעֲלִייָה בַּחֶבְרָה
socialism *n* סוֹצְיָאלִיזם
socialist *n, adj* סוֹצְיָאלִיסְט, סוֹצְיָאלִיסְטִי
socialite *n* אִישׁ הַחֶבְרָה הַגְּבוֹהָה
society *n* חֶבְרָה; חֶבְרָה גְּבוֹהָה
society editor *n* עוֹרֵךְ הַמָּדוֹר לְחֶבְרָה
sociology *n* סוֹצְיוֹלוֹגְיָה
sock *n* גֶּרֶב
sock *vt* (המונית) הִכָּה
socket *n* תּוֹשֶׁבֶת, שֶׁקַע; בֵּית־נוּרָה
sod *n* רֶגֶב־אֲדָמָה
soda *n* סוֹדָה
soda fountain *n* דוּכָן לְסוֹדָה
soda water *n* סוֹדָה, מֵי־סוֹדָה
sodium *n* נַתְרָן
sofa *n* סַפָּה
soft *adj* רַךְ, עָדִין; מָתוּן
soft-boiled egg *n* בֵּיצָה רַכָּה
soft coal *n* פַּחַם חֵימָר
soften *vt, vi* רִיכֵּךְ; הִתְרַכֵּךְ
soft-pedal *vt* עִמְעֵם
soft-soap *vt* סִיבֵּן בְּסַבּוֹן נוֹזֵל; הִקִּיף בַּחֲנוּפָּה

soggy *adj* סָפוּג לֵיחַ
soil *n* קַרְקַע, עָפָר, אֲדָמָה
soil *vt, vi* לִכְלֵךְ; הִתְלַכְלֵךְ
soirée *n* נֶשֶׁף
sojourn *vi* שָׁהָה
sojourn *n* שְׁהִיָּה, יְשִׁיבַת עֲרַאי
solace *n* נִיחוּמִים, נֶחָמָה
solace *vt* נִיחֵם
solar *adj* שִׁמְשִׁי, סוֹלָרִי
solar battery *n* סוֹלְלַת שֶׁמֶשׁ
solar system *n* מַעֲרֶכֶת הַשֶּׁמֶשׁ
solder *n* לַחַם; גּוֹרֵם מְאַחֶה
solder *vt* הִלְחִים
soldering iron *n* מַלְחֵם
soldier *n* חַיָּיל
soldier of fortune *n* חֶרֶב לְהַשְׂכִּיר
soldiery *n* חַיָּילִים; צָבָא
sold out *adj* שֶׁאָזַל
sole *n* סוּלְיָה; כַּף רֶגֶל; סוּלִית
sole *adj* יָחִיד
sole *vt* הִתְקִין סוּלְיָה
solely *adv* בִּלְבַד, אַךְ וְרַק
solemn *adj* חֲגִיגִי, טִקְסִי; רְצִינִי
solicit *vt* בִּיקֵּשׁ; שִׁידֵּל
solicitor *n* עוֹרֵךְ־דִין (בבריטניה)
solicitous *adj* חָרֵד, דוֹאֵג
solicitude *n* דְאָגָה, חֲרָדָה
solid *n, adj* (גוף) מוּצָק; יַצִּיב, מְבוּסָס; נֶאֱמָן
solidity *n* מוּצָקוּת; יַצִּיבוּת
soliloquy *n* חַד־שִׂיחַ
solitaire *n* אֶבֶן טוֹבָה (משובצת)
solitary *adj* בּוֹדֵד, גַּלְמוּד
solitary *n* מִתְבּוֹדֵד
solitude *n* בְּדִידוּת

solo *n* אַחְדִית, סוֹלוֹ
soloist *n* סוֹלָן
solstice *n* הִיפּוּךְ
soluble *adj* מָסִיס; בַּר־פִּתרוֹן
solution *n* פִּתרוֹן; תְּמִיסָה
solve *vt* פָּתַר; הִתִּיר
solvent *adj* בַּעַל כּוֹשֶׁר פֵּרָעוֹן; מָסִיס
solvent *n* מְמוֹסֵס
somber *adj* קוֹדֵר, אָפֵל
somberness *n* קַדרוּת
some *adj, pron, adv* אֵיזֶה, אֵיזֶשֶׁהוּ; מַשֶׁהוּ, מְעַט; קְצָת; חֵלֶק; כַּמָּה
somebody *pron, n* מִישֶׁהוּ
someday *adv* (בְּ)יוֹם אֶחָד
somehow *adv* אֵיכשֶׁהוּ
someone *pron* מִישֶׁהוּ
somersault *n* סֶבֶב, סַלטָה
somersault *vi* עָשָׂה סַלטָה
something *n, adv* מַשֶׁהוּ, דְבַר־מָה
sometime *adj* בִּזמַן מִן הַזְּמַנִּים
sometimes *adv* לִפעָמִים
someway *adv* בְּדֶרֶךְ־מָה
somewhat *adv, n* בְּמִקצָת; מַשֶׁהוּ
somewhere *adv, n* אֵי־שָׁם; כָּלשֶׁהוּ
somnambulist *n* סַהֲרוּרִי
somnolent *adj* נִמשָׁךְ לִישׁוֹן
son *n* בֵּן
song *n* שִׁיר
songbird *n* צִיפּוֹר־שִׁיר
Song of Solomon *n* שִׁיר הַשִּׁירִים
Song of Songs *n* שִׁיר הַשִּׁירִים
sonic *adj* קוֹלִי
sonic boom *n* בּוּם עַל־קוֹלִי
son-in-law *n* חָתָן
sonnet *n* סוֹנֶטָה, שִׁיר־זָהָב
sonneteer *n* מְחַבֵּר סוֹנֶטוֹת
soon *adv* בִּמהֵרָה, בְּקָרוֹב, בְּהֶקדֵם
soot *n* פִּיחַ
soothe *vt, vi* הִרגִיעַ; רִיכֵּךְ
soothsayer *n* מַגִּיד עֲתִידוֹת
sooty *adj* מְפוּיָּח
sophisticated *adj* מְתוּחכָּם
sopping *adj* סְפוּג מַיִם
soprano *adj, n* סוֹפּרָן; זַמֶּרֶת סוֹפּרָן
sorcerer *n* קוֹסֵם, אַשָּׁף
sorceress *n* קוֹסֶמֶת
sorcery *n* כִּישׁוּף
sordid *adj* מְלוּכלָךְ; שָׁפָל
sore *adj* כּוֹאֵב; כָּאוּב; רָגוּז
sore *n* פֶּצַע; עִניָין כָּאוּב
sorely *adv* אֲנוּשׁוֹת
sorority *n* אֲגוּדַת נָשִׁים
sorrel *adj, n* אֲדַמדַם־חוּם; חוּמעָה
sorrow *n* צַעַר, יָגוֹן
sorrow *vi* הִצטַעֵר, הִתייַסֵּר
sorrowful *adj* עָצוּב, עָגוּם
sorry *adj* מִצטַעֵר; מִתחָרֵט; אוּמלָל
sort *n* סוּג, מִין, טִיפּוּס
sort *vt, vi* סִיוּוֵג, מִייֵן
so-so *adj, adv* לֹא מִצטַייֵן; נִסבָּל; כָּכָה־כָּכָה
sot *n* שִׁיכּוֹר מוּעָד
sotto voce *adv* בַּחֲצִי קוֹל
soul *n* נֶפֶשׁ, נְשָׁמָה
soulfulness *n* נְשָׁמָה יְתֵרָה
sound *n* קוֹל צְלִיל; טוֹן
sound *vi, vt* נִשׁמַע; עָשָׂה רוֹשֶׁם שֶׁל
sound *adj* בָּרִיא, שָׁפוּי
soundly *adv* בִּיעִילוּת, כַּהֲלָכָה
soundproof *adj* חֲסִין־קוֹל

soup *n*	מָרָק
soup-kitchen *n*	בֵּית־תַּמְחוּי
soupspoon *n*	כַּף לְמָרָק
sour *adj*	חָמוּץ; בּוֹסֶר
sour *vt, vi*	הֶחְמִיץ
source *n*	מָקוֹר; מַעְיָן
south *n*	דָּרוֹם
south *adj, adv*	דְּרוֹמִי; דָּרוֹמִית
South America *n*	אֲמֵרִיקָה הַדְּרוֹמִית
southern *adj*	דְּרוֹמִי
Southern Cross *n*	הַצְּלָב הַדְּרוֹמִי
southerner *n*	דְּרוֹמִי
southpaw *n*	אִיטֵּר, שְׂמָאלִי
southward *adj, adv*	דְּרוֹמִי; דָּרוֹמָה
south wind *n*	רוּחַ דְּרוֹמִית
souvenir *n*	מַזְכֶּרֶת
sovereign *adj*	רִיבּוֹנִי, עֶלְיוֹן
sovereign *n*	רִיבּוֹן; מֶלֶךְ; סוֹבְרִין (מטבע)
sovereignty *n*	רִיבּוֹנוּת
soviet *n, adj*	סוֹבְיֶיט; סוֹבְיֶיטִי
sovietize *vt*	סִבְיֵיט
Soviet Russia *n*	בְּרִית־הַמּוֹעָצוֹת
sow *n*	חֲזִירָה
sow *vt, vi*	זָרַע; הֵפִיץ
soybean *n*	פּוֹל סוֹיָה
spa *n*	מַעְיָן מִינֶרָלִי
space *n*	מֶרְחָב, חָלָל; רֶוַח
space *vt*	רִיוֵּחַ; פִּיסֵּק
space craft *n*	חֲלָלִית
space flight *n*	טִיסָה לֶחָלָל
space key *n*	מַקַּשׁ הָרְוָוחִים
spaceman *n*	חֲלָלַאי
space ship *n*	סְפִינַת־חָלָל, חֲלָלִית
spacious *adj*	מְרוּוָּח

spade *n*	אֵת (לחפירה)
spadework *n*	עֲבוֹדַת הֲכָנָה
Spain *n*	סְפָרַד
span *n*	אוֹרֶךְ, רוֹחַק, מֶשֶׁךְ
span *vt, vi*	נִמְתַּח, הִשְׂתָּרֵעַ
spangle *n*	לוּחִית נוֹצֶצֶת
spangle *vt, vi*	כִּיסָּה בִּנְקוּדוֹת כֶּסֶף
Spaniard *n*	סְפָרַדִּי
spaniel *n*	סְפַּנְיֶיל
Spanish *adj, n*	סְפָרַדִּי
Spanish America *n*	אֲמֵרִיקָה הַלָּטִינִית
Spanish broom *n*	אֲחִירוֹתֶם הַחוֹרֶשׁ
Spanish fly *n*	זְבוּב אַסְפַּמְיָה
spank *vt*	הִצְלִיף בַּיַּשְׁבָן
spanking *n*	הַצְלָפָה בַּיַּשְׁבָן
spanking *adj*	יוֹצֵא מִן הַכְּלָל, מְצוּיָּן
spar *n*	כְּלוֹנָס, קוֹרָה
spar *vi, vt*	עָשָׂה תְּנוּעוֹת אִגְרוּף
spare *vt, vi*	חָסַךְ; חָס עַל; קִימֵּץ
spare *adj*	רָזֶה, כָּחוּשׁ; רֶזֶרְבִי
spare *n*	חֵלֶק־חִילּוּף, חֲלָף
spare bed *n*	מִיטָּה יְתֵרָה
spare parts *n pl*	חֶלְקֵי־חִילּוּף
spare room *n*	חֶדֶר פָּנוּי
sparing *adj*	חֶסְכוֹנִי, קַמְצָנִי
spark *n*	נִיצוֹץ; הַבְרָקָה
spark *vt, vi*	הִתִּיז נִיצוֹצוֹת
sparkle *vi*	נִצְנֵץ, נָצַץ
sparkle *n*	נִצְנוּץ
sparkling *adj*	נוֹצֵץ; תּוֹסֵס
sparrow *n*	דְּרוֹר
sparse *adj*	דָּלִיל
Spartan *n, adj*	סְפַּרְטָנִי
spasm *n*	עֲוִית

spasmodic *adj* עֲוִויתִי

spastic *adj, n* עֲוִויתִי

spat *n* בֵּיצֵי צִדְפָּה; רִיב קַל; גְּמָשָׁה

spate *n* שִׁטָּפוֹן

spatial *adj* מֶרְחָבִי

spatter *vt, vi* הִתִּיז; נִיתַּז

spatula *n* מָרִית

spawn *vt, vi* הֵטִיל בֵּיצִים; הוֹלִיד; הִשְׁרִיץ; נוֹלְדוּ

spawn *n* בֵּיצֵי דָגִים

speak *vi, vt* דִּיבֵּר

speakeasy *n* בֵּית־מִמְכָּר חֲשָׁאִי לְמַשְׁקָאוֹת מְשַׁכְּרִים

speaker *n* נוֹאֵם, דוֹבֵר; יוֹשֵׁב־רֹאשׁ בֵּית־נִבְחָרִים

speaking-tube *n* צִינּוֹר דִּיבּוּר

spear *n* רוֹמַח

spear *vt, vi* שִׁיפֵּד, דָּקַר בְּרוֹמַח

spearhead *n* רֹאשׁ חֲנִית

spearmint *n* נַעֲנָה

special *adj* מְיוּחָד

specialist *n* מוּמְחֶה

speciality, specialty *n* יִיחוּד, תְּכוּנָה מְיוּחֶדֶת; תְּחוּם הִתְמַחוּת

specialize *vt* יִיחֵד; הִתְמַחָה

species *n* מִין; זַן

specific *adj* מוּגְדָּר, מְסוּיָּם; יִיחוּדִי

specific *n* תְּרוּפָה מְיוּחֶדֶת

specify *vt* פֵּירֵט, הִפְרִיט

specimen *n* דוּגְמָה, מִדְגָּם

specious *adj* עוֹשֶׂה רוֹשֶׁם טוֹב לְכָאוֹרָה

speck *n* כֶּתֶם, רְבָב, נְקוּדָּה

speckle *n* כֶּתֶם, רְבָב

speckle *vt* נִימֵּר

spectacle *n* מַחֲזֶה, מַרְאֶה

spectator *n* צוֹפֶה

spectrum *n* תַּחֲזִית, סְפֶּקְטְרוּם

speculate *vi* הָפַךְ וְהָפַךְ בְּמַחֲשַׁבְתּוֹ; סִפְסֵר

speech *n* כּוֹחַ הַדִּיבּוּר; דִּיבּוּר

speech clinic *n* מִרְפָּאָה לְמְגַמְגְּמִים

speechless *adj* מוּכֵּה־אֵלֶם

speed *n* מְהִירוּת

speed *vi, vt* נָע בִּמְהִירוּת, מִיהֵר; הֵאִיץ

speeding *n* נְהִיגָה בִּמְהִירוּת מוּפְרֶזֶת

speed king *n* אַלּוּף מְהִירוּת

speed limit *n* סְייָג מְהִירוּת

speedometer *n* מַד־מְהִירוּת

speedy *adj* מָהִיר

spell *n* כִּישׁוּף, קֶסֶם; פֶּרֶק זְמַן

spell *vt* אִייֵת; נָשָׂא בְּחוּבּוֹ

spellbinder *n* נוֹאֵם מְרַתֵּק

spelling *n* כְּתִיב; אִיּוּת

spend *vt, vi* הוֹצִיא כֶּסֶף; בִּילָּה (זמן); כִּילָּה (כוח)

spender *n* מוֹצִיא בְּיָד רְחָבָה

spending money *n* דְּמֵי־כִּיס

spendthrift *n, adj* בַּזְבְּזָן, פַּזְּרָן

sperm *n* זֶרַע

sperm-whale *n* רֹאשְׁתָן

spew *vt, vi* הֵקִיא

sp. gr. *abbr* specific gravity

sphere *n* כַּדּוּר; סְפֵירָה; תְּחוּם

spherical, spheric *adj* כַּדּוּרִי

sphinx *n* סְפִינְקְס

spice *n, vt* תַּבְלִין; תִּיבֵּל

spicebox *n* קוּפְסַת־בְּשָׂמִים

spick and span *adj* צַח וּמְצוּחְצָח

spicy *adj* מְתוּבָּל; מְגָרֶה; מְפוּלְפָּל

spider *n* עַכָּבִישׁ
spider web *n* קוּרֵי עַכָּבִישׁ
spigot *n* מְגוּפָה; בֶּרֶז
spike *n* חַדּוּד; דָּרְבָן
spike *vt* חִיבֵּר בְּמַסְמְרִים; הוֹצִיא מִכְּלַל שִׁימּוּשׁ
spill *vt*, *vi* שָׁפַךְ; נִשְׁפַּךְ; גָּלַשׁ; הִפִּיל
spill *n* הִישָּׁפְכוּת; גְּלִישָׁה
spin *vt*, *vi* טָוָה; סוֹבֵב; הִסְתּוֹבֵב
spin *n* סִיבּוּב, סְחרוּר (שֶׁל מטוס)
spinach *n* תֶּרֶד
spinal *adj* שֶׁל הַשִּׁדְרָה
spinal column *n* עַמּוּד־הַשִּׁדְרָה
spinal cord *n* חוּט־הַשִּׁדְרָה
spindle *n* כּוֹשׁ; כִּישׁוֹר
spine *n* שִׁדְרָה; עוֹקֶץ; גַּב (שֶׁל ספר)
spineless *adj* חֲסַר חוּט־שִׁדְרָה
spinet *n* צֶ׳מְבָּלוֹ קָטָן
spinner *n* מְכוֹנַת־טְוִויָּה, מַטְוִויָּה
spinning-wheel *n* גַּלְגַּל־טְוִויָּה
spiral *adj* לוּלְיָינִי, סְלִילִי
spiral *n* לוּלְיָין, חִילָּזוֹן
spiral *vi*, *vt* הִתְחַלְזֵן; חִלְזֵן
spire *n* מִבְנֶה מְשׁוּפָּד, מִגְדָּל חַד
spirit *n* רוּחַ; נֶפֶשׁ; נְשָׁמָה; (בִּרבים) יי״שׁ
spirit *vt* ׳נִידֵּף׳, סִילֵּק בַּחֲשַׁאי
spirited *adj* נִמְרָץ, אַמִּיץ
spirit-lamp *n* מְנוֹרַת־כּוֹהֶל
spiritless *adj* רְפֵה־רוּחַ
spirit-level *n* פֶּלֶס־מַיִם
spiritual *adj* רוּחָנִי, נֶאֱצָל
spiritual *n* סְפִּירִיטוּאֶל; שִׁיר־דָּת
spiritualism *n* סְפִּירִיטוּאָלִיזְם
spit *vt* יָרַק, רָקַק
spit *n* שַׁפּוּד; לְשׁוֹן יַבָּשָׁה; רִיר, רוֹק
spite *n* מְרִי, זָדוֹן; קַנְטְרָנוּת
spite *vt* קִנְטֵר, הִכְעִיס
spiteful *adj* קַנְטְרָנִי
spittoon *n* מִרְקָקָה
splash *vt*, *vi* הִתִּיז (מים, בּוֹץ וכד׳)
splash *n* הַתָּזָה, נֶתֶז; כֶּתֶם
splashdown *n* נְחִיתַת חֲלָלִית (בים)
spleen *n* טְחוֹל; מְרִירוּת
splendid *adj* נֶהְדָּר, מְפוֹאָר; מְצוּיָּן
splendor *n* הוֹד, הָדָר, פְּאֵר
splice *vt* חִיבֵּר חֲבָלִים
splint *n* גְּשִׁישׁ; קָנֶה בְּמִקְלַעַת
splint *vt* קָשַׁר גְּשִׁישׁ
splinter *vt*, *vi* פִּיצֵּל (הִתְפַּצֵּל) לְקִיסְמִים; שִׁיבֵּר (שׁוּבַּר) לִרְסִיסִים
splinter *n* שְׁבָב, רְסִיס
splinter group *n* קְבוּצָה פּוֹרֶשֶׁת
split *vt*, *vi* בִּיקֵּעַ; חִילֵּק; נִבְקַע; נִתְפַּצֵּל
split *n* בִּיקּוּעַ; פִּיצּוּל
split *adj* מְפוּצָּל; בָּקוּעַ; שָׁסוּעַ
split personality *n* אִישִׁיּוּת מְפוּצֶּלֶת
splitting *adj*, *n* מְפַצֵּל, מְבַקֵּעַ; פּוֹלֵחַ
splurge *n* פְּעַלְתָּנוּת לְרַאֲוָה
splurge *vi* הִתְרַבְרֵב
splutter *vi*, *vt* הִתִּיז מִפִּיו
splutter *n* פֶּרֶץ דְּבָרִים
spoil *n* שָׁלָל
spoil *vt*, *vi* קִלְקֵל; פִּינֵּק
spoilsman *n* דּוֹגֵל בִּשְׁחִיתוּת צִיבּוּרִית
spoils system *n* שְׁחִיתוּת צִיבּוּרִית
spoke *n* חִישּׁוּר; חָווָק
spokesman *n* דּוֹבֵר

sponge *n* סְפוֹג; טַפִּיל
sponge *vt, vi* קִינֵּחַ בִּסְפוֹג; הִסְפִּיג
spongecake *n* לוּבְנָן
sponger *n* מְנַקֶּה בִּסְפוֹג; סַחְבָן, טַפִּיל
spongy *adj* סְפוֹגִי, דְמוּי סְפוֹג
sponsor *n* סַנְדָק, נוֹתֵן חָסוּת
sponsor *vi* נָתַן חָסוּת
sponsorship *n* חָסוּת, פַּטְרוֹנוּת
spontaneous *adj* ספּוֹנטָנִי
spoof *n* תַּעְתּוּעַ, שִׁיטּוּי
spoof *vt, vi* תִּעְתֵּעַ, שִׁיטָּה
spook *n* רוּחַ־רְפָאִים
spooky *adj* שֶׁל רוּחַ־רְפָאִים
spool *n* סְלִיל
spoon *n* כַּף, כַּפִּית
spoon *vt, vi* אָכַל בְּכַף; הִתְעַלֵּס
spoonful *n* מְלוֹא (הַ)כַּף
sporadic *adj* שֶׁלְּעִתִּים לֹא מְזוּמָּנוֹת
spore *n* נֶבֶג
sport *n* ספּוֹרט; שַׁעֲשׁוּעִים; לָצוֹן
sport *vt, vi* הִשְׁתַּעֲשֵׁעַ; הִצִּיג לְרַאֲוָה
sport-fan *n* חוֹבֵב ספּוֹרט
sporting chance *n* סִיכּוּי שָׁקוּל
sporting goods *n pl* צוֹרְכֵי ספּוֹרט
sportscaster *n* פַּרְשָׁן ספּוֹרט
sportsman *n* ספּוֹרטַאי
sports wear *n* תִּלְבּוֹשֶׁת ספּוֹרט
sports writer *n* כַּתַּב ספּוֹרט
sporty *adj* רַאַוְותָנִי; אֶלֶגַנטִי
spot *n* מָקוֹם; נְקוּדָּה; כֶּתֶם
spot *vt, vi* הִכְתִּים; נִכְתַּם; גִּילָּה, זִיהָה
spot cash *n* מְזוּמָּנִים
spotless *adj* נְקִי מִכֶּתֶם
spotlight *n* מְנוֹרָה מְמַקֶּדֶת
spot remover *n* מֵסִיר כְּתָמִים
spot welding *n* רִיתּוּךְ נְקוּדּוֹת
spouse *n* בֶּן־זוּג
spout *vt, vi* הִתִּיז; נִיתַּז
spout *n* צִינּוֹר; זַרְבּוּבִית
sprain *vt* סִיבֵּב אוֹ מָתַח אֵיבָר
sprain *n* מְתִיחַת אֵיבָר
sprawl *vi* הִתְפַּרְקֵד לְלֹא חֵן
spray *vt, vi* הִזִּילִיף; הִזְדַּלֵּף
spray *n* תַּרְסִיס; עָנָף פּוֹרֵחַ
sprayer *n* מַרְסֵס, מַזְלֵף
spread *vt, vi* פָּרַשׂ, שָׁטַח; הִשְׂתָּרֵעַ
spread *n* הִתְפַּשְּׁטוּת; מִמְרָח; (דִיבּוּרִית) סְעוּדָּה
spree *n* הִילּוּלָה, חִנְגָּה
sprig *n* עָנָף רַךְ; זַאֲטוּט
sprightly *adj* מָלֵא חַיִּים
spring *vi, vt* קָפַץ; צָץ, נָבַע
spring *n* קְפִיצָה, נִיתּוּר; קְפִיץ; מַעְיָן; אָבִיב
spring *adj* אֲבִיבִי; קְפִיצִי
springboard *n* מַקְפֵּצָה, קֶרֶשׁ־קְפִיצָה
spring chicken *n* פַּרְגִּית
spring fever *n* בּוּלְמוּס אַהֲבָה
springtime *n* תּוֹר הָאָבִיב
sprinkle *vt, vi* זִילֵּף; הִמְטִיר; הִזְדַּלֵּף
sprinkle *n* זִילּוּף; נֶתֶז; גֶּשֶׁם קַל
sprinkling can *n* מַזְלֵף
sprint *vi, vt* רָץ מֶרְחָק קָצָר
sprint *n* מֵירוֹץ קָצָר
sprite *n* שֵׁדוֹן
sprocket *n* שֵׁן גַּלְגַּל
sprout *vi, vt* נָבַט; גִּידֵּל
sprout *n* נֶבֶט
spruce *adj* נָאֶה בִּלְבוּשׁוֹ
spruce *vt, vi* נֵיאָה לְבוּשׁוֹ

spruce *n* אַשׁוּחִית (עץ)
spry *adj* פָּעִיל, תּוֹסֵס
spud *n* אֵת צַר; קְלִיפַּת עֵץ; (דיבורית) תַּפּוּד
spunk *n* אוֹמֶץ
spur *n* דָּרְבָן; תַּמְרִיץ
spur *vt, vi* דִּרְבֵּן; הִתְקִין דָּרְבָנוֹת
spurious *adj* מְזוּיָּף
spurn *vt, vi* דָּחָה בְּבוּז
spurt *vt, vi* פָּרַץ לְפֶתַע; הִתִּיז לְפֶתַע
spurt *n* פֶּרֶץ
sputter *vi* הִתִּיז מִפִּיו
sputter *n* פֶּרֶץ דְּבָרִים
spy *vt, vi* רָאָה, צָפָה; רִיגֵּל
spy *n* מְרַגֵּל
spyglass *n* מִשְׁקֶפֶת
sq. *abbr* square
squabble *vi, vt* רָב עַל דָּבָר פָּעוּט
squad *n* קְבוּצָה; חוּלְיָה
squadron *n* שַׁייֶטֶת; טַייֶסֶת
squalid *adj* מְזוֹהָם, מְטוּנָּף; עָלוּב
squall *n* סוּפַת־פֶּתַע
squalor *n* חֶלְאָה, נִיוּוּל
squander *vi* בִּזְבֵּז
square *n* רִיבּוּעַ; מִשְׁבֶּצֶת; רוֹבַע
square *vt* רִיבֵּעַ; יִישֵּׁר; (דיבורית) פָּרַע (חשבון); (דיבורית) שִׁיחֵד
square *adj* רָבוּעַ; מַלְבֵּנִי; רִיבּוּעִי
square *adv* בְּצוּרָה רְבוּעָה
square dance *n* רִיקּוּד מְרוּבָּע
square deal *n* עִסְקָה הוֹגֶנֶת
square meal *n* אֲרוּחָה מַשְׂבִּיעָה
squash *vt, vi* מִיעֵך, כָּתַת; נִדְחַק
squash *n* הָמוֹן דָּחוּס; דְּלַעַת; סקווש (משחק); מִיץ מָהוּל בְּסוֹדָה
squashy *adj* מָעוּך; מִתְמַעֵך בְּקַלּוּת
squat *vi, vt* יָשַׁב (הוֹשִׁיב) בִּשְׁפִיפָה
squat *adj* גּוּץ וְרָחָב
squatter *n* פּוֹלֵשׁ (לקרקע לא לו)
squaw *n* אִישָּׁה אִינְדִיאָנִית
squawk *vi* קִעְקַע, צָווַח
squawk *n* קִעְקוּעַ, צְוָוחָה
squeak *vi, n* צִייֵּץ; חָרַק; צִיּוּץ; חֲרִיקָה
squeal *vi, vt* צָוַח, יִיבֵּב
squeal *n* צְוָוחָה, יְבָבָה
squealer *n* יַלְלָן, יַבְּבָן; (המונית) מַלְשִׁין
squeamish *adj* יַשְׁרָן; אִיסְטְנִיס
squeeze *vt, vi* סָחַט; לָחַץ; נִדְחַק
squeeze *n* לְחִיצָה; סְחִיטָה
squelch *n* קוֹל שִׁכְשׁוּך
squelch *vt, vi* רָמַס, דָּרַס; הִשְׁתִּיק
squid *n* דְּיוֹנוּן
squint *vi, vt* פָּזַל; לִכְסֵן מַבָּט
squint *n* פְּזִילָה
squint-eyed *adj* פּוֹזֵל; עוֹיֵן
squire *n* בַּעַל אֲחוּזָּה
squire *vt* לִיוָּה (אישה)
squirm *vi, n* הִתְפַּתֵּל; הִתְפַּתְּלוּת
squirrel *n* סְנָאִי
squirt *vt, vi* הִתִּיז
squirt *n* סִילוֹן
S.S. *abbr* Secretary of State, steamship, Sunday School
stab *vt, vi* דָּקַר
stab *n* דְּקִירָה; פְּעוּלַּת נִיסָּיוֹן
stable *adj* יַצִּיב
stable *n* אוּרְווָה
stack *n* גָּדִישׁ; עֲרֵימָה
stack *vt* עָרַם לַעֲרֵימָה

stadium *n* אִיצְטַדְיוֹן

staff *n* מַטֶּה; חֶבֶר עוֹבְדִים

staff *vt* גִּיֵּס (עוֹבדים)

stag *n* צְבִי

stage *n* בָּמָה, בִּימָה

stage *vt, vi* בִּיֵּם

stagecoach *n* מֶרְכָּבָה בְּקַו קָבוּעַ

stagemanager *n* בַּמַּאי

stagger *vi, vt* הִתְנוֹדֵד; הִדְהִים; פִּיֵּזר (חופשות וכד׳)

stagger *n* הִתְנוֹדְדוּת, פִּיק

staggering *adj* מַדהִים

stagnant *adj* קוֹפֵא (עַל שְׁמָרָיו)

stagnate *vi, vt* עָמַד, קָפָא עַל שְׁמָרָיו

staid *adj* מְיוּשָּׁב

stain *vt, vi* הִכְתִּים; צָבַע

stain *n* כֶּתֶם

stained glass window *n* וִיטְרִינָה

stainless *adj* לֹא חָלִיד

stair *n* מַדרֵגָה

staircase *n* מַעֲרֶכֶת מַדרֵגוֹת

stairwell *n* חֲדַר־מַדרֵגוֹת

stake *n* יָתֵד; עַמּוּד הַמּוֹקֵד; אִינְטֶרֶס; חֵלֶק וְנַחֲלָה

stake *vt* חִיזֵּק; סִימֵּן בִּיתֵדוֹת; סִימֵּר

stale *adj* מְיוּשָּׁן; בָּאוּשׁ; נָדוֹשׁ

stalemate *n* כֶּפֶת; נְקוּדַת־קִיפָּאוֹן

stalk *vi, vt* צָעַד קוֹמְמִיּוּת; הִתְגַּנֵּב בְּעִיקְבוֹת (ציד)

stalk *n* גִּבְעוֹל, קָנֶה

stall *vi, vt* (מנוע) נִשְׁתַּתֵּק; דָּחָה בְּדִבְרֵי הִתְחַמְּקוּת

stall *n* תָּא בְּאוּרְוָה; מוֹשָׁב (באולם התיאטרון)

stallion *n* סוּס־רְבִיעָה

stalwart *adj, n* חָזָק; אֵיתָן; (חבר) מוּשְׁבָּע

stamen *n* אַבְקָן

stamina *n* כּוֹחַ־עֲמִידָה

stammer *vi, vt* גִּמְגֵּם

stammer *n* גִּמגּוּם

stamp *vt, vi* הִטְבִּיעַ (בחותם וכד׳); בִּיֵּל; כָּתַשׁ

stamp *n* בּוּל; תָּוִית; מִטְבָּע; חוֹתָם

stampede *n* מְנוּסַת־תַּבְהֵלָה

stampede *vi, vt* נָס מְנוּסַת־תַּבְהֵלָה; גָּרַם לִמְנוּסַת־תַּבְהֵלָה

stance *n* עֲמִידָה, עֶמְדָּה

stanch *vt, vi* עָצַר; נֶעֱצַר

stanch *adj* נֶאֱמָן, מָסוּר

stand *vi, vt* (stood) עָמַד; עָמַד זָקוּף; סָבַל; עָמַד בִּפְנֵי; הֶעֱמִיד

stand *n* עֲמִידָה; עֶמְדָּה; דּוּכָן

standard *n* דֶּגֶל; תֶּקֶן; רָמָה

standard *adj* תִּקְנִי, סטַנדַרטִי

standardize *vt* תִּקְנֵן, קָבַע תֶּקֶן

standard of living *n* רָמַת־חַיִּים

standard time *n* הַשָּׁעוֹן הָרִשְׁמִי

stand-in *n* מַחֲלִיף

standing *n* עֲמִידָה; עֶמְדָּה

standing *adj* עוֹמֵד; קָבוּעַ, שֶׁל קֶבַע

standing army *n* צְבָא־קֶבַע

standing room *n* מְקוֹמוֹת עֲמִידָה

standpoint *n* נְקוּדַת־מַבָּט

standstill *n* חוֹסֶר תְּנוּעָה, קִיפָּאוֹן

staple *n* סְחוֹרָה עִיקָּרִית; חוֹמֶר יְסוֹדִי; סִיכַּת־חַיִת

staple *adj* עִיקָּרִי

staple *vt* חִיבֵּר בְּסִיכַּת־חַיִת

star *n* כּוֹכָב; מַזָּל

star *adj* מִצְטַיֵּן, מַזְהִיר
star *vt, vi* סִימֵּן בְּכוֹכָב; כִּיכֵּב
starboard *n, adj* צַד יָמִין; יְמָנִי
starch *n, vt* עֲמִילָן; עִמְלֵן
stare *vi, vt* תָּקַע מַבָּט
stare *n* מַבָּט תָּקוּעַ
starfish *n* כּוֹכַב־יָם
stargaze *vi* הִבִּיט בַּכּוֹכָבִים; שָׁקַע בַּהֲזָיוֹת
stark *adj* מוּחלָט; קָשֶׁה, קָשִׁיחַ
stark naked *adj* עָרוֹם לַחֲלוּטִין
starlight *n* אוֹר כּוֹכָבִים
Star of David *n* מָגֵן דָּוִיד
Star-Spangled Banner *n* הַדֶּגֶל הַמְכוּכָּב
start *vt, vi* הִתחִיל; יִיסֵּד; הִפעִיל; הִתנִיעַ; זִינֵּק; יָצָא לַדֶּרֶך
start *n* הַתחָלָה; זִינּוּק; נְתִירָה
starter *n* מַתנֵעַ; מַזנִיק (בּמירוֹץ)
starting *adj* הַתחָלָתִי; מַזנִיק
starting point *n* נְקוּדַּת זִינּוּק
startle *vt, vi* הֶחֱרִיד, הִדהִים
starvation *n* רָעָב
starvation wages *n pl* מַשׂכּוֹרֶת רָעָב
starve *vi, vt* גָּוַע בְּרָעָב; הִרעִיב
state *n* מַצָּב; מְדִינָה
state *adj* שֶׁל הַמְּדִינָה
state *vt* אָמַר, הִצהִיר
State Department *n* מַחְלֶקֶת הַמְּדִינָה
stately *adj* מְפוֹאָר
statement *n* הַצהָרָה; גִּילּוּי־דַּעַת
state of mind *n* מַצַּב־רוּחַ
stateroom *n* אוּלַם־פְּאֵר; תָּא פְּרָטִי (בּרכּבת וכד׳)
statesman *n* מְדִינַאי
static *adj* סטָטִי, נַייָח
static *n* חַשׁמַל סטָטִי
station *n* בָּסִיס; מַעֲמָד; תַּחֲנָה
station *vt* הִצִּיב; שִׁיבֵּץ
stationary *adj, n* נַייָח
stationer *n* מוֹכֵר מַכשִׁירֵי־כְּתִיבָה
stationery *n* מַכשִׁירֵי־כְּתִיבָה
station house *n* תַּחֲנַת מִשׁטָרָה
station identification *n* הִזדַהוּת תַּחֲנַת שִׁידּוּר
stationmaster *n* מְנַהֵל תַּחֲנַת־הָרַכֶּבֶת
statistical *adj* סטָטִיסטִי
statistician *n* סטָטִיסטִיקָן
statistics *n pl* סטָטִיסטִיקָה
statue *n* אַנדַרטָה, פֶּסֶל
statuesque *adj* חָטוּב כְּאַנדַרטָה
stature *n* (שִׁיעוּר) קוֹמָה
status *n* מַעֲמָד, סטָטוּס
status symbol *n* סֵמֶל הַמַּעֲמָד
statute *n* חוֹק
statutory *adj* בַּעַל גוּשפַּנקָה חוּקִית
staunch *adj* נֶאֱמָן, מָסוּר
stave *vt* פָּרַץ פִּרצָה; מָנַע, דָּחָה
stave *n* לִימּוּד (שׁל חבית); חָווּק (שׁל סוּלם); בַּיִת (בּשׁיר)
stay *n* שְׁהִיָּה; עִיכּוּב; (בּרבּים) מָחוֹך
stay *vi, vt* שָׁהָה; נִשׁאַר; עָצַר; הֵלִין
stay-at-home *n, adj* יוֹשֵׁב אוֹהָלִים
stead *n* מָקוֹם
steadfast *adj* יַצִּיב, אֵיתָן
steady *adj* יַצִּיב; סָדִיר; קָבוּעַ
steady *vt, vi* יִיצֵּב; הִתייַצֵּב; הִרגִיעַ
steak *n* אוּמצַת בָּשָׂר, סטֵיק
steal *vt, vi* גָּנַב; הִתגַּנֵּב

stealth *n* הִתגַּנְבוּת, סֵתֶר
steam *n, adj* אֵדֵי מַיִם; שֶׁל קִיטוֹר
steam *vt, vi* אִידָה; פָּלַט אֵדִים
steamboat *n* סְפִינַת־קִיטוֹר
steamer *n* סְפִינַת־קִיטוֹר
steamer trunk *n* מִזווֶדֶת אוֹנִיָּה
steam heat *n* חִימּוּם קִיטוֹר
steam-roller *n* מַכְבֵּשׁ קִיטוֹר
steamship *n* סְפִינַת־קִיטוֹר
steed *n* סוּס
steel *adj, n* (שֶׁל) פְּלָדָה
steel *vt* הִקְשָׁה (לִבּוֹ)
steel wool *n* צֶמֶר־פְּלָדָה
steep *adj* תָּלוּל; מוּפְרָז
steep *vt* הִשְׁרָה
steeple *n* צְרִיחַ
steeplechase *n* מֵירוֹץ מִכשׁוֹלִים
steeplejack *n* מַרקִיעַ צְרִיחִים
steer *vt, vi* נִיוּוֵט, נִיהֵג
steer *n* שׁוֹר צָעִיר
steerage *n* נִיווּט; הַמַּחְלָקָה הַזּוֹלָה
steersman *n* הַגַּאי
stem *n* גֶּזַע; גִּבעוֹל
stem *vt, vi* סָכַר; עָצַר;
יָצָא (מִשּׁוֹרֶשׁ), נָבַע מ...
stench *n* רֵיחַ רַע, סִרחוֹן
stencil *n* שַׁעֲוָנִית; סטֶנסִיל
stencil *vt* שִׁכפֵּל; הֵכִין סטֶנסִיל
stenographer *n* קַצְרָן, קַצְרָנִית
stenography *n* קַצְרָנוּת, סטֵנוֹגרַפִיָה
step *n* צַעַד; מַדרֵגָה; שָׁלָב
step *vi* צָעַד, פָּסַע
stepbrother *n* אָח חוֹרֵג
stepdaughter *n* בַּת חוֹרֶגֶת
stepfather *n* אָב חוֹרֵג
stepladder *n* סוּלַּם מַדרֵגוֹת
stepmother *n* אֵם חוֹרֶגֶת
steppe *n* עֲרָבָה
steppingstone *n* אֶבֶן מִדְרָךְ;
קֶרֶשׁ קְפִיצָה
stepsister *n* אָחוֹת חוֹרֶגֶת
stepson *n* בֵּן חוֹרֵג
stereo *n* אִימָּה, סטֵרֵאוֹטִיפּ
stereotyped *adj* עָשׂוּי מֵאִימָּהוֹת;
שַׁבְּלוֹנִי
sterile *adj* עָקָר; מְעוּקָר; סטֵרִילִי
sterilization *n* עִיקּוּר; סֵירוּס
sterilize *vt* עִיקֵּר; סֵירֵס
sterling *n* שְׁטֶרלִינג
sterling *adj* שֶׁל שְׁטֶרלִינג; מְעוּלֶּה
stern *adj* חָמוּר; קָשׁוּחַ; מַחמִיר
stern *n* יַרְכָתַיִים
stethoscope *n* מַסְכֵּת, סטֶתוֹסקוֹפּ
stevedore *n* סַוּוָר
stevedore *vt, vi* עָסַק בִּמלֶאכֶת סַוָּר
stew *vt, vi* בִּישֵּׁל; הִתבַּשֵּׁל
stew *n* תַּבשִׁיל, נָזִיד
steward *n* מְנַהֵל מֶשֶׁק־בַּיִת; דַּיָּיל
stewardess *n* דַּיֶּילֶת
stewed fruit *n* לִפתַּן־פֵּירוֹת
stick *n* מַקֵּל, מַטֶּה
stick *vt, vi* תָּקַע; נָעַץ; תָּחַב;
הִדבִּיק; נִתקַע; נִדבַּק
sticker *n* דּוֹקֵר; תָּוִוית הַדְבָּקָה
sticking-plaster *n* אִיספְּלָנִית דְּבִיקָה
stickpin *n* סִיכַּת־נוֹי
stick-up *n* שׁוֹד
sticky *adj* דָּבִיק, צָמוֹג
stiff *adj* קָשִׁיחַ, נוּקשֶׁה
stiff *n* (הֲמוֹנִית) גְּווִייָה

stiff collar *n*	צַוָּארוֹן קָשֶׁה
stiffen *vt, vi*	הִקְשָׁה, הִקְשִׁיחַ
stiff-necked *adj*	קְשֵׁה־עוֹרֶף
stiff shirt *n*	חוּלְצָה מְעוּמְלֶנֶת
stifle *vt*	חָנַק; הֶחֱנִיק
stigma *n*	אוֹת־קָלוֹן
stigmatize *vt*	הִדְבִּיק אוֹת־קָלוֹן
stiletto *n*	פִּגְיוֹן דַק
still *adj*	שָׁקֵט, דוֹמֵם
still *n*	תַּצְלוּם דוֹמֵם; מַזְקֵקָה
still *adv*	עוֹד, עֲדַיִין; אַף־עַל־פִּי־כֵן
still *vt*	הִשְׁקִיט, הִשְׁתִּיק
stillborn *adj*	שֶׁנּוֹלַד מֵת
still-life *adj, n*	דוֹמֵם
stilt *n*	קַב; רֶגֶל עֲנָק
stilted *adj*	מוּגְבָּה; מְנוּפָּח
stimulant *adj, n*	מַמְרִיץ; מְגָרֶה
stimulate *vt, vi*	הִמְרִיץ; גֵּירָה
stimulus *n* (*pl* stimuli)	תַּמְרִיץ; גֵּירוּי
sting (stung) *vt, vi*	עָקַץ; הוֹנָה
sting *n*	עוֹקֶץ, עֲקִיצָה
stingy *adj*	קַמְּצָן
stink *vi*	הִסְרִיחַ; עוֹרֵר גוֹעַל
stink *n*	סִרחוֹן; שַׁעֲרוּרִייָּה
stint *vt*	קִימֵּץ בּ...
stint *n*	מִכְסָה; הַגְבָּלָה
stipend *n*	שָׂכָר קָבוּעַ; קִצְבָּה
stipulate *vi, vt*	הִתְנָה
stir *vt, vi*	הֵנִיעַ, עוֹרֵר, הִלְהִיב; נָע
stir *n*	רַעַשׁ, מְהוּמָה, הִתְרַגְּשׁוּת
stirring *adj*	מְעוֹרֵר, מַלְהִיב
stirrup *n*	מִשְׁוֹוֶרֶת
stitch *n*	תַּךְ, תֶּפֶר; כְּאֵב
stitch *vt, vi*	תָּפַר; תִּיפֵּר (עוֹר)
stock *n*	מְלַאי; אִיגְּרוֹת־חוֹב

stock *vt, vi*	צִיֵּיד; הִצְטַיֵּיד
stock *adj*	שִׁגְרָתִי, קָבוּעַ
stockade *n*	מִכְלָאָה מְבוּצֶּרֶת
stock-breeder *n*	מְגַדֵּל בְּהֵמוֹת
stockbroker *n*	סַרסוּר בּוּרְסָה
stock company *n*	חֶבְרַת־מְנָיוֹת
stock exchange *n*	בּוּרְסָה
stockholder *n*	בַּעַל־מְנָיוֹת
Stockholm *n*	שטוקהולם
stocking *n*	גֶּרֶב (ארוך)
stock market *n*	בּוּרְסָה
stockpile *n*	מְלַאי אָגוּר
stock-room *n*	מַחסָן, חֲדַר תְּצוּגָה
stock split *n*	פִּיצּוּל מְנָיוֹת
stocky *adj*	גוּץ וְחָסוֹן
stockyard *n*	מִכְלָאַת בָּקָר
stoic *n, adj*	שׁוֹלֵט בְּרִגְשׁוֹתָיו, סְטוֹאִי
stoke *vt, vi*	סִיפֵּק דֶּלֶק
stoker *n*	מַסִּיק
stolid *adj*	חֲסַר רְגִישׁוּת, חֲסַר הַבָּעָה
stomach *n*	קֵיבָה, בֶּטֶן; תֵּיאָבוֹן
stomach *vt, vi*	בָּלַע, סָבַל
stone *n*	אֶבֶן; גַּלְעִין
stone *vt, vi*	רָגַם, סָקַל; גִּלְעֵן (פרי)
stone-broke *adj*	חֲסַר פְּרוּטָה
stone-deaf *adj*	חֵרֵשׁ גָּמוּר
stonemason *n*	סַתָּת
stone quarry *n*	מַחצָבָה
stony *adj*	אַבְנִי, סַלְעִי
stool *n*	שְׁרַפְרַף; פְּעוּלַּת־קֵיבָה
stoop *vi*	הִתְכּוֹפֵף; הִרְכִּין
stoop *n*	כְּפִיפַת גֵּו; מִרְפֶּסֶת
stoop shouldered *adj*	כְּפוּף־גֵּו
stop *vt, vi*	סָתַם, פָּקַק; עָצַר; חָדַל, נֶעֱמַד; נִשְׁאַר

stop *n* עֲצִירָה; קֵץ; תַּחֲנָה

stopcock *n* בֶּרֶז מַפְסִיק

stopgap *n* פְּקָק, מְמַלֵּא מָקוֹם

stopover *n* שְׁהִיַּת־בֵּינַיִם

stoppage *n* עֲצִירָה; הַפְסָקָה; סְתִימָה

stopper *n* עוֹצֵר; סֶתֶם, פְּקָק

stop-watch *n* שְׁעוֹן־עֶצֶר

storage *n* אַחְסָנָה, אִחסוּן; מַחְסָן

storage battery *n* סוֹלְלַת מַצְבְּרִים

store *n* חֲנוּת; מַחְסָן; כַּמּוּת

store *vt* צִיֵּד; אִחְסֵן; צָבַר

storehouse *n* מַחְסָן; גּוֹרֶן

storekeeper *n* מַחְסְנַאי; חֶנְוָנִי

storeroom *n* חֲדַר אַחְסָנָה

stork *n* חֲסִידָה

storm *n* סְעָרָה

storm *vt, vi* סָעַר, גָּעַשׁ; הִסְתָּעֵר

storm cloud *n* עֲנַן סוּפָה

storm-troops *n pl* פְּלוּגוֹת־סַעַר

stormy *adj* סוֹעֵר, סַעֲרָנִי

story *n* סִיפּוּר; עֲלִילָה

story *vt* סִיפֵּר

storyteller *n* מְסַפֵּר; שַׁקְרָן

stout *adj* אַמִּיץ, עַקְשָׁנִי; נֶאֱמָן; שְׁמַנְמַן

stout *n* שֵׁיכַר־לֶתֶת

stove *n* תַּנּוּר, כִּירָה

stovepipe *n* אֲרוּבַּת תַּנּוּר

stow *vt* הִכְנִיס וְסִידֵּר בְּמַחְסָן; צוֹפֵף בִּיעִילוּת

stowaway *n* נוֹסֵעַ סָמוּי

straddle *vt, vi* עָמַד (אוֹ יָשַׁב) בְּפִישּׂוּק־רַגְלַיִים

straddle *n* עֲמִידָה (אוֹ יְשִׁיבָה) בְּפִישּׂוּק־רַגְלַיִים

strafe *vt* עָרַךְ הַפְצָצָה כְּבֵדָה

straggle *vi* הִזְדַּנֵּב, פִּיגֵּר; הִתְפַּזֵּר

straight *adj* יָשָׁר; הָגוּן, כֵּן

straight *adv* יָשָׁר; בְּמֵישָׁרִין

straighten *vt, vi* יִישֵּׁר; הִתְיַישֵּׁר

straight face *n* מַבָּע רְצִינִי

straightforward *adj* יָשָׁר, כֵּן; בָּרוּר

straight off *adv* מִיָּד, מִנֵּיהּ וּבֵיהּ

straight razor *n* תַּעַר

straightway *adv* תֵּיכֶף וּמִיָּד

strain *vt, vi* מָתַח; אִימֵּץ; הִתְאַמֵּץ; סִינֵּן

strain *n* מֶתַח; מְתִיחוּת; גֶּזַע; נִימָה

strained *adj* מָתוּחַ; מְסוּנָּן

strainer *n* מִתְאַמֵּץ; מְסַנֶּנֶת

strait *n* מֵיצַר; מְצוּקָה

strait-jacket *n* מְעִיל־מְשׁוּגָּעִים

strait-laced *adj* טַהֲרָנִי, פּוּרִיטָנִי

strand *n* גְּדִיל; נִימָה; גָּדָה

strand *vt, vi* הֶעֱלָה (אוֹ עָלָה) עַל שִׂרְטוֹן אוֹ עַל חוֹף

stranded *adj* נֶעֱזָב, תָּקוּעַ

strange *adj* זָר; מוּזָר

stranger *n* זָר, נוֹכְרִי

strangle *vt* חִינֵּק

strap *n* רְצוּעָה

strap *vt* קָשַׁר (אוֹ הִלקה) בִּרְצוּעָה

straphanger *n* נוֹסֵעַ בַּעֲמִידָה

stratagem *n* תַּכְסִיס

strategic, strategical *adj* אַסטְרָטֶגִי

strategist *n* אַסטְרָטֶג

strategy *n* אַסטְרָטֶגְיָה

stratify *vt* רִיבֵּד

stratosphere *n* סְטְרָטוֹסְפֵירָה

stratum *n* שִׁכְבָה

straw *n, adj* קַשׁ, תֶּבֶן

strawberry *n* תּוּת־שָׂדֶה
straw man *n* כְּלִי־שָׁרֵת; עֵד־שֶׁקֶר
stray *vi* תָּעָה
stray *n, adj* תּוֹעֶה; פָּזוּר
streak *n* קַו, פַּס; קַו אוֹפִי
streak *vt, vi* פִּסְפֵּס, סִימֵּן בְּפַסִּים
stream *n* זֶרֶם; נַחַל
stream *vi* נָהַר, זָרַם, זָלַג
streamer *n* נֵס, דֶּגֶל; טְרַנְסְפָּרֶנְט; כּוֹתֶרֶת רָאשִׁית
streamlined *adj* זָרִים, זְרִימָנִי
street *n* רְחוֹב
streetcar *n* חַשְׁמַלִּית
street floor *n* קוֹמַת־קַרְקַע
street sprinkler *n* מַזְלֵף רְחוֹבוֹת
streetwalker *n* יַצְאָנִית
strength *n* כּוֹחַ; חוֹזֶק, תֶּקֶן
strengthen *vt, vi* חִיזֵּק; הִתְחַזֵּק
strenuous *adj* מְאוּמָּץ; נִמְרָץ
stress *n* הַדְגָּשָׁה, הַטְעָמָה; לַחַץ
stress *vt* הִדְגִּישׁ, הִטְעִים
stretch *vt, vi* מָתַח; הִתְמַשֵּׁךְ
stretch *n* מֶשֶׁךְ; רֶצֶף; מֶרְחָק; מִשְׁטָח; (המונית) תְּקוּפַת מַאֲסָר
stretcher *n* אֲלוּנְקָה; סָמוֹךְ
stretcher-bearer *n* אֲלוּנְקַאי
strew *vt* פִּיזֵּר, זָרָה
stricken *adj* מוּכֶּה, נָגוּעַ
strict *adj* חָמוּר, קַפְּדָן; מְדוּיָּק
stricture *n* בִּיקּוֹרֶת
stride *vi* פָּסַע (פסיעה גסה)
stride *n* פְּסִיעָה גַּסָּה
strident *adj* צוֹרְמָנִי, צוֹרְחָנִי
strife *n* מְרִיבָה, סִכְסוּךְ
strike *vt, vi* הִכָּה, הִתְקִיף; שָׁבַת; עָשָׂה רוֹשֶׁם
strike *n* שְׁבִיתָה; גִּילּוּי; הַתְקָפָה
strikebreaker *n* מֵפֵר שְׁבִיתָה
striker *n* שׁוֹבֵת; מַכֶּה
striking *adj* מַרְשִׁים
striking power *n* כּוֹחַ הוֹלֵם
string *n* חוּט; מֵיתָר; מַחֲרוֹזֶת
string *vt* קָשַׁר; קָבַע מֵיתָר; הִידֵּק
string bean *n* שְׁעוּעִית יְרוּקָּה
stringed instruments *n pl* כְּלֵי־מֵיתָר
stringent *adj* חָמוּר, קַפְּדָנִי
string quartet *n* רְבִיעִיַּת כְּלֵי־מֵיתָר
strip *vt, vi* הִפְשִׁיט, פָּשַׁט; חָשַׂף; הִתְפַּשֵּׁט
strip *n* רְצוּעָה, סֶרֶט
stripe *n* פַּס; סִימַן דַּרְגָּה
strive *vi* חָתַר
stroke *n* מַכָּה; פְּעִימָה; שָׁבָץ; לְטִיפָה
stroke *vt* לִיטֵּף; חָתַר
stroll *vi* הָלַךְ בְּנַחַת
stroll *n* טִיּוּל קָצָר בְּנַחַת
strong *adj* חָזָק, עַז; יַצִּיב; חָרִיף
strongbox *n* כַּסֶּפֶת
strong drink *n* מַשְׁקֶה חָרִיף
stronghold *n* מִבְצָר
strong-minded *adj* שֶׁמּוֹחוֹ הֶגְיוֹנִי
strontium *n* סטרוֹנְצְיוּם
strop *n* רְצוּעַת־הַשְׁחָזָה
strop *vt* הִשְׁחִיז (בִּרְצוּעָה)
strophe *n* סטרוֹפָה
structure *n* מִבְנֶה
struggle *vi* נֶאֱבַק; הִתְלַבֵּט
struggle *n* מַאֲבָק; הִתְלַבְּטוּת
strum *vt, vi* פִּרְפֵּט, פָּרַט

strumpet *n* זוֹנָה
strut *vt* הָלַךְ בִּתְנוּעָה שַׁחֲצָנִית
strut *n* תְּמוּכָה
strychnin(e) *n* סטרִיכנִין
stub *n* שְׁאֵרִית; גֶּדֶם; זָנָב
stubble *n* שֶׁלֶף; שֵׂיעָר עַל פָּנִים
stubborn *adj* קְשֵׁה־עוֹרֶף, עַקְשָׁן
stucco *n* טִיחַ־הַתִּזָּה
stuck-up *adj* מְנוּפָּח, יָהִיר
stud *n* מַסמֵר, גוּלָּה; חַוַּת סוּסִים
stud *vt* שִׁיבֵּץ; זָרַע
studbook *n* סֵפֶר־יוֹחֲסִין (שֶׁל סוּסִים)
student *n* סטוּדֶנט; חוֹקֵר
student body *n* צִיבּוּר סטוּדֶנטִים
stud-horse *n* סוּס־רְבִיעָה
studied *adj* מְכוּוָּן, מְחוּשָּׁב
studio *n* אוּלְפָּן; חֲדַר־עֲבוֹדָה
studious *adj* שַׁקְדָן בְּלִימוּדִים
study *n* לִימוּד; חֵקֶר, חֲדַר־עֲבוֹדָה
study *vt, vi* לָמַד; חָקַר; עִיֵּן בּ...
stuff *n* חוֹמֶר; אָרִיג; דְּבָרִים
stuff *vt, vi* דָּחַס, גָּדַשׁ; מִילֵּא; פִּיטֵּם
stuffing *n* מִילּוּי, מְלִית
stuffy *adj* מַחֲנִיק; מְעוּפָּשׁ; צַר־אוֹפֶק
stumble *vi* מָעַד, נִכְשַׁל
stumbling-block *n* אֶבֶן־נֶגֶף
stump *n* גֶּדֶם; זָנָב
stump *vt, vi* הָלַךְ בִּצְעָדִים כְּבֵדִים; עָרַךְ מַסַּע נְאוּמִים
stump speaker *n* נוֹאֵם רְחוֹב
stun *vt* הָמַם
stunning *adj* יָפֶה לְהַפלִיא; מַדהִים
stunt *vt, vi* עָצַר גִּידּוּל; בִּיצֵּעַ תְּצוּגָה נוֹעֶזֶת
stunt *n* לַהֲטוּט
stunt flying *n* טִיסַת לַהֲטוּטִים
stupefy *vt* טִמטֵם, הִקהָה
stupendous *adj* עָצוּם, כַּבִּיר
stupid *adj* אֱוִילִי, טִיפְּשִׁי
stupor *n* הִימּוּם, טִמטוּם־חוּשִׁים
sturdy *adj* חָסוֹן; נִמרָץ
sturgeon *n* חִדקָן
stutter *vt, vi* גִּמגֵם
stutter *n* גִּמגוּם
sty *n* דִּיר חֲזִירִים
style *n* סִגנוֹן; אוֹפנָה
style *vt* כִּינָּה
stylish *adj* אֶלֶגַנטִי, לְפִי הָאוֹפנָה
styptic pencil *n* עִיפָּרוֹן עוֹצֵר דָּם
Styx *n* סטִיקס
suave *adj* נְעִים־הֲלִיכוֹת
subaltern *adj, n* נְחוּת־דַּרגָה
subconscious *adj, n* תַּת־הַכָּרָתִי; תַּת־הַכָּרָה
subconsciousness *n* תַּת־מוּדָע, תַּת־הַכָּרָה
subdivide *vt, vi* חִילֵּק (הִתחַלֵּק) חֲלוּקַת־מִשׁנֶה
subdue *vt* הִדבִּיר; רִיכֵּךְ; עִמעֵם
subheading *n* כּוֹתֶרֶת־מִשׁנֶה
subject *n* נוֹשֵׂא; נָתִין; מִקצוֹעַ
subject *adj* נָתוּן; כָּפוּף; מוּתנֶה
subject *vt* הִכנִיעַ; חָשַׂף ל...
subjection *n* הַכנָעָה; חִישּׂוּף
subjective *adj* סוּבּייֶקטִיבִי; נוֹשְׂאִי
subject matter *n* תּוֹכֶן
subjugate *vt* שִׁיעבֵּד, הִכנִיעַ
subjunctive *adj, n* דֶּרֶךְ הָאִיווּי
sublet *vt* הִשׂכִּיר שְׂכִירוּת־מִשׁנֶה
submachine-gun *n* תַּת־מַקלֵעַ

submarine *adj, n* תַּת־מֵימִי; צוֹלֶלֶת
submerge *vt, vi* שִׁיקֵּעַ, טִיבֵּעַ; צָלַל
submission *n* כְּנִיעָה; הַכְנָעָה
submissive *adj* צַיְיתָן
submit *vt, vi* הִגִּישׁ; טָעַן; חָשַׂף; נִכְנַע
subordinate *adj, n* נָחוּת; כָּפוּף, מִשְׁנִי
subordinate *vt* שִׁעְבֵּד
subplot *n* עֲלִילַת־מִשְׁנֶה
subpoena, subpena *n* הַזְמָנָה לְבֵית־מִשְׁפָּט
sub rosa *adv* בַּחֲשַׁאי
subscribe *vi, vt* חָתַם; תָּמַךְ; תָּרַם; הָיָה מָנוּי
subscriber *n* מָנוּי; חָתוּם
subsequent *adj* בָּא אַחֲרֵי־כֵן
subservient *adj* מִתְרַפֵּס
subside *vi* שָׁקַע; שָׁכַךְ
subsidize *vt* סִבְסֵד
subsidy *n* סוּבְּסִידְיָה, מַעֲנָק
subsist *vi* הִתְקַיֵּים, חַי
subsistence *n* קִיוּם, מִחְיָה
subsonic *adj* תַּתקוֹלִי
substance *n* חוֹמֶר; עִיקָר; מַמָּשׁוּת
substandard *adj* תַּת־תִּקְנִי
substantial *adj* יְסוֹדִי; מַמָּשִׁי; נִיכָּר
substantiate *vt* אִימֵּת, בִּיסֵּס
substantive *adj* בַּעַל יֵשׁוּת עַצְמָאִית
substantive *n* שֵׁם־עֶצֶם
substation *n* תַּחֲנַת־מִשְׁנֶה
substitute *n* תַּחֲלִיף; מְמַלֵּא מָקוֹם
substitute *vt, vi* שָׂם בִּמְקוֹם, הֶחֱלִיף
substitution *n* הַחֲלָפָה, הֲמָרָה
subterranean *adj* תַּת־קַרְקָעִי; מַחְתַּרְתִּי
subtitle *n* כּוֹתֶרֶת מִשְׁנֶה; תַּרְגּוּם בְּגוּף סֶרֶט
subtle *adj* דַּק בְּיוֹתֵר; בַּעַל הַבְחָנָה; שָׁנוּן
subtlety *n* דַּקּוּת; הַבְחָנָה דַקָּה; שְׁנִינוּת
subtract *vt* חִיסֵּר
suburb *n* פַּרְבָּר
subvention *n* סוּבְּסִידְיָה, מַעֲנָק
subversive *adj* חַתְרָנִי
subvert *vt* עִרְעֵר; גָּרַם לְהַפָּלָה
subway *n* רַכֶּבֶת תַּחְתִּית; מַעֲבָר תַּת־קַרְקָעִי
succeed *vt, vi* בָּא בִּמְקוֹם; הִצְלִיחַ
success *n* הַצְלָחָה
successful *adj* מַצְלִיחַ, מוּצְלָח
succession *n* סִדְרָה; רְצִיפוּת; יְרוּשָּׁה
successive *adj* רָצוּף
succor *n, vt* עֶזְרָה, תְּמִיכָה; עָזַר
succumb *vi* נִכְנַע; מֵת
such *adj, pron* כָּזֶה; שֶׁכָּזֶה
suck *vt, vi* מָצַץ, יָנַק
suck *n* מְצִיצָה, יְנִיקָה
sucker *n* יוֹנֵק; (הֲמוֹנִית) פֶּתִי
suckle *vt* הֵינִיקָה
suckling *n* יוֹנֵק, עוֹלָל
suckling pig *n* חֲזִירוֹן
suction *n* יְנִיקָה; שְׁאִיבָה
sudden *adj, n* פִּתְאוֹמִי; פִּתְאוֹמִיּוּת
suds *n pl* קֶצֶף סַבּוֹן
sue *vt, vi* תָּבַע לְדִין; הִפְצִיר
suède *n* עוֹר מְמוֹרָט
suet *n* חֵלֶב (שֶׁל בְּהֵמוֹת)
suffer *vi, vt* סָבַל; הִרְשָׁה
sufferance *n* סוֹבְלָנוּת, חֶסֶד
suffering *n* סֵבֶל
suffice *vi, vt* הָיָה דַּי

sufficient *adj* מַספִּיק, דַיּוֹ, סוֹפִית
suffix *n, vt* (הוֹסִיף) סִיּוֹמֶת
suffocate *vt, vi* חָנַק; נֶחֱנַק
suffrage *n* זְכוּת הַצְבָּעָה; הַסכָּמָה
suffragette *n* סוּפרָזִ׳יסטִית
suffuse *vt* פִּעפֵּעַ; כִּיסָּה
sugar *n* סוּכָּר
sugar-beet *n* סֶלֶק־סוּכָּר
sugar-bowl *n* מִסכֶּרֶת
sugar-cane *n* קְנֵה־סוּכָּר
suggest *vt* הֶעֱלָה עַל הַדַּעַת; הִצִּיעַ
suggestion *n* הַצָּעָה
suggestive *adj* מְרַמֵּז
suicide *n* הִתאַבְּדוּת; מִתאַבֵּד
suit *n* חֲלִיפָה; תְּבִיעָה
suit *vt, vi* הִתאִים, הָלַם
suitable *adj* מַתאִים, הוֹלֵם
suitcase *n* מִזווָדָה
suite *n* פָּמַליָה; מַעֲרֶכֶת; סוּוִיטָה
suiting *n* אָרִיג לַחֲלִיפוֹת
suit of clothes *n* חֲלִיפָה
suitor *n* בַּעַל־דִין; מְחַזֵּר
sulfa drugs *n pl* תְּרוּפוֹת סוּלפָה
sulfate, sulphate *n, adj* גוֹפרָה
sulfur, sulphur *n* גוֹפרִית
sulfuric *adj* גוֹפרָתִי
sulfurous *adj* גוֹפרִיתִי
sulk *vi, n* שָׁתַק וְזָעַם; שְׁתִיקַת רוֹגֶז
sulky *adj* מְרוּגָּז וְשׁוֹתֵק
sullen *adj* קוֹדֵר וְעוֹיֵן; כָּבֵד
sully *vt* הִכתִּים, טִימֵּא
sultan *n* שׁוּלטָן
sultry *adj* חַם וּמַחֲנִיק, לוֹהֵט
sum *n* סְכוּם; סַך־הַכּוֹל
sum *vt, vi* סִיכֵּם
summarize *vt* תִּמצֵת
summary *adj* מַקִּיף; מָהִיר, מְזוֹרָז
summary *n* תַּקצִיר, סִיכּוּם
summer *n* קַיִץ
summer *adj* קֵיצִי
summer resort *n* מְקוֹם קַיִט
summersault *n* סַלטָה, דוּ־סֶבֶב
summersault *vi* עָשָׂה סַלטָה, עָשָׂה דוּ־סֶבֶב
summer school *n* שִׁיעוּרֵי קַיִץ
summery *adj* קֵיצִי
summit *n* פִּסגָה
summon *vt* צִיוָּה לְהוֹפִיעַ
summons *n* הַזמָנָה (להופיע בבית־משפט)
summons *vt* שָׁלַח הַזמָנָה (כנ״ל)
sumptuous *adj* הָדוּר, מְפוֹאָר
sun *n* שֶׁמֶשׁ
sun-bath *n* אַמבַּט־שֶׁמֶשׁ
sunbeam *n* קֶרֶן שֶׁמֶשׁ
sunbonnet *n* כּוֹבַע שֶׁמֶשׁ
sunburn *n* שִׁיזּוּף; הִשׁתַּזְּפוּת
sunburn *vt, vi* שִׁיזֵּף; הִשׁתַּזֵּף
sundae *n* גְלִידַת פֵּירוֹת
Sunday *n* יוֹם א׳, יוֹם רִאשׁוֹן
Sunday best *n* בִּגדֵי שַׁבָּת
Sunday school *n* בֵּית־סֵפֶר שֶׁל יוֹם א׳
sunder *vt* הִפרִיד, נִיתֵּק
sundial *n* שְׁעוֹן שֶׁמֶשׁ
sundown *n* שְׁקִיעַת הַחַמָּה
sundries *n pl* שׁוֹנוֹת
sundry *adj* שׁוֹנִים
sunflower *n* חַמָּנִית
sunglasses *n pl* מִשׁקְפֵי־שֶׁמֶשׁ

sunken *adj* שָׁקוּעַ
sun-lamp *n* מְנוֹרָה כְּחוּלָּה
sunlight *n* אוֹר שֶׁמֶשׁ
sunlit *adj* מוּצָף שֶׁמֶשׁ
sunny *adj* מוּצָף שֶׁמֶשׁ; עַלִּיז
sunrise *n* זְרִיחַת הַשֶּׁמֶשׁ
sunset *n* שְׁקִיעַת־הַחַמָּה
sunshade *n* סוֹכֵךְ, שִׁמְשִׁיָּה
sunshine *n* אוֹר שֶׁמֶשׁ
sunspot *n* כֶּתֶם שֶׁמֶשׁ
sunstroke *n* מַכַּת שֶׁמֶשׁ
sup *vi* אָכַל אֲרוּחַת־עֶרֶב
superannuated *adj* הוֹעֲבַר לְקִצְבָּה; הוּצָא מִשִּׁימּוּשׁ כְּמְיוּשָּׁן
superb *adj* עִילָּאִי
supercargo *n* מְמוּנֶּה עַל הַמִּטְעָן
supercharge *vt* הִגְדִּישׁ
supercilious *adj* מִתְנַשֵּׂא
superficial *adj* שִׁטְחִי
superfluous *adj* מְיוּתָּר
superhuman *adj* עַל־אֱנוֹשִׁי
superimpose *vt* הוֹסִיף עַל גַּבֵּי
superintendent *n* מְפַקֵּחַ; (בְּמִשְׁטָרָה) רַב־פַּקָּד
superior *adj* גָּבוֹהַּ יוֹתֵר; טוֹב יוֹתֵר; יָהִיר
superior *n* מְמוּנֶּה עַל רֹאשׁ מִנְזָר
superiority *n* עֶלְיוֹנוּת, עֲדִיפוּת
superlative *adj* עִילָּאִי
superlative *n* הַפְרָזָה, הַפְלָגָה
superman *n* אָדָם עֶלְיוֹן
supermarket *n* שׁוּפֶרְסַל, כּוֹל בּוֹ
supernatural *adj* עַל־טִבְעִי
supersede *vt* בָּא בִּמְקוֹם
supersonic *adj* עַלְקוֹלִי
superstitious *adj* מַאֲמִין בֶּאֱמוּנוֹת טְפֵלוֹת
supervene *vt* קָרָה בְּמַפְתִּיעַ
supervise *vt, vi* פִּיקֵּחַ, הִשְׁגִּיחַ
supervisor *n* מְפַקֵּחַ, מַשְׁגִּיחַ
supper *n* אֲרוּחַת־עֶרֶב
supplant *vt* תָּפַס מְקוֹם
supple *adj* כָּפִיף, גָּמִישׁ; סָגִיל
supplement *n* תּוֹסֶפֶת; (בְּעִיתּוֹן) מוּסָף
supplement *vt* הִשְׁלִים, הוֹסִיף
suppliant, supplicant *n, adj* מִתְחַנֵּן
supplication *n* תְּחִינָּה
supply *vt* סִיפֵּק, צִיֵּיד; מִלֵּא
supply *n* הַסְפָּקָה; מְלַאי; הֶיצֵּעַ
supply and demand *n* הֶיצֵּעַ וּבִיקּוּשׁ
support *vt* תָּמַךְ; סָמַךְ; פִּרְנֵס
support *n* תְּמִיכָה; תּוֹמֵךְ; סָמוֹךְ
supporter *n* תּוֹמֵךְ
suppose *vt, vi* הִנִּיחַ, שִׁיעֵר, סָבַר
supposed *adj* חַיָּב; מְשׁוֹעָר
supposition *n* הַנָּחָה, סְבָרָה, הַשְׁעָרָה
suppository *n* פְּתִילָה, נֵר
suppress *vt* דִּיכֵּא, שָׂם קֵץ; הִסְתִּיר
suppression *n* דִּיכּוּי; הַעְלָמָה
suppurate *vi* מִיגֵּל
supreme *adj* עֶלְיוֹן; עִילָּאִי
supt. *abbr* superintendent
surcharge *vt* דָּרַשׁ תַּשְׁלוּם נוֹסָף
surcharge *n* מִטְעָן נוֹסָף; תַּשְׁלוּם נוֹסָף
sure *adj, adv* בָּטוּחַ, וַדַּאי; בְּוַדַּאי
sure thing *n* סִיכּוּי לְלֹא סִיכּוּן
surety *n* עָרֵב; עֵירָבוֹן
surf *n* דָּכִי, נַחְשׁוֹלִים מִשְׁתַּבְּרִים
surface *vt, vi* לִיטֵּשׁ, צִיפָּה; עָלָה (עַל פְּנֵי הַמַּיִם)

surface *n, adj* שֶׁטַח, מִשְׁטָח; שִׁטְחִי
surfboard *n* מִגְרֶרֶת־גַּלִּים
surfeit *n* הַפְרָזָה, זְלִילָה
surfeit *vt, vi* הֶאֱכִיל בְּהַפְרָזָה; זָלַל
surge *n* גַּל, גַּלִּים
surge *vi* נָע כְּגַל, הִתְנוֹדֵד
surgeon *n* מְנַתֵּחַ, כִּירוּרג
surgery *n* כִּירוּרגְיָה
surgical *adj* כִּירוּרגִי
surly *adj* חֲמוּץ פָּנִים, גַּס
surmise *n* נִיחוּשׁ, סְבָרָה
surmise *vt, vi* נִיחֵשׁ
surmount *vt* הִתְגַּבֵּר עַל
surname *n* שֵׁם־מִשְׁפָּחָה
surpass *vt* עָלָה עַל
surplice *n* גְלִימָה
surplus *n, adj* עוֹדֶף; עוֹדֵף
surprise *vt* הִפְתִּיעַ
surprise *n* הַפְתָּעָה; תְּמִיהָה
surprising *n* מַפְתִּיעַ
surrender *vt, vi* הִסְגִּיר; נִכְנַע
surrender *n* כְּנִיעָה
surreptitious *adj* חֲשָׁאִי
surround *vt* הִקִּיף; כִּיתֵּר
surrounding *n* סְבִיבָה
surtax *n* מַס־יֶסֶף
surveillance *n* הַשְׁגָּחָה
survey *vt, vi* סָקַר, מָדַד
survey *n* סֶקֶר, סְקִירָה; מְדִידָה
surveyor *n* מוֹדֵד
survival *n* שְׂרִידָה
survive *vi, vt* שָׂרַד, נִשְׁאַר בַּחַיִּים;
 הִמְשִׁיךְ לִחְיוֹת אַחֲרֵי
survivor *n* שָׂרִיד
susceptible *adj* נִיתָּן ל...; מִתְרַשֵּׁם בְּנָקֵל

suspect *vt* חָשַׁד
suspect *adj, n* חָשׁוּד
suspend *vt, vi* תָּלָה; דָּחָה;
 בִּיטֵּל זְמַנִּית; הִשְׁעָה
suspenders *n pl* כְּתֵפוֹת
 (למכנסיים); בִּירִיּוֹת (לגרביים)
suspense *n* מֶתַח, מְתִיחוּת; אִי־וַדָּאוּת
suspension bridge *n* גֶּשֶׁר תָּלוּי
suspicion *n* חֲשָׁד; קוֹרטוֹב
suspicious *adj* חוֹשֵׁד, מְעוֹרֵר חֲשָׁד
sustain *vt* נָשָׂא, קִיֵּם; תָּמַךְ; אִימֵּת
sutler *n* רוֹכֵל
swab *n* מַטְלִית, סְפוֹגִית
swab *vt* נִיקָּה (במטלית)
swaddling clothes *n pl* חִיתּוּלִים
swagger *vi* נָע בְּהִילּוּךְ מִתְרַבְרֵב
swagger *n* הִילּוּךְ מִתְרַבְרֵב
swain *n* כַּפְרִי צָעִיר; מְאַהֵב
swallow *n* סְנוּנִית; בְּלִיעָה, לְגִימָה
swallow *vt* בָּלַע
swallow wort *n* חַנָּק
swamp *n* בִּיצָּה
swamp *vt, vi* הֵצִיף
swan *n* בַּרְבּוּר
swank *n* הִתְגַּנְדְּרוּת; גַּנְדְּרָן
swank *vi* הִתְגַּנְדֵּר
swan's-down *n* נוֹצַת בַּרְבּוּר
swap *vt, vi* (המונית) הֶחֱלִיף; הִתְחַלֵּף
swap *n* הַחֲלָפָה, חִילּוּפִים
swarm *n* עֵדָה (של דבורים),
 לַהֲקָה; הָמוֹן
swarm *vi* נִקְהַל; שָׁרַץ; מָלֵא וְגָדוּשׁ
swarthy *adj* שְׁחַרְחַר
swashbuckler *n* רַבְרְבָן; מַטִּיל אֵימִים
swastika *n* צְלָב־קֶרֶס

swat *vt* הִכָּה מַכָּה זְרִיזָה
sway *vi, vt* הִתְנַדְנֵד; הִיסֵּס; נִדְנֵד; הִטָּה; הִשְׁפִּיעַ עַל
sway *n* נִעְנוּעַ; שְׁלִיטָה
swear *vi, vt* נִשְׁבַּע; גִּידֵּף; הִשְׁבִּיעַ
sweat *vi, vt* הִזִּיעַ
sweat *n* זֵיעָה
sweater *n* אֲפוּדָּה
sweaty *adj* מַזִּיעַ; גּוֹרֵם הֲזָעָה
Swede *n* שְׁוֶודִי
Sweden *n* שְׁוֶודְיָה
sweep *vi, vt* נָע בִּתְנוּפָה; גָּרַף, סָחַף; טִאטֵא
sweep *n* טִאטוּא; סְחִיפָה; טְוָוח; תְּנוּפָה; מְנַקֵּה אֲרוּבּוֹת
sweeper *n* מְטַאטֵא
sweeping *adj, n* כּוֹלְלָנִי; טִאטוּא
sweepstake(s) *n* הַגְרָלָה
sweet *adj* מָתוֹק; עָרֵב
sweet *n* מַמְתָּק, סוּכָּרִיָּיה
sweetbread *n* לַבְלָב
sweetbrier *n* וֶרֶד אֶגְלַנְטִין
sweeten *vt, vi* הִמְתִּיק; מִיתֵּן
sweetheart *n* אָהוּב, אֲהוּבָה
sweet marjoram *n* אֲזוֹבִית
sweetmeat *n* סוּכָּרִיָּיה, מַמְתָּק
sweet pea *n* אֲפוּנָה רֵיחָנִית
sweet potato *n* בָּטָטָה
sweet-scented *adj* רֵיחָנִי
sweet toothed *adj* אוֹהֵב מַמְתַּקִּים
sweet william *n* צִיפּוֹרֶן צְפוּפָה
swell *vi, vt* תָּפַח, גָּאָה; נִיפַּח, הִגְבִּיר
swell *n* תְּפִיחוּת; (דיבורית) אָדָם חָשׁוּב
swell *adj* נָאֶה, מְהוּדָּר (דיבורית)
swelter *vi* נָמַק; הָיָה חַלָּשׁ (מחום)

swerve *vi, vt* פָּנָה, סָטָה; הִפְנָה, הִסְטָה
swerve *n* סְטִיָּיה
swift *adj, adv* מָהִיר; מַהֵר
swig *vt, vi* (המונית) לָגַם (מהבקבוק)
swig *n* לְגִימָה גְדוֹלָה (כנ״ל)
swill *vt, vi* שָׁטַף (במים); שָׁתָה בְּגַסּוּת
swill *n* שְׁטִיפָה; שְׁפוֹכֶת
swim *vi* שָׂחָה; הָיָה שָׁטוּף; הָיָה סְחַרְחַר
swim *n* שְׂחִיָּיה; זֶרֶם הָעִנְיָנִים
swimmer *n* שַׂחְיָן
swimming-pool *n* בְּרֵיכַת שְׂחִיָּיה
swim-suit *n* בֶּגֶד־יָם
swindle *vt, vi* הוֹנָה, רִימָּה
swindle *n* הוֹנָאָה, רַמָּאוּת, תַּרְמִית
swine *n* חֲזִיר
swing *vi, vt* הִתְנַעֲנֵעַ, הִתְנַדְנֵד; נִעְנַע, נִדְנֵד; רָקַד סווינג; (המונית) נִתְלָה
swing *n* נִעְנוּעַ; תְּנוּפָה
swing door *n* דֶּלֶת מְטוּטֶלֶת
swinish *adj* חֲזִירִי
swipe *n* חֲבָטָה פְּרָאִית; נִיסָּיוֹן לַחְבּוֹט
swipe *vt* חָבַט, הִכָּה; נִיסָּה לַחְבּוֹט; (המונית) גָּנַב
swirl *vi, vt* הִתְעַרְבֵּל
swish *vi* נָע בְּרַעַשׁ שׁוֹרֵק
swish *n* רַעַשׁ שׁוֹרֵק
Swiss *adj, n* שְׁוֵיצִי
switch *n* מֶתֶג; שַׁרְבִיט; הַחֲלָפָה; הַעְתָּקָה (רכבת)
switch *vt* מִיתֵּג; הֶחֱלִיף
switchback *n* מְסִילַּת עֲקַלָּתוֹן
switchboard *n* (בטלפון) רַכֶּזֶת
switching engine *n* קַטַּר עִיתּוּק
switchman *n* עַתָּק (רכבות)

switchyard *n* מִגרַשׁ עִיתּוּק (לרכּבוֹת)
Switzerland *n* שְׁוַיְץ
swivel *n* סְבִיבוֹל
swivel *vi, vt* הִסתּוֹבֵב (אוֹ סוֹבֵב) עַל סְבִיבוֹל
swivel chair *n* כִּיסֵּא מִסתּוֹבֵב
swoon *vi, n* הִתעַלֵּף; הִתעַלְּפוּת
swoop *vi* עָט
swoop *n* עִיטָה; חֲטִיפָה בְּמַחִי־יָד
sword *n* חֶרֶב, סַיִף
swordfish *n* דַג־הַחֶרֶב
sword rattling *n* נִפנוּף חֲרָבוֹת
swordsman *n* סַיָּף
sword thrust *n* מַדקְרוֹת חֶרֶב
sycophant *adj* חַנפָן
sycosis *n* דַבלֶלֶת
syllable *n* הֲבָרָה
syllabus *n* תּוֹכנִית לִימוּדִים
syllogism *n* סִילוֹגִיזם
sylph *n* נַעֲרָה תְּמִירָה וְקַלַּת־תְּנוּעָה
symbol *n* סֶמֶל; סִימָן (במתימטיקה)
symbolic(al) *adj* סִמלִי
symbolize *vt* סִימֵּל
symmetric(al) *adj* סִימֶטרִי
sympathetic *adj* אוֹהֵד, מַבִּיעַ אַהֲדָה; מִשׁתַּתֵּף בְּצַעַר
sympathize *vi* אָהַד; הִשׁתַּתֵּף בְּצַעַר
sympathy *n* אַהֲדָה; הִשׁתַּתְּפוּת בְּצַעַר

symphonic *adj* סִימפוֹנִי
symphony *n* סִימפוֹנִיָה
symposium *n* סִימפּוֹזיוֹן, רַב־שִׂיחַ
symptom *n* סִימַן מַחֲלָה
synagogue *n* בֵּית־כְּנֶסֶת
synchronize *vi, vt* הִתרַחֵשׁ כְּאַחַת; סִנכְּרֵן
synchronous *adj* סִינכּרוֹנִי, מְתוֹאָם
syndicate *n* סִינדִיקָט; הִתאַגְּדוּת
syndicate *vt, vi* אִיגֵּד; הֵפִיץ דֶרֶךְ אִיגּוּד
synonym *n* שֵׁם נִרדָף
synonymous *adj* סִינוֹנִימִי, נִרדָף
synopsis *n* תַּמצִית, תַּקצִיר
syntax *n* תַּחבִּיר
synthesis *n* סִינתֶּזָה
synthetic(al) *adj* סִינתֶּטִי; מְלָאכוּתִי
syphilis *n* עַגֶּבֶת
Syria *n* סוּרְיָה
Syriac *adj, n* סוּרִי; סוּרִית
Syrian *adj, n* סוּרִי
syringe *n* מַזרֵק
syringe *vt* הִזרִיק
syrup, sirup *n* סִירוֹפּ
system *n* שִׁיטָה; מַעֲרֶכֶת
systematic *adj* שִׁיטָתִי; שֶׁל מִיוּן
systematize *vt* הִנהִיג שִׁיטָה; הָפַךְ לְשִׁיטָה
systole *n* הִתכַּוְּצוּת הַלֵּב

T

T, t טִי (האות העשׂרים באלפבית)

tab *n* דַּשׁ; תָּוִית; תָּג (שׁל קצין)

tabby *n* מֶשִׁי גַּלִּי; חֲתוּלָה; בְּתוּלָה זְקֵנָה

tabernacle *n* סוּכָּה; מִשְׁכָּן (שׁל בני ישׂראל במדבר)

table *n* שׁוּלְחָן; לוּחַ; טַבְלָה

table *vt* עָרַךְ טַבְלָאוֹת; דָּחָה דִּיּוּן; הִנִּיחַ עַל הַשּׁוּלְחָן

tableau *n* תְּמוּנָה חַיָּה

tablecloth *n* מַפַּת שׁוּלְחָן

table d'hote *n* אֲרוּחָה אֲחִידָה

tableland *n* הַר טַבְלָה

table linen *n* אֲרִיגֵי שׁוּלְחָן

table manners *n pl* נִימוּסֵי שׁוּלְחָן

Tables of the Covenant *n pl* לוּחוֹת הַבְּרִית

tablespoon *n* כַּף לְמָרָק

tablespoonful *n* מְלוֹא הַכַּף

tablet *n* לוּחַ; לוּחִית; טַבְלִית (תרופה)

table-tennis *n* טֶנִּיס־שׁוּלְחָן

tableware *n* כְּלֵי־שׁוּלְחָן

tabloid *n* טַבְלִית

taboo *n, adj* טַאבּוּ, אִיסּוּר; בְּחֶזְקַת אִיסּוּר

taboo *vt* אָסַר

tabulate *vt* עָרַךְ בְּטַבְלָאוֹת; לִיוֵּחַ, רִידֵּד

tacit *adj* מוּבָן מֵאֵלָיו, מִשְׁתַּמֵּעַ

taciturn *adj* מְמַעֵט בְּדִיבּוּר

tack *n* נַעַץ; שִׁינּוּי עֶמְדָה

tack *vt, vi* הִידֵּק בִּנְעָצִים; אִיחָה; שִׁינָּה עֶמְדָתוֹ

tackle *n* חִיבֵּל; צִיּוּד; הַכְשָׁלָה (בכדורגל)

tackle *vt* הִתְמוֹדֵד (עם בעיה); שָׁקַד לְגִבּוֹר; (בכדורגל) הִכְשִׁיל

tacky *adj* דָּבִיק

tact *n* טַקְט, חָכְמַת הַהִתְנַהֲגוּת

tactful *adj* טַקְטִי

tactical *adj* מִבְצָעִי, תַּכְסִיסִי; טַקְטִי

tactician *n* טַקְטִיקָן

tactics *n pl* טַקְטִיקָה

tactless *adj* חֲסַר טַקְט

tadpole *n* רֹאשָׁן

taffeta *n* טַפְטָה

tag *n* קָצֶה שֶׁל שְׂרוֹךְ; תָּו, תָּוִית

tag *vt* הִצְמִיד תָּג אֶל

tail *n* זָנָב; כָּנָף (של בגד); מַעֲקָב

tail *vt* (דיבורית) עָקַב אַחֲרֵי; הִזְדַּנֵּב

tail-end *n* קָצֶה, סִיּוּם

tail-light *n* פַּנָּס אֲחוֹרִי

tailor *n* חַיָּט

tailor *vt* תָּפַר לְפִי מִידָּה

tailoring *n* חַיָּטוּת

tailor-made *adj* מַעֲשֵׂה חַיָּט; עָשׂוּי לְפִי מִידָּה

tailpiece *n* קָצֶה; עִיטּוּר

tailspin *n* סִחרוּר

taint *vt* טִימֵּא, זִיהֵם; דִּיבֵּק

taint *n* אֲבַק דּוֹפִי, כֶּתֶם

take *vt, vi* (took) לָקַח, אָחַז

take *n* לְקִיחָה; פִּדְיוֹן (בחנות וכד׳)
take-off *n* הַמְרָאָה; חִיקּוּי
talcum powder *n* אַבְקַת טַאלְק
tale *n* סִיפּוּר, מַעֲשִׂיָּה
talebearer *n* הוֹלֵךְ רָכִיל
talent *n* כִּשְׁרוֹן
talented *adj* מְחוֹנָן, מוּכְשָׁר
talk *vi* דִּיבֵּר, שׂוֹחֵחַ
talk *n* דִּיבּוּר, שִׂיחָה
talkative *adj* פַּטְפְּטָן מְלַהֵג
talker *n* פַּטְפְּטָן
talkie *n* סֶרֶט קוֹלְנוֹעַ
tall *adj* גָּבוֹהַּ; (המונית) לֹא סָבִיר
tallow *n* חֵלֶב
tally *n* מַקֵּל מְחוֹרָץ; חֶשְׁבּוֹן; שׁוֹבֵר
tally *vt, vi* חִישֵּׁב; הִתְאִים ל...
tally sheet *n* תְּעוּדַת סִיכּוּם
Talmudic *adj* תַּלְמוּדִי
Talmudist *n* חוֹקֵר תַּלְמוּד, תַּלְמוּדַאי
talon *n* טוֹפֶר; לְשׁוֹן הַמַּנְעוּל
tambourine *n* טַנְבּוּרִית
tame *adj* מְאוּלָּף, מְבוּיָּת; נִכְנָע
tame *vt* אִילֵּף, בִּייֵּת; רִיסֵּן
tamp *vt* סָתַם חוֹר
tamper *vi* הִשְׁתַּמֵּשׁ לְרָעָה; טִיפֵּל בְּחַשַּׁאי
tampon *n* סֶתֶם, טַמְפּוֹן
tan *n* קְלִיפַּת אַלּוֹן; שִׁיזָּפוֹן
tan *adj* שֶׁל עִיבּוּד עוֹרוֹת; שֶׁל שִׁיזּוּף
tan *vt, vi* עִיפֵּץ; שִׁיזֵּף; הִשְׁתַּזֵּף; (המונית) הִלְקָה
tang *n* רֵיחַ (אוֹ טַעַם) חָרִיף; צִלְצוּל
tangent *adj, n* מַשִּׁיקִי; מַשִּׁיק, טַנְגֶּנְט
tangerine *n* מַנְדָּרִינָה
tangible *adj* מוּחָשִׁי
tangle *vt, vi* סִיבֵּךְ; נִתְבַּלְבֵּל
tangle *n* סְבַךְ, פְּקַעַת
tank *n* מְכַל, מֵיכַל; טַנְק
tanker *n* מֵיכָלִית
tanner *n* בּוּרְסִי
tannery *n* בֵּית־חֲרוֹשֶׁת לְעוֹרוֹת
tantalize *vt* עִינָּה בַּהֲפָחַת תִּקְוַות־שָׁוְא, טִנְטֵל
tantamount *adj* כָּמוֹהוּ כּ...
tantrum *n* הִשְׁתּוֹלְלוּת חֵימָה
tap *vt, vi* טָפַח; הִקִּישׁ
tap *n* דְּפִיקָה, הַקָּשָׁה; בֶּרֶז
tap dance *n* רִיקּוּד טֶפּ
tape *n* סֶרֶט
tape *vt* מָדַד בְּסֶרֶט; הִקְלִיט עַל סֶרֶט
tape-measure *n* סֶרֶט־מִידָּה
taper *n* נֵר דַּק; הִתְחַדְּדוּת הַדְרָגָתִית
taper *vt, vi* הִקְטִין בְּהַדְרָגָה; הָלַךְ וְדָק
tapestry *n* טַפֵּיט
tapeworm *n* תּוֹלַעַת־הַסֶּרֶט
taproom *n* מִסְבָּאָה
taproot *n* שׁוֹרֶשׁ־אָב
tar *n* זֶפֶת; (המונית) מַלָּח
tar *vt* זִיפֵּת
tardy *adj* אִטִּי; מְאַחֵר, מְפַגֵּר
target *n* מַטָּרָה, יַעַד
target area *n* מְטוּוָח
Targumist *n* חוֹקֵר הַתַּרְגּוּם
tariff *n* תַּעֲרִיף, רְשִׁימַת מִסֵּי מֶכֶס
tarnish *vt, vi* הִכְהָה; לִכְלֵךְ; כָּהָה
tar paper *n* נְיַיר־זֶפֶת
tarpaulin *n* אַבַּרְזִין, בְּרֶזֶנְט
tarry *vi* הִתְמַהְמֵהַּ
tarry *adj* מְשׁוּחַ בְּזֶפֶת

tart *adj* חָרִיף; חָמוּץ; שָׁנוּן
tart *n* עוּגַת־פֵּירוֹת; (דיבּוּרית) זוֹנָה
task *n* מְשִׂימָה, תַּפְקִיד
taskmaster *n* נוֹגֵשׂ; מְנַהֵל־עֲבוֹדָה
tassel *n* גְּדִיל, פִּיף
taste *vt, vi* טָעַם; יֵשׁ לוֹ טַעַם שֶׁל
taste *n* טַעַם; קוֹרטוֹב
tasteless *adj* חֲסַר טַעַם, תָּפֵל
tasty *adj* טָעִים, עָרֵב
tatter *n* קֶרַע; סְחָבָה
tattered *adj* קָרוּעַ וּבָלוּי
tattle *vi* גִּילָּה סוֹד; פִּטְפֵּט; רִיכֵּל
tattletale *n* רַכְלָן; רְכִילוּת
tattoo *vt* קִיעֲקַע; תָּפַף בְּאֶצְבָּעוֹת
tattoo *n* כְּתוֹבֶת־קַעֲקַע; (בצבא) תְּרוּעַת הַשְׁכָּבָה
taunt *n* לַעַג, הִתגָרוּת
taunt *vt* הִתגָרָה בְּלִגלוּג
taut *adj* מָתוּחַ
tavern *n* פּוּנְדָק
tawdry *adj* מַבְרִיק וְזוֹל
tawny *n, adj* צָהוֹב־חוּם; שָׁזוּף
tax *vt* הִטִּיל מַס; הֶאֱשִׁים
tax *n* מַס
taxable *adj* חַיָּיב מַס, בַּר־מִיסּוּי
taxation *n* מִיסּוּי, הַטָּלַת מַס
tax-collector *n* גּוֹבֵה מִסִּים
tax cut *n* קִיצּוּץ בְּמִסִּים
tax evader *n* שְׁתַמְּטָן מִסִּים
tax-exempt, tax-free *adj* פָּטוּר מִמַּס
taxi *n* מוֹנִית
taxi *vi* הִסִּיעַ (מטוס, על הקרקע)
taxicab *n* מוֹנִית
taxi-dancer *n* רַקְדָנִית שְׂכִירָה
taxi-driver *n* נֶהַג מוֹנִית
taxi-plane *n* מְטוֹס מוֹנִית
taxpayer *n* מְשַׁלֵּם מִסִּים
T.B. *abbr* tuberculosis
tea *n* תֵּה
teach *vt, vi* הוֹרָה, הִנְחִיל, לִימֵּד
teacher *n* מוֹרֶה
teacher's pet *n* יֶלֶד שַׁעֲשׁוּעֵי מוֹרֶה
teaching *n* הוֹרָאָה, לִימּוּד
teaching aids *n pl* עֶזְרֵי הוֹרָאָה
teaching staff *n* סֶגֶל מוֹרִים
teak *n* שֶׂגֶא, טִיק
teakettle *n* קוּמְקוּם תֵּה
team *n* צֶוֶות; קְבוּצָה (ספּוֹרט); צֶמֶד (סוּסים וכד׳)
team *vt, vi* צִימֵּד; הִתחַבֵּר
teammate *n* חָבֵר לִקְבוּצָה
teamster *n* עֶגְלוֹן
teamwork *n* עֲבוֹדַת צֶוֶות
teapot *n* קוּמְקוּם לְתֵה
tear *vt* קָרַע, טָרַף
tear *n* קְרִיעָה, קֶרַע
tear *n* דִּמְעָה
tear bomb *n* פִּצְצַת גַּז מַדְמִיעַ
tearful *adj* מַזִּיל דְּמָעוֹת
tearjerker *n* (המוֹנית) סוֹחֵט דְּמָעוֹת
tear sheet *n* דַּף תָּלוּשׁ
tease *vt* הִקְנִיט
teaspoon *n* כַּפִּית
teaspoonful *n* מְלוֹא הַכַּפִּית
teat *n* דַּד, פִּטְמָה
tea-time *n* שְׁעַת תֵּה
technical *adj* טֶכְנִי
technicality *n* פְּרָט טֶכְנִי; טֶכְנִיּוּת
technician *n* טֶכְנַאי
technics *n pl* טֶכְנִיקָה

technique *n* טֶכנִיקָה; תְּבוּנַת כַּפַּיִם
teddy bear *n* דּוּבּוֹן
teem *vi* שָׁפַע; שָׁרַץ
teeming *adj* שׁוֹרֵץ
teen-age *adj* שֶׁל גִיל הָעֶשׂרֵה
teenager *n* בֶּן 'טִיפֵּשׁ-עֶשׂרֵה'
teens *n pl* שְׁנוֹת הָעֶשׂרֵה
teeny *adj* קָטוֹן
teeter *vi* הִתנַדנֵד
teethe *vi* צָמְחוּ (אצלו) שִׁנַּיִים
teething *n* צְמִיחַת שִׁנַּיִים
teething ring *n* דִּסקִית נְגִיסָה
teetotaler *n* מִתנַזֵּר גָמוּר
telecast *vt, vi* שִׁידֵּר בְּטֵלֵוִיזיָה
telegram *n* מִברָק
telegraph *n* מִברָקָה
telegraph *vt* שִׁיגֵּר מִברָק
telegrapher *n* פְּקִיד מִברָקָה
telemeter *n* מַד-רוֹחַק, טֵלֵמֶטֶר
telemetry *n* מְדִידַת-רוֹחַק, טֵלֵמֶטרִייָה
telephone *n* טֵלֵפוֹן
telephone *vt, vi* טִלפֵּן
telephone booth *n* תָּא טֵלֵפוֹן
telephone call *n* קְרִיאָה טֵלֵפוֹנִית
telephone operator *n* טֵלֵפוֹנַאי
telephone receiver *n* מַכשִׁיר טֵלֵפוֹן
teleprinter *n* טֵלֶפּרִינטֶר
telescope *n* טֵלֶסקוֹפּ
teletype *n* טֵלֵטַיפּ, טֵלֶפּרִינטֶר
teletype *vt, vi* טִלפֵּר
televiewer *n* צוֹפֶה טֵלֵוִיזיָה
televise *vt* שִׁידֵּר בְּטֵלֵוִיזיָה, טִלוֵוז; עִיבֵּד לְטֵלֵוִיזיָה
television *n* טֵלֵוִיזיָה

television set *n* מַקלֵט טֵלֵוִיזיָה
tell *vt* (told) סִיפֵּר, אָמַר; הִבחִין
teller *n* מְסַפֵּר; קוּפַּאי (בבנק)
temper *vt, vi* מִיזֵּג, מִיתֵּן, רִיכֵּך
temper *n* מֶזֶג; מַצַּב-רוּחַ; דַּרגַת הַקַּשִׁיוּת
temperament *n* מֶזֶג; טֶמפֶּרָמֶנט
temperamental *adj* הֲפַכפַּך; נִסעָר
temperance *n* הִינָּזְרוּת גְמוּרָה
temperate *adj* מָתוּן; מְמוּזָּג
temperature *n* טֶמפֶּרָטוּרָה, מִידַּת הַחוֹם
tempest *n* סְעָרָה
tempestuous *adj* סוֹעֵר
temple *n* בֵּית-הַמִּקדָּשׁ; בֵּית-כְּנֶסֶת; רַקָּה
tempo *n* טֶמפּוֹ, מִפעָם, קֶצֶב
temporal *adj* זְמַנִּי, חוֹלֵף; חִילוֹנִי
temporary *adj* עֲרָאִי, אַרעִי, זְמַנִּי
temporize *vi* הִתחַמֵּק מִפְּעוּלָּה מִיָּדִית
tempt *vt* נִיסָּה, פִּיתָּה
temptation *n* גֵירוּי הַיֵּצֶר; פִּיתּוּי
tempter *n* מַדִּיחַ, מְפַתֶּה
tempting *adj* מְגָרֶה; מַדִּיחַ
ten *adj, n* עֶשֶׂר, עֲשָׂרָה; עֲשִׂירִייָה
tenable *adj* עָמִיד, בַּר-הַחֲזָקָה
tenacious *adj* בַּעַל אֲחִיזָה חֲזָקָה
tenacity *n* אֲחִיזָה חֲזָקָה; דְּבִיקוּת
tenant *n* אָרִיס; דַּייָר; שׂוֹכֵר
Ten Commandments *n pl* עֲשֶׂרֶת הַדִּיבְּרוֹת
tend *vt, vi* טִיפֵּל בּ...; עִיבֵּד; נָטָה
tendency *n* מְגַמָּה, נְטִייָה
tender *adj* רַך; עָדִין; רָגִישׁ
tender *vt* הִצִּיעַ, הִגִּישׁ

tender *n* הַצָּעָה (בְּמִכרָז); הַצָּעַת תַּשלוּם; מַשָּׂאִית קַלָּה
tenderhearted *adj* רַחֲמָן
tenderloin *n* בְּשַׂר אֲחוֹרַיִים
tenderness *n* נוֹעַם, רוֹך
tendon *n* גִיד, מֵיתָר
tendril *n* קְנוֹקֶנֶת
tenement *n* דִירָה; אֲחוּזָה
tenet *n* עִיקָרוֹן, דוֹקטרִינָה
tennis *n* טֶנִיס
tenor *n* כִּיווּן, מְגַמָּה; טֶנוֹר
tense *n* זְמַן
tense *adj* דָרוּך, מָתוּחַ
tension *n* מֶתַח, מְתִיחוּת
tent *n* אוֹהֶל
tentacle *n* אֵיבַר הַמִּישוּש
tentative *adj* נִיסיוֹנִי; אַרעִי
tenth *adj*, *n* עֲשִׂירִי; עֲשִׂירִית
tenuous *adj* דַק, רָפֶה, קָלוּש
tenure *n* חֲזָקָה; תְּקוּפַת כְּהוּנָּה
tepid *adj* פּוֹשֵר
term *n* מוּנָּח; בִּיטוּי; עוֹנַת לִימוּדִים; (בְּרַבִּים) תְּנָאִים
term *vt* כִּינָּה, קָרָא בְּשֵם
terminal *n* תַּחֲנָה סוֹפִית, מָסוֹף
terminal *adj* אַחֲרוֹן, סוֹפִי
terminate *vt*, *vi* סִייֵם; הִסתַּייֵם
termination *n* גְמָר, סִיוּם, סוֹף
terminus *n* סוֹף, קָצֶה; תַּחֲנָה סוֹפִית
termite *n* נְמָלָה לְבָנָה
terra *n* הָאָרֶץ, הָאֲדָמָה
terrace *n* מַדרֵגָה (בְּהַר) טֵרַסָּה; גַג שָטוּחַ
terrain *n* פְּנֵי הַשֶּטַח
terrestrial *adj* אַרצִי, יַבַּשתִּי
terrible *adj* אָיוֹם, נוֹרָא
terrific *adj* מַפִּיל אֵימָה; עָצוּם
terrify *vt* הִבהִיל, הִבעִית
territory *n* שֶטַח אֶרֶץ; תְּחוּם פְּעוּלָּה
terror *n* אֵימָה, טֶרוֹר
terrorize *vt* הֵטִיל אֵימָה
terry *n* אֲרִיג מַגֶּבֶת
terse *adj* קָצָר וְחָלָק
tertiary *adj* שְלִישִי, שְלִישוֹנִי
test *n* מִבחָן, נִיסָּיוֹן
test *vt* בָּחַן, בָּדַק
testament *n* צַוָּואָה; בְּרִית
testicle *n* אֶשֶך
testify *vi*, *vt* הֵעִיד
testimonial *n* תְּעוּדַת אוֹפִי; תְּעוּדַת הוֹקָרָה
testimony *n* עֵדוּת
test pilot *n* טַיָּיס לְנִיסּוּי מְטוֹסִים
test-tube *n* מַבחֵנָה
tether *n* אַפסָר; תְּחוּם
tether *vt* אִפסֵר, קָשַר בְּאַפסָר
text *n* נוֹסָח; תַּמלִיל (שֶל שִיר)
textbook *n* סֵפֶר לִימוּד
textile *adj*, *n* טֶקסטִיל, שֶל אֲרִיגָה
texture *n* מַטווֶה; מִרקָם
Thailand *n* תַּיילַנד
Thames *n* תֶּמזָה
than *conj* מִ..., מֵ..., מֵאֲשֶר
thank *vt* הוֹדָה
thankful *adj* אֲסִיר־תּוֹדָה
thankless *adj* כְּפוּי טוֹבָה
thanks *n pl* תּוֹדוֹת, תּוֹדָה
thanksgiving *n* הוֹדָיָה, תְּפִילַּת הוֹדָיָה
Thanksgiving Day *n* יוֹם הַהוֹדָיָה
that *pron*, *adj* אוֹתוֹ, אוֹתָהּ; הַהוּא, הַהִיא; כָּזֶה

that *conj* שֶׁ..., כְּדֵי שֶׁ...;
עַד שֶׁ...; מִפְּנֵי שֶׁ...

that *adv* עַד כְּדֵי כָּךְ שֶׁ...

thatch *n* סְכָךְ

thatch *vt* סִיכֵּךְ, כִּיסָּה בִּסְכָךְ

thaw *n* הַפְשָׁרָה

thaw *vt, vi* הִפְשִׁיר

the *def article, adj* הַ..., הָ..., הֶ...

the *adv* בְּמִידָּה שֶׁ..., בָּהּ בְּמִידָּה

theater *n* תֵּיאַטְרוֹן

theatergoer *n* שׁוֹחֵר תֵּיאַטְרוֹן

theatrical *adj* תֵּיאַטְרוֹנִי; תֵּיאַטְרָלִי

thee *pron* לְךָ, לָךְ; אוֹתְךָ, אוֹתָךְ

theft *n* גְּנֵיבָה

their *pron, adj* שֶׁלָּהֶם, שֶׁלָּהֶן

theirs *pron* שֶׁלָּהֶם, שֶׁלָּהֶן

them *pron* אוֹתָם, אוֹתָן; לָהֶם, לָהֶן

theme *n* נוֹשֵׂא; תֵּמָה; רַעְיוֹן עִיקָּרִי

theme song *n* שִׁיר חוֹזֵר

themselves *pron* בְּעַצְמָם,
בְּעַצְמָן; לְבַדָּם, לְבַדָּן

then *adv, conj, adj, n* אָז;אַחַר,
אַחֲרֵי־כֵן; אִם־כֵּן, לְפִיכָךְ; דְּאָז

thence *adv* מֵאָז; מִשָּׁם; לְפִיכָךְ

thenceforth *adv* מֵאָז וָאֵילָךְ

theology *n* תֵּיאוֹלוֹגְיָה, תּוֹרַת־הָאֱמוּנָה

theorem *n* תֵּיאוֹרֶמָה, הַנָּחָה

theory *n* הֲלָכָה, תֵּיאוֹרְיָה, הַצַּד הָעִיּוּנִי

therapeutic(al) *adj* רִיפּוּיִי

therapy *n* רִיפּוּי

there *adv* שָׁם, לְשָׁם

thereabout(s) *adv* בְּסָמוּךְ ל...; בְּעֵרֶךְ

thereafter *adv* אַחֲרֵי־כֵן

thereby *adv* בָּזֶה, בְּכָךְ

therefore *adv, conj* לָכֵן, מִכָּאן שֶׁ...

therein *adv* בָּזֶה, בְּעִנְיָן זֶה

thereof *adv* מִזֶּה, הֵימֶנּוּ

thereupon *adv* לְפִיכָךְ;
מִיָּד לְאַחַר מִכֵּן

thermodynamic *adj* תֶּרְמוֹדִינָמִי

thermometer *n* מַדְחוֹם

thermonuclear *adj* תֶּרְמוֹגַרְעִינִי

thermos *n* תֶּרְמוֹס, שְׁמַרְחוֹם

thermostat *n* תֶּרְמוֹסְטָט, וַסַּתְחוֹם

thesaurus *n* אוֹצַר מִלִּים, עָרוּךְ

these *pron, adj* אֵלֶּה,הָאֵלֶּה, הַלָּלוּ

thesis *n* (*pl* theses) דִּיסֶרְטַצְיָה,
מֶחְקָר; הַנָּחָה

they *pron* הֵם, הֵן

thick *adj* עָבֶה; עָבוֹת

thick *n* מַעֲבֶה, עוֹבִי

thicken *vt, vi* עִיבָּה; הִתְעַבָּה

thicket *n* סְבַךְ־יַעַר

thickheaded *adj* מְטוּפָּשׁ, מְטוּמְטָם

thickset *adj* רְחַב־גֶּרֶם

thief *n* (*pl* thieves) גַּנָּב

thieve *vt, vi* גָּנַב

thievery *n* גְּנֵיבָה, גַּנָּבוּת

thigh *n* יָרֵךְ

thighbone *n* עֶצֶם הַיָּרֵךְ

thimble *n* אֶצְבָּעוֹן

thin *adj* דַּק; רָזֶה; דָּלִיק

thin *vt, vi* דִּילֵּל, הֵדֵל; דָּלַל; רָזָה

thine *pron, adj* שֶׁלְּךָ, שֶׁלָּךְ

thing *n* דָּבָר; חֵפֶץ; עִנְיָן

think *vt, vi* חָשַׁב, הִרְהֵר, סָבַר

thinker *n* הוֹגֶה, חוֹשֵׁב

third *adj, n* שְׁלִישִׁי; שְׁלִישׁ

third degree *n* חֲקִירָה אַכְזָרִית

third rail *n* פַּס שְׁלִישִׁי

thirst *n* צָמָא, צִימָּאוֹן
thirst *vi* צָמֵא, נִכסַף
thirsty *adj* צָמֵא; צָחִיחַ; מִשתּוֹקֵק
thirteen *adj, n* שְׁלוֹשָׁה־עָשָׂר, שְׁלוֹשׁ־עֶשְׂרֵה
thirteenth *adj, n* הַשְּׁלוֹשָׁה־עָשָׂר, הַשְּׁלוֹשׁ־עֶשְׂרֵה; הַחֵלֶק הַשְּׁלוֹשָׁה־עָשָׂר
thirtieth *adj, n* הַשְּׁלוֹשִׁים; הַחֵלֶק הַשְּׁלוֹשִׁים
thirty *adj, n* שְׁלוֹשִׁים
this *pron, adj* זֶה, הַזֶּה, זֹאת, הַזֹּאת, זוֹ
thistle *n* דַרדַר
thither *adv, adj* לְשָׁם, שָׁמָּה
thong *n* רְצוּעַת עוֹר
thorax *n* חָזֶה
thorn *n* קוֹץ, דַרדַר
thorny *adj* דוֹקְרָנִי, קוֹצִי
thorough *adj* גָמוּר; יְסוֹדִי; מַקִּיף
thoroughbred *adj, n* טְהוֹר גֶזַע, גִזעִי; תַּרבּוּתִי
thoroughfare *n* דֶרֶך, מַעֲבָר
thoroughgoing *adj* גָמוּר, מוּחלָט
thoroughly *adv* בְּאוֹפֶן יְסוֹדִי
those *adj, pron* אוֹתָם, אוֹתָן, הָהֵם, הָהֵן
thou *pron* אַתָּה, אַתְּ
though *conj* אִם־כִּי, אַף־עַל־פִּי
thought *n* מַחֲשָׁבָה; חֲשִׁיבָה; רַעיוֹן
thoughtful *adj* מְהַרהֵר, שָׁקוּעַ בְּמַחֲשָׁבָה; מִתחַשֵּׁב
thousand *adj, n* אֶלֶף
thousandth *adj* אַלפִּית; הָאֶלֶף
thraldom *n* עַבדוּת
thrash *vt, vi* דָש; הִכָּה עַד חוֹרמָה
thread *n* חוּט; פְּתִיל; תַּברִיג
thread *vt, vi* הִשׁחִיל; הִבקִיעַ דַרכּוֹ
threadbare *adj* בָּלוּי, מְרוּפָּט
threat *n* אִיוּם
threaten *vt, vi* אִייֵם עַל, הִשׁמִיעַ אִיוּם
three *adj, n* שְׁלוֹשָׁה, שָׁלוֹשׁ
three-cornered *adj* מְשׁוּלָּשׁ הַקְּצָווֹת
three hundred *adj, n* שְׁלוֹשׁ מֵאוֹת
three-ply *adj* תְּלַת־שִׁכבָתִי
three R's *n pl* קְרִיאָה, כְּתִיבָה וְחֶשׁבּוֹן
threescore *adj, n* שֶׁל שִׁישִּׁים; שִׁישִּׁים
threnody *n* קִינָה
thresh *vt* דָש; חָבַט
threshing-machine *n* מְכוֹנַת־דִישָׁה
threshold *n* מִפתָּן, סַף
thrice *adv* פִּי שְׁלוֹשָׁה; שָׁלוֹשׁ פְּעָמִים
thrift *n* חַסכָנוּת, קִימּוּץ
thrifty *adj* חוֹסֵך, חֶסכוֹנִי
thrill *vt, vi* הִרעִיד, הִרטִיט; הִתרַגֵּשׁ
thrill *n* הִתרַגְּשׁוּת; רֶטֶט
thriller *n* סִיפּוּר (אוֹ מַחֲזֶה) מֶתַח
thrilling *adj* מַרטִיט
thrive *vi* שִׂגשֵׂג
throat *n* גָרוֹן
throb *vi, n* פָּעַם; פְּעִימָה
throes *n pl* מַאֲבָק קָשֶׁה; צִירֵי לֵידָה, יִיסּוּרֵי גְסִיסָה
throne *n* כֵּס־מַלכוּת
throng *n* הָמוֹן, עַם רַב
throng *vi, vt* הִתקַהֵל; מִילֵּא בַּהֲמוֹנִים
throttle *n* מַשׁנֵק
throttle *vt* הֶחֱנִיק, שִׁינֵּק
through *prep, adv, adj* בְּעַד, דֶרֶך; בִּגלַל; לְאוֹרֶך; בְּאֶמצָעוּת; יָשִׁיר

throughout *prep, adv* כָּל־כּוּלוֹ; מִכָּל הַבְּחִינוֹת; עַל פְּנֵי כָּל
throughway *n* כְּבִישׁ מָהִיר
throw *vt* זָרַק, הִשְׁלִיךְ
throw *n* זְרִיקָה, הַפָּלָה, הֲטָלָה, הַשְׁלָכָה
thrum *n* דַּלָּה; נְגִינָה חַדגוֹנִית
thrush *n* קִיכְלִי מְזַמֵּר
thrust *vt* בִּיתֵּק; נָעַץ; תָּחַב
thrust *n* דְּחִיפָה; דַּחַף; תְּחִיבָה
thud *n* חֲבָטָה
thud *vi* הִשְׁמִיעַ קוֹל עָמוּם
thug *n* סַכִּינַאי, רוֹצֵחַ
thumb *n* אֲגוּדָל, בּוֹהֶן
thumb *vt, vi* דִּפְדֵּף מַהֵר; בִּיקֵּשׁ (הַסָּעָה)
thumb-index *n* מַפְתֵּחַ־בּוֹהֶן (בספר)
thumbprint *n* טְבִיעַת אֲגוּדָל
thumbtack *n* נַעַץ
thump *n* חֲבָטָה, הַקָּשָׁה
thumping *adj* (דיבּוּרית) עָצוּם
thunder *n* רַעַם
thunder *vt* רָעַם
thunderbolt *n* בָּרָק, מַהֲלוּמַת־בָּרָק
thunderclap *n* נֶפֶץ־רַעַם
thunderous *adj* מַרְעִים
thunderstorm *n* סוּפַת רְעָמִים
Thursday *n* יוֹם חֲמִישִׁי
thus *adv* כָּךְ, כָּכָה; לְפִיכָךְ, עַל־כֵּן
thwack *vt* הִכָּה
thwack *n* חֲבָטָה
thwart *vt* סִיכֵּל, שָׂם לְאַל
thy *adj* שֶׁלְּךָ, שֶׁלָּךְ
thyme *n* קוֹרָנִית
thyroid gland *n* בַּלּוּטַת הַתְּרִיס
thyself *n* אַתָּה בְּעַצְמְךָ
tiara *n* נֵזֶר; כֶּתֶר
tic *n* עֲוִוית שְׁרִירֵי הַפָּנִים
tick *n* תִּקְתּוּק; (דיבּוּרית) רֶגַע
tick *vt, vi* סִימֵּן; טִקְטֵק
ticker *n* מְטַקְטֵק; טִיקֶר; (המונית) לֵב
ticker tape *n* סֶרֶט טֶלֶפְּרִינְטֶר
ticket *n* כַּרְטִיס; רְשִׁימַת מוּעֲמָדִים
ticket collector *n* כַּרְטִיסָן
ticket scalper *n* סַפְסַר כַּרְטִיסִים
ticket window *n* אֶשְׁנַב כַּרְטִיסִים
ticking *n* כּוּתֹנֶת מַצָּע
tickle *vt, vi* דִּגְדֵּג; שִׁיעֲשַׁע
tickle *n* דִּגְדּוּג
ticklish *adj* רָגִישׁ לְדִגְדּוּג; עָדִין
tidal wave *n* נַחְשׁוֹל גֵּאוּת
tide *n* גֵּיאוּת וָשֵׁפֶל; מְגַמָּה
tide *vi, vt* חָתַר בְּעֶזְרַת הַגֵּיאוּת
tidewater *n* מֵי גֵיאוּת וָשֵׁפֶל
tidings *n pl* בְּשׂוֹרוֹת חֲדָשׁוֹת
tidy *adj* מְסוּדָּר, נָקִי; גָּדוֹל לְמַדַּי
tidy *vt, vi* נִיקָּה, סִידֵּר
tidy *n* צִיפִּית שְׁמִיטָה; סַל לִפְסוֹלֶת
tie *vt* קָשַׁר, חִיבֵּר
tie *n* חֶבֶל; קֶשֶׁר; עֲנִיבָה
tiepin *n* סִיכַּת עֲנִיבָה
tier *n* טוּר, נִדְבָּךְ
tiger *n* נָמֵר
tiger-lily *n* הַשּׁוֹשָׁן הַמְנוּמָּר
tight *adj, adv* הָדוּק; צַר; (דיבּוּרית) קַמְצָן; (המונית) שִׁיכּוֹר; בְּחוֹזְקָה
tighten *vt, vi* אִימֵּץ, הִידֵּק; נֶהֱדַק
tightfisted *adj* קַמְצָן
tightrope *n* חֶבֶל מָתוּחַ

tigress *n* נְמֵרָה
tile *n* מַרְצֶפֶת, רַעַף
tile *vt* רִיעֵף, כִּיסָּה בִּרְעָפִים
tile roof *n* גַג רְעָפִים
till *prep, conj* עַד שֶׁ...
till *vt, vi* חָרַשׁ, עִיבֵּד
till *n* קוּפַּת דֶלְפֵּק
tilt *n* סִיּוּף; הַטָּיָה, לְכסוּן
tilt *vt* הִטָּה, לִכסֵן
timber *n* עֵצָה; עֲצֵי בִּניָין
timber *vt* כִּיסָּה בְּעֵצִים
timberline *n* גְבוּל הַצוֹמֵחַ
timbre *n* גוֹן הַצְלִיל
time *n* זְמַן, עֵת; שָׁהוּת; תְּקוּפָה; קֶצֶב
time *vt* סִינכּרֵן, תִּזמֵן
time bomb *n* פְּצָצַת זְמַן
timecard *n* כַּרטִיס זְמַן
time clock *n* שְׁעוֹן עֲבוֹדָה
time exposure *n* חֲשִׂיפַת זְמַן
time fuse *n* פִּיצּוּץ זְמַן
timekeeper *n* רוֹשֵׁם שְׁעוֹת הָעֲבוֹדָה; שׁוֹפֵט הַזְּמַן; שָׁעוֹן
timely *adj, adv* בַּזְּמַן הַנָּכוֹן, בְּעִיתּוֹ
timepiece *n* מַדזְמַן, שָׁעוֹן
time signal *n* צְלִיל זְמַן
timetable *n* לוּחַ זְמַנִּים; מַעֲרֶכֶת שָׁעוֹת
timework *n* שָׂכָר לְפִי הַזְּמַן
timeworn *adj* בָּלֶה מִיּוֹשֶׁן
time zone *n* אֵיזוֹר זְמַן
timid *adj* בַּיְּישָׁנִי; חֲסַר עוֹז
timidity, timidness *n* בַּיְּישָׁנוּת; פַּקְפְּקָנוּת
timorous *adj* פַּחדָנִי, הַסְסָנִי
tin *n* בְּדִיל; פַּח; פַּחִית
tincture *n* מִשׁרָה, תְּמִיסָּה

tinder *n* חוֹמֶר הַצָּתָה
tinderbox *n* קוּפסָה לְחוֹמֶר הַצָּתָה
tin foil *n* רִיקּוּעַ פַּח
ting-a-ling *n* צִיל־צְלִיל
tinge *vt* גִיוּוֵן; תִּיבֵּל
tinge *n* בֶּן־גָוֶן
tingle *vi* חָשׁ עִקצוּץ
tingle *n* הַרגָשַׁת דְקִירָה
tin hat *n* כּוֹבַע פְּלָדָה
tinker *n* פֶּחָח, מַטלִיא
tinker *vi* עָשָׂה עֲבוֹדַת סְרָק
tinkle *vi* צִלצֵל, קִשׁקֵשׁ
tinkle *n* צִלצוּל, קִשׁקוּשׁ
tin opener *n* פּוֹתְחַן קוּפסָאוֹת
tinplate *n* פַּח לָבָן
tin roof *n* גַג פַּח
tinsel *n* חוּטֵי־כֶּסֶף נוֹצְצִים
tinsmith *n* פֶּחָח
tin soldier *n* חַיָּיל עוֹפֶרֶת
tint *n* גָוֶן
tint *vt* גִיוּוֵן, גוֹוֵן
tintype *n* תַּצלוּם לוּחִית
tinware *n* כְּלֵי בְּדִיל, כְּלֵי פַּח
tiny *adj* זָעִיר, קְטַנטַן
tip *n* חוֹד; דְמֵי־שְׁתִיָּה; יְדִיעָה סוֹדִית
tip *vt, vi* נָגַע קַלּוֹת; הִטָּה; נָתַן דְמֵי־שְׁתִיָּה; גִילָּה סוֹד
tip-off *n* אַזהָרָה בַּחֲשַׁאי
tipple *n* מַשׁקֶה חָרִיף
tipple *vt, vi* הָיָה שׁוֹתֶה טִיפָּה מָרָה
tipstaff *n* שַׁמָּשׁ בֵּית־דִין
tipsy *adj* מְבוּסָּם
tiptoe *n* רָאשֵׁי אֶצבָּעוֹת
tirade *n* הַתקָפָה מִילּוּלִית
tire *vi, vt* נִלאָה, נִתייַגֵּעַ; הוֹגִיעַ

tire *n* צָמִיג

tire chain *n* שַׁרְשֶׁרֶת צְמִיגִים

tired *adj* עָיֵף

tire gauge *n* מַד־לַחַץ צְמִיגִים

tireless *adj* שֶׁאֵינוֹ יוֹדֵעַ לֵיאוּת

tire pressure *n* לַחַץ צְמִיגִים

tire pump *n* מַשְׁאֵב

tiresome *adj* מַטְרִיד, מַלְאֶה

tissue *n* רִקְמָה; אָרִיג דַק

tithe *n* מַעֲשֵׂר

tithe *vt, vi* נָתַן מַעֲשֵׂר; גָבָה מַעֲשֵׂר

title *n* שֵׁם, כּוֹתָר; כּוֹתֶרֶת; תּוֹאַר; זְכוּת

title *vt* כִּינָּה, קָרָא בְּשֵׁם

title deed *n* שְׁטַר־קִנְיָין

title holder *n* בַּעַל תּוֹאַר; בַּעַל זְכוּת

title page *n* דַף הַשַּׁעַר

title role *n* תַּפְקִיד הַשֵּׁם

titter *vi* צָחַק צְחוֹק עָצוּר

titter *n* צְחוֹק עָצוּר

titular *adj* בְּשֵׁם בִּלְבַד; מִכּוֹחַ תּוֹאַר

to *prep, adv* אֶל, לְ..., בְּ...; עַד; עַד כְּדֵי; לְפִי

toad *n* קַרְפָּדָה

toadstool *n* פִּטְרִיָּה, פִּטְרִיָּה אַרְסִית

toast *n* פַּת קְלוּיָה; שְׁתִיַּת לְחַיִּים

toast *vt, vi* קָלָה; חִימֵּם; נִקְלָה; שָׁתָה לְחַיִּים

toaster *n* טוֹסְטֶר, מַקְלֶה

toastmaster *n* מַנְחֶה בִּמְסִיבָּה

tobacco *n* טַבָּק

toboggan *n* מִזְחֶלֶת קֶרַח

tocsin *n* פַּעֲמוֹן אַזְעָקָה

today *adv, n* הַיּוֹם; כַּיּוֹם

toddle *vi* הִידַּדָּה

toddy *n* עֲסִיס תְּמָרִים

to-do *n* הֲמוּלָּה, מְהוּמָה

toe *n* אֶצְבַּע (שֶׁל רֶגֶל), בּוֹהֶן

toe *vt* נָגַע בִּבְהוֹנוֹת הָרֶגֶל

toenail *n* צִיפּוֹרֶן הַבּוֹהֶן

together *adv* בְּיַחַד, יַחַד

toil *vi* טָרַח, עָמַל קָשׁוֹת

toil *n* עָמָל

toilet *n* חֲדַר רַחְצָה; בֵּית כִּסֵּא

toilet articles *n pl* כְּלֵי תַּמְרוּק

toilet paper *n* נְיַר טוֹאָלֶט

toilet powder *n* אַבְקַת תַּמְרוּק

toilet soap *n* סַבּוֹן רַחְצָה

toilet water *n* מֵי בּוֹשֶׂם

token *n* אוֹת, סִימָן, סֶמֶל

tolerance *n* סוֹבְלָנוּת; סְבוֹלֶת

tolerate *vt* הִתִּיר, הִשְׁלִים עִם

toll *n* צִלְצוּל פַּעֲמוֹן; מַס דְרָכִים

tollbridge *n* גֶשֶׁר הַמַּס

tollgate *n* שַׁעַר מֶכֶס

tomato *n* עַגְבָנִיָּה

tomb *n* קֶבֶר

tomboy *n* נַעֲרָה־נַעַר; קוּנְדֵסִית

tombstone *n* מַצֵּבָה

tomcat *n* חָתוּל

tome *n* כֶּרֶךְ עָבֶה

tommy-gun *n* תַּת־מַקְלֵעַ

tomorrow *adv, n* מָחָר, מָחֳרָת

tomtom *n* טַמְטַם

ton *n* טוֹנָה

tone *n* צְלִיל, נְעִימָה; אוֹרַח דִיבּוּר

tone *vt, vi* כִּיוּוֵן אֶת הַצְּלִיל; שִׁיוּוָה גָוֶן

tone-deaf *adj* חֵרֵשׁ לִצְלִילִים

tongs *n pl* מֶלְקָחַיִם, צְבָת

tongue *n* לָשׁוֹן, שָׂפָה

tongue-twister *n* מִשְׁפָּט קָשֶׁה בִּיטּוּי
tonic *adj, n* טוֹנִי; מְחַזֵּק; סַם חִיזּוּק
tonight *adv, n* הַלַּיְלָה
tonnage *n* טוֹנָז׳, תְּפוּסָה
tons *n pl* (דיבורית) הַרְבֵּה
tonsil *n* שָׁקֵד
tonsillitis *n* דַּלֶּקֶת שְׁקֵדִים
too *adv* אַף, גַּם; מִדַּי
tool *n* כְּלִי, מַכְשִׁיר
tool *vt, vi* עִיבֵּד; קִישֵּׁט
tool-bag *n* יַלְקוּט כֵּלִים
toolmaker *n* עוֹשֶׂה כֵּלִים
toot *vi, vt* צִפֵּר, תָּקַע
toot *n* צְפִירָה
tooth *n* (*pl* teeth) שֵׁן; בְּלִיטָה
toothache *n* מֵיחוּשׁ שִׁנַּיִים
toothbrush *n* מִבְרֶשֶׁת שִׁנַּיִים
toothless *adj* חֲסַר שִׁנַּיִים
tooth-paste *n* מִשְׁחַת־שִׁנַּיִים
toothpick *n* קֵיסַם שִׁנַּיִים
top *n* פִּסְגָּה, צַמֶּרֶת; מִכְסֶה; סְבִיבוֹן
top *adj* רָאשִׁי; עֶלְיוֹן; עִילִּי
top *vt* הִתְקִין רֹאשׁ ל...; כִּיסָּה; גָּזַם; עָלָה עַל
top billing *n* רִאשׁוֹן בִּרְשִׁימָה
topcoat *n* מְעִיל עֶלְיוֹן
toper *n* שִׁיכּוֹר מוּעָד
top-heavy *adj* כָּבֵד מִלְמַעְלָה, לֹא מְאוּזָּן
topic *n* נוֹשֵׂא
topmast *n* תּוֹרֶן עִילִּי
topmost *adj* עֶלְיוֹן
topography *n* טוֹפּוֹגְרַפְיָה
topple *vi, vt* מָט לִיפּוֹל; הִפִּיל
top priority *n* עֲדִיפוּת עֶלְיוֹנָה
topsoil *n* רוֹבֶד הָאֲדָמָה הָעֶלְיוֹנָה
topsyturvy *adv, adj* בְּאִי־סֵדֶר; מְבוּלְבָּל
torch *n* לַפִּיד; פַּנַּס־כִּיס
torchbearer *n* נוֹשֵׂא הַלַּפִּיד
torchlight *n* אוֹר לַפִּידִים
torch-song *n* פִּזְמוֹן אַהֲבָה נִכְזֶבֶת
torment *n* יִיסּוּרִים
torment *vt* הֵצִיק, יִיסֵּר, עִינָּה
tornado *n* טוֹרְנָדוֹ, סְעָרָה
torpedo *n* טוֹרְפֵּדוֹ
torpedo *vt* טִרְפֵּד
torrent *n* זֶרֶם עַז, גֶּשֶׁם שׁוֹטֵף
torrid *adj* חַם מְאוֹד; צָחִיחַ
torso *n* גּוּף־פֶּסֶל; גּוּפַת אָדָם
tortoise *n* צָב
torture *n* עִינּוּי
torture *vt* עִינָּה
toss *vt, vi* זָרַק; טִלְטֵל; נִיטַּלְטֵל
tossup *n* הַפָּלַת גּוֹרָל
tot *n* פָּעוֹט; טִיפַּת מַשְׁקֶה
total *adj, n* גָּמוּר, מוּשְׁלָם; סַךְ־הַכּוֹל
total *vt, vi* סִיכֵּם; הִסְתַּכֵּם בּ...
totter *vi* הִידַּדָּה; הִתְנוֹדֵד
touch *vt, vi* נָגַע, מִישֵּׁשׁ; נָגַע לַלֵּב
touch *n* נְגִיעָה
touching *adj, prep* נוֹגֵעַ אֶל הַלֵּב
touch typewriting *n* כְּתִיבָה עִיוֶּורֶת (במכונת־כתיבה)
touchy *adj* רָגִישׁ מְאוֹד
tough *adj, n* קָשֶׁה, מְחוּסְפָּס
toughen *vt, vi* הִקְשָׁה; נִתְקַשָּׁה
tour *n* טִיּוּל, סִיבּוּב; תִּיּוּר
tour *vi, vt* טִיֵּיל, עָרַךְ סִיבּוּב; סִיֵּיר
touring car *n* מְכוֹנִית סִיּוּר

tourist *n, adj* תַּיָּר; שֶׁל תַּיָּרוּת
tournament *n* סִיבּוּב תַּחֲרוּתִי
tourney *n* סִיבּוּב שֶׁל תַּחֲרוּת אַבִּירִים
tourniquet *n* חוֹסֵם עוֹרְקִים
tousle *vt* בִּלְבֵּל; הָפַךְ סְדָרִים
tow *n* גְּרִירָה; חֶבֶל גְּרִירָה
tow *vt* גָּרַר, מָשַׁךְ
toward(s) *prep* לִקְרַאת, לְעֵבֶר; כְּלַפֵּי
towboat *n* סִירַת גֶּרֶר
towel *n, vt* מַגֶּבֶת; נִיגֵּב
tower *n* מִגְדָּל
tower *vi* הִתְנַשֵּׂא; גָּבַהּ מֵעַל
towering *adj* גָּבוֹהַּ מְאוֹד; מִתְרוֹמֵם
towing service *n* שֵׁירוּת גְּרִירָה
towline *n* חֶבֶל גְּרִירָה
town *n* עִיר
town clerk *n* מַזְכִּיר הָעִירִיָּה
town council *n* מוֹעֶצֶת עִירִיָּה
town hall *n* בִּנְיַן הָעִירִיָּה
townsfolk *n* תּוֹשָׁבֵי הָעִיר
township *n* עֲיָרָה
townsman *n* בֶּן־עִיר
townspeople *n pl* אֶזְרְחֵי הָעִיר
town talk *n* שִׂיחַת הָעִיר
towpath *n* שְׁבִיל גְּרִירָה
towplane *n* מָטוֹס גּוֹרֵר
tow truck *n* מַשָּׂאִית גְּרִירָה
toxic *adj* מַרְעִיל, אַרְסִי
toy *n* צַעֲצוּעַ
toy *vi* הִשְׁתַּעֲשֵׁעַ
toy bank *n* קוּפַּת חִיסָּכוֹן שֶׁל יְלָדִים
trace *n* עֲקֵבוֹת, סִימָן; סִרְטוּט
trace *vt, vi* עָקַב אַחֲרֵי; סִרְטֵט, גִּילָּה
track *vt* יָצָא בְּעִיקְבוֹת
track *n* נָתִיב; מַסְלוּל (מירוץ); (בּרבּים) פַּסֵּי מְסִילָּה
tracking *n* עִיקּוּב
trackless trolley *n* חַשְׁמַלִּית לְלֹא מְסִילָּה; טְרוֹלֵיבּוּס
track meet *n* תַּחֲרוּת אַתְלֵטִיקָה קַלָּה
tract *n* אֵיזוֹר, מֶרְחָב; חִיבּוּר
tractate *n* מַסֶּכֶת
traction *n* גְּרִירָה, מְתִיחָה
traction company *n* חֶבְרַת תַּחְבּוּרָה
tractor *n* טְרַקְטוֹר
trade *n* אוּמָּנוּת, מְלָאכָה; מִסְחָר
trade *vi* סָחַר; עָשָׂה עֵסֶק חֲלִיפִין
trademark *n* סִימָן מִסְחָרִי
trader *n* סוֹחֵר
trade school *n* בֵּית־סֵפֶר מִקְצוֹעִי
tradesman *n* חֶנְוָנִי; בַּעַל מְלָאכָה
trade-union *n* אִיגּוּד מִקְצוֹעִי
trade-unionist *n* חָבֵר בְּאִיגּוּד מִקְצוֹעִי
trading post *n* חֲנוּת סְפָר
trading stamp *n* בּוּל דּוֹרוֹן
tradition *n* מָסוֹרֶת; מָסוֹרָה
traduce *vt* הוֹצִיא דִּיבָּה, הִשְׁמִיץ
traffic *n* תְּנוּעַת דְּרָכִים; מִסְחָר
traffic *vi* סָחַר (למשל בסמים)
traffic jam *n* פְּקַק תְּנוּעָה
traffic-light *n* רַמְזוֹר
traffic sign *n* תַּמְרוּר
traffic ticket *n* דּוּ״חַ תְּנוּעָה
tragedy *n* מַחֲזֶה תּוּגָה, טְרָגֶדְיָה
tragic *adj* טְרָגִי
trail *vt, vi* גָּרַר; הָלַךְ בְּעִיקְבוֹת; נִגְרַר
trail *n* שְׁבִיל; עֲקֵבוֹת
trailer *n* גּוֹרֵר; רֶכֶב נִגְרָר
trailing arbutus *n* קְטָלָב מִשְׂתָּרֵךְ

train *vt, vi* אִימֵּן, הִכְשִׁיר, הִתְאַמֵּן
train *n* רַכֶּבֶת; שַׁיָּרָה; שׁוֹבֶל
trained nurse *n* אָחוֹת מוּסמֶכֶת
trainer *n* מְאַמֵּן, מַדְרִיךְ
training *n* אִימּוּן, הַכְשָׁרָה
trait *n* תְּכוּנָה, קַו אוֹפִי; קוּרטוֹב
traitor *n* בּוֹגֵד
trajectory *n* מַסלוּל מָעוֹף
tramp *vi, vt* פָּסַע כְּבֵדוּת; דָּרַךְ; שׁוֹטֵט
tramp *n* צְעִידָה כְּבֵדָה; הֵלֶךְ; פּוֹחֵחַ
trample *vi* דָּרַךְ, רָמַס
tranquil *adj* שָׁלֵו, רוֹגֵעַ
tranquilize *vt, vi* הִרגִּיעַ; נִרגַּע
tranquilizer *n* סַם מַרגִּיעַ
tranquillity *n* שֶׁקֶט, שַׁלְוָה
transact *vt, vi* בִּיצֵּעַ; נִיהֵל
transaction *n* עִסקָה; פְּעוּלָּה
transcend *vt* יָצָא אֶל מֵעֵבֶר; עָלָה עַל
transcribe *vt* תִּעתֵּק
transcript *n* תַּעתִּיק
transcription *n* תַּעתִּיק
transfer *vt, vi* הֶעֱבִיר; עָבַר
transfer *n* הַעֲבָרָה; מְסִירָה
transfix *vt* פִּילֵּחַ; שִׁיתֵּק, אִיבֵּן
transform *vt, vi* שִׁינָּה צוּרָה; שִׁינָּה מֶתַח וְזֶרֶם
transformer *n* שַׁנַּאי, טרַנספוֹרמָטוֹר
transfusion *n* עֵירוּי
transgress *vt, vi* עָבַר עַל, הֵפֵר
transgression *n* עֲבֵירָה, חֵטְא
transient *adj, n* בֶּן־חֲלוֹף; חוֹלֵף
transistor *n* מַקלֶט־כִּיס, טרַנזִיסטוֹר
transit *n* מַעֲבָר
transitive *adj, n* פּוֹעַל יוֹצֵא
transitory *adj* חוֹלֵף, בֶּן־חֲלוֹף

Transjordan *n* עֵבֶר הַיַּרְדֵּן (מִזרחה)
translate *vt, vi* תִּרגֵּם; נִיתַּרגֵּם
translation *n* תַּרגּוּם; תִּרגּוּם
translator *n* מְתַרגֵּם, מְתוּרגְּמָן
transliterate *vt* תִּעתֵּק
translucent *adj* עָמוּם, שָׁקוּף לְמֶחֱצָה
transmission *n* הַעֲבָרָה; שִׁידּוּר
transmission gear *n* מַעֲרֶכֶת הַהִילּוּכִים
transmit *vt* הֶעֱבִיר, מָסַר; שִׁידֵּר
transmitter *n* מַשׁדֵּר; מַעֲבִיר, מוֹסֵר
transmitting station *n* תַּחֲנַת שִׁידּוּר
transmute *vt, vi* שִׁינָּה מַהוּתוֹ; הֵמִיר
transparency *n* שְׁקִיפוּת
transparent *adj* שָׁקוּף; גְּלוּי־לֵב
transpire *vt, vi* הִסתַּנֵּן, הוּדלַף; (דיבורית) הִתרַחֵשׁ
transplant *vt, vi* הִשׁתִּיל; הוּשׁתַּל
transport *vt* הוֹבִיל; הֶעֱבִיר
transport *n* הוֹבָלָה; כְּלִי־תּוֹבָלָה; מִשׁלוֹחַ
transportation *n* הוֹבָלָה; כְּלִי־הוֹבָלָה
transpose *vt* שִׁינָּה מְקוֹמוֹ שֶׁל
transship *vt* שִׁינֵּעַ
transshipment *n* שִׁינּוּעַ
trap *n* מַלכּוֹדֶת, פַּח
trap *vt* טָמַן פַּח, לָכַד
trap-door *n* דֶּלֶת סְתָרִים
trapeze *n* טרַפֵּז; מֶתַח נָע
trapezoid *n, adj* טרַפֵּז; טרַפֵּזִי
trapper *n* לוֹכֵד, צַיָּיד
trappings *n pl* קִישּׁוּטֵי מַלבּוּשׁ
trash *n* חֲדַל־אִישִׁים; אֲסַפסוּף; שְׁטוּיוֹת; אַשׁפָּה
trash can *n* פַּח אַשׁפָּה

travail *n* יְגִיעָה; צִירֵי לֵידָה
travel *vi* נָסַע
travel *n* נְסִיעָה, מַסָּע
travel bureau *n* סוֹכְנוּת נְסִיעוֹת
traveler *n* נוֹסֵעַ, תַּיָּר; סוֹכֵן־נוֹסֵעַ
traveling expenses *n pl* הוֹצָאוֹת נְסִיעָה
traverse *vt, vi* חָצָה, עָבַר
travesty *n* חִיקּוּי נִלְעָג; פָּרוֹדְיָה
travesty *vt* חִיקָּה בְּצוּרָה נִלְעֶגֶת
trawl *n* מִכְמוֹרֶת
tray *n* טַס, מַגָּשׁ
treacherous *adj* בּוֹגְדָנִי
treachery *n* בְּגִידָה
tread *vi, vt* צָעַד; דָרַךְ, רָמַס
tread *n* דְרִיכָה; פְּסִיעָה; רְמִיסָה
treadmill *n* מַכְשִׁיר דִיווּשׁ; שִׁגְרָה מְיַיגַּעַת
treason *n* בֶּגֶד, בְּגִידָה
treasonable *adj* שֶׁל בְּגִידָה
treasure *n* אוֹצָר; מַטמוֹן
treasure *vt* אָצַר; הוֹקִיר
treasurer *n* גִזְבָּר
treasury *n* בֵּית־אוֹצָר; מִשְׂרַד הָאוֹצָר
treat *vi, vt* הִתְנַהֵג עִם; הִתְיַיחֵס אֶל; כִּיבֵּד (בְּמַשְׁקֶה וכד׳)
treat *n* תִּקְרוֹבֶת; כִּיבּוּד; תַּעֲנוּג
treatise *n* מַסָּה, מַסֶּכֶת
treatment *n* הִתְנַהֲגוּת; טִיפּוּל; עִיבּוּד
treaty *n* אֲמָנָה, בְּרִית
treble *adj, n* כָּפוּל שָׁלוֹשׁ, פִּי שְׁלוֹשָׁה; (קוֹל) דִיסְקַנְטִי
treble *vt, vi* הִכְפִּיל בְּשָׁלוֹשׁ, הִשְׁלִישׁ
tree *n* עֵץ, אִילָן
treeless *adj* שׁוֹמֵם מֵעֵצִים
treetop *n* צַמֶּרֶת אִילָן
trellis *n* סְבָכָה, סוֹרֶג
tremble *vi* רָעַד, רָטַט
tremendous *adj* עָצוּם
tremor *n* רְעָדָה, רֶטֶט
trench *n* חֲפִירָה
trenchant *adj* חַד, חָרִיף, שָׁנוּן
trench plow *n* מַחֲרֵשָׁה מְתַלֶּמֶת
trend *vi* נָטָה ל...
trend *n* כִּיווּן, מְגַמָּה
trespass *vi* הִסִּיג גְבוּל; חָטָא
trespass *n* הַסָּגַת גְבוּל; חֵטְא
tress *n* תַּלְתַּל
trestle *n* מִתְמָךְ
trial *n* מִבְחָן; נִיסָּיוֹן; מִשְׁפָּט
trial and error *n* נִיסָּיוֹן וּטְעִייָה
trial balloon *n* כַּדּוּר נִיסָּיוֹן
trial by jury *n* מִשְׁפַּט מוּשְׁבָּעִים
trial order *n* הַזְמָנַת נִיסָּיוֹן
triangle *n* מְשׁוּלָּשׁ
tribe *n* שֵׁבֶט; כַּת
tribunal *n* בֵּית־דִין
tribune *n* בָּמָה, דוּכָן
tributary *n* יוּבָל, פֶּלֶג
tribute *n* מַס; שִׁילּוּמֵי כְּנִיעָה; שַׁלְמֵי הוֹקָרָה
trice *n* הֶרֶף־עַיִן
trick *n* אֲחִיזַת עֵינַיִם, לַהֲטוּט, תַּחְבּוּלָה
trick *vt* גָנַב אֶת הַדַּעַת, הוֹנָה
trickery *n* גְנֵיבַת־דַּעַת, הוֹנָאָה
trickle *vi* דָלַף, טִפְטֵף
trickle *n* זְרִימָה אִטִּית
trickster *n* גוֹנֵב דַּעַת, מְאַחֵז עֵינַיִם
tricky *adj* זָרִיז; מַטְעֶה

tried *adj* בָּדוּק וּמְנוּסֶּה
trifle *n* דָּבָר קַל־עֵרֶךְ; קְצָת
trifle *vi, vt* הִשְׁתַּעֲשֵׁעַ; הִתְבַּטֵּל
trifling *adj* שֶׁל מַה בְּכָךְ
trig. *abbr* trigonometry
trigger *n* הֶדֶק
trigger *vt* הִפְעִיל, הֵחִישׁ
trigonometry *n* טְרִיגוֹנוֹמֶטְרִיָּה
trill *n* טְרִיל, סִלְסֶלֶת
trillion *n, adj* טְרִילְיוֹן
trilogy *n* טְרִילוֹגְיָה
trim *vt, vi* גָּזַם; הֶחֱלִיק; שָׁף; תֵּיאֵם
trim *n* מַצָּב תָּקִין, סֵדֶר; כּוֹשֶׁר הַפְלָגָה
trim *adj* נָאֶה, מְסוּדָּר
trimming *n* גִּיזוּם; קִישׁוּט
trinity *n* הַשִּׁילוּשׁ הַקָּדוֹשׁ; שְׁלָשָׁה
trinket *n* קִישׁוּט פָּשׁוּט; דָּבָר פָּעוּט
trio *n* שְׁלִשִׁית, טְרִיוֹ
trip *vi, vt* מָעַד; הִמְעִיד
trip *n* טִיּוּל, נְסִיעָה; מְעִידָה
tripe *n* מֵעַיִים; (המונית) שְׁטוּיוֹת
triphammer *n* קוּרְנָס
triphthong *n* תְּלַת־תְּנוּעָה
triple *adj, n* פִּי שְׁלוֹשָׁה;
בַּעַל שְׁלוֹשָׁה חֲלָקִים
triple *vt, vi* הִגְדִּיל (אוֹ גָּדַל) פִּי
שְׁלוֹשָׁה
triplet *n* שְׁלִישִׁיָּה
triplicate *adj, n* פִּי שְׁלוֹשָׁה;
אֶחָד מִשְּׁלוֹשָׁה; עוֹתֶק מְשׁוּלָּשׁ
tripod *n* תְּלַת־רֶגֶל, חֲצוּבָה
triptych *n* מִסְגֶּרֶת תְּלַת־לוּחִית
(לשלוש תמונות); לוּחִית מְשׁוּלֶּשֶׁת
trite *adj* נָדוֹשׁ
triumph *n* נִיצָּחוֹן; הַצְלָחָה מַזְהִירָה

triumph *vi* נִיצֵּחַ; הִצְלִיחַ
triumphant *adj* מְנַצֵּחַ; חוֹגֵג נִיצָּחוֹן
trivia *n pl* קְטַנּוֹת, פַּכִּים קְטַנִּים
trivial *adj* שֶׁל מַה־בְּכָךְ
triviality *n* עִנְיָן פָּעוּט
Trojan *adj, n* טְרוֹיָאנִי
troll *vi* זִימֵּר בְּעַלִּיזוּת; דִּיֵּיג בְּחַכָּה
trolley *n* עֶגְלַת רוֹכֵל; קְרוֹנִית
trolley bus *n* טְרוֹלֵיבּוּס
trolley car *n* חַשְׁמַלִּית
trollop *n* מוּפְקֶרֶת, זוֹנָה
trombone *n* טְרוֹמְבּוֹן
troop *n* לַהֲקָה; פְּלוּגָּה, גְּדוּד;
(ברבים) חַיָּילִים
troop *vi* הִתְאַסֵּף; יָצָא בְּהָמוֹן
troopcarrier *n* מָטוֹס לְהוֹבָלַת צָבָא
trooper *n* חַיָּיל; שׁוֹטֵר רוֹכֵב
trophy *n* מַלְקוֹחַ, שָׁלָל; סֶמֶל גְּבוּרָה
tropic *n* טְרוֹפִּיק, מַהְפָּךְ
tropical *adj* טְרוֹפִּי, מַהְפָּכִי
trot *vi, vt* צָעַד מְהִירוֹת, רָץ מְתוּנוֹת
trot *n* הֲלִיכָה מְהִירָה; דְּהִירָה קַלָּה
troth *n* נֶאֱמָנוּת; הַבְטָחַת נִישּׂוּאִים
troubadour *n* טְרוּבָּדוּר
trouble *vt, vi* הִדְאִיג; הִטְרִיד,
הִטְרִיחַ; טָרַח
trouble *n* דְּאָגָה, טִרְדָּה; צָרָה
troublemaker *n* גּוֹרֵם צָרוֹת
troubleshooting *n* תִּיקּוּן
קִלְקוּלִים, יִישּׁוּב סִכְסוּכִים
troublesome *adj* מַדְאִיג; מַטְרִיד
trouble spot *n* אֲתַר סִכְסוּךְ
trough *n* אֵיבוּס, שׁוֹקֶת
troupe *n* חֶבֶר, לַהֲקָה
trousers *n pl* מִכְנָסַיִים

trousseau *n* נִכְסֵי מְלוֹג
trout *n* טְרוּטָה
trowel *n* כַּף טַיָּיחִים; כַּף גַּנָּנִים
truant *n, adj* מִשְׁתַּמֵּט
truce *n* שְׁבִיתַת־נֶשֶׁק זְמַנִּית
truck *n* מַשָּׂאִית; קָרוֹן
truck *vt* הוֹבִיל בְּמַשָּׂאִית
truck driver *n* נַהַג מַשָּׂאִית
truculent *adj* תּוֹקְפָנִי, אַכְזָרִי
trudge *vi* צָעַד בִּכְבֵדוּת
true *adj* אֲמִיתִּי, כֵּן; נָכוֹן
true copy *n* הֶעְתֵּק נֶאֱמָן
truelove *n* אָהוּב, אֲהוּבָה; פָּארִיס (צמח)
truism *n* אֲמִיתָּה, אֱמֶת מוּסְכֶּמֶת
truly *adv* בֶּאֱמֶת, אֶל־נָכוֹן
trump *n* קְלַף עֲדִיפוּת
trump *vt, vi* שִׂיחֵק בִּקְלַף הַנִּיצָּחוֹן
trumpet *n* חֲצוֹצְרָה
trumpet *vi, vt* חִיצְצֵר; הֵרִיעַ
truncheon *n* אַלָּה
trunk *n* גֶּזַע, גּוּף; מִזְוָודָה; חֶדֶק
truss *vt* קָשַׁר, אָגַד; תָּמַךְ
truss *n* מִבְנֶה תּוֹמֵךְ; חֲגוֹרַת־שֶׁבֶר
trust *n* אֵימוּן, אֱמוּנָה; פִּיקָּדוֹן
trust *vi, vt* הֶאֱמִין בּ...; סָמַךְ עַל
trust company *n* חֶבְרַת נֶאֱמָנוּת
trustee *n* נֶאֱמָן
trusteeship *n* נֶאֱמָנוּת
trustful *adj* מַאֲמִין, בּוֹטֵחַ
trustworthy *adj* רָאוּי לְאֵימוּן, מְהֵימָן
trusty *adj* נֶאֱמָן, מְהֵימָן
truth *n* אֱמֶת
truthful *adj* דּוֹבֵר אֱמֶת
try *vt, vi* נִיסָּה; דָּן; הוֹגִיעַ; הִשְׁתַּדֵּל
try *n* נִיסָּיוֹן; הִשְׁתַּדְּלוּת
trying *adj* מַרְגִּיז, מֵצִיק
tryst *n* מִפְגָּשׁ, רֵיאָיוֹן
tub *n* אַמְבָּט, גִּיגִית
tube *n* אַבּוּב, צִינּוֹר
tuber *n* גַּבְשׁוּשִׁית, בְּלִיטָה
tuberculosis *n* שַׁחֶפֶת
tuck *vt* תָּחַב; כִּיסָּה; קִיפֵּל
tuck *n* קֶפֶל; חִיפּוּת; (המונית) מַאֲכָל
Tuesday *n* יוֹם שְׁלִישִׁי
tuft *n* אֶגֶד; חֲתִימַת זָקָן
tug *vt, vi* מָשַׁךְ בְּחוֹזְקָה, גָּרַר; יָגַע
tug *n* גְּרִירָה, מְשִׁיכָה חֲזָקָה
tugboat *n* סְפִינַת־גְּרַר
tug of war *n* תַּחֲרוּת מְשִׁיכַת חֶבֶל
tuition *n* הוֹרָאָה, לִימּוּד
tulip *n* צִבְעוֹנִי
tumble *vi* כָּשַׁל, מָעַד; נָפַל; הִתְהַפֵּךְ
tumble *n* נְפִילָה, הִתְגַּלְגְּלוּת
tumble-down *adj* רָעוּעַ
tumbler *n* כּוֹס; לוּלְיָן; נִצְרַת מַנְעוּל
tumor *n* גִּידּוּל, תְּפִיחָה
tumult *n* הֲמוּלָּה, מְהוּמָה
tuna *n* טוּנָה
tune *n* לַחַן
tune *vt, vi* כִּוונֵן; הִתְאִים
tungsten *n* ווֹלְפְרָם
tunic *n* מִקְטוֹרֶן; טוּנִיקָה, אִצְטָלָה
tuning fork *n* קוֹלָן, מַזְלֵג־קוֹל
tuning coil *n* סְלִיל הַכִּוּוּן
Tunisia *n* טוּנִיסְיָה
tunnel *n* מִנְהָרָה, נִקְבָּה
tunnel *vt* חָפַר מִנְהָרָה
turban *n* מִצְנֶפֶת, טוּרְבָּן
turbine *n* טוּרְבִּינָה

turbojet *n* מְנוֹעַ סִילוֹן־טוּרְבִּינָה
turboprop *n* מַדְחֵף סִילוֹן־טוּרְבִּינָה
turbulent *adj* נִסְעָר, רוֹגֵשׁ
tureen *n* מָגֵס
turf *n* שִׁכְבַת עֵשֶׂב; מַסלוּל לְמֵירוֹץ סוּסִים
Turk *n* טוּרְקִי
turkey *n* תַּרְנְהוֹד, תַּרְנְגוֹל הוֹדוּ
turkey vulture *n* הָעַיִט הָאֲמֵרִיקָנִי
Turkish *adj*, *n* טוּרְקִי; טוּרְקִית
turmoil *n* אִי־שֶׁקֶט, אַנדרָלָמוּסְיָה
turn *vt*, *vi* סוֹבֵב; הִטָּה; שִׁינָּה; פָּנָה, סָבַב; הִסתּוֹבֵב
turn *n* סִיבּוּב; פְּנִיָּיה; תּוֹר
turncoat *n* מוּמָר; בּוֹגֵד
turning point *n* נְקוּדַת מִפנֶה
turnip *n* לֶפֶת
turnkey *n* סוֹהֵר
turn of life *n* הַפסָקַת הַוֶּסֶת
turn of mind *n* נְטִיָּיה רוּחָנִית
turn-out *n* נוֹכְחִים, מִשׁתַּתְּפִים
turnover *n* הֲפִיכָה; שִׁינּוּי; מַחֲזוֹרִיּוּת
turnpike *n* כְּבִישׁ אַגְרָה; מַחסוֹם אַגְרָה
turnstile *n* מַחסוֹם כְּנִיסָה
turntable *n* רְצִיף־קְרוֹנוֹת מִסתּוֹבֵב; דִּיסקַת הַתַּקלִיט (בְּפוֹנוֹגרָף)
turpentine *n* טֶרְפֶּנְטִין
turpitude *n* שְׁחִיתוּת
turquoise *n* טוּרְקִיז
turret *n* צְרִיחַ
turtle *n* צָב
turtledove *n* תּוֹר
Tuscan *adj*, *n* טוּסקָנִי; טוּסקָנִית
tusk *n* שֶׁנהָב
tussle *vi* הִתקוֹטֵט
tussle *n* הִתגּוֹשְׁשׁוּת, תִּגְרָה
tutor *n* מוֹרֶה פְּרָטִי
tutor *vt*, *vi* הוֹרָה בְּאוֹרַח פְּרָטִי
tuxedo *n* תִּלבּוֹשֶׁת עֶרֶב
TV *abbr* television
twaddle *n* פִּטפּוּט, דִּבְרֵי לַהַג
twang *n* אִנפּוּף, צְלִיל חַד
twang *vi* הִשׁמִיעַ צְלִיל חַד
tweed *n* טוּוִיד
tweet *n*, *vi* צִיּוּץ; צִייֵץ
tweezers *n pl* מַלקֵט
twelfth *adj*, *n* הַשְּׁנֵים־עָשָׂר; הַחֵלֶק הַשְּׁנֵים־עָשָׂר
twelve *adj*, *pron* שְׁנֵים־עָשָׂר, שְׁתֵּים־עֶשְׂרֵה
twentieth *adj*, *n* הָעֶשְׂרִים; אֶחָד מֵעֶשְׂרִים
twenty *adj*, *pron* עֶשְׂרִים
twice *adv* פַּעֲמַיִים; כִּפלַיִים
twice-told *adj* אָמוּר פַּעֲמַיִים
twiddle *vt* הִתבַּטֵּל, גִּלגֵּל בְּאֶצבְּעוֹתָיו
twig *n* זְמוֹרָה
twilight *n* דִּמדוּמִים, בֵּין־הַשְּׁמָשׁוֹת
twill *n* מַאֲרָג מְלוּכסָן
twin *adj*, *n* תְּאוֹמִי; תְּאוֹם
twine *n* חוּט שָׁזוּר; פִּיתּוּל
twine *vt*, *vi* שָׁזַר, פִּיתֵּל; הִשׁתָּרֵג
twinge *n* כְּאֵב חַד
twinjet plane *n* מָטוֹס דּוּ־סִילוֹנִי
twinkle *vi*, *n* נִצנֵץ; נִצנוּץ
twin-screw *adj* דּוּ־מַדחֵפִי
twirl *vt*, *vi* סוֹבֵב; הִסתּוֹבֵב בִּמהִירוּת
twist *vt*, *vi* שָׁזַר; לִיפֵּף; עִיקֵּם; סִילֵּף; הִתפַּתֵּל
twist *n* פִּיתּוּל, עִיקּוּם, מַעֲקָל; סִילּוּף

twit *vt* הִקְנִיט, לִגְלֵג
twitch *vi* הִתְכַּוֵּץ; הִתְעַוֵּת
twitch *n* עֲוִית
twitter *n* צִיּוּץ
two *adj, pron* שְׁנֵי, שְׁתֵּי; שְׁנַיִם, שְׁתַּיִם
two-cylinder *adj* דּוּ־צִילִינְדְּרִי
two-edged *adj* בַּעַל שְׁנֵי קְצָווֹת
two hundred *adj, pron* מָאתַיִם
twosome *n, adj* זוּג; בִּשְׁנַיִם, לִשְׁנַיִם, בֵּין שְׁנַיִם
two-time *vt* בָּגַד
tycoon *n* אֵיל הוֹן
type *n* טִיפּוּס, דּוּגְמָה, סוּג; סְדַר אוֹתִיּוֹת
type *vt, vi* תִּקְתֵּק; סִימֵּל
type face *n* צוּרַת אוֹת, גּוּפָן
typescript *n* חוֹמֶר מְתוּקְתָּק
typesetter *n* סַדָּר
typewrite *vt, vi* (typewrote, typewritten) כָּתַב (בִּמְכוֹנַת־כְּתִיבָה)
typewriter *n* מְכוֹנַת־כְּתִיבָה
typewriting *n* כְּתִיבָה בִּמְכוֹנָה
typhoid fever *n* טִיפוּס הַבֶּטֶן
typhoon *n* טַיְפוּן
typical *adj* טִיפּוּסִי
typify *vi* סִימֵּל, שִׁימֵּשׁ טִיפּוּס
typist *n* כַּתְבָן, כַּתְבָנִית
typographical error *n* טָעוּת דְּפוּס
typography *n* מְלֶאכֶת הַדְּפוּס, טִיפּוֹגְרַפְיָה
tyrannic(al) *adj* רוֹדָנִי, עָרִיץ
tyrannous *adj* רוֹדָנִי, עָרִיץ
tyranny *n* רוֹדָנוּת, עָרִיצוּת
tyrant *n* רוֹדָן, עָרִיץ
tyro *n* טִירוֹן

U

U, u יוּ (הָאוֹת הָעֶשְׂרִים וְאַחַת בָּאָלֶפְבֵּית)
U. *abbr* University
ubiquitous *adj* נִמְצָא בְּכָל מָקוֹם
udder *n* עָטִין
ugliness *n* כִּיעוּר
ugly *adj, n* מְכוֹעָר
ulcer *n* כִּיב, מוּרְסָה
ulcerate *vt, vi* כִּייֵב; הִתְכַּייֵב
ulterior *adj* כָּמוּס; שֶׁלְּאַחַר מִכֵּן
ultimate *adj* סוֹפִי, אַחֲרוֹן
ultimatum *n* אוּלְטִימָטוּם
ultimo *adv* בַּחוֹדֶשׁ הָאַחֲרוֹן
ultraviolet *adj* אוּלְטְרָה־סָגוֹל
umbilical cord *n* חֶבֶל הַטַּבּוּר
umbrage *n* עֶלְבּוֹן, פְּגִיעָה
umbrella *n* מִטְרִיָּה; סוֹכֵךְ; שִׁמְשִׁיָּה
umbrella stand *n* כַּן מִטְרִיּוֹת
umpire *n* בּוֹרֵר, פּוֹסֵק, (בְּסְפּוֹרְט) שׁוֹפֵט
umpire *vt, vi* שִׁימֵּשׁ כְּבוֹרֵר (אוֹ כְּשׁוֹפֵט)

unable *adj* חֲסַר יְכוֹלֶת
unabridged *adj* לֹא מְקוּצָּר
unaccented *adj* לֹא מוּטעָם
unaccountable *adj* לֹא אַחרָאִי; שֶׁאֵין לְהַסבִּירוֹ
unaccounted-for *adj* שֶׁאֵין לוֹ הֶסבֵּר
unaccustomed *adj* לֹא מוּרגָל
unafraid *adj* לֹא נִפחָד
unaligned *adj* בִּלתִּי־מִזדַהֶה
unanimity *n* תְּמִימוּת־דֵעִים
unanimous *adj* פֶּה אֶחָד
unanswerable *adj* שֶׁאֵין לִסתּוֹר אוֹתוֹ
unappreciative *adj* שֶׁאֵינוֹ מַעֲרִיך
unapproachable *adj* בִּלתִּי נָגִישׁ
unarmed *adj* לֹא חָמוּשׁ
unascertainable *adj* שֶׁאֵינוֹ נִיתָּן לְבֵירוּר
unassuming *adj* בִּלתִּי מִתייַמֵּר
unattached *adj* לֹא מִשׁתַּייֵך; לֹא נָשׂוּי
unattainable *adj* שֶׁאֵינוֹ בַּר־הֶישֵּׂג
unattractive *adj* לֹא מְצוֹדֵד
unavailable *adj* לֹא בְּנִמצָא
unavailing *adj* לֹא־יִצלַח, לֹא מוֹעִיל
unavoidable *adj* בִּלתִּי־נִמנָע
unaware *adj, adv* לֹא מוּדָע; בְּלֹא יוֹדְעִים
unawares *adv* בְּלֹא יוֹדְעִים
unbalanced *adj* לֹא מְאוּזָּן; לֹא שָׁפוּי
unbar *vt* הֵסִיר אֶת הַבְּרִיחַ
unbearable *adj* בִּלתִּי־נִסבָּל
unbeatable *adj* שֶׁאֵין לְנַצְּחוֹ
unbecoming *adj* לֹא יָאֶה, לֹא הוֹלֵם
unbelievable *adj* לֹא יֵיאָמֵן
unbending *adj* לֹא נִכפָּף; קָשִׁיחַ
unbiassed *adj* לֹא מְשׁוּחָד
unbind *vt* הִתִּיר; שִׁחרֵר
unbleached *adj* לֹא מוּלבָּן
unbolt *vt, vi* פָּתַח אֶת הַבְּרִיחַ
unborn *adj* שֶׁטֶּרֶם נוֹלַד
unbosom *vt, vi* גִּילָּה רִגשׁוֹתָיו
unbound *adj* לֹא מְכוֹרָך; לֹא קָשׁוּר
unbreakable *adj* לֹא שָׁבִיר
unbuckle *vt* רִיפָּה אֶת הָאַבזֵם
unburden *vt* פָּרַק מֵעָלָיו; גִּילָּה לִבּוֹ
unbutton *vt* הִתִּיר כַּפתּוֹרִים
uncalled-for *adj* לֹא נָחוּץ, לֹא מוּצדָּק
uncanny *adj* שֶׁלֹּא כְּדֶרֶך הַטֶּבַע
uncared-for *adj* מוּזנָח
unceasing *adj* בִּלתִּי־פּוֹסֵק
unceremonious *adj* לְלֹא גִינּוּנִים
uncertain *adj* לֹא וַדָּאִי; מְעוּרפָּל
uncertainty *n* אִי־וַדָּאוּת
unchain *vt* הִתִּיר מִכְּבָלָיו
unchangeable *adj* לֹא נִיתָּן לְשִׁינּוּי
uncharted *adj* שֶׁאֵינוֹ בַּמַּפָּה
unchecked *adj* לֹא מְבוּקָּר; בִּלתִּי־מְרוּסָּן
uncivilized *adj* פֶּרֶא, לֹא תַּרבּוּתִי
unclaimed *adj* שֶׁאֵין לוֹ תּוֹבְעִין
unclasp *vt, vi* רִיפָּה; נִשׁתַּחרֵר
unclassified *adj* בִּלתִּי־מְסוּוָּג
uncle *n* דּוֹד
unclean *adj* לֹא נָקִי, מְלוּכלָך
unclouded *adj* לֹא עָבוּת, בָּהִיר
uncomfortable *adj* לֹא נוֹחַ
uncommitted *adj* שֶׁאֵינוֹ מִתחַייֵב
uncommon *adj* בִּלתִּי־רָגִיל
uncompromising *adj* לֹא פַּשְׁרָן, לֹא מְווַתֵּר
unconcerned *adj* חֲסַר הִתעַניְינוּת

unconditional *adj* לְלֹא תְּנָאִים
uncongenial *adj* לֹא נָעִים, לֹא מַתְאִים, לֹא מוֹשֵׁךְ
unconquerable *adj* שֶׁאֵין לְכָבְשׁוֹ
unconquered *adj* בִּלְתִּי־מְנוּצָּח
unconscionable *adj* לֹא מוּסָרִי; לֹא סָבִיר
unconscious *adj, n* חֲסַר הַכָּרָה
unconsciousness *n* חוֹסֶר הַכָּרָה
unconstitutional *adj* בְּנִיגּוּד לַחוּקָּה
uncontrollable *adj* לְלֹא רִיסּוּן
unconventional *adj* לֹא קוֹנוֶנְצְיוֹנָלִי
uncork *vt* חָלַץ פְּקָק
uncouth *adj* מְגוּשָּׁם, חֲסַר חֵן
uncover *vt, vi* חָשַׂף; הֵסִיר הַכּוֹבַע
unction *n* מְשִׁיחָה; הִתְלַהֲבוּת מְעוּשָּׂה
unctuous *adj* מִתְרַפֵּס
uncultivated *adj* לֹא מְעוּבָּד; לֹא מְטוּפָּח
uncultured *adj* חֲסַר תַּרְבּוּת
uncut *adj* לֹא גָזוּר; לֹא מְלוּטָּשׁ (יהלום וכד׳)
undamaged *adj* לֹא פָּגוּם, לֹא נִיזָּק
undaunted *adj* עָשׂוּי לִבְלִי חַת
undecided *adj* לֹא שָׁלֵם בְּדַעְתּוֹ; לֹא מוּחְלָט
undefeated *adj* שֶׁלֹּא הוּבַס
undefended *adj* לֹא מוּגָן
undefiled *adj* לְלֹא רְבָב, שֶׁלֹּא זוּהַם
undeniable *adj* שֶׁאֵין לְהַפְרִיכוֹ; שֶׁאֵין לְסָרֵב לוֹ
under *prep* תַּחַת; מִתַּחַת ל...; פָּחוֹת מִן
under *adj, adv* מִשְׁנִי, תַּחְתִּי, תַּת־
underbrush *n* שִׂיחִים, סְבַךְ

undercarriage *n* תּוֹשֶׁבֶת
underclothes *n pl* לְבָנִים, תַּחְתּוֹנִים
undercover *adj* שֶׁל סוֹכֵן רִיגּוּל; סוֹדִי
underdeveloped *adj* לֹא מְפוּתָּח דַּיּוֹ; מִתְפַּתֵּחַ
underdog *n* מְקוּפָּח
underdone *adj* לֹא מְבוּשָּׁל דַּיּוֹ
underestimate *vt* מִיעֵט בְּעֶרְכּוֹ שֶׁל
undergarment *n* לְבוּשׁ תַּחְתּוֹן
undergo *vt* נָשָׂא, סָבַל; הִתְנַסָּה
undergraduate *n* סְטוּדֶנְט
underground *adj* תַּת־קַרְקָעִי
underground *n* מַחְתֶּרֶת
undergrowth *n* שִׂיחִים, עֵצִים נְמוּכִים
underhanded *adj* בַּחֲשַׁאי; בְּעוֹרְמָה
underline *vt, n* מָתַח קַו מִתַּחַת; הִדְגִּישׁ; קַו תַּחְתִּי
underling *n* כָּפִיף
undermine *vt* חָתַר תַּחַת
underneath *adj, adv* תַּחַת; מִתַּחַת ל...
undernourished *adj* שֶׁבְּתַת־תְּזוּנָה
undernourishment *n* תַּת־תְּזוּנָה
underpass *n* מַעֲבָר תַּחְתִּי
underpay *vt* שִׁילֵּם שָׂכָר יָרוּד
underpin *vt* הִשְׁעִין מִלְּמַטָּה
underprivileged *adj* מְשׁוּלַּל זְכוּיוֹת, מְקוּפָּח
underrate *vi, vt* מִיעֵט בְּעֶרְכּוֹ שֶׁל
underscore *vt* מָתַח קַו מִתַּחַת, הִדְגִּישׁ
undersea *adj, adv* תַּת־יַמִּי
undersecretary *n* תַּת־מַזְכִּיר, תַּת־שַׂר
undersell *vt* מָכַר בְּזוֹל (ממתחרה)
undershirt *n* גוּפִיָּה
undersigned *adj* הֶחָתוּם מַטָּה
underskirt *n* תַּחְתּוֹנִית

understand *vt, vi* הֵבִין
understandable *adj* שֶׁנִּיתָּן לְהָבִינוֹ
understanding *n* הֲבָנָה, בִּינָה; הֶסְכֵּם
understanding *adj* בַּעַל הֲבָנָה
understudy *n* שַׂחְקָן חָלִיף
understudy *vt, vi* הִתְאַמֵּן לְתַפְקִידוֹ שֶׁל שַׂחְקָן אַחֵר
undertake *vt, vi* נָטַל עַל עַצְמוֹ
undertaker *n* קַבְּלָן; מְסַדֵּר הַלְוָויוֹת
undertaking *n* סִידּוּר הַלְוָויוֹת; הִתְחַיְּבוּת; מְשִׂימָה
undertone *n* קוֹל נָמוּךְ
undertow *n* זֶרֶם נֶגֶד־חוֹפִי
underwear *n* לְבָנִים, תַּחְתּוֹנִים
underworld *n* הָעוֹלָם הַתַּחְתּוֹן
underwriter *n* מְבַטֵּחַ; עָרֵב
undeserved *adj* שֶׁאֵינוֹ רָאוּי לוֹ
undesirable *adj, n* בִּלְתִּי־רָצוּי
undignified *adj* לֹא מְכוּבָּד
undo *vt* סִילֵּק, הֵסִיר; הָרַס; הִתִּיר
undoing *n* בִּיטּוּל; הֶרֶס
undone *adj* לֹא עָשׂוּי, לֹא גָמוּר; הָרוּס; לֹא מְכוּפְתָּר; לֹא רָכוּס
undoubtedly *adv* בְּלִי סָפֵק
undress *adj, n* לֹא לָבוּשׁ; לְבוּשׁ מְרוּשָּׁל; לְבוּשׁ רָגִיל
undress *vt, vi* הִפְשִׁיט, עִרְטֵל; הִתְפַּשֵּׁט
undrinkable *adj* שֶׁלֹּא נִיתָּן לִשְׁתִיָּיה
undue *adj* מוּפְרָז; לֹא הוֹגֵן
undulate *vi* הִתְנַחְשֵׁל, הִתְנוֹעֵעַ בְּצוּרָה גַּלִּית
unduly *adv* בְּהַפְרָזָה; שֶׁלֹּא כַּדִּין
undying *adj* נִצְחִי
unearned *adj* שֶׁלֹּא הִרְוִיחַ בַּעֲבוֹדָה (אוֹ בשירות)
unearth *vt* גִּילָּה, חָשַׂף
unearthly *adj* שֶׁלֹּא מֵהָעוֹלָם הַזֶּה
uneasy *adj* שֶׁלֹּא בְּנוֹחַ; מוּדְאָג
uneatable *adj* לֹא אָכִיל
uneconomical *adj* לֹא חֶסְכוֹנִי
uneducated *adj* חֲסַר חִינּוּךְ
unemployed *adj, n* חֲסַר עֲבוֹדָה; מוּבְטָל
unemployment *n* אַבְטָלָה
unending *adj* בִּלְתִּי־פּוֹסֵק
unequal *adj* לֹא שָׁוֶה
unequaled, unequalled *adj* שֶׁאֵין דּוֹמֶה לוֹ
unerring *adj* לְלֹא שְׁגִיאָה, מְדוּיָּק
unessential *adj* בִּלְתִּי־הֶכְרֵחִי
uneven *adj* לֹא יָשָׁר, לֹא חָלָק
uneven number *n* מִסְפָּר לֹא זוּגִי
unexpected *adj* לֹא צָפוּי
unexpectedly *adv* בְּאוֹרַח לֹא צָפוּי
unexplained *adj* שֶׁלֹּא הוּסְבַּר
unexplored *adj* שֶׁלֹּא נֶחְקַר; שֶׁלֹּא סִיְּירוּ בּוֹ
unexposed *adj* שֶׁלֹּא נֶחְשַׂף
unfading *adj* שֶׁלֹּא דָהָה; שֶׁלֹּא פָּג
unfailing *adj* לֹא אַכְזָב, נֶאֱמָן
unfair *adj* לֹא הוֹגֵן
unfaithful *adj* לֹא נֶאֱמָן
unfamiliar *adj* לֹא יָדוּעַ; לֹא בָּקִי; זָר
unfasten *vt* הִתִּיר
unfathomable *adj* שֶׁאֵין לָרֶדֶת לְעוּמְקוֹ
unfavorable *adj* לֹא נוֹחַ; שְׁלִילִי
unfeeling *adj* נְטוּל רֶגֶשׁ
unfetter *vt* נִיתֵּק כְּבָלִים
unfilled *adj* שֶׁלֹּא נִתְמַלֵּא

unfinished *adj* לֹא גָמוּר
unfit *adj* לֹא רָאוּי, לֹא כָּשֵׁר, לֹא כָּשִׁיר
unfold *vt, vi* גָּלַל, פָּרַשׂ; נִגְלַל
unforeseeable *adj* שֶׁאֵין לַחֲזוֹתוֹ מֵרֹאשׁ
unforeseen *adj* בִּלְתִּי־צָפוּי
unforgettable *adj* בִּלְתִּי־נִשְׁכָּח
unforgivable *adj* שֶׁאֵין לוֹ כַּפָּרָה
unfortunate *adj, n* חֲסַר מַזָּל, אוּמְלָל
unfounded *adj* לְלֹא יְסוֹד
unfreeze *vt* הִפְשִׁיר
unfriendly *adj* לֹא יְדִידוּתִי
unfruitful *adj* לֹא פּוֹרֶה, עָקָר
unfulfilled *adj* שֶׁלֹּא קוּיַּם
unfurl *vt* גָּלַל, פָּרַשׂ
unfurnished *adj* לֹא מְרוֹהָט
ungainly *adj* מְסוּרְבָּל, מְגוּשָּׁם
ungentlemanly *adj* לֹא מְנוּמָּס
ungodly *adj* חוֹטֵא
ungracious *adj* לֹא אָדִיב, לֹא מְנוּמָּס
ungrateful *adj* כְּפוּי טוֹבָה
ungrudgingly *adv* בְּרוֹחַב־לֵב
unguarded *adj* לֹא מוּגָן; לֹא זָהִיר
unguent *n* מִשְׁחָה
unhandy *adj* לֹא נוֹחַ; (אדם) לֹא מְאוּמָּן
unhappiness *n* עַצְבוּת; אוּמְלָלוּת
unhappy *adj* עָצוּב; אוּמְלָל
unharmed *adj* לֹא נִיזּוֹק, לֹא נִפְגָּע
unharmonious *adj* לֹא הַרְמוֹנִי, צוֹרֵם
unhealthy *adj* לֹא בָּרִיא; מַזִּיק לַבְּרִיאוּת
unheard-of *adj* שֶׁלֹּא נִשְׁמַע כְּמוֹתוֹ
unhinge *vt* עָקַר מִן הַצִּירִים; הִפְרִיד
unholy *adj* לֹא קָדוֹשׁ; רָשָׁע
unhook *vt* הוֹרִיד מֵאוּנְקָל
unhorse *vt* הִפִּיל מֵעַל סוּס
unhurt *adj* שָׁלֵם, לֹא פָּגוּעַ
unicorn *n* חַדקֶרֶן
unification *n* אִיחוּד, הַאֲחָדָה
uniform *adj* אָחִיד; שֶׁל מַדִּים
uniform *n* מַדִּים
uniformity *n* אֲחִידוּת
unify *vt* אִיחֵד, הֶאֱחִיד
unilateral *adj* חַד־צְדָדִי
unimpeachable *adj* לְלֹא אַשְׁמָה
unimportant *adj* לֹא חָשׁוּב
uninhabited *adj* לֹא מְיוּשָּׁב
uninspired *adj* בְּלִי הַשְׁרָאָה
unintelligent *adj* חֲסַר דֵּעָה
unintelligible *adj* לֹא מוּבָן
uninterested *adj* שְׁוֵה־נֶפֶשׁ, אָדִישׁ
uninteresting *adj* לֹא מְעַנְיֵין
uninterrupted *adj* רָצוּף
union *n* אִיחוּד; בְּרִית; אֲגוּדָּה
unionize *vt* יָצַר אִיגּוּד מִקְצוֹעִי
Union of Socialist Soviet Republics *n* בְּרִית הַמּוֹעָצוֹת, בריה״מ
unique *adj* יָחִיד בְּמִינוֹ
unison *n* הַרְמוֹנְיָה שֶׁל קוֹלוֹת
unit *n* יְחִידָה
unite *vt, vi* אִיחֵד, לִיכֵּד; הִתְאַחֵד; הִזְדַּוֵּוג
united *adj* מְאוּחָד, מְחוּבָּר
United Kingdom *n* הַמַּמְלָכָה הַמְאוּחֶדֶת
United Nations *n pl* הָאוּמּוֹת הַמְאוּחָדוֹת (או״ם)
United States of America *n pl* אַרְצוֹת־הַבְּרִית שֶׁל אֲמֵרִיקָה, ארה״ב
unity *n* אַחְדוּת

univalency *n* חַד־עֶרְכִּיּוּת
universal *adj* כּוֹלְלָנִי, כּוֹלֵל
universal joint *n* מִפְרָק אוּנִיבֶרְסָלִי
universe *n* יְקוּם, עוֹלָם, קוֹסמוֹס
university *n* מִכְלָלָה, אוּנִיבֶרְסִיטָה
unjust *adj* לֹא צוֹדֵק
unjustified *adj* לֹא מוּצְדָק
unkempt *adj* לֹא מְסוֹרָק, מְרוּשָּׁל
unkind *adj* לֹא טוֹב, רַע־לֵב
unknowingly *adv* שֶׁלֹּא מִדַּעַת
unknown *adj, n* לֹא נוֹדָע, לֹא־יָדוּעַ; בִּלְתִּי נוֹדָע
unknown quantity *n* נֶעלָם
Unknown Soldier *n* הַחַיָּל הָאַלְמוֹנִי
unlatch *vt, vi* פָּתַח (מנעול)
unlawful *adj* שֶׁלֹּא כַּדִּין, לֹא חוּקִי
unleash *vt* הִתִּיר אֶת הָרְצוּעָה
unleavened bread *n* מַצָּה
unless *conj* אֶלָּא אִם; עַד שֶׁלֹּא
unlettered *adj* בּוּר, לֹא מְחוּנָּךְ
unlike *adj, prep* לֹא דוֹמֶה; שׁוֹנֶה מִן
unlikely *adj* לֹא נִרְאֶה, לֹא מִתקַבֵּל עַל הַדַּעַת
unlimber *vt, vi* הֵכִין לִפעוּלָּה
unlined *adj* לְלֹא בִּטְנָה; חֲסַר קַוִּים; (עוֹר) לֹא מְקוּמָּט
unload *vt, vi* פָּרַק; נִפְטַר מִן
unloading *n* פְּרִיקָה
unlock *vt* פָּתַח (מנעול)
unloose *vt* רִיפָּה, שִׁחרֵר, הִרפָּה
unloved *adj* לֹא אָהוּב
unlovely *adj* לֹא מוֹשֵׁךְ, נְטוּל חֵן
unlucky *adj* בִּישׁ־גַּדָּא, רַע־מַזָּל
unmake *vt* עָשָׂה לְאַל
unmanageable *adj* שֶׁלֹּא נִיתָּן לְהִשְׁתַּלֵּט עָלָיו
unmanly *adj* לֹא גַבְרִי
unmannerly *adj, adv* חֲסַר נִימוּס
unmarketable *adj* לְלֹא קוֹנֶה
unmarried *adj* לֹא נָשׂוּי, רַוָּק
unmask *vt* הֵסִיר אֶת הַמַּסוֶה
unmatchable *adj* שֶׁאֵין לְהִשְׁתַּוּוֹת אֵלָיו
unmerciful *adj* חֲסַר רַחֲמִים
unmesh *vt, vi* הִתִּיר (סבך)
unmindful *adj* לֹא זָהִיר
unmistakable *adj* שֶׁאֵין לְטָעוֹת בּוֹ
unmistakably *adv* בִּמְפוֹרָשׁ
unmixed *adj* לֹא מְעוּרְבָּב, טָהוֹר
unmoved *adj* לֹא מוּשְׁפָּע, אָדִישׁ
unnatural *adj* לֹא טִבעִי
unnecessary *adj* לֹא נָחוּץ
unnerve *vt* רִיפָּה יָדָיו שֶׁל
unnoticeable *adj* לֹא נִיכָּר
unnoticed *adj* שֶׁלֹּא הִבחִינוּ בּוֹ
unobliging *adj* שֶׁאֵינוֹ עוֹזֵר לַזּוּלַת
unobserved *adj* שֶׁלֹּא הִבחִינוּ בּוֹ
unobtrusive *adj* נֶחבָּא אֶל הַכֵּלִים
unoccupied *adj* לֹא כָּבוּשׁ; לֹא תָּפוּס
unofficial *adj* לֹא רִשׁמִי
unopened *adj* לֹא נִפתָּח
unorthodox *adj* לֹא דָתִי; לֹא דָבֵק בְּמוּסכָּמוֹת
unpack *vt* פָּרַק
unpalatable *adj* שֶׁאֵינוֹ עָרֵב לַחֵךְ
unparalleled *adj* שֶׁאֵין כָּמוֹהוּ
unpardonable *adj* שֶׁלֹּא יִיסָּלֵחַ
unpatriotic *adj* לֹא פַּטרִיּוֹטִי
unperceived *adj* שֶׁלֹּא הִבחִינוּ בּוֹ
unpleasant *adj* לֹא נָעִים

unpopular *adj* לֹא עֲמָמִי; לֹא מְחוּבָּב
unpopularity *n* חוֹסֶר פּוֹפּוּלָרִיוּת
unprecedented *adj* חֲסַר תַּקְדִים
unpremeditated *adj* שֶׁלֹּא בְּכַוָּנָה תְּחִילָּה
unprepared *adj* לֹא מוּכָן
unprepossessing *adj* לֹא מוֹשֵׁךְ
unpresentable *adj* לֹא רָאוּי לְהַגָּשָׁה; לֹא רָאוּי לְהוֹפָעָה
unpretentious *adj* לֹא יוּמְרָנִי
unprincipled *adj* חֲסַר עֶקרוֹנוֹת
unproductive *adj* לֹא פּוֹרֶה, לֹא יָעִיל
unprofitable *adj* שֶׁאֵינוֹ מֵבִיא רֶוַח
unpronounceable *adj* לֹא נִיתָּן לְבִיטּוּי
unpropitious *adj* לֹא מְעוֹדֵד
unpunished *adj* לֹא נֶעֱנָשׁ
unquenchable *adj* שֶׁלֹּא יִיכָּבֶה; שֶׁאֵין לְדַכֵּא אוֹתוֹ
unquestionable *adj* שֶׁאֵינוֹ מוּטָל בְּסָפֵק
unravel *vt, vi* הִתִּיר; פָּתַר; הִבְהִיר
unreal *adj* לֹא מַמָּשִׁי; דִמְיוֹנִי
unreality *n* אִי־מְצִיאוּתִיוּת
unreasonable *adj* חֲסַר הִיגָּיוֹן; לֹא סָבִיר
unrecognizable *adj* שֶׁאֵין לְהַכִּירוֹ
unreel *vt, vi* גָּלַל, הִתִּיר
unrefined *adj* לֹא מְזוּקָק; לֹא תַּרְבּוּתִי
unrelenting *adj* אֵיתָן בְּתַקִּיפוּתוֹ
unreliable *adj* לֹא מְהֵימָן
unremitting *adj* לֹא פּוֹסֵק
unrepentant *adj* לֹא מַבִּיעַ חֲרָטָה
unrequited love *n* אַהֲבָה לְלֹא הֵיעָנוּת
unresponsive *adj* לֹא נַעֲנֶה, אָדִישׁ
unrest *n* אִי־שֶׁקֶט
unrighteous *adj* לֹא צַדִּיק, רָשָׁע
unripe *adj* בּוֹסֶר, לֹא בָּשֵׁל
unrivalled *adj* לְלֹא מִתְחָרֶה
unroll *vt* גּוֹלֵל, גָּלַל, פָּרַשׂ
unruffled *adj* חָלָק, שָׁקֵט; קַר־רוּחַ
unruly *adj* פָּרוּעַ
unsaddle *vt* הֵסִיר אוּכָּף; הִפִּיל מִסּוּס
unsafe *adj* לֹא בָּטוּחַ, מְסוּכָּן
unsaid *adj* שֶׁלֹּא נֶאֱמַר
unsanitary *adj* לֹא הִיגְיֵינִי
unsatisfactory *adj* לֹא מֵנִיחַ אֶת הַדַּעַת
unsatisfied *adj* לֹא בָּא עַל סִיפּוּקוֹ
unsavory *adj* לֹא נָעִים, דּוֹחֶה
unscathed *adj* לֹא נִיזּוֹק
unscientific *adj* לֹא מַדָּעִי
unscrew *vt* פָּתַח בּוֹרֶג
unscrupulous *adj* חֲסַר מַצְפּוּן
unseal *vt* שָׁבַר אֶת הַחוֹתָם
unseasonable *adj* שֶׁלֹּא בְּעוֹנָתוֹ
unseemly *adj* לֹא יָאֶה
unseen *adj* לֹא נִרְאֶה
unselfish *adj* לֹא אָנוֹכִיִי
unsettled *adj* לֹא מְאוּכְלָס; לֹא יַצִּיב
unshackle *vt* שִׁחְרֵר מִכְּבָלִים
unshaken *adj* לֹא מְעוּרְעָר
unshapely *adj* לֹא חָטוּב יָפֶה
unshaven *adj* לֹא מְגוּלָּח
unsheathe *vt* שָׁלַף
unshod *adj* לְלֹא נַעֲלַיִים; (לגבי סוּס) לֹא מְפוּרזָל
unshrinkable *adj* לֹא כָּוִויץ
unsightly *adj* רַע הַמַּרְאֶה

unsinkable *adj* לא טָבִיעַ
unskilful *adj* לא מְיוּמָּן
unskilled *adj* לא מְאוּמָּן
unskilled laborer *n* פּוֹעֵל פָּשׁוּט
unsociable *adj* לא חֶבְרָתִי
unsold *adj* לא מָכוּר
unsolder *vt* הִפְרִיד, הֵמֵס
unsophisticated *adj* לא מְתוּחכָּם
unsound *adj* לא אֵיתָן, חוֹלֶה; פָּגוּם
unsown *adj* לא זָרוּעַ
unspeakable *adj* שֶׁאֵין לְהַעֲלוֹתוֹ עַל הַשְּׂפָתַיִם
unsportsmanlike *adj* לא הוֹגֵן, נוֹגֵד הָרוּחַ הַספּוֹרטִיבִית
unstable *adj* לא יַצִּיב
unsteady *adj* לא יַצִּיב; הֲפַכְפַּךְ
unstinted *adj* בְּיָד רְחָבָה
unstitch *vt* פָּרַם
unstressed *adj* לא מוּדגָשׁ, לא מוּטעָם
unstrung *adj* חֲסַר מֵיתָרִים; חֲלוּשׁ עֲצַבִּים
unsuccessful *adj* לא מוּצלָח
unsuitable *adj* לא מַתְאִים
unsurpassable *adj* שֶׁאֵין לְמַעְלָה מִמֶּנּוּ
unsuspected *adj* לא חָשׁוּד; שֶׁקִיוּמוֹ לא עָלָה עַל הַדַּעַת
unswerving *adj* יַצִּיב, לא סוֹטֶה
unsympathetic *adj* לא אוֹהֵד; לא שׁוּתָּף לְרְגָשׁוֹת
unsystematic(al) *adj* חֲסַר שִׁיטָה
untamed *adj* לא מְאוּלָּף
untangle *vt* הוֹצִיא מִן הַסְּבַךְ
unteachable *adj* לא לָמִיד
untenable *adj* לא נִיתָּן לַהֲגַנָּה

unthinkable *adj* שֶׁאֵין לְהַעֲלוֹתוֹ עַל הַדַּעַת
unthinking *adj* חֲסַר מַחֲשָׁבָה
untidy *adj* מְרוּשָּׁל
untie *vt, vi* הִתִּיר קֶשֶׁר
until *prep, conj* עַד, עַד שֶׁ...
untillable *adj* לא חָרִישׁ
untimely *adj* שֶׁלֹּא בְּעִיתּוֹ
untiring *adj* שֶׁאֵינוֹ יוֹדֵעַ לֵאוּת
untold *adj* לְאֵין סְפוֹר
untouchable *adj, n* שֶׁאֵין לָגַעַת בּוֹ
untouched *adj* שֶׁלֹּא נָגְעוּ בּוֹ
untoward *adj* לא נוֹחַ, רַע מַזָּל
untrammeled *adj* חוֹפשִׁי, לא כָּבוּל
untried *adj* שֶׁלֹּא נוּסָּה
untroubled *adj* לא מוּטרָד
untrue *adj* לא נָכוֹן; לא נֶאֱמָן, כּוֹזֵב
untruth *n* אִי־אֱמֶת, שֶׁקֶר
untruthful *adj* כּוֹזֵב
untrustworthy *adj* לא מְהֵימָן
untwist *vt* הִתִּיר, סָתַר
unused *adj* לא מוּרגָל; בִּלתִּי־מְשׁוּמָּשׁ
unusual *adj* לא רָגִיל
unutterable *adj* שֶׁאֵין לְבַטְּאוֹ
unvanquished *adj* בִּלתִּי־מְנוּצָּח
unvarnished *adj* לא מְצוּחצָח
unveil *vt, vi* הֵסִיר צָעִיף; הֵסִיר לוֹט
unveiling *n* הֲסָרַת לוֹט; הֲסָרַת צָעִיף
unwanted *adj* לא רָצוּי
unwarranted *adj* לא מוּצדָק; לא מוּסמָךְ
unwary *adj* לא זָהִיר; נִמְהָר
unwavering *adj* הֶחלֵטִי, יַצִּיב
unwelcome *adj* לא רָצוּי
unwell *adj* לא בָּרִיא

unwholesome *adj* לֹא בָּרִיא; מַזִּיק
unwieldy *adj* מְגוּשָּׁם; קָשֵׁה שִׁימּוּשׁ
unwilling *adj* מְמָאֵן, בּוֹחֵל
unwillingly *adj* בְּאִי־רָצוֹן
unwind *vt* הִתִּיר, סָתַר
unwise *adj* לֹא מְחוּכָּם
unwitting *adj* בִּלְתִּי־יוֹדֵעַ
unwonted *adj* לֹא רָגִיל, לֹא נָהוּג
unworldly *adj* לֹא גַשְׁמִי
unworthy *adj* לֹא רָאוּי
unwrap *vt* גּוֹלֵל, פָּתַח
unwritten *adj* שֶׁלֹּא בִּכְתָב
unyielding *adj* לֹא מְוַותֵּר
unyoke *vt* הֵסִיר עוֹל
up *adv, prep, adj* עַד; עַל; מַעְלָה; מַאֲמִיר; זָקוּף; בְּמַעֲלֶה
up-and-coming *adj* מַבְטִיחַ, בַּעַל סִיכּוּיִים
up-and-up *n* יוֹשֶׁר; שִׁיפּוּר
upbraid *vt* נָזַף, הוֹכִיחַ
upbringing *n* גִּידוּל, חִינּוּךְ
upcountry *adj, adv, n* הַרְחֵק מֵהַגְּבוּל; פְּנִים הָאָרֶץ
update *vt* עִדְכֵּן
upheaval *n* תַּהְפּוּכָה
uphill *adj* עוֹלֶה; מְיַיגֵּעַ
uphill *adv* בְּמַעֲלֵה הָהָר
uphold *vt* הֶחֱזִיק, חִיזֵּק
upholster *vt* רִיפֵּד
upholsterer *n* רַפָּד
upholstery *n* רִיפּוּד; רַפָּדוּת
upkeep *n* אַחֲזָקָה
upland *n, adj* רָמָה; רָמָתִי
uplift *vt* הֵרִים; רוֹמֵם
uplift *n* הֲרָמָה; הַעֲלָאָה; הִתְעַלּוּת

upon *prep, adv* עַל, עַל־פְּנֵי; אַחֲרֵי
upper *adj* עֶלְיוֹן, עִילִי
upper *n* פֶּנֶת; מִטָּה עִילִית
upper berth *n* מִיטָּה עִילִית
upper hand *n* יָד עַל הָעֶלְיוֹנָה
upper middle class *n* מַעֲמָד בֵּינוֹנִי עִילִי
uppermost *adj, adv* רֹאשׁ וְרִאשׁוֹן; בְּרֹאשׁ
uppish *adj* מִתְנַשֵּׂא
upright *adj* זָקוּף; יְשַׁר דֶּרֶךְ
upright *n* עַמּוּד זָקוּף
uprising *n* הִתְקוֹמְמוּת
uproar *n* רַעַשׁ, שָׁאוֹן
uproarious *adj* רוֹעֵשׁ, הוֹמֶה
uproot *vt* עָקַר מִן הַשּׁוֹרֶשׁ
upset *vt, vi* הָפַךְ; בִּלְבֵּל; הִדְאִיג
upset *n* הֲפִיכָה; מַצַּב־רוּחַ נִרְגָּז
upset *adj* מְבוּלְבָּל; נִרְגָּז
upsetting *adj* מְצַעֵר
upshot *n* סוֹף־דָּבָר, תּוֹצָאָה
upside *n* בַּצַּד הָעֶלְיוֹן
upside-down *adj* מְהוּפָּךְ; תּוֹהוּ וָבוֹהוּ
upstage *adv, adj* בְּיַרְכְּתֵי הַבִּימָה; יָהִיר
upstairs *adv, adj, n* לְמַעְלָה; (שֶׁל) קוֹמָה עֶלְיוֹנָה
upstanding *adj* זְקוּף־קוֹמָה; יָשָׁר, הָגוּן
upstate *adj, n* (שֶׁל) צְפוֹן הַמְּדִינָה
upstream *adv* בְּמַעֲלֵה הַנָּהָר
upstroke *n* מְשִׁיכַת־עַל
upswing *n* עֲלִיָּיה גְּדוֹלָה
up-to-date *adj* מְעוּדְכָּן
up-to-the-minute *adj* מְעוּדְכָּן לָרֶגַע

uptown *adj, adv, n* (שֶׁל) מַעֲלֵה הָעִיר; בְּמַעֲלֵה הָעִיר
uptrend *n* מְגַמַּת עֲלִייָה
upturned *adj* מוּפנֶה כְּלַפֵּי מַעלָה
upward *adj, adv* עוֹלֶה; אֶל עָל, לְמַעלָה
uranium *n* אוּרָן, אוּרַניוּם
urban *adj* עִירוֹנִי
urbane *adj* אָדִיב, יְפֵה־הֲלִיכוֹת
urbanite *n* עִירוֹנִי
urbanity *n* אֲדִיבוּת, נִימוּסִים
urbanize *vt* עִייֵר
urchin *n* מַזִּיק, שׁוֹבָב
urethra *n* שׁוֹפכָה
urge *vt* דָחַף, דָחַק עַל; תָּבַע בְּמַסגִּיעַ
urge *n* דַחַף, דְּחִיפָה; יֵצֶר
urgency *n* דְחִיפוּת
urgent *adj* דָחוּף
urgently *adv* בִּדחִיפוּת
urinal *n* כְּלִי שֶׁתֶן; מִשְׁתָּנָה
urinate *vi* הִשׁתִּין
urine *n* שֶׁתֶן
urn *n* כַּד, קַנקַן
us *pron* אוֹתָנוּ; לָנוּ
U.S.A. *abbr* United States of America
usable *adj* בַּר שִׁימוּשׁ
usage *n* נוֹהַג, שִׁימוּשׁ; מִנהָג
use *vt, vi* הִשׁתַּמֵּשׁ ב...; נָהַג ב...; נָהַג ל...; נִיצֵל; צָרַךְ
use *n* שִׁימוּשׁ; נִיצוּל; תּוֹעֶלֶת
used *adj* מְשׁוּמָשׁ; רָגִיל
useful *adj* מוֹעִיל, שִׁימוּשִׁי
usefulness *n* תּוֹעֶלֶת
useless *adj* חֲסַר תּוֹעֶלֶת
user *n* מִשׁתַּמֵּשׁ
usher *n* סַדְּרָן, שַׁמָּשׁ (בְּבית־דין)
U.S.S.R. *abbr* Union of Socialist Soviet Republics
usual *adj* רָגִיל, שָׁכִיחַ
usually *adv* בְּדֶרֶךְ כְּלָל
usurp *vt* נָטַל בְּכוֹחַ; הִסִּיג גְבוּל
usury *n* רִיבִּית קְצוּצָה
utensil *n* כְּלִי; מַכשִׁיר
uterus *n* רֶחֶם
utilitarian *adj, n* תּוֹעַלתָּנִי; תּוֹעַלתָּן
utility *n* תּוֹעֶלֶת, דָבָר מוֹעִיל; שֵׁירוּת צִיבּוּרִי
utilize *vt* נִיצֵל
utmost *adj, n* בְּיוֹתֵר; מֵיטָב, מְלוֹא
Utopia *n* אוּטוֹפִּיָה
utopian *adj* אוּטוֹפִּי, בַּעַל חֲלוֹמוֹת
utter *adj* גָמוּר, מוּחלָט
utter *vt* בִּיטֵּא, הִבִּיעַ; פִּרסֵם
utterance *n* בִּיטּוּי, הַבָּעָה; דִיבּוּר
utterly *adv* לְגַמרֵי
uxoricide *n* הוֹרֵג אִשׁתּוֹ
uxorious *adj* כָּרוּךְ מְאוֹד אַחֲרֵי אִשׁתּוֹ

V

V, v וִי (הָאוֹת הָעֶשְׂרִים־וּשְׁתַּיִם בָּאָלֶפְבֵּית)
vacancy *n* רֵיקוּת; מָקוֹם פָּנוּי
vacant *adj* רֵיק; פָּנוּי; נָבוּב
vacate *vt* פִּינָּה
vacation *n* פַּגְרָה, חוֹפֶשׁ; חוּפְשָׁה
vacation *vi, vt* נָטַל חוּפְשָׁה
vacationist *n* נוֹפֵשׁ, מְבַלֶּה חוּפְשָׁה
vacation with pay *n* חוֹפֶשׁ בְּתַשְׁלוּם
vaccination *n* הַרְכָּבַת אֲבַעְבּוּעוֹת
vaccine *n* תַּרְכִּיב
vacillate *vi* הִיסֵּס
vacillating *adj* מְהַסֵּס
vacuity *n* רֵיקוּת, רֵיקָנוּת
vacuum *vt* שָׁאַב אָבָק
vacuum *n* רֵיק, חָלָל רֵיק
vacuum-cleaner *n* שׁוֹאֵב־אָבָק
vacuum-tube *n* שְׁפוֹפֶרֶת־רִיק
vagabond *adj, n* שׁוֹטְטָן; בֶּן־בְּלִי־בַּיִת
vagary *n* גַּחַם, קַפְּרִיזָה
vagina *n* פּוֹתָה
vagrancy *n* נַיָּדוּת, שׁוֹטְטוּת
vagrant *n, adj* נָע־וָנָד, שׁוֹטְטָן
vague *adj* מְעוּרְפָּל, לֹא בָּרוּר
vain *adj* הַבְלִי; רֵיקָנִי; שָׁווא; גַּאַוותָנִי
vainglorious *adj* רַבְרְבָן, מִתְפָּאֵר
vale *n* עֵמֶק
valedictory *adj, n* (נְאוּם) פְּרֵידָה
valentine *n* אָהוּב, אֲהוּבָה; מִכְתַּב אֲהָבִים
vale of tears *n* עֵמֶק הַבָּכָא
valet *n* נוֹשֵׂא־כֵּלִים; מְשָׁרֵת
valiant *adj* אַמִּיץ־לֵב; שֶׁל אוֹמֶץ־לֵב
valid *adj* שָׁרִיר, תָּקֵף; תּוֹפֵס
validate *vt* הִשְׁרִיר, הִקְנָה תּוֹקֶף
validation *n* הַשְׁרָרָה
validity *n* תְּקֵפוּת
valise *n* מִזְוָודָה
valley *n* עֵמֶק, בִּקְעָה
valor *n* אוֹמֶץ־לֵב
valuable *adj, n* רַב־עֵרֶךְ; דְּבַר־עֵרֶךְ
value *n* עֵרֶךְ, שׁוֹוִי
value *vt* הֶעֱרִיךְ, שָׂם
valve *n* שַׁסְתּוֹם, מַסְתֵּם; שְׁפוֹפֶרֶת
valve cap *n* מְגוּפַת הַשַּׁסְתּוֹם
valve gears *n pl* הֶינֵעַ הַשַּׁסְתּוֹם
valve lifter *n* מַגְבֵּהַ הַשַּׁסְתּוֹם
valve spring *n* קְפִיץ הַשַּׁסְתּוֹם
valve stem *n* כּוֹשׁ הַשַּׁסְתּוֹם
vamp *n* חַרְטוֹם הַנַּעַל; טְלַאי; (אִשָּׁה) עַרְפָּדִית, וַמְפּ
vamp *vt* הִטְלִיא, אִלְתֵּר; עִרְפְּדָה
vampire *n* עַרְפָּד
van *n* חֵיל הֶחָלוּץ; רֶכֶב מִשְׁלוֹחַ
vandal *n* וַנְדָל; בַּרְבָּר
vandalism *n* וַנְדָלִיּוּת, וַנְדָלִיזְם
vane *n* שַׁבְשֶׁבֶת
vanguard *n* חֵיל חָלוּץ
vanilla *n* שֶׁנֶף, וָנִיל
vanish *vi* נֶעֱלַם, גָּז
vanishing cream *n* מִשְׁחַת פָּנִים נֶעֱלֶמֶת
vanity *n* הִתְרַהֲבוּת, הִתְפָּאֲרוּת־שָׁווא
vanity case *n* פּוּדְרִיָּה

vanquish *vt* נִיצֵחַ, הֵבִיס
vantage ground *n* עֶמְדַת יִתרוֹן
vapid *adj* חֲסַר טַעַם, תָּפֵל
vapor *n* אֵד, הֶבֶל, קִיטוֹר
vaporize *vt, vi* אִידָה; הִתאַדָּה
vapor trail *n* עִיקְבוֹת מְטוֹס סִילוֹן
variable *adj* מִשְׁתַּנֶּה; שֶׁאֵינוֹ יַצִּיב
variance *n* שׁוֹנִי, שִׁינּוּי; הֶבדֵל
variant *adj, n* שׁוֹנֶה, מִשְׁתַּנֶּה; גִרסָה שׁוֹנָה
variation *n* שִׁינּוּי, שׁוֹנִי; וַרִיַצִיָה
varicose veins *n pl* דַלְיוֹת הָרַגלַיִים
varied *adj* שׁוֹנֶה, מְגוּוָּן
variegated *adj* מְגוּוָּן, שׁוֹנֶה
variety *n* רַבגוֹנִיוּת, מִגוון
variety show *n* הַצָּגַת וַארְיֵיטֶה
variola *n* אֲבַעבּוּעוֹת
various *adj* שׁוֹנִים
varnish *n* מִשׁחַת־בָּרָק, לַכָּה
varnish *vt* לִיכָּה; צִחצֵחַ
varsity *n* אוּנִיבֶרסִיטָה
vary *vt, vi* שִׁינָּה, גִיוּוֵן; הִשְׁתַּנָּה
vase *n* וָזָה, אֲגַרטֵל
vaseline *n* וָזֵלִין
vassal *n, adj* צָמִית, וַסָּל; מְשׁוּעבָּד
vast *adj* גָדוֹל, נִרחָב
vastly *adv* בְּמִידָה רְחָבָה
vat *n* מֵיכָל, אַמבָּט
vaudeville *n* ווֹדֶבִיל וַרְיֵיטֶה
vault *n* כּוּךְ, מַרתֵּף; כִּיפָּה; נִיתּוּר, קְפִיצָה
vault *vi, vt* נִיתֵּר, קָפַץ
veal *n* בְּשַׂר עֵגֶל
veal chop *n* כְּתִיתַת עֵגֶל
vedette *n* זָקִיף רָכוּב
veer *vi, vt* שִׁינָּה כִּיווּן; חָג
vegetable *n, adj* יָרָק; צוֹמֵחַ; צִמחִי; שֶׁל יְרָקוֹת
vegetarian *n, adj* צִמחוֹנִי; שֶׁל יְרָקוֹת
vegetation *n* צִמחִיָּה
vehemence *n* עוֹז, כּוֹחַ עַז
vehement *adj* עַז, תַּקִּיף, נִסעָר
vehicle *n* רֶכֶב; אֶמצָעִי הַעֲבָרָה
vehicular traffic *n* תְּנוּעַת כְּלֵי־רֶכֶב
veil *n* צָעִיף, רְעָלָה
veil *vt* צִיעֵף, כִּיסָּה
vein *n* וְרִיד, גִיד; נְטִיָּה
vellum *n* קְלָף מֵעוֹר עֵגֶל
velocity *n* מְהִירוּת
velvet *n, adj* קְטִיפָה; רַךְ
velveteen *n* קְטִיפִין
velvety *adj* קְטִיפָנִי
Ven. *abbr* Venerable
vend *vt* מָכַר
vendor *n* מוֹכֵר; מַזְבֶּנֶת (מכונה)
veneer *n* לָבִיד; בָּרָק חִיצוֹנִי
veneer *vt* לָבַד, הִלבִּיד
venerable *adj* נִכבָּד, רָאוּי לְהוֹקָרָה
venerate *vt* כִּיבֵּד, הוֹקִיר
venereal *adj* שֶׁל מַחֲלַת־מִין
Venetian blind *n* תְּרִיס רְפָפוֹת
vengeance *n* נָקָם, נְקָמָה
vengeful *adj* נוֹקֵם, נַקמָנִי
Venice *n* וֶנֶצִיָה
venison *n* בְּשַׂר צְבִי
venom *n* אֶרֶס, רַעַל
venomous *adj* אַרסִי
vent *n* פֶּתַח יְצִיאָה; פּוּרקָן; מַבָּע
vent *vt, vi* הִתקִין פֶּתַח; נָתַן בִּיטּוּי
venthole *n* נֶקֶב אִוורוּר

ventilate *vt* אִוורֵר; דָן בְּפוּמבֵּי
ventilator *n* מְאַוורֵר
ventricle *n* חֲדַר הַלֵב; חֲדַר הַמּוֹחַ
ventriloquism *n* מַעֲשֵׂה פִּיתוֹם, דִיבּוּר מֵהַבֶּטֶן
venture *n* מִפעָל נוֹעָז; מַעפָּל
venture *vt* הֵעֵז
venturesome *adj* מִסתַכֵּן; נוֹעָז
venue *n* מְקוֹם הַפֶּשַׁע; מְקוֹם הַמִשׁפָּט; מְקוֹם הַמִפגָשׁ
Venus *n* וֵנוּס
veracious *adj* דוֹבֵר אֱמֶת
veracity *n* אֲמִיתוּת, נְכוֹנוּת
veranda(h) *n* מִרפֶּסֶת
verb *n* פּוֹעַל
verbatim *adv* מִלָה בְּמִלָה
verbiage *n* גִיבּוּב מִלִים
verbose *adj* מְגַבֵּב מִלִים
verdant *adj* מְכוּסֶה יֶרֶק; יָרוֹק
verdict *n* פְּסַק־דִין
verdigris *n* יְרַק־נְחוֹשֶׁת
verdure *n* יַרקוּת, דֶשֶׁא
verge *n* קָצֶה, גְבוּל, שׁוּל
verge *vi* גָבַל עִם
verification *n* אִימוּת, וִידוּא
verify *vt* אִימֵת, וִידֵא
verily *adv* בֶּאֱמֶת
veritable *adj* אֲמִיתִי, מוּחָשִׁי
vermicelli *n* אִטרִיוֹת וֶרמִיצֶ'לִי
vermillion *n* שָׁשַׁר, תּוֹלַעְנָה
vermin *n pl or sing* רֶמֶשׂ, שֶׁרֶץ
vermouth *n* וֶרמוּת
vernacular *adj, n* מְקוֹמִי; שְׂפַת הַמָקוֹם
versatile *adj* רַב־צְדָדִי
verse *n* חָרוּז, שִׁיר, בַּיִת; פָּסוּק
versed *adj* מְנוּסֶה, מְיוּמָן
versify *vi* חִיבֵּר שִׁיר, כָּתַב חֲרוּזִים
version *n* גִרסָה, נוּסַח
versus *prep* נֶגֶד, מוּל
vertebra *n* חוּלִיָה
vertex *n* פִּסגָה, שִׂיא קוֹדקוֹד
vertical *adj* מְאוּנָךְ
vertical rudder *n* הֶגֶה אֲנָכִי
vertigo *n* סְחַרחוֹרֶת
verve *n* חִיוּת, הַשׁרָאָה
very *adj* אוֹתוֹ עַצמוֹ; (דבר) כְּמוֹת שֶׁהוּא בְּדִיוּק; עִיקָר; מַמָשׁ
very *adv* מְאוֹד
vesicle *n* בּוּעִית, שַׁלחוּפִית
vesper *n* תְּפִילַת עַרבִית (בנצרות)
vessel *n* כְּלִי־שַׁיִט, סְפִינָה; כְּלִי־קִיבּוּל
vest *n* גוּפִיָה; חֲזִיָה
vest *vt* הֶעֱטָה; הִקנָה
vestibule *n, vt* מִסדְרוֹן
vestige *n* שָׂרִיד
vestment *n* לְבוּשׁ, גְלִימָה
vestpocket *n, adj* (שֶׁל) כִּיס חֲזִיָה
vestry *n* חֲדַר תַּשׁמִישֵׁי הַקְדוּשָׁה
vestryman *n* חֲבֵר וַעַד הַקְהִילָה
Vesuvius *n* וֶזוּב
vet. *abbr* veteran, veterinary
vet *vt, vi* בָּדַק בְּדִיקָה וֶטֶרִינָרִית
vetch *n* בַּקִיָה
veteran *adj, n* וָתִיק; בַּעַל וֶתֶק
veterinary *adj, n* שֶׁל רִיפּוּי בְּהֵמוֹת
veterinary medicine *n* רְפוּאָה וֶטֶרִינָרִית
veto *n* וֶטוֹ

veto *vt, vi* פָּסַק לִשְׁלִילָה; הִטִּיל וֵטוֹ
vex *vt* הִקְנִיט, הִרְגִּיז
vexation *n* הַרְגָּזָה, רוֹגֶז
via *prep* דֶּרֶךְ; בְּאֶמְצָעוּת
viaduct *n* גֶּשֶׁר דְּרָכִים, וִיאָדוּקְט
vial *n* צְלוֹחִית; כּוֹס קְטַנָּה
viand *n* מַאֲכָל
vibrate *vt, vi* נִעְנַע; הִרְטִיט; נָע; רָטַט
vibration *n* תְּנוּדָה, רֶטֶט
vicar *n* כּוֹהֵן הַקְּהִילָּה; עוֹזֵר לְבִישׁוֹף; מְמַלֵּא מָקוֹם
vicarage *n* בֵּית כּוֹהֵן הַקְּהִילָּה
vicarious *adj* מְמַלֵּא מָקוֹם, חֲלִיפִי
vice *n* מִידָּה רָעָה
vice *prep* בִּמְקוֹם
vice-admiral *n* סְגַן־אַדְמִירָל
vice-president *n* סְגַן־נָשִׂיא
viceroy *n* מִשְׁנֶה לְמֶלֶךְ
vice versa *adv* לְהֵפֶךְ
vicinity *n* סְבִיבָה, שְׁכֵנוּת
vicious *adj* מוּשְׁחָת, רָע, מְרוּשָּׁע
victim *n* קוֹרְבָּן, טֶרֶף
victimize *vt* עָשָׂאוֹ קוֹרְבָּן, רִימָּה
victor *n* מְנַצֵּחַ
victorious *adj* מְנַצֵּחַ, שֶׁל נִיצָּחוֹן
victory *n* נִיצָּחוֹן
victual *vt, vi* סִיפֵּק צוֹרְכֵי מִחְיָה
victuals *n pl* מִצְרְכֵי מָזוֹן
vid. *abbr* vide (Latin) רְאֵה, עַיֵּין
video *adj* שֶׁל טֶלֶוִויזְיָה
video signal *n* אוֹת חוֹזִי
video tape *n* סֶרֶט חוֹזִי
vie *vi* הִתְחָרָה
Viennese *adj, n* וִינָאִי
view *n* מַרְאֶה, מַחֲזֶה, נוֹף; הַשְׁקָפָה
view *vt* רָאָה, הִבִּיט, בָּחַן
viewer *n* רוֹאֶה (בטלוויזיה)
view-finder *n* טֶלֶסְקוֹפּ קָטָן
viewpoint *n* נְקוּדַּת הַשְׁקָפָה
vigil *n* פִּיקּוּחַ; עֵרוּת, שִׁימּוּרִים
vigilance *n* עֵרוּת, כּוֹנְנוּת
vigilant *adj* מַשְׁגִּיחַ; עֵר, דָּרוּךְ
vignette *n* גַּפְנִית, וִינְיֶיטָה
vigor *n* אוֹן, מֶרֶץ, כּוֹחַ
vigorous *adj* עַז, תַּקִּיף, רַב־מֶרֶץ
vile *adj* נִתְעָב, שָׁפָל
vilify *vt* הִשְׁמִיץ, הִלְעִיז
villa *n* חֲוִילָּה
village *n* כְּפָר, מוֹשָׁבָה
villager *n* כַּפְרִי
villain *n* נָבָל, בֶּן־בְּלִיַּעַל
villainous *adj* נִתְעָב, רָע
villainy *n* מַעֲשֵׂה נָבָל
vim *n* כּוֹחַ, מֶרֶץ
vinaigrette *n* צִנְצֶנֶת תְּבָלִים
vindicate *vt* הִצְדִּיק, הֵגֵן עַל
vindictive *adj* נַקְמָן
vine *n* גֶּפֶן
vinegar *n* חוֹמֶץ
vinegary *adj* חָמוּץ; שֶׁל חוֹמֶץ
vineyard *n* כֶּרֶם
vintage *n* בָּצִיר; יֵין עוֹנַת הַבָּצִיר
vintager *n* בּוֹצֵר
vintage wine *n* יַיִן מְשׁוּבָּח
vintner *n* יֵינָן
violate *vt* הֵפֵר; חִילֵּל; אָנַס
violence *n* אַלִּימוּת
violent *adj* אַלִּים
violet *n, adj* סֶגֶל; סָגוֹל (צבע)
violin *n* כִּינּוֹר

violinist *n* כַּנָּר
violoncellist *n* וִיוֹלוֹנצֶ׳לָן
violoncello *n* וִיוֹלוֹנצֶ׳לוֹ
viper *n* צֶפַע
virago *n* מִרשַׁעַת
virgin *adj, n* בְּתוּלָה, שֶׁל בְּתוּלָה, בָּתוּל
virginity *n* בְּתוּלִים
virility *n* גַבְרִיוּת, גַברוּת
virology *n* תּוֹרַת הַנְּגִיפִים
virtual *adj* לְמַעֲשֶׂה, שֶׁבְּעֶצֶם
virtue *n* מִידָּה טוֹבָה; סְגוּלָּה; תּוֹקֶף
virtuosity *n* אוּמָנוּת מְעוּלָּה, וִירטוּאוֹזִיוּת
virtuoso *n* אוּמָן בְּחֶסֶד עֶליוֹן
virtuous *adj* מוּסָרִי, יָשָׁר, צַדִּיק
virulence *n* אַרסִיוּת עַזָּה
virulent *adj* אַרסִי; מִידַּבֵּק
virus *n* נְגִיף, וִירוּס
visa *n, vt* (נָתַן) אֲשָׁרָה
visage *n* חָזוּת, מַרְאֶה
vis-a-vis *adj, adv* פָּנִים אֶל פָּנִים
viscera *n* קְרָבַיִים
viscount *n* וִיקוֹנט
viscountess *n* וִיקוֹנטִית
viscous *adj* דָבִיק, צָמִיג
vise, vice *n* מֶלְחָצַיִם
visible *adj* נִראֶה, גָלוּי לָעֵינַיִם
visibly *adv* גְלוּיוֹת, בְּאוֹפֶן נִראֶה לָעַיִן
vision *n* רְאִיָּה; חָזוֹן, מַרְאֶה
visionary *n, adj* הוֹזֶה, חוֹלֵם; דִמיוֹנִי; בַּעַל דִמיוֹן
visit *vt, vi* בִּיקֵר, סָר אֶל
visit *n* בִּיקוּר
visitation *n* בִּיקוּר; עוֹנֶשׁ מִשָּׁמַיִם

visiting card *n* כַּרטִיס בִּיקוּר
visiting nurse *n* אָחוֹת מְבַקֶּרֶת חוֹלִים
visitor *n* אוֹרֵחַ, מְבַקֵּר
visor *n* מִצחַת קַסדָה
vista *n* מַרְאֶה, נוֹף
visual *adj* חֲזוּתִי, רְאִיוּתִי
visualize *vt* הֶחֱזָה; חָזָה
vital *adj* חִיּוּנִי; הֶכרֵחִי
vitality *n* חִיּוּת, חִיּוּנִיוּת
vitalize *vt* הֶחֱיָה, נָפַח חַיִּים בּ...
vitamin *n* וִיטָמִין
vitiate *vt* קִלקֵל, זִיהֵם, פָּסַל
vitreous *adj* זְגוּגִי
vitriolic *adj* נוֹקֵב, צוֹרֵב
vituperate *vt* גִידֵּף
viva *interj, n* ׳יְחִי!׳
vivacious *adj* מָלֵא רוּחַ חַיִּים
vivacity *n* חִיּוּת, עֵרָנוּת
viva-voce *adj, adv, n* בְּדִיבּוּר חַי
vivid *adj* חַי, מָלֵא חַיִּים
vivify *vt* הֵפִיחַ רוּחַ חַיִּים
vivisection *n* נִיתּוּחַ בַּעֲלֵי חַיִּים
vixen *n* מִרשַׁעַת; שׁוּעָלָה
vocabulary *n* אוֹצַר מִלִּים
vocal *adj* קוֹלִי, בַּעַל קוֹל
vocalist *n* זַמָּר
vocation *n* מִשׁלַח־יָד; ייִעוּד
vocative *adj, n* (שֶׁל) יַחֲסַת פְּנִיָּיה
vociferate *vt* צָעַק, צָרַח
vociferous *adj* צַעֲקָנִי, צַרחָנִי
vogue *n* אוֹפנָה, מַהֲלָכִים
voice *n* קוֹל
voice *vt* בִּיטֵּא, הִבִּיעַ, הִשׁמִיעַ
voiceless *adj* חֲסַר קוֹל
void *adj* בָּטֵל; נְטוּל תּוֹקֶף

void *n* מָקוֹם רֵיק, חָלָל
void *vt, vi* בִּיטֵּל; רוֹקֵן, הֵרִיק
voile *n* אֲרִיג שִׂמְלָה
volatile *adj* מִתנַדֵּף; קַל־דַּעַת
volcanic *adj* ווּלקָנִי, שֶׁל הַר־גַּעַשׁ
volition *n* רָצוֹן; בְּחִירָה
volley *n* מַטַּח יְרִיּוֹת; (בטניס) מַכַּת יְעָף
volley *vt, vi* יָרָה צְרוֹר; הִכָּה בִּיעָף
volleyball *n* כַּדּוּר עָף
volplane *vi, n* דָּאָה; דְאִיָּה
volt *n* ווֹלט
voltage *n* ווֹלטָז׳
voltaic *adj* ווֹלטִי
volte-face *n* סִיבּוּב לְאָחוֹר
voltmeter *n* מַד־מֶתַח
voluble *adj* קוֹלֵחַ מִלִּים
volume *n* כֶּרֶך; נֶפַח
voluminous *adj* רַב־מְמַדִּים
voluntary *adj* ווֹלוּנטָרִי, הִתנַדְּבוּתִי
voluntary *n* סוֹלוֹ בְּעוּגָב (בכנסייה)
volunteer *n* מִתנַדֵּב
volunteer *vt, vi* הִתנַדֵּב; הִצִּיעַ
voluptuary *n, adj* מִתמַכֵּר לְתַעֲנוּגוֹת חוּשָׁנִיִּים
voluptuous *adj* חוּשָׁנִי, תַּאַוְותָנִי
vomit *n* הֲקָאָה; קִיא
vomit *vt, vi* הֵקִיא
voodoo *n, adj* כְּשָׁפִים; מְכַשֵּׁף ווּדוּ
voracious *adj* רַעַבְתָן, זוֹלְלָן
voracity *n* זְלִילָה, רַעַבְתָנוּת
vortex *n* (*pl* vortices) מְעַרְבּוֹלֶת; גַּלְגַּל סוּפָה
votary, votarist *n* אָדוּק, חָסִיד; נָזִיר
vote *n* קוֹל, דֵעָה, הַצבָּעָה
vote *vt* בָּחַר, הִצבִּיעַ
vote getter *n* מוֹשֵׁך קוֹלוֹת
voter *n* מַצבִּיעַ, בּוֹחֵר
votive *adj* מְקוּדָּשׁ; שֶׁל נֶדֶר
vouch *vt, vi* אִישֵּׁר; עָרַב
voucher *n* עָרֵב; תְּעוּדָה, שׁוֹבֵר
vouchsafe *vt, vi* הֶעֱנִיק; הוֹאִיל בְּרוֹב טוּבוֹ ל...
vow *n* נֶדֶר, הַצהָרָה חֲגִיגִית
vow *vt* נָדַר, הִבטִיחַ
vowel *n* תְּנוּעָה
voyage *n* מַסָּע (באונייה)
voyage *vi* נָסַע (באונייה)
voyager *n* נוֹסֵעַ
V.P. *abbr* Vice-President
vs. *abbr* versus
vulcanize *n* גִּיפֵּר
vulgar *adj* גַּס, הֲמוֹנִי
vulgarity *n* גַּסּוּת, הֲמוֹנִיּוּת
Vulgate *n* ווּלגָטָה
vulnerable *adj* פָּגִיעַ
vulture *n* פֶּרֶס, עַיִט

W

W, w דַּבֵּל־יוּ (האוֹת העשׂרים־ושלוֹשׁ באלפבית)
W. *abbr* Wednesday, West
wad *vt* צָרַר; מָעַךְ
wad *n* מוֹךְ; צְרוֹר רַךְ
wadding *n* צֶמֶר גֶפֶן, מוֹךְ; מִילוּי
waddle *vi* הָלַךְ כְּבַרְוָז
waddle *n* הִתבַּרוְזוּת, בִּרווּז
wade *vi, vt* הָלַךְ בְּרֶגֶל בְּמַיִם; עָבַר בִּכְבֵדוּת
wafer *n* אֲפִיפִית; מַרקוֹעַ
waffle *n* עוּגָה מְחוֹרֶצֶת
waft *vt* הֵנִיף, נָשָׂא
wag *vt* נִענַע, כִּשְׁכֵּשׁ (בזנבו)
wag *n* נִענוּעַ, כִּשׁכּוּשׁ (בזנב); לֵיצָן
wage *vt* עָרַךְ (מלחמה)
wage *n* שָׂכָר
wage-earner *n* עוֹבֵד בְּשָׂכָר
wager *n* הִימוּר, הִתעָרְבוּת
wager *vt, vi* הִתעָרֵב, הִימֵר
waggish *adj* לֵיצָנִי
wagon *n* קְרוֹן־מִטעָן
wagtail *n* נַחֲלִיאֵלִי
waif *n* חֲסַר בַּיִת (עזובי)
wail *vi, vt* בָּכָה, קוֹנֵן
wail *n* בְּכִייָה, קִינָה
wainscot *n* לִיווּחַ קִיר
waist *n* מוֹתנַיִם; לְסוּטָה
waistband *n* חֲגוֹרָה
waistcloth *n* עֲטִיפַת מוֹתנַיִם
waistcoat *n* חֲזִייָה
waistline *n* קַו הַמּוֹתנַיִים

wait *vi, vt* הִמתִּין, חִיכָּה; הִגִּישׁ (אוכל)
wait *n* צִיפִּייָה, חִיכִּייָה
waiter *n* מֶלצַר
waiting list *n* רְשִׁימַת תּוֹר
waiting-room *n* חֲדַר־הַמתָּנָה
waitress *n* מֶלצָרִית
waive *vt* וִיתֵּר עַל
wake *vt, vi* (woke) הֵעִיר; הִתעוֹרֵר
wake *n* מִשׁמַר כָּבוֹד (למת); עִקבָה, שׁוֹבֶל (של אונייה); עֲקֵבוֹת
wakeful *adj* עֵרָנִי
wakefulness *n* עֵרָנוּת, עֵרוּת
waken *vi, vt* הִתעוֹרֵר; הֵעִיר
Wales *n* וֶלס
walk *vi, vt* הָלַךְ, הִתהַלֵּךְ; הוֹלִיךְ
walk *n* דֶרֶךְ, שְׁבִיל; טִיּוּל בְּרֶגֶל
walker *n* הַלְכָן
walkie-talkie *n* שַׁחנוֹעַ
walking-papers *n* מִכתַּב־ פִּיטוּרִים
walking-stick *n* מַקֵּל הֲלִיכָה
walk-on *n* תַּפקִיד פָּעוּט (בתיאטרון)
walkout *n* שְׁבִיתַת עוֹבְדִים
walkover *n* נִיצָּחוֹן קַל
wall *n* קִיר, דוֹפֶן
wall-board *n* לוּחַ דוֹפֶן
wallet *n* תִּיק, אַרנָק
wallflower *n* כּוֹתלִית; פֶּרַח־קִיר
wallop *vt* הִכָּה
wallop *n* מַהֲלוּמָה
wallow *vi* הִתפַּלֵּשׁ
wallow *n* הִתפַּלְּשׁוּת
wallpaper *n* טַפֵּיטֵי נְיָר, נְיַר־קִיר

walnut *n* אֱגוֹזָה
walrus *n* סוּס־יָם
waltz *n* וַלְס
wan *adj* חִיוֵּר
wand *n* מַטֶּה; שַׁרְבִיט
wander *vi* שָׁט, שׁוֹטֵט; נָדַד
wanderer *n* נוֹדֵד
wanderlust *n* תַּאֲוַת נְדוּדִים
wane *vi* הִתְמַעֵט
wane *n* יְרִידָה, הִתְמַעֲטוּת
wangle *vt* הִשִּׂיג בִּדְרָכִים לֹא כְּשֵׁרוֹת
wangle *n* תִּחְבּוּל, זִיּוּף
want *vt, vi* חָסַר; צָרִיךְ; רָצָה
want *n* מַחסוֹר; רָצוֹן; צוֹרֶךְ; עוֹנִי
wanton *adj, n* זְדוֹנִי, מְרוּשָׁע; מוּפְקָר
war *n* מִלְחָמָה
warble *vt, vi* סִלְסֵל
warble *n* סִלְסוּל קוֹל
warbler *n* סִיבְּכִי מְזַמֵּר
war-cloud *n* סַכָּנַת מִלְחָמָה
ward *vi* דָּחָה, מָנַע
ward *n* אֵיזוֹר, רוֹבַע; בֶּן־חָסוּת
warden *n* מְמוּנֶּה, אֶפִּיטְרוֹפּוֹס; רַב־סוֹהֵר
ward heeler *n* מְשָׁרֵת מִפְלָגָה
wardrobe *n* אֲרוֹן בְּגָדִים; מֶלְתָּחָה
wardrobe trunk *n* מִזוֹוֶדֶת אָרוֹן
wardroom *n* (בְּאוֹנִיָּה) מְגוּרֵי הַקְּצִינִים
ware *n* סְחוֹרָה; מוּצָרִים
war-effort *n* מַאֲמַץ מִלְחָמָה
warehouse *n, vt* מַחסָן
warehouseman *n* מַחסָנַאי, אַפְסְנַאי
warfare *n* לוֹחמָה, לְחִימָה
warhead *n* רֹאשׁ חֵץ

warily *adv* בִּזְהִירוּת
wariness *n* זְהִירוּת
warlike *adj* מִלְחַמְתִּי
war loan *n* מִלְוֵה מִלְחָמָה
warm *adj* חָמִים, חַם
warm *vt, vi* חִימֵּם, שִׁלְהֵב; הִתחַמֵּם
warm-blooded *adj* חַם־דָּם
war memorial *n* אַנדַרְטָה לַנּוֹפְלִים
warmhearted *adj* חַם־לֵב, לְבָבִי
warmonger *n* מְחַרְחֵר מִלְחָמָה
warmth *n* חוֹם; חֲמִימוּת
warm-up *n* הִתחַמְּמוּת; הִתכּוֹנְנוּת
warn *vt* הִזְהִיר
warning *n* אַזְהָרָה
warp *vt, vi* עִיקֵּל, פִּיתֵּל; עִיוּוֵת
warpath *n* שְׁבִיל הַלּוֹחֲמִים
warplane *n* מָטוֹס צְבָאִי
warrant *n* הַרְשָׁאָה; סַמכוּת
warrant *vt* הִרְשָׁה; הִצְדִּיק; עָרַב
warrantable *adj* שֶׁנִּיתָּן לְהַצְדִּיקוֹ
warrant officer *n* נַגָּד בָּכִיר
warren *n* שְׁפַנִּיָּה
warrior *n* אִישׁ מִלְחָמָה
Warsaw *n* וַרְשָׁה
warship *n* אוֹנִיַּת מִלְחָמָה
wart *n* יַבֶּלֶת; גַבשׁוּשִׁית
wartime *n* תְּקוּפַת מִלְחָמָה
war-torn *adj* חֲרֵב מִלְחָמָה
war-to-the-death *n* מִלְחָמָה עַד חוֹרְמָה
wary *adj* זָהִיר, חוֹשְׁדָנִי
wash *vt, vi* רָחַץ, שָׁטַף; נִשְׁטַף, נִגְרַף
wash *n* רְחִיצָה; שְׁטִיפָה
washable *adj* כָּבִיס
washbasin *n* קְעָרַת רַחְצָה

washbasket *n* סַל כְּבִיסָה
washboard *n* לוּחַ כְּבִיסָה
washbowl *n* קַעֲרַת רַחְצָה
washcloth *n* סְמַרְטוּט רְחִיצָה
washday *n* יוֹם כְּבִיסָה
washed-out *adj* דָּהוּי; עָיֵף
washed-up *adj* רָצוּץ מֵעֲיֵפוּת
washer *n* מְכַבֵּס; דִּיסְקִית
washerwoman *n* כּוֹבֶסֶת
wash goods *n pl* אֲרִיגִים כְּבִיסִים
washing *n* רְחִיצָה, כְּבִיסָה
washing-machine *n* מְכוֹנַת כְּבִיסָה
washing-soda *n* סוֹדָה לִכְבִיסָה
washout *n* שֶׁבֶר סַחַף; כִּישָּׁלוֹן
washrag *n* מַטְלִית רְחִיצָה
washroom *n* חֲדַר כְּבִיסָה; חֲדַר נוֹחִיּוּת
washstand *n* כִּיּוֹר
washtub *n* גִּיגִית
waste *vt* בִּזְבֵּז, פִּיזֵּר; הִתְבַּזְבֵּז
waste *adj* שָׁמֵם; לֹא מְנוּצָּל; מְיוּתָּר
waste *n* בִּזְבּוּז; אַדְמַת בּוּר; פְּסוֹלֶת
waste-basket *n* סַל פְּסוֹלֶת
wasteful *adj* בַּזְבְּזָנִי
waste paper *n* נְיַיר פְּסוֹלֶת
wastrel *n* בַּזְבְּזָן, פַּזְרָן; רֵיקָה
watch *n* שְׁמִירָה; מִשְׁמָר; שָׁעוֹן
watch *vi, vt* צָפָה, הִתְבּוֹנֵן; צִיפָּה
watchcase *n* קוּפְסַת שָׁעוֹן
watchdog *n* כֶּלֶב שְׁמִירָה
watchful *adj* עֵר, עֵרָנִי
watchfulness *n* עֵרָנוּת
watchmaker *n* שְׁעָן
watchman *n* שׁוֹמֵר
watch-night *n* לֵיל שִׁימּוּרִים
watchstrap *n* רְצוּעַת שָׁעוֹן
watchtower *n* מִגְדַּל תַּצְפִּית
watchword *n* סִיסְמַת שְׁמִירָה
water *n* מַיִם
water *vt, vi* הִשְׁקָה, הִרְוָה; זָלַג
water-carrier *n* שׁוֹאֵב מַיִם; מוֹבִיל מַיִם
water-closet *n* בֵּית־כִּיסֵּא
water-color *n* צֶבַע מַיִם; צִיּוּר בְּצִבְעֵי־מַיִם
watercourse *n* אֲפִיק מַיִם
water-cress *n* גַּרְגִּיר הַנְּחָלִים
waterfall *n* אֶשֶׁד, מַפַּל־מַיִם
water-front *n* שֶׁטַח חוֹף
water gap *n* עָרוּץ, גַּיא
water-heater *n* מֵחַם, דּוּד חִימּוּם
watering-can *n* מַזְלֵף
watering-place *n* מְקוֹם מֵי־מַרְפֵּא
watering pot *n* מַזְלֵף
watering trough *n* שׁוֹקֶת
water-lily *n* חֲבַצֶּלֶת מַיִם
waterline *n* קַו־מַיִם
water-main *n* מוֹבָל רָאשִׁי
watermark *n* סִימַן מַיִם
watermelon *n* אֲבַטִּיחַ
water-meter *n* מַדְמַיִם
water-pipe *n* צִינּוֹר מַיִם
water polo *n* כַּדּוּר מַיִם
waterproof *adj, n* עֲמִיד־מַיִם, חֲסִין־מַיִם; אַבַּרְזִין; מְעִיל־גֶּשֶׁם
watershed *n* קַו פָּרָשַׁת מַיִם
water ski *n* סְקִי מַיִם
waterspout *n* עַמּוּד מַיִם; שֶׁבֶר עָנָן
water supply system *n* מַעֲרֶכֶת אַסְפָּקַת מַיִם
watertight *adj* אֲטִים מַיִם; מוּשְׁלָם

water-tower *n* מִגְדַּל־מַיִם
water wagon *n* מַשָּׂאִית מַיִם
waterway *n* דֶּרֶךְ מַיִם
water-weed *n* עֵשֶׂב מַיִם
water-wings *n pl* כַּנְפֵי־מַיִם
watery *adj* מֵימִי; דּוֹמֵעַ
watt *n* וַט
wattage *n* וַטָּג׳
watt-hour *n* וַט־שָׁעָה
wattle *n* סְכָךְ, סְכָכָה; גָּדֵר קְלוּעָה
wave *vi, vt* נָע בְּגַלִּים; נוֹפֵף
wave *n* גַל, נַחשׁוֹל; סִלסוּל (שֵׂיעָר)
waver *vi* הִתנוֹדֵד; הִבהֵב; הִיסֵּס
wavy *adj* מְפוּתָּל; גַּלִּי, מְסוּלסָל
wax *n* שַׁעֲוָוה, דּוֹנַג
wax *vt* מָשַׁח בְּדוֹנַג
wax-paper *n* נְיַיר שַׁעֲוָוה
wax taper *n* פְּתִילַת שַׁעֲוָוה
way *n* דֶּרֶךְ, מַהֲלָךְ; אוֹפֶן; נוֹהַג; נָתִיב
waybill *n* רְשִׁימַת נוֹסְעִים (אוֹ מִטעָן)
wayfarer *n* צוֹעֵד, מְהַלֵּךְ
waylay *vt* אָרַב; לִסטֵם
wayside *n, adj* (שֶׁל) שׁוּלֵי הַכְּבִישׁ
way-station *n* תַּחֲנַת בֵּינַיִים
way train *n* רַכֶּבֶת מְאַסֶּפֶת
wayward *adj* סוֹטֶה; אָנוֹכִיִי; קַפּרִיסִי
we *pron* אֲנַחנוּ, אָנוּ
weak *adj* חַלָּשׁ; רָפֶה; קָלוּשׁ
weaken *vt, vi* הֶחֱלִישׁ; נֶחֱלַשׁ
weakling *n* יְצוּר חָלוּשׁ
weak-minded *adj* רְפֵה שֵׂכֶל
weakness *n* חוּלשָׁה, רִפיוֹן
weal *n* רְוָוחָה; צַלֶּקֶת
wealth *n* עוֹשֶׁר; שֶׁפַע
wealthy *adj* עָשִׁיר
wean *vt* גָּמַל
weapon *n* כְּלִי־נֶשֶׁק
wear *vt, vi* לָבַשׁ; נָעַל; חָבַשׁ (כּוֹבַע); בָּלָה, נִשְׁחַק; הִשׁתַּמֵּר, הֶחֱזִיק מַעֲמָד
wear *n* לְבוּשׁ, מַלבּוּשׁ; בְּלַאי; יְגִיעָה
wear and tear *n* בְּלַאי וּפְחָת
weariness *n* לֵאוּת, עֲייֵפוּת
wearing apparel *n* לְבוּשׁ
wearisome *adj* מַלאֶה
weary *adj* עָייֵף; מַלאֶה
weary *vt, vi* עִייֵף, הוֹגִיעַ
weasel *n* סַמּוּר; עָרוּם
weasel-faced *adj* פַּרצוּף סַמּוּר
weasel words *n pl* דִּיבּוּרִים דּוּ־מַשׁמָעִיִים
weather *n* מֶזֶג־אֲוויר
weather *vt, vi* יִיבֵּשׁ בָּאֲוִויר; הוּשׁפַּע מֵהָאֲוויר; הֶחֱזִיק מַעֲמָד; בָּלָה
weather-beaten *adj* שְׁדוּף־רוּחוֹת
weather bureau *n* שֵׁרוּת מֵטֵאוֹרוֹלוֹגִי
weathercock *n* שַׁבשֶׁבֶת
weatherman *n* חַזַּאי
weather report *n* דּוּ״חַ מֶזֶג־הָאֲוויר
weather-vane *n* שַׁבשֶׁבֶת
weave *vt, vi* אָרַג; שֵׂירֵךְ דְּרָכָיו; שָׁזַר, הִשׁתַּזֵּר
weave *n* מִרקָם, מַאֲרָג
weaver *n* אוֹרֵג
web *n* רֶשֶׁת; מַסֶּכֶת, אָרִיג
web-footed *adj* בַּעַל רַגלֵי שְׂחִייָה
wed *vt, vi* הִשִּׂיא; נָשָׂא, נִישְּׂאָה
wedding *n* חֲתוּנָּה
wedding-cake *n* עוּגַת חֲתוּנָּה
wedding-day *n* יוֹם חֲתוּנָּה, יוֹם כְּלוּלוֹת

wedding march *n* תַּהֲלוּכַת כְּלוּלוֹת
wedding night *n* לֵיל כְּלוּלוֹת
wedding ring *n* טַבַּעַת נִישׂוּאִין
wedge *vt, vi* יִיתֵּד; בִּיקֵּעַ בִּטְרִיז
wedge *n* טְרִיז; יָתֵד; קוֹנוּס מְהַדֵּק
wedlock *n* נִישׂוּאִים
Wednesday *n* יוֹם רְבִיעִי, יוֹם ד׳
wee *adj* פָּעוּט, קָטָן
weed *n* עֵשֶׂב רַע, עֵשֶׂב שׁוֹטֶה
weed *vt, vi* עָקַר עֵשֶׂב רַע
weed-killer *n* קוֹטֵל עֲשָׂבִים מַזִּיקִים
week *n* שָׁבוּעַ
weekday *n* יוֹם חוֹל
weekend *n* סוֹף־שָׁבוּעַ
weekly *adj, adv* שְׁבוּעִי
weekly *n* שְׁבוּעוֹן
weep *vi, vt* בָּכָה, שָׁפַךְ דְּמָעוֹת
weeper *n* בּוֹכֶה; מְקוֹנֵן
weeping willow *n* עֲרָבָה
מוּטַּת־עֲנָפִים, עֲרָבַת־בָּבֶל
weepy *adj* בַּכְיָינִי
weevil *n* חִדְקוֹנִית
weigh *vt, vi* שָׁקַל
weight *n* מִשְׁקָל; מִשְׁקוֹלֶת, כּוֹבֶד
weight *vt* הוֹסִיף מִשְׁקָל; הִכְבִּיד
weightless *adj* חֲסַר מִשְׁקָל
weighty *adj* כָּבֵד, כְּבַד מִשְׁקָל
weir *n* סֶכֶר; מַגָּר
weird *adj* עַל־טִבְעִי; מִסְתּוֹרִי;
מוּזָר
welcome *adj* רָצוּי, מִתְקַבֵּל בְּשִׂמְחָה
welcome! *interj* בָּרוּךְ הַבָּא!
welcome *n* קַבָּלַת פָּנִים
welcome *vt* קִידֵּם בִּבְרָכָה
weld *vt, vi* רִיתֵּךְ; חִיבֵּר

welder *n* רַתָּךְ
welding *n* רִיתּוּךְ
welfare *n* טוֹבָה, רְוָוחָה
welfare state *n* מְדִינַת סַעַד
well *n* בְּאֵר, מַבּוּעַ, מַעְייָן
well *vi* נָבַע, פָּרַץ
well *adv* הֵיטֵב, יָפֶה, טוֹב
well *adj* בָּרִיא; מַשְׂבִּיעַ רָצוֹן
well-appointed *adj* מְצוּיָּד כַּהֲלָכָה
well-attended *adj* שֶׁהַהִשְׁתַּתְּפוּת
בּוֹ מְנִיחָה אֶת הַדַּעַת
well-balanced *adj* מְאוּזָּן יָפֶה
well-behaved *adj* מִתְנַהֵג כָּרָאוּי
well-being *n* אוֹשֶׁר, טוֹב
well-bred *adj* מְחוּנָּךְ יָפֶה
well-disposed *adj* מִתְכַּוֵּון לְטוֹב
well-done *adj* עָשׂוּי כַּהֲלָכָה
well-formed *adj* גָּזוּר יָפֶה
well-founded *adj* מְבוּסָּס
well-groomed *adj* לָבוּשׁ בִּקְפִידָה
well-heeled *adj* אָמִיד
well-informed *adj* יוֹדֵעַ דָּבָר
well-intentioned *adj* שֶׁכַּוָּונָתוֹ טוֹבָה
well-kept *adj* מְטוּפָּח, נִשְׁמָר הֵיטֵב
well-known *adj* יָדוּעַ, מְפוּרְסָם
well-meaning *adj* מִתְכַּוֵּון לְטוֹבָה
well-nigh *adv* כִּמְעַט
well-off *adj* אָמִיד
well-preserved *adj* נִשְׁמָר יָפֶה
well-read *adj* בָּקִיא בִּסְפָרִים
well-spent *adj* שֶׁהוּצָא בִּיעִילוּת
well-spoken *adj* נֶאֱמָר יָפֶה,
מְדַבֵּר דִּבְרֵי טַעַם
wellspring *n* מָקוֹר
well sweep *n* מַעֲלֶה דְּלִי (בִּבְאֵר)

well-thought-of *adj* שֶׁהַדֵּעוֹת עָלָיו טוֹבוֹת
well-timed *adj* בְּעִיתּוֹ
well-to-do *adj* אָמִיד
well-wisher *n* דּוֹרֵשׁ טוֹבָתוֹ שֶׁל
well-worn *adj* בָּלֶה; מְשׁוּמָּשׁ
welsh *vt, vi* הִתְחַמֵּק מִתַּשְׁלוּם
Welshman *n* וֶלְשִׁי
welt *n* סִימַן מַלְקוֹת, חַבּוּרָה
welter *vi* הִתְבּוֹסֵס
welter *n* עִרְבּוּבְיָה; מְבוּכָה וּמְהוּמָה
welterweight *n* מִשְׁקַל פְּלַג־בֵּינוֹנִי
wench *n* צְעִירָה, בַּחוּרָה
wend *vt* שָׂם פָּנָיו
west *n, adj, adv* מַעֲרָב; מַעֲרָבִי; מַעֲרָבָה
westering *adj* נוֹטֶה מַעֲרָבָה
western *adj, n* מַעֲרָבִי; מַעֲרָבוֹן
westward *adj, adv* מַעֲרָבָה
wet *adj* לַח, רָטוֹב
wet *vt, vi* הִרְטִיב; נִרְטַב
wetback *n* גּוֹנֵב גְּבוּל (מקסיקני)
wet blanket *n* מְדַכֵּא הִתְלַהֲבוּת
wet goods *n pl* סְחוֹרוֹת נוֹזְלוֹת
wet-nurse *n* מֵינֶקֶת
w.f. *abbr* wrong font תֵּיבָה זָרָה
whack *vt, vi* הִצְלִיף חָזָק
whack *n* מַהֲלוּמָה; (דיבּוּרית) חֵלֶק
whale *n* לִוְויָתָן
whale *vi* צָד לִוְויָתָנִים
wharf *n* מֵזַח, מַעֲגָן
what *pron, adj, adv, interj, conj* מַה; מַה?; מַה שֶׁ...; אֵיזֶה, אֵיזוֹ, אֵילוּ
whatever *pron, adj* כָּל מַה, כָּלְשֶׁהוּ
whatnot *n* כָּלְשֶׁהוּ, מַה שֶׁתִּרְצֶה

what's-his-name *n* 'מַה־שְּׁמוֹ'
wheat *n* חִיטָּה
wheedle *vt, vi* פִּיתָּה, הִשִּׁיא
wheel *n* גַּלְגַּל, אוֹפַן; הֶגֶה
wheel *vi, vt* שִׁינָּה כִּיווּן; נָסַע עַל גַּלְגַּלִּים
wheelbarrow *n* מְרִיצָה
wheelbase *n* בְּסִיס הַגַּלְגַּלִּים
wheel-chair *n* כִּסֵּא גַּלְגַּלִּים
wheeler-dealer *n* (המונית) אִישׁ־בֵּינַיִים בַּעַל קְשָׁרִים וְתוּשִׁיָּה
wheel-horse *n* סוּס הַגַּלְגַּל
wheelwright *n* עוֹשֵׂה גַּלְגַּלִּים
wheeze *vi* נָשַׁם בִּכְבֵדוּת
wheeze *n* גְּנִיחָה; בְּדִיחָה
whelp *n* גּוּר חַיָּה
whelp *vt* הִמְלִיטָה
when *adv, conj, pron* כַּאֲשֶׁר, כְּשֶׁ...; מָתַי?
whence *adv* מִמָּקוֹם שֶׁ...; מֵאַיִן?, מִנַּיִן?
whenever *adv, conj* בְּכָל זְמַן שֶׁ...
where *adv, conj, pron* הֵיכָן?, אֵיפֹה?; בְּמָקוֹם שֶׁ...; לְאָן?
whereabouts *n* סְבִיבָה
whereabouts *conj, adv* הֵיכָן בְּעֵרֶךְ?; בִּסְבִיבָה
whereas *conj* וְאִילּוּ; הוֹאִיל וּ...
whereby *adv* שֶׁבּוֹ, שֶׁבְּאֶמְצָעוּתוֹ
wherefore *conj* לָמָּה, מַדּוּעַ?; לְפִיכָךְ
wherefrom *adv* מֵהֵיכָן שֶׁ...
wherein *adv* שֶׁבּוֹ, שֶׁשָּׁם
whereof *adv* שֶׁמִּשָּׁם, שֶׁמִּמֶּנּוּ
whereupon *adv* עַל כָּךְ, לְפִיכָךְ
wherever *adv, conj* בְּכָל מָקוֹם שֶׁהוּא

wherewithal *n* מִימוּן
whet *vt* חִידֵּד, הִשְׁחִיז; גֵּירָה
whether *conj* אִם, בֵּין אִם
whetstone *n* אֶבֶן מַשְׁחֶזֶת
which *pron, adj* אֵיזֶה, לְאֵיזֶה; שֶׁ..., אֲשֶׁר
whichever *pron, adj* אֵיזֶשֶׁהוּ; כָּלשֶׁהוּ
whiff *n* מַשָּׁב קַל
whiff *vi* נָשַׁב קַלּוֹת
while *n* שָׁעָה קַלָּה
while *conj* בְּעוֹד, שָׁעָה שֶׁ...
while *vt* הֶעֱבִיר זְמַנּוֹ
whim *n* צִפְּרוֹנוּת, קַפְּרִיסָה
whimper *vi, n* יִיבֵּב; יְבָבָה
whimsical *adj* קַפְּרִיסִי, מוּזָּר
whine *vi, vt* יִיבֵּב, יִילֵּל
whine *n* יְבָבָה, תְּלוּנָּה
whinny *vi, n* צָהַל; צָהֳלָה (שֶׁל סוּס)
whip *vt, vi* הִצְלִיף, הִלְקָה
whip *n* שׁוֹט, מַגְלֵב; (בְּבֵית־הַנִּבְחָרִים) מַצְלִיף
whipcord *n* חֶבֶל שׁוֹט
whip hand *n* יִתְרוֹן כּוֹחַ
whiplash *n* צְלִיפַת שׁוֹט
whipped cream *n* קַצֶּפֶת
whippersnapper *n* שַׁחֲצָן
whippet *n* וִיפֵּט
whipping-boy *n* שָׂעִיר לַעֲזָאזֵל
whir(r) *vi* טָס בְּזִמְזוּם
whir(r) *n* טִיסָה בְּזִמְזוּם
whirl *vi, vt* הִסְתּוֹבֵב; סוֹבֵב
whirl *n* עִרְבּוּל; סִיבּוּב
whirligig *n* סְבִיבוֹן; גַּלְגַּל חוֹזֵר
whirlpool *n* מְעַרְבּוֹלֶת
whirlwind *n* עַלְעוֹל

whirly bird *n* מַסּוֹק, הֶלִיקוֹפְּטֶר
whisk *vt, vi* טִאטֵא בְּמַטְאֲטוֹן
whisk *n* מַטְאֲטֵא עֵשֶׂב, מַטְאֲטוֹן
whisk broom *n* מִבְרֶשֶׁת טִאטוּא
whiskers *n pl* זְקַן לְחָיַיִם
whisk(e)y *n* וִיסְקִי
whisper *vi, vt* לָחַשׁ
whisper *n* לְחִישָׁה
whispering *n* הִתְלַחֲשׁוּת, לַחַשׁ
whist *n* וִיסְט
whistle *vi, vt* שָׁרַק, צִפְצֵף
whistle *n* שְׁרִיקָה, צִפְצוּף; צַפְצֵפָה
whistle stop *n* תַּחֲנַת שְׁרִיקָה
whit *n* שֶׁמֶץ
white *adj* לָבָן, צָחוֹר, חִיוֵּר
white *n* צֶבַע לָבָן, לוֹבֶן; חֶלְבּוֹן (בֵּיצָה)
whitecap *n* נַחְשׁוֹל, מִשְׁבָּר
white-collar *adj* לְבֶן־צַוָּארוֹן
white feather *n* פַּחְדָנוּת
white-haired *adj* כְּסוּף שֵׂעָר; חָבִיב
white heat *n* חוֹם לָבָן; הִשְׁתַּלְהֲבוּת יֵצֶר
White House *n* הַבַּיִת הַלָּבָן
white lie *n* שֶׁקֶר לָבָן
whiten *vt, vi* הִלְבִּין
whiteness *n* לוֹבֶן
white slavery *n* סְחַר זוֹנוֹת
white tie *n* עֲנִיבָה לְבָנָה; חֲלִיפַת עֶרֶב
whitewash *n* תְּמִיסַּת סִיד
whitewash *vt* סִייֵּד; טִיהֵר
whither *adv, pron* לְאָן?; לְאֵיזוֹ מַטָּרָה
whitish *adj* לְבַנְבַּן
whitlow *n* דַּחַס, מַכַּת צִיפּוֹרֶן
Whitsuntide *n* שְׁבוּעַ חַג הַשָּׁבוּעוֹת

whittle *vt, n* גִילֵף; צִמְצֵם
whiz *vi, vt* זִמְזֵם
whiz *n* שְׁרִיקָה
who *pron* מִי?; אֲשֶׁר
whoever *pron* (כָּל) מִי שֶׁ...
whole *adj, n* שָׁלֵם, כָּל־, כּוֹל; כְּלָלוּת
wholehearted *adj* בְּכָל לֵב
wholesale *n, adj, adv* (שֶׁל) מְכִירָה סִיטוֹנִית; בְּסִיטוֹנוּת
wholesaler *n* סִיטוֹנָאי
wholesome *adj* מַבְרִיא
wholly *adv* בִּשְׁלֵמוּת, לְגַמְרֵי
whom *pron* אֶת מִי?; לְמִי, שֶׁ..., שֶׁאוֹתוֹ
whomever *pron* אֶת מִי שֶׁ...
whoop *n* קְרִיאָה; גְנִיחָה
whoop *vi, vt* צָעַק; הִשְׁמִיעַ גְנִיחָה
whooping-cough *n* שַׁעֶלֶת
whopper *n* (דיבורית) עָצוּם; שֶׁקֶר גָדוֹל
whopping *adj* (דיבורית) עֲנָקִי
whore *n, vi* זוֹנָה, זָנָה
whorl *n* חוּלְיָה שַׁבְּלוּלִית
whortleberry *n* אוּכְמָנִית
whose *pron* שֶׁל מִי?; אֲשֶׁר לוֹ; שֶׁאֶת שֶׁלּוֹ
why *adv, n* מַדוּעַ?, לָמָּה?; הַסִּיבָּה
why *interj* מַה! (מלת קריאה)
wick *n* פְּתִילָה
wicked *adj* רָשָׁע, רָע
wicker *n, adj* נֵצֶר; קָלוּעַ
wicket *n* פִּשְׁפָּשׁ, אֶשְׁנָב; (בקריקט) שַׁעַר, תּוֹר
wide *adj* רָחָב; בְּרוֹחַב שֶׁל
wide *adv* בְּמִידָה רַבָּה; לַמֶּרְחַקִּים
wide-awake *adj, n* עֵר; עֵרָנִי
widen *vt, vi* הִרְחִיב; הִתְרַחֵב
wide-open *adj* פָּתוּחַ לָרְוָוחָה
widespread *adj* נָפוֹץ מְאוֹד
widow *n* אַלְמָנָה
widow *vt* אִלְמֵן
widower *n* אַלְמָן
widowhood *n* אַלְמָנוּת
widow's mite *n* נְדָבָה צְנוּעָה
widow's weeds *n pl* בִּגְדֵי אֲבֵלוּת שֶׁל אַלְמָנָה
width *n* רוֹחַב
wield *vt* הֶחֱזִיק וְהִפְעִיל
wife *n* (*pl* wives) אִישָׁה (אשת־איש)
wig *n* פֵּיאָה נוֹכְרִית
wiggle *vt, vi* הִתְנוֹדֵד; הֵנִיעַ, כִּשְׁכֵּשׁ
wiggle *n* נִדְנוּד, הִתְנוֹעֲעוּת; נִפְתּוּל
wigwam *n* וִיגְוָואם
wild *adj, adv* פִּרְאִי; פֶּרֶא; בָּר
wild *n* נְשַׁמָּה, מִדְבָּר
wild-boar *n* חֲזִיר־בָּר
wild card *n* ג׳וֹקֶר
wildcat *n* חֲתוּל בָּר; יוֹזְמָה פְּזִיזָה
wildcat strikes *n pl* שְׁבִיתוֹת פִּרְאִיּוֹת
wilderness *n* מִדְבָּר
wild-fire *n* אֵשׁ מִתְלַקַּחַת
wild-goose *adj* אַוַּז בָּר
wildlife *n* חַיּוֹת בָּר
wild oats *n pl* חַטְאוֹת נְעוּרִים
wile *n* תַּחְבּוּלָה
wilfulness *n* כַּוָּונָה; זָדוֹן; עַקְשָׁנוּת
will *n* רָצוֹן; כּוֹחַ רָצוֹן
will *vi, vt* הִפְעִיל רָצוֹן; הוֹרִישׁ
will *v aux* (פּוֹעל עזר להבעת זמן עתיד)
willing *adj* מוּכָן; רוֹצֶה, מִשְׁתּוֹקֵק

willingly *adv* — בְּרָצוֹן
willingness *n* — נְכוֹנוּת
will-o'-the-wisp *n* — זוֹהַר בִּיצּוֹת; אַשְׁלָיָה
willow *n* — עֲרָבָה
willowy *adj* — דְמוּי עֲרָבָה; תָּמִיר
will-power *n* — כּוֹחַ רָצוֹן
willy-nilly *adv* — בְּעַל כּוֹרחוֹ
wilt *vt, vi* — קָמַל; נֶחֱלַשׁ
wily *adj* — עַרמוּמִי
win *vi, vt* (won) — נִיצֵחַ; זָכָה ב...; שָׁבָה לֵב
win *n* — נִיצָּחוֹן; זְכִייָה
wince *vi* — עִיוּוֵת פָּנִים
wince *n* — רְתִיעָה
wind *vt, vi* (wound) — סִיבֵּב; לִיפֵּף; הִתְפַּתֵּל; נִכרַך; כּוֹנֵן
wind *n* — רוּחַ; גַאזִים; כּוֹחַ נְשִׁימָה
wind *vt, vi* — גָרַם קָשְׁיֵי נְשִׁימָה
windbag *n* — רוֹעֶה רוּחַ
windbreak *n* — שׁוֹבֵר־רוּחַ
wind cone *n* — שַׁרווּל רוּחַ
winded *adj* — קְצַר נְשִׁימָה
windfall *n* — נְשׁוֹרֶת רוּחַ; יְרוּשָׁה לֹא צְפוּיָה
winding-sheet *n* — תַּכרִיך
wind instrument *n* — כְּלִי־נְשִׁיפָה
windmill *n* — טַחֲנַת־רוּחַ
window *n* — חַלּוֹן, אֶשְׁנָב
window-dressing *n* — קִישּׁוּט חַלּוֹנוֹת רַאֲוָה; הַצָּגָה לְרַאֲוָוה
window frame *n* — מִסגֶרֶת חַלּוֹן
windowpane *n* — שִׁמְשַׁת חַלּוֹן
window screen *n* — רֶשֶׁת חַלּוֹן
window shade *n* — מָסַך חַלּוֹן
window-shop *vi* — סָקַר חַלּוֹנוֹת־רַאֲוָוה
window shutter *n* — תְּרִיס חַלּוֹן
window sill *n* — אֶדֶן חַלּוֹן
windpipe *n* — קְנֵה הַנְּשִׁימָה
windshield *n* — שִׁמְשַׁת מָגֵן
windshield washer *n* — שׁוֹטֵף שְׁמָשׁוֹת
windshield wiper *n* — מַגֵּב שְׁמָשׁוֹת
wind-sock *n* — גֶרֶב־רוּחַ
wind-up *n* — סִיוּם, סִיכּוּם; חִיסּוּל
windward *n, adj, adv* — אֵיזוֹר הָרוּחַ; גָלוּי לָרוּחַ
windy *adj* — שֶׁל רוּחַ; חָשׂוּף לָרוּחַ
wine *n* — יַיִן; אוֹדֶם יַיִן
wine *vt, vi* — הִשְׁקָה בְּיַיִן; שָׁתָה יַיִן
wine cellar *n* — מַרתֵּף יַיִן
winegrower *n* — כּוֹרֵם
winegrowing *n* — כּוֹרְמוּת
wine press *n* — גַת
winery *n* — יֶקֶב
wineskin *n* — חֵמַת יַיִן
winetaster *n* — טוֹעֵם יַיִן
wing *n* — כָּנָף; אֲגַף
wing *vt, vi* — נָתַן כְּנָפַיִים, הֵעִיף; יֵירֵט; עָף, טָס
wing collar *n* — צַוּוארוֹן כְּנָפַיִים
wingspread *n* — מוּטַת כְּנָפַיִים
wink *vi, vt* — קָרַץ בְּעֵינוֹ
wink *n* — קְרִיצָה, מִצמוּץ
winner *n* — מְנַצֵּחַ, זוֹכֶה
winning *adj* — מְלַבֵּב, שׁוֹבֵה לֵב
winnings *n pl* — רְווָחִים (בְּמִשׂחק)
winnow *vt* — זָרָה; נִיפָּה
winsome *adj* — שׁוֹבֵה לֵב, מְצוֹדֵד
winter *n, adj* — חוֹרֶף; חוֹרפִּי

winter *vi* חָרַף
wintry *adj* חוֹרְפִּי
winy *adj* יֵינִי; דְמוּי יַיִן
wipe *vt* מָחָה, נִיגֵּב
wipe *n* נִיגּוּב, מְחִיָּה
wiper *n* מְנַגֵּב, מוֹחֶה; מַגֵּב (שמשות)
wire *n* תַּיִל; מִברָק
wire *vt*, *vi* צִיֵּיד בְּתַיִל; טִלגרֵף
wirecutter, wirecutters *n* מִגזְרֵי־תַּיִל
wire gauge *n* מַד עוֹבִי תַּיִל
wire-haired *adj* סְמוּר שֵׂיעָר
wireless *adj*, *n* אַלחוּטִי; אַלחוּט, רַדיוֹ
wireless *vt*, *vi* טִלגרֵף; טִלפֵּן בְּאַלחוּט
wire nail *n* מַסמֵר תַּיִל
wirepulling *n* מְשִׁיכָה בְּחוּטִים; 'פרוֹטֶקציָה'
wire recorder *n* רְשַׁמקוֹל תֵּילִי
wire screen *n* מְחִיצַת תַּיִל
wire-tap *n* צוֹתֵת
wiring *n* תִּיּוּל; רֶשֶׁת־תַּיִל
wiry *adj* תֵּילִי; דַק וּשְׁרִירִי
wisdom *n* חָכמָה; בִּינָה
wise *adj*, *n* חָכָם, נָבוֹן
wiseacre *n* חָכָם (בלגלוג)
wisecrack *n* הֶעָרָה חֲרִיפָה
wise guy *n* (המונית) מִתחַכֵּם
wish *vt*, *vi* רָצָה, שָׁאַף; אִיחֵל
wish *n* רָצוֹן, חֵפֶץ; מִשְׁאָלָה
wishbone *n* עֶצֶם הַבְּרִיחַ
wishful *adj* רְצוֹנִי; מִשתּוֹקֵק
wishful thinking *n* הִרהוּרֵי לֵב
wistful *adj* מְהַרהֵר; עַגמוּמִי
wit *n* בִּינָה; שְׁנִינָה
witch *n* מְכַשֵּׁפָה
witch-hazel *n* אִלסַר הַקּוֹסֵם
with *prep* עִם; בְּ...., עַל־יְדֵי
withal *adv*, *prep* מִלְּבַד זֹאת; עִם זֹאת
withdraw *vi*, *vt* נָסוֹג; הוֹצִיא; פָּרַשׁ; הֵסִיר
withdrawal *n* נְסִיגָה; פְּרִישָׁה; הוֹצָאָה
wither *vi*, *vt* קָמַל, כָּמַשׁ; כִּיוּוֵץ
withhold *vt* מָנַע, עָצַר, עִיכֵּב
withholding tax *n* נִיכּוּי מַס בַּמָּקוֹר
within *adv*, *n*, *prep* פְּנִימָה, לְתוֹך; הַפְּנִים; תּוֹך; בְּמֶשֶׁך
without *adv*, *prep* בַּחוּץ; בְּלִי
withstand *vt* עָמַד בְּ...
witness *n* עֵד; עֵדוּת
witness *vt*, *vi* הָיָה עֵד; הֵעִיד
witness stand *n* דוּכַן עֵדִים
witticism *n* הֶעָרָה שְׁנוּנָה
wittingly *adv* בְּיוֹדְעִין
witty *adj* שָׁנוּן
wizard *n* קוֹסֵם, מְכַשֵּׁף
wizardry *n* כְּשָׁפִים
wizened *adj* קָמֵל, נוֹבֵל
wk. *abbr* week
woad *n* אִיסָטִיס הַצֶּבַע
wobble *vi* נָע מִצַּד אֶל צַד; הִתנַדנֵד
wobble *n* נִדנוּד, נִענוּעַ
wobbly *adj* מִתנַדנֵד; מְהַסֵּס
woe *n*, *interj* אָסוֹן; אוֹי!
woebegone *adj* מְדוּכדָך
woeful *adj* אוּמלָל; עָצוּב
wolf *n* זְאֵב
wolf *vt* זָלַל
wolfhound *n* כֶּלֶב צַיִד זְאֵבִי
wolfram *n*ווֹלפרָם
wolfsbane *n* חוֹנֵק הַזְּאֵב

woman *n* אִשָּׁה

womanhood *n* נָשִׁיּוּת; מִין הַנָּשִׁים

womankind *n* מִין הַנָּשִׁים

womanly *adj, adv* נָשִׁי

woman suffragist *n* לוֹחֵם לִזְכוּת בְּחִירָה לְנָשִׁים

womb *n* רֶחֶם

womenfolk *n* נְשֵׁי הַמִּשְׁפָּחָה

wonder *n* פֶּלֶא; תִּימָּהוֹן

wonder *vi, vt* הִתְפַּלֵּא, תָּמַהּ

wonder drugs *n pl* תְּרוּפוֹת פֶּלֶא

wonderful *adj* נִפְלָא, מַפְלִיא

wonderland *n* אֶרֶץ הַפְּלָאוֹת

wonderment *n* תִּימָּהוֹן

wont *adj, n* רָגִיל; נוֹהֵג; מִנְהָג

wonted *adj* רָגִיל, נָהוּג

woo *vt* בִּיקֵּשׁ אַהֲבָה; חִיזֵּר

wood *n* עֵץ; חוּרְשָׁה

woodbine *n* יַעְרָה

woodcarving *n* גִּילּוּף בָּעֵץ

woodchuck *n* מַרְמִיטָה

woodcock *n* חַרְטוּמַן יְעָרוֹת

woodcut *n* חִיתּוּךְ עֵץ

woodcutter *n* חוֹטֵב עֵצִים

wooded *adj* מְיוֹעָר

wooden *adj* עֵצִי; נוּקְשֶׁה; חֲסַר מַבָּע

wood-engraving *n* גִּילּוּף בָּעֵץ

woodenheaded *adj* קֵהֶה, מְטוּמְטָם

wood grouse *n* תַּרְנְגוֹל יְעָרוֹת

woodland *n* שֶׁטַח מְיוֹעָר

woodman *n* אִישׁ יַעַר

woodpecker *n* נַקָּר

woodpile *n* עֲרֵימַת עֵצִים

woodshed *n* מַחְסַן עֲצֵי הַסָּקָה

woodsman *n* אִישׁ יַעַר

wood-wind *n* כְּלֵי־נְשִׁיפָה מֵעֵץ

woodwork *n* עֲבוֹדוֹת עֵץ

woodworker *n* נַגָּר

woody *adj* מְיוֹעָר; יַעֲרִי

wooer *n* מְחַזֵּר

woof *n* (בְּאָרִיג) עֵרֶב

wool *n* צֶמֶר; לְבוּשׁ צֶמֶר

woolen *n, adj* צֶמֶר מְנוּפָּץ; אֲרִיג צֶמֶר; עָשׂוּי צֶמֶר

woolgrower *n* מְגַדֵּל צֹאן

woolly *adj, n* צַמְרִי; הַמֵּכִיל צֶמֶר; מְטוּשְׁטָשׁ

word *n* מִלָּה, דָּבָר, דִּיבּוּר

word *vt* הִבִּיעַ בְּמִלִּים, נִיסַּח

word count *n* סְפִירַת מִלִּים

word formation *n* בְּנִיַּת מִלִּים

wording *n* נִיסּוּחַ

word order *n* סֵדֶר מִלִּים

wordy *adj* רַב־מִלִּים, מִילּוּלִי

work *n* עֲבוֹדָה, מְלָאכָה; (בְּרַבִּים) כְּתָבִים; (בְּרַבִּים) מִפְעָל

work *vi, vt* עָבַד, פָּעַל; הִפְעִיל

workable *adj* שֶׁאֶפְשָׁר לַעֲשׂוֹתוֹ

workbench *n* שׁוּלְחַן־מְלָאכָה

workbook *n* יוֹמַן עֲבוֹדָה

workbox *n* תֵּיבַת מַכְשִׁירִים

workday *n* יוֹם עֲבוֹדָה

worked-up *adj* נִסְעָר; מוּסָת

worker *n* פּוֹעֵל, עוֹבֵד

work force *n* כּוֹחַ אָדָם

workhouse *n* בֵּית־מַחְסֶה לַעֲנִיִּים

working class *n* מַעֲמַד הַפּוֹעֲלִים

working girl *n* עוֹבֶדֶת צְעִירָה

workman *n* פּוֹעֵל, עוֹבֵד

workmanship *n* אוּמָּנוּת, צוּרַת בִּיצּוּעַ

work of art *n* מְלֶאכֶת אָמָּנוּת

workout *n* מִבְחָן מוּקְדָם

workroom *n* חֲדַר עֲבוֹדָה

workshop *n* בֵּית־מְלָאכָה, סַדְנָה

work stoppage *n* שְׁבִיתָה; הַשְׁבָּתָה

world *n* עוֹלָם; כַּדּוּר־הָאָרֶץ

worldly *adj* חִילוֹנִי; גַשְׁמִי

worldly-wise *adj* נָבוֹן בְּעִנְיְנֵי הָעוֹלָם

world-wide *adj* שֶׁבְּרַחֲבֵי הָעוֹלָם

worm *n* תּוֹלָע, תּוֹלַעַת

worm *vt, vi* חָדַר, הִתְגַּנֵּב; זָחַל

worm-eaten *adj* אֲכוּל תּוֹלָעִים; מְיוּשָּׁן

wormwood *n* לַעֲנָה; מְרִירוּת

wormy *adj* מְתוּלָּע

worn *adj* מְשׁוּמָּשׁ, מְיוּשָּׁן

worn-out *adj* בָּלוּי, שֶׁיָּצָא מִכְּלַל שִׁימּוּשׁ; תָּשׁוּשׁ

worrisome *adj* מַדְאִיג, מַטְרִיד

worry *vt, vi* הִטְרִיד, הֵצִיק; דָּאַג

worry *n* דְּאָגָה

worse *adj, adv* יוֹתֵר רָע

worsen *vt, vi* הֵרַע; הוּרַע

worship *n* פּוּלְחָן; הַאֲלָהָה

worship *vt, vi* סָגַד, הֶאֱלִיל

worship(p)er *n* סוֹגֵד; מִתְפַּלֵּל

worst *vt* גָּבַר עַל

worst *adj, adv* הָרָע בְּיוֹתֵר; בְּמַצָּב הָרָע בְּיוֹתֵר

worsted *n* אֲרִיג צֶמֶר

wort *n* צֶמַח, יֶרֶק

worth *n* שׁוֹוִי, עֵרֶךְ

worth *adj* רָאוּי; שָׁוֶה; כְּדָאִי

worthless *adj* חֲסַר עֵרֶךְ

worthwhile *adj* כְּדָאִי

worthy *adj, n* בַּעַל חֲשִׁיבוּת; רָאוּי; אָדָם חָשׁוּב

would *v aux* (פּוֹעַל עֵזֶר בֶּעָתִיד אוֹ בֶּעָתִיד שֶׁבֶּעָבָר לְהוֹרָאָה רְגִילָה, וְכֵן בַּקָּשָׁה, רָצוֹן)

would *pt of* will (צוּרַת הֶעָבָר שֶׁל will: בְּמִשְׁפַּט תְּנַאי, בַּקָּשָׁה, מִשְׁאָלָה אוֹ רִיכּוּךְ הַבָּעַת חִיוּוּי אוֹ שְׁאֵלָה)

would-be *adj* מִתְיַימֵּר, מִי שֶׁרוֹצֶה לִהְיוֹת

wound *n* פֶּצַע

wound *vt, vi* פָּצַע; פָּגַע

wounded *adj, n* פָּצוּעַ

wrack *n* שְׂרִידֵי סְפִינָה טְרוּפָה

wraith *n* רוּחַ רְפָאִים

wrangle *vi* רָב, הִתְכַּתֵּשׁ

wrangle *n* רִיב, הִתְכַּתְּשׁוּת

wrap *vt* עָטָה, עָטַף; הִתְכַּסָּה

wrap *n* כִּיסּוּי עֶלְיוֹן

wrapper *n* אוֹרֶז; עֲטִיפָה

wrapping paper *n* נְיַיר עֲטִיפָה

wrath *n* זַעַם

wrathful *adj* זוֹעֵם

wreak *vt* מוֹצִיא לַפּוֹעַל (נקמה); נָתַן בִּיטּוּי (לרוגז וכד׳)

wreath *n* זֵר, עֲטָרָה; תִּימָרָה

wreathe *vt, vi* עִיטֵּר בְּזֵר; הִקִּיף, כִּיסָּה; (עשן) תִּימֵּר

wreck *vt, vi* הֶחֱרִיב, הָרַס

wreck *n* חוּרְבָּן; טְרוֹפֶת; אוֹנִיָּה טְרוּפָה; שֶׁבֶר כְּלִי

wrecking car *n* רֶכֶב מְפַנֵּה הֲרִיסוֹת

wren *n* גִּדְרוֹן

wrench *n* עִיקּוּם בְּכוֹחַ; מַפְתֵּחַ לִבְרָגִים

wrench *vt, vi* עִיקֵם בְּכוֹחַ
wrest *vt* סָחַב בְּכוֹחַ; חָטַף
wrestle *vi, vt* נֶאֱבַק; הִתְאַבֵּק
wrestle *n* מַאֲבָק
wrestling match *n* תַּחֲרוּת הִתְאַבְּקוּת
wretch *n* עֲלוּב־חַיִּים; בָּזוּי
wretched *adj* עֲלוּב חַיִּים, מִסְכֵּן, שָׁפָל
wriggle *vi, vt* כִּשְׁכֵּשׁ; הִתְפַּתֵּל; הִתְחַמֵּק
wriggle *n* נִעְנוּעַ; הִתְחַמְּקוּת
wriggly *adj* נִפְתָּל, חֲמַקְמַקְתָּנִי
wring *vt, vi* עִיקֵם; סָחַט; לָחַץ, הֵצִיק
wringer *n* מִתְקַן סְחִיטָה
wrinkle *n* קֶמֶט, קֶפֶל
wrinkle *vt, vi* קִימֵּט; הִתְקַמֵּט
wrist *n* פֶּרֶק כַּף הַיָּד
wrist-watch *n* שְׁעוֹן יָד
writ *n* כְּתָב; צַו
write *vt, vi* כָּתַב; רָשַׁם
writer *n* כּוֹתֵב; סוֹפֵר
write-up *n* כַּתָּבָה מְשַׁבַּחַת
writhe *vt, vi* עִיוּוֵת; הִתְעַוּוֵת
writing *n* כְּתִיבָה; כְּתָב
writing-desk *n* מִכְתָּבָה, שׁוּלְחַן־כְּתִיבָה
writing materials *n pl* צוֹרְכֵי כְּתִיבָה
writing-paper *n* נְיַיר כְּתִיבָה
wrong *n* עָוֶל, חֵטְא; אִי־צֶדֶק
wrong *adj, adv* לֹא נָכוֹן; מוּטְעֶה; לֹא צוֹדֵק
wrong *vt, vi* עָשָׂה עָוֶל ל...
wrongdoer *n* חוֹטֵא
wrongdoing *n* עֲשׂוֹת רַע, חֵטְא
wrong side *n* צַד לֹא נָכוֹן
wrought iron *n* בַּרְזֶל חָשִׁיל
wrought-up *adj* נִרְגָּשׁ, מָתוּחַ
wry *adj* מְעוּוָּת
wryneck *n* סַבְרֹאשׁ

X

X, x *n, adj* אֶקְס (האות העשרים־וארבע באלפבית); נֶעְלָם, אִיקְס
Xanthippe *n* מִרְשַׁעַת
xebec *n* מִפְרָשִׂית תְּלַת־תּוֹרְנִית
xenia *n* קְסֶנְיָה
xenon *n* קְסֵנוֹן
xenophobe *n* שׂוֹנֵא זָרִים
xenophobia *n* שִׂנְאַת זָרִים
Xenophon *n* קְסֵנוֹפוֹן
Xerxes *n* אֲחַשְׁוֵרוֹשׁ
X-ray *vt* רִנְטְגֵן, צִילֵּם בְּקַרְנֵי רֶנְטְגֶן
X-rays *n* קַרְנֵי רֶנְטְגֶן
xylograph *n* גִּילּוּף בָּעֵץ
xylophone *n* קְסִילוֹפוֹן

Y

Y, y *n* וַיי (האות העשׂרים־וחמש באלפבית)

y. *abbr* yard, year

yacht *n, vi* סְפִינַת טִיוּל, יַכט

yacht club *n* מוֹעֲדוֹן שִׁיּוּט

yachtsman *n* בַּעַל יַכט

yak *n* יַאק

yam *n* בַּטָטָה

yank *n* מְשִׁיכַת־פִּתאוֹם

yank *vt, vi* שָׁלַף, מָשַׁךְ פִּתאוֹם

Yankee *n* יַאנקִי

Yankeedom *n* (מְחוֹז) יַאנקִים

yap *vi* נָבַח; קִשׁקֵשׁ

yap *n* נְבִיחָה חֲטוּפָה

yard *n* חָצֵר, מִגרָשׁ; יַארד (מידה)

yardarm *n* זְרוֹעַ הָאִיסקַרְיָה

yardstick *n* קְנֵה־מִידָּה

yarn *n, vt* מַטווֶה; מַעֲשִׂיָּה, סִיפּוּר בַּדִּים

yarrow *n* אֲכִילֵיאַת אֶלֶף הֶעָלֶה

yaw *vi, n* סִבסֵב; סִבסוּב

yawl *n* סִירַת מְשׁוֹטִים

yawn *vi, n* פִּיהֵק; פִּיהוּק

yd. *abbr* yard

yea *adv, n* כֵּן, בֶּאֱמֶת

year *n* שָׁנָה

yearbook *n* שְׁנָתוֹן

yearling *n, adj* בֶּן שְׁנָתוֹ

yearly *adj, adv* שְׁנָתִי; מִדֵּי שָׁנָה

yearn *vi* עָרַג, הִתגַעגֵעַ

yearning *n* גַעגוּעִים

yeast *n* שְׁמָרִים

yell *vi* צָרַח; יִילֵּל

yell *n* צְרִיחָה; יְלָלָה

yellow *adj* צָהוֹב

yellow *n* צוֹהַב, צֶבַע צָהוֹב; חֶלמוֹן (שֶׁל בֵּיצָה)

yellow *vt, vi* הִצהִיב

yellowish *adj* צְהַבהַב

yellow jacket *n* צִרְעָה

yellow streak *n* פַּחדָנוּת

yelp *vi* יִיבֵּב

yelp *n* יְבָבָה

yeoman *n* סַמָּל יַמִּי; אִיכָּר עַצמָאִי

yeomanly *adj, adv* נֶאֱמָן; בְּנֶאֱמָנוּת

yes *adv, n* כֵּן; הֵן

yesterday *n, adv* אֶתמוֹל

yet *adv, conj* עֲדַיִין, עוֹד; בְּכָל זֹאת

yew tree *n* טַקסוּס

Yiddish *n, adj* אִידִית; אִידִי

yield *vt, vi* הֵנִיב; נִכנַע; וִיתֵּר

yield *n* תְּנוּבָה, יְבוּל; תְּפוּקָה

yodelling *n* יִדלוּל, יִידוּל

yoke *vt, vi* שָׂם עוֹל; חִיבֵּר; הִתחַבֵּר

yoke *n* עוֹל; אֵסֶל; צֶמֶד (שְׁוָורִים)

yokel *n* בֶּן כְּפָר

yolk *n* חֶלמוֹן; חֵלֶב

yonder *adj, adv* הַהוּא; שָׁם

yore *n* יְמֵי־קֶדֶם

you *pron* אַתָּה, אַתְּ, אַתֶּם, אַתֶּן; אוֹתְךָ (וכו׳); לְךָ (וכו׳)

young *adj* צָעִיר

youngster *n* צָעִיר, יֶלֶד

your *pron* שֶׁלְּךָ, שֶׁלָּךְ, שֶׁלָּכֶם, שֶׁלָּכֶן

yours *pron* שֶׁלְּךָ, שֶׁלָּךְ, שֶׁלָּכֶם, שֶׁלָּכֶן
yourself *pron* עַצְמְךָ, עַצְמֵךְ (עצמכם, עצמכן); בְּעַצְמְךָ (וכו׳); אֶת עַצְמְךָ (וכו׳)
youth *n* נוֹעַר; נַעַר
youthful *adj* צָעִיר, יָאֶה לַנּוֹעַר
yowl *vi* יִיבֵּב
yowl *n* יְבָבָה
yr. *abbr* year
Yugoslav *n, adj* יוּגוֹסלָבִי
Yugoslavia *n* יוּגוֹסלַבְיָה
Yule *n* חַג הַמּוֹלָד
yuletide *n* עוֹנַת חַג הַמּוֹלָד

Z

Z, z זִי, זֶד (האות העשׂרים־ושש באלפבית)
zany *n* מוּקיוֹן; שׁוֹטֶה
zeal *n* קַנָּאוּת; לַהַט
zealot *n* קַנַּאי
zealous *adj* קַנָּאִי
zebra *n* זֶבְּרָה
zebu *n* זֶבּוּ
zenith *n* זֵנִית; שִׂיא הַגּוֹבַהּ
zephyr *n* צַפְרִיר; רוּחַ מַעֲרָב
zeppelin *n* סְפִינַת אֲווִיר
zero *n* נְקוּדַת־הָאֶפֶס; אֶפֶס
zest *n* טַעַם נָעִים; חֵשֶׁק, הִתלַהֲבוּת
zigzag *adj, adv, n* סִכְסָךְ, זִגזָג; סִכְסָכִי, זִגזָגִי; בְּזִגזָג
zigzag *vi* הִזדַגזֵג
zinc *n* אָבָץ
zinc *vt* אִיבֵּץ, צִיפָּה בְּאָבָץ
zinc etching *n* חֲרִיטַת אָבָץ
zinnia *n* זִינִּיָּה
Zionism *n* צִיּוֹנוּת
Zionist *adj, n* צִיּוֹנִי
zip *n* שְׁרִיקָה; כּוֹחַ
zip *vi, vt* חָלַף בִּשׁרִיקָה; רָכַס בְּרוֹכְסָן
zip fastener *n* רוֹכְסָן
zipper *n* רוֹכְסָן
zircon *n* זִרקוֹן
zirconium *n* זִרקוֹנְיוּם
zither *n* צִיתֶר
zodiac *n* גַּלְגַּל הַמַּזָּלוֹת
zone *n* אֵיזוֹר, חֶבֶל
zone *vt, vi* קָבַע אֲזוֹרִים
zoologic(al) *adj* זוֹאוֹלוֹגִי
zoologist *n* זוֹאוֹלוֹג
zoom *n* נְסִיקָה מְהִירָה תְּלוּלָה
zoom *vi* הִנסִיק בִּמהִירוּת וּבִתלִילוּת
zoophyte *n* צִמחַי, זוֹאוֹפִיט
zugzwang (בשחמט) כְּפַאי

מקורו של המילון העברי והאנגלי החדש של בנטם־מגידו.

כתוצאה מן השינויים המהירים החלים בשפות העברית והאנגלית והמגע ההדדי המתהדק יותר ויותר בין שתי הלשונות נוצר הצורך במילון שיתן ביטוי לתופעות אלה.
מילון הכיס העברי והאנגלי החדש של בנטם־מגידו משקף את ההתפתחות הגדולה של שתי הלשונות בתחומי המדע והטכנולוגיה ובשיחת יום־יום.
מילון כיס עברי ואנגלי מעודכן ושווה לכל נפש הוא ספר עזר חיוני למספר הולך וגדל של אנשים בכל רחבי העולם.

המחברים:
ד״ר ראובן סיוון, מחנך ירושלמי, בלשן, סופר ומתרגם, הוא המייסד וחבר ההנהלה של החברה הישראלית לבלשנות שימושית ומרצה בכיר באוניברסיטאות ובסמינרים.

ד״ר אדוארד א. לבנסטון, ראש המחלקה לאנגלית באוני־ברסיטה העברית ומרצה בכיר לבלשנות אנגלית, הוא איש חינוך, בלשן ומחברם של ספרים רבים בתחום התרגום, הדקדוק, הבלשנות, ההוראה והסגנון.

בנטם־מגידו
מילון עברי ואנגלי חדש

נערך ע״י ד״ר ראובן סיוון וד״ר אדוארד א. לבנסטון

מיוסד על מילון מגידו החדיש
ע״י ד״ר ראובן סיוון וד״ר אדוארד א. לבנסטון

This book was completely typeset in Israel.

התוכן

מבוא

המגע ההדדי שבין הלשונות עברית ואנגלית מתרחב ומתהדק בתקופתנו יותר ויותר. שתי הלשונות מתפתחות במהירות רבה. העברית, לשון התנ״ך, הגיעה לשלב חדש בהתפתחותה בסוף המאה הקודמת עם חידוש הדיבור העברי ושיבת העם היהודי לארץ אבותיו וביתר שְׂאֵת עם הקמת מדינת ישראל; האנגלית, הלשון העשירה והנפוצה, הופכת בימינו לשפת תקשורת בין־לאומית, ואף רובו של העם היהודי באמריקה, באירופה ובחלקי העולם האחרים נזקקים לה.

מילון כיס מעודכן של שתי הלשונות האלה, המדביק את התפתחותן בענפי המדע, הטכנולוגיה וחיי החברה, והשווה לכל נפש, צורך חיוני הוא לרבבות הרבות של צעירים ומבוגרים בכל רחבי העולם, שיש להם זיקה לשתי הלשונות הללו במגעיהן.

מילון באנטם זה, הערוך בשיטה חדשה, מאפשר מֵרַב התועלת ונוחות השימוש לכל המעיין בו.

יתן נא המעיין את דעתו לעקרונות שלהלן של מילון זה. שני הראשונים שבהם מהווים שינוי מהפכני בשיטת המילונות העברית־לועזית, וכבר הוכחה תועלתם במילון מגידו הגדול העברי־אנגלי – אנגלי־עברי.

1. הכתיב. הטור העברי בשני המילונים כתוב בכתיב ׳מלא׳, לפי כללי האקדמיה ללשון העברית במהדורתם האחרונה. אף כי הוספנו ניקוד מלא ומדויק (חוץ מנקודת השווא הנח, שאותה השמטנו) כדי שכל מעיין ידע לבטא כל מלה בדיוקה, לא חיסרנו וי״וים ויו״דים הנהוגות בכתיב ה׳מלא׳, כדי שהמעיין ידע לאשורו גם את הכתיב הרשמי של כל מלה, כפי שהוא נהוג כיום בטקסט לא מנוקד שבספרות ובעיתונות. ייתן נא איפוא המעיין את דעתו בחפשו במילון העברי־אנגלי את תרגומן של מלים כגון אורן, גיבור, חיָל.

מָוֶת, סידור, שולחן, תורגם, לבקשן בכתיב הזה, ה׳מלא׳, ולא בכתיב החסר כפי שנהוג במילונים מיושנים.

2. הפעלים. הפעלים הובאו בשני המילונים בטור האנגלי בצורת המקור (בלי to): blame, disappear, insist, ובטור העברי בצורת עבר נסתר: הֶאֱשִׁים, נֶעֱלַם, הִטעים.

המבקש תרגום אנגלי לפועל עברי יחפש את הפועל העברי במקומו בסדר האל״ף־בי״ת, לא לפי ה׳שורש׳, אלא לפי בניין הפועל בעבר נסתר. כלומר, פועל כגון התעקש יבוא במקומו באות ה (ולא בשורש עקש), נכנס באות נ, הוחלף באות ה, וכן לָמַד באות ל ולִימֵד בל׳ וי׳ אחריה ולוּמַד בל׳ ושורוק אחריה.

3. התארים. בתרגומי שמות התואר האנגליים צוין שם התואר בטור העברי שבמילון האנגלי־עברי בצורת יחיד זכר. למשל, מול התואר האנגלי good הובאה הצורה טוב בטור העברי. המעיין צריך לתת את דעתו שכל שם תואר באנגלית יפה לשני המינים וכן ליחיד ולרבים, ולמעשה good הוא בעברית טוב וגם טובה, וכן טובים וגם טובות. כן צריך המעיין במילון העברי־אנגלי לזכור, שתרגומו האנגלי של התואר טוב הוא גם תרגום התארים טובה, טובים, טובות.

4. סימנים וקיצורים. הבדלי משמעים הקרובים זה לזה – סינונימים – הופרדו זה מזה בטור המקביל בפסיק (,); אך כשלמלה יש משמעים השונים זה מזה במובהק סימננו נקודה ופסיק (;) בין מלה המשמשת למשמע אחד, לבין אחרת המשמשת למשמע השונה. ראה למשל חֶבְרָה בעברי־אנגלי ו־just באנגלי־עברי.

הקיצורים במילון העברי־אנגלי הם:

ז – שם עצם ממין זכר ביחיד.

ז״ז – זכר זוגי, שם עצם ממין זכר במספר זוגי, מסתיים בַ־יים.

זו״נ – זכר ונקבה, שם עצם שמינו זכר או נקבה.

ז״ר – זכר רבים, שם עצם זכר המצוי בלשון בצורת הרבים.

מ״ג – מלת־גוף או כינוי־גוף.

מ״ח – מלת־חיבור.

מ״י – מלת־יחס.

מ״ק – מלת־קריאה.

מ״ש – מלת שאלה.

נ – שם עצם ממין נקבה ביחיד.

נ״ז – נקבה זוגי, שם עצם ממין נקבה במספר זוגי, מסתיים בַ־יים.

נ״ר – נקבה רבים, שם עצם ממין נקבה, המצוי בלשון בצורת הרבים.

פ – פועל.

ר׳ – ראה; רבים.

ש״מ – שם מספר.

ת – תואר, בצורת יחיד, זכר.

תה״פ – תואר הפועל.

הפועל האנגלי

בפועל האנגלי הרגיל (regular verb) בלשון עבר ובבינוני פעול באה סיומ
-ed, או של -d כאשר האות האחרונה של השורש היא e.
לדוגמא

enter	entered	entered
walk	walked	walked
believe	believed	believed
love	loved	loved

במקרה של מלים המסתיימות באותיות b, d, g, m, n, p, r, t וכאשר לפ
אות כזאת תנועה אחת בלבד, מכפילים את האות ומוסיפים ed.
לדוגמא

stop	stopped	stopped
beg	begged	begged

אך ישנם פעלים שהכללים הנ״ל אינם חלים עליהם – הפעלים החריגים
irregular verbs, ואלה הם:

ENGLISH IRREGULAR VERBS

RESENT	PAST	PAST PARTICIPLE
bide	abode	abode
m, is, are	was, were	been
rise	arose	arisen
wake	awoke, awaked	awoke, awaked
ear	bore	born, borne
eat	beat	beaten, beat
ecome	became	become
egin	began	begun
end	bent	bent
ereave	bereaved, bereft	bereaved, bereft
eseech	beseeched, besought	beseeched, besought
eset	beset	beset
et	bet, betted	bet, betted
id	bade, bid	bidden, bid
ind	bound	bound
ite	bit	bitten
leed	bled	bled

PRESENT	PAST	PAST PARTICIPLE
blow	blew	blown
break	broke	broken
breed	bred	bred
bring	brought	brought
build	built	built
burn	burned, burnt	burned, burnt
burst	burst	burst
buy	bought	bought
can	could	—
cast	cast	cast
catch	caught	caught
choose	chose	chosen
cleave	cleaved; clove, cleft	cleaved; cloven, cleft
cling	clung	clung
clothe	clothed, clad	clothed, clad
come	came	come
cost	cost	cost
creep	crept	crept
crow	crew, crowed	crowed
cut	cut	cut
deal	dealt	dealt
dig	dug	dug
do	did	done
draw	drew	drawn
dream	dreamed, dreamt	dreamed, dreamt
drink	drank	drunk
drive	drove	driven
dwell	dwelt	dwelt
eat	ate	eaten
fall	fell	fallen
feed	fed	fed
feel	felt	felt
fight	fought	fought
find	found	found
flee	fled	fled
fling	flung	flung
fly	flew	flown
forbear	forbore	forborne
forbid	forbade, forbad	forbidden
forget	forgot	forgotten

PRESENT	PAST	PAST PARTICIPLE
forgive	forgave	forgiven
forsake	forsook	forsaken
freeze	froze	frozen
get	got	got, gotten
gild	gilded, gilt	gilded, gilt
gird	girded, girt	girded, girt
give	gave	given
go	went	gone
grind	ground	ground
grow	grew	grown
hang	hung	hung
have	had	had
hear	heard	heard
heave	heaved, hove	heaved, hove
help	helped	helped
hew	hewed	hewed, hewn
hide	hid	hidden, hid
hit	hit	hit
hold	held	held
hurt	hurt	hurt
keep	kept	kept
kneel	knelt, kneeled	knelt, kneeled
knit	knitted, knit	knitted, knit
know	knew	known
lay	laid	laid
lead	led	led
lean	leaned, leant	leaned, leant
leap	leaped, leapt	leaped, leapt
learn	learned, learnt	learned, learnt
leave	left	left
lend	lent	lent
let	let	let
lie	lay	lain
light	lighted, lit	lighted, lit
load	loaded	loaded, laden
lose	lost	lost
make	made	made
may	might	—
mean	meant	meant
meet	met	met

PRESENT	PAST	PAST PARTICIPLE
mow	mowed	mowed, mown
must	—	—
ought	—	—
overcome	overcame	overcome
overthrow	overthrew	overthrown
pay	paid	paid
pen	penned, pent	penned, pent
put	put	put
read	read	read
rend	rent	rent
rid	rid	rid
ride	rode	ridden
ring	rang	rung
rise	rose	risen
run	ran	run
saw	sawed	sawed, sawn
say	said	said
see	saw	seen
seek	sought	sought
sell	sold	sold
send	sent	sent
set	set	set
sew	sewed	sewed, sewn
shake	shook	shaken
shall	should	—
shave	shaved	shaved, shaven
shear	sheared	shorn
shed	shed	shed
shine	shone	shone
shoe	shod	shod
shoot	shot	shot
show	showed	shown
shred	shredded	shredded, shred
shrink	shrank, shrunk	shrunk
shut	shut	shut
sing	sang	sung
sink	sank	sunk
sit	sat	sat
slay	slew	slain
sleep	slept	slept

PRESENT	PAST	PAST PARTICIPLE
slide	slid	slid
sling	slung	slung
slink	slunk	slunk
slit	slit, slitted	slit, slitted
smell	smelled, smelt	smelled, smelt
smite	smote	smitten
sow	sowed	sown, sowed
speak	spoke	spoken
speed	sped, speeded	sped, speeded
spell	spelled, spelt	spelled, spelt
spend	spent	spent
spill	spilled, spilt	spilled, spilt
spin	spun	spun
spit	spat, spit	spat, spit
split	split	split
spoil	spoiled, spoilt	spoiled, spoilt
spread	spread	spread
spring	sprang	sprung
stand	stood	stood
stave	staved, stove	staved, stove
steal	stole	stolen
stick	stuck	stuck
sting	stung	stung
stink	stank, stunk	stunk
strew	strewed	strewed, strewn
stride	strode	stridden
strike	struck	struck
string	strung	strung
strive	strove, strived	striven, strived
swear	swore	sworn
sweep	swept	swept
swell	swelled	swelled, swollen
swim	swam	swum
swing	swung	swung
take	took	taken
teach	taught	taught
tear	tore	torn
tell	told	told
think	thought	thought
thrive	throve, thrived	thrived, thriven

PRESENT	PAST	PAST PARTICIPLE
throw	threw	thrown
thrust	thrust	thrust
tread	trod	trodden, trod
understand	understood	understood
underwrite	underwrote	underwrote
upset	upset	upset
wake	waked, woke	waked, woken
wear	wore	worn
weave	wove	woven
weep	wept	wept
wet	wet, wetted	wet, wetted
will	would	—
win	won	won
wind	wound	wound
work	worked, wrought	worked, wrought
wring	wrung	wrung
write	wrote	written

הַהִיגּוּי הָאַנגלִי

הסימנים הבאים מייצגִים – בקירוב – את כל קשת ההגיים של השָׂפה האנגלית.

תנועות

דוגמה	צליל	סימן פונטי
hat [hæt]	בין אַ (כמו במילה טַל) לבין אֶ (רֶמֶז)	[æ]
father [ˈfɑðər] **proper** [ˈprɑpər]	כמו אָ במילה דָבָר	[*a*]
met [mɛt]	כמו אֶ במילה בֶּן	[ɛ]
fate [fet] **they** [ðe]	כמו אֵי במילה יֵש. בסוף המילה – כמו במילה עֵינַיֵי	[e]
heaven [ˈhɛvən] **pardon** [ˈpɑrdən]	כמו אְ במלה לְהַבדִיל	[ə]
she [ʃi] **machine** [məˈʃin]	כמו אִי במלה הִיא	[i]
fit [fɪt] **beer** [bɪr]	סגור יותר מהצליל אִ במלה מִן	[ɪ]
nose [noz] **road** [rod] **row** [ro]	כמו [בקירוב] אְאוּ	[o]
bought [bɔt] **law** [lɔ]	כמו אוֹ במלה בּוֹקר	[ɔ]
cup [kʌp] **come** [kʌm] **mother** [ˈmʌðər]	בין אָ במלה דָם ובין אְ במלה דְמֵי	[ʌ]
pull [pul] **book** [buk] **wolf** [wulf]	כמו אוּ במלה דוּבּים	[U]
move [muv] **tomb** [tum]	כמו אוּ במלה מַבּוּל	[u]
	דוּ־תְּנוּעוֹת (דיפתוֹנגים)	
night [naɪt] **eye** [aɪ]	כמו אַי במלה כְּדַאי	[aɪ]
found [faund] **cow** [kau]	אַאוּ	[aU]
voice [vɔɪs] **oil** [ɔɪl]	אוֹי	[ɔɪ]
	עִיצוּרים	
bed [bɛd] **robber** [ˈrɑbər]	כמו בּ במלה בּוּל	[b]
dead [dɛd] **add** [æd]	כמו ד במלה דוֹד	[d]
gem [dʒɛm] **jail** [dʒel]	כמו ג׳	[dz]
this [ðɪs] **father** [ˈfɑðər]	אין סימן בעברית. כמו ד מנושף	[δ]
face [fes] **phone** [fon]	כמו פ׳ במלה רוֹפֵא	[f]

סימן פונטי	צליל	דוגמא
[g]	כמו ג׳ במלה גַן	**go** [go] **get** [gɛt]
[h]	כמו ה׳ במלה הָלַךְ	**hot** [hɑt] **alcohol** [ˈælkə ˌhəl]
[j]	כמו י׳ במלה יֶלֶד	**yes** [jes] **unit** [ˈjunɪt]
[k]	כמו כ׳ במלה כָּתַב	**cat** [kæt] **chord** [kɔrd] **kill** [kɪl]
[l]	כמו ל׳ במלה לֶחֶם	**late** [let] **allow** [əˈlaʊ]
[m]	כמו מ׳ במלה מוֹרֶה	**more** [mor] **command** [kəˈmænd]
[η]	כמו נ׳ במלה נֶגֶב	**nest** [nɛst] **manner** [ˈmænər]
[n]	כמו נג׳ במלה אַנגְלִי	**king** [kɪŋ] **conquer** [ˈkɑŋkər]
[p]	כמו פ׳ במלה פֶּן	**pen** [pɛn] **cap** [kæp]
[r]	בחלקים גדולים של אנגליה וברוב איזורי ארה״ב וקנדה, מתבטאת האות כתנועה למחצה, שהיגויה מופק כשקצה הלשון מורם לקראת החיך. עיצור זה הינו חלש מאוד כשהוא מבוטא בין תנועות או בסוף הברה, ועל כן הינו כמעט בלתי־נשמע. היגויו משפיע על התנועות הסמוכות.	**run** [rʌn] **far** [fɑr] **art** [ɑrt] **carry** [ˈkæri]
	כשהוא בא אחרי הצלילים [ʌ] או [ə] הוא נותן את צביונו המיוחד לצלילים האלה ונעלם כליל.	**burn** [bʌrn] **learn** [lʌrn] **weather** [ˈwɛðər]
[s]	כמו ס׳ במלה סַל	**send** [sɛnd] **cellar** [ˈsɛlər]
[ʃ]	כמו ש׳ במלה שֶׁל	**shall** [ʃæl] **machine** [məˈʃin] **nation** [ˈneʃən]
[t]	כמו ט׳ במלה אָטוּם	**ten** [tɛn] **dropped** [drɑpt]
[tʃ]	כמו טש׳ (צ׳).	**child** [tʃaɪld] **much** [mʌtʃ] **nature** [ˈnetʃər]
[θ]	אין הגייה כזאת בעברית, כמו ת׳ מנושף	**think** [θɪŋk] **truth** [truθ]
[v]	כמו ב׳ במלה אֶבְיוֹן	**vest** [vɛst] **over** [ˈovər] **of** [ɑv]
[w]	כמו ו׳ בהגיית יהודי תימן.	**work** [wʌrk] **tweed** [twid] **queen** [kwin]
[z]	כמו ז׳ במלה זֶמֶר	**zeal** [zil] **busy** [ˈbɪzi] **his** [hɪz] **winds** [wɪndz]
[z]	כמו ז׳ (ז׳ מנושף)	**azure** [ˈeʒər] **measure** [ˈmɛʒər]

א

אָב ז — father; Ab (July-Aug.)
אֵב ז — tender, green shoot
אַבָּא ז — daddy, father
אִבֵּד (יְאַבֵּד) פ — spell aloud
אָבַד (יֹאבַד) פ — be lost, perish
אֲבֵדָה, אֲבֵידָה נ — loss; lost property
אֲבַדּוֹן ז — destruction, ruin
אָבְדָן, אוֹבְדָן ז — destruction, ruin; loss
אָבָה (יֹאבֶה) פ — want, desire, consent
אַבְהוּת נ — parentage, fatherhood
אַבָהִי ת — fatherly, paternal
אַבּוּב ז — oboe; tube
אַבּוּבִית נ — small oboe; tubule
אַבּוּבָן ז — oboist
אָבוּד ת — lost, perished, forlorn
אֲבוֹי מ״ק — alas, woe
אָבוּס ת — fattened, well-fed
אֲבוּקָה נ — blazing torch
אַבְזֵם ז — buckle
אַבְזָר ז — accessory
אִבְחוּן ז — diagnosis
אָב חוֹרֵג — stepfather
אִבְחֵן (יְאַבְחֵן) פ — diagnose
אַבְחָנָה נ — diagnosis
אֲבַטִּיחַ ז — water-melon, melon
אֲבַטִּיחַ צָהוֹב — musk melon, canteloupe
אַבְטִיפּוּס ז — archetype, prototype
אַבְטָלָה נ — unemployment

אָבִיד ת, ז — perishable
אֶבְיוֹן ז — pauper
אֲבִיּוֹנָה נ — lust, concupiscence
אֲבִיזָר ר׳ אַבְזָר
אָבִיךְ ת — misty, hazy
אֲבִיסָה נ — feeding, fattening (of animals for food)
אָבִיק ז — button-hole; outlet pipe
אַבִּיק ז — retort, alembic
אַבִּיר ז, ת — knight; mighty, powerful
אַבִּירוּת נ — valor
אָבַל (יֶאֱבַל) פ — grieve, mourn
אֲבָל מ״ח — but, yet
אָבֵל ז׳, ת — mourner; grief-stricken
אֵבֶל ז — grief, mourning
אֲבֵלוּת נ — mourning (state of), mourning
אֶבֶן נ — stone, pebble; a weight
אֶבֶן בּוֹחַן — touchstone, criterion
אֶבֶן גָּזִית — ashlar, hewn stone
אֶבֶן חֵן, אֶבֶן טוֹבָה — jewel, precious stone
אַבְנֵט ז — sash, girdle
אָבְנַיִם, אוֹבְנַיִם ז״ז — potter's-wheel; workbench; stool (for woman in labor)
אַבְנֵי מָרָה — gallstones
אֶבֶן יְסוֹד — foundation-stone
אֶבֶן יְקָרָה — jewel, gem

אַבְנִית נ — lime (in kettles, etc.)
אֶבֶן מַשְׁחֶזֶת — grindstone, whetstone
אֶבֶן מַשְׂכִּית — stone with carved figures
אֶבֶן נֶגֶף — stumbling-bloc
אֶבֶן פִּנָּה — corner stone
אֶבֶן רֵיחַיִים — millstone
אֶבֶן שׁוֹאֶבֶת — lodestone, magnet
אֶבֶן שָׂפָה — kerbstone
אָבַס (יֶאֱבוֹס) פ — fatten, stuff
אֲבַעְבּוּעָה נ — blister, boil
אֲבַעְבּוּעוֹת — small-pox, pox
אָבָץ ז — zinc, spelter
אָבָק ז — dust, powder
אֶבֶק ז — button-hole
אֲבָקָה, אַבְקָה נ — powder; pollen
אִבְקָה נ — loop, button-hole, eyelet
אַבְקָן ז — stamen
אֲבַק־שְׂרֵפָה — gun-powder
אֵבֶר ז — wing (of a bird)
אַבַּרְזִין ז — tarpaulin
אַבְרֵךְ ז — newly-wed (husband); young scholar
אַבְרָקַיִים ז״ז — breeches, pantaloons
אַבְרָשׁ ז — heather
אַגַּב מ״י ותה״פ — by way of
אֶגֶד ז — bundle, bunch, sheaf; surgical bandage
אַגָּדָה נ — legend, fable, tale, homily
אַגָּדָתִי ת — legendary, fabulous
אֲגוּדָה נ — association, union, society
אֲגוּדָל ז — thumb
אֱגוֹז ז — nut, walnut (fruit or tree)

אֲגוֹרָה נ — agora (one hundredth of an Israeli pound); ancient coin
אָגִיד נ — gill (of a fish)
אֲגִירָה נ — hoarding, storing
אֶגֶל ז — drop
אֲגַם ז — lake, pond
אַגְמוֹן ז — bulrush
אֲגַמִיָּה נ — coot
אַגָּן ז — basin, bowl
אַגָּס ז — pear; electric bulb
אֲגַף ז — wing, department, branch
אָגַף (יֶאֱגוֹף) פ — outflank (military)
אָגַר (יֶאֱגוֹר) פ — hoard, store
אַגְרָה נ — fee, toll
אִגְרוּף ז — boxing, fisticuffs
אֶגְרוֹף ז — fist, toll
אֶגְרוֹפָן ז — knuckle-duster; boxer, pugilist
אֲגַרְטֵל ז — pitcher, bowl, jar
אִגְרֵף (יְאַגְרֵף) פ — box, fight
אֵד ז — vapor, mist, steam
אַדְוָה נ — ripple, wavelet
אָדוֹם ת — red, ruddy
אָדוֹן ז — Sir, Mr., gentleman; master; possessor
אֲדוֹנָי, אֲדֹנָי ז — Lord God, the Lord
אָדוּק ת — orthodox (in religion), devout; devoted
אָדִיב ת — courteous, polite
אֲדִיבוּת נ — courtesy, politeness
אֲדִיקוּת נ — orthodoxy, piety; adherence
אַדִּיר ת — mighty, powerful
אָדִישׁ ז — apathetic, indifferent

אֲדִישׁוּת נ apathy, indifference
אָדַם (יֶאֱדַם) פ be red, turn red, redden
אָדָם ז man, human being
אֲדַמְדַּם ת reddish, pale-red, ruddy
אֲדַמְדֶּמֶת נ light attack of measles
אֲדָמָה נ earth, soil, land
אַדְמוּמִי נ reddish, pale red
אַדְמוּמִיּוּת נ reddishness
אַדְמוּמִית נ redness
אַדְמוֹנִי ת ruddy, red-haired
אַדֶּמֶת נ (colloquial) measles
אַדְמַת הַקּוֹדֶשׁ the Holy Land
אֶדֶן ז base, sill
אֶדֶק ז clip, fastener
אֶדֶר ז stuffed animal
אֲדָר ז Adar (Feb.-March)
אַדְּרַבָּה תה״פ on the contrary!
אִדְרָה נ fish-bone
אִדְרִיָּה נ common eider, eider-duck
אַדְרִיכָל ז architect
אַדֶּרֶת נ overcoat
אָהַב (יֹאהַב) פ love, adore
אַהֲבָה נ love, affection
אֲהַבְהָבִים ז״ר flirtation, philandering
אַהֲבַת בֶּצַע avarice, love of money
אַהֲבַת הַבְּרִיּוֹת altruism, love of mankind
אַהֲבַת נֶפֶשׁ profound love
אָהַד (יֶאֱהוֹד) פ sympathize with, have affection for
אַהֲדָדֵי תה״פ mutually
אַהֲדָה נ sympathy

אֲהָהּ מ״ק oh, alas
אָהוּב ת sweetheart, beloved
אָהוּד ת well-liked; sympathetic
אָהִיל ז lampshade
אָהַל (יֶאֱהַל) פ live in a tent, pitch a tent; camp
אוֹ מ״ח or
אוֹב ז necromancy
אוֹבֵד ת lost, forlorn
אוֹבֵד עֵצוֹת perplexed, at a loss
אוֹבֶךְ ז dust-laden air
אוֹגֵד ז copulative (in Hebrew grammar), copula
אוּגְדָּה נ division (mil.)
אוֹגֶן ז brim (of a hat); rim; handle
אוֹגֵר ז collector, hoarder
אוּד ז brand, firebrand
אוֹדוֹת נ״ר concerning, about
אוֹדֶם ז redness, ruby; lipstick
אוֹהֵב ז lover
אוֹהֵד ז sympathizer
אוֹהֶל ז tent
אַוָּז ז goose, gander
אֱוִיל ז simpleton, dolt
אֱוִילוּת נ silliness, stupidity
אֲוִיר air, atmosphere
אֲוִירָאוּת ז aviation
אֲוִירַאי ז airman, aircraftsman
אֲוִירָה נ atmosphere
אֲוִירוֹן ז airplane
אֲוִירִי ת airy, aerial, ethereal
אֲוִירִיּוּת נ airiness
אֲוִירִיָּה נ air-strength (of a country)

אָוֶן ז — wickedness, evil
אִוורוּר ז — ventilation, airing
אִוורֵר (יְאַוורֵר) פ — ventilate, air, aerate
אִוושָׁה נ — rustle, hiss; murmur
אוֹזְלַת יָד ר׳ אָזְלַת יָד
אוֹזֶן נ (נ״ז אוֹזנַיִים) — ear; handle
אוֹזְנֵי הָמָן — Haman's ears – an ear-shaped Purim cake
אוֹזְנִית נ — earphone
אוֹחַ ז — eagle-owl
אוֹטֶם ז — stoppage, obstruction
אוֹי! מ״ק — oh! alas!
אוֹיֵב ז — enemy, foe
אוֹיָה! מ״ק — alas! woe!
אוֹי וַאֲבוֹי — alas! alack!
אוֹכֶל ז — food, nourishment
אוּכַּל (יְאוּכַּל) פ — be burnt; be digested
אוכלוֹסִיָּה נ — population, populace
אוכלוֹסִים ז״ר — population
אוּכלַס (יְאוּכלַס) פ — be populated
אוכמָנִית נ — blackberry
אוּכַּן (יְאוּכַּן) פ — be identified, be pin-pointed
אוּכסַן (יְאוּכסַן) פ — be given lodging
אוּכָּף ז — saddle
אוּלַי תה״פ — perhaps, maybe
אוּלָם מ״ח — however, but, yet
אוּלָם ז — hall, auditorium
אוּלַּף (יְאוּלַּף) פ — be trained, be tamed
אוּלְפָּן ז — studio, ulpan (center for intensive study)
אוּלְפָּנִית נ — short ulpan
אוּלפַּן עֲבוֹדָה — ulpan in a Kibbutz
אוּלַץ (יְאוּלַץ) פ — be compelled, forced
אוֹלָר ז — pen-knife, pocket knife
אוּלתַּר (יְאוּלתַּר) פ — be improvised
או״ם ז — The U.N.
אוֹם נ — nut (for bolt)
אוֹמֶד ז — assessment, estimate
אוּמדָן ז — estimate
אוּמָּה נ — nation, people
אוּמּוֹת מְאוּחָדוֹת — United Nations
אוּמלָל ת — wretched, miserable; pitiful, pitiable
אוּמלַל, (יְאוּמלַל) פ — be made miserable, be made unhappy, be miserable
אוּמלָלוּת נ — wretchedness, pitifulness
אוֹמֶן ז — faithfulness, faith
אוּמַּן (יְאוּמַּן) פ — be trained, be taught
אוֹמֵן ז — trainer, foster-father
אוּמָּן ז — craftsman, artisan
אוֹמְנָה נ — pilaster, pillar, pier
אוּמָנוּת נ — craftsmanship, craft; art
אוֹמֶנֶת נ — nursemaid, governess
אוֹמֶץ ז — courage, pluck, nerve
אוּמצָה נ — (beef) steak; hunk of meat
אוֹמֶץ־לֵב — courage, prowess
אוֹמֶץ־רוּחַ — spiritual courage
אוֹמֶר ז — utterance, speech
אוֹן ז — strength, force
אוֹנָאָה נ — fraud, deceit, deception
אוּנָה נ — lobe
אוֹנִיָּה, אֳנִיָּה נ — ship, boat

אוֹנִיַּת קִיטוֹר — steamship
אוֹנֵן ז — mourner
אוֹנָן ת — onanist
אוֹנָנוּת נ — onanism, masturbation
אוֹנֵס ז — raper, rapist
אוֹנֶס ז — rape; compulsion
אוּנְקִיָּה נ — ounce
אוּנְקָל ז — hook
אוֹסֶם ז — bounty, rich harvest
אוֹפֶה — baker
אוֹפִי ז — character
אוֹפְיָנִי ת — characteristic
אוּפַּל (יְאוּפַּל) פ — be blacked out
אוֹפֶל ז — gloom, darkness
אוֹפַן ז — wheel
אוֹפֶן ז — way, manner
אוֹפַנּוֹעַ ז — motorcycle
אוֹפַנּוֹעָן ז — motorcyclist
אוֹפַנַּיִם ז״ז — bicycle
אוֹפַנִּית נ — scooter (for children)
אוֹפְנָתִי ת — fashionable, stylish
אוֹפֶק ז — horizon (lit. and fig.)
אוֹפְקִי ת — horizontal
אוּפְשַׁר (יְאוּפְשַׁר) פ — be enabled
אוֹצָר ז — treasure, treasury
אוֹצָר בָּלוּם — polymath
אוֹצְרוֹת קוֹרַח — immense wealth, the riches of Croesus
אוֹקְיָינוֹס ז — ocean, sea
אוֹר ז — light, brightness
אוֹר (יָאוֹר) פ — be lit, shine
אוּר ז — flame, fire
אוֹרֵב ז — one who lies in ambush, lurker
אוֹרֵג ז — weaver

אוּרְגַּן (יְאוּרְגַּן) פ — be organized
אוֹרָה נ — light
אוֹרֶה ז — fruit-picker
אוּרְוָה נ — stable
אוֹרֵז ז — packer
אוֹרֶז ז — rice
אוֹרֵחַ ז — guest, visitor
אוֹרַח ז (ר׳ אוֹרָחוֹת) — way, manner
אוֹרְחָה נ — caravan
אוּרְיָין ז — scholarship, erudition
אוֹרַיְיתָא נ — the Law, the Torah
אוֹרֶךְ ז — length; duration
אוֹרֶךְ אַפַּיִם — patience, long-suffering
אוֹר ל... — the night before
אוֹרְלוֹגִין ז — clock
אוֹרֶן ז — pine, pine-wood
אוֹרַס, אוֹרַשׂ (יְאוֹרַס) פ — become engaged, become betrothed
אוֹרְקוֹל ז — audio-visual communication
אוֹרְקוֹלִי ת — audio-visual
אוּשְׁפַּז (יְאוּשְׁפַּז) פ — be hospitalized, be sent to hospital
אוּשְׁפִּיז ז — lodger, guest
אוּשַּׁר (יְאוּשַּׁר) פ — be confirmed
אוֹשֶׁר ז — happiness, bliss
אוֹשֵׁשׁ (יְאוֹשֵׁשׁ) פ — strengthen
אוֹת (ר׳ אוֹתוֹת) ז — sign, mark
אוֹת (ר׳ אוֹתִיּוֹת) נ — letter (of the alphabet)
אוֹתֵת (יְאוֹתֵת) פ — signal
אוּתַּת (יְאוּתַּת) פ — be signalled
אָז תה״פ — then; so, thus
אִזְדָּרֶכֶת נ — China-berry tree, azedarach

אַזְהָרָה נ	warning, caution
אֵזוֹב ז	hyssop
אֵזוֹר ז	zone, district, belt
אֲזַי	then
אֲזִיקִים ז״ר	fetters, shackles
אִזְכֵּר (יְאַזְכֵּר) פ	cite, refer
אַזְכָּרָה נ	memorial service
אָזַל (יֶאֱזַל) פ	sold out
אָזְלַת יָד	helplessness, impotence
אִזְמֵל ז	lancet, scalpel; chisel
אִזְמָרַגְד, אִיזְמָרַגְד ז	emerald
אֹזֶן ז	quiver, holster; rail, ledge, horizontal cross-beam
אַזְעָקָה נ	alarm, alarm signal, siren
אָזַר (יֶאֱזוֹר) פ	gird, put on (equipment)
אֶזְרָח ז	citizen, civilian
אִזְרֵחַ (יְאַזְרֵחַ) פ	naturalize, grant citizenship to
אֶזְרָחוּת נ	citizenship
אֶזְרָחִי ת	civic, civil
אָח ז (אֲח־ אוֹ אֲחִי־)	brother, kinsman; fellow
אָח ז	fireplace, hearth, brazier
אֶחָא ז	brother! my brother!
אֶחָד ש״מ	one (*masculine*)
אַחְדּוּת נ	unity, unification; oneness
אָחוּ ז	meadow
אַחֲוָה נ	fraternity, brotherhood
אָחוּז (לְמֵאָה) ז	percentage
אֲחוּזָּה, אֲחֻזָּה נ	landed property, estate
אָחוּי ת	joined, stitched
אָחוֹר ז	back, rear
אֲחוֹרָה נ	back part
אֲחוֹרָה תה״פ	in reverse
אֲחוֹרַיִים ז״ר	buttocks
אֲחוֹרַנִּית תה״פ	backwards
אָחוֹת נ	sister; nurse
אָחַז (יֹאחַז) פ	hold, grasp
אֹחֶז ז	handle
אַחְזָקָה נ	maintenance
אָחִיד ת	uniform, homogeneous
אֲחִידוּת נ	uniformity
אֲחִיזָה נ	holding, grasping
אַחְיָן ז	nephew
אַחְיָנִית נ	niece
אַחְלָמָה ז	amethyst
אִחְסוּן ז	storage
אִחְסֵן (יְאַחְסֵן) פ	store
אַחְסָנָה נ	storage
אַחַר תה״פ	after, behind
אַחֵר מ״ג, ת	other, different
אַחְרַאי ז	responsible person
אַחְרָאִי ת	responsible, liable
אַחֲרוֹן ת	last, latter
אַחֲרֵי תה״פ	after
אַחֲרָיוּת נ	responsibility, liability
אַחֲרִית נ	end
אַחַר־כָּךְ	afterwards, later
אַחַת נ	one (*feminine*); once
אַט תה״פ	slowly, slow
אֶטֶב ז	paper-clip; clothes-peg
אָטָד ז	box-thorn
אָטוּם ת	sealed, closed; opaque
אָטִים ת	impermeable (to air or water), waterproof, air-tight
אֲטִימָה נ	sealing, closing (act of); stoppage; occlusion

אֲטִימוּת נ impermeability, opacity, tightness

אָטִיף ז pore, hole (in bread or cheese)

אִטלוּלָא, אִטלוּלָה, אִיטלוּלָא נ jest, joke

אִטלִיז, אִיטלִיז ז butcher's shop

אָטַם (יֶאֱטוֹם) פ shut up, seal, pack; stop, obstruct

אֶטֶם ז gasket, seal, packing

אַטמָה נ thigh

אִטמוּט ז automation

אִטמֵט (יְאַטמֵט) פ to automatize, to make automatic

אִטרִית נ noodle, thread of macaroni or vermicelli

אִי ז island, isle

אִי תה״פ not

אִי מ״ק woe!

אֵי תה״פ where

אִי־אֶפשָׁר impossible

אִיבֵּד, אִבֵּד (יְאַבֵּד) פ lose, forfeit; ruin, exterminate

אֵיבָה נ hostility, hatred

אִיבּוּד, אִבּוּד ז loss, forfeiture; extermination, ruin

אִיבּוּד לָדַעַת suicide

אִיבּוּך, אִבּוּך ז billowing (as of smoke); heterodyning

אִיבּוּכִי ת heterodyne

אִיבּוּס ז fattening, feeding (act of)

אִיבּוּץ ז galvanization, zinc-plating

אִיבּוּק ז dusting (putting on)

אִיבֵּך (יְאַבֵּך) פ billow (smoke etc.)

אִיבֵּן (יְאַבֵּן) פ petrify, turn to stone

אִיבֵּץ (יְאַבֵּץ) פ galvanize, zinc-plate, cover with zinc

אִיבֵּק (יְאַבֵּק) פ dust, powder; raise dust

אֵיבָר ז limb, organ

אִיגֵּד (יְאַגֵּד) פ tie, bind

אִיגּוּד, אִגּוּד ז union, association

אִיגּוּף ז outflanking

אִיגֵּם (יְאַגֵּם) פ create an artificial lake

אִיגֵּף (יְאַגֵּף) פ outflank

אִיגְּרָא, אִגְּרָא ז roof

אִיגֶּרֶת נ letter, epistle

אֵיד ז calamity, misfortune

אִידָּה (יְאַדֶּה) פ evaporate, vaporize

אִידּוּי ז evaporation

אִידיוֹט ז idiot, imbecile

אִידִית, אִידִישׁ נ Yiddish

אִידָךְ מ״ג the other

אַיָּה נ kite (bird of prey)

אַיֵּה תה״פ where?

אִיוּוּי ז desire, craving

אִיוֶּלֶת נ stupidity

אִיוֵּרֵר (יְאַוְרֵר) פ introduce air, vent

אִיּוּם ז threat, menace

אָיוֹם ת terrible, dreadful

אִיּוֹן ז islet

אִיּוּן ז negation

אִיּוּר ז illustration

אֵיזֶה מ״ג לזכר what? which?

אֵיזֶהוּ מ״ג לזכר who is? which is? who is it?

אֵיזוֹ מ״ג לנקבה what? which? (*fem.*); someone, anyone

אֵיזוֹהִי מ״ג לנקבה who is? which is? (*fem.*)
אִיזּוּן ז balancing
אִיזּוּן הַכּוֹחוֹת balance of power
אִיזֵּן (יְאַזֵּן) פ weigh, balance
אֵיזֶשֶׁהוּ מ״ג whichever, whatever
אִיחֵד (יְאַחֵד) פ unite, unify
אִיחָה (יְאַחֶה) פ join (together); patch up; coordinate
אִיחוּד ז union, unification
אִיחוּי, אִחוּי ז stitching; patching up; coordination
אִיחוּל ז wish, greeting
אִיחוּר ז lateness, delay
אִיחֵל (יְאַחֵל) פ wish
אֵיחֵר (יְאַחֵר) פ be late; be slow (clock)
אִיטוּם ז sealing
אִיטִי ת slow
אִיטִיּוּת נ slowness
אִיטְלִיז ר׳ אִטְלִיז
אִיטֵּם פ seal, make waterproof
אִיטֵּר ת left-handed
אִיטְּרוּת נ left-handedness
אֱיָל ז power
אַיָּל ז deer, stag
אַיָּלָה נ hind, doe
אַיֶּלֶת הַשַּׁחַר morning star
אִיֵּם (יְאַיֵּם) פ threaten, menace
אִיֵּר (יְאַיֵּר) פ illustrate
אִיָּר ז Iyar (April-May)
אִיֵּשׁ (יְאַיֵּשׁ) פ man
אִיֵּת (יְאַיֵּת) פ spell (letter by letter)
אֵיךְ תה״פ how? in what way?
אֵיכָה תה״פ how? in what way?
אִיכּוּל ז consumption; combustion, burning; devouring
אִיכּוּן ז pin-pointing, identification
אֵיכוּת נ quality
אֵיכוּתִי ת qualitative
אֵיכָכָה תה״פ how?
אִיכֵּל (יְאַכֵּל) פ burn; digest; consume
אִיכֵּן (יְאַכֵּן) פ identify, pin-point
אִיכְפַּת, אִכְפַּת פ concern, matter to
אִיכְפָּתִיּוּת נ concern, a feeling of responsibility
אִיכָּר ז peasant, farmer
אֵיכְשֶׁהוּ תה״פ somehow or other
אַיִל ז ram
אִילוּ מ״ת if
אֵילוּ מ״ג which (pl)
אִילוּלֵי מ״ת if not; but for
אִילוּחַ ז infection
אִילוּם ז sheaving
אֲילוֹנִית נ barren woman
אִילוּף ז training, taming
אִילוּץ ז compulsion, coercion
אֵילֵי נֵפְט oil tycoons
אֵילָךְ תה״פ onwards, thereafter
אִילְכָךְ מ״ח therefore, accordingly
אִילֵּם (יְאַלֵּם) פ sheave
אִילֵּם ז, ת dumb, mute
אִילְמָלֵא, אִלְמָלֵא מ״ת if not
אִילְמָלֵי, אִלְמָלֵי מ״ת if
אִילָן ז (ר׳ אִילָנוֹת) tree
אִילֵּף (יְאַלֵּף) פ train, tame
אִילֵּץ (יְאַלֵּץ) פ compel, oblige
אִימָּא, אִמָּא נ mummy, mother

אֵימָה נ	dread, terror
אִימָהוֹת נ״ר	mothers; matrix
אִימָהוּת, אִמָּהוּת נ	maternity, motherhood
אִימָהִי, אִמָּהִי ת	maternal, motherly
אִימּוּם ז	block, last
אִימּוּן ז	training, practice
אִימּוּץ ז	straining; adoption
אִימּוּת ז	verification
אִימֵּל (יְאַמֵּל) פ	enamel-plate
אִימֵּן (יְאַמֵּן) פ	train, practise
אִימֵּץ (יְאַמֵּץ) פ	brace, tone up, straih, adopt (child)
אִימֵּת (יְאַמֵּת) פ	verify
אֵימַת הַצִּיבּוּר	stage fright
אֵימָתַי תה״פ	whenever, when
אֵימְתָנוּת נ	terrorism
אֵין, אַיִן ז, תה״פ	not; nil, there is no; nothing
אֵין־אוֹנִים	helpless, powerless
אֵין דָּבָר	never mind
אִינָּה (יְאַנֶּה) פ	bring about; lament
אֵינוּת נ	non-existence
אִינֵּךְ (יְאַנֵּךְ) פ	make vertical
אֵינסוֹף, אֵין־סוֹף ז	infinity
אֵינסוֹפִי, אֵין־סוֹפִי ת	infinite
אִי־סֵדֶר	disorder, lack or order
אִיסּוּם ז	storage
אִיסּוּף ז	collection, gathering
אִיסּוּר ז	ban, prohibition
אִיסְטְנִיס ת ז	fastidious
אִיסֵּם (יְאַסֵּם) פ	store
אִיסֵּף (יְאַסֵּף) פ	collect, gather
אֵיפֹה תה״פ	where?
אֵיפוֹא ר׳ אֵפוֹא	
אִיפּוּל ז	black-out
אִיפּוּר ז	make-up
אִיפֵּל (יְאַפֵּל) פ	black-out, dim
אִיפֵּס (יְאַפֵּס) פ	nullify; zero
אֵי־פַּעַם	sometime, ever
אִיפֵּר (יְאַפֵּר) פ	make-up
אִיצָה נ	haste, hurry
אִיצְטְלָה נ	robe, toga
אִיקוֹנִין ז	portrait, picture; icon
אֵירוּחַ ז	hospitality
אִירוּס ז	iris; drum
אֵירוּסִים, אֵירוּסִין, אֵירוּשִׂים ז״ר	engagement, betrothal
אֵירוּעַ ז	event, occurrence
אֵירַח (יְאָרֵחַ) פ	entertain (as guest)
אֵירַס (יְאָרֵס) פ	betroth, become engaged to
אֵירַע (יְאָרַע) פ	happen, occur
אִישׁ ז (ר׳ אֲנָשִׁים)	man, male; husband; anyone, anybody
אִישׁ אֶשְׁכּוֹלוֹת	great scholar
אִישׁ בְּלִייַעַל	scoundrel
אִישׁ דָּמִים	murderer
אִישָּׁה, אִשָּׁה נ	woman; wife; female
אִישֶּׁה ז	offering made by fire
אֵישֶׁהוּ תה״פ	somewhere
אִישּׁוּם ז	indictment, accusation
אִישׁוֹן ז	pupil (of the eye)
אִישּׁוּר ז	confirmation, endorsement, approval
אִישׁוּת נ	marriage relationship
אִישׁ חַיִל	hero, smart man
אִישִׁי ת	personal, individual
אִישִׁיּוּת נ	personality

אִישִׁים ז״ר important people

אִישִׁית תה״פ personally, in person

אִישׁ צָבָא soldier

אִישׁ צְפַרְדֵּעַ frogman

אִשֵּׁר (יְאַשֵּׁר) פ confirm

אִיתּוּת ז signalling

אֵיתָן ת firm, sound

אֵיתָנוּת נ soundness, firmness, stability

אִיתֵּר (יְאַתֵּר) פ localize, pinpoint

אִיתֵּת (יְאַתֵּת) פ signal

אַךְ but; only

אָכוּם ת swarthy, dark brown

אַכְזָב ת deceptive, illusory

אִכְזֵב (יְאַכְזֵב) פ disappoint, disillusion

אַכְזָבָה נ disappointment, disillusionment

אַכְזָר, אַכְזָרִי ת cruel, harsh, brutal

אַכְזָרִיּוּת נ cruelty, brutality, harshness

אָכִיל ת edible

אֲכִילָה נ eating; consumption

אֲכִיפָה נ oppression, stress, constraint

אָכַל (יֹאכַל) eat; consume, use up; devour, eat up

אָכְלָה, אוֹכְלָה נ food

אִכְלוּס ז population, populating

אַכְלָן ז glutton, gourmand

אִכְלֵס (יְאַכְלֵס) פ populate

אָכֵן תה״פ surely, truly; for all that; well

אַכְסַדְרָה נ lobby, porch

אִכְסוּן ז accommodation; provision of lodging

אִכְסֵן (יְאַכְסֵן) פ accommodate, put up

אַכְסְנַאי ז guest, lodger

אַכְסַנְיָה נ hostel, inn

אָכַף (יֶאֱכוֹף) פ compel, press

אַכְרָזָה נ proclamation, public announcement

אַל תה״פ not, don't...

אֵל ז god, God; ability

אֶל מ״י to, towards, into; at, by

אֶלָּא תה״פ but

אֶלְגָּבִישׁ ז crystal; hailstone; meteorite

אֵלָה נ pistachio-tree

אֵלָה נ goddess

אַלָּה נ club; baton

אָלָה נ imprecation

אֵלֶּה מ״ג these

אֵלּוּ מ״ג these

אֱלוֹהַּ ז god, deity; God

אֱלוֹהוּת נ divinity, godhead

אֱלוֹהִי ת divine, godly, godlike

אֱלוֹהִים ז God

אָלוּחַ ת septic, infected

אֱלוּל ז Ellul (Aug.-Sept)

אֲלוּמָּה נ sheaf

אַלּוֹן ז oak, oak-wood

אֲלוּנְטִית נ towel

אֲלוּנְקָה נ stretcher

אַלּוּף ז Major-General; champion

אֶלַח ז sepsis, infection

אַלְחוּט ז wireless, radio

אַלְחוּטָאוּת נ wireless telegraphy

אַלְחוּטַאי ז radio operator

אַלְחוּשׁ ז — anaesthesia
אִלְחוּשׁ ז — anaesthetization
אִלְחֵשׁ (יְאַלְחֵשׁ) פ — anaesthetize
אַלִּיבָּא תה״פ — according to
אַלְיָה נ — fat tail of sheep
אֱלִיל ז — idol, false god
אֱלִילָה נ — idol (in female form), goddess
אֱלִילוּת נ — idolatry, paganism, idol-worship
אֱלִילִי ת — pagan
אַלִּים ת — strong; violent
אַלִּימוּת נ — violence; power
אַלִּיפוּת נ — championship
אֲלַכְסוֹן ז — diagonal; slant, slope
אַלְלַי! מ״ק — woe, alas
אֵלֶם ז — dumbness, muteness; silence
אַלָּם ז — violent person
אַלְמוֹג, אַלְגּוֹם ז — coral; sandalwood
אַלְמָוֶת ז — immortality; everlasting (flower)
אַלְמוֹן ז — widowhood
אַלְמוֹנִי ת — unknown, anonymous
אַלְמוֹנִיּוּת נ — anonymity
אַלְמוֹתִי ת — immortal, everlasting
אַלְמָן ז — widower
אִלְמֵן (יְאַלְמֵן) פ — widow, bereave
אַלְמָנָה נ — widow
אַלְמְנוּת נ — widowhood
אַלְמַתֶּכֶת נ — non-metallic element
אִלְסָר, אִילְסָר ז — hazel (nut or tree)
אֶלֶף ז — a thousand
אָלֶפְבֵּיתִי ת — alphabetic(al)
אַלְפוֹן ז — primer (in reading instruction)
אַלְפִּי ז — thousandth
אַלְפִּית נ — a thousandth part
אִלְפָּס, אִילְפָּס ז — saucepan, pan
אִלְרֵחַ (יְאַלְרֵחַ) פ — deodorize
אִלְתּוּר ז — improvization
אִלְתִּית נ — salmon
אַלְתַּר, לְאַלְתַּר תה״פ — on the spot, forthwith
אִלְתֵּר (יְאַלְתֵּר) פ — improvize, extemporize
אֵם נ — mother
אִם מ״ח — if, whether; if, in case; or
אַמְבַּט ז — bath, bathroom
אַמְבָּר ז — granary
אָמַד (יֶאֱמוֹד) פ — estimate, assess
אָמָה נ (ר׳ אֲמָהוֹת) — maidservant, maid
אַמָּה נ — cubit, forearm; third finger
אֲמוֹדַאי ז — diver
אֵמוּן ז (ר׳ אֱמוּנִים) — faith, confidence; fidelity, loyalty
אֱמוּנָה נ — faith, religion, belief
אֱמוּנָה תְּפֵלָה — superstition
אָמוֹץ ת — bay, chestnut (color)
אָמוֹרָא ז — Amora, Talmudic sage
אֱמוֹרִי ז — Amorite
אֵם חוֹרֶגֶת — stepmother
אָמִיד ת ז — prosperous, well-to-do
אֲמִידָה נ — approximation, estimate
אֲמִידוּת נ — affluence
אָמִין ת — authentic; credible
אֲמִינוּת נ — authenticity; credibility
אַמִּיץ ת — brave, courageous
אָמִיר ז — upper branch

אֲמִירָה נ	utterance, speech
אֲמִיתָּה נ	truth; axiom
אֲמִיתּוּת נ	veracity, truth
אֲמִיתִּי ת	genuine; true
אֲמִיתִּיּוּת נ	authenticity; truthfulness
אִם כִּי	although
אִמְלֵל (יְאַמְלֵל) פ	make miserable
אָמַן (יֶאֱמוֹן) פ	foster, nurture
אָמֵן תה״פ	Amen, so be it
אָמָן, אֻמָּן ז	artist
אֲמָנָה נ	pact, treaty
אַמְנוּן ז	tilapia
אַמְנוֹן וְתָמָר	pansy
אָמָנוּת, אֻמָּנוּת נ	art
אָמָנוּתִי, אֻמָּנוּתִי ת	artistic
אָמְנָם, אֻמְנָם, אוֹמְנָם תה״פ	in truth, it is true that
אָמַץ (יֶאֱמַץ) פ	be strong, be brave
אַמְצָאָה נ	device, invention
אֶמְצַע ז	center, middle
אֶמְצָעוּת ז	means; middle, center
אֶמְצָעִי ת	center, middle
אֶמְצָעִי ז	means
אֶמְצָעִיּוּת נ	centrality
אֶמְצָעִית נ	center, middle
אָמַר (יֹאמַר) פ	say, utter; intend, mean; tell, relate
אֲמַרְגָּן ז	impresario
אִמְרָה נ	saying, maxim
אֲמַרְכָּל ז	administrator
אֲמַרְכָּלוּת נ	administration
אֶמֶשׁ ז, תה״פ	last night
אֱמֶת נ	truth, verity
אַמְתַּחַת נ	large sack; rucksack, haversack, bag

אֲמַתְלָה נ	pretext, lame excuse
אָן, לְאָן תה״פ	where (to)?, whither?
אָנָּא מ״ק	please, I beseech you
אַנְדְּרוֹגִינוֹס ז	androgyne, hermaphrodite
אַנְדַּרְטָה נ	bust, statue
אַנְדְּרָלָמוּסְיָה נ	chaos, utter confusion
אָנָה תה״פ	whither?, where (to)?
אָנוּ מ״ג	we
אָנוֹכִי, אָנֹכִי מ״ג	I
אָנוֹכִיּוּת, אָנֹכִיּוּת נ	egotism, egoism, selfishness
אָנוֹכִיִּי, אָנֹכִיִּי ת	egotistic, egoistic, selfish
אָנוּס ת	compelled, forced
אָנוּשׁ ת	mortal, incurable
אֱנוֹשׁ ז	man
אֱנוֹשׁוּת נ	humanity, mankind
אֱנוֹשִׁי ת	human; humane
אֱנוֹשִׁיּוּת ז	humanity; humaneness
אֲנָחָה נ	sigh, groan
אֲנַחְנוּ מ״ג	we
אַנְטִישֵׁמִיּוּת נ	anti-Semitism
אֲנִי מ״ג	I
אָנִין, אֲנִין־הַדַּעַת ת	fastidious, epicurean, particular
אֲנִינוּת־הַדַּעַת	fastidiousness, epicurism
אָנִיץ ז	flake (of hair, fiber etc.)
אֲנָךְ ז	plummet, plumb line
אֲנָכִי ת	vertical; perpendicular
אָנַס (יֶאֱנוֹס) פ	compel; rape
אַנָּס ז	rapist
אָנַף (יֶאֱנַף) פ	be wroth, be angry

heron אֲנָפָה נ
nasalization אִנְפּוּף ז
felt boot אַנְפִּילָה נ
nasalize, talk through one's nose אִנְפֵּף (יְאַנְפֵּף) פ
moaning, groaning, crying אֲנָקָה נ
hook אַנְקוֹל ז
hook-worm אַנְקוֹלִית נ
sparrow אַנְקוֹר ז
men; people (plural of אִישׁ q.v.) אֲנָשִׁים ז״ר
raft אַסְדָּה נ
oil-can אָסוּךְ ז
disaster אָסוֹן ז (ר׳ אֲסוֹנוֹת)
foundling אֲסוּפִי ת
forbidden, prohibited; imprisoned אָסוּר תה״פ וגם ת
shackle, fetter, manacle אֵסוּר ז אֱסוּרִים ז״ר
grave-stone, stele אַסְטֵלָה נ
strategic אַסְטְרָטֶגִי ת
defaced coin; token אֲסִימוֹן ז
harvest-time אָסִיף ז
accumulation; collecting אֲסִיפָה נ
meeting, assembly אֲסֵיפָה, אֲסֵפָה נ
prisoner, captive אָסִיר, אַסִּיר ז
grateful אֲסִיר תּוֹדָה
school (of thought, painting etc.) אַסְכּוֹלָה נ
diphtheria, croup אַסְכָּרָה נ
yoke (for carrying two buckets) אֵסֶל ז
lavatory seat אַסְלָה נ
convert to Islam אִסְלֵם (יְאַסְלֵם) פ

granary אָסָם ז
authority (for action, emendation) אַסְמַכְתָּא, אַסְמַכְתָּה נ
collect, gather, assemble אָסַף (יֶאֱסוֹף) פ
collector (as a hobby) אַסְפָן ז
rabble, mob אֲסַפְסוּף ז
lucerne grass, alfalfa אַסְפֶּסֶת נ
supplies, supply אַסְפָּקָה נ
mirror, looking-glass אַסְפַּקְלַרְיָה נ
doorstep אַסְקוּפָּה נ
imprison, jail; forbid, prohibit אָסַר (יֶאֱסוֹר) פ
the day after a festival (Passover, Pentecost or Tabernacles) אִסְרוּ־חַג
nose; anger אַף ז (ר׳ אַפִּים, אַפַּיִם)
also, even, too אַף מ״ח
bake אָפָה (יֹאפֶה) פ
therefore, then; consequently אֵפוֹא, אֵיפוֹא תה״פ
ephod; tunic אֵפוֹד ז
pullover, sweater, jumper אֲפוּדָּה נ
guardian, custodian; guarantor אַפּוֹטְרוֹפּוֹס ז
custodianship, guardianship אַפּוֹטְרוֹפְּסוּת נ
baked אָפוּי ת
pea אָפוּן ז
pea אֲפוּנָה נ (ר׳ אֲפוּנִים)
wrapped, clothed אָפוּף ת
grey, grizzly אָפוֹר ת
nasal אַפִּי ת
baking אֲפִיָּה נ

אִפְיֵן (יְאַפְיֵן) פ — characterize, be characteristic of
אֲפִילוּ מ״ח — even, even if
אֲפִיפִית נ — dry biscuit, wafer
אָפִיק ז — bed (of a river), channel
אֲפִיקוֹמָן ז — piece of unleavened bread hidden and later eaten at end of Passover evening
אִפְכָא, אִיפְּכָא ז — the opposite, the reverse
אַף כִּי — although
אָפֵל ת — dark, dim, gloomy
אֲפֵלָה נ — gloom, darkness
אַפְלוּלִי ת — dim, dusky
אַפְלוּלִית נ — dusk, dimness
אַפְלָיָה נ — discrimination
אָפֵס (יֶאֱפַס) פ — cease, come to an end
אֶפֶס ז — nothing; zero, nil
אֶפֶס תה״פ — yet, but
אַפְסוּת נ — futility, worthlessness, inefficacy
אַפְסִי ת — insignificant, worthless, futile
אַפְסְנַאי ז — storekeeper, quartermaster
אַפְסָר ז — halter, bridle
אֶפְעֶה ז — viper
אַף עַל פִּי־כֵן — nevertheless
אַף עַל פִּי שֶׁ... — though, although
אָפַף (יֶאֱפוֹף) פ — beset, surround, set about
אֵפֶר ז — ash, ashes
אֲפֵר ז — mask, disguise
אָפָר ז — meadow, pasture
אֶפְרוֹחַ ז — chick, young bird
אַפְרוּרִי ת — greyish
אַפִּרְיוֹן ז — sedan-chair
אַפְּרִיל — April
אֲפַרְכֶּסֶת נ — outer ear, ear-piece
אֲפַרְסְמוֹן ז — persimmon; balsam
אֲפַרְסֵק ז — peach
אֶפְרָתִי ת — patrician, aristocratic; Ephraimite
אִפְשׁוּר ז — facilitation, enabling
אֶפְשָׁר תה״פ — possibly, perhaps
אִפְשֵׁר (יְאַפְשֵׁר) פ — enable, facilitate
אֶפְשָׁרוּת נ — possibility, feasibility
אֶפְשָׁרִי ת — possible, feasible
אָץ (יָאוּץ) פ — rush, hurry
אֶצְבַּע נ — finger, toe
אֶצְבָּעוֹן ז — thimble
אֶצְבְּעוֹנִי ז, ת — midget; Tom Thumb
אֶצְבָּעִי ת — midget
אַצָּה נ — sea weed
אֲצוּלָה נ — aristocracy, nobility
אִצְטַבָּה, אִיצְטַבָּה נ — shelf, ledge
אִצְטַגְנִין ז — astrologer, horoscoper
אִצְטַדְיוֹן ז — stadium, arena
אִצְטְרוּבָּל ז — cone (of pine)
אַצִּיל ז אַצִּילָה נ — the upper arm
אָצִיל ז — peer; gentleman
אֲצִילָה נ — (act of) delegation; bestowal
אֲצִילוּת נ — aristocracy, nobility; gentlemanliness, gentility, breeding
אֵצֶל מ״י — near, beside; at, to (the house of); with, in the possession of

I.Z.L., Irgun Zevai Leumi ("the Irgun") אֲצַ״ל
delegate, bestow אָצַל (יֶאֱצוֹל) פ
bangle, bracelet אֶצְעָדָה נ
pistol, revolver אֶקְדָּח, אֶקְדּוֹחַ ז
carbuncle, garnet אֶקְדָּח ז
ibex אַקּוֹ ז
climate אַקְלִים ז
climatic אַקְלִימִי ת
acclimate (U.S.), acclimatize (Brit.) אִקְלֵם (יְאַקְלֵם) פ
chance, accident אַקְרַאי ז
angel אֶרְאֵל ז
lie in wait, lurk אָרַב (יֶאֱרוֹב) פ
ambush, ambuscade אֶרֶב, אוֹרֶב ז
locust אַרְבֶּה ז
barge אַרְבָּה נ
four אַרְבַּע נ אַרְבָּעָה ז
fourteen (*masc.*) אַרְבָּעָה־עָשָׂר
fourteen (*fem.*) אַרְבַּע־עֶשְׂרֵה
forty אַרְבָּעִים
fourfold, quadruple אַרְבַּעְתַּיִם תה״פ
weave אָרַג (יֶאֱרוֹג) פ
material, stuff (woven) אֶרֶג ז
organization אִרְגּוּן ז
organizational אִרְגּוּנִי ת
box, crate אַרְגָּז ז
moment, instant אַרְגִּיעָה ז
purple, mauve אַרְגָּמָן ז
organize אִרְגֵּן, אירגן (יְאַרְגֵּן) פ
relief; all-clear אַרְגָּעָה נ
bronze אָרָד ז
architect אַרְדִּיכָל ז
architecture אַרְדִּיכָלוּת נ
pick (fruit), gather אָרָה (יֶאֱרֶה) פ

chimney אֲרוּבָּה, אֲרֻבָּה נ
packed; tied up אָרוּז ת
meal, repast אֲרוּחָה נ
picked, gathered אָרוּי ת
long, lengthy אָרוֹךְ (ר׳ אֲרוּכִּים, סמ׳ אֶרֶךְ־, אֲרוֹךְ־) ת
cure, recovery אֲרוּכָה נ
cupboard, cabinet; coffin אָרוֹן, אֲרוֹן ז
The Ark, the Holy Ark אֲרוֹן הַקּוֹדֶשׁ
small cupboard אֲרוֹנִית נ
fiancé, betrothed (man) אָרוּס ז
fiancée, betrothed (woman) אֲרוּסָה נ
cedar אֶרֶז ז
pack, tie up אָרַז (יֶאֱרוֹז) פ
journey, travel אָרַח (יֶאֱרַח) פ
vagabonds, tramps אָרְחֵי פָּרְחֵי ז״ר
lion אֲרִי, אַרְיֵה ז
cloth, material, stuff אָרִיג ז
weaving אֲרִיגָה נ
packing, package אֲרִיזָה נ
tile; small brick אָרִיחַ ז
picking, gathering (of fruit) אֲרִיָּה נ
prolongation, lengthening אֲרִיכוּת נ
ant-lion אֲרִינָמָל ז
tenant-farmer, share-cropper אָרִיס ז
tenancy (on land); condition of tenant אֲרִיסוּת נ
last, take (time) אָרַךְ (יֶאֱרַךְ) פ
extension of time, respite אַרְכָּה נ

knee joint; cranking handle	אַרכּוּבָּה נ
stirrup	אַרכּוֹף ז
archives	אַרכִיוֹן ז
long-windedness, verbosity	אַרכָּנוּת נ
palace, mansion	אַרמוֹן ז
Aramaic, Aramaean	אֲרַמִּי ת
Aramaic	אֲרָמִית נ
rabbit, hare	אַרנָב ז, אַרנֶבֶת נ
property tax, rates	אַרנוֹנָה נ
purse, wallet	אַרנָק ז
poison, venom	אֶרֶס ז
poisonous	אַרסִי ת
toxity; virulence	אַרסִיוּת נ
arsenic	אַרסָן ז
happen, occur, take place	אָרַע, אֵירַע (יֶאֱרַע) פ
provisional, temporary	אֲרָעִי, עֲרָאִי ת
country, land; ground, earth	אֶרֶץ נ
national, earthly	אַרצִי ת
white ant, termite	אַרצִית נ
curse, damn	אָרַר (יָאוֹר) פ
expression	אֲרֶשֶׁת נ
expression (verbal)	אֲרֶשֶׁת שְׂפָתַיִים
fire, flame	אֵשׁ נ
corn cob	אֶשבּוֹל ז
waterfall, cascade	אֶשֶׁד ז
slope (of a hill); waterfall	אֲשֵׁדָה נ
reel (for cotton), bobbin	אַשווָה נ
fir tree	אַשׁוּחַ ז
rough, uneven; rigid, inflexible	אָשׁוּן ת
box-tree, box-wood	אַשׁוּר ז
Assyrian (language)	אַשׁוּרִית נ
foundation; basic principle	אָשִׁיָה, אוֹשִׁיָה נ
stiffness	אֲשִׁינוּת נ
testicle	אֶשֶׁךְ ז
interment, burial	אַשׁכָּבָה נ
bunch (of grapes)	אֶשׁכּוֹל ז
grapefruit (ר׳ אֶשׁכּוֹלִיוֹת)	אֶשׁכּוֹלִית נ
gift, tribute	אֶשׁכָּר ז
tamarisk	אֵשֶׁל ז
expenses (board and lodging)	אֵשֶׁ״ל ז
potash	אַשׁלָג ז
potassium	אַשׁלְגָן ז
illusion	אַשׁלָיָה נ
found guilty	אָשַׁם (יֶאְשַׁם) פ
guilty, culpable	אָשֵׁם ת
offense, crime; guilt	אָשָׁם ז
sinner	אַשׁמָאִי, אַשׁמַיי ת
Asmodeus, prince of demons	אַשׁמְדַאי ז
blame	אַשׁמָה נ
watch (division of the night)	אַשׁמוּרָה, אַשׁמוֹרֶת נ
gloom, darkness	אַשׁמָן ז
small window	אֶשׁנָב ז
clerk (dealing with public from behind a grille)	אֶשׁנַבַּאי ז
magician, sorcerer	אַשָּׁף ז
rubbish, refuse; quiver (for bows)	אַשׁפָּה נ
hospitalization	אִשׁפּוּז ז

hospitalize — אִשְׁפֵּז (יְאַשְׁפֵּז) פ
finishing (in weaving) — אַשְׁפָּרָה נ
crossfire — אֵשׁ צוֹלֶבֶת
that, who, which, what — אֲשֶׁר מ״ח, מ״ג
credit — אַשְׁרַאי ז
visa, permit — אַשְׁרָה נ
happy! blessed! — אַשְׁרֵי מ״ק
ratify — אִשְׁרֵר (יְאַשְׁרֵר) פ
last year — אֶשְׁתָּקַד תה״פ
you (sing. fem., sing. masc., pl. masc., pl. fem.) — אַתְּ, אַתָּה, אַתֶּם, אַתֶּן מ״ג
(form-word indicating direct object) — אֵת, אֶת־ מ״י
with — אֵת מ״י (אִתִּי, אִתְּךָ, אִתָּךְ,...)
challenge — אֶתְגָּר ז
donkey, she-ass — אָתוֹן נ
beginning — אַתְחַלְתָּא נ
athlete, strong man — אַתְלֵט ז
athletics, athletic sports — אַתְלֵטִיקָה נ
yesterday — אֶתְמוֹל תה״פ
pause, rest — אֶתְנָח ז אֶתְנַחְתָּא נ
gift (to a prostitute) — אֶתְנָן ז
place, site — אֲתַר, אַתְרָא ז
ether — אֶתֶר ז
warning — אַתְרָאָה נ
citron — אֶתְרוֹג ז
signaller (military) — אַתָּת ז

ב

in, at; with, by — בְּ־, בַּ־, בָּ־, בֶּ־, בִּ־
come, enter — בָּא (יָבוֹא) פ
next, subsequent, coming — בָּא ת
in a... manner, — ly — בְּאוֹפֶן תה״פ
putrid, stinking — בָּאוּשׁ ת
representation — בָּאוּת־כּוֹחַ
recently, lately — בָּאַחֲרוֹנָה, לָאַחֲרוֹנָה תה״פ
at a tender age, in the bud — בְּאִיבּוֹ
putrefaction, stench — בְּאִישָׁה נ
by chance, accidentally — בְּאַקְרַאי תה״פ
well — בְּאֵר נ (ר׳ בְּאֵרוֹת)
stink, putrefy — בָּאַשׁ (יִבְאַשׁ) פ
as regards, as for, as to; because; where — בַּאֲשֶׁר תה״פ
pupil (of the eye) — בָּבָה, בָּבַת עַיִן נ
reflection, image — בָּבוּאָה נ
a kind of, a sort of — בִּבְחִינַת תה״פ
clearly, explicitly — בְּבֵירוּר תה״פ
Babylonian — בַּבְלִי ת
please, you're welcome, don't mention it — בְּבַקָּשָׁה תה״פ
at one go, all at once — בְּבַת־אַחַת
pupil (of the eye) — בָּבַת־עַיִן
with a nod — בְּבַת־רֹאשׁ
betray — בָּגַד (יִבְגּוֹד) פ
garment, dress — בֶּגֶד ז

בְּגֶדֶר תה״פ	within the bounds of
בָּגוּר ת	adult
בְּגִידָה נ	betrayal
בְּגִילוּפִין תה״פ	tipsy, tipsily
בְּגִין מ״י	because of
בָּגִיר ז	adult (in the legal sense)
בְּגִירוּת נ	adulthood (legal)
בִּגְלַל מ״י	because of, on account of
בְּגַפּוֹ תה״פ	alone, by himself
בָּגַר (יִבְגַּר) פ	mature, grow up
בַּגְרוּת נ	adolescence; maturity
בַּד נ	linen
בַּדַּאי ז	liar, cheat
בְּדַאי ז	fiction
בָּדָד תה״פ	alone
בָּדָה (יִבְדֶּה)	fabricate, invent
בָּדוּחַ ת	merry, jolly
בָּדוּי ת	fabricated, invented
בְּדוֹלַח ז	crystal; bdellium
בַּדּוֹן ז	hut, tent
בָּדוּק ת	tried, tested
בְּדוּת, בְּדוּתָה נ	invention, fabrication
בִּדְחִילוּ וּרְחִימוּ	with awe and reverence
בַּדְּחִית נ	farce, musical comedy
בַּדְּחָן ז	comedian, jester
בַּדִּיד ז	twig, small branch
בְּדִידוּת נ	solitude, loneliness
בְּדָיָה נ	falsehood, invention
בִּדְיוֹנִי ת	fictitious
בְּדִיּוּק תה״פ	precisely, exactly
בְּדִיחָה נ	joke, jest
בְּדִיחוּת נ	merriment, hilarity
בְּדִיל ז	tin
בְּדִיעֲבַד תה״פ	now that it's happened, in the event
בְּדִיקָה נ	inspection, check
בָּדָל ז	tip, end
בַּדְלָנוּת נ	isolationism
בָּדַק (יִבְדּוֹק) פ	inspect, examine
בֶּדֶק ז	repair
בֶּדֶק הַבַּיִת	house-repairs
בַּדְרָן ז	entertainer, comedian
בְּהַדְרָגָה תה״פ	gradually, in stages
בָּהוּל ת	hasty, hard-pressed
בְּהִזְדַּמְּנוּת תה״פ	when time permits
בְּהֶחְלֵט תה״פ	certainly
בַּהַט ז	alabaster
בְּהִילוּת נ	hurry, impetuosity
בְּהֶיסַּח הַדַּעַת תה״פ	absentmindedly
בָּהִיר ת	bright
בְּהִירוּת נ	brightness, clarity
בֶּהָלָה נ	panic, alarm
בְּהֵמוֹת ז	hippopotamus
בַּהֲמִיּוּת נ	brutishness
בַּהֶקֶת נ	albinism
בַּהֶרֶת נ	freckle, white spot (on a skin)
בְּהַשְׁאָלָה תה״פ	figuratively, metaphorically; on loan
בְּהֶתְאֵם תה״פ	respectively; accordingly
בּוֹ מ״ג	(inflected form, 3rd person masc. sing, of ב q.v.)
בּוֹא מקור	coming, arrival, entering
בּוֹאֶשׁ ז	skunk
בּוֹאשָׁה נ	weed; stench, stink
בּוּבָּה נ	doll, puppet

בּוֹגֵד ז traitor, renegade
בּוֹגְדָנוּת נ disloyalty, treachery
בּוֹגֵר ז adult; graduate
בּוֹדֵד ת isolated; lonely
בּוֹדַד (יְבוּדַד) פ be isolated
בּוֹהוּ ז chaos, emptiness
בּוֹהֶן ז thumb, big toe
בּוֹהַק ז leukoderma; a white patch on the skin
בְּוַדַּאי תה״פ certainly, evidently
בּוּז ז contempt, scorn
בּוֹזֵז ז plunderer, looter
בּוֹזְמַנִּית תה״פ simultaneously
בּוֹחַל ז puberty
בּוֹחַן ז test, examination
בּוֹחֵן ז examiner
בּוֹחֵר ז voter, elector
בּוּטַּח (יְבוּטַּח) פ be insured
בּוּטַּל (יְבוּטַּל) פ be cancelled
בּוֹטֶן ז (ר׳ בּוֹטְנִים) peanut; pistachio nut
בּוּיַּל (יְבוּיַּל) פ be stamped
בּוּיַּם (יְבוּיַּם) פ be staged
בּוּכְייָר ז weaver's shuttle
בּוּכְנָה נ piston
בּוּל ז stamp
בּוּלָאוּת נ philately, stamp-collecting
בּוּלַאי ז (ר׳ בּוּלָאִים) philatelist, stamp-dealer
בּוּלְבּוּל ז bulbul, song-thrush
בּוּלְבּוּס ז tuber, potato, bulb
בּוֹלֵט ת protruding, prominent
בּוֹלֵל (יְבוֹלֵל) פ assimilate
בּוּלְמוּס ז mania, craze

בּוּלַּע (יְבוּלַּע) פ be harmed
בּוֹלֶשֶׁת נ secret police
בּוֹנֶה ז builder, mason; beaver(animal)
בּוֹסֵס (יְבוֹסֵס) פ trample, tread on
בּוֹסֶר ז unripe fruit
בּוּסְתָּן ז fruit garden
בּוּעָה נ bubble; blister
בּוֹץ ז mud, mire
בּוּצִית נ dinghy
בּוּצַּע (יְבוּצַּע) פ be performed
בּוֹצֵר ז grape-picker
בּוֹקֵר ז herdsman, cowherd
בּוֹקֶר ז morning
בּוּקַּשׁ (יְבוּקַּשׁ) פ be sought
בּוֹר ז pit
בּוּר ת ignoramus
בּוֹרֵא ז creator
בּוֹרֶג ז screw
בּוֹרְגִּי ת helical, screw-like
בּוּרְגָּנִי ת bourgeois
בּוֹרְדָם ז dysentery
בּוּרוּת נ ignorance
בּוֹרֵחַ ז runaway
בּוּרְסָה נ stock-exchange
בּוּרְסְקִי ז tannery
בּוֹרֵר ז sorter; arbitrator
בּוֹרַר (יְבוֹרַר) פ be clarified
בּוֹרְרוּת נ arbitration
בּוֹשׁ (יֵבוֹשׁ) פ be ashamed
בּוּשָׁה נ shame, shyness
בּוֹשֶׂם ז scent, fragrance; perfume, spice
בּוֹשֵׁשׁ (יְבוֹשֵׁשׁ) פ tarry, be late
בּוֹשֶׁת נ shame

בָּז (יָבוּז) פ — despise
בַּז ז — loot; hawk
בִּזְבּוּז ז — waste, squandering
בַּזְבּוּז ז — serin finch
בִּזְבֵּז (יְבַזְבֵּז) פ — waste, squander
בַּזְבְּזָן ז — spendthrift, waster
בְּזָדוֹן תה״פ — maliciously
בָּזָה (יִבְזֶה) פ — despise, scorn, mock
בָּזוּי ת — despicable, contemptible
בְּזוֹל תה״פ — cheap(ly)
בָּזַז (יִבְזוֹז) פ — plunder, pillage
בַּזְיָר ז — falconer
בָּזִיךְ ז — censer
בְּזִיל הַזּוֹל — dirt-cheap
בַּזֶּלֶת נ — basalt
בִּזְמַנּוֹ תה״פ — in his (its) time
בֶּזֶק ז — telecommunication
בָּזָק ז — flash; lightning
בְּחוֹפְזָה — hastily
בָּחוּר ז — young man, boy-friend
בַּחוּרָה נ — girl; girl-friend
בְּחָזְקָה, בְּחוֹזְקָה תה״פ — severely, forcefully
בְּחֶזְקַת תה״פ — having the status of
בַּחֲזָרָה תה״פ — in return, back
בְּחַיַּי! מ״ק — On my word!
בְּחִילָה נ — nausea, disgust
בְּחִינָה נ — aspect, point of view; examination, test
בְּחִינָּם, חִינָּם תה״פ — free, gratis
בָּחִיר ת — chosen
בְּחִירָה נ — choice, option, selection; free
בְּחִירוֹת נ״ר — elections
בְּחִישָׁה נ — stirring, mixing

בָּחַל (יִבְחַל) פ — loathe, feel loathing
בָּחַן (יִבְחַן) פ — examine, test
בָּחַר (יִבְחַר) פ — choose, select
בַּחֲרוּת נ — youth
בָּחַשׁ (יִבְחַשׁ) פ — stir
בַּחֲשַׁאי תה״פ — secretly, in secret
בָּטוּחַ ת — sure, certain; safe
בֶּטוֹן ז — concrete
בָּטַח (יִבְטַח) פ — trust in, rely on
בֶּטַח ז, תה״פ — security, safety; safely; certainly (colloquial)
בִּטְחָה נ — certainty, sureness
בְּטִיחוּת נ — safety
בְּטִישָׁה נ — beating (of clothes, carpets)
בָּטֵל (יִבְטַל) פ — cease, stop
בָּטֵל ת — unemployed, idle; null
בַּטָּלָה נ — idleness, inactivity
בַּטְלָן ז — idler, loafer
בֶּטֶן נ — belly, abdomen
בִּטְנָה נ — lining
בַּטְנוּן ז — double-bass
בַּטְנוּנִית נ — cello
בָּטַשׁ (יִבְטוֹשׁ) פ — stamp, beat (clothes)
בִּיאָה נ — entry, incoming; coition
בֵּיאוּר ז — explanation, exposition
בֵּיאֵר (יְבָאֵר) פ — explain
בִּיב ז — gutter; canal
בֵּיבָר ז — zoo
בִּיגּוּד ז — clothing
בִּידֵּד (יְבַדֵּד) פ — isolate, insulate
בִּידּוּד, בִּדּוּד ז — isolation, insulation
בִּידּוּחַ ז — amusing
בִּידּוּל ז — separation
בִּידּוּר ז — entertainment

בִּידֵּחַ (יְבַדֵּחַ) פ	entertain, amuse
בִּידּוּר ז	entertainment
בִּידֵּל (יְבַדֵּל) פ	separate
בִּידֵּר (יְבַדֵּר) פ	entertain
בִּיּוּב ז	sewage, drainage
בְּיוֹדְעִין תה״פ	knowingly, wittingly
בִּיּוּל ז	affixing of stamps
בִּיּוּם ז	production (of a play); staging
בִּיּוּן ז	Intelligence
בְּיוֹקֶר תה״פ	expensive, dear
בִּיּוּת ז	domestication
בְּיוֹתֵר תה״פ	most; exceedingly
בִּיזָּה (יְבַזֶּה) פ	scorn
בִּיזּוּי ז	scorn
בִּיזּוּר ז	decentralization
בִּזָּיוֹן ז	disgrace, shame
בִּיזֵּר (יְבַזֵּר) פ	decentralize
בִּיטֵּא (יְבַטֵּא) פ	pronounce, express
בִּיטָּאוֹן ז	organ, journal
בִּיטּוּחַ ז	insurance, assurance
בִּיטּוּחַ חַיִּים	life insurance
בִּיטּוּי ז	expression, idiom
בִּיטּוּל ז	cancellation, annulment
בִּיטּוּשׁ ז	treading, trampling
בִּיטֵּחַ (יְבַטֵּחַ) פ	insure
בִּיטָּחוֹן ז	security; confidence
בִּיטֵּל (יְבַטֵּל) פ	cancel; void
בִּיטֵּן (יְבַטֵּן) פ	line, make lining
בְּיִיחוּד תה״פ	particularly, especially
בִּייֵּל (יְבַייֵּל) פ	affix stamps to
בִּייֵּם (יְבַייֵּם) פ	produce, stage
בִּייֵּשׁ (יְבַייֵּשׁ) פ	put to shame, embarrass
בַּיְּישָׁן ז	shy person
בַּיְּישָׁנוּת נ	shyness, bashfulness
בִּייֵּת (יְבַייֵּת) פ	domesticate
בִּיכָּה (יְבַכֶּה) פ	lament
בִּיכּוּרִים ז״ר	first fruits
בִּיכֵּר (יְבַכֵּר) פ	prefer, give preference to
בִּילָּה (יְבַלֶּה) פ	spend; wear out
בִּילּוּי ז	spending (time); expenditure (of leisure)
בִּילַּע (יְבַלַּע) פ	destroy
בִּילֵּשׁ (יְבַלֵּשׁ) פ	search, nose around
בִּימַּאי ז	producer (of a play)
בִּימָה נ	stage, platform
בִּימּוּי ז	production (of a play)
בֵּין מ״י	between, among
בִּינָה נ	understanding
בֵּין הָעַרְבַּיִים	twilight, dusk
בֵּין הַשְּׁמָשׁוֹת	dusk, night-fall
בִּינּוּי ז	rebuilding
בֵּינוֹנִי ת	middle, intermediate
בֵּינוֹנִיּוּת נ	mediocrity
בֵּינוֹת מ״י	between, among
בֵּינַיִים ז״ז	intermediate
בִּינִית נ	barbel (the fish)
בֵּין־לְאוּמִּי ת	international
בֵּינָתַיִים תה״פ	meanwhile
בִּיסּוּס ז	basing, establishing
בִּיסֵּם (יְבַסֵּם) פ	perfume, scent
בִּיסֵּס (יְבַסֵּס) פ	base, establish
בִּיעוּר ז	clearing out, rooting out
בִּיעוּת ז	terror, dread
בְּיָעַף תה״פ	in a rush
בִּיעֵר (יְבַעֵר) פ	root out; burn up
בֵּיצָה נ	egg; testicle
בֵּיצָה שְׁלוּקָה	hard-boiled egg

בִּיצָה נ swamp, marsh

בִּיצּוּעַ ז performance, execution

בִּיצּוּר ז fortification, strengthening

בֵּיצִי ת egg-like

בֵּיצִיָּה נ fried egg

בֵּיצִית נ ovule

בִּיצֵּעַ (יְבַצֵּעַ) פ carry out, perform

בִּיצֵּר (יְבַצֵּר) פ fortify, strengthen

בִּיצָּרוֹן ז stronghold

בִּיקּוּעַ ז splitting

בִּיקּוּר ז visit, call

בִּיקּוֹרֶת נ criticism

בִּיקּוֹרְתִּי ת critical, censorious

בִּיקּוּשׁ ז demand

בִּיקֵּעַ (יְבַקֵּעַ) פ cleave, split

בִּיקֵּר (יְבַקֵּר) פ criticize; visit

בִּיקֵּשׁ (יְבַקֵּשׁ) פ request; beg; seek

בֵּירֵג (יְבָרֵג) פ unscrew

בִּירָה נ capital (city); citadel, fortress

בֵּירוּץ ז surplus, overflow, excess

בֵּירוּר ז clarification, inquiry

בִּירִית נ garter; sleeve band

בֵּירֵךְ (יְבָרֵךְ) פ bless; greet

בֵּירֵר (יְבָרֵר) פ clarify

בֵּירֵשׁ (יְבָרֵשׁ) פ brush

בִּישׁ ת bad, wrong

בִּישּׁוּל ז stewing, cooking

בִּישּׂוּם ז scenting

בִּישֵּׁל (יְבַשֵּׁל) פ boil, stew; cook

בִּישֵּׂם (יְבַשֵּׂם) פ scent, perfume

בִּישֵּׂר (יְבַשֵּׂר) פ bring news

בַּיִת ז (ר׳ בָּתִּים) house, home; family, household; stanza

בֵּית־אוֹכֶל ז restaurant

בֵּית־אֲחִיזָה ז handle

בֵּית־אֲרִיגָה ז mill (for weaving)

בֵּית־אֲרִיזָה ז packing-house

בֵּית־בַּד ז oil factory

בֵּית־בּוֹשֶׁת ז brothel; (female) pudenda

בֵּית־בְּלִיעָה ז gullet, esophagus

בֵּית־גִּידּוּל ז natural habitat

בֵּית־דּוֹאַר ז post office

בֵּית־דִּין ז law court

בֵּית־דְּפוּס ז printing-house

בֵּית־הַבְרָאָה ז rest home

בֵּית־הַמִּקְדָּשׁ ז the Temple

בִּיתּוּק ז stabbing, cutting open

בִּיתּוּר ז dissection, cutting up

בֵּית־זוֹנוֹת ז brothel

בֵּית־זִיקּוּק ז refinery

בֵּית־חוֹלִים ז hospital

בֵּית־חָזֶה ז chest; brassiere

בֵּית־חֲרוֹשֶׁת ז factory

בֵּיתִי ת domestic; homely

בֵּית־יִשְׂרָאֵל ז Jewry, the Jewish people

בֵּית־יְתוֹמִים ז orphanage

בֵּית־כָּבוֹד ז lavatory (euphem.)

בֵּית־כִּסֵּא ז lavatory, water closet

בֵּית־כֶּלֶא ז prison

בֵּית־כְּנֶסֶת ז synagogue

בֵּית־מִדְרָשׁ ז house of study; school (of thought)

בֵּית־מְחוֹקְקִים ז legislature

בֵּית־מַחֲסֶה ז asylum, poor-house

בֵּית־מִטְבָּחַיִם ז slaughterhouse, abattoir

בֵּית־מְלָאכָה ז	workshop, workrooms
בֵּית־מָלוֹן ז	hotel
בֵּית־מִסְחָר ז	department store
בֵּית־מַרְגּוֹעַ ז	rest-home
בֵּית־מַרְזֵחַ ז	ale-house, tavern
בֵּית־מֶרְחָץ ז	bath-house, public baths
בֵּית־מִרְקַחַת ז	pharmacy
בֵּית־מְשׁוּגָּעִים ז	lunatic asylum, mad-house
בֵּית־מִשְׁפָּט ז	court (of law), tribunal
בִּיתָן ז	booth; pavilion
בֵּית־נִבְחָרִים ז	parliament
בֵּית־נוּרָה ז	socket of electric bulb
בֵּית־נְכוֹת ז	museum
בֵּית־סוֹהַר ז	prison
בֵּית־סֵפֶר ז	school, college
בֵּית־סְפָרִים ז	library
בֵּית־סֵפֶר יְסוֹדִי	elementary school
בֵּיה־סֵפֶר עַל־יְסוֹדִי, בֵּית־סֵפֶר תִּיכוֹן	secondary school
בֵּית־עָלְמִין ז	cemetery
בֵּית־עָם ז	community center
בִּיתֵּק (יְבַתֵּק) פ	stab, cut open
בֵּית־קְבָרוֹת ז	graveyard, cemetery
בֵּית־קִיבּוּל ז	receptacle
בֵּית־קָלוֹן ז	brothel
בֵּית־קָפֶה ז	café
בִּיתֵּר (יְבַתֵּר) פ	dissect, cut up
בֵּית־שֶׁחִי ז	arm-pit
בֵּית־שִׁימּוּשׁ ז	lavatory, convenience
בֵּית־תַּמְחוּי ז	soup kitchen
בֵּית־תְּפִילָּה ז	place of worship, synagogue
בִּכְבֵדוּת תה״פ	heavily
בִּכְדִי תה״פ	in vain, for nothing
בָּכָה (יִבְכֶּה) פ	cry, weep
בְּכַוָּונָה תה״פ	on purpose, intentionally
בְּכוֹחַ תה״פ	by force; potential(ly)
בְּכוֹר ז	first-born, eldest
בְּכוֹרָה נ	birthright, priority
בַּכּוּרָה, בִּיכּוּרָה נ	early ripening fruit
בְּכִי ז	crying, weeping
בְּכִי־טוֹב	for the best
בְּכִיָּה נ	crying, weeping
בַּכְיָן ז	crybaby, blubberer
בָּכִיר ת	elder; senior
בְּכִירוּת נ	seniority
בְּכָל־אוֹפֶן	in any case, anyhow, anyway
בְּכָל־זֹאת	nevertheless, still, for all that
בִּכְלָל תה״פ	at all; generally
בְּלֹא תה״פ	without
בְּלָאו הָכִי	in any case
בַּלָּאט תה״פ	stealthily, softly
בְּלַאי ז	amortization, wear
בְּלֹא עֵת	prematurely
בִּלְבַד תה״פ	only, merely
בִּלְבַדִּי ת	exclusive
בִּלְבּוּל ז	confusion, disorder
בְּלֵב וָלֵב	insincerely, falsely
בִּלְבּוֹלֶת נ	a mess, a state of confusion
בִּלְבֵּל (יְבַלְבֵּל) פ	confuse, mix up
בַּלְדָּר ז	emissary, courier
בָּלָה (יִבְלֶה) פ	wear out; grow old

בָּלֶה ת — worn out, shabby
בַּלָּהָה נ — terror, dread
בְּלוֹ ז — excise
בַּלּוּט ז — acorn
בַּלּוּטָה נ — gland
בָּלוּי ת — worn out; tattered
בָּלוּם ת — stuffed up, closed
בְּלוֹרִית נ — hair, quiff
בָּלַט (יִבְלוֹט) פ — project, protrude
בֶּלֶט ז — projection
בְּלִי מ״י — without
בְּלָיָה, בְּלִייָה נ — wearing out, decay
בְּלִי הֶרֶף — incessantly
בְּלִיטָה נ — projection
בְּלִייָּה נ — wear and tear
בְּלִיַּעַל ז — wickedness, malice
בְּלִיל ז — mash (of fodder); mish-mash
בְּלִילָה נ — mixing; medley
בְּלִימָה נ — braking, halting, stopping; nothing
בָּלִיעַ ת — swallowable, absorbable
בְּלִיעָה נ — swallowing, absorption
בְּלִית נ — debris, detritus
בָּלַל (יִבְלוֹל; גם יָבוֹל) פ — mix, mingle
בָּלַם (יִבְלוֹם) פ — stop, halt; curb
בַּלָּם ז — "stopper" (in football)
בֶּלֶם ז — brake (on a vehicle)
בְּלַמְנוֹעַ ז — safety brake
בָּלַע (יִבְלַע) פ — swallow, absorb
בֶּלַע ז — crookedness, corruption
בִּלְעֲדֵי מ״י — without, apart from
בִּלְעָדִי ת — exclusive
בְּלַעַז תה״פ — in a foreign language (not Hebrew)
בָּלַשׁ (יִבְלוֹשׁ) פ — search
בַּלָּשׁ ז — detective
בַּלְשָׁן ז — linguist, philologist
בַּלְשָׁנוּת נ — linguistics, philology
בִּלְתִּי מ״י — not; un—, in—
בִּלְתִּי־נִמְנָע — inevitable
בַּמָּאוּת נ — stage production
בַּמַּאי ז — producer (of a play)
בָּמָה נ — stage, platform
בְּמֵזִיד תה״פ — maliciously, with evil intent
בְּמָטוּתָא תה״פ — please
בַּמְיָה נ — okra
בִּמְיוּחָד תה״פ — in particular, particularly
בְּמֵישָׁרִין תה״פ — directly
בִּמְקוֹם תה״פ — instead of
בְּמִקְרֶה תה״פ — by chance
בְּמֶשֶׁךְ תה״פ — during, in the course of
בְּמִתְכַּוֵּן תה״פ — intentionally
בֵּן ז (ר׳ בָּנִים) — son, child
בֶּן־אָדָם — human being; man
בִּנְאוּם ז — internationalization
בַּנָּאוּת נ — building (trade)
בֶּן־אָח — nephew
בַּנַּאי — builder, mason
בֶּן־אַלְמָוֶת — immortal
בֶּן־בַּיִת — frequent visitor
בֶּן־בְּלִיַּעַל — scoundrel, villain
בֶּן־בְּלִי־שֵׁם — a nobody
בֶּן־בְּרִית — a Jew
בֶּן־גִּיל — of the same age
בֶּן־דּוֹד — cousin
בָּנָה (יִבְנֶה) פ — build

בְּנוֹגֵעַ לְ... תה״פ	concerning
בָּנוּי ת	built
בֶּן־זוּג	mate
בֶּן חוֹרֵג	stepson
בֶּן חוֹרִין	free, freeborn
בֶּן־חַיִל	smart fellow
בֶּן־טוֹבִים	of good parentage
בְּנִי ז	masonry
בֶּן־יוֹמוֹ	day-old
בֵּן יָחִיד	an only child
בְּנֵי טִיפֵּשׁ־עֶשְׂרֵה	(slang) teenagers
בְּנִיָּה נ	building (work)
בִּנְיָן ז	building; verb stem pattern
בֶּן־כְּפָר	villager
בֶּן־כְּרַךְ	townsman
בֶּן־לְוָויָה	companion
בֶּן־מָוֶת	doomed to die
בֶּן־מִינוֹ	one of his kind
בִּן רֶגַע, בִּין רֶגַע	in an instant
בֶּן־תְּמוּתָה	mortal
בֶּן־תַּעֲרוֹבֶת	hostage
בֶּן־תַּרְבּוּת	a cultured person
בְּסִיטוֹנוּת תה״פ	wholesale
בָּסִיס ז	base, basis, foundation
בְּסִיסִי ת	basic; fundamental; alkaline
בַּסָּם ז	spice merchant
בִּעְבּוּעַ ז	bubbling, effervescence
בַּעְבּוּעַ ז	bubble; blister
בַּעְבּוּעָה נ	boil, blister
בַּעֲבוּר מ״י	for
בִּעְבֵּעַ (יְבַעְבֵּעַ) פ	bubble; effervesce
בַּעַד, בְּעַד־ מ״י	for
בְּעוֹד תה״פ	while; after
בָּעַט (יִבְעַט) פ	kick; spurn, scorn
בְּעֶטְיוֹ תה״פ	because of him
בְּעָיָה נ	problem
בְּעִיטָה נ	kick, kicking
בְּעִילָה נ	sexual possession of woman
בְּעַיִן תה״פ	in actual fact, in reality
בְּעַיִן יָפָה	generously, liberally
בָּעִיר ת	inflammable
בְּעִיר ז	grazing cattle, live stock
בְּעֵירָבוֹן מוּגְבָּל (בע״מ)	Limited (Ltd)
בְּעֵירָה נ	burning; conflagration
בְּעָיָתִי ת	problematic(al)
בַּעַל ז	husband; owner
בַּעַל אוֹפִי ז	man of character
בַּעַל אֶמְצָעִים ז	man of means
בַּעַל־בַּיִת	landlord, householder
בַּעַל בְּרִית	ally, confederate
בַּעַל־גּוּף	burly person
בַּעַל דָּבָר	person concerned
בַּעַל הוֹן	capitalist
בַּעֲלוּת נ	ownership, proprietorship
בַּעַל חַיִּים	living creature; animal
בַּעַל טַעַם	man of taste
בַּעֲלֵי חוּלְיוֹת	vertebrates
בַּעֲלִיל תה״פ	clearly, manifestly
בְּעָלִים ז	owner, proprietor
בַּעֲלֵי תְּשׁוּבָה	repentant sinners
בְּעַל־כּוֹרְחוֹ	against one's will; perforce
בַּעַל כִּשְׁרוֹן	talented person
בַּעַל מוּם	invalid, cripple
בַּעַל מְלָאכָה	craftsman
בַּעַל מִקְצוֹעַ	skilled worker
בַּעַל נִיסָּיוֹן	person with experience

coachman	בַּעַל עֲגָלָה
by heart, orally	בְּעַל־פֶּה
cantor	בַּעַל תְּפִילָּה
actually, as a matter of fact	בְּעֶצֶם תה״פ
indirectly, roundabout	בַּעֲקִיפִין תה״פ
burn, blaze	בָּעַר (יִבְעַר) פ
boor, oaf	בַּעַר ז
boorishness; ignorance	בַּעֲרוּת נ
about, approximately	בְּעֵרֶךְ תה״פ
intense fear; phobia	בַּעַת ז
horror, dread	בְּעָתָה נ
wholeheartedly	בְּפֶה מָלֵא
in public, publicly	בְּפוּמְבֵּי תה״פ
actually; acting, deputizing	בְּפוֹעַל תה״פ
explicitly	בְּפֵירוּשׁ תה״פ
in the presence of, in front of; against	בִּפְנֵי תה״פ
inside, within	בִּפְנִים תה״פ
by itself, in itself	בִּפְנֵי עַצְמוֹ
flagrantly, openly	בְּפַרְהֶסְיָא תה״פ
in detail, minutely	בִּפְרוֹטְרוֹט תה״פ
particularly, in particular	בִּפְרָט תה״פ
break out; sprout (flowers); ooze (sweat); burst forth	בִּצְבֵּץ (יְבַצְבֵּץ) פ
in company, together	בְּצַוותָא, בְּצַוותָה תה״פ
drought	בַּצּוֹרֶת נ
grape harvest, vintage	בָּצִיר ז
bulb; onion	בָּצָל ז
shallot	בְּצַלְצוּל, בְּצַלְצַל ז
sparingly	בְּצִמְצוּם
slice, cut	בָּצַע (יִבְצַע) פ
ill-gotten gains, unjust reward	בֶּצַע ז
dough, pastry	בָּצֵק ז
edema, oedema	בַּצֶּקֶת נ
gather, harvest (grapes)	בָּצַר (יִבְצוֹר) פ
bottle	בַּקְבּוּק ז
regularly, constantly	בִּקְבִיעוּת תה״פ
impatiently	בְּקוֹצֶר־רוּחַ
barely, hardly, with difficulty	בְּקוֹשִׁי תה״פ
well-versed, expert	בָּקִי, בָּקִיא ת (ר׳ בְּקִיאִים)
proficiency; erudition	בְּקִיאוּת נ
vetch	בַּקְיָה נ
crack, cleft, split	בְּקִיעַ ז
splittable, fissionable (atom)	בָּקִיעַ ת
cleaving, splitting	בְּקִיעָה נ
in short, briefly	בְּקִיצּוּר תה״פ
approximately	בְּקֵירוּב תה״פ
cleave, split	בָּקַע (יִבְקַע) פ
valley	בִּקְעָה נ
cattle	בָּקָר ז
control	בַּקָּרָה נ
soon, in the near future	בְּקָרוֹב תה״פ
request, application	בַּקָּשָׁה נ
shed, hovel	בִּקְתָּה נ
countryside, open fields	בָּר, בַּר ז
pure, clean	בַּר ת
son, child	בַּר ז
create	בָּרָא (יִבְרָא) פ
in the beginning	בְּרֵאשִׁית תה״פ

בַּרְבּוּר ז — swan
בָּרַבִּים תה״פ — in public, publicly
בָּרַג (יִבְרוֹג) פ — screw in, screw
בָּרָד ז — hail, hailstone
בַּרְדְּלָס ז — panther
בַּרְדָּס ז — hood (connected to a coat)
בָּרוּא ז — creature
בָּרוּג ת — screwed, screwed in
בְּרוֹגֶז תה״פ — angrily, not on speaking terms
בָּרוּד ת — spotted, dappled
בַּרְוָז ז — duck, drake; canard, gossip
בַּרְוָזוֹן ז — duckling
בַּרְוָזִיָּה נ — shed for raising ducks, duck-farm
בָּרוּךְ ת — blessed, blest; praised
בָּרוּר ת — clear, evident, certain
בָּרוּר תה״פ — clearly, plainly
בְּרוֹשׁ ז — cypress
בֶּרֶז ז — tap
בַּרְזִילִי ת — iron, ferrous
בַּרְזִילָן ז — iron-worker
בַּרְזֶל ז — iron
בִּרְזֵל (יְבַרְזֵל) פ — cover with iron, iron-plate
בָּרַח (יִבְרַח) פ — run away, flee
בָּרִיא ת — healthy, sound
בְּרִיאָה נ — creation, the world
בְּרִיאוּת נ — health, soundness
בְּרִיאוּתִי ת — sanitary, salubrious
בִּרְיוֹן ז — hooligan, bully
בִּרְיוֹנוּת נ — hooliganism, bullying
בְּרִיּוֹת זונ״ר — folk, people
בְּרִיחַ ז — bolt, latch

בְּרִיחָה נ — flight, escape
בְּרִיָּה נ — creature, person
בְּרֵירָה, בְּרֵרָה נ — choice, alternative
בְּרִירָה נ — sorting, selecting
בְּרִית נ — covenant, pact
בְּרִית שָׁלוֹם — peace treaty, pact
בָּרַךְ (יִבְרַךְ) פ — kneel
בֶּרֶךְ נ (נ״ז בִּרְכַּיִם) — knee
בְּרָכָה נ — blessing, benediction; greeting
בְּרֵכָה, בְּרֵיכָה נ — pool, pond
בְּרֵכִיָּה נ — wild duck, mallard
בְּרַם תה״פ — however, yet
בַּרְמִינָן ז — dead, deceased
בַּר־מִצְוָה — boy of thirteen, responsible (in religious law)
בַּרְנָשׁ ז — guy, fellow (derisive)
בְּרָצוֹן תה״פ — willingly, with pleasure
בִּרְצִיפוּת תה״פ — continuously
בָּרָק ז — lightning; flash
בַּרְקַאי ז — morning star
בַּרְקָן ז — brier
בָּרֶקֶת נ — agate
בָּרַר (יִבְרוֹר או יָבוֹר) פ — select, pick, sort
בַּרְרָן ז — choosy
בִּשְׁבִיל מ״י — for, on behalf of
בְּשׁוּם אוֹפֶן — on no account, by no means
בְּשׁוּם מָקוֹם — nowhere
בְּשׁוּם פָּנִים — by no means, on no account
בְּשׂוֹרָה נ — tidings (usu. good)
בְּשִׁילוּת ז — ripeness, maturity
בָּשַׁל (יִבְשַׁל) פ — ripen, become ripe

בָּשֵׁל ת — ripe

בְּשֶׁל מ״י — for, because of

בְּשֵׁלוּת נ — ripeness, maturity

בְּשֵׁם — in the name of; on behalf of

בַּשָּׂם ז — parfumier, scent-merchant

בִּשְׁעַת תה״פ — at the time of, while

בִּשְׁעָתוֹ תה״פ — in its time

בָּשָׂר נ — flesh, meat

בְּשָׂרוֹנִי ת — meat-eating

בְּשָׂרִי ת — carnal, fleshy

בַּשְׂרָנִי ת — fleshy, juicy (fruit or vegetable)

בַּת נ — daughter, girl, lass; native of, born in; aged...

בָּתָה נ — scrub; waste land

בְּתוֹךְ תה״פ — within, inside

בְּתוּלָה נ — virgin, maiden

בְּתוּלִים ז״ר — virginity

בְּתוֹם לֵב, בְּתוֹם לֵבָב — innocently, in good faith

בְּתוֹר, בְּתוֹרַת תה״פ — in the role of, as

בַּתְּחִילָּה תה״פ — first; previously

בְּתֵיאָבוֹן תה״פ — bon appetit

בַּת־יַעֲנָה נ — ostrich

בְּתַכְלִית תה״פ — entirely, absolutely

בִּתְמִיהָה תה״פ — interrogatively, with astonishment

בַּת־עַיִן — pupil of the eye

בַּת־צְחוֹק — smile

בַּת־קוֹל — echo; rumor

בָּתַר (יִבְתּוֹר) פ — cut up, dissect

בְּתַשְׁלוּמִים תה״פ — in instalments

ג

גֵּא, גֵּאֶה ת — proud; haughty, conceited

גָּאָה (יִגְאֶה) פ — rise, grow (in height); be exalted

גַּאֲוָה נ — pride, conceit

גַּאַוְתָן ת — conceited, cocky, self-important

גַּאַוְתָנוּת נ — pride, self-conceit

גְּאוּלָּה נ — redemption, salvation; reclamation (of land)

גָּאוֹן ז — grandeur, majesty

גָּאוֹן ת — genius, gifted

גְּאוֹנוּת נ — quality of genius

גְּאוֹנִי ת — highly talented, possessing genius

גָּאוּת; גֵּיאוּת נ — high tide

גָּאַל (יִגְאַל) פ — redeem, deliver

גַּב ז — back, rear

גֵּב ז — hollow (where water collects)

גַּבָּאוּת נ — office of honorary management

גַּבַּאי ז — honorary officer (of a synagogue or religious institution); collector of synagogue dues or contributions to charity

גָּבַב (יִגְבּוֹב) פ — pile up, heap together
גְּבָב ז גְּבָבָה נ — pile, heap
גָּבַהּ (יִגְבַּהּ) פ — be tall, be high; rise, mount
גָּבָה (יִגְבֶּה) פ — collect (money), receive payment
גַּבָּה נ — eyebrow, brow
גַּבְהוּת נ — haughtiness
גָּבוֹהַּ ת — high, tall
גְּבוֹהָה תה״פ — proudly, vainly
גְּבוּל ז — border, limit; frontier
גְּבוּרָה נ — might, heroism
גַּבַּחַת נ — baldness (at the temples)
גְּבִיָּה נ — collection (of money)
גָּבִין ז — brow, eyebrow
גְּבִינָה נ — cheese
גָּבִיעַ ז — chalice, wine-glass; cup, trophy; calix (botany)
גְּבִיר ז — rich man
גְּבִישׁ ז — crystal
גְּבִישִׁי ת — crystalline
גָּבַל (יִגְבּוֹל) פ — set limits to; border on; adjoin; knead
גַּבְלוּל ז — lump of dough; lump of mortar
גַּבָּן ז — cheese-maker; cheese-vendor
גַּבְנוּן ז — hump, bump
גַּבְנוּנִי ת — hump-backed; rounded, convex
גֶּבֶס ז — gypsum, plaster
גֶּבַע ז — hillock, low hill, hill
גִּבְעָה נ — hill, hillock
גִּבְעוֹל ז — stalk, stem

גָּבַר (יִגְבַּר) פ — be strong, be mighty; increase, grow stronger
גֶּבֶר ז — man, male; he-man; cock
גַּבְרָא ז — man, male
גַּבְרוּת נ — masculinity
גַּבְרִי ת — male, manly, masculine
גְּבֶרֶת נ — lady, madame; Miss, Mrs
גְּבַרְתָּן ת — strong man, "tough guy"
גַּבְשׁוּשִׁית נ — mound, hillock; hump, knob
גַּג ז — roof, roofing
גַּגּוֹן ז — awning
גָּדָה נ — bank (of river)
גְּדוּד ז — battalion, regiment
גָּדוֹל ת — big; great
גְּדוּלָּה נ — greatness, magnitude
גָּדוּעַ ת — hewn, cut down
גָּדוּר ת — fenced, fenced in
גָּדוּשׁ ת — replete, brimful
גְּדִי ז — kid (male)
גְּדִיל ז — fringe (on a garment)
גְּדִיעָה נ — hewing, chopping
גָּדִישׁ ז — stack (of corn, or other plants)
גָּדַל (יִגְדַּל) פ — grow; expand
גַּדְלוּת נ — greatness, magnitude
גָּדַם (יִגְדּוֹם) פ — lop off, cut off
גֶּדֶם ז — stump (of tree or limb)
גָּדַע (יִגְדַּע) פ — hew, chop, cut down
גַּדְּפָן ז — blasphemer, abuser
גָּדַר (יִגְדּוֹר) פ — fence in, enclose
גֶּדֶר ז — fence, railing
גְּדֵרָה נ — sheep-pen, sheep-fold; enclosure, pound

גֶּדֶר תַּיִל — barbed-wire fence
גָּדַשׁ (יִגְדּוֹשׁ) פ — pile up, overfill, overdo
גֵּהָה נ — healing, cure
גֵּהוּת, גֵּיהוּת ת — hygiene, sanitation
גָּהַק (יִגְהַק) פ — belch
גֵּו, גַּו ז — back, rear
גּוֹאַל (יְגוֹאַל) פ — be fouled, be soiled
גּוֹאֵל ז — redeemer, saviour
גּוֹב ז — locust; den, pit
גּוֹבַהּ ז — height, altitude
גּוֹבֶה ז — collector (of money, debts, taxes)
גּוֹבַיְינָה נ — collection (of debts)
גּוֹבֵל ת — bordering, adjacent
גּוֹדֶל ז — size, magnitude
גּוֹדֵר ז — fence-maker
גּוֹדֶשׁ ז — overflow, surplus
גְּוִויָּה נ — corpse
גְּוִיל ז — rough parchment
גְּוִיעָה נ — expiration, final coma (before death); dying
גָּוֶן ז — color, shade
גִּוּוּן ז — tinging, tinting
גִּוֵּן (יְגַוֵּן) פ — tinge, tint
גָּוַע (יִגְוַע) פ — expire, die
גּוֹזֵז ז — sheep-shearer
גּוֹזָל ז — chick, young bird
גּוּזְמָה נ — exaggeration
גּוֹי ז — nation, people; gentile
גּוּיַּס (יְגוּיַּס) פ — be mobilized, be called up
גּוּלְגּוֹלֶת נ — skull, head
גּוּלָּה נ — marble (children's toy); ball-shaped head of walking-stick
גּוֹלָה נ — exile, the Diaspora
גּוֹלֵל ז — tomb-stone
גּוֹלֶם ז — robot, golem; idiot, dummy
גּוֹלְמִי ת — raw, crude
גּוֹמֶא ז — paper reed, papyrus plant
גּוֹמֶד ז — cubit
גּוּמָּה נ — dimple; shallow crater
גּוּמְחָה נ — recess, niche
גּוּמִּי ז — rubber, elastic
גּוּמִּיָּה נ — rubber band
גּוֹמֵל ז — reciprocator; benefactor
גּוֹמֵר ת — finishing, ending
גּוּנְדָּר ז — company commander (army)
גּוֹנִי ת — tinted, shaded, colored
גּוֹנִית נ — nuance
גּוֹנֵן (יְגוֹנֵן) פ — protect, shelter
גּוֹסֵס ת, ז — dying, moribund; a dying man
גּוֹעַל ז — disgust, repulsion
גּוֹעֲלִי ת — disgusting, repulsive
גּוֹעַל נֶפֶשׁ — disgust
גּוּף ז — body; substance, material essence
גּוּפָה נ — corpse, body (dead)
גּוּפִיָּה נ — undervest; singlet
גּוּפִיף ז — corpuscle
גּוּפָנִי ת — physical, material; bodily, corporal
גּוֹפֶר ז — gopher-wood
גּוּף רִאשׁוֹן — first person
גּוֹפְרָה, גָּפְרָה נ — sulphate
גּוֹפְרִית, גָּפְרִית נ — sulphur, brimstone
גּוֹפְרָתִי, גָּפְרָתִי ת — sulphate
גּוֹפְרִיתָנִי ת — sulphuric

גוּץ ת — short (in stature)
גּוּר פ ר׳ גָּר
גּוּר ז — cub, whelp
גּוֹרָל ז — fate, destiny; lot
גּוֹרָלִי ת — fateful
גּוֹרֵם ז — factor, cause
גּוֹרֶן נ — threshing-floor
גּוֹרֵר ז — tug, tug-boat
גּוֹרֶרֶת נ — tug, tug-boat
גּוֹרַשׁ, (יְגוֹרַשׁ) פ — be expelled, be driven away
גּוּשׁ ז — bloc; clod, lump
גּוּשְׁפַּנְקָה נ — seal; authorization
גַּז ז — gas
גֵּז ז — sheep-shearing; shorn wool, fleece
גָּז (יָגוּז) פ — pass away, go by
גִּזְבָּר ז — treasurer
גַּזָּה נ — gauze (especially medical)
גָּזוֹז ז — flavored soda water
גָּזוּז ת — shorn, fleeced
גְּזוּזְטְרָה נ — balcony, verandah
גָּזוּל ת — plundered, robbed, pillaged
גְּזוֹמֶת נ — prunings, the pruned branches
גָּזַז (יִגזוֹז) פ — shear, fleece; remove, cut off
גַּזֶּזֶת נ — ringworm
גְּזִיזָה נ — clipping, shearing
גְּזֵילָה, גְּזֵלָה נ — loot, plunder
גָּזִיר ת — cuttable, easily cut
גְּזִירָה נ — cutting, shearing; (math.) differentiation
גְּזֵירָה, גְּזֵרָה נ — decree, edict
גָּזִית נ — hewn stone
גָּזַל (יִגזוֹל) פ — rob, plunder, pillage
גָּזֵל ז — robbery, seizure
גַּזְלָן ז — robber, brigand, bandit
גָּזַם (יִגזוֹם) פ — prune, clip (branches of a tree)
גַּזְמָן ז — exaggerator
גֶּזַע ז — genus, race; tree trunk
גִּזְעִי ת — racial; pure bred, thoroughbred, pedigree
גִּזְעָנוּת נ — racialism, racism
גָּזַר (יִגזוֹר) פ — cut; decree
גֶּזֶר ז — carrot
גְּזַר־דִּין ז — verdict
גִּזְרָה נ — build (of body); sector (military); segment (of a circle); conjugation (verbs)
גְּזַרְקַשׁ ז — machine for cutting hay and straw
גָּח (יָגִיחַ) פ — burst forth, break out
גָּחוֹן ז — belly (of reptile); bottom
גָּחוּן ת — bent over, stooping
גַּחֲלִילִית נ — glow-worm, firefly
גַּחֶלֶת נ — ember, glowing coal
גַּחַם ז — caprice, whim
גַּחֲמוֹן ז — arsonist
גָּחַן (יִגחַן) פ — stoop, bend over
גֵּט ז — bill of divorcement
גַּי, גַּיא ז — valley, wadi
גֵּיאֵל (יְגָאֵל) פ — foul, soil
גִּיבֵּב (יְגַבֵּב) פ — stack, pile up, amass
גִּיבָּה (יְגַבֶּה) פ — back, give backing to
גִּיבּוּב ז — stacking, piling up; accumulation
גִּיבּוּי ז — backing
גִּיבּוּל ז — kneading, remoulding

גִּיבּוֹר ז, ת — hero, champion; brave, valiant

גִּיבּוּשׁ ז — crystallization; integration

גִּיבֵּחַ ת — bald (at the temples)

גִּיבֵּן ז — hunchback, humpback

גִּיבֵּן (יְגַבֵּן) פ — make cheese

גִּיבֵּשׁ (יְגַבֵּשׁ) פ — crystallize; integrate

גִּיבְּתוֹן ז — yellow-hammer

גִּיגִית נ — tub, wash-tub

גִּיד ז — sinew, tendon, strand

גִּידּוּל ז — growing (of plants), cultivation; rearing, raising (of children), crop; growth, tumor

גִּידּוּלֵי פֶּרֶא — weeds

גִּידּוּף ז — abuse, revilement

גִּידּוּר ז — fencing, enclosure (act of); constraint, restraint

גִּידֵּל (יְגַדֵּל) פ — rear, raise (children, cattle); grow, cultivate (crops)

גִּידֵּם ת — one-armed

גִּידֵּעַ (יְגַדֵּעַ) פ — cut to pieces, hew down

גִּידֵּף (יְגַדֵּף) פ — abuse, revile

גִּידֵּר (יְגַדֵּר) פ — fence, fence in

גִּיהוּץ ז — ironing, pressing

גִּיהוּק ז — belching, eructation

גֵּיהִינּוֹם ז — hell, gehinnom

גִּיהֵץ (יְגַהֵץ) פ — iron, press

גִּיוּוּן ז — variegation; variation, diversification

גִּיוֵּן (יְגַוֵּן) פ — vary, shade

גִּוְונֵן (יְגַוְונֵן) פ — tint; add a nuance

גִּיּוּס ז — mobilization, call-up

גִּיּוּר ז — conversion, proselytization (to Judaism)

גִּיּוֹרֶת נ — converted Jewess

גִּיזָּה נ — fleece

גִּיזּוּם ז — pruning

גִּיזּוּר ז — cutting

גִּיזֵּם (יְגַזֵּם) פ — prune (plant, trees)

גִּיזָּרוֹן ז — etymology

גִּיחָה נ — breaking out, sudden onslaught

גִּיחוּךְ ז — giggle, smirk; absurdity

גִּיחוֹר ת — scarlet, crimson

גִּיחֵךְ (יְגַחֵךְ) פ — smile (in scorn); giggle

גֵּיטוֹ ז — ghetto

גִּייֵּס (יְגַייֵּס) פ — mobilize, call up, call to arms

גַּייֶּצֶת נ — cutter, etching tool, mill, engraving tool

גִּייֵּר (יְגַייֵּר) פ — convert, proselytize (to Judaism)

גִּיל ז — joy; age

גִּילַאי ז — aged, of age-group

גִּילָה נ — joy, rejoicing

גִּילָּה (יְגַלֶּה) פ — reveal, discover, disclose

גִּילּוּחַ ז — shaving

גִּילּוּי ז — revealing, discovery, revelation

גִּילּוּלִים ז״ר — idols

גִּילּוּם ז — embodiment

גִּילּוּף ז — carving, engraving

גִּילֵּחַ (יְגַלֵּחַ) פ — shave

גִּילָּיוֹן ז — sheet (of paper); copy (of a newspaper)

גִּילֵּם (יְגַלֵּם) פ — embody

גִּילֵּף (יְגַלֵּף) פ engrave, carve, incise
גִּימֵּד (יְגַמֵּד) פ reduce, shrink
גִּימוּר ז completion, ending
גִּימֵּז (יְגַמֵּז) פ prune; criticize severely (literary slang)
גִּימֵּשׁ (יְגַמֵּשׁ) פ make flexible, make elastic
גִּינָּה (יְגַנֶּה) פ censure, denounce, condemn
גִּינָּה נ garden (small), vegetable garden
גִּינּוּי ז censure, condemnation, denunciation
גִּינּוּן ז manner, mode of behaviour; gardening
גִּיס ז brother-in-law
גַּיִס ז column (military); army, corps
גִּיפּוּף ז embracing, hugging
גִּיפּוּר ז dusting (with sulphur); sulphurization
גִּיפֵּף (יְגַפֵּף) פ embrace, hug; encircle
גִּיפֵּר (יְגַפֵּר) פ dust (trees or plants with sulphur or similar material); sulphurize
גִּיר ז chalk, a piece of chalk; limestone
גֵּירֵד (יְגָרֵד) פ scratch, scrape
גֵּירָה (יְגָרֶה) פ stimulate, provoke; incite, stir up; irritate
גֵּירוּד ז scratching, scraping
גֵּירוּי ז stimulation, provocation, irritation
גֵּירוּשׁ ז expulsion, banishment

גִּירִית נ badger
גִּירְסָא, גִּרְסָה נ text; learning, study
גֵּירָעוֹן ז deficit, shortage
גֵּירַף (יְגָרֵף) פ rake
גֵּירַשׁ (יְגָרֵשׁ) פ expel, drive away; banish; divorce
גִּישָׁה נ approach, access; attitude
גִּישׁוּם ז realization
גִּישׁוּר ז bridging
גִּישׁוּשׁ ז groping
גִּישֵּׁר (יְגַשֵּׁר) פ bridge
גִּישֵּׁשׁ (יְגַשֵּׁשׁ) פ grope
גַּל ז wave
גַּלַּאי ז detector (electrical instrument)
גַּלָּב ז barber
גִּלְגּוּל ז rolling; metamorphosis
גַּלְגִּילָּה נ pulley, sheave
גַּלְגִּילוֹן ז small wheei, pulley, roller
גַּלְגִּילַּיִים, גַּלְגַּלַּיִם ז״ז scooter
גַּלְגַּל ז wheel, cycle
גִּלְגֵּל (יְגַלְגֵּל) פ roll, revolve
גַּלְגִּלִּית נ (ר׳ גַּלְגִּלִּיּוֹת) roller-skate
גַּלְגֶּלֶת נ pulley-block, pulley-wheel
גָּלָה (יִגְלֶה) פ reveal; be exiled
גִּלְוֵון (יְגַלְוֵון) פ galvanize; electro-plate
גָּלוּחַ ת shaven; irreligious
גָּלוּי ת open, revealed
גְּלוּי רֹאשׁ bare-headed
גְּלוּיָה נ postcard
גָּלוּם ת embodied
גְּלוֹסְקָמָה נ sarcophagus, coffin
גְּלוּפָה נ block (for printing)

גָּלוּת נ (ר׳ גָּלֻיּוֹת) exile, banishment; the Diaspora

גַּלָּח ז Christian priest, monk

גַּלִּי ת wavy, wave-like, undulating

גְּלִיד ז ice

גְּלִידָה נ ice-cream

גַּלִּיּוּת נ waviness, undulation

גָּלִיל ז district, circuit; roll; cylinder

גְּלִילִי ת cylindrical; Galilean

גְּלִימָה נ cloak, gown

גְּלִיפָה נ engraving

גְּלִישָׁה נ skiing; sliding, slipping; boiling over

גָּלַל (יָגוֹל או יִגְלוֹל) פ roll, roll away; roll up

גָּלָל ז dung

גֹּלֶם ז crudeness

גַּלְמוּד ת lonely, solitary

גַּלְעִין ז stone (of fruit), kernel

גַּלְעִינִי ת containing a stone, stone-bearing (of fruit)

גִּלְעֵן (יְגַלְעֵן) פ stone (fruit)

גָּלַף (יִגְלוֹף) פ engrave, carve

גָּלַשׁ (יִגְלוֹשׁ) פ overflow, boil over; ski; glide

גִּלְשׁוֹן ז glider (plane)

גַּלְשׁוֹן ז avalanche

גַּלֶּשֶׁת נ eczema

גַּם מ״ח also, too, as well

גִּמְגּוּם ז stammer, stutter

גִּמְגֵּם (יְגַמְגֵּם) פ stammer, stutter

גַּמְגְּמָן ז stammerer, stutterer

גַּמָּד ז dwarf

גָּמוּד ת dwarfish, undersized

גָּמוּל ת weaned child, infant

גְּמוּל ז recompense

גָּמוּר ת finished, complete

גָּמַז (יִגְמוֹז) פ criticize severely (literary slang)

גְּמִיאָה נ sipping (act of); sip

גְּמִילָה נ ripening (of fruit); weaning

גְּמִיעָה נ sipping, swallowing (a liquid)

גָּמִישׁ ת flexible, elastic

גְּמִישׁוּת נ flexibility, pliability

גָּמַל (יִגְמוֹל) פ requite; recompense; ripen

גָּמָל ז camel

גַּמָּל ז camel driver

גִּמְלָה, גִּימְלָה נ insurance benefit, pension

גַּמְלוֹנִי ת overlarge, outsize

גְּמֵלוּת נ ripeness, maturity

גַּמֶּלֶת נ caravan (of camels)

גְּמָמִית נ depression (in rock)

גָּמַע (יִגְמַע) פ sip, swallow; gulp

גָּמַר (יִגְמוֹר) פ finish, complete, end; conclude, decide

גְּמָר, גֶּמֶר ז end, finish

גְּמָרָא נ the Talmud

גְּמָשָׁה נ spat, legging

גַּן ז garden; kindergarten

גְּנַאי ז reproach, disgrace

גָּנַב (יִגְנוֹב) פ steal, thieve

גַּנָּב ז thief, robber

גְּנֵבָה, גְּנֵיבָה נ theft, stealing, stolen property

גַּנְדְּרָן ת dandy, coxcomb

גַּנְדְּרָנוּת נ ostentation, overdressing

גָּנוּב ת	stolen
גְּנוֹגֶנֶת נ	awning (over a door or window)
גָּנוּז ת	hidden, concealed
גַּנּוֹן ז	nursery school
גְּנוּת נ	disgrace, dishonor; reproach
גָּנַז (יִגְנוֹז) פ	hide, conceal
גַּנָּז ז	archivist
גַּנְזַךְ ז	archives
גָּנַח (יִגְנַח) פ	groan; cough blood
גְּנִיזָה נ	concealing, hiding; archives
גְּנִיחָה נ	groaning, groan
גַּנָּן ז	gardener, horticulturist
גַּנָּנוּת נ	horticulture, gardening
גַּנֶּנֶת נ	kindergarten teacher
גַּן עֵדֶן	Paradise
גַּס ת	crude, rough; large, ample; obscene, vulgar
גַּסּוּת נ	rudeness, bad manners
גְּסִיסָה נ	dying, last moments
גָּסַס (יִגְסוֹס) פ	be dying, be about to die
גַּס־רוּחַ	rude, coarse, vulgar
גַּעְגּוּעִים ז״ר	longing, yearning
גָּעָה (יִגְעֶה) פ	moo, low (of cows); wail, moan
גְּעִיָּיה נ	mooing; wailing
גָּעַל (יִגְעַל) פ	loathe, abhor
גָּעַר (יִגְעַר) פ	scold, rebuke; curse
גְּעָרָה נ	scolding, rebuke, reproof
גָּעַשׁ (יִגְעַשׁ) פ	rage, storm
גַּעַשׁ ז	raging, storming
גַּעֲשִׁי ת	volcanic
גַּף ז	wing (of a bird); arm; leg
גֶּפֶן נ	vine
גֶּפֶס ז	plaster of Paris, gypsum
גַּפְרוּר ז	safety match
גֵּץ ז	spark
גֵּר ז	proselyte
גָּר (יָגוּר) פ	live, dwell, inhabit
גָּרָב ז	eczema
גֶּרֶב ז	sock, stocking
גִּרְגּוּר ז	gargling, gargle
גַּרְגִּיר ז	grain
גִּרְגֵּר (יְגַרְגֵּר) פ	glut, gormandize
גַּרְגְּרָן ז	glutton
גַּרְגֶּרֶת נ	throat
גַּרְדּוֹם ז	scaffold
גָּרֶדֶת:	itch; scabies
גְּרוֹדֶת נ	filings, shavings
גְּרוּטָאוֹת נ״ר	scrap metal
גָּרוּם ת	bony; oversized
גָּרוֹן נ	throat
גְּרוֹנִי ת	throaty, guttural
גָּרוּעַ ת	bad, inferior
גָּרוּף ז	trailer
גְּרוֹפֶת נ	drift, bed load (of river)
גָּרוּשׁ ז	divorced man
גְּרוּשָׁה נ	divorced woman
גַּרְזֶן ז	axe, hatchet
גְּרֵידָא תה״פ	purely, merely
גְּרִיּוּת נ	sensitivity, excitability
גְּרִימָה נ	causing, producing (act of)
גְּרִיסִים ז״ר	grits, groats
גְּרִיעוּת נ	inferiority, badness
גְּרִיפָה נ	scouring, cleaning out
גְּרִירָה נ	dragging, trailing
גָּרַם (יִגְרוֹם) פ	cause, bring about

גֶּרֶם ז bone; body
גַּרְמִי ת osseous, bony
גָּרַס (יִגְרוֹס) פ crush, crumble; learn, study
גָּרַע (יִגְרַע) פ subtract, deduct; withdraw, withhold
גַּרְעִין ז stone, kernel, pip; nucleus
גַּרְעִינִי ת pippy; nuclear
גִּרְעֵן (יְגַרְעֵן) פ core (fruit); stone
גַּרְעֶנֶת נ trachoma
גָּרַף (יִגְרוֹף) פ sweep away; scour
גְּרָר ז towing, trailing
גְּרָרָה נ sledge, sleigh
גַּשׁ draw near, come

גָּשׁוּם ת rainy
גִּשּׁוֹשׁ ז sounding rod, plummet; calipers
גֶּשֶׁם ז rain, shower
גַּשְׁמִי ז physical, material
גֶּשֶׁר ז bridge
גָּשַׁר (יִגְשׁוֹר) פ bridge, build (a bridge); connect
גִּשְׁרוֹן ז small bridge
גִּשְׁרִית נ bridge (of a violin)
גָּשַׁשׁ (יִגְשׁוֹשׁ) פ feel, stroke
גַּשָּׁשׁ ז tracker; reconnoitrer
גִּשְׁתָּה נ syphon
גַּת נ wine-press, wine-pit

ד

דָּאַב (יִדְאַב) פ pine, languish
דְּאָבוֹן ז languishing; regret
דָּאַג (יִדְאַג) פ worry, be anxious
דְּאָגָה נ worry, anxiety, concern
דָּאָה (יִדְאֶה) פ glide, hover
דָּאוֹן ז glider
דְּאָז ת then, former
דְּאִיָּה נ gliding
דָּבוּק ת attached (lit. and fig.); affixed
דָּבוּר ת spoken, uttered
דַּבּוּר ז hornet
דְּבוֹרָה נ bee
דָּבִיק ת sticky, adhesive

דְּבִיר ז the Holy of Holies; court (of palace)
דָּבַק (יִדְבַּק) פ stick, adhere
דָּבֵק ת attached, adherent
דֶּבֶק ז glue
דְּבֵקוּת נ loyalty, devotion
דִּבְקִי ת sticky, glutinous
דָּבָר ז word, saying; thing, matter; something, anything
דַּבָּר ז leader
דֶּבֶר ז plague, pestilence
דִּבְרָה נ saying; speech
דִּבְרֵי הַיָּמִים history; the Book of Chronicles

דְּבָרִים ז״ר Deuteronomy
דְּבַר־מָה something, a trifle
דַּבְּרָן ז chatter-box
דַּבֶּרֶת נ verbal diarrhoea
דְּבַשׁ ז honey
דַּבֶּשֶׁת נ hump (of a camel)
דָּג (יָדוּג) פ fish, angle
דָּג ז fish
דִּגְדֵּג (יְדַגְדֵּג) פ tickle
דַּגְדְּגָן ז clitoris
דָּגוּל ת excellent, outstanding
דָּגִיג ז small fish
דְּגִימָה ז sampling, random sampling
דְּגִירָה נ brooding, incubation
דָּגַל (יִדגּוֹל) פ raise a standard; wave a flag; stand for
דֶּגֶל ז flag, banner, standard
דַּגְלָן ז standard-bearer
דְּגָם ז pattern
דֶּגֶם ז model
דָּג מָלוּחַ ז herring
דָּג מְמוּלָּא stuffed fish
דָּגָן ז corn, grain
דָּגַר (יִדגּוֹר) פ hatch, incubate;
דָּגֵשׁ ז dagesh (a dot put in a consonant); stress, emphasis
דַּד ז nipple, teat, breast
דָּהָה (יִדְהֶה) פ fade (of colors)
דָּהוּי ת faded
דְּהַיְינוּ תה״פ that is to say, in other words, i.e.
דְּהִירָה נ galloping, gallop
דָּהַר (יִדְהַר) פ gallop
דְּהָרָה נ gallop
דּוֹאַר ז post, postage; post office

דּוֹב ז bear
דּוֹבֵב (יְדוֹבֵב) פ induce to talk
דּוּבְדְּבָן ז cherry
דּוּבָּה נ she-bear
דּוֹבֵר ז spokesman
דּוֹבְרָה נ raft
דּוּבְשָׁן, דּוּבְשָׁנִית ז honey cake
דּוּגִית נ dinghy, fishing boat
דּוּגְמָה נ sample; example, model
דּוּגְמָנִית נ model (artist's or fashion)
דּוּד ז (ר׳ דְּוָדִים וגם דּוּדִים) boiler (for hot water), geyser
דּוֹד ז uncle
דּוֹדָה נ aunt
דּוֹדָן ז cousin (male)
דּוֹדָנִית נ cousin (female)
דְּוַאי ז affliction, sickness
דָּוֶה ת in pain, doleful, sad
דָּווּי ת afflicted, sick
דַּוָּיי ת distressed, afflicted
דַּווקָא, דַּווּקָה תה״פ for all that, necessarily
דַּוָּר ז postman, courier
דַּוָּשָׁה נ pedal
דו״חַ ז (דין וחשבון) report
דּוּחַי ז amphibian
דּוֹחַן ז millet
דּוֹחַק ז stress, strain, overcrowding
דּוּכָּא (יְדוּכָּא) פ be suppressed, be oppressed, be depressed
דּוֹכִי, דֳּכִי ז surf
דּוּכִיפַת נ hoopoe
דּוּכָן ז stall (in market); pulpit (for preacher); stand, platform

דוֹלֶב ז plane (tree)
דוּלְדַל, (יְדוּלְדַל) פ be impoverished, be weakened
דוֹלֵלָה נ ball of thread
דוֹם attention!
דוֹמֶה ת like, alike, resembling
דוֹמֶה שֶ... it seems that...
דוּמִי, דֳּמִי ז stillness, quietness, still
דוּמִיָּה נ stillness, quiet, hush
דוּמָם תה״פ in silence, soundlessly, quietly
דוֹמֵם ת inanimate, inorganic; silent, still
דוֹמֶן ז manure, dung
דוּ־מַשְׁמָעִי ת ambiguous
דוֹנַג ז wax
דוֹנַגִית נ waxlike matter
דוּ־סִטְרִי ת two-way (street)
דוֹפִי ז stain, blemish, flaw
דוֹפֶן ז side, wall
דוֹפֶק ז pulse
דוּ־קִיוּם ז co-existence
דוּקְרָב, דוּ־קְרָב ז duel, combat; match
דוּקְרָן ז sear (of a rifle)
דוּקְרָנִי ת barbed (wire); spiky, thistly
דוֹר ז (ר׳ דוֹרוֹת) generation; epoch, age
דוֹרַג (יְדוֹרַג) פ be graded, be classed
דוּרֶגֶל ז biped
דוּרָה נ sorghum
דוֹרוֹן ז gift
דוֹרְסָנִי ת predatory, clawing
דוֹרֵשׁ ז preacher, expounder (of texts)
דוּ־שְׁבוּעוֹן ז fortnightly journal
דוּ־שִׂיחַ ז dialogue
דָּחָה (יִדְחֶה) פ push away, repel; postpone
דָּחוּי ת postponed, adjourned
דָּחוּס ת compressed
דָּחוּף ת urgent, pressing
דָּחוּק ת packed tight; in need, hard up
דְּחִי, דֶּחִי ז failure, fall (moral)
דְּחִיָּה נ postponement, rejection
דְּחִיסוּת נ compressibility, density
דְּחִיפָה נ push, impetus
דְּחִיפוּת נ urgency
דְּחִיקָה ז pressing, pressure
דַּחְלִיל ז scarecrow; bogy
דָּחַס (יִדְחַס) פ compress (air); pack tight, squeeze
דַּחַף ז incentive, drive; impetus, impulse
דָּחַף (יִדְחַף) פ push, thrust
דַּחְפּוֹר ז bulldozer
דָּחַק (יִדְחַק) פ press, push; prod, urge on
דְּחָק ז pressure, press; stress, need
דַּי, דֵּי תה״פ enough, sufficient
דִּיבָּה נ slander, defamation
דִּיבּוּב ז encouragement (of others) to speak; interviewing
דִּיבּוּק ז a dead soul possessing a live person; obsession
דִּיבּוּר ז speech, utterance; saying, expression, phrase

דִּיבּוּרִי ת colloquial, spoken
דִּיבֵּר ז speech; commandment
דִּיבֵּר (יְדַבֵּר) פ speak
דַּיִג ז fishing; fish-breeding
דִּיגֵּל (יְדַגֵּל) פ raise a standard
דַּיָּה נ kite
דֵּיהֶה, דֵּהֶה ת faded, dim, discolored
דִּיהוּי ז discoloration, fading
דְּיוֹ נ ink
דִּיוּג ז fishing, angling
דִּיוּוּחַ ז report, account
דִּיוֵּוחַ (יְדַוּוֵחַ) פ report, make a report
דִּיוֵּושׁ (יְדַוּוֵשׁ) פ pedal
דְּיוֹטָה נ floor, storey
דִּיוּן ז discussion
דְּיוֹפַן ז barrow, two-wheeled cart
דִּיוּק ז accuracy, precision, exactness
דְּיוֹקָן ז portrait; likeness, image
דִּיוּר ז housing; dwelling, living
דְּיוֹת נ India ink
דְּיוֹטָה נ inkwell, inkpot
דִּיחוּי ז deferment, postponement
דַּיָּיג ז fisherman, angler
דִּייֵג (יְדַייֵג) פ fish
דַּיָּיל ז air host; steward, waiter
דַּיֶּילֶת נ air hostess; stewardess, waitress
דַּיָּין ז judge (in a religious court)
דַּייסָה נ porridge, gruel; mess, muddle
דִּייֵק (יְדַייֵק) פ be precise, be accurate; be punctual
דָּיֵיק ז siege-wall; bulwark, rampart

דַּייְקָן ז a punctual person
דַּייְקָנוּת נ punctuality
דַּיָּיר ז tenant, lodger
דִּיכֵּא (יְדַכֵּא) פ oppress; depress, suppress
דִּיכָּאוֹן ז depression (mental), dejection
דִּיכּוּי ז suppression; oppression
דִּילֵּג (יְדַלֵּג) פ skip
דִּילּוּג, דִּלּוּג ז skipping, omitting
דִּילּוּל ז thinning
דִּילֵּל (יְדַלֵּל) פ thin, thin out; dilute
דִּימָּה (יְדַמֶּה) פ compare to, liken to; fancy, imagine
דִּימּוּי ז comparison, likeness
דִּימּוּם ז bleeding, hemorrhage
דִּין ז judgment; law; lawsuit, cause, trial
דִּין וְחֶשְׁבּוֹן, דּוּ״חַ report
דִּינָר ז dinar (ancient Roman coin)
דִּיסְקוּס ז disc; discus
דִּיצָה נ joyful dancing, joy
דִּיר ז sheep-pen; sty; shed
דֵּירָאוֹן ז abomination; aversion
דֵּירֵג (יְדָרֵג) פ grade, class, classify
דִּירָה נ apartment
דֵּירוּג ז grading, classification
דַּיִשׁ ז threshing; threshing time
דִּישָׁה נ threshing
דִּישׁוֹן ז antelope
דִּישּׁוּן ז fertilization
דִּישֵּׁן (יְדַשֵּׁן) פ fertilize
דִּכְדּוּךְ ז dejection
דִּכְדֵּךְ (יְדַכְדֵּךְ) פ depress (mentally)

דַּכָּה נ — crushing, bruising
דְּכִי־חוֹף ז — surf
דַּל ת — meager; poor
דָּלַג (יִדְלוֹג) פ — leap, jump; skip, omit
דַּלְגִּית נ — skipping rope
דִּלְדּוּל ז — impoverishment, decline
דִּלְדֵּל (יְדַלְדֵּל) פ — impoverish, weaken
דָּלָה (יִדְלֶה) פ — draw water; bring out, reveal
דָּלוּחַ ת — turbid, muddy, dirty (water)
דְּלוּעִים ז״ר — pumpkins
דַּלּוּת נ — poverty
דָּלַח (יִדְלַח) פ — make turbid, make muddy, pollute
דְּלִי ז — bucket, pail
דְּלִיגָה נ — leaping, skipping
דַּלְיָה נ — dahlia
דְּלִיחָה נ — pollution (of water)
דָּלִיל ת — thin, meager, sparse
דְּלִיפָה נ — leakage, leak
דָּלִיק ת — inflammablc, combustible
דְּלִיקָה נ — lighting, kindling; pursuit
דְּלִיקוּת נ — inflammability, combustibility
דָּלַל (יִדְלוֹל, יִדַּל) פ — dwindle, waste away; decline, run low
דְּלַעַת נ — pumpkin
דָּלַף (יִדְלוֹף) פ — drip, leak
דֶּלְפֵּק ז — counter
דָּלַק (יִדְלַק, יִדְלוֹק) פ — burn, be alight; pursue, chase
דֶּלֶק ז — fuel
דְּלֵקָה, דְּלֵיקָה נ — fire, conflagration
דִּלְקַמָּן, כְּדִלְקַמָּן — as follows
דַּלֶּקֶת הַסִּימְפּוֹנוֹת — bronchitis
דַּלֶּקֶת נ — inflammation
דַּלֶּקֶת הָרֵיאוֹת — pneumonia
דַּלַּקְתִּי ת — inflammatory
דֶּלֶת נ — door
דָּם ז — blood
דִּמְדּוּם ז — half-light, glimmer
דָּמָה (יִדְמֶה) פ — be like, resemble
דְּמוּת נ — figure, shape; likeness, image; character (in a play, etc.)
דִּמְיוֹן ז — resemblance, similarity; imagination; fancy
דִּמְיוֹנִי ת — imaginary, fanciful
דִּמְיֵן (יְדַמְיֵן) פ — imagine, fancy
דָּמִים ז״ר — fee, price; money; blood
דְּמֵי־מַפְתֵּחַ — key money
דְּמֵי־קְדִימָה — advance, advance payment
דָּמַם (יִדּוֹם) פ — keep quiet
דֶּמֶם ז — hemorrhage, bleeding
דְּמָמָה נ — stillness, hush, quiet
דָּמַע (יִדְמַע) פ — shed tears, weep
דִּמְעָה נ — tear
דָּן (יָדוּן) פ — consider; judge, punish;
דִּסְקָה נ — writ; small disc
דִּסְקִית נ — small disc, washer
דֵּעָה נ — opinion
דֵּעָה צְלוּלָה — clear thinking, lucidity
דָּעַךְ (יִדְעַךְ) פ — die (esp. fire)
דַּעַת נ — mind; understanding
דַּעַת קָהָל — public opinion
דַּף ז — page, leaf; plank
דִּפְדֵּף (יְדַפְדֵּף) פ — turn over pages

דַּפְדֶּפֶת נ	notepad
דְּפוּס ז	printing press; mold
דְּפִיקָה נ	knock, beat; (slang) mistreatment, ill use;(slang) sexual intercourse
דַּפְנָה נ	laurel, bay
דַּפָּס ז	printer
דָּפַק (יִדְפּוֹק) פ	knock, beat; "do" (in slang senses); "have" sexually (slang)
דָּץ (יָדוּץ) פ	rejoice
דָּק (יָדוּק) פ	examine punctiliously
דַּק ת	thin, fine; delicate
דַּק ז	minute
דִּקְדּוּק ז	grammar; precision
דִּקְדּוּקִי ת	grammatical
דִּקְדֵּק (יְדַקְדֵּק) פ	perform accurately
דַּקְדְּקָן ז	grammarian; a meticulous person
דַּקָּה נ	minute
דַּקּוּת נ	fineness, niceness
דַּקִּיק ת	very fine
דְּקִירָה נ	prick; stab
דֶּקֶל ז	palm tree
דִּקְלוּם ז	declamation, recitation
דִּקְלֵם (יְדַקְלֵם) פ	declaim, recite
דָּקַר (יִדְקוֹר) פ	stab, prick
דֶּקֶר נ	mattock, pick
דַּקָּר ז	spineback
דִּקְתָּה נ	plywood
דָּר (יָדוּר) פ	dwell, live, reside
דִּרְבּוּן ז	spur, urging
דָּרְבָן, דָּרְבוֹן ז	spur; goad
דַּרְבָּן ז	porcupine
דִּרְבֵּן (יְדַרְבֵּן) פ	spur, goad; urge, egg on
דָּרְבָנִית נ	delphinium
דֶּרֶג ז	level, grade
דַּרְגָּה נ	step; degree, grade
דְּרַגְנוֹעַ ז	escalator
דַּרְגָּשׁ ז	couch
דִּרְדּוּר ז	rolling, scattering
דַּרְדַּק ז	infant, tot
דַּרְדַּר ז	thistle, centaury
דָּרוּךְ ת	cocked, drawn; tense
דָּרוֹם ז	south
דְּרוֹמִי ת	south, southern, southerly
דְּרוֹר ז	liberty, freedom; sparrow
דְּרוּשׁ ז	homily, sermon
דָּרוּשׁ ת	required, needed
דְּרִיכָה נ	trampling; cocking; drawing
דְּרִיכוּת נ	tension, suspense, readiness
דְּרִיסָה נ	running over; trampling
דְּרִישָׁה נ	demand; requirement
דְּרִישַׁת־שָׁלוֹם, דָּ״שׁ	regards, greetings
דָּרַךְ (יִדְרוֹךְ) פ	step, tread; cock; draw
דֶּרֶךְ זו״נ	way, route; method
דֶּרֶךְ אַגַּב	incidentally, by the way
דֶּרֶךְ אֶרֶץ	good manners
דֶּרֶךְ הַמֶּלֶךְ	highway
דַּרְכּוֹן ז	passport
דָּרַס (יִדְרוֹס) פ	run over
דְּרָקוֹן ז	dragon
דָּרַשׁ (יִדְרוֹשׁ) פ	ask for, demand; inquire, seek; expound; interpret, explain

דְּרָשָׁה נ sermon, homily; homiletic interpretation
דַּרְשָׁן ז preacher, homilist
ד״ש ז (ר״ת דרישת שלום) regards (colloquial)
דָּשׁ (יָדוּשׁ) פ thresh; get used to
דַּשׁ ז flap, lapel
דֶּשֶׁא ז lawn, grass
דִּשְׁדּוּשׁ ז trampling, trudging
דִּשְׁדֵּשׁ (יְדַשְׁדֵּשׁ) פ trudge, trample
דֶּשֶׁן ז chemical fertilizer; ashes (after sacrifice)
דָּשֵׁן ת lush, fat
דָּשַׁן (יִדְשַׁן) פ grow fat, be fat
דָּת נ religion; faith
דָּתִי ת religious, pious
דָּתִיּוּת נ religiousness, piety

ה

הַ־ (הָ־, הֶ־) the definite article
הֲ־ (הַ־, הֶ־)...? prefix indicating a question
הֵא מ״ק here!
הַאֲבָקָה נ pollination
הֶאְדִּים (יַאֲדִים) פ become red; redden
הֶאְדִּיר (יַאֲדִיר) פ magnify; be magnified
ה״א הַיְדִיעָה the definite article
הֶאֱהִיל (יַאֲהִיל) פ shelter, shade; pitch (a tent)
הַאוּמְנָם? מ״ש is that so? really?
הֶאֱזִין (יַאֲזִין) פ listen
הַאֲזָנָה נ listening
הַאֲחָדָה נ making uniform; unification
הֶאֱחִיד (יַאֲחִיד) פ make uniform, unify
הֵאֵט (יָאֵט) פ slow down, decelerate
הָאָטָה נ slowing down
הֵאִיץ (יָאִיץ) פ hurry, quicken
הֵאִיר (יָאִיר) פ illuminate, throw light on
הֶאֱכִיל (יַאֲכִיל) פ feed
הַאֲלָהָה נ deification
הַאֲלָחָה נ infection; pollution
הֶאֱמִין (יַאֲמִין) פ believe; trust
הֶאֱמִיר (יַאֲמִיר) פ rise, increase (of prices)
הַאֲמָדָה נ confirmation, verification
הֶאְפִּיל (יַאֲפִיל) פ black-out, darken, obscure, grow dark
הֶאְפִּיר (יַאֲפִיר) פ make grey; turn grey
הַאֲפָלָה נ black-out; darkening
הָאָצָה נ acceleration; hurrying
הֶאֱצִיל (יַאֲצִיל) פ bestow on, inspire

הֶאָרָה נ — illumination, lighting; kindling
הַאֲרָחָה נ — entertaining (of visitors), granting of hospitality
הֶאֱרִיךְ (יַאֲרִיךְ) פ — lengthen, prolong
הֶאֱרִיק (יַאֲרִיק) פ — earth (electricity)
הַאֲרָכָה נ — extension
הַאֲרָקָה נ — earthing
הֶאֱשִׁים (יַאֲשִׁים) פ — accuse; blame
הַאֲשָׁמָה נ — accusation; charge
הֲבָאָה נ — bringing, fetching
הֲבַאי ז — nonsense, exaggeration
הִבְאִישׁ (יַבְאִישׁ) פ — stink, be offensive; befoul
הִבְדִּיל (יַבְדִּיל) פ — separate, detach; distinguish
הֶבְדֵּל ז — difference
הַבְדָּלָה נ — distinction; separation
הִבְהֵב (יְהַבְהֵב) פ — smoulder, flicker
הִבְהִיל (יַבְהִיל) פ — alarm, frighten, summon urgently
הִבְהִיק (יַבְהִיק) פ — shine, glisten
הִבְהִיר (יַבְהִיר) פ — clarify, elucidate
הַבְהָרָה נ — brightening; clarification
הִבְזָה (יַבְזֶה) פ — humiliate, pour scorn on
הִבְזִיק (יַבְזִיק) פ — flash
הַבְזָקָה נ — flash, flashing
הִבְחִיל (יַבְחִיל) פ — be nearly ripe; cause to ripen early
הִבְחִין (יַבְחִין) פ — distinguish, discriminate
הַבְחָנָה נ — distinction; diagnosis
הַבְטָחָה נ — promise, assurance
הִבְטִיחַ (יַבְטִיחַ) פ — promise, assure; secure, make safe
הֵבִיא (יָבִיא) פ — bring, fetch
הִבִּיט (יַבִּיט) פ — look
הֵבִיךְ (יָבִיךְ) פ — bewilder, perplex
הָבִיל ת — steamy, clammy
הֵבִין (יָבִין) פ — understand, comprehend
הֵבִיס (יָבִיס) פ — defeat
הִבִּיעַ (יַבִּיעַ) פ — express
הֶבֶל ז — vanity, nonsense
הַבְלָגָה נ — self-restraint, moderation
הַבְלָטָה נ — emphasis, stress
הַבְלִי ת — vain, nonsensical
הִבְלִיג (יַבְלִיג) פ — restrain oneself
הִבְלִיחַ (יַבְלִיחַ) פ — flicker, flutter
הִבְלִיט (יַבְלִיט) פ — give prominence to, stress, emphasize
הִבְלִיעַ (יַבְלִיעַ) פ — swallow, take in; insert unnoticed
הֲבָנָה נ — understanding, comprehension
הֲבָסָה נ — rout, heavy defeat
הַבָּעָה נ — expression
הִבְעִיר (יַבְעִיר) פ — set alight, burn
הִבְעִית (יַבְעִית) פ — terrify
הִבְקִיעַ (יַבְקִיעַ) פ — seize; break through
הַבְרָאָה נ — convalescence, recovery
הַבְרָגָה נ — screwing in
הֲבָרָה נ — syllable
הַבְרָחָה נ — smuggling
הִבְרִיא (יַבְרִיא) פ — convalesce, recover
הִבְרִיג (יַבְרִיג) פ — screw in

הִבְרִיחַ (יַבְרִיחַ) פ cause to flee ; smuggle

הִבְרִיךְ (יַבְרִיךְ) פ make kneel

הִבְרִיק (יַבְרִיק) פ shine, gleam; flash, send a telegram

הִבְרִישׁ (יַבְרִישׁ) פ brush

הַבְרָקָה נ polishing; flash, brilliancy

הִבְשִׁיל (יַבְשִׁיל) פ ripen, come to fruition

הַבְשָׁלָה נ ripening

הַגַּאי ז pilot; helmsman

הֲגָבָה נ response, reaction

הַגְבָּהָה נ elevating; elevation

הִגְבִּיהַּ (יַגְבִּיהַּ) פ elevate; be elevated

הִגְבִּיל (יַגְבִּיל) פ restrict, limit

הִגְבִּיר (יַגְבִּיר) פ strengthen

הִגְבִּישׁ (יַגְבִּישׁ) פ harden, become hard

הַגְבָּלָה נ limitation, restriction

הַגְבָּרָה נ strengthening

הַגָּדָה נ saga, tale

הַגָּדָה שֶׁל פֶּסַח the Passover Haggada (book)

הִגְדִּיל (יַגְדִּיל) פ increase, enlarge, become larger

הִגְדִּיר (יַגְדִּיר) פ define

הִגְדִּישׁ (יַגְדִּישׁ) פ overfill, overdo

הַגְדָּלָה נ magnification, increase

הַגְדָּרָה נ definition

הַגְדָּשָׁה נ overdoing

הָגָה (יֶהְגֶּה) פ utter, say, study

הֶגֶה ז sound, utterance; steering wheel

הַגָּהָה נ proof-reading

הָגוּי ת pronounced

הָגוּן ת decent, honest

הָגוּת נ philosophy, contemplation

הַגְזָמָה נ exaggeration

הֵגִיב (יָגִיב) פ react

הָגִיג ז inner feelings

הִגִּיד (יַגִּיד) פ tell, inform

הִגִּיהַּ (יַגִּיהַּ) פ proof-read

הֶגְיוֹנִי ת logical, rational, reasonable

הֵגִיחַ (יָגִיחַ) פ break out, burst forth

הֲגִיָּה נ pronunciation

הֲגִינוּת נ decency

הִגִּיעַ (יַגִּיעַ) פ arrive at, reach

הֵגִיף (יָגִיף) פ close, bolt

הֲגִירָה נ emigration

הִגִּישׁ (יַגִּישׁ) פ serve (food); present, hand in

הִגְלָה (יַגְלֶה) פ banish, exile

הִגְלִיד (יַגְלִיד) פ form a scab; coagulate

הַגְלָיָה נ banishment, exile

הֶגְמוֹן ז cardinal

הֶגְמוֹנְיָה נ hegemony

הֵגֵן (יָגֵן) פ defend, protect

הַגְנָבָה נ stealthy insertion

הֲגָנָה נ protection, defense

הִגְנִיב (יַגְנִיב) פ insert stealthily

הַגְעָלָה נ ritual cleansing (in boiling water)

הֲגָפָה נ closing, bolting

הִגְרִיל (יַגְרִיל) פ raffle, draw lots for

הַגְרָלָה נ lottery, raffle

הַגָּשָׁה נ serving (food); presenting, submitting

הִגְשִׁים (יַגְשִׁים) פ realize, materialize

הַגְשָׁמָה נ realization, materialization

הֵד ז echo

הִדְאִיב (יַדְאִיב) פ distress, grieve
הִדְאִיג (יַדְאִיג) פ worry
הִדְבִּיק (יַדְבִּיק) פ stick, glue; infect; overtake
הִדְבִּיר (יַדְבִּיר) פ destroy, exterminate
הַדְבָּקָה נ sticking, gluing
הִדְגִּים (יַדְגִּים) פ demonstrate, give example of
הִדְגִּישׁ (יַדְגִּישׁ) פ stress, emphasize
הַדְגָּמָה נ exemplification, demonstration
הַדְגָּשָׁה נ stress, emphasis
הֲדָדִי ת mutual, reciprocal
הֲדָדִיּוּת נ mutuality, reciprocity
הִדְהֵד (יְהַדְהֵד) פ echo, resound
הִדְהִים (יַדְהִים) פ stun, astound
הֲדוֹם ז footstool, footrest
הָדוּר ת splendid, illustrious
הַדָּחָה נ dismissal, removal (from a post)
הֶדְיוֹט ז ordinary person; layman, commoner
הֵדִיחַ (יָדִיחַ) פ rinse, sluice, wash out
הִדִּיחַ (יַדִּיחַ) פ expel, thrust out
הֲדִיפָה נ repulse; push
הִדְלָה (יַדְלֶה) פ trellis (vines)
הִדְלִיחַ (יַדְלִיחַ) פ befoul, pollute
הִדְלִיף (יַדְלִיף) פ cause to leak, let leak
הִדְלִיק (יַדְלִיק) פ light, set fire to
הַדְלָקָה נ lighting; bonfire
הֲדַס ז myrtle
הֶדֶף ז repulsion
הֶדֶף אֲוִיר ז blast (after explosion)
הָדַף (יֶהֱדוֹף) פ repulse, rebut, push
הִדְפִּיס (יַדְפִּיס) פ print
הַדְפָּסָה נ printing
הֶדֶק ז trigger; paper clip; clothes peg
הֵדַק (יָדֵק) פ grind to powder
הָדָר ז splendor, glory; citrus fruits
הַדְרָגָה נ gradualness, gradation
הַדְרָגָתִי ת gradual, graduated
הִדְרִיךְ (יַדְרִיךְ) פ guide, lead
הִדְרִים (יַדְרִים) פ turn south
הַדְרָכָה נ guidance, instruction
הַדְרָן מ״ק encore!
הָהּ! מ״ק ah! alas!
הֵהִין (יָהִין) פ dare, venture
הֵהֵל (יָהֵל) פ shine, gleam
הוּא מ״ג he, it
הוּאַחַד (יוּאַחַד) פ be made uniform, be standardized; be unified
הוּאַט (יוּאַט) פ be slowed down
הוֹאִיל (יוֹאִיל) פ consent, be willing
הוֹאִיל וּ... תה״פ since, because
הוּאַרַךְ (יוּאַרַךְ) be lengthened, be prolonged
הוּבָא (יוּבָא) פ be brought, be fetched
הוּבהַל (יוּבהַל) פ be rushed in, be brought in a hurry
הוּבטַח (יוּבטַח) פ be promised, be assured
הוֹבִיל (יוֹבִיל) פ lead, guide, conduct; bring (in a vehicle), transport
הוֹבָלָה נ transport, carriage, freight

הוּבַן (יוּבַן) פ be understood
הוֹבְנֶה ז ebony (tree or wood)
הוֹבְנִית נ ebonite
הוּבַס (יוּבַס) פ be trounced
הוּבַּע (יוּבַּע) פ be expressed
הוּבְרַר (יוּבְרַר) פ be clarified
הוֹגִיעַ (יוֹגִיעַ) פ weary, exhaust
הוֹגֶן ז decency
הוֹגֵן ת proper, suitable
הוּגְרַל (יוּגְרַל) פ be raffled
הוֹד ז glory, splendor
הוּדְאַג (יוּדְאַג) פ be worried, be made anxious
הוֹדָאָה ז admission (of guilt), confession
הוּדְגַּשׁ (יוּדְגַּשׁ) פ be emphasized
הוֹדָה (יוֹדֶה) פ admit, confess; thank
הוֹדוֹת ל... thanks to
הוּדַּח (יוּדַּח) פ be expelled
הוֹדָיָה נ thanksgiving, thanking
הוֹדִיעַ (יוֹדִיעַ) פ inform, announce
הוֹדָעָה נ announcement
הָוָה (יֶהֱוֶה) פ be
הוֹוֶה ז the present; present tense
הֲוַיי, הֲוָי ז way of life, cultural pattern
הוֹזֶה ז visionary, dreamer
הוֹזִיל (יוֹזִיל) פ cheapen, make cheaper
הוּזַל (יוּזַל) פ be made cheaper
הוֹזָלָה נ reduction (in price), cheapening
הוּזְנַח, הֻזְנַח (יוּזְנַח) פ be neglected
הוּחֲזַק, הֻחְזַק (יוּחֲזַק) פ be held, be grasped, be considered
הוּחְלַט (יוּחְלַט) פ be decided
הוּחְלַשׁ (יוּחְלַשׁ) פ be weakened
הוּחְמַר (יוּחְמַר) פ be made more severe
הוּחְסַן (יוּחְסַן) פ be stored (goods)
הוּחְרַם, הָחֳרַם (יוּחְרַם) פ be confiscated; be boycotted
הוּחְשַׁד (יוּחְשַׁד) פ be suspected
הוּטַב (יוּטַב) פ be improved
הוּטַס (יוּטַס) פ be flown (a plane, by plane),be sent by plane
הוּטְעָה (יוּטְעֶה) פ be misled
הוּטְעַם (יוּטְעַם) פ be stressed, be accented, be emphasized
הוּטְרַד (יוּטְרַד) פ be bothered
הוֹי מ״ק alas!!
הוּכָּה (יוּכֶּה) פ be hit, be beaten
הוּכַח (יוּכַח) פ be proved, be proven
הוֹכָחָה נ proof
הוֹכִיחַ (יוֹכִיחַ) פ prove; scold
הוּכַן (יוּכַן) פ be prepared, be made ready
הוּכְפַּל (יוּכְפַּל) פ be doubled; be multiplied
הוּכַּר (יוּכַּר) פ be recognized
הוּכְרַח (יוּכְרַח) פ be compelled, be forced
הוּכְשַׁר (יוּכְשַׁר) פ be trained
הוּכְתַּר (יוּכְתַּר) פ be crowned
הוּלֶּדֶת ת birth
הוֹלִיד (יוֹלִיד) פ beget (father), procreate; cause
הוֹלִיךְ (יוֹלִיךְ) פ lead, conduct
הוֹלֵלוּת נ profligacy, dissipation

הוֹלֶם ז stroke, beat
הוֹמֶה ת humming, noisy
הוּמלַח (יוּמלַח) פ be salted
הוּמַת (יוּמַת) פ be put to death
הוֹן ז capital; wealth, riches
הוֹנָאָה נ fraud, deceit
הוֹנָה (יוֹנֶה) פ defraud, cheat
הוּנַח (יוּנַח) פ be set at rest
הוּנַּח, הֻנַּח (יוּנַּח) פ be put down, be laid down; be assumed, be supposed
הוֹן חוֹזֵר working capital
הוּנַס (יוּנַס) פ be put to flight
הוּנַף (יוּנַף) פ be brandished, be waved (flag), be wielded
הוּנצַח (יוּנצַח)פ be perpetuated
הוּסדַר (יוּסדַר) פ be arranged, be settled
הוּסוְוָה (יוּסוְוֶה) פ be camouflaged, be disguised
הוֹסִיף (יוֹסִיף) פ add, increase
הוּסכַם (יוּסכַם) פ be agreed to, be approved
הוּסמַך, הֻסמַך (יוּסמַך) פ be graduated (academic); be authorized
הוֹסָפָה נ addition; supplement
הוּסרַט (יוּסרַט) פ be filmed, be shot (film)
הוֹעֲבַר (יוֹעֲבַר) פ be transferred, be brought across
הוֹעִיד (יוֹעִיד) פ fix an appointment with, invite to a meeting
הוֹעִיל (יוֹעִיל) פ be useful, be profitable

הוּעַם (יוּעַם) פ be dimmed, be dulled
הוּערַך (יוּערַך) פ be estimated, be valued
הוֹפִיעַ (יוֹפִיעַ) פ appear, come into view
הוּפנַט (יְהוּפנַט) פ be hypnotized
הוֹפָעָה נ appearance
הוּפעַל (יוּפעַל) פ be set in motion, be put to work (employ), be brought into action
הוּפעַל, הוּפעַל Hoph'al (causative passive verb stem of הִפעִיל)
הוּפַץ (יוּפַץ) פ be distributed
הוּפצַץ (יוּפצַץ) פ be bombed
הוּפקַד (יוּפקַד) פ be deposited
הוּפקַע (יוּפקַע) פ be requisitioned, be appropriated
הוּפקַר (יוּפקַר) פ be abandoned
הוּפרַד (יוּפרַד) פ be separated
הוּפרָה (יוּפרֶה) פ be impregnated
הוּפרַע (יוּפרַע) פ be disturbed, be hindered, be bothered
הוּפתַּע (יוּפתַּע) פ be surprised
הוּצָא (יוּצָא) פ be taken out, be removed
הוֹצָאָה נ taking out, removing; expenses; publication (of books), publishing firm
הוֹצָאָה לְאוֹר publication
הוֹצָאָה לְפוֹעַל execution
הוֹצָאַת סְפָרִים publishing firm
הוּצַב (יוּצַב) פ be put in position, be stationed
הוּצַג (יוּצַג) פ be presented, be put on (a play)

הוֹצִיא (יוֹצִיא) פ take out, bring out, produce
הוּצנַח (יוּצנַח) פ be dropped by parachute
הוּצנַע (יוּצנַע) פ be concealed, be hidden away
הוּצַע (יוּצַע) פ be suggested, be proposed
הוּצרַך (יוּצרַך) פ be obliged, be required; be in need of
הוּצַת (יוּצַת) פ be set on fire
הוּקדַם (יוּקדַם) פ be done earlier
הוּקדַש (יוּקדַש) פ be dedicated, be devoted
הוֹקִיעַ (יוֹקִיעַ) פ stigmatize, censure
הוֹקִיר (יוֹקִיר) פ esteem, regard highly, respect
הוּקַל (יוּקַל) פ be made lighter, be lightened
הוּקַע (יוּקַע) פ be censured, be stigmatized
הוֹקָעָה נ censure, condemnation
הוּקַף (יוּקַף) פ be surrounded, be encircled
הוּקפָּא (יוּקפָּא) פ be frozen, be congealed
הוּקצַב (יוּקצַב) פ be allocated (money), be allotted
הוּקצָה (יוּקצֶה) פ be set aside; be allocated
הוֹקָרָה נ esteem, respect
הוּקרַן (יוּקרַן) פ be projected
הוֹרָאָה נ teaching, instruction; order; meaning; directive
הוּרַד (יוּרַד) פ be brought down
הוֹרָדָה נ taking down ,lowering
הוֹרֶה ז הוֹרָה נ parent
הוֹרָה (יוֹרֶה) פ teach, instruct; show, point out to
הוֹרִיד (יוֹרִיד) פ bring down, lower
הוֹרִים ז״ר parents
הוֹרִיק (יוֹרִיק) פ turn green
הוֹרִישׁ (יוֹרִישׁ) פ bequeath
הוּרַע (יוּרַע) פ grow worse
הוּשַׁב (יוּשַׁב) פ be put back
הוּשׁבַּץ (יוּשׁבַּץ) פ be fitted in, be worked in
הוּשַּׂג (יוּשַּׂג) פ be caught up with; be obtained; be grasped (idea)
הוֹשִׁיב (יוֹשִׁיב) פ seat, set
הוֹשִׁיט (יוֹשִׁיט) פ extend, hold out (hand)
הוֹשִׁיעַ (יוֹשִׁיעַ) פ save, rescue
הוּשׁלַך (יוּשׁלַך) פ be thrown
הוּשַׂם (יוּשַׂם) פ be placed
הוּשׁמַט (יוּשׁמַט) פ be omitted
הוּשׁמַץ (יוּשׁמַץ) פ be defamed
הוּשׁפַּע (יוּשׁפַּע) פ be influenced
הוּשַׁק (יוּשַׁק) פ be launched (ship)
הוּשׁתַל (יוּשׁתַל) פ be planted; be transplanted
הוֹתִיר (יוֹתִיר) פ leave, leave over
הוּתנָה (יוּתנֶה) פ be conditioned
הוּתנַע, הָתנַע (יוּתנַע) פ be started up (car engine)
הוּתקַן (יוּתקַן) פ be set, be installed, be fitted
הַזָּאָה נ sprinkling
הִזדַהָה (יִזדַהֶה) פ identify oneself, be identified

הִזְדַּוֵּג (יִזְדַּוֵּג) פ — couple, copulate; join, go together
הִזְדַּוְּגוּת נ — coupling, pairing; copulation
הִזְדַּיֵּן (יִזְדַּיֵּן) פ — arm, arm oneself; have sexual intercourse (slang)
הִזְדַּמֵּן (יִזְדַּמֵּן) פ — chance, happen, have the opportunity
הִזְדַּמְּנוּת נ — opportunity; occasion, chance
הִזְדַּנֵּב (יִזְדַּנֵּב) פ — trail along, trail after
הִזְדַּעְזֵעַ (יִזְדַּעְזֵעַ) פ — be shocked, be appalled
הִזְדַּעֵף (יִזְדַּעֵף) פ — grow angry
הִזְדַּקֵּן (יִזְדַּקֵּן) פ — grow old, age
הִזְדַּקֵּף (יִזְדַּקֵּף) פ — straighten up
הִזְדַּקֵּק (יִזְדַּקֵּק) פ — need, be in need of
הִזְדַּקֵּר (יִזְדַּקֵּר) פ — stick out
הִזְדָּרֵז (יִזְדָּרֵז) פ — be alert, be brisk
הָזָה (יֶהֱזֶה) פ — daydream, dream
הִזָּה (יַזֶּה) פ — sprinkle
הִזְהִיב (יַזְהִיב) פ — become golden
הִזְהִיר (יַזְהִיר) פ — warn, admonish
הַזְהָרָה נ — warning, caution
הֲזָזָה נ — moving, removal
הֲזָיָה נ — phantasy, delusion
הֵזִיז (יָזִיז) פ — move, shift
הֵזִיחַ (יָזִיחַ) פ — budge, displace
הִזִּיל (יַזִּיל) פ — cause to flow, distil
הֵזִין (יָזִין) פ — feed, nourish
הִזִּיעַ (יַזִּיעַ) פ — sweat, perspire
הִזִּיק (יַזִּיק) פ — harm, damage
הִזְכִּיר (יַזְכִּיר) פ — remind; mention
הַזְכָּרָה נ — reference, mention; commemoration
הִזְלִיף (יַזְלִיף) פ — sprinkle, spray
הֵזֵם (יָזֵם) פ — confute
הִזְמִין (יַזְמִין) פ — invite, summons; order (goods)
הֲזָנָה נ — nourishing, feeding
הַזְנָחָה נ — neglect, omission
הִזְנִיחַ (יַזְנִיחַ) פ — neglect, leave undone
הֲזָעָה נ — sweating, perspiring
הִזְעִים (יַזְעִים) פ — infuriate, enrage
הִזְעִיק (יַזְעִיק) פ — sound an alarm
הַזְעָקָה נ — cry of alarm, warning-cry
הִזְקִין (יַזְקִין) פ — be old; become old
הִזְקִיק (יַזְקִיק) פ — oblige, compel
הִזְרִים (יַזְרִים) פ — set flowing, cause to flow
הִזְרִיעַ (יַזְרִיעַ) פ — impregnate, inseminate
הִזְרִיק (יַזְרִיק) פ — inject
הַזְרָעָה נ — impregnation, insemination
הֶחְבִּיא (יַחְבִּיא) פ — hide, conceal
הֶחְדִּיר (יַחְדִּיר) פ — instil, cause to penetrate
הַחְדָּרָה נ — insertion, instilment
הֶחֱוִיר (יַחֲוִיר) פ — blanch, turn pale
הֶחֱזִיק (יַחֲזִיק) פ — hold, seize
הֶחֱזִיר (יַחֲזִיר) פ — return, give back
הַחְזָקָה נ — possession, maintenance
הֶחֱטִיא (יַחֲטִיא) פ — miss (a target)
הַחֲיָאָה נ — revival, reviving
הֶחֱיָה (יַחֲיֶה) פ — revive, restore to life
הֵחִיל (יָחִיל) פ — enforce (a law)
הֵחִישׁ (יָחִישׁ) פ — rush, hasten

הֶחְכִּים (יַחְכִּים) פ make wise, teach wisdom; grow wise
הֶחְכִּיר (יַחְכִּיר) פ lease
הֵחֵל (יָחֵל) פ begin, start
הַחְלָטָה נ decision, resolution
הֶחְלֵטִי ת decisive, absolute
הֶחֱלִיד (יַחֲלִיד) פ rust, become rusty; make rusty
הֶחְלִיט (יַחְלִיט) פ decide; determine
הֶחֱלִים (יַחֲלִים) פ cure; recover
הֶחֱלִיף (יַחֲלִיף) פ change, exchange; replace
הֶחֱלִיק (יַחֲלִיק) פ slide, slip; skate (on ice);
הֶחֱלִישׁ (יַחֲלִישׁ) פ weaken, enfeeble
הַחְלָמָה נ recovery
הֶחְמִיא (יַחְמִיא) פ flatter
הֶחְמִיץ (יַחְמִיץ) פ become sour
הֶחְמִיר (יַחְמִיר) פ make more severe, become graver
הַחְמָרָה נ aggravation, deterioration; greater severity
הֶחֱנָה (יַחֲנֶה) פ park (a vehicle)
הֶחֱנִיף (יַחֲנִיף) פ flatter
הֶחֱנִיק (יַחֲנִיק) פ strangle, suffocate
הֶחְסִין (יַחְסִין) פ store (goods)
הֶחְסִיר (יַחְסִיר) פ subtract, deduct
הַחְסָנָה נ storage, storing
הֶחֱרִיא (יַחֲרִיא) פ excrete, defecate
הֶחֱרִיב (יַחֲרִיב) פ destroy, ruin
הֶחֱרִיד (יַחֲרִיד) פ frighten, terrify
הֶחֱרִים (יַחֲרִים) פ confiscate; ban
הֶחֱרִיף (יַחֲרִיף) פ worsen, make worse, aggravate
הֶחֱרִישׁ (יַחֲרִישׁ) פ deafen, silence
הֶחֱשָׁה (יַחֲשֶׁה) פ fall silent, be still
הֶחֱשִׁיב (יַחֲשִׁיב) פ appreciate, esteem
הֶחְשִׁיד (יַחְשִׁיד) פ throw suspicion on
הֶחְשִׁיךְ (יַחְשִׁיךְ) פ darken: make dark
הֶחְתִּים (יַחְתִּים) פ cause to sign
הֲטָבָה נ improvement; bonus
הִטְבִּיל (יַטְבִּיל) פ dip, immerse; baptize
הִטְבִּיעַ (יַטְבִּיעַ) פ sink, drown
הִטָּה (יַטֶּה) פ deflect, divert
הֲטָחָה נ knocking, striking
הַטָּיָה נ diversion, deflecting; bending
הִטִּיל (יַטִּיל) פ impose, set; lay (egg)
הֵטִיל (יָטִיל) פ cast, throw, project
הֵטִיס (יָטִיס) פ send by plane
הִטִּיף (יַטִּיף) פ preach, hold forth
הַטָּלָה נ imposition (of duty, obligation)
הֲטָלָה נ casting, throwing
הִטְלִיא (יַטְלִיא) פ patch
הֲטָלַת כִּידוֹן throwing the javelin
הִטְמִין (יַטְמִין) פ hide, conceal
הִטְמִיעַ (יַטְמִיעַ) פ absorb, take in
הִטְעָה (יַטְעֶה) פ mislead
הִטְעִים (יַטְעִים) פ stress, emphasize
הִטְעִין (יַטְעִין) פ load
הַטָּפָה נ preaching, sermonizing
הַטְרָדָה נ bothering
הִטְרִיד (יַטְרִיד) פ bother, trouble
הִטְרִיחַ (יַטְרִיחַ) פ harass, bother
הִיא מ״ג she
הֵיאָחֲזוּת נ settling, taking root

isolation הִיבָּדְלוּת נ
aspect הֶיבֵּט ז
creation הִיבָּרְאוּת נ
pronunciation הִיגּוּי ז
logic, reason הִיגָּיוֹן ז
weaning הִיגָּמְלוּת נ
migrate, immigrate הִיגֵּר (יְהַגֵּר) פ
being dragged הִיגָּרְרוּת נ
infection הִידַּבְּקוּת נ
rapprochement הִידָּבְרוּת נ
hurrah! bravo! הֵידָד מ״ק
fastening, tightening הִידּוּק ז
splendor, adornment הִידּוּר ז
waste away, dwindle הִידַּלְדֵּל, נִידַּלְדֵּל פ (יִידַּלְדֵּל) פ
resemblance, likeness הִידַּמּוּת נ
tighten, fasten הִידֵּק (יְהַדֵּק) פ
adorn, bedeck הִידֵּר (יְהַדֵּר) פ
roll down; decline, deteriorate הִידַּרְדֵּר, נִידַּרְדֵּר פ (יִידַּרְדֵּר) פ
be, exist הָיָה (יִהְיֶה) פ
making known הִיוָּדְעוּת נ
constitute, comprise הִיוָה (יְהַוֶּה) פ
birth, being born הִיוָּלְדוּת נ
forming, formation הִיוָּצְרוּת נ
primeval; formless הִיוּלִי ת
today הַיּוֹם ז, תה״פ
since, seeing that הֱיוֹת תה״פ
damage, harm הֶיזֵּק ז
need, necessity הִיזָּקְקוּת נ
well, very well הֵיטֵב תה״פ
become pure, purify oneself הִיטַּהֵר (יִיטַּהֵר) פ
better, improve; benefit, do good הֵיטִיב (יֵיטִיב) פ

levy, impost הֶיטֵּל ז
be moved about הִיטַּלְטֵל, נִיטַּלְטֵל (יִיטַּלְטֵל) פ
become unclean הִיטַּמֵּא (יִיטַּמֵּא) פ
become dull (mentally) הִיטַּמְטֵם, נִיטַּמְטֵם פ (יִיטַּמְטֵם) פ
absorption, assimilation הִיטָּמְעוּת נ
contamination, defilement, becoming filthy הִיטַּנְּפוּת נ
blur, become blurred הִיטַּשְׁטֵשׁ, נִיטַּשְׁטֵשׁ (יִיטַּשְׁטֵשׁ) פ
that is הַיְינוּ תה״פ
it's all the same הַיְינוּ הַךְ
how? הֵיךְ מ״ש
scorching, burning הִיכָּווּת נ
(state of) alert הִיכּוֹן ז
palace, temple הֵיכָל ז
where? הֵיכָן תה״פ
resignation, surrender הִיכָּנְעוּת נ
recognition הֶיכֵּר ז
acquaintanceship הֶיכֵּרוּת נ
failure, failing הִיכָּשְׁלוּת נ
halo הִילָּה נ
gear (of a car); gait, carriage הִילּוּךְ ז
neutral gear הִילּוּךְ סְרָק
merry-making הִילּוּלָה נ
joyous celebration, revelry הִילּוּלָה וְחִינּגָּה
walk about הִילֵּךְ (יְהַלֵּךְ) פ
praise הִילֵּל (יְהַלֵּל) פ
betting הִימּוּר ז
go to the right הֵימִין (יֵימִין) פ
from him, of him הֵימֶנּוּ מ״ג
here, now הִינֵּה, הִנֵּה תה״פ

הִינָּה (יְהַנֶּה) פ — give pleasure to, please
הִינּוּמָה נ — bridal veil
הֵינִיקָה, הֵנִיקָה (תֵּינִיק) פ — suckle, breast-feed
הִינָּתְקוּת, הִנָּתְקוּת נ — being cut off; isolation, separation
הִיסּוּס ז — hesitation
הֶיסֵּחַ ז — diversion, distraction
הֶיסַּח הַדַּעַת — absent-mindedness
הִיסֵּס (יְהַסֵּס) פ — hesitate, waver
הֵיעָדֵר ז, הֵיעָדְרוּת נ — absence
הֵיעָנוּת נ — assent, consent, response
הִיעָרְכוּת נ — deployment (military), arrangement
הִיפּוּךְ ז — reverse, contrary
הֶיצֵּעַ ז — supply (economics)
הֶיצֵּף ז — flooding
הֶיקֵּף ז — perimeter, circumference; scope, extent
הֶיקֵּשׁ נ — comparison, analogy
הֵירָגְעוּת נ — calming down
הֵירָיוֹן, הֵרָיוֹן ז — pregnancy
הִישָּׁאֲרוּת נ — remaining, staying behind
הֶישֵּׂג ז — achievement, attainment
הֵישִׁיר (יֵישִׁיר) פ — proceed directly
הִישָּׁמְדוּת נ — destruction, being destroyed
הִישָּׁנוּת נ — return (a second time), repetition
הִישָּׁעֲנוּת ת — reliance, dependence; leaning (on), reclining
הִיתּוּךְ ז — smelting
הִיתּוּל ז — mockery, irony
הֶיתֵּז ז — ricochet, shrapnel; splash
הֲיִתָּכֵן? הֲיִיתָּכֵן? — is it possible? could it be?
הִיתַּמֵּם (יִיתַּמֵּם) פ — pretend innocence
הֶיתֵּר ז — permission, permit
הַכָּאָה נ — striking, hitting
הִכְאִיב (יַכְאִיב) פ — hurt, cause pain
הַכְבָּדָה נ — burden, inconvenience
הִכְבִּיד (יַכְבִּיד) פ — make heavier
הִכָּה (יַכֶּה) פ — hit, strike
הִכְהָה (יַכְהֶה) פ — make darker
הִכְוִין (יַכְוִין) פ — set, regulate (controls); guide
הֶכְוֵון ז — guidance
הַכְוָונָה נ — guidance, direction
הִכְזִיב (יַכְזִיב) פ — disappoint
הִכְחִיד (יַכְחִיד) פ — wipe out
הִכְחִיל (יַכְחִיל) פ — be blue; turn blue
הִכְחִישׁ (יַכְחִישׁ) פ — deny; contradict
הַכְחָשָׁה נ — denial
הֲכִי מ״ה — really? the most (coll)
הֵכִיל (יָכִיל) פ — contain, include
הֵכִין (יָכִין) פ — prepare
הִכִּיר (יַכִּיר) פ — know, recognize
הִכִּישׁ (יַכִּישׁ) פ — bite (snake)
הַכְלָאָה נ — cross-breeding (animals); crossing (plants)
הִכְלִיב (יַכְלִיב) פ — tack (temporary stitches)
הִכְלִיל (יַכְלִיל) פ — generalize, include
הִכְלִים (יַכְלִים) פ — humiliate, insult
הַכְלָלָה נ — generalization; inclusion
הַכְלָמָה נ — humiliation
הִכְמִישׁ (יַכְמִישׁ) פ — wither, wrinkle
הָכֵן תה״פ — at the ready, on the alert

preparation הֲכָנָה נ

bring in, insert הִכְנִיס (יַכְנִיס) פ

subdue הִכְנִיעַ (יַכְנִיעַ) פ

income, revenue הַכְנָסָה נ

turn silver הִכְסִיף (יַכְסִיף) פ

anger, enrage הִכְעִיס (יַכְעִיס) פ

double; multiply הִכְפִּיל (יַכְפִּיל) פ

doubling, duplication הַכְפָּלָה נ

consciousness, acquaintance הַכָּרָה נ

proclamation, declaration הַכְרָזָה נ

necessity הֶכְרֵחַ ז

essential, indispensable הֶכְרֵחִי ת

proclaim, declare הִכְרִיז (יַכְרִיז) פ

compel, force הִכְרִיחַ (יַכְרִיחַ) פ

subdue, decide הִכְרִיעַ (יַכְרִיעַ) פ

destroy, cut down הִכְרִית (יַכְרִית) פ

decision הַכְרָעָה נ

conscious הַכָּרָתִי ת

bite (of a snake) הַכָּשָׁה נ

fail; mislead הִכְשִׁיל (יַכְשִׁיל) פ

train הִכְשִׁיר (יַכְשִׁיר) פ

authorization, permit (issued by a rabbi) הֶכְשֵׁר ז

training, preparation הַכְשָׁרָה נ

dictation הַכְתָּבָה נ

dictate הִכְתִּיב (יַכְתִּיב) פ

stain, soil הִכְתִּים (יַכְתִּים) פ

shoulder הִכְתִּיף (יַכְתִּיף) פ

crown הִכְתִּיר (יַכְתִּיר) פ

crowning, coronation הַכְתָּרָה נ

surely! הֲלֹא תה״פ

further, beyond, away הָלְאָה תה״פ

weary, exhaust הֶלְאָה (יַלְאֶה) פ

nationalize הִלְאִים (יַלְאִים) פ

nationalization הַלְאָמָה נ

turn white, make white הִלְבִּין (יַלְבִּין) פ

dress, clothe הִלְבִּישׁ (יַלְבִּישׁ) פ

that one הַלָּה מ״ג

inflame, enthuse הִלְהִיב (יַלְהִיב) פ

loan (of money) הַלְוָואָה נ

if only...! would that...! הַלְוַאי מ״ק

lend, loan הִלְוָה (יַלְוֶה) פ

funeral procession הַלְוָיָה נ

there and back, 'return' (fare) הָלוֹךְ וָשׁוֹב

hither, (to) here הֲלוֹם תה״פ

that one הַלָּז, הַלָּזֶה מ״ג

that one (fem.) הַלֵּזוּ מ״ג

solder הִלְחִים (יַלְחִים) פ

set to music, compose הִלְחִין (יַלְחִין) פ

soldering הַלְחָמָה נ

slander, speak ill of הֵלִיז (יָלִיז) פ

wrap, enclose הֵלִיט (יָלִיט) פ

custom, practice הָלִיךְ ז

walking, going הֲלִיכָה נ

legal proceedings הֲלִיכִים מִשְׁפָּטִיִּים

suitability הֲלִימוּת נ

put up for the night הֵלִין (יָלִין) פ

walker הַלָּךְ ז

go (on foot), walk הָלַךְ (יֵלֵךְ) פ

traveller הֵלֶךְ ז

law, religious practice; theory הֲלָכָה נ

by practical implementation of principle הֲלָכָה לְמַעֲשֶׂה

authoritative law הֲלָכָה פְּסוּקָה

walker הַלְכָן ז

הֲלַךְ־נֶפֶשׁ, הֲלוֹךְ־נֶפֶשׁ ז	mood; fancy
הֲלַךְ־רוּחַ	mood
הַלֵּל ז	praise, thanksgiving
הַלָּלוּ מ״ג	these
הַלְלוּיָה נ	hallelujah (lit. praise the Lord)
הָלַם (יַהֲלוֹם) פ	fit, become; strike, bang
הֶלֶם ז	shock
הַלָּן, לְהַלָּן תה״פ	below (in a text), further on
הֲלָנָה נ	leaving till morning; providing night's lodging
הַלְעָזָה נ	slander, defamation
הַלְעָטָה	feeding, stuffing
הִלְעִיג (יַלְעִיג) פ	mock, guy
הִלְעִיט (יַלְעִיט) פ	feed, stuff
הֲלָצָה נ	joke
הַלְקָאָה נ	flaggelation, whipping
הִלְקָה (יַלְקֶה) פ	flog, whip
הֶלְקֵט ז	capsule (botanic)
הִלְשִׁין (יַלְשִׁין) פ	"tell tales", inform
הֵם מה״ג	they (masc.)
הִמְאִיס (יַמְאִיס) פ	make loathsome
הִמְדִּיר (יַמְדִּיר) פ	bevel (wood), make a slope
הֵמָּה מ״ג	they (masc.)
הָמָה (יֶהֱמֶה) פ	growl, coo, rumble
הִמְהֵם (יְהַמְהֵם) פ	hum, buzz; murmur
הֲמוּלָּה נ	tumult, din, uproar
הָמוּם ת	shocked, stunned
הָמוֹן ז	crowd, mob
הֲמוֹנִי ת	common; vulgar
הֲמוֹנִית נ	slang, colloquial speech
הַמְחָאָה נ	check, cheque
הַמְחָאַת דּוֹאַר	postal order
הַמְחָזָה נ	dramatization
הִמְחִישׁ (יַמְחִישׁ) פ	illustrate, concretize
הַמְחָשָׁה נ	illustration, concretization
הִמְטִיר (יַמְטִיר) פ	rain, shower
הֶמְיָה נ	sound, noise
הֵמִיט (יָמִיט) פ	fell, bring down
הֵמִיר (יָמִיר) פ	exchange, convert
הֵמִית (יָמִית) פ	execute, kill
הַמְלָחָה נ	salting, salination
הַמְלָטָה נ	giving birth (animals)
הִמְלִיחַ (יַמְלִיחַ) פ	salt, pickle
הִמְלִיטָה (תַּמְלִיט) פ	give birth (animals)
הִמְלִיךְ (יַמְלִיךְ) פ	make king, crown king
הִמְלִיץ (יַמְלִיץ) פ	recommend, speak
הַמְלָצָה נ	recommendation
הֵמַם (יָהוֹם) פ	daze; stupefy
הִמְנוֹן ז	hymn, anthem
הֵמֵס (יָמֵס) פ	melt, dissolve
הִמְסָה (יַמְסֶה) פ	melt, thaw
הֲמַסָּה נ	melting, dissolving
הַמְעָטָה נ	reduction, decrease
הִמְעִיד (יַמְעִיד) פ	cause to stumble
הִמְעִיט (יַמְעִיט) פ	reduce, decrease
הַמְצָאָה נ	invention, device
הִמְצִיא (יַמְצִיא) פ	supply, invent, devise
הֵמַר (יָמֵר) פ	embitter
הַמְרָאָה נ	take-off (airplane)
הִמְרָה (יַמְרֶה) פ	rebel, defy

הֲמָרָה נ	exchange, barter
הִמְרִיא (יַמְרִיא) פ	take off (plane)
הִמְרִיד (יַמְרִיד) פ	incite to rebel
הִמְרִיץ (יַמְרִיץ) פ	urge on, stimulate
הִמְשִׁיךְ (יַמְשִׁיךְ) פ	continue, go on
הִמְשִׁיל (יַמְשִׁיל) פ	compare
הֶמְשֵׁךְ ז	continuation
הֶמְשֵׁכִיּוּת נ	continuity
הֲמָתָה נ	execution, killing
הִמְתִּין (יַמְתִּין) פ	wait
הִמְתִּיק (יַמְתִּיק) פ	sweeten, desalinate
הַמְתָּנָה נ	waiting
הַמְתָּקָה נ	sweetening; desalination
הֵן מ״ג	they (fem.)
הֵן מ״ק	yes
הֲנָאָה נ	pleasure, enjoyment
הַנְבָּטָה נ	germination
הִנְבִּיט (יַנְבִּיט) פ	cause to germinate
הַנְגָּנָה נ	intonation
הַנְדָּסָה נ	geometry; engineering
הַנְדָּסִי ת	geometric(al); engineering
הֵנָּה תה״פ	(to) here, hither
הַנְהָגָה נ	management, direction
הִנְהִיג (יַנְהִיג) פ	establish, lay down
הַנְהָלָה נ	management, executive
הַנְהָלַת חֶשְׁבּוֹנוֹת	bookkeeping
הַנַּח! פ	leave off! leave it!
הֲנָחָה נ	reduction, discount
הַנָּחָה נ	laying; assumption, premise
הִנְחָה (יַנְחֶה) פ	guide, direct
הַנְחָיָה נ	instruction; direction
הִנְחִיל (יַנְחִיל) פ	bequeath; impart
הִנְחִית (יַנְחִית) פ	deal (a blow); bring down, land
הַנְחָלָה נ	endowing (with); imparting
הַנְחָלַת הַלָּשׁוֹן	instruction in Hebrew (to adults)
הַנְחָתָה נ	landing; bringing down
הֵנִיא (יָנִיא) פ	prevent, dissuade
הֵנִיב (יָנִיב) פ	yield (crops), produce
הֵנִיד (יָנִיד) פ	nod, blink, move
הֵנִיחַ (יָנִיחַ) פ	put at ease, calm
הִנִּיחַ (יַנִּיחַ) פ	put down, lay down; leave (in a will); assume, suppose; allow, permit
הֵנִיס (יָנִיס) פ	put to flight, rout
הֵנִיעַ (יָנִיעַ) פ	toss; set in motion; impel (to act), urge
הֵנִיף (יָנִיף) פ	swing (arm), brandish
הֵינִיקָה (תָּנִיק) פ	suckle, breast-feed
הַנַּ״ל, הַנִּזְכָּר לְעֵיל	abovementioned
הִנְמִיךְ (יַנְמִיךְ) פ	lower, depress
הַנְמָקָה נ	justification
הִנְנוּ מ״ג	(here) we are
הִנְנִי מ״ג	(here) I am
הֲנָעָה נ	setting in motion
הִנְעִיל (יַנְעִיל) פ	put shoes on
הִנְעִים (יַנְעִים) פ	make pleasant, entertain
הֲנָפָה נ	swinging, waving
הַנְפָּקָה נ	issue (shares)
הֵנֵץ (יָנֵץ) פ	sprout; shine
הֵן צֶדֶק	word of honor
הַנְצָחָה נ	perpetuation
הִנְצִיחַ (יַנְצִיחַ) פ	perpetuate
הֲנָקָה נ	suckling, breast-feeding

הַס מ״ק hush! silence!
הֵסֵב (יָסֵב) פ lead round; endorse (check); recline
הֲסָבָה נ endorsement (check); reclining
הִסְבִּיר (יַסְבִּיר) פ explain
הֶסְבֵּר ז explanation
הַסְבָּרָה נ explanation (act of); information
הַסָּגָה נ moving back
הִסְגִּיר (יַסְגִּיר) פ hand over, deliver up, extradite
הֶסְגֵּר ז quarantine
הַסְגָּרָה נ extradition, handing over
הַסָּגַת גְּבוּל encroachment, trespass
הִסְדִּיר (יַסְדִּיר) פ settle, arrange
הֶסְדֵּר ז arrangement, order
הַסְוָואָה נ camouflage; disguise
הִסְוָה (יַסְוֶה) פ camouflage; disguise
הַסָּחָה נ diversion
הִסִּיחַ (יַסִּיחַ) פ divert
הֵסִיחַ (יָסִיחַ) פ talk, speak
הֵסִיט (יָסִיט) פ budge, shift
הֵסִיךְ (יָסִיךְ) פ wipe (with oil), oil
הִסִּיעַ (יַסִּיעַ) פ transport, give a ride
הִסִּיק (יַסִּיק) פ heat; conclude
הֵסִיר (יָסִיר) פ take off, remove
הִסִּית (יַסִּית) פ incite, instigate
הִסְכִּים (יַסְכִּים) פ agree, consent
הִסְכִּית (יַסְכִּית) פ listen
הֶסְכֵּם ז agreement
הַסְכָּמָה נ agreement; approval
הַסְלָמָה נ escalation
הִסְמִיךְ (יַסְמִיךְ) פ attach, link; authorize
הִסְמִיק (יַסְמִיק) פ turn red, blush
הַסְּסָן ז waverer
הַסְּסָנוּת נ vacillation, wavering
הַסָּעָה נ transport, carrying; "lift"
הִסְעִיר (יַסְעִיר) פ enrage; agitate
הֶסְפֵּד ז obituary
הִסְפִּיד (יַסְפִּיד) פ eulogize (the dead)
הִסְפִּיק (יַסְפִּיק) פ be sufficient, suffice
הֶסְפֵּק ז capacity, output
הַסְפָּקָה נ provision, supply
הַסָּקָה נ heating; conclusion
הַסְרָטָה נ filming
הִסְרִיחַ (יַסְרִיחַ) פ stink
הִסְרִיט (יַסְרִיט) פ film, shoot (a film)
הִסְתָּאֵב (יִסְתָּאֵב) פ become corrupt
הִסְתַּבֵּךְ (יִסְתַּבֵּךְ) פ become entangled
הִסְתַּבֵּר (יִסְתַּבֵּר) פ become evident, become clear
הִסְתַּבְּרוּת נ probability
הִסְתַּגֵּל (יִסְתַּגֵּל) פ adapt (oneself), adjust
הִסְתַּגֵּף (יִסְתַּגֵּף) פ mortify (the flesh)
הִסְתַּגֵּר (יִסְתַּגֵּר) פ shut oneself up
הִסְתַּדֵּר be organized; settle in
הִסְתַּדְּרוּת נ organization
הַסָּתָה נ incitement
הִסְתּוֹבֵב (יִסְתּוֹבֵב) פ revolve, rotate
הִסְתּוֹדֵד (יִסְתּוֹדֵד) פ confer in secret
הִסְתּוֹפֵף (יִסְתּוֹפֵף) פ frequent, visit frequently
הִסְתַּחֵף (יִסְתַּחֵף) פ erode
הִסְתַּחְרֵר פ go round and round; be giddy

הִסְתַּיֵּג (יִסְתַּיֵּג) פ	have reservations
הִסְתַּיְּדוּת נ	calcification
הִסְתַּיֵּם פ	finish, end
הִסְתַּיֵּעַ (יִסְתַּיֵּעַ) פ	be aided, be helped
הִסְתִּיר (יַסְתִּיר) פ	hide, conceal
הִסְתַּכֵּל פ	look at
הִסְתַּכְּלוּת נ	looking, observation
הִסְתַּכֵּם (יִסְתַּכֵּם) פ	amount to, add up to
הִסְתַּכֵּן פ	endanger oneself
הִסְתַּכְסֵךְ פ	dispute, wrangle
הִסְתַּלְסֵל (יִסְתַּלְסֵל) פ	curl, become curly
הִסְתַּלֵּק פ	go away, depart
הִסְתַּמֵּא פ	become blind
הִסְתַּמֵּךְ (יִסְתַּמֵּךְ) פ	rely on
הִסְתַּמֵּן (יִסְתַּמֵּן) פ	be indicated, be marked
הִסְתַּנְוֵר (יִסְתַּנְוֵר) פ	be dazzled
הִסְתַּנֵּן (יִסְתַּנֵּן) פ	be filtered; infiltrate
הִסְתָּעֵף (יִסְתָּעֵף) פ	fork (roads), branch out
הִסְתָּעֵר (יִסְתָּעֵר) פ	assault, charge, assail
הִסְתַּפֵּחַ (יִסְתַּפֵּחַ) פ	join
הִסְתַּפֵּק (יִסְתַּפֵּק) פ	be satisfied with
הִסְתַּפֵּר (יִסְתַּפֵּר) פ	have one's hair cut
הֶסְתֵּר ז	concealment
הִסְתַּרְבֵּל (יִסְתַּרְבֵּל) פ	become clumsy
הִסְתָּרֵג (יִסְתָּרֵג) פ	be intertwined
הַסְתָּרָה נ	concealment
הִסְתָּרֵחַ (יִסְתָּרֵחַ) פ	sprawl
הִסְתָּרֵק (יִסְתָּרֵק) פ	comb one's hair
הִסְתַּתֵּם (יִסְתַּתֵּם) פ	be sealed up, be stopped up
הִסְתַּתֵּר (יִסְתַּתֵּר) פ	hide, conceal oneself
הֶעֱבִיד (יַעֲבִיד) פ	employ, put to work
הֶעֱבִיר (יַעֲבִיר) פ	bring across; transfer
הַעֲבָרָה נ	transfer
הֶעֱגִין (יַעֲגִין) פ	anchor (a ship)
הֶעְדִּיף (יַעְדִּיף) פ	prefer, give priority to
הַעְדָּפָה נ	preferring, giving preference
הֶעְדֵּר ז	absence, lack
הַעֲוָיָה נ	grimace, facial contortion
הֵעֵז (יָעֵז) פ	dare, be bold
הֶעָזָה נ	boldness
הֶעֱטָה (יַעֲטֶה) פ	wrap, cover
הֶעֱטִיר (יַעֲטִיר) פ	crown
הֵעִיב (יָעִיב) פ	cloud over
הֵעִיד (יָעִיד) פ	testify, give evidence
הֵעִיז (יָעִיז) פ	dare, be bold
הֵעִיף (יָעִיף) פ	fly, set flying
הֵעִיק (יָעִיק) פ	weigh heavily
הֵעִיר (יָעִיר) פ	wake; rouse
הַעֲלָאָה נ	increase; lifting
הַעֲלָבָה נ	insulting, offending
הֶעֱלָה (יַעֲלֶה) פ	raise, lift
הֶעֱלִיב (יַעֲלִיב) פ	insult, offend
הֶעֱלִיל (יַעֲלִיל) פ	accuse falsely
הֶעְלִים (יַעְלִים) פ	hide, conceal
הַעְלָמָה נ	concealing, hiding
הֵעֵם (יָעֵם) פ	dim, dull

הַעֲמָדָה נ setting up, placing
הֶעֱמִיד (יַעֲמִיד) פ set up; stop
הֶעֱמִיד פָּנִים pretend
הֶעְמִיס (יַעְמִיס) פ load
הֶעֱמִיק (יַעֲמִיק) פ deepen
הֶעֱנִיק (יַעֲנִיק) פ grant, award
הֶעֱנִישׁ (יַעֲנִישׁ) פ punish, penalize
הַעֲנָקָה נ granting, awarding
הֶעֱסִיק (יַעֲסִיק) פ employ
הֲעָפָה נ flying
הֶעְפִּיל (יַעְפִּיל) פ climb, struggle upwards
הֲעָקָה נ weighing heavily
הֶעֱרָה (יַעֲרֶה) פ lay bare, uncover
הֶעָרָה נ note, remark
הֶעֱרִיךְ (יַעֲרִיךְ) פ estimate, value
הֶעֱרִים (יַעֲרִים) פ act with cunning
הֶעֱרִיץ (יַעֲרִיץ) פ admire, venerate
הַעֲרָכָה נ valuing; appreciation
הַעֲרָצָה נ admiration, veneration
הֶעְשִׁיר (יַעְשִׁיר) פ make wealthy; become rich
הֶעְתִּיק (יַעְתִּיק) פ transfer; copy
הֶעְתִּיר (יַעְתִּיר) פ entreat
הֶעְתֵּק ז copy
הַפְגָּזָה נ shelling, bombardment
הִפְגִּיז (יַפְגִּיז) פ shell, bombard
הִפְגִּין (יַפְגִּין) פ demonstrate
הִפְגִּיעַ (יַפְגִּיעַ) פ afflict with
הִפְגִּישׁ (יַפְגִּישׁ) פ bring together
הַפְגָּנָה נ demonstration
הֲפוּגָה נ respite; cease-fire
הִפְחִיד (יַפְחִיד) פ frighten, scare
הִפְחִית (יַפְחִית) פ reduce, diminish
הַפְחָתָה נ lessening

הִפְטִיר (יַפְטִיר) פ dismiss; release
הֵפִיג (יָפִיג) פ relieve; relax
הֵפִיחַ (יָפִיחַ) פ blow; exhale (breath), breathe out
הִפִּיחַ (יַפִּיחַ) פ blow on, blow away
הָפִיךְ ז invertible; convertible
הֲפִיכָה נ inversion; overthrow, overwhelming
הִפִּיל (יַפִּיל) פ bring down, cast down
הִפִּילָה (תַּפִּיל) פ have a miscarriage
הֵפִיס (יָפִיס) פ appease, pacify
הֵפִיץ (יָפִיץ) פ spread; scatter
הֵפִיק (יָפִיק) פ obtain; produce
הִפִּיק (יַפִּיק) פ draw out, bring forth
הֵפִיר (יָפִיר) פ nullify, annul
הָפַךְ (יַהֲפוֹךְ) פ invert, reverse
הֶפֶךְ ז contrary, opposite
הֲפֵכָה, הֲפֵיכָה נ overthrow (of a kingdom etc.)
הֲפַכְפַּךְ ת fickle, changeable
הַפְלֵא!, הַפְלֵא וָפֶלֶא! how wonderful!
הַפְלָגָה נ departure (of a ship), sailing; exaggeration
הִפְלָה (יַפְלֶה) פ discriminate
הַפָּלָה נ dropping; miscarriage
הַפְלָטָה נ ejection
הִפְלִיא (יַפְלִיא) פ amaze, astonish
הִפְלִיג (יַפְלִיג) פ overdo; depart, embark
הַפְלָיָה נ discrimination
הִפְלִיט (יַפְלִיט) פ eject; let slip

הִפְנָה (יַפְנֶה) פ turn; refer; divert
הִפְנֵט (יְהַפְנֵט) פ hypnotize
הַפְנָיָה נ turning; referring
הִפְנִים (יַפְנִים) פ internalize; indent
הַפְנָמָה נ internalization
הֶפְסֵד ז loss, damage
הִפְסִיד (יַפְסִיד) פ lose
הִפְסִיק (יַפְסִיק) פ stop; interrupt
הֶפְסֵק ז interruption, stopping
הַפְסָקָה נ stopping; break, interval
הִפְעִיל (יַפְעִיל) פ set in motion, put to work
הִפְעִים (יַפְעִים) פ excite, rouse
הַפְעָלָה נ putting to work, setting in motion
הֲפָצָה נ distribution, dissemination
הִפְצִיץ (יַפְצִיץ) פ bomb
הִפְצִיר (יַפְצִיר) פ insist, press; entreat
הֶפְצֵר ז, הַפְצָרָה נ insistent request, entreaty
הַפְקָדָה נ depositing, bailing; appointment (to a post)
הֲפָקָה נ production; bringing out
הִפְקִיד (יַפְקִיד) פ deposit
הִפְקִיעַ (יַפְקִיעַ) פ requisition (property)
הִפְקִיר (יַפְקִיר) פ abandon, renounce (ownership)
הַפְקָעָה נ requisitioning (of property)
הֶפְקֵר ז ownerless property; irresponsibility
הַפְקָרָה נ abandonment
הֶפְקֵרוּת נ lawlessness, irresponsibility
הֵפֵר (יָפֵר) פ violate, infringe
הֶפְרֵד ז, הַפְרָדָה נ separation
הִפְרָה (יַפְרֶה) פ fertilize (sexual), impregnate
הֲפָרָה נ violation, infringement
הַפְרָזָה נ exaggeration, overstatement
הַפְרָטָה נ detailing
הִפְרִיד (יַפְרִיד) פ separate, part; decompose
הַפְרָיָה נ fertilization (of cells), impregnation
הִפְרִיז (יַפְרִיז) פ exaggerate, overdo, be excessive
הִפְרִיחַ (יַפְרִיחַ) פ flower, blossom; set flying
הִפְרִיךְ (יַפְרִיךְ) פ refute (claims)
הִפְרִיס (יַפְרִיס) פ be cloven-hoofed, have hoofs
הִפְרִיעַ (יַפְרִיעַ) פ disturb
הִפְרִישׁ (יַפְרִישׁ) פ set aside
הַפְרָכָה נ refutation
הַפְרָעָה נ disturbance
הֶפְרֵשׁ ז difference, remainder
הַפְרָשָׁה נ setting aside; excretion
הַפְשָׁטָה נ abstraction
הִפְשִׁיט (יַפְשִׁיט) פ undress (another person)
הִפְשִׁיל (יַפְשִׁיל) פ roll up (sleeves, trousers)
הִפְשִׁיר (יַפְשִׁיר) פ melt (ice), defrost
הַפְשָׁרָה נ melting, thaw
הִפְתִּיעַ (יַפְתִּיעַ) פ surprise
הַפְתָּעָה נ surprise

הַצָּבָה נ setting up, placing (in position)
הִצְבִּיעַ (יַצְבִּיעַ) פ vote
הַצְבָּעָה נ voting; indicating
הַצָּגָה נ play (theatrical), show; introducing
הִצְדִּיד (יַצְדִּיד) פ avert, turn aside
הִצְדִּיעַ (יַצְדִּיעַ) פ salute (military)
הִצְדִּיק (יַצְדִּיק) פ vindicate, justify
הַצְדָּעָה נ salute (military)
הַצְדָּקָה נ justification, vindication
הִצְהִיב (יַצְהִיב) פ yellow, turn yellow
הִצְהִיל (יַצְהִיל) פ gladden, make happy
הִצְהִיר (יַצְהִיר) פ declare
הַצְהָרָה נ declaration
הִצְחִין (יַצְחִין) פ cause to smell, make stink
הִצְחִיק (יַצְחִיק) פ make laugh
הִצְטַבֵּעַ (יִצְטַבֵּעַ) פ paint oneself, make up
הִצְטַבֵּר (יִצְטַבֵּר) פ accumulate
הִצְטַבְּרוּת נ accumulation
הִצְטַדֵּד (יִצְטַדֵּד) פ move aside
הִצְטַדְּקוּת נ apology
הִצְטַדֵּק (יִצְטַדֵּק) פ justify oneself
הִצְטוֹפֵף (יִצְטוֹפֵף) פ crowd together
הִצְטַחֵק (יִצְטַחֵק) פ chuckle, titter
הִצְטַיֵּד (יִצְטַיֵּד) פ equip oneself
הִצְטַיֵּן (יִצְטַיֵּן) פ excel, be excellent
הִצְטַיֵּר (יִצְטַיֵּר) פ be drawn, be portrayed
הִצְטַלֵּב (יִצְטַלֵּב) פ cross; cross oneself
הִצְטַלֵּם (יִצְטַלֵּם) פ be photographed
הִצְטַלֵּק (יִצְטַלֵּק) פ form a scar
הִצְטַמְצֵם (יִצְטַמְצֵם) פ limit oneself, be reduced
הִצְטַמֵּק (יִצְטַמֵּק) פ shrink
הִצְטַנֵּן (יִצְטַנֵּן) פ cool; catch (a) cold
הִצְטַנְּנוּת נ cold
הִצְטַנֵּעַ (יִצְטַנֵּעַ) פ be modest
הִצְטַנֵּף (יִצְטַנֵּף) פ be wound, be wrapped
הִצְטַעְצֵעַ (יִצְטַעְצֵעַ) פ preen oneself; toy (with)
הִצְטַעֵר (יִצְטַעֵר) פ regret, be sorry
הִצְטָרֵד (יִצְטָרֵד) פ become hoarse
הִצְטָרֵךְ (יִצְטָרֵךְ) פ have to; have need of
הִצְטָרֵף (יִצְטָרֵף) פ be refined; join
הִצְטָרְפוּת נ joining
הִצִּיב (יַצִּיב) פ put in position
הִצִּיג (יַצִּיג) פ present; show, exhibit
הַצִּידָה out of the way!
הִצִּיל (יַצִּיל) פ save, rescue
הִצִּיעַ (יַצִּיעַ) פ suggest, propose
הֵצִיף (יָצִיף) flood, overflow
הֵצִיץ (יָצִיץ) פ peep
הֵצִיק (יָצִיק) פ bully, persecute
הִצִּית (יַצִּית) פ set on fire
הֵצֵל (יָצֵל) פ shade, give shade
הַצְלָבָה נ crossbreeding, hybridization
הַצָּלָה נ rescue
הַצְלָחָה נ success
הִצְלִיב (יַצְלִיב) פ cross (plants, animals)
הִצְלִיחַ (יַצְלִיחַ) פ succeed, prosper

הִצְלִיף (יַצְלִיף) פ lash, whip
הַצְמָדָה נ attachment, tying
הִצְמִיחַ (יַצְמִיחַ) פ cause to grow
הִצְמִית (יַצְמִית) פ destroy, annihilate
הִצְנִיחַ (יַצְנִיחַ) פ drop by parachute
הִצְנִיעַ (יַצְנִיעַ) פ conceal, hide away
הַצָּעָה נ suggestion, proposal
הִצְעִיד (יַצְעִיד) פ lead, cause to march
הִצְעִיר (יַצְעִיר) פ rejuvenate
הֲצָפָה נ flood; overflowing
הִצְפִּין (יַצְפִּין) פ hide; face north
הִצְפִּיף (יַצְפִּיף) פ pack together
הֲצָצָה נ glance, peep
הֲצָקָה נ bullying, nagging
הֵצֵר (יָצֵר) פ narrow, make narrower
הִצְרִיד (יַצְרִיד) פ become hoarse
הִצְרִיךְ (יַצְרִיךְ) פ oblige, compel
הַצָּתָה נ setting on fire
הֲקָאָה נ vomiting
הִקְבִּיל (יַקְבִּיל) פ make parallel; welcome
הַקְבָּלָה נ comparing, contrasting
הַקְבָּעָה נ fixation
הַקָּדוֹשׁ־בָּרוּךְ־הוּא God
הִקְדִּיחַ (יַקְדִּיחַ) פ burn (food)
הִקְדִּים (יַקְדִּים) פ anticipate, precede; do earlier
הִקְדִּישׁ (יַקְדִּישׁ) פ dedicate, devote
הֶקְדֵּם ז earliness
הַקְדָּמָה נ introduction
הֶקְדֵּשׁ ז dedicated objects
הַקְדָּשָׁה נ dedication
הִקְהָה (יַקְהֶה) פ blunt, dull
הִקְהִיל (יַקְהִיל) פ summon (a meeting), assemble
הִקְטִין (יַקְטִין) פ make smaller
הִקְטִיר (יַקְטִיר) פ burn incense
הַקְטָנָה נ reduction, diminution
הֵקִיא (יָקִיא) פ vomit
הִקִּיז (יַקִּיז) פ bleed, let blood
הֵקִים (יָקִים) פ raise, set up
הִקִּיף (יַקִּיף) פ surround, encircle
הֵקִיץ (יָקִיץ) פ awake, be awake
הִקִּישׁ (יַקִּישׁ) פ beat, strike
הֵקִישׁ (יָקִישׁ) פ compare, contrast
הֵקֵל (יָקֵל) פ lighten, make lighter
הֲקַלָּה, הֲקָלָה נ alleviation
הַקְלָטָה נ recording
הִקְלִיט (יַקְלִיט) פ record (on tape or gramophone)
הֲקָמָה נ setting up, establishment
הִקְמִיחַ (יַקְמִיחַ) פ add flour, flour
הִקְנָה (יַקְנֶה) sell, dispose of (by sale); transfer (property); provide with, afford
הַקְנָיָה נ transferring (property)
הִקְנִיט (יַקְנִיט) פ tease, irritate
הִקְסִים (יַקְסִים) פ fascinate
הַקְפָּאָה נ freezing (lit. and fig.)
הַקְפָּדָה נ meticulousness; strictness
הֲקָפָה, הַקָּפָה נ surrounding, encompassing; credit
הִקְפִּיא (יַקְפִּיא) פ freeze (lit. and fig.)
הִקְפִּיד (יַקְפִּיד) פ be strict, be meticulous
הִקְפִּיץ (יַקְפִּיץ) פ cause to jump
הַקְצָאָה נ allocation, setting aside

הַקְצָבָה נ allocation (of funds), allotment

הִקְצָה (יַקְצֶה) פ set aside, allocate

הֲקָצָה נ awakening, waking up

הִקְצִיב (יַקְצִיב) פ allocate (money), allot

הִקְצִיעַ (יַקְצִיעַ) פ plane (wood), smooth

הִקְצִיף (יַקְצִיף) פ whisk (an egg); cause to foam

הַקְרָאָה נ reading aloud, recitation

הַקְרָבָה נ sacrifice

הִקְרִיא (יַקְרִיא) פ read out, recite

הִקְרִיב (יַקְרִיב) פ sacrifice; bring nearer

הִקְרִיחַ (יַקְרִיחַ) פ go bald

הִקְרִין (יַקְרִין) פ radiate, shine

הִקְרִישׁ (יַקְרִישׁ) פ congeal, coagulate

הַקְרָנָה נ radiation; projection (of films)

הַקְשָׁבָה נ attention; listening

הִקְשָׁה (יַקְשֶׁה) פ harden; argue

הִקְשִׁיב (יַקְשִׁיב) פ listen, pay attention

הִקְשִׁיחַ (יַקְשִׁיחַ) פ harden (the heart)

הֶקְשֵׁר ז context

הַר ז mountain

הֶרְאָה (יַרְאֶה) פ show

הִרְבָּה (יַרְבֶּה) פ increase, multiply

הַרְבֵּה תה"פ many, much, plenty

הִרְבִּיעַ (יַרְבִּיעַ) פ cause to mate (animals)

הִרְבִּיץ (יַרְבִּיץ) פ beat, hit (colloquial); cause to lie down (animals)

הָרַג (יַהֲרוֹג) פ kill, slay

הֶרֶג ז slaughter, killing

הֲרֵגָה, הֲרֵיגָה נ slaughter, killing

הִרְגִּיז (יַרְגִּיז) פ annoy

הִרְגִּיל (יַרְגִּיל) פ accustom, habituate

הִרְגִּיעַ (יַרְגִּיעַ) פ calm, pacify

הִרְגִּישׁ (יַרְגִּישׁ) פ feel, sense

הֶרְגֵּל ז habit

הַרְגָּעָה נ calming, tranquilizing

הַר גַּעַשׁ ז volcano

הַרְגָּשָׁה נ feeling, sensation

הַרְדּוּף ז oleander

הִרְדִּים (יַרְדִּים) פ put to sleep; anaesthetize

הַרְדָּמָה נ anaesthesia (general)

הָרָה, הָרְתָה (יַהֲרֶה) פ conceive (a child)

הָרָה ת׳ נ pregnant woman

הִרְהוּר ז thought; meditating

הִרְהִיב (יַרְהִיב) פ excite, fascinate; embolden

הִרְהֵר (יְהַרְהֵר) פ think, meditate

הָרוּג ת׳ ז (a person) slain

הִרְוָה (יַרְוֶה) פ saturate

הַרְוָוחָה נ relief, easement

הִרְוִיחַ (יַרְוִיחַ) פ profit

הִרְזָה (יַרְזֶה) פ become thinner, slim

הַרְחָבָה נ widening, enlargement

הֲרָחָה נ smelling, sniffing

הִרְחִיב (יַרְחִיב) פ widen, broaden

הִרְחִיק (יַרְחִיק) פ remove, put at a distance; go far

הַרְחֵק תה"פ far away, far off

הַרְחָקָה נ removal; keeping away

הַרְטָבָה נ moistening, wetting
הִרְטִיב (יַרְטִיב) פ moisten, dampen
הִרְטִיט (יַרְטִיט) פ make tremble; quiver
הֲרֵי here is..., you see...
הֲרִיגָה נ homicide, killing
הֵרִיחַ (יָרִיחַ) פ smell, scent
הֵרִים (יָרִים) פ lift, raise; pick up
הֲרֵינִי מ״ג I am (see also הֲרֵי)
הֲרִיסָה נ demolition, destruction
הֵרִיעַ (יָרִיעַ) פ shout, cheer
הֵרִיץ (יָרִיץ) פ make run
הֵרִיק (יָרִיק) פ empty
הֵרֵךְ (יָרֵךְ) פ soften, mollify
הֶרְכֵּב ז composition, make-up
הַרְכָּבָה נ grafting; inoculation; putting together
הַרְכָּבַת אֲבַעְבּוּעוֹת vaccination
הִרְכִּיב (יַרְכִּיב) פ make ride, put in the saddle; carry (on shoulder); put together, assemble (parts of a machine); inoculate
הִרְכִּין (יַרְכִּין) פ lower, bow (the head)
הֲרָמָה נ lifting, raising
הִרְמוּן ז hormone treatment; harmonization
הַרְמוֹן ז harem
הַרְמוֹנִי ת harmonious
הַרְמוֹנְיָה נ harmony
הִרְנִין (יַרְנִין) פ gladden, cheer up
הָרַס (יַהֲרוֹס) פ destroy, ruin
הֶרֶס ז destruction
הַרְסָנִי ת destructive, ruinous

הֲרָעָה נ deterioration
הִרְעִיב (יַרְעִיב) פ starve, cause hunger
הִרְעִיד (יַרְעִיד) פ tremble; cause to tremble
הִרְעִיל (יַרְעִיל) פ poison
הִרְעִים (יַרְעִים) פ thunder
הִרְעִיף (יַרְעִיף) פ drip, trickle
הִרְעִישׁ (יַרְעִישׁ) פ make a noise; bomb, bombard
הַרְעָלָה נ poisoning
הֶרֶף! stop it! leave it alone!
הֶרֶף ז pause (momentary), instant
הִרְפָּה (יַרְפֶּה) פ desist, leave alone
הַרְפַּתְקָה נ adventure, exploit
הַרְפַּתְקָנִי ת adventurous
הַרְצָאָה נ lecture
הִרְצָה (יַרְצֶה) פ lecture
הֲרָצָה נ making run; running in (car)
הִרְצִין (יַרְצִין) פ become serious
הֲרָקָה נ emptying
הִרְקִיב (יַרְקִיב) פ rot, decay
הִרְקִיד (יַרְקִיד) פ set dancing
הִרְקִיעַ (יַרְקִיעַ) פ be exalted, reach the sky
הֲרָרִי ת mountainous
הַרְשָׁאָה נ permission
הִרְשָׁה (יַרְשֶׁה) פ allow, permit
הִרְשִׁים (יַרְשִׁים) פ impress
הִרְשִׁיעַ (יַרְשִׁיעַ) פ convict, find guilty
הַרְשָׁמָה נ registration
הִרְתִּיחַ (יַרְתִּיחַ) פ boil

הִרְתִּיעַ (יַרְתִּיעַ) פ deter, daunt

הִרְתִּית (יַרְתִּית) פ tremble, quiver

הַרְתָּעָה נ deterrence

הִשְׁאִיל (יַשְׁאִיל) פ lend

הִשְׁאִיר (יַשְׁאִיר) פ leave, leave behind

הַשְׁאָלָה נ lending; metaphor

הַשָּׁבוּעַ this week

הַשְׁבָּחָה נ improvement

הִשְׁבִּיחַ (יַשְׁבִּיחַ) פ improve

הִשְׁבִּיעַ (יַשְׁבִּיעַ) פ swear in

הִשְׂבִּיעַ (יַשְׂבִּיעַ) פ sate, glut

הִשְׁבִּיר (יַשְׁבִּיר) פ sell provisions

הִשְׁבִּית (יַשְׁבִּית) פ lock out (workers), stop (work)

הַשְׁבָּעָה נ swearing in

הַשְׁבָּתָה נ lock-out

הַשָּׂגָה נ achievement; perception; criticism

הַשְׁגָּחָה נ supervision, watching

הִשְׁגִּיחַ (יַשְׁגִּיחַ) פ watch; supervise

הִשְׁגִּיר (יַשְׁגִּיר) פ habituate, accustom; run in

הַשְׁגָּרָה נ running in

הִשְׁהָה (יַשְׁהֶה) פ delay, hold back

הַשְׁהָיָה נ delay

הַשְׁוָוָאָה נ comparison

הַשְׁוָוָאָתִי ת comparative

הִשְׁוָה (יַשְׁוֶה) פ compare, equate

הִשְׁחִיז (יַשְׁחִיז) פ sharpen, whet

הִשְׁחִיל (יַשְׁחִיל) פ pass through a hole, thread

הִשְׁחִיר (יַשְׁחִיר) פ blacken; become black

הִשְׁחִית (יַשְׁחִית) פ corrupt, mar

הִשִּׂיא (יַשִּׂיא) פ marry off

הֵשִׁיב (יָשִׁיב) פ answer, reply; return

הִשִּׂיג (יַשִּׂיג) פ catch up with; obtain, attain

הֵשִׂיחַ (יָשִׂיחַ) פ talk; get to talk

הֵשִׁיט (יָשִׁיט) פ set afloat

הִשִּׁיל (יַשִּׁיל) פ drop, shed (skin)

הִשִּׁיק (יַשִּׁיק) פ touch, graze

הִשִּׁיר (יַשִּׁיר) פ drop, shed (skin)

הֵשִׁית (יָשִׁית) פ set

הַשְׁכָּבָה נ laying down

הִשְׁכִּיב (יַשְׁכִּיב) פ lay down, put to bed

הִשְׁכִּיחַ (יַשְׁכִּיחַ) פ banish from mind

הִשְׂכִּיל (יַשְׂכִּיל) פ learn

הִשְׁכִּים (יַשְׁכִּים) פ rise early

הִשְׂכִּיר (יַשְׂכִּיר) פ lease, let (property)

הַשְׂכָּלָה נ education, learning; culture, enlightenment

הַשְׁכֵּם תה״פ early

הַשְׁכָּמָה נ early rising

הִשְׁלָה (יַשְׁלֶה) פ mislead, delude

הַשְׁלָיָה נ deluding

הִשְׁלִיט (יַשְׁלִיט) פ put in control, establish

הִשְׁלִיךְ (יַשְׁלִיךְ) פ cast; throw away

הִשְׁלִים (יַשְׁלִים) פ complete; accomplish

הִשְׁלִישׁ (יַשְׁלִישׁ) פ hand over to a third party

הַשְׁלָכָה נ throwing, casting; effect, implication

הַשְׁלָמָה נ completion; resignation
הֵשַׁם (יָשֵׁם) פ lay waste, devastate
הַשְׁמָדָה נ destruction
הַשְׁמָטָה נ omission
הִשְׁמִיד (יַשְׁמִיד) פ destroy, annihilate
הִשְׁמִיט (יַשְׁמִיט) פ omit, leave out
הִשְׂמִיל, הִשְׂמְאִיל (יַשְׂמִיל) פ turn left
הִשְׁמִין (יַשְׁמִין) פ become fatter
הִשְׁמִיעַ (יַשְׁמִיעַ) פ make heard
הִשְׁמִיץ (יַשְׁמִיץ) פ defame, libel
הַשְׁמָצָה נ defamation
הַשָּׁנָה this year
הִשְׁעָה (יַשְׁעֶה) פ suspend (an employee, etc)
הִשְׁעִין (יַשְׁעִין) פ lean against, prop up
הַשְׁעָרָה נ hypothesis, supposition
הִשְׁפִּיל (יַשְׁפִּיל) פ humiliate; lower
הִשְׁפִּיעַ (יַשְׁפִּיעַ) פ influence, affect; give generously
הַשְׁפָּלָה נ humiliation, abasement
הַשְׁפָּעָה נ influence, effect
הַשְׁקָאָה נ irrigation, watering
הַשָּׁקָה נ touching, grazing; launching (ship)
הִשְׁקָה (יַשְׁקֶה) פ water, irrigate
הִשְׁקִיט (יַשְׁקִיט) פ calm, quieten
הִשְׁקִיעַ (יַשְׁקִיעַ) פ invest
הִשְׁקִיף (יַשְׁקִיף) פ observe, watch
הַשְׁקָעָה נ investment
הַשְׁקָפָה נ outlook, view
הַשְׁקָפַת עוֹלָם outlook on life
הַשְׁרָאָה נ inspiration
הִשְׁרָה (יַשְׁרֶה) פ inspire; immerse
הִשְׁרִישׁ (יַשְׁרִישׁ) פ strike root

הִשְׁתָּאָה (יִשְׁתָּאֶה) פ be astonished
הִשְׁתַּבֵּחַ (יִשְׁתַּבֵּחַ) פ praise oneself
הִשְׁתַּבֵּשׁ (יִשְׁתַּבֵּשׁ) פ be spoilt, deteriorate
הִשְׁתַּגֵּעַ (יִשְׁתַּגֵּעַ) פ go mad
הִשְׁתַּדֵּךְ (יִשְׁתַּדֵּךְ) פ arrange to get married
הִשְׁתַּדֵּל (יִשְׁתַּדֵּל) פ try hard, endeavor
הִשְׁתַּדְּלוּת נ endeavor, striving
הִשְׁתַּהָה (יִשְׁתַּהֶה) פ be delayed
הִשְׁתּוֹבֵב (יִשְׁתּוֹבֵב) פ be naughty
הִשְׁתַּוָּה (יִשְׁתַּוֶּה) פ be equal to, become equal
הִשְׁתּוֹחֵחַ (יִשְׁתּוֹחֵחַ) פ be cast down
הִשְׁתּוֹלֵל (יִשְׁתּוֹלֵל) פ run wild
הִשְׁתּוֹמֵם (יִשְׁתּוֹמֵם) פ be astonished
הִשְׁתּוֹקֵק (יִשְׁתּוֹקֵק) פ long for, crave
הִשְׁתַּזֵּף (יִשְׁתַּזֵּף) פ be tanned (by the sun)
הִשְׁתַּזֵּר (יִשְׁתַּזֵּר) פ be interwoven
הִשְׁתַּחֲוָה (יִשְׁתַּחֲוֶה) פ bow down
הִשְׁתַּחֵל (יִשְׁתַּחֵל) פ squeeze through
הִשְׁתַּחֵק (יִשְׁתַּחֵק) פ be rubbed away
הִשְׁתַּחְרֵר (יִשְׁתַּחְרֵר) פ be set free, be released
הִשְׁתַּטָּה (יִשְׁתַּטֶּה) פ play the fool
הִשְׁתַּטֵּחַ (יִשְׁתַּטֵּחַ) פ stretch oneself out
הִשְׁתַּיֵּךְ (יִשְׁתַּיֵּךְ) פ belong to, be associated with
הִשְׁתַּיֵּר (יִשְׁתַּיֵּר) פ remain, be left
הִשְׁתִּיל (יַשְׁתִּיל) פ transplant
הִשְׁתִּין (יַשְׁתִּין) פ urinate
הִשְׁתִּיק (יַשְׁתִּיק) פ silence

הִשְׁתִּית (יַשְׁתִּית) פ base, found
הִשְׁתַּכְלֵל (יִשְׁתַּכְלֵל) פ become perfect
הִשְׁתַּכֵּן (יִשְׁתַּכֵּן) פ find oneself housing
הִשְׁתַּכְנֵעַ (יִשְׁתַּכְנֵעַ) פ become convinced
הִשְׁתַּכֵּר (יִשְׁתַּכֵּר) פ earn
הִשְׁתַּכֵּר (יִשְׁתַּכֵּר) פ get drunk
הִשְׁתַּכְשֵׁךְ (יִשְׁתַּכְשֵׁךְ) פ paddle, dabble
הִשְׁתַּלֵּב (יִשְׁתַּלֵּב) פ intertwine, integrate
הַשְׁתָּלָה נ transplanting
הִשְׁתַּלְהֵב (יִשְׁתַּלְהֵב) פ go up in flames, be afire
הִשְׁתַּלֵּט (יִשְׁתַּלֵּט) פ take control of
הִשְׁתַּלֵּם (יִשְׁתַּלֵּם) פ be profitable; complete one's studies
הִשְׁתַּלְשֵׁל (יִשְׁתַּלְשֵׁל) פ hang down; evolve
הִשְׁתַּמֵּד (יִשְׁתַּמֵּד) פ become converted (from Judaism)
הִשְׁתַּמֵּט (יִשְׁתַּמֵּט) פ dodge, evade
הִשְׁתַּמֵּעַ (יִשְׁתַּמֵּעַ) פ be heard; be understood
הִשְׁתַּמֵּר (יִשְׁתַּמֵּר) פ be preserved, be kept
הִשְׁתַּמֵּשׁ (יִשְׁתַּמֵּשׁ) פ use, make use of
הַשְׁתָּנָה נ urination
הִשְׁתַּנָּה (יִשְׁתַּנֶּה) פ change, vary
הִשְׁתַּעְבֵּד (יִשְׁתַּעְבֵּד) פ be subjugated
הִשְׁתַּעֵל (יִשְׁתַּעֵל) פ cough
הִשְׁתַּעֲמֵם (יִשְׁתַּעֲמֵם) פ be bored
הִשְׁתָּעֵר (יִשְׁתָּעֵר) פ storm, assault
הִשְׁתַּעֲשֵׁעַ (יִשְׁתַּעֲשֵׁעַ) פ play with, dally with
הִשְׁתַּפֵּךְ (יִשְׁתַּפֵּךְ) פ be poured out
הִשְׁתַּפֵּר (יִשְׁתַּפֵּר) פ improve
הִשְׁתַּפְשֵׁף (יִשְׁתַּפְשֵׁף) פ be rubbed away; be put through the mill (slang)
הִשְׁתַּקֵּעַ (יִשְׁתַּקֵּעַ) פ settle permanently
הִשְׁתַּקֵּף (יִשְׁתַּקֵּף) פ be visible; be reflected
הִשְׁתַּרְבֵּב, נִשְׁתַּרְבֵּב (יִשְׁתַּרְבֵּב) פ be introduced out of place
הִשְׁתָּרֵךְ (יִשְׁתָּרֵךְ) פ drag oneself along
הִשְׁתָּרֵעַ (יִשְׁתָּרֵעַ) פ spread out, extend
הִשְׂתָּרֵר, נִשְׂתָּרֵר (יִשְׂתָּרֵר) פ reign over; prevail
הִשְׁתָּרֵשׁ (יִשְׁתָּרֵשׁ) פ take root, strike root
הִשְׁתַּתֵּף (יִשְׁתַּתֵּף) פ participate, take part
הִשְׁתַּתֵּק (יִשְׁתַּתֵּק) פ fall silent
הִתְאַבֵּד (יִתְאַבֵּד) פ commit suicide
הִתְאַבֵּךְ (יִתְאַבֵּךְ) פ billow upwards (smoke)
הִתְאַבֵּל (יִתְאַבֵּל) פ mourn
הִתְאַבֵּן (יִתְאַבֵּן) פ be petrified, turn to stone
הִתְאַבֵּק (יִתְאַבֵּק) פ be covered with dust; wrestle, grapple
הִתְאַגֵּד (יִתְאַגֵּד) פ unite, combine
הִתְאַגְרֵף (יִתְאַגְרֵף) פ box
הִתְאַדָּה (יִתְאַדֶּה) פ evaporate
הִתְאַדֵּם (יִתְאַדֵּם) פ blush, flush
הִתְאַהֵב (יִתְאַהֵב) פ fall in love

הִתְאַוורֵר (יִתְאַוורֵר) פ be ventilated, be aired

הִתְאוֹנֵן (יִתְאוֹנֵן) פ complain, grumble

הִתְאוֹשֵׁשׁ (יִתְאוֹשֵׁשׁ) פ recover, pull oneself together

הִתְאַזֵּן (יִתְאַזֵּן) פ be balanced, balance

הִתְאַזֵּר (יִתְאַזֵּר) פ gird oneself

הִתְאַזְרֵחַ (יִתְאַזְרֵחַ) פ become naturalized

הִתְאַחֵד (יִתְאַחֵד) פ unite, combine

הִתְאַחֲדוּת נ association, union, confederation

הִתְאַחָה (יִתְאַחֶה) פ be repaired, be patched, be sewn together

הִתְאַחֵר (יִתְאַחֵר) פ be late, arrive late

הִתְאִים (יַתְאִים) פ match, fit, suit

הִתְאַכְזֵב (יִתְאַכְזֵב) פ be disappointed

הִתְאַכְזֵר (יִתְאַכְזֵר) פ behave cruelly

הִתְאַכֵּל (יִתְאַכֵּל) פ be digested

הִתְאַכְסֵן (יִתְאַכְסֵן) פ stay (as guest), be accommodated

הִתְאַלְמֵן (יִתְאַלְמֵן) פ become a widower

הֶתְאֵם ז accord, accordance, harmony

הַתְאָמָה נ accord, harmony; suitability; adjustment

הִתְאַמֵּן (יִתְאַמֵּן) פ train, practise

הִתְאַמֵּץ (יִתְאַמֵּץ) פ make an effort; exert oneself

הִתְאַמֵּר (יִתְאַמֵּר) פ boast, brag

הִתְאַמֵּת (יִתְאַמֵּת) פ be verified (fact); come true

הִתְאַנָּה (יִתְאַנֶּה) פ seek occasion (to do harm), seek a quarrel

הִתְאַנֵּחַ (יִתְאַנֵּחַ) פ groan, sigh

הִתְאַסְלֵם (יִתְאַסְלֵם) פ become a Moslem

הִתְאַסֵּף, נִתְאַסֵּף (יִתְאַסֵּף) פ gather, collect, assemble

הִתְאַפֵּק (יִתְאַפֵּק) פ control oneself, restrain oneself

הִתְאַפֵּר (יִתְאַפֵּר) פ make up (actor, woman)

הִתְאַפְשֵׁר (יִתְאַפְשֵׁר) פ be made possible, become possible

הִתְאַקְלֵם (יִתְאַקְלֵם) פ become acclimated

הִתְאַרְגֵּן (יִתְאַרְגֵּן) פ get organized

הִתְאָרֵחַ (יִתְאָרֵחַ) פ stay (as a guest)

הִתְאָרֵךְ, נִתְאָרֵךְ (יִתְאָרֵךְ) פ grow longer

הִתְאָרֵס (יִתְאָרֵס) פ become engaged

הִתְאָרַע (יִתְאָרַע) פ occur, happen

הִתְאַשֵּׁר (יִתְאַשֵּׁר) פ be confirmed

הִתְבָּאֵר (יִתְבָּאֵר) פ become clear; be expounded

הִתְבַּגֵּר (יִתְבַּגֵּר) פ mature, become adult

הִתְבַּדָּה (יִתְבַּדֶּה) פ be proved false

הִתְבַּדֵּחַ (יִתְבַּדֵּחַ) פ be amused, be entertained

הִתְבַּדֵּל (יִתְבַּדֵּל) פ segregate oneself

הִתְבַּדֵּר (יִתְבַּדֵּר) פ be entertained, be diverted

הִתְבַּהֵם (יִתְבַּהֵם) פ become brutalized

הִתְבַּהֵר (יִתְבַּהֵר) פ become bright, brighten
הִתְבּוֹדֵד (יִתְבּוֹדֵד) פ seek solitude
הִתְבּוֹלֵל (יִתְבּוֹלֵל) פ assimilate
הִתְבּוֹנֵן (יִתְבּוֹנֵן) פ stare, look intently; observe
הִתְבּוֹסֵס (יִתְבּוֹסֵס) פ welter, be rolled
הִתְבּוֹשֵׁשׁ (יִתְבּוֹשֵׁשׁ) פ be delayed
הִתְבַּזְבֵּז (יִתְבַּזְבֵּז) פ be wasted
הִתְבַּזָּה (יִתְבַּזֶּה) פ be despised
הִתְבַּטֵּא (יִתְבַּטֵּא) פ express oneself
הִתְבַּטֵּל (יִתְבַּטֵּל) פ be cancelled
הִתְבַּיֵּשׁ (יִתְבַּיֵּשׁ) פ be ashamed
הִתְבַּיֵּת (יִתְבַּיֵּת) פ home
הִתְבַּלְבֵּל (יִתְבַּלְבֵּל) פ become confused
הִתְבַּלֵּט (יִתְבַּלֵּט) פ stand out, protrude
הִתְבַּסֵּם (יִתְבַּסֵּם) פ put on scent; become tipsy
הִתְבַּסֵּס (יִתְבַּסֵּס) פ be based, be founded
הִתְבַּצֵּעַ (יִתְבַּצֵּעַ) פ be performed, be executed
הִתְבַּצֵּר (יִתְבַּצֵּר) פ fortify oneself
הִתְבַּקֵּעַ (יִתְבַּקֵּעַ) פ burst, split open
הִתְבַּקֵּשׁ (יִתְבַּקֵּשׁ) פ be asked
הִתְבָּרֵג (יִתְבָּרֵג) פ be screwed (in)
הִתְבַּרְגֵּן (יִתְבַּרְגֵּן) פ become bourgeois
הִתְבָּרֵךְ (יִתְבָּרֵךְ) פ be blessed
הִתְבָּרֵר (יִתְבָּרֵר) פ be clarified
הִתְבַּשֵּׁל (יִתְבַּשֵּׁל) פ be boiled
הִתְבַּשֵּׂר (יִתְבַּשֵּׂר) פ receive news

הִתְגָּאָה (יִתְגָּאֶה) פ be proud (of)
הִתְגַּבֵּב (יִתְגַּבֵּב) פ be piled up
הִתְגַּבֵּר (יִתְגַּבֵּר) פ overcome
הִתְגַּבֵּשׁ (יִתְגַּבֵּשׁ) פ crystallize
הִתְגַּדֵּל (יִתְגַּדֵּל) פ be magnified
הִתְגַּדֵּר (יִתְגַּדֵּר) פ distinguish oneself, excel
הִתְגּוֹדֵד (יִתְגּוֹדֵד) פ form groups
הִתְגּוֹלֵל (יִתְגּוֹלֵל) פ roll about; grumble at
הִתְגּוֹנֵן (יִתְגּוֹנֵן) פ defend oneself
הִתְגּוֹרֵר (יִתְגּוֹרֵר) פ stay, dwell
הִתְגּוֹשֵׁשׁ (יִתְגּוֹשֵׁשׁ) פ wrestle
הִתְגַּיֵּס (יִתְגַּיֵּס) פ be mobilized
הִתְגַּיֵּר (יִתְגַּיֵּר) פ become a Jew
הִתְגַּלְגֵּל (יִתְגַּלְגֵּל) פ roll, revolve
הִתְגַּלָּה (יִתְגַּלֶּה) פ be revealed, become known
הִתְגַּלֵּחַ (יִתְגַּלֵּחַ) פ shave (oneself)
הִתְגַּלֵּם (יִתְגַּלֵּם) פ be embodied, take bodily form
הִתְגַּלַּע (יִתְגַּלַּע) פ break out
הִתְגַּמֵּד (יִתְגַּמֵּד) פ reduce oneself
הִתְגַּנֵּב (יִתְגַּנֵּב) פ creep (in, out, or away), move stealthily
הִתְגַּנְדֵּר (יִתְגַּנְדֵּר) פ dress up, "show off"
הִתְגַּעְגֵּעַ (יִתְגַּעְגֵּעַ) פ yearn
הִתְגַּעֵל (יִתְגַּעֵל) פ be soiled, be tainted
הִתְגַּעֵשׁ (יִתְגַּעֵשׁ) פ erupt; be agitated
הִתְגָּרֵד (יִתְגָּרֵד) פ scratch oneself
הִתְגָּרָה (יִתְגָּרֶה) פ provoke, tease
הִתְגָּרֵשׁ (יִתְגָּרֵשׁ) פ be divorced

הִתְגַּשֵּׁם (יִתְגַּשֵּׁם) פ — be realized, materialize

הִתְגַּשְּׁמוּת נ — realization, materialization

הִתְדַּבֵּק (יִתְדַּבֵּק) פ — become infected; be joined together

הִתְדַּיֵּן, נִתְדַּיֵּן (יִתְדַּיֵּן) פ — litigate, go to law

הִתְדַּלְדֵּל (יִתְדַּלְדֵּל) פ — waste away, dwindle

הִתְדַּפֵּק (יִתְדַּפֵּק) פ — keep knocking

הִתְדָּרֵג (יִתְדָּרֵג) פ — be graded

הִתְדַּרְדֵּר (יִתְדַּרְדֵּר) פ — decline; roll down

הִתְהַדֵּק (יִתְהַדֵּק) פ — be tightened

הִתְהַדֵּר (יִתְהַדֵּר) פ — be ostentatious, overdress

הִתְהַוָּה (יִתְהַוֶּה) פ — be formed, come into existence

הִתְהוֹלֵל (יִתְהוֹלֵל) פ — live riotously; act madly

הִתְהַלֵּךְ (יִתְהַלֵּךְ) פ — move about

הִתְהַלֵּל (יִתְהַלֵּל) פ — boast

הִתְהַפֵּךְ (יִתְהַפֵּךְ) פ — be turned upside down; be inverted; turn over

הִתְוַדָּה (יִתְוַדֶּה) פ — confess

הִתְוַדַּע (יִתְוַדַּע) פ — become acquainted with

הִתְוָה (יַתְוֶה) פ — mark; sketch

הִתְוַכֵּחַ (יִתְוַכֵּחַ) פ — argue, debate

הַתָּזָה נ — breaking off; spraying

הִתְחַבֵּא (יִתְחַבֵּא) פ — hide (oneself)

הִתְחַבֵּב (יִתְחַבֵּב) פ — be liked

הִתְחַבֵּט (יִתְחַבֵּט) פ — take pains, struggle hard

הִתְחַבֵּק (יִתְחַבֵּק) פ — embrace, hug each other

הִתְחַבֵּר (יִתְחַבֵּר) פ — be connected, be allied with

הִתְחַדֵּד (יִתְחַדֵּד) פ — become sharp, be sharpened

הִתְחַדֵּשׁ (יִתְחַדֵּשׁ) פ — be renewed, be restored

הִתְחַוֵּר (יִתְחַוֵּר) פ — become clear

הִתְחוֹלֵל (יִתְחוֹלֵל) פ — be brewing (storm, trouble); be generated

הִתְחַזֵּק (יִתְחַזֵּק) פ — take courage, gather strength

הִתְחַיָּה (יִתְחַיֶּה) פ — be revived, live again

הִתְחַיֵּב (יִתְחַיֵּב) פ — undertake, take upon oneself

הִתְחַיְּבוּת נ — obligation, liability

הִתְחַיֵּךְ (יִתְחַיֵּךְ) פ — smile, smile to oneself

הִתְחַיֵּל (יִתְחַיֵּל) פ — become a soldier, enlist

הִתְחִיל (יַתְחִיל) פ — begin, start with; have a brush

הִתְחַכֵּם (יִתְחַכֵּם) פ — try to be too clever

הַתְחָלָה נ — beginning, start

הִתְחַלָּה (יִתְחַלֶּה) פ — malinger

הִתְחַלְחֵל (יִתְחַלְחֵל) פ — be shocked

הִתְחַלֵּף (יִתְחַלֵּף) פ — be exchanged

הִתְחַלֵּק (יִתְחַלֵּק) פ — be divisible (number); slip, slide

הִתְחַמֵּם (יִתְחַמֵּם) פ — warm oneself; warm up

הִתְחַמֵּץ (יִתְחַמֵּץ) פ — turn sour

הִתְחַמְצֵן (יִתְחַמְצֵן) פ be oxidized, oxidize
הִתְחַמֵּק (יִתְחַמֵּק) פ sneak off, dodge, evade
הִתְחַנְחֵן (יִתְחַנְחֵן) פ prettify oneself; coquet
הִתְחַנֵּךְ (יִתְחַנֵּךְ) פ be educated
הִתְחַנֵּן (יִתְחַנֵּן) פ beg, implore, beseech, entreat
הִתְחַנֵּף (יִתְחַנֵּף) פ fawn, toady
הִתְחַסֵּד (יִתְחַסֵּד) פ assume piety
הִתְחַסֵּל (יִתְחַסֵּל) פ be liquidated
הִתְחַסֵּן (יִתְחַסֵּן) פ be strengthened; be immunized
הִתְחַפֵּר (יִתְחַפֵּר) פ dig oneself in
הִתְחַפֵּשׂ (יִתְחַפֵּשׂ) פ disguise oneself
הִתְחַצֵּף (יִתְחַצֵּף) פ be impertinent
הִתְחַקָּה (יִתְחַקֶּה) פ search for; hunt up
הִתְחַרְבֵּן (יִתְחַרְבֵּן) פ (slang) make a mess of things
הִתְחָרָה (יִתְחָרֶה) פ compete, rival
הִתְחָרֵז (יִתְחָרֵז) פ rhyme
הִתְחָרֵט (יִתְחָרֵט) פ regret, repent
הִתְחַשֵּׁב (יִתְחַשֵּׁב) פ consider
הִתְחַשֵּׁל (יִתְחַשֵּׁל) פ be forged (iron, character)
הִתְחַשְׁמֵל (יִתְחַשְׁמֵל) פ be electrified; be electrocuted
הִתְחַשֵּׁק (יִתְחַשֵּׁק) פ feel like, have an urge to
הִתְחַתֵּן (יִתְחַתֵּן) פ marry, wed
הִתִּיז (יַתִּיז) פ splash, spray; chop off
הִתְייָאֵשׁ (יִתְייָאֵשׁ) פ despair
הִתְייַבֵּשׁ (יִתְייַבֵּשׁ) פ dry, dry up
הִתְייַגַּע (יִתְייַגַּע) פ tire oneself out
הִתְייַדֵּד (יִתְייַדֵּד) פ become friendly with
הִתְייַהֵד (יִתְייַהֵד) פ become a Jew
הִתְייַחֵד (יִתְייַחֵד) פ isolate oneself
הִתְייַחֵם (יִתְייַחֵם) פ be on (in) heat (animals), rut
הִתְייַחֵס (יִתְייַחֵס) פ treat, deal with; be related to, refer to
הִתְייַמֵּר (יִתְייַמֵּר) פ purport; boast
הִתְייַסֵּר (יִתְייַסֵּר) פ suffer affliction
הִתְייָעֵץ (יִתְייָעֵץ) פ consult with
הִתְייַפָּה (יִתְייַפֶּה) פ prettify oneself
הִתְייַפֵּחַ (יִתְייַפֵּחַ) פ sob
הִתְייַצֵּב (יִתְייַצֵּב) פ report, present oneself
הִתְייַקֵּר (יִתְייַקֵּר) פ rise in price
הִתְייָרֵא (יִתְייָרֵא) פ fear, be afraid
הִתְייַשֵּׁב (יִתְייַשֵּׁב) פ settle, colonize; sit down
הִתְייַשֵּׁן (יִתְייַשֵּׁן) פ become old-fashioned, age
הִתְייַשֵּׁר (יִתְייַשֵּׁר) פ be straightened (up, out), straighten (up, out)
הִתְייַתֵּם (יִתְייַתֵּם) פ be orphaned
הִתִּיךְ (יַתִּיךְ) פ melt (metal), fuse
הִתִּיר (יַתִּיר) פ release, set free; untie
הִתִּישׁ (יַתִּישׁ) פ weaken
הִתְכַּבֵּד (יִתְכַּבֵּד) פ be honored
הַתָּכָה נ melting, fusing
הִתְכַּוֵּן (יִתְכַּוֵּן) פ mean, intend
הִתְכַּוֵּץ (יִתְכַּוֵּץ) פ shrink, contract
הִתְכּוֹנֵן (יִתְכּוֹנֵן) פ prepare oneself

הִתְכּוֹפֵף (יִתְכּוֹפֵף) פ bend (over, down), stoop
הִתְכַּחֵשׁ (יִתְכַּחֵשׁ) פ disown, deny
הִתְכַּנֵּס (יִתְכַּנֵּס) פ assemble
הִתְכַּנֵּף (יִתְכַּנֵּף) פ huddle together
הִתְכַּסָּה (יִתְכַּסֶּה) פ cover oneself
הִתְכַּעֵס (יִתְכַּעֵס) פ become angry
הִתְכַּעֵר (יִתְכַּעֵר) פ become ugly
הִתְכַּרְבֵּל (יִתְכַּרְבֵּל) פ wrap oneself up
הִתְכַּרְכֵּם (יִתְכַּרְכֵּם) פ turn orange-red
הִתְכַּתֵּב (יִתְכַּתֵּב) פ correspond, exchange letters
הִתְכַּתֵּשׁ (יִתְכַּתֵּשׁ) פ wrangle, fight
הֵתֵל (יְהַתֵּל) פ joke, jest
הִתְלַבֵּט (יִתְלַבֵּט) פ take pains
הִתְלַבֵּן (יִתְלַבֵּן) פ become white-hot; be explained
הִתְלַבֵּשׁ (יִתְלַבֵּשׁ) פ dress oneself
הִתְלַהֵב (יִתְלַהֵב) פ become excited
הִתְלַהֵט (יִתְלַהֵט) פ blaze, burn
הִתְלוֹנֵן (יִתְלוֹנֵן) פ complain, make a complaint
הִתְלוֹצֵץ (יִתְלוֹצֵץ) פ joke, jest, clown
הִתְלַחְלֵחַ (יִתְלַחְלֵחַ) פ be moistened, be made damp
הִתְלַחֵשׁ (יִתְלַחֵשׁ) פ whisper together
הִתְלִיל (יַתְלִיל) פ become steep
הִתְלַכֵּד (יִתְלַכֵּד) פ unite
הִתְלַכְלֵךְ (יִתְלַכְלֵךְ) פ become dirty
הִתְלַכְסֵן (יִתְלַכְסֵן) פ be oblique
הִתְלַמֵּד (יִתְלַמֵּד) פ teach oneself
הִתְלַקֵּחַ (יִתְלַקֵּחַ) פ take fire
הִתְלַקֵּק (יִתְלַקֵּק) פ lick oneself; fawn
הִתְמַגֵּל (יִתְמַגֵּל) פ fester, suppurate

הֶתְמֵד ז constant practice
הַתְמָדָה נ diligence, perseverance
הִתְמַהְמֵהַּ (יִתְמַהְמֵהַּ) פ linger; be late
הִתְמוֹגֵג (יִתְמוֹגֵג) פ melt
הִתְמוֹדֵד (יִתְמוֹדֵד) פ compete with
הִתְמוֹטֵט (יִתְמוֹטֵט) פ break down
הִתְמוֹסֵס (יִתְמוֹסֵס) פ dissolve
הִתְמַזֵּג (יִתְמַזֵּג) פ merge, fuse
הִתְמַזֵּל (יִתְמַזֵּל) פ be lucky
הִתְמַזְמֵז (יִתְמַזְמֵז) פ become soft; pet, neck (slang)
הִתְמַחָה (יִתְמַחֶה) פ become proficient; specialize
הִתְמִיד (יַתְמִיד) פ persist
הִתְמִיהַּ (יַתְמִיהַּ) פ astonish, amaze
הִתְמַיֵּן (יִתְמַיֵּן) פ be classified
הִתְמַכֵּן (יִתְמַכֵּן) פ be mechanized
הִתְמַכֵּר (יִתְמַכֵּר) פ devote oneself
הִתְמַלֵּא (יִתְמַלֵּא) פ become full
הִתְמַלֵּט (יִתְמַלֵּט) פ escape; slip out
הִתַּמֵּם (יִתַּמֵּם) פ feign simplicity
הִתְמַמֵּשׁ (יִתְמַמֵּשׁ) פ be realized, become a fact
הִתְמַנָּה (יִתְמַנֶּה) פ be appointed
הִתְמַסְמֵס, נִתְמַסְמֵס (יִתְמַסְמֵס) פ be dissolved
הִתְמַסֵּר (יִתְמַסֵּר) פ devote oneself; surrender
הִתְמַעֵט (יִתְמַעֵט) פ diminish
הִתְמַעְרֵב (יִתְמַעְרֵב) פ become westernized
הִתְמַצֵּא (יִתְמַצֵּא) פ know one's way about
הִתְמַצְּאוּת נ orientation, adaptability

הִתמַצֵק (יִתמַצֵק) פ — solidify
הִתמַקֵחַ (יִתמַקֵחַ) פ — bargain, haggle
הִתמַקֵם (יִתמַקֵם) פ — be located, be situated
הִתמַקמֵק (יִתמַקמֵק) פ — rot, decay
הִתַּמֵר (יִתַּמֵר) פ — rise, go up
הִתמָרֵד (יִתמָרֵד) פ — rebel, revolt
הִתמַרמֵר (יִתמַרמֵר) פ — grumble
הִתמַשֵך (יִתמַשֵך) פ — extend
הִתמַתֵחַ (יִתמַתֵחַ) פ — be stretched; stretch oneself
הִתמַתֵן (יִתמַתֵן) פ — become moderate
הִתמַתֵק (יִתמַתֵק) פ — be sweetened
הִתנַבֵּא (יִתנַבֵּא) פ — prophesy, foretell
הִתנַגֵב (יִתנַגֵב) פ — dry oneself
הִתנַגֵד (יִתנַגֵד) פ — oppose, resist
הִתנַגְדוּת נ — opposition, resistance
הִתנַגֵחַ (יִתנַגֵחַ) פ — contend with, tussle
הִתנַגֵש (יִתנַגֵש) פ — collide; clash
הִתנַדֵב (יִתנַדֵב) פ — volunteer; donate
הִתנַדנֵד (יִתנַדנֵד) פ — be rocked, rock; fluctuate; swing
הִתנַדֵף (יִתנַדֵף) פ — evaporate
הִתנָה (יַתנֶה) פ — make conditional
הִתנַהֵג (יִתנַהֵג) פ — behave
הִתנַהֲגוּת נ — behavior
הִתנַהֵל (יִתנַהֵל) פ — be conducted, be carried on
הִתנוֹדֵד (יִתנוֹדֵד) פ — oscillate, fluctuate
הִתנַוֵון (יִתנַוֵון) פ — degenerate
הִתנוֹסֵס (יִתנוֹסֵס) פ — be flaunted, be displayed
הִתנוֹעֵעַ (יִתנוֹעֵעַ) פ — move, sway

הִתנוֹפֵף (יִתנוֹפֵף) פ — flutter, be waved to and fro
הִתנוֹצֵץ (יִתנוֹצֵץ) פ — sparkle, twinkle
הִתנַזֵר (יִתנַזֵר) פ — abstain from
הִתנַחֵל (יִתנַחֵל) פ — settle (on land)
הִתנַחֵם (יִתנַחֵם) פ — be consoled
הִתנִיעַ (יַתנִיעַ) פ — start up (machine)
הִתנַכֵּל (יִתנַכֵּל) פ — plot, conspire
הִתנַכֵּר (יִתנַכֵּר) פ — be estranged
הִתנַמנֵם (יִתנַמנֵם) פ — doze, drowse
הִתנַסָה, נִתנַסָה (יִתנַסֶה) פ — experience
הַתנָעָה נ — starting up (machine)
הִתנַענֵעַ (יִתנַענֵעַ) פ — sway; vibrate
הִתנַעֵר (יִתנַעֵר) פ — shake oneself
הִתנַפֵּחַ (יִתנַפֵּחַ) פ — be inflated
הִתנַפֵּל (יִתנַפֵּל) פ — attack, fall on
הִתנַפְּלוּת נ — attack, assault
הִתנַפֵּץ (יִתנַפֵּץ) פ — be shattered
הִתנַצֵחַ (יִתנַצֵחַ) פ — dispute, contest; wrangle
הִתנַצֵל (יִתנַצֵל) פ — apologize
הִתנַצְלוּת נ — apology
הִתנַצנֵץ (יִתנַצנֵץ) פ — sparkle, twinkle
הִתנַצֵר (יִתנַצֵר) פ — be converted to Christianity
הִתנַקֵם (יִתנַקֵם) פ — avenge oneself
הִתנַקֵש (יִתנַקֵש) פ — attack with intent to harm or kill
הִתנַקְשוּת נ — attempt to kill
הִתנַשֵׂא (יִתנַשֵׂא) פ — arise, be borne aloft; boast
הִתנַשֵם (יִתנַשֵם) פ — breathe, pant
הִתנַשֵף (יִתנַשֵף) פ — exhale, breathe
הִתנַשֵק (יִתנַשֵק) פ — kiss each other
הִתסִיס (יַתסִיס) פ — ferment; animate

הִתְעַבָּה (יִתְעַבֶּה) פ become thicker, become denser

הִתְעַבּוּת נ condensation, thickening

הִתְעַבֵּר (יִתְעַבֵּר) פ become pregnant; become angry

הִתְעַגֵּל (יִתְעַגֵּל) פ become round

הִתְעַדֵּן (יִתְעַדֵּן) פ become refined; be sublimated

הִתְעָה (יַתְעֶה) פ mislead, lead astray

הִתְעוֹדֵד (יִתְעוֹדֵד) פ be encouraged, cheer up

הִתְעַוֵּר (יִתְעַוֵּר) פ go blind

הִתְעַוֵּת (יִתְעַוֵּת) פ be contorted

הִתְעוֹלֵל (יִתְעוֹלֵל) פ maltreat

הִתְעוֹפֵף (יִתְעוֹפֵף) פ fly about, fly

הִתְעוֹרֵר (יִתְעוֹרֵר) פ wake up

הִתְעוֹרְרוּת נ waking up, awakening; stirring

הִתְעַטֵּף (יִתְעַטֵּף) פ wrap oneself

הִתְעַטֵּשׁ (יִתְעַטֵּשׁ) פ sneeze

הַתְעָיָה נ misleading

הִתְעַיֵּף (יִתְעַיֵּף) פ become tired

הִתְעַכֵּב, נִתְעַכֵּב (יִתְעַכֵּב) פ be delayed, be held up

הִתְעַכֵּל (יִתְעַכֵּל) פ be digested

הִתְעַלָּה, נִתְעַלָּה (יִתְעַלֶּה) פ rise; be exalted

הִתְעַלֵּל (יִתְעַלֵּל) פ abuse, maltreat

הִתְעַלְּלוּת נ abuse, maltreatment

הִתְעַלֵּם (יִתְעַלֵּם) פ ignore, overlook

הִתְעַלְּמוּת נ overlooking, deliberately ignoring

הִתְעַלֵּס (יִתְעַלֵּס) פ play (at love), dally

הִתְעַלֵּף (יִתְעַלֵּף) פ faint, lose consciousness

הִתְעַמֵּל (יִתְעַמֵּל) פ do exercises

הִתְעַמְּלוּת נ physical training, exercises

הִתְעַמְעֵם (יִתְעַמְעֵם) פ become faint, become dim

הִתְעַמֵּק (יִתְעַמֵּק) פ go deeply into

הִתְעַמֵּר (יִתְעַמֵּר) פ abuse, treat harshly

הִתְעַנֵּג (יִתְעַנֵּג) פ take pleasure

הִתְעַנָּה (יִתְעַנֶּה) פ be tormented

הִתְעַנְיֵין (יִתְעַנְיֵין) פ take an interest

הִתְעַנֵּן (יִתְעַנֵּן) פ become cloudy

הִתְעַסֵּק (יִתְעַסֵּק) פ have dealings with; quarrel; (sl.) flirt

הִתְעַסְּקוּת נ occupation

הִתְעַפֵּר (יִתְעַפֵּר) פ become dusty

הִתְעַצֵּב (יִתְעַצֵּב) פ be grieved

הִתְעַצְבֵּן (יִתְעַצְבֵּן) פ be irritated

הִתְעַצֵּל (יִתְעַצֵּל) פ be lazy

הִתְעַצֵּם, נִתְעַצֵּם (יִתְעַצֵּם) פ become stronger

הִתְעַקֵּל (יִתְעַקֵּל) פ be twisted

הִתְעַקֵּם (יִתְעַקֵּם) פ be bent

הִתְעַקֵּשׁ (יִתְעַקֵּשׁ) פ be obstinate

הִתְעָרֵב (יִתְעָרֵב) פ be mixed with; intervene; bet

הִתְעַרְבֵּב (יִתְעַרְבֵּב) פ be mixed up together

הִתְעַרְבֵּל (יִתְעַרְבֵּל) פ be mixed (concrete, mortar)

הִתְעָרָה (יִתְעָרֶה) פ become rooted

הִתְעַרְטֵל (יִתְעַרְטֵל) פ expose one's body

הִתְעָרֵם (יִתְעָרֵם) פ be piled up

הִתְעַרְעֵר (יִתְעַרְעֵר) פ be sapped (strength); be undermined

הִתְעַרְפֵּל (יִתְעַרְפֵּל) פ become dim

הִתְעַשֵּׁר (יִתְעַשֵּׁר) פ become wealthy

הִתְעַתֵּד (יִתְעַתֵּד) פ be destined

הִתְפָּאֵר (יִתְפָּאֵר) פ boast, brag

הִתְפַּגֵּר (יִתְפַּגֵּר) פ become a corpse or carcass

הִתְפַּדֵּר (יִתְפַּדֵּר) פ powder oneself

הִתְפּוֹטֵר (יִתְפּוֹטֵר) פ (sl.) be compelled to resign

הִתְפּוֹצֵץ (יִתְפּוֹצֵץ) פ explode

הִתְפּוֹרֵר (יִתְפּוֹרֵר) פ crumble

הִתְפַּזֵּר (יִתְפַּזֵּר) פ be scattered, be spread

הִתְפַּחֵם (יִתְפַּחֵם) פ be carbonized

הִתְפַּטֵּר (יִתְפַּטֵּר) פ resign; get rid of

הִתְפַּיֵּס (יִתְפַּיֵּס) פ be reconciled

הִתְפִּיל (יַתְפִּיל) פ desalinate (sea-water)

הִתְפַּכֵּחַ (יִתְפַּכֵּחַ) פ become sober

הִתְפַּלֵּא (יִתְפַּלֵּא) פ be surprised, wonder

הִתְפַּלְבֵּל (יִתְפַּלְבֵּל) פ roll one's eyes

הִתְפַּלֵּג (יִתְפַּלֵּג) פ split up

הַתְפָּלָה נ desalination

הִתְפַּלֵּחַ (יִתְפַּלֵּחַ) פ be split; sneak in, out (slang)

הִתְפַּלֵּל (יִתְפַּלֵּל) פ pray

הִתְפַּלְמֵס (יִתְפַּלְמֵס) פ engage in polemics

הִתְפַּלְסֵף (יִתְפַּלְסֵף) פ philosophize

הִתְפַּלְפֵּל (יִתְפַּלְפֵּל) פ quibble, split hairs

הִתְפַּלֵּץ (יִתְפַּלֵּץ) פ be deeply shocked

הִתְפַּלֵּשׁ (יִתְפַּלֵּשׁ) פ roll about

הִתְפַּנָּה (יִתְפַּנֶּה) פ have free time

הִתְפַּנֵּק (יִתְפַּנֵּק) פ indulge oneself

הִתְפָּעֵל (יִתְפָּעֵל) פ be impressed

הִתְפָּעֲלוּת נ excited admiration

הִתְפַּעֵם (יִתְפַּעֵם) פ be agitated, be stirred

הִתְפַּצֵּל (יִתְפַּצֵּל) פ be divided, be ramified

הִתְפַּקֵּד (יִתְפַּקֵּד) פ be numbered

הִתְפַּקֵּחַ (יִתְפַּקֵּחַ) פ become clever

הִתְפַּקֵּעַ (יִתְפַּקֵּעַ) פ burst, split

הִתְפַּקֵּר (יִתְפַּקֵּר) פ apostatize, renounce one's faith

הִתְפָּרֵד (יִתְפָּרֵד) פ be parted, be separated

הִתְפַּרְחֵחַ (יִתְפַּרְחֵחַ) פ behave loutishly

הִתְפַּרְכֵּס (יִתְפַּרְכֵּס) פ spruce oneself up

הִתְפַּרְנֵס (יִתְפַּרְנֵס) פ earn a living

הִתְפָּרֵס (יִתְפָּרֵס) פ spread out; deploy

הִתְפַּרְסֵם (יִתְפַּרְסֵם) פ become famous; be published

הִתְפָּרֵעַ (יִתְפָּרֵעַ) פ cause a disturbance

הִתְפַּרְפֵּר (יִתְפַּרְפֵּר) פ (sl.) go away

הִתְפָּרֵץ (יִתְפָּרֵץ) פ burst in, break out

הִתְפָּרֵק (יִתְפָּרֵק) פ relieve oneself; be dismantled

הִתְפַּרְקֵד (יִתְפַּרְקֵד) פ lie on one's back

be interpreted, be explained — הִתפָּרֵשׁ (יִתפָּרֵשׁ) פ

be dispersed, be deployed — הִתפָּרֵשׂ (יִתפָּרֵשׂ) פ

become widespread; strip, undress — הִתפַּשֵּׁט (יִתפַּשֵּׁט) פ

spreading; expansion — הִתפַּשְּׁטוּת נ

be spread wide — הִתפַּשֵּׂק (יִתפַּשֵּׂק) פ

compromise — הִתפַּשֵּׁר (יִתפַּשֵּׁר) פ

be enticed — הִתפַּתָּה (יִתפַּתֶּה) פ

develop — הִתפַּתֵּחַ (יִתפַּתֵּחַ) פ

meander, wind, twist — הִתפַּתֵּל (יִתפַּתֵּל) פ

be received, be accepted — הִתקַבֵּל (יִתקַבֵּל) פ

assemble, gather together — הִתקַבֵּץ (יִתקַבֵּץ) פ

advance, move forward — הִתקַדֵּם (יִתקַדֵּם) פ

advance, progress — הִתקַדְּמוּת נ

be hallowed, become holy — הִתקַדֵּשׁ (יִתקַדֵּשׁ) פ

assembly, gathering — הִתקַהֲלוּת נ

quarrel — הִתקוֹטֵט (יִתקוֹטֵט) פ

rebel, rise up — הִתקוֹמֵם (יִתקוֹמֵם) פ

contract, become smaller — הִתקַטֵּן (יִתקַטֵּן) פ

be fulfilled; be preserved — הִתקַיֵּם (יִתקַיֵּם) פ

set up, install — הִתקִין (יַתקִין) פ

attack, assault — הִתקִיף (יַתקִיף) פ

take a shower — הִתקַלֵּחַ (יִתקַלֵּחַ) פ

mock, deride — הִתקַלֵּס (יִתקַלֵּס) פ

peel off, be peeled off — הִתקַלֵּף (יִתקַלֵּף) פ

get spoilt — הִתקַלְקֵל (יִתקַלְקֵל) פ

crease, be crumpled — הִתקַמֵּט (יִתקַמֵּט) פ

device, mechanism — הֶתקֵן ז

become envious — הִתקַנֵּא (יִתקַנֵּא) פ

adjustment; installation — הַתקָנָה נ

curve inwards — הִתקַעֵר (יִתקַעֵר) פ

attack (of fear, pain, etc.) — הֶתקֵף ז

attack, onslaught — הַתקָפָה נ

be folded; cave in, withdraw opposition — הִתקַפֵּל (יִתקַפֵּל) פ

become angry — הִתקַצֵּף (יִתקַצֵּף) פ

become shorter — הִתקַצֵּר (יִתקַצֵּר) פ

be called — הִתקָרֵא (יִתקָרֵא) פ

approach, draw near — הִתקָרֵב (יִתקָרֵב) פ

become bald — הִתקָרֵחַ (יִתקָרֵחַ) פ

grow cold — הִתקָרֵר (יִתקָרֵר) פ

congeal (blood), coagulate — הִתקָרֵשׁ, נִתקָרֵשׁ (יִתקָרֵשׁ) פ

harden, become hard — הִתקַשָּׁה (יִתקַשֶּׁה) פ

adorn oneself, dress oneself up — הִתקַשֵּׁט (יִתקַשֵּׁט) פ

get in touch with, contact — הִתקַשֵּׁר (יִתקַשֵּׁר) פ

warning, caution — הַתרָאָה נ

see each other — הִתרָאָה (יִתרָאֶה) פ

increase, multiply — הִתרַבָּה (יִתרַבֶּה) פ

show off, "swank" — הִתרַברֵב (יִתרַברֵב) פ

be enraged, become angry — הִתרַגֵּז (יִתרַגֵּז) פ

הִתְרַגֵּל (יִתְרַגֵּל) פ get used to
הִתְרַגֵּשׁ (יִתְרַגֵּשׁ) פ be moved (emotionally), be excited
הִתְרַגְּשׁוּת נ emotion; excitement
הִתְרָה (יַתְרֶה) פ caution, warn
הַתָּרָה נ untying, loosening; permission
הִתְרוֹמֵם (יִתְרוֹמֵם) פ raise oneself; rise
הִתְרוֹמְמוּת נ rising, ascending; exaltation
הִתְרוֹמְמוּת הָרוּחַ spiritual uplift
הִתְרוֹנֵן (יִתְרוֹנֵן) פ shout for joy, rejoice
הִתְרוֹעֵעַ (יִתְרוֹעֵעַ) פ be friendly, become intimate
הִתְרוֹפֵף (יִתְרוֹפֵף) פ become slack, become unsteady
הִתְרוֹצֵץ (יִתְרוֹצֵץ) פ run about, run around
הִתְרוֹקֵן (יִתְרוֹקֵן) פ become empty
הִתְרוֹשֵׁשׁ (יִתְרוֹשֵׁשׁ) פ become poor
הִתְרַחֵב (יִתְרַחֵב) פ expand, broaden
הִתְרַחֵץ (יִתְרַחֵץ) פ wash oneself, bathe
הִתְרַחֵק (יִתְרַחֵק) פ keep away, keep at a distance
הִתְרַחֵשׁ (יִתְרַחֵשׁ) פ occur, happen
הִתְרַטֵּב (יִתְרַטֵּב) פ become wet
הִתְרִים (יַתְרִים) פ elicit contributions
הִתְרִיס (יַתְרִיס) פ defy; challenge
הִתְרִיעַ (יַתְרִיעַ) פ protest vigorously

הִתְרַכֵּז (יִתְרַכֵּז) פ concentrate; be concentrated
הִתְרַכֵּךְ (יִתְרַכֵּךְ) פ soften, become soft
הַתְרָמָה נ obtaining contributions
הַתְרָסָה נ defiance, challenge
הִתְרַסֵּן (יִתְרַסֵּן) פ restrain oneself, curb oneself
הִתְרַסֵּק (יִתְרַסֵּק) פ be shattered, be smashed up
הִתְרַעֵם (יִתְרַעֵם) פ resent, grumble
הִתְרַעֲנֵן (יִתְרַעֲנֵן) פ refresh oneself, be refreshed
הִתְרַפֵּא (יִתְרַפֵּא) פ receive medical treatment; recover
הִתְרַפְּאוּת נ recovery (from illness), being healed
הִתְרַפָּה (יִתְרַפֶּה) פ grow slack, become slack
הִתְרַפֵּט (יִתְרַפֵּט) פ wear out
הִתְרַפֵּס (יִתְרַפֵּס) פ abase oneself
הִתְרַפֵּק (יִתְרַפֵּק) פ cuddle up to
הִתְרַצָּה (יִתְרַצֶּה) פ become reconciled
הִתְרַקֵּם (יִתְרַקֵּם) פ take shape, be formed
הִתְרַשֵּׁל (יִתְרַשֵּׁל) פ be careless, be slovenly
הִתְרַשֵּׁם (יִתְרַשֵּׁם) פ get an impression, be impressed
הִתְרַשְּׁמוּת נ impression
הִתְרַתֵּחַ (יִתְרַתֵּחַ) פ boil over; get angry
הַתָּשָׁה נ weakening; attrition

ו

וְ־ (וּ־, וַ־, וָ־, וֶ־, וִי־) and; but

וְאִילּוּ מ״ח but, whereas

וּבְכֵן מ״ח so, accordingly

וְגוֹמֵר, וְגוֹ׳ and so on to the end

וַדָּאוּת נ certainty, certitude

וַדַּאי תה״פ certainty; certainly

וַדָּאִי ת certain, undoubted

וָו ז hook, peg

וָוִית נ small hook

וַי מ״ק alas, woe

וִידֵּא (יְוַדֵּא) פ certify, state with certainty, validate

וִידָּה (יְוַדֶּה) פ hear confession of

וִידּוּי ז confession

וִיכּוּחַ ז argument, debate

וִילוֹן ז curtain

וִיסּוּת ז regulation

וִיסֵּת (יְוַסֵּת) פ regulate, control

וִיתּוּר ז giving way, concession

וִיתֵּר (יְוַתֵּר) פ give way, concede

וְכַדּוֹמֶה, וכד׳ and such like

וְכוּלֵי, וְכוּ׳ and so on, etc.

וַכְּחָן ז argumentative person

וָלָד ז young (of an animal); child

וַלְדָּנִית נ prolific mother

וֶסֶת זו״נ menstrual period, menstruation

וַסָּת ז regulator, regulating instrument

וַעַד ז committee

וָעֶד תה״פ forever

וַעֲדָה נ sub-committee, commission

וְעִידָה נ conference, congress

וְעִידַת פִּסְגָּה summit conference

וֶרֶד ז rose

וַרְדִּי ת rosy, rose

וַרְדִּינוֹן ז oil made from roses

וְרַדְרַד ת pinkish, rose-tinted

וֶרֶדֶת נ erysipelas, St. Anthony's fire

וָרוֹד, וָרֹד ת pink, rose-colored

וָרִיד ז vein

וְרִידִי ת venous

וֶשֶׁט ז gullet, (o)esophagus

וְתוּ מ״ח that also

וְתוּ לֹא and no more, and that's all

וָתִיק ת veteran, long-standing; old timer

וֶתֶק ז seniority, length of service

וַתְּרָן ז acquiescent, compliant person

וַתְּרָנִי ת compliant, acquiescent

ז

זְאֵב ז	wolf
זְאֵב־הַיָּם	wolf-fish
זַאֲטוּט ז	youngster, nipper
זֹאת מ״ג	this (feminine gender)
זָב (יָזוּב) פ	flow, discharge
זִבְדָּה נ	sour cream
זְבוּב ז	fly
זְבוּבוֹן ז	small fly
זְבוּל ז	abode
זָבַח (יִזְבַּח) פ	slaughter (for a sacrifice)
זֶבַח ז	sacrifice (of meat)
זְבִיל ז	bomb-holder
זֶבֶל ז	dung, manure, fertilizer; garbage
זַבָּל ז	dustman
זַבְלְגָן ז	lachrymose person
זַבָּן ז	shop-assistant
זַבָּנִית נ	saleslady
זַגָּג ז	glazier
זְגוּגִית נ	sheet of glass
זֵד ז	evil-doer
זָדוֹן ז	malignity, malice
זֶה מ״ג	this (masc.); it
זָהָב ז	gold
זְהַבְהַב ת	golden (color)
זֶהָבִי ת	goldsmith
זֵהֶה ת	identical
זֶהוּ מ״ג	this is..., that is...; that's it!
זָהוֹב ת	golden
זְהוֹרִית נ	rayon
זֶהוּת נ	identity
זָהִיר ת	careful, prudent
זְהִירוּת נ	caution, carefulness
זָהַר (יִזְהַר) פ	glow, gleam
זַהֲרוּר ז	red glimmer
זוֹ מ״ג	this (feminine)
זוּבַּל (יְזוּבַּל) פ	be manured, be fertilized
זוּג ז	pair, couple
זוּגַּג (יְזוּגַּג) פ	be fitted with glass
זוּגָה נ	partner (female), wife
זוּגִי ת	even (number)
זוּהָה (יְזוּהֶה) פ	be identified
זוּהַם (יְזוּהַם) פ	be infected, be contaminated
זוּהֲמָה נ	filth, muck; scum
זוֹהַר ז	brightness, shine, glow
זְוָד ז	kit; personal luggage
זָוִית נ	angle
זָוִיתוֹן ז	square, try-square
זְוָעָה נ	horror, dread
זְוָעָתִי ת	horrible, ghastly
זוֹחֵל ז	reptile
זוּטָא ת	little, tiny
זוּטוֹת נ״ר	bagatelles, trifles
זוּטָר ת	junior (official)
זוּיַּן (יְזוּיַּן) פ	be armed; (slang) be "had", be "laid"
זוּיַּף (יְזוּיַּף) פ	be forged, be faked
זוֹךְ ז	purity, clarity
זוּכָּה (יְזוּכֶּה) פ	be acquitted; be credited with (money)

זוּכַּךְ (יְזוּכַּךְ) פ be cleansed, be purified
זוֹל ז cheapness
זוֹל ת cheap, inexpensive
זוֹלֵל ת greedy, gluttonous
זוּלַת־זוּלָתִי־ מ״י apart from, except
זוֹמֵם ת scheming (evil), plotting
זוּמַּן (יְזוּמַּן) פ be prepared, be fixed, be appointed
זוֹנָה נ prostitute
זוּעֲזַע (יְזוּעֲזַע) פ be shocked, be shaken
זוּפַּת (יְזוּפַּת) פ be tarred
זוֹקֶן ז old age
זוּקַּק (יְזוּקַּק) פ be refined (oil), be purified
זָז (יָזוּז) פ move, move away
זָח (יָזוּחַ) פ rise; be proud
זָחוֹן ז sliding caliper
זָחִיחַ ת sliding, movable
זְחִיחוּת נ haughtiness, hauteur
זְחִילָה נ creeping, crawling
זַחִית נ slide (part of tool)
זָחַל (יִזְחַל) פ crawl, creep
זַחַל ז larva, caterpillar
זַחלָם ז light tank, bren-gun carrier
זַחלָן ז toady, crawler
זִיבָה נ drip; gonorrhea
זִיבּוּל ז manuring, fertilizing
זִיבּוּרִי ת poor quality, shoddy
זִיבֵּל (יְזַבֵּל) פ manure, fertilize
זִיג ז tight-fitting coat, jacket
זִיגֵּג (יְזַגֵּג) פ fit with glass
זִיהָה (יְזַהֶה) פ identify
זִיהוּי ז identification
זִיהוּם ז infection, soiling
זִיהֵם (יְזַהֵם) פ infect, soil
זִיו ז radiance, brightness
זִיוֵּג (יְזַוֵּג) פ match, pair
זִיוּוּג ז matching, pairing
זִיוּן ז arming; (slang) fornication
זִיוּף ז forgery, fake
זִיז ז projection, bracket
זִייֵּן (יְזַייֵּן) פ arm; (sl.) fornicate
זִייֵּף (יְזַייֵּף) פ forge, fake
זַייְפָן ז forger
זִיכָּה (יְזַכֶּה) פ acquit; credit with
זִיכּוּי ז acquittal (legal); crediting
זִיכָּיוֹן ז concession, grant of rights
זִיכּוּךְ ז cleansing, purifying
זִיכֵּךְ (יְזַכֵּךְ) פ cleanse, purify
זִיכָּרוֹן, זִכרוֹן ז memory, remembrance
זִילוּף ז spraying, sprinkling
זִימָּה נ licentiousness
זִימּוּן ז invitation, summons
זִימֵּן (יְזַמֵּן) פ fix, appoint; invite
זִימֵּר (יְזַמֵּר) פ sing; play (a musical instrument)
זַיִן ז arms, weapons; the letter Zayin; (sl.) penis
זִינֵּב (יְזַנֵּב) פ dock (tail), trim (vine), foreshorten, cut short
זִינָה נ feeding
זִינֵּק (יְזַנֵּק) פ spring, leap forth
זִיעַ ז quake, tremor
זִיף ז bristle
זִיפּוּת ז tarring

זִיפֵּת (יְזַפֵּת) פ tar
זִיק ז spark
זִיקָה נ relation, connection
זִיקוּק ז refining, purifying; spark
זִיקוּקֵי אֵשׁ, זִיקוּקִין דִּינוּר fireworks
זִיקִית נ chameleon
זִיקֵּק (יְזַקֵּק) פ refine
זִירָה נ arena
זֵירוּז ז urging, hurrying
זֵירֵז (יְזָרֵז) פ hurry, hustle
זֵירָעוֹן ז sperm, seed
זַיִת ז olive (tree, wood, or fruit)
זַךְ ת pure, transparent
זַכַּאי ת guiltless, acquitted
זָכָה (יִזְכֶּה) פ win (prize), gain
זְכוּכִית נ glass
זְכוּכִית מַגְדֶּלֶת magnifying glass
זָכוּר ת remembered
זְכוּת נ right, privilege
זַכּוּת נ purity, innocence
זְכִייָּה נ winning, gaining
זְכִירָה נ remembering
זָכַר (יִזְכּוֹר) פ remember
זָכָר ז male, masculine
זֵכֶר, זֶכֶר ז memory
זַכְרוּת נ maleness; penis
זָלַג (יִזְלוֹג) פ drip; flow
זַלְדְּקָן ז thin-bearded person
זִלְזוּל ז disrespect, scorn
זִלְזֵל (יְזַלְזֵל) פ despise, scorn
זַלְזַל ז sprig, young shoot
זָלַח (יִזְלַח) פ spray
זְלִילָה נ eating greedily
זָלַל (יִזְלוֹל) פ eat greedily
זָלַף (יִזְלוֹף) פ drip, sprinkle
זְמוֹרָה נ twig, sprig
זִמְזוּם ז buzzing, humming
זַמְזָם ז electric siren, buzzer
זִמְזֵם (יְזַמְזֵם) פ buzz, hum
זָמִין ת available
זְמִינוּת נ availability
זָמִיר ז nightingale
זָמַם (יָזוֹם) פ plot; muzzle
זְמָם ז plot; muzzle
זְמַן, זְמָן ז time; season, term
זְמַנִּי ת temporary
זִמֵּן (יְזַמֵּן) פ time
זָמַר (יִזְמוֹר) פ prune, trim
זֶמֶר ז song, tune
זַמָּר ז singer
זְמָרַגְד ז emerald
זִמְרָה נ singing
זַמֶּרֶת נ singer (female)
זָן (יָזוּן) פ feed, nourish
זַן ז variety (of plant species), sort, kind
זַנַּאי ז adulterer, lecher
זָנָב ז tail
זַנְגְּבִיל ז ginger
זָנָה (יִזְנֶה) פ prostitute oneself
זְנוּנִים ז״ר prostitution, whoredom
זְנוּת נ prostitution
זָנַח (יִזְנַח) פ abandon, neglect
זְנִיקָה נ spring, leap forward
זָע (יָזוּעַ) פ move, budge
זֵעָה, זֵיעָה נ sweat, perspiration
זָעוּם ת meagre, scanty
זָעוּף ת irate, angry
זַעֲזוּעַ ז shaking, rocking
זִעֲזַע (יְזַעֲזַע) פ shock; shake

זָעִיר ת	tiny, little
זְעֵיר תה״פ	a little, a trifle
זָעַם (יִזְעַם) פ	be angry with
זַעַם ז	fury, rage
זָעַף (יִזְעַף) פ	be angry
זָעֵף ת	ill-tempered, cross
זָעַק (יִזְעַק) פ	cry out, shout
זְעָקָה נ	cry, shout
זַעֲרוּרִי ת	tiny, minute
זִפְזִיף ז	sand (used for building)
זֶפֶק ז	crop (in bird's gullet)
זֶפֶת נ	tar, pitch
זַפָּת ז	worker with tar or pitch
זְקוּנִים ז״ר	old age
זָקוּף ת	erect, upright
זָקוּק ת	needing, in need of
זָקִיף ז	sentry, guard
זְקִיפוּת נ	erectness
זָקֵן (יִזְקַן) פ	grow old, age
זָקֵן ת	old, aged; grandfather
זָקָן ז	beard
זִקְנָה נ	old age
זְקַנְקַן ז	small beard
זָקַף (יִזְקוֹף) פ	straighten up (or out)
זֶקֶף ז	adjacent side (of a right-angle)
זְקִפָּה נ	erection (of male organ)
זֵר ז	garland, wreath
זָר ת	foreign, alien
זָרָא ז	abhorrence, disgust

זַרְבּוּבִית נ	spout
זֶרֶג	(sl.) penis
זֶרֶד ז	sprig, shoot
זָרָה (יִזְרֶה) פ	scatter, spread
זְרוֹעַ נ	arm, upper arm
זָרוּעַ ת	sown, seeded
זָרוּת נ	strangeness, oddness
זַרְזִיף ז	shower of rain
זַרְזִיר ז	starling
זָרַח (יִזְרַח) פ	shine, rise (sun)
זַרְחָן ז	phosphorus
זָרִיז ת	brisk, agile, alert
זְרִיזוּת נ	alertness, agility
זְרִיחָה נ	sunrise; shining
זָרִים ת	streamlined
זְרִימָה נ	flow, flowing
זְרִיעָה נ	sowing, seeding
זְרִיקָה נ	throwing; injection
זָרַם (יִזְרוֹם) פ	flow
זֶרֶם ז	flow, current
זֶרֶם ז	stream
זַרְנוּק ז	hose, flexible hose
זַרְנִיךְ ז	arsenic
זָרַע (יִזְרַע) פ	sow, seed
זֶרַע ז	seed
זָרַק (יִזְרוֹק) פ	throw, toss
זֶרֶק ז	serum (for injection)
זַרְקוֹל ז	amplifier
זַרְקוֹר ז	searchlight
זֶרֶת נ	the little finger

ח

חָב (יָחוּב) פ owe, be in debt
חָבַב (יַחֲבוֹב) פ love, like
חָבוּט ת stricken, beaten
חָבוּי ת latent; hidden, concealed
חָבוּל ת pawned, pledged
חֲבוּר ז counterfoil
חַבּוּרָה נ bruise
חֲבוּרָה נ company; band, group
חָבוּשׁ ת (of hat) worn, wearing; imprisoned
חַבּוּשׁ ז quince
חָבוּת ת indebtedness, debt
חָבַט (יַחְבּוֹט) פ beat; knock down
חֲבָטָה נ stroke, blow
חֲבִי ז hiding-place, retreat
חָבִיב ת lovable, likable
חֲבִיבוּת נ amiability
חֶבְיוֹן ז hiding-place, hide
חָבִיל ז bale
חֲבִילָה נ parcel, package
חָבִיץ ז חֲבִיצָה נ pudding, pie; dumpling
חֲבִישָׁה נ bandaging; wearing (a hat); imprisonment
חָבִית נ barrel, cask
חֲבִיתָה נ omelette
חֲבִיתִית נ pancake
חָבַל (יַחְבּוֹל) פ wound, injure
חֲבָל מ״ק what a pity! a pity...
חֶבֶל ז cord, rope; region
חֵבֶל ז pain
חֲבַלְבַּל ז convolvulus, bind-weed

חַבָּלָה נ sabotage
חֶבְלֵי לֵידָה labor, labor pains; birth pangs (fig.)
חַבְּלָן ז "sapper", saboteur
חַבְּלָנוּת נ destruction, demolition, sabotage
חַבְּלָנִית נ destroyer (ship)
חֲבַצֶּלֶת נ pancratium, sand-lily
חָבַק (יַחֲבוֹק) פ hug, embrace; encircle
חָבָק ז clamp
חָבַר (יַחֲבוֹר) פ join together, unite
חֶבֶר ז band, association, company
חָבֵר ז friend; member; fellow; partner
חֶבְרָה נ society, company, community
חֶבֶר הַלְאוּמִּים the League of Nations
חֲבֵרוּת נ comradeship, friendship; membership
חִברוּת ז socialization
חַברוּתִי ת friendly, sociable
חֲבֵרִית תה״פ friendly
חַבְרַיָּא, חַבְרַיָּה נ group of friends, "gang"
חִברֵת (יְחַברֵת) פ socialize
חֶבְרָתִי ת social, communal
חָבַשׁ (יַחֲבוֹשׁ) פ dress, bandage, bind; imprison
חַבְתָּן ז barrel-maker
חָג (יָחוֹג) פ draw a circle; go round

חַג ז holiday, festival

חָגָב ז locust, grasshopper

חָגַג (יָחוֹג, יַחְגּוֹג) פ celebrate (a festival), observe

חָגוּ ז cleft, crack

חָגוּר ת belted, girded

חֲגוֹר ז equipment; belt, girdle

חֲגוֹרָה נ belt, girdle

חֲגִיגָה נ celebration, festivity

חֲגִיגִי ת solemn; festive

חֲגִיגִיּוּת נ solemnity, ceremoniousness

חָגְלָה נ mock partridge

חָגַר (יַחְגּוֹר) פ gird (a sword), put on (a belt)

חַד ת sharp, acute, shrill

חָד (יָחוּד) פ set (a riddle)

חַדְגּוֹנִי ת monotonous

חִדּוּד ז point, sharp edge

חִדּוּדִית נ cone

חֶדְוָה נ joy, gladness

חֲדִילָה נ cessation, ceasing

חָדִיר ת permeable, penetrable

חֲדִירָה נ penetration, permeation

חֲדִירוּת נ permeability, penetrability

חָדִישׁ ת modern, up-to-date

חָדַל (יֶחְדַּל) פ cease, stop; omit

חַד־צְדָדִי ז one-sided

חֵדֶק ז thorn, thorn-bush

חֶדֶק ז trunk; slot

חִדְקוֹנִית נ weevil

חָדַר (יַחְדּוֹר) פ penetrate

חֶדֶר ז room

חַדְרָנִית נ chambermaid

חָדָשׁ ת new

חֲדָשָׁה נ item of news

חַדְשָׁן ז innovator, neologist

חוֹב ז debt; obligation

חוֹבֵב ת lover; amateur

חוֹבְבָן ז amateur, hobbyist

חוֹבָה נ obligation, duty

חוֹבֵל ז seaman, sailor

חוּבַּל (יְחוּבַּל) פ be harmed, be injured

חוֹבֶץ ז חוֹבְצָה נ whey

חוּבַּר (יְחוּבַּר) פ be joined, be connected, be attached

חוֹבֶרֶת נ booklet, pamphlet

חוֹבֵשׁ ז medical orderly, medical assistant

חוּג ז circle; range

חוֹגֵג ת, ז celebrant; pilgrim

חוּגָה נ dial

חוֹגֵר ז O.R. (other rank)

חוֹד ז point, sharp edge

חוּדַּד (יְחוּדַּד) פ be sharpened

חוֹדֶשׁ ז month

חוּדַּשׁ (יְחוּדַּשׁ) פ be renewed; be renovated

חוֹדְשִׁי ת monthly

חַוַּאי ז farmer

חַוָּה נ farm

חֲוָיָה נ experience (deeply felt)

חֲוִילָה נ villa

חָווָק ז transom

חָוַור (יֶחֱוַר) פ pale, go white

חוּוַּר (יְחוּוַּר) פ be clarified

חַוָּר ז mixed soil (containing clay, chalk and limestone)

חֲוַרְוַר ת palish, somewhat pale

חֲוַרְוֹּרִי ת palish
חַוַּת־דַּעַת opinion, pronouncement
חוֹזֶה ז contract (legal)
חוּזַּק (יְחוּזַּק) פ be strengthened, be reinforced
חוֹזֶק ז strength, might
חוֹזקָה, חָזקָה נ strength, might
חוֹזֵר ז circular (letter); person returning
חוֹזֵר בִּתשׁוּבָה penitent
חוּזְרָר ז sorb-apple
חוֹחַ ז thorn-bush
חוֹחִית נ goldfinch
חוּט ז thread
חוֹטֵא ז sinner, evil-doer
חוּטָּא (יְחוּטָּא) פ be disinfected
חוּט הַשִּׁדרָה spinal cord
חוֹטֶם ז nose
חוֹטֵף ז kidnapper; grabber
חוֹטֶר ז branch; stick; pointer
חוּיַּב (יְחוּיַּב) פ be bound; be found guilty
חוּיַּג (יְחוּיַּג) פ be dialled
חוּיַּל (יְחוּיַּל) פ be enlisted, be called up
חוֹכֵר ז tenant, lessee
חוֹל ז sand
חו״ל, חוּץ לָאָרֶץ abroad
חוֹל, חֹל ז secular; profane
חוֹלֵב ת milkman; dairyman
חוֹלֶד ז mole
חוּלְדָּה נ rat
חוֹלֶה ת sick, ill; patient
חוֹלָה נ dune, sand-dune
חוֹלֵה רוּחַ mentally ill

חוֹלִי ז illness, sickness
חוּלְיָה נ link (in chain); vertebra; section (military)
חוֹלִירָע נ cholera
חוֹלֵל (יְחוֹלֵל) פ perform, do
חוּלַּל (יְחוּלַּל) פ be profaned, be desecrated
חוֹלְמָנִי ת dreamy
חוֹלָנִי ת sickly, infirm
חוֹלֵץ ז corkscrew
חוּלְצָה נ shirt, blouse
חוּלַּק (יְחוּלַּק) פ be divided; be shared
חוּלְשָׁה נ weakness, feebleness
חוֹם ז heat, warmth
חוּם ת brown
חוֹמָה נ wall, city-wall
חוּמַּם (יְחוּמַּם) פ be heated, be warmed
חוֹמֵס ז robber
חוֹמֶץ ז vinegar
חוּמצָה נ acid
חוּמצָה גוֹפרָתִית sulphuric acid
חוּמצָה חַנקָנִית nitric acid
חוּמצִיּוּת נ acidity
חוּמצַן (יְחוּמצַן) פ be oxidized
חוֹמֶר ז clay, clay soil; material; severity
חוּמרָה נ severity; strict measure
חוֹמרִיּוּת נ materialism; materiality
חוֹמרָנוּת נ materialism
חוֹמֶר נֶפֶץ explosives
חוֹמֶשׁ ז a fifth; belly
חוּמָשׁ ז one of the five books of the Pentateuch

חוּמַשׁ (יְחוּמַשׁ) פ — be multiplied by five, fivefold
חוּנַּךְ (יְחוּנַּךְ) פ — be educated; be inaugurated
חוּנַּן (יְחוּנַּן) פ — be granted mercy
חוֹנֵן (יְחוֹנֵן) פ — favor, be gracious to; endow
חוֹנַן (יְחוֹנַן) פ — be favored with, be blessed with
חוּסַּל (יְחוּסַּל) פ — be liquidated
חוֹסֶן ז — strength, power
חוּסַּן (יְחוּסַּן) פ — be immunized
חוּסְפַּס (יְחוּסְפַּס) פ — be roughened
חוֹסֶר ז — lack, want
חוּסַּר (יְחוּסַּר) פ — be subtracted; be deprived of
חוֹף ז — coast, beach
חוּפָּה נ — canopy, covering; bridal canopy; wedding ceremony
חוּפְזָה, חִפָּזָה נ — haste, hurry
חוֹפֶן ז — handful
חוֹפֵף ת — congruent
חוֹפֶשׁ ז — freedom, liberty
חוּפְשָׁה ז — leave, vacation
חוֹפְשִׁי ת — free, unrestricted, irreligious
חוּץ ז — out of doors; outside
חוּץ תה״פ — apart from, except for, except
חוֹצֵב ז — stone-cutter
חוֹצֶה, חוֹצֵה זָוִית ז — bisector
חוֹצֶן ז — bosom
חוּצְפָּה נ — impudence, "cheek"
חוּצְפָּן ז — impudent person
חוֹק ז — law; rule
חוּקָּה נ — constitution (of a country)
חוּקִּי ת — lawful, legal
חוּקִּיּוּת נ — legality, lawfulness
חוֹקֶן ז — enema
חוֹקֵק (יְחוֹקֵק) פ — legislate, enact
חוֹקֵר ז — investigator, researcher
חוּקָּתִי ת — constitutional
חוֹר ז — hole
חוּר ז — white linen
חוֹרֶב ז — drought, dryness
חוּרְבָּה נ — ruin
חוּרְבָּן ז — destruction
חוֹרִי־אַף, חֳרִי־אַף ז — wrath, fury
חוֹרַךְ (יְחוֹרַךְ) פ — be scorched, be charred
חוֹרְמָה, חָרְמָה נ — extermination, annihilation
חוֹרֶף ז — winter
חוֹרְפִּי ת — wintry
חוֹרְפָּן ז — mink
חוֹרֶשׁ ז — grove, copse
חוֹרְשָׁה, חוּרְשָׁה נ — grove, copse
חוּשׁ ז — sense
חוּשַּׁב (יְחוּשַּׁב) פ — be calculated, be thought out
חוּשְׁחָשׁ ז — wild orange
חוֹשֶׁךְ ז — darkness, dark
חוּשַּׁל (יְחוּשַּׁל) פ — be forged; be steeled
חוֹשָׁם ז — duffer, dolt, simpleton
חוּשְׁמַל (יְחוּשְׁמַל) פ — be electrified
חוֹשֶׁן ז — breastplate
חוּשָׁנִי ת — sensual
חוֹשְׂפָנִי ת — blatant, all-revealing
חוֹשֵׁק ז — adorer, lover

חוּשׁ רֵיחַ sense of smell
חוּשׁ שְׁמִיעָה sense of hearing
חוֹשֵׁשְׁנִי, חוֹשְׁשַׁנִי I'm afraid, I fear
חוֹתָל ז, חוֹתֶלֶת נ wrapping, wrapper
חוֹתָלוֹת נ״ר puttees, leggings
חוֹתָם ז seal; mark, stamp
חוֹתֶמֶת נ stamp (instrument or sign), seal
חוֹתֵן ז father-in-law
חוֹתֶנֶת נ mother-in-law
חַזַּאי ז weather forecaster
חָזָה (יֶחֱזֶה) פ watch; see (visions)
חָזֶה ז chest, breast
חָזוֹן ז vision, prophecy
חָזוּת נ vision (prophetic); appearance
חָזוּתִי ת visual
חֲזָזִית נ acne
חָזִיז ז flash of lightning
חֲזִיָּה נ brassiére (for women); waistcoat (for men)
חֲזִיר ז pig, swine
חֲזִירוּת נ swinishness, hoggishness
חֲזִיר־יָם guinea-pig
חֲזִית נ front, facade
חֲזִיתִי ת frontal
חַזָּן ז cantor (in synagogue)
חַזָּנוּת נ office of cantor; cantillation
חָזַק (יֶחֱזַק) פ be strong; become strong
חָזָק ז strong, firm, powerful
חֶזְקָה נ force, severity; power (algebra)
חֲזָקָה נ usucaption, right or claim based on possession

חָזַר (יַחֲזוֹר) פ return, repeat
חֲזָרָה נ return; repetition, rehearsal
חֲזֶרֶת נ horse-radish
חַזֶּרֶת נ mumps
חָט ז incisor
חָטָא (יֶחֱטָא) פ sin, transgress
חֵטְא ז sin, fault
חַטָּא ז sinner
חַטָּאָה, חַטָּאת נ sin; sin-offering
חַטְּאוֹת נְעוּרִים sins of youth
חָטַב (יַחְטוֹב) פ cut up, hew
חָטוּב ת hewn; well-shaped
חֲטוֹטֶרֶת נ hump
חָטוּף ת abducted; snatched
חָטָט ז papule, pimple
חַטְטָן ז fussy person (over details); nosy
חַטֶּטֶת נ furunculosis
חֲטִיבָה נ brigade; section, unit
חֲטִיפָה נ snatching, grabbing
חָטַף (יַחְטוֹף) פ snatch, grab
חַטְפָן ז snatcher; kidnapper
חַי ת alive, living, live; lively
חִיבֵּב (יְחַבֵּב) פ like, be fond of
חִיבָּה נ affection, fondness
חִיבּוּב ז liking, fondness
חִיבּוּט ז beating, striking
חִיבּוּק ז hug, hugging, embrace
חִיבּוּר ז connection, joining; joint, junction; composition
חִיבֵּל (יְחַבֵּל) פ harm, injure, damage
חִיבֵּל ז rigging (on a ship)
חִיבֵּק (יְחַבֵּק) פ hug, embrace

חִיבֵּר (יְחַבֵּר) פ join, connect; add; joint; compose
חִיגֵּר ז lame, limping person
חִידֵּד (יְחַדֵּד) פ sharpen
חִידָה נ riddle, puzzle
חִידּוּד ז joke, witticism
חִידוֹן ז quiz
חִידּוּשׁ ז renewal; innovation
חִידָּלוֹן ז non-existence, nullity
חִידֵּשׁ (יְחַדֵּשׁ) פ renew; renovate, innovate
חִידַת הַרְכָּבָה jigsaw puzzle
חָיָה, חַי (יִחְיֶה) פ live, exist
חַיָּה נ animal, beast
חִיּוּב ז affirmation; being in favor of; guilt, conviction
חִיּוּבִי ת positive, affirmative
חִיּוּג ז dialling
חִיוָּה (יְחַוֶּה) פ state, pronounce
חִיוֵּר ת pale
חִיוָּרוֹן ז pallor, wanness
חִיּוּךְ ז smile
חִיּוּל ז mobilization, enlistment
חִיּוּנִי ת vital, essential
חִיּוּנִית נ vitamin
חִיּוּת, חַיּוּת נ life, vitality
חִיזּוּי ז forecast, prediction
חִיזּוּק ז strengthening, fortifying
חִיזּוּר ז wooing, courting
חִיזָּיוֹן ז vision; drama, play
חִיזֵּק (יְחַזֵּק) פ strengthen, fortify
חִיזֵּר (יְחַזֵּר) פ woo, court
חִיטֵּא (יְחַטֵּא) פ disinfect, cleanse
חִיטָּה נ wheat
חִיטּוּב ז hewing, carving

חִיטּוּט ז scratching, scrabbling
חִיטּוּי ז disinfection
חִיטֵּט (יְחַטֵּט) פ scrabble, dig up, scratch about
חִייֵּב (יְחַייֵּב) פ oblige, force; convict, find guilty
חַייָּב ז obliged; owing; guilty
חִייֵּג (יְחַייֵּג) פ dial
חַיידַּק ז microbe, bacterium
חִייָּה (יְחַייֶּה) פ keep alive, leave alive; revive
חַייָּט ז tailor
חַייָּטוּת נ tailoring
חִייֵּךְ (יְחַייֵּךְ) פ smile
חַייְכָנִי ת smiling, cheerful by nature
חַייָּל ז soldier
חִייֵּל (יְחַייֵּל) פ call up, enlist
חַיִּים ז"ר life
חַייעַד ז aizoon (flower); everlasting
חִיכָּה (יְחַכֶּה) פ wait, await; expect
חִיכּוּךְ ז friction; rubbing
חִיכִּי ת palatal
חִיכֵּךְ (יְחַכֵּךְ) פ rub against
חַיִל ז strength, might, bravery
חֵיל ז rampart, low wall
חִיל ז חִילָה נ pain; fear
חֵיל אֲוִויר air force
חִילָּה (יְחַלֶּה) פ sweeten
חִילּוּל ז desecration, profanation
חִילּוּל הַשֵּׁם blasphemy
חִילּוֹנִי ת secular
חִילּוּף ז exchange, change
חִילּוּף חוֹמָרִים metabolism
חִילּוּפִית נ amoeba

חִילוּץ ז	deliverance, rescue
חִילוּץ עֲצָמוֹת	exercise, physical training
חִילוּק ז	division; sharing
חִילוּקֵי דֵעוֹת	differences of opinion
חִילָזוֹן ז	snail
חֵיל הַיָּם	navy
חִילֵּל (יְחַלֵּל) פ	profane, desecrate
חִילֵּן (יְחַלֵּן) פ	secularize; fenestrate
חִילֵּף (יְחַלֵּף) פ	change, replace
חִילֵּץ (יְחַלֵּץ)	deliver, rescue; pull out
חִילֵּק (יְחַלֵּק) פ	divide; share out
חֵיל רַגלִים, חִי״ר	infantry
חִימּוּם ז	heating, warming
חִימּוּשׁ, חִמּוּשׁ ז	arming, ordnance
חִימֵּם (יְחַמֵּם) פ	heat, warm
חִימְצָה נ	chick pea
חִימֵּר (יְחַמֵּר פ	drive (donkey or other pack animal)
חִימֵּשׁ ז	child of the fifth generation, great-great-great-grandchild
חִימֵּשׁ (יְחַמֵּשׁ) פ	arm; divide by five; multiply by five
חִינּוּךְ ז	education, upbringing
חִינּוּכִי ת	educational
חִינֵּךְ (יְחַנֵּךְ) פ	educate, bring up
חִינָּם, חִנָּם תה״פ	free (of charge)
חִינֵּן (יְחַנֵּן) פ	implore, beseech
חִינָּנִי ז	graceful, charming, comely
חִינָּנִית נ	daisy
חִינֵּק (יְחַנֵּק) פ	strangle, throttle
חִיסּוּי ז	finding shelter, seeking refuge
חִיסּוּל ז	elimination, liquidation
חִיסּוּם ז	hardening (of metal)
חִיסּוּן ז	immunization
חִיסּוּר ז	subtraction (arithmetic), deduction
חִיסָּכוֹן ז	economy; thrift
חִיסֵּל (יְחַסֵּל) פ	eliminate, liquidate
חִיסֵּן (יְחַסֵּן) פ	immunize, strengthen
חִיסֵּר (יְחַסֵּר) פ	subtract; deprive
חִיסָּרוֹן ז	disadvantage, defect
חִיפָּה נ	lampshade; bonnet
חִיפָּה (יְחַפֶּה) פ	cover, overspread
חִיפּוּי ז	covering; cover (by gunfire etc.); shielding
חִיפּוּשׂ ז	search, quest; inquiry
חִיפּוּשִׂית נ	beetle
חִיפָּזוֹן ז	haste, hurry
חִיפֵּשׂ (יְחַפֵּשׂ) פ	look for, seek
חַיִץ ז	barrier; screen
חִיצּוּי ז	bisection, division in two
חִיצוֹן, חִיצוֹנִי ת	outer, external
חִיצוֹנִיּוּת נ	outward appearance
חֵיק ז	bosom, lap
חִיקָּה (יְחַקֶּה) פ	copy, imitate
חִיקּוּי ז	imitation
חִיקּוּן ז	giving an enema
חִיקּוּק ז	legislation, enacting
חִיקּוּר ז	investigation
חֵירוּם ז	stress, strained situation
חֵירוּף ז	abuse, curse
חֵירוּק ז	gnashing
חֵירוּק שִׁינַּיִים	gnashing one's teeth, fury
חֵירוּת, חֵרוּת נ	freedom, liberty
חֵירֵף (יְחָרֵף) פ	abuse, revile

חֵירֵשׁ, חֵרֵשׁ ז — deaf
חֵירֵשׁ־אִילֵּם — deaf and dumb
חֵירְשׁוּת, חֵרְשׁוּת נ — deafness
חִישׁ תה״פ — quickly, fast
חִישֵּׁב (יְחַשֵּׁב) פ — calculate, reckon, compute
חִישּׁוּב ז — calculation
חִישּׁוּל ז — forging
חִישּׂוּף ז — exposure, uncovering
חִישּׁוּק ז — rim, hoop
חִישּׁוּר ז — spoke (of wheel)
חִישֵּׁל (יְחַשֵּׁל) פ — forge, toughen
חִישֵּׁק (יְחַשֵּׁק) פ — gird, tie round
חִיתּוּךְ ז — cutting up, carving
חִיתּוּךְ הַדִּיבּוּר — articulation
חִיתּוּל ז — diaper, napkin
חִיתּוּם ז — stamping, sealing
חִיתּוּן ז — marrying off, marrying
חִיתֵּל (יְחַתֵּל) פ — put a diaper on (a baby)
חִיתֵּן (יְחַתֵּן) פ — marry off, give in marriage
חֵךְ ז — palate, roof of the mouth
חַכָּה נ — fish-hook
חֲכִירָה נ — tenancy (of property); leasehold
חָכַךְ (יַחכּוֹךְ) פ — rub, scratch; hesitate, be in doubt
חַכְלִיל, חַכְלִילִי ת — dull red, reddish
חָכַם (יֶחכַּם) פ — become wise
חָכָם ת — wise, sage
חָכָם בַּלַּיְלָה — wiseacre (ironically)
חָכְמָה נ — wisdom
חָכַר (יַחכּוֹר) פ — lease, rent
חֵל ז — rampart
חָל (יָחוּל) פ — apply (laws, regulations); fall on, occur
חָל (יָחִיל) פ — tremble, fear
חֶלְאָה נ — filth, foulness
חָלַב (יַחֲלוֹב) פ — milk
חָלָב ז — milk
חֵלֶב ז — animal fat, tallow
חַלְבָה, חַלְוָוה נ — halva
חֶלְבּוֹן ז — white of egg; protein
חֲלָבִי ת — milky, lactic
חֲלַבְלוּב ז — spurge
חַלְבָּן ז — milkman
חָלַד (יַחֲלוֹד) פ — rust, become rusty
חֶלֶד ז — this world, this life
חָלָה (יֶחֱלֶה) פ — fall sick, be ill
חַלָּה נ — halla, loaf eaten on Sabbath
חָלוּד ת — rusty
חֲלוּדָה נ — rust, rustiness
חַלְוָוה ר׳ חַלְבָה
חָלוּט ת — absolute, final
חָלוּל ת — hollow
חֲלוֹם ז — dream
חַלּוֹן ז — window
חַלּוֹן רַאֲוָוה — display window
חֲלוֹף ז — vanishing, perishing
חָלוּץ ז — pioneer, vanguard; forward (football)
חֲלוּצִיּוּת נ — pioneering spirit
חָלוּק ז — dressing-gown; work-coat
חָלוּק ת — differing (in opinion)
חַלּוּק ז — pebble
חֲלוּקָּה נ — division; distribution partition
חַלּוּקֵי אֲבָנִים — pebbles
חָלוּשׁ ת — frail, weak

חֲלוּשָׁה נ feebleness, weakness
חֶלְזוֹנִי ת helical, spiral
חִלְחוּל ז permeation; seeping
חִלְחֵל (יְחַלְחֵל) פ permeate, penetrate
חַלְחָלָה נ trembling, shudder
חָלַט (יַחְלוֹט) פ pour boiling water on
חַלְטָנִי ת decisive, resolute, determined
חֲלִיבָה נ milking
חָלִיד ת liable to rust
חָלִיל ז flute
חֲלִילָה תה״פ repeatedly
חָלִילָה תה״פ God forbid!
חֲלִילִית נ recorder (flute)
חֲלִילָן ז flautist
חָלִיף ז new shoot (from pruned branch); caliph; substitute
חָלִיף ת interchangeable
חֲלִיפָה נ costume (for women), suit (for men)
חֲלִיפוֹת תה״פ alternately
חֲלִיפוּת נ caliphate; interchangeability
חֲלִיפִים, חֲלִיפִין ז״ר barter; thing bartered
חֲלִיצָה נ taking off, removing; halitza (release from obligation to marry brother's widow)
חֲלִישׁוּת נ weakness, debility; enfeeblement
חֲלִישׁוּת הַדַּעַת dejection
חֵלֶךְ, חֵלְכָה ת wretched, poor, unfortunate
חֲלַכָּאִים wretches, the poor and needy
חָלָל ז dead, fatal casualty; outer space; vacuum
חֲלָלַאי ז spaceman
חֲלָלִית נ space-ship
חָלַם (יַחֲלוֹם) פ dream
חֶלְמוֹן ז egg-yolk
חֶלְמוֹנָה נ egg brandy, egg-nog
חַלָּמִישׁ ז flint, silex
חָלַף (יַחֲלוֹף) פ pass by
חֵלֶף תה״פ in exchange for
חֵלֶף ז spare part
חַלָּף ז ritual slaughterer's knife
חִלְפִית נ swordfish
חַלְפָן ז money-changer
חָלַץ (יַחֲלוֹץ) פ draw off, take off (shoe); rescue remove
חֲלָצַיִים loins
חָלַק (יַחֲלוֹק) פ apportion, allot
חָלָק ת smooth
חֵלֶק ז part, portion; share
חֶלְקָה נ plot, field
חֶלְקִי ת partial, fractional
חֶלְקִיק ז particle
חֶלְקִית תה״פ partly
חֲלַקְלַק ת slippery
חֲלַקְלַקָּה נ skating-rink; slippery ground
חֲלַקְלַקּוֹת תה״פ by flattery, with a smooth tongue
חָלַשׁ (יֶחֱלַשׁ) פ be weak, be feeble
חַלָּשׁ ת weak, feeble
חִלְתִּית נ asafetida
חַם, חָם ת warm, hot

חָם ז (חָמִי, חָמִיךָ... חָמִיו...) father-in-law
חֶמְאָה נ butter
חָמַד (יַחמוֹד) פ covet, lust after
חֶמֶד ז delight, loveliness
חֶמְדָּה נ desire, object of desire
חַמְדָנוּת נ covetousness, lustfulness
חַמָּה נ sun
חֵמָה נ anger, wrath
חָמוּד ת delightful, charming
חֲמוּדוֹת נ״ר delightfulness
חֲמוּלָה נ clan
חָמוּם ת heated
חֲמוּם מוֹחַ, חֲמוּם מֶזֶג hot-tempered, excitable
חָמוּץ ת sour
חַמּוּק ז curve, roundness
חֲמוֹר ז donkey, ass
חָמוּר ת grave, severe
חָמוּשׁ ת armed, equipped (for war)
חָמוֹת נ mother-in-law
חֲמִיטָה נ pancake
חָמִים ת warm
חֲמִימוּת נ warmth; warm-heartedness
חַמִּין ז 'cholnt'; food kept warm for the Sabbath
חֲמִיצָה נ sour soup, beetroot soup, 'borsht'
חֲמִיצוּת נ sourness, acidity
חֲמִישָּׁה ש״מ five (masc.)
חֲמִישָּׁה עָשָׂר ש״מ fifteen (masc.)
חֲמִישִׁי ת fifth
חֲמִישִׁיָּה נ group of five; quintet
חֲמִישִּׁים ש״מ fifty
חֲמִישִׁית נ one fifth
חָמַל (יַחמוֹל) פ have pity on, spare
חֶמְלָה נ pity, compassion
חֲמָמָה נ hothouse, glasshouse
חַמָּנִית נ sunflower
חָמַס (יַחֲמוֹס) פ rob, extort
חָמָס ז violent crime, brigandage
חַמסִין ז hamsin (hot dry wind)
חַמסָן ז brigand
חָמַץ (יֶחמַץ) פ go sour, turn sour
חָמֵץ ז leavened bread
חִמצוּן ז oxidation, oxygenation
חֻמצִיץ ז wood-sorrel
חֲמַצמַץ ת a little sour, sourish
חַמצָן ז oxygen
חִמצֵן (יְחַמצֵן) פ oxidize, oxygenate
חַמצָנִי ת oxygenic, containing oxygen
חַמֶּצֶת נ acidosis
חָמַק (יֶחמַק) פ slip away, run off
חַמקָן ז shirker, dodger
חַמקָנוּת נ shirking, evasiveness
חָמַר (יֶחמַר) פ seethe, foam; cover with asphalt
חֵמָר ז asphalt, bitumen
חֹמֶר ר׳ חוֹמֶר
חַמָּר ז ass-driver
חִמרִיָּה נ rufous warbler
חַמרָן ז aluminum
חַמרָנוּת ר׳ חוֹמרָנוּת
חֲמֶרֶת נ caravan of asses
חָמֵשׁ ש״מ, נ five (feminine)
חַמשִׁיר ז limerick
חַמשִׁית נ quintet(te) (musical)
חֲמֵשׁ־עֶשְׂרֵה fifteen (fem.)

waterskin, skin bottle — חֵמֶת נ
bagpipes — חֵמַת חֲלִילִים
charm, grace; favor — חֵן ז
thank you — חֵן־חֵן
be parked (a car); encamp (an army) — חָנָה (יַחֲנֶה) פ
shopkeeper — חֶנְוָנִי ז
mummy, embalmed body — חָנוּט ז
inauguration, dedication; Hanukka, the feast of dedication — חֲנוּכָּה נ
Hanukka candlestick — חֲנוּכִּיָּה נ
merciful, compassionate — חַנּוּן ת
flattery — חֲנוּפָּה נ
strangled, choked — חָנוּק ת
shop, store — חֲנוּת נ
embalm (a body), mummify — חָנַט (יַחֲנוֹט) פ
parking (place) — חֲנָיָה נ
embalming, mummification — חֲנִיטָה נ
parking; encampment — חֲנִיָּיה נ
pupil, cadet (military), apprentice — חָנִיךְ ז
gums — חֲנִיכַיִים ז״ר
pardon, amnesty — חֲנִינָה נ
flattery, blandishment — חֲנִיפָה נ
strangulation, throttling — חֲנִיקָה נ
spear, javelin — חֲנִית נ
inaugurate, formally open — חָנַךְ (יַחֲנוֹךְ) פ
hail, sleet — חֲנָמַל ז
pardon (criminal), show mercy to — חָנַן (יָחוֹן, יֶחֱנַן) פ
flatter, toady — חָנַף (יַחֲנוֹף) פ

flatterer, toady — חָנֵף ת
sycophant, toady, flatterer — חַנְפָן ז
strangle, throttle — חָנַק (יַחֲנוֹק) פ
strangulation — חֶנֶק ז
nitrate — חֲנָקָה נ
nitrification — חִנְקוּן ז
nitrogen — חַנְקָן ז
nitrogenize — חִנְקֵן (יְחַנְקֵן) פ
nitric, nitrogenous — חַנְקָנִי ת
nitrous — חַנְקָתִי ת
spare, pity — חָס (יָחוּס) פ
benevolence; charity — חֶסֶד ז
find protection, find refuge — חָסָה (יֶחֱסֶה) פ
lettuce — חַסָּה נ
graceful, charming — חָסוּד ת
God forbid! — חַס וְחָלִילָה! חַס וְשָׁלוֹם!
protected, guarded; restricted (documents) — חָסוּי ת
lacking, wanting — חָסוּךְ ת
muzzled (animal); enclosed — חָסוּם ת
sturdy, strong — חָסוֹן ת
protection, patronage — חָסוּת נ
cartilage — חַסְחוּס ז
leeward — חֲסִי ז
Hassid; pious man; devotee, fan — חָסִיד ת
stork — חֲסִידָה נ
barring, blocking, shutting in — חֲסִימָה נ
proof (against...), immune (from...) — חֲסִין, חָסִין ת
fireproof — חֲסִין־אֵשׁ
immunity — חֲסִינוּת נ

חֲסִין־מַיִם waterproof

חָסַךְ (יַחְסוֹךְ) פ save; withhold

חֶסֶךְ ז deprivation

חַסְכָן ז thrifty person

חַסְכָנִי ת thrifty, economical

חֲסַל! מ״ק stop! enough!

חָסַם (יַחְסוֹם) פ block, bar

חִסְפּוּס ז roughening (a surface), coarsening

חִסְפֵּס (יְחַסְפֵּס) פ roughen (surface); coarsen

חָסַר (יֶחְסַר) פ be absent, be missing; lack, be without

חָסֵר ת lacking, short of, in need of; less, minus

חֶסֶר ז shortage; poverty

חֲסַר דַּעַת brainless, witless

חֶסְרוֹן ז disadvantage; deficiency

חַף ת clean, pure, innocent

חָף ז tooth of a key; dowel

חָפָה (יֶחְפֶּה) פ cover, wrap

חָפוּז ת rushed, hurried, slapdash

חָפוּי ת covered, wrapped

חָפוּת ת rolled-up

חָפַז (יַחְפּוֹז) פ rush, hurry

חֲפִיזוּת נ impulsiveness

חֲפִיָּה נ covering, wrapping

חֲפִיסָה נ packet, small bag

חֲפִיפָה נ shampooing, washing the head; congruence

חֲפִירָה נ digging; ditch

חַף מִפֶּשַׁע innocent, guiltless

חָפַף (יַחְפוֹף) פ shampoo, wash (the hair); be congruent, overlap

חֲפָף ז carp; pumice

חֲפָפִית נ rash, eczema

חָפֵץ, חָפַץ (יַחְפּוֹץ) פ desire, wish, want

חֵפֶץ ז desire, wish; object, article

חָפַר (יַחְפּוֹר) פ dig, excavate

חַפָּר ז digger; pioneer (military)

חֲפַרְפֵּרָה, חֲפַרְפֶּרֶת נ mole

חָפַת (יַחְפּוֹת) פ roll up (sleeves)

חֵפֶת ז fold (in garment)

חֵץ ז arrow, dart

חֲצָאִית נ skirt

חָצַב (יַחְצוֹב) פ quarry (stone), hew; chisel

חַצֶּבֶת נ measles

חָצָה (יֶחֱצֶה) פ halve; divide; cross (road, river, etc.)

חָצוּב ת quarried, dug out

חֲצוּבָה נ tripod

חָצוּי ת halved, bisected

חָצוּף ת saucy, cheeky, impudent

חֲצוֹצְרָה נ trumpet

חֲצוֹצְרָן ז trumpeter

חֲצוֹת נ midnight

חֲצִי ז half; middle, center

חֲצִי־אִי peninsula

חֲצָיָה, חֲצִיָּה נ halving, bisection

חָצִיל ז egg-plant

חֲצִיצָה נ partitioning, separating

חָצִיר ז hay, grass

חָצַץ (יַחְצוֹץ) פ partition off, separate (by a partition)

חָצָץ ז gravel, stones

חִצְצֵר (יְחַצְצֵר) פ blow a trumpet, bugle

חָצֵר נ yard, courtyard
חֲצֵרִים ז״ר premises
חַצְרָן ז storeman (on a farm), janitor (in a house)
חַקְיָן ז imitator, mimic, copier
חֲקִיקָה נ legislation, enactment; engraving (on stone)
חֲקִירָה נ investigation
חַקְלָאוּת נ agriculture
חַקְלַאי ז agriculturalist, farmer
חָקַק (יַחקוֹק) פ engrave (on stone); legislate, enact
חָקַר (יַחקוֹר) פ investigate
חֵקֶר ז investigation, inquiry
חֵקֶר הַמִּקְרָא Bible study
חָרַב (יֶחֱרַב) פ be destroyed
חָרֵב ת in ruins, desolate; dry
חֶרֶב נ sword
חָרָבָה נ arid land
חֶרְבּוֹן ז (slang) mess, failure
חִרְבֵּן (יְחַרְבֵּן) פ (slang) ruin, mess up, foul up
חָרַג (יַחרוֹג) פ exceed, go beyond
חַרגּוֹל ז locust, grasshopper
חָרַד (יֶחֱרַד) פ tremble; be anxious, be worried
חָרֵד ת fearful; anxious; God-fearing
חֲרָדָה נ dread; anxiety
חַרְדָּל ז mustard
חָרָה (יֶחֱרֶה) פ, חָרָה לוֹ resent
חָרוּב ז carob
חָרוּז ז bead; rhyme
חָרוּט ת engraved
חָרוּט ז cone
חָרוּךְ ת scorched, burnt
חָרוּל ז nettle, thistle
חָרוּם ת flat-nosed
חֲרוּמַף ז flat-nosed person
חָרוֹן, חֲרוֹן־אַף ז wrath, fury
חֲרוֹסֶת נ haroset (mixture of nuts, fruit and wine eaten on Passover night)
חָרוּץ ת industrious, diligent
חָרוּר ת perforated, full of holes
חָרוּשׁ ת ploughed, furrowed
חֲרוֹשֶׁת נ industry, manufacture
חֲרוֹשְׁתָּן ז manufacturer, industrialist
חָרוּת ת carved, engraved
חָרַז (יַחֲרוֹז) פ string (beads); rhyme
חַרְזָן ז versifier, rhymester
חַרְחֲבִינָה נ sea-holly
חִרְחוּר ז provocation
חִרְחוּר רִיב trouble-making, quarrel-mongering
חִרְחֵר (יְחַרְחֵר) פ stir up
חָרַט (יַחרוֹט) פ carve; engrave
חֶרֶט ז stylus
חָרָט ז engraver, etcher
חֲרָטָה נ regret, repentance
חַרְטוֹם ז beak, snout
חַרְטוּמָן ז woodcock
חָרִיג ז exception, irregular form
חֲרִיגָה נ exceeding, going beyond
חֲרִיזָה נ stringing (beads, etc.); rhyming
חָרִיט ז purse
חֲרִיטָה נ etching, engraving

חָרִיף ת — sharp, pungent; acute; severe, trenchant
חָרִיץ ז — groove, fluting
חָרִיצוּת נ — diligence, industriousness
חֲרִיקָה נ — creaking
חָרִיר ז — small hole
חָרִישׁ ז — ploughing; ploughing season
חֲרִישָׁה נ — ploughing
חֲרִישִׁי ת — still, quiet
חָרַךְ (יַחֲרוֹךְ) פ — scorch, singe
חָרָךְ ז — lattice window, loophole
חֵרֶם ז — excommunication, boycott
חֶרְמֵשׁ ז — scythe, sickle
חֶרֶס ז — clay; shard, broken pottery
חַרְסִינָה נ — porcelain
חַרְסִית נ — clay soil; shards
חָרַף (יֶחֱרַף) פ — winter, spend the winter
חֵרֶף תה״פ — in spite of, despite
חֶרְפָּה נ — disgrace, shame
חָרַץ (יֶחֱרַץ) פ — groove, cut into; decide, decree
חַרְצוּבָּה נ — bond, shackle
חַרְצָן ז — pip, stone; date-stone
חָרַק (יַחֲרוֹק) פ — grate, creak; gnash (teeth)
חֶרֶק ז חֲרָקִים ז״ר — insect; grating, creaking
חֶרֶשׁ תה״פ — secretly, silently
חָרַשׁ (יַחֲרוֹשׁ) פ — plough
חָרָשׁ ז — artisan, craftsman
חַרְשָׁף ז — artichoke
חָשׁ (יָחוּשׁ) פ — feel, sense; rush, hurry
חֲשַׁאי ז — stillness

חֲשָׁאִי ת — secret, clandestine
חֲשָׁאִיּוּת נ — secrecy
חָשַׁב (יַחְשׁוֹב) פ — think; intend
חַשָּׁב ז — accountant
חֶשְׁבּוֹן ז — account; bill, invoice; arithmetic
חֶשְׁבּוֹנָאוּת נ — accountancy
חֶשְׁבּוֹנִיָּה נ — abacus; counting frame
חֶשְׁבּוֹן עוֹבֵר וָשָׁב — current account
חִשְׁבֵּן (יְחַשְׁבֵּן) פ — figure, calculate
חָשַׁד (יַחְשׁוֹד) פ — suspect
חֲשָׁד ז — suspicion
חַשְׁדָן ז — suspicious person
חָשָׁה (יֶחֱשֶׁה) פ — be silent, be still
חָשׁוּב ת — important
חָשׁוּד ת — suspected
חֶשְׁוָן ז — Heshvan (Oct.-Nov.)
חָשׁוּךְ ז — dark, obscure
חָשׂוּךְ ת — lacking, without
חֲשׂוּךְ בָּנִים — childless
חָשׂוּף ת — bare, exposed
חָשׁוּק ז — hoop (of a barrel)
חָשׁוּק ת — beloved, adored
חֲשִׁיבָה נ — thinking, cogitation
חֲשִׁיבוּת נ — importance
חָשִׁיל ת — forgeable (metal)
חֲשִׂיפָה נ — laying bare, exposing
חֲשִׁישׁ ז — hashish
חָשַׁךְ (יַחְשׁוֹךְ) פ — darken, grow dark
חֲשֵׁכָה נ — darkness, obscurity
חַשְׁמַל ז — electricity
חִשְׁמֵל (יְחַשְׁמֵל) פ — electrify; thrill
חַשְׁמַלָּאוּת נ — electrical engineering
חַשְׁמַלַּאי ז — electrician
חַשְׁמַלִּי ת — electric

חַשְׁמַלִּית נ tram, streetcar

חַשְׁמָן ז cardinal; noble

חָשַׂף (יַחְשׂוֹף) פ expose, bare

חַשְׂפָנוּת נ strip tease

חַשְׂפָנִית נ strip-tease artist

חָשַׁק (יַחְשׁוֹק) פ desire, long for, crave

חֵשֶׁק ז desire, longing; pleasure, enthusiasm

חַשְׁקָנִיּוֹת נ״ר (slang) adolescent pimples

חָשַׁשׁ (יַחֲשׁוֹשׁ) פ be afraid, be apprehensive

חֲשָׁשׁ ז fear, apprehension

חֲשַׁשׁ ז hay, chaff

חָתָה (יַחְתֶּה) פ rake (coals)

חָתוּךְ ת cut, cut up

חָתוּל ז cat

חָתוּם ת stamped, signed

חֲתוּנָּה נ wedding

חָתִיךְ ז (slang) good-looking boy

חֲתִיכָה נ piece, bit; (slang) attractive girl

חֲתִימָה נ signature

חֲתִירָה נ rowing (with oars); making headway; undermining

חָתַךְ (יַחְתּוֹךְ) פ cut

חֲתָךְ ז cut, incision

חֲתַלְתּוּל ז kitten, pussy

חָתַם (יַחְתּוֹם) פ sign; seal, stamp; complete

חָתָן ז bridegroom; son-in-law

חָתַר (יַחְתּוֹר) פ sabotage, undermine; row (a boat)

חַתְרָנוּת נ sabotage, undermining

ט

טִאטֵא (יְטַאטֵא) פ sweep (with a broom)

טָב, טָבָא ת good

טָבוּל ת dipped, immersed

טָבוּעַ ת drowned, sunk

טַבּוּר ז navel; hub

טַבּוּרִי ת navel orange

טָבַח (יִטְבַּח) פ slaughter, kill

טֶבַח ז slaughtering; massacre

טַבָּח ז cook, chef

טַבַּחַת, טַבָּחִית נ female cook

טְבִילָה נ dipping, immersion; baptism

טָבִין וּתְקִילִין good money, cash

טְבִיעָה נ stamping, imprinting, drowning

טָבַל (יִטְבּוֹל) פ dip, immerse

טַבְלָה נ table, plate

טַבְלִית נ tablet

טָבַע (יִטְבַּע) פ drown, sink; stamp

טֶבַע ז nature, Nature
טִבְעוֹנִי ת naturist
טִבְעִי ת natural
טִבְעִיּוּת נ naturalness
טִבְעִית תה"פ naturally, obviously
טַבַּעַת נ ring
טַבָּק ז tobacco
טֵבֵת ז Tevet (December-January)
טִגְרִיס ז tiger
טָהוֹר ת pure, untainted
טָהַר (יִטְהַר) פ become clean
טַהֲרָנוּת נ purism
טוּאטָא (יְטוּאטָא) פ be swept (with a broom)
טוֹב ת good, fair, fine; kind
טוֹב תה"פ well, good
טוּב ז goodness, fairness
טוֹב ז goodness, virtue
טוֹבָה נ favor, kindness, good deed
טוֹבִים ז"ר goods
טוֹבְלָן ז plunger
טוּבַּע (יְטוּבַּע) פ be sunk, be drowned
טוֹבְעָנִי ת loose and yielding (sand, mud)
טוּגַּן (יְטוּגַּן) פ be fried
טוֹהַר (יְטוֹהַר) פ be cleansed; be purged
טוֹהַר ז purity; purification
טוֹהֳרָה, טָהֳרָה נ purity; purification
טָוָה (יִטְוֶה) פ spin
טוּוַּח (יְטוּוַּח) פ be ranged (gun, target)
טְוָוח ז range

טַוָּס ז peacock
טְוִי ז fabric, cloth
טְוִיָּה נ spinning
טוּזִיג ז picnic, feast
טוֹחֵן ז miller
טוֹחֶנֶת נ molar (tooth)
טוּיַּח (יְטוּיַּח) פ be plastered, be coated
טוּיַּט (יְטוּיַּט) פ be written out in rough, be drafted
טוּלָּא (יְטוּלָּא) פ be patched
טוּלְטַל (יְטוּלְטַל) פ be moved about
טוּמָּא (יְטוּמָּא) פ be defiled
טוּמְאָה נ defilement, impurity
טוּמְטַם (יְטוּמְטַם) פ be made stupid, be besotted
טוּנַּף (יְטוּנַּף) פ be made filthy, be befouled
טוֹעֶה ת mistaken
טוֹעֵן ז claimant (legal)
טוֹעַן ז load; statement
טוֹפַח ז vetchling
טוּפַּח (יְטוּפַּח) פ be tended, be cherished
טוּפַּל (יְטוּפַּל) פ be burdened
טוֹפֶס ז copy, exemplar; form
טוּר ז column; progression; row
טוּרַאי ז private (soldier)
טוֹרְדָנִי ת worrying, vexing, troublesome
טוֹרַח ז bother, trouble
טוֹרֵף ת predatory, rapacious; carnivorous
טוֹרַף (יְטוֹרַף) פ be seized as prey; be confused, be deranged

טוּרְפַּד (יְטוּרְפַּד) פ — be torpedoed
טוּשְׁטַשׁ (יְטוּשְׁטַשׁ) פ — be blurred
טָח (יָטוּחַ) פ — plaster, smear
טַחַב ז — damp
טָחוּב ת — damp, moist
טְחוֹל ז — spleen
טָחוּן ת — ground, milled
טְחוֹרִים ז״ר — haemorrhoids, piles
טָחַן (יִטְחַן) פ — grind, mill
טֶחָן ז — miller
טַחֲנָה נ — mill
טִיב ז — quality, character
טִיבּוּעַ ז — sinking, drowning
טִיבֵּעַ (יְטַבֵּעַ) פ — sink, drown
טִיגּוּן ז — frying
טִיגֵּן (יְטַגֵּן) פ — fry
טִיהוּר ז — purification, purge
טִיהֵר (יְטַהֵר) פ — purify; purge
טִיּוּב ז — improvement
טִיוּוּחַ ז — ranging, range-finding
טִיוֵּחַ (יְטַוֵּחַ) פ — range (guns), find the range
טִיּוּחַ ז — plastering, coating
טְיוּטָה נ — rough draft
טִיּוּל ז — excursion, trip; walk
טֵיוֹן ז — teapot
טְיוֹנֶת נ — alluvium, silt
טִיחַ ז — plaster
טִיט ז — clay, soil; mud
טִיֵּב (יְטַיֵּב) פ — improve
טִיֵּחַ (יְטַיֵּחַ) פ — plaster, coat
טַיָּח ז — plasterer
טִיֵּל (יְטַיֵּל) פ — go for a walk, go on an excursion
טַיֶּלֶת נ — walk, promenade

טַיָּס ז — pilot
טַיֶּסֶת נ — squadron; pilot (female)
טִיכֵּס (יְטַכֵּס) פ — arrange, organize
טִיל ז — rocket; missile
טִימֵּא (יְטַמֵּא) פ — defile, taint
טִין ז — silt, mud
טִינָא, טִינָה נ — grudge, resentment
טִינּוֹפֶת נ — filth, dirt
טִינֵּף (יְטַנֵּף) פ — make filthy, befoul
טַיִס ז — (airplane); flying, flight
טִיסָה נ — flight (by plane)
טִיסָן ז — flying model
טִיסַת שֶׂכֶר — charter flight
טִיפָּה נ — drop, drip
טִיפָּה מָרָה — strong drink
טִיפ־טִיפָּה — just a drop, just a spot
טִיפִּין־טִיפִּין — drop by drop, little by little
טִיפּוּחַ ז — fostering, tending
טִיפּוּל ז — care, attention, treatment
טִיפּוּסִי ת — typical, characteristic
טִיפֵּחַ (יְטַפֵּחַ) פ — foster, tend, care
טִיפֵּל (יְטַפֵּל) פ — look after, care for, take care of
טִיפֵּס (יְטַפֵּס) פ — climb, clamber
טִיפֵּשׁ ת — silly, stupid
טִיפְּשׁוּת נ — silliness
טִיפְּשִׁי ת — silly, foolish, doltish
טִירָה נ — palace; fortress
טִירוֹן ז — recruit; novice, beginner
טִירוֹנוּת נ — recruit service, novitiate
טֵירוּף ז — madness, insanity
טֶכְנַאי ז — technician
טַכְסִיס ז — tactic, device
טַל ז — dew

טְלַאי ז patch
טִלְגֵּרֵף (יְטַלְגֵּרֵף) פ telegraph, cable
טֵלֶגְרָפִית תה״פ by telegram, by cable
טָלֶה ז lamb
טָלוּא ת patched
טִלְוֵז (יְטַלְוֵז) פ televise
טָלוּל ת dewy, bedewed
טִלְטוּל ז moving about; wandering
טִלְטֵל (יְטַלְטֵל) פ move about
טַלְטֵלָה נ hurling, throwing
טַלִּיסְמָה נ talisman
טַלִּית נ praying-shawl
טְלָלִים ז״ר dew
טֶלֶף ז, טְלָפַיִם ז״ז hoof; hooves
טֵלֶפוֹנִית תה״פ by telephone
טִלְפֵּן (יְטַלְפֵּן) פ telephone
טֵלֶפַּתִית תה״פ telepathically
טָמֵא ת unclean, impure, defiled
טִמְטוּם ז dulling, stupefying; dullness
טִמְטֵם (יְטַמְטֵם) פ make stupid, dull the wits of
טִמְיוֹן ז royal treasury
טְמִיעָה נ assimilation, absorption
טָמִיר ת latent, concealed
טָמַן (יִטְמוֹן) פ hide, conceal
טֶנֶא ז basket (for fruit)
טַס ז tray; metal plate
טָס (יָטוּס) פ fly
טַסִּית נ small tray
טָעָה (יִטְעֶה) פ make a mistake, err
טָעוּן ת requiring, needing; charged
טְעוֹנֶת נ river-load
טָעוּת נ mistake, error

טְעִיָּה נ making a mistake, erring
טָעִים ת tasty, palatable
טְעִינָה נ loading, charging
טָעַם (יִטְעַם) פ taste
טַעַם ז taste, flavor; reason
טָעַן (יִטְעַן) פ load, charge
טַעֲנָה נ claim; argument
טַף ז small children
טְפוֹלֶת נ putty
טֶפַח ז span, handsbreadth
טָפַח (יִטְפַּח) פ slap, strike
טְפָחָה נ roof-beam, cross-beam
טִפְטוּף ז dripping, dropping
טִפְטֵף (יְטַפְטֵף) פ drip, drop
טַפְטֶפֶת נ dropper
טְפִי ז oil-can; dropping flask
טַפִּיל ז parasite
טַפִּילוּת נ parasitism
טְפִיפָה נ mincing walk
טָפַל (יִטְפּוֹל) פ stick, paste attach; smear
טָפֵל ת subsidiary, subordinate
טֶפֶל ז putty
טַפְסָן ז molder (in concrete)
טָפַף (יִטְפּוֹף) פ mince, trip
טִקְטוּק ז ticking (of a clock), tick
טִקְטֵק (יְטַקְטֵק) פ tick
טֶקֶס ז ceremony
טָרַד (יִטְרוֹד) פ banish, drive away
טִרְדָּה נ trouble, bother
טַרְדָן ז nuisance (person), bothersome
טַרְדָנִי ת troublesome, bothersome
טָרוּד ת preoccupied, busy
טָרוּט ת bleary

טְרוֹם תה״פ before; pre-, ante-
טְרוֹמִי ת prefabricated
טְרוּנְיָה נ severity
טְרוּפֶת נ wreckage (of ship)
טַרְזָן ת, ז foppish; fop
טָרַח (יִטְרַח) פ take pains, exert oneself
טִרְחָה נ bother, effort, trouble
טַרְחָן ז nuisance
טִרְטוּר ז clatter, rattle
טָרִי ת fresh
טְרִידָה נ drift
טְרִיּוּת נ freshness
טְרִיז ז wedge
טְרֵיפָה, טְרֵפָה נ non-kosher food
טְרִיקָה נ slamming
טְרִית נ sardine
טִרְלֵל (יְטַרְלֵל) פ trill; (slang) act crazy
טֶרֶם תה״פ not yet; before
טָרַף (יִטְרוֹף) פ tear to pieces, ravage; mix, shuffle (cards); confuse, scramble (eggs)
טֶרֶף ז prey; food
טָרֵף ת non-kosher
טִרְפֵּד (יְטַרְפֵּד) פ torpedo
טַרְפֶּדֶת נ torpedo-boat
טָרַק (יִטְרוֹק) פ slam
טְרַקְלִין ז salon, guest-room
טְרָשִׁים ז״ר rocky ground
טָרֶשֶׁת הָעוֹרְקִים sclerosis, hardening of the arteries
טִשְׁטֵשׁ (יְטַשְׁטֵשׁ) פ blur, make indistinct

יָאֶה ת seemly, fitting, proper
יְאוֹר ז the Nile; river, lake
יָאוּת ת right
יְבָבָה נ whimper, whine
יְבוּא ז import(s), importation
יְבוּאָן, יְבוּאָר ז importer
יְבוּל ז yield, crop
יְבוֹשֶׁת נ dryness
יַבְחוּשׁ ז gnat
יַבְּלִית נ crab grass
יַבֶּלֶת נ blister, corn
יָבָם ז husband's brother
יָבֵשׁ (יִיבַשׁ) פ be dry, be dried up
יָבֵשׁ ת dry
יַבָּשָׁה נ dry land
יְבֵשׁוּת נ dryness, aridity
יַבֶּשֶׁת נ continent; dry land
יַבַּשְׁתִּי ת continental
יָגוֹן ז distress, sorrow
יָגוֹר (יָגוּר) פ fear, be afraid
יָגִיעַ ת weary, tired
יְגִיעַ ז toil, labor

יְגִיעָה נ toil, pains
יְגִיעַ כַּפַּיִים fruit of one's labors
יָגַע (יִיגַע) פ toil, labor, take pains; become weary
יָגֵעַ ת weary, tired out, exhausted; wearisome
יֶגַע ז toil, exertion; weariness, exhaustion
יָד נ (נ״ז יָדַיִים, נ״ר יָדַיִים, יָדוֹת) hand, arm; handle; memorial
יָדָה נ cuff
יָדָה (יִידָּה) פ cast, throw
יְדוֹנִית נ muff; handcuff
יָדוּעַ ת well-known, famous
יָדוּעַ לְשִׁמְצָה infamous
יְדִיד ז friend, close friend
יְדִידוּת נ friendship
יְדִידוּתִי ת friendly
יְדִיעָה נ information (item of), knowledge
יְדִיעוֹן ז bulletin, information sheet
יָדִית נ handle
יָדַע (יֵדַע) פ know
יֶדַע ז know-how; knowledge
יִדְעוֹנִי ז wizard
יַדְעָן ז erudite person
יֶדַע־עַם folklore
יָהּ ז God
יְהֵא will be
יְהָב ז charge, burden
יַהֲדוּת נ Judaism; Jewry
יְהוּדִי ז Jew
יָהִיר ת conceited, proud
יַהֲלוֹם ז diamond
יַהֲלוֹמָן ז diamond merchant; diamond polisher
יוּבָא (יְיוּבָּא) פ be imported
יוֹבֵל ז jubilee, golden jubilee; anniversary
יוּבַל ז stream, brook
יוֹבֶשׁ ז dryness
יוּבַּשׁ (יְיוּבַּשׁ) פ be dried, be dried up
יוֹד ז iodine
יוּדִית נ Yiddish (language)
יוּהַד (יְיוּהַד) פ be converted to Judaism, be Judaized
יוּהֲרָה נ arrogance, pride, conceit
יָוֵן ז mire, silt, mud
יוֹזֵם ז initiator
יוֹזְמָה נ initiative
יוּחַד (יְיוּחַד) פ be singled out, be set apart, be assigned
יוּחַל (יְיוּחַל) פ be hoped for, be awaited
יוּחַם (יְיוּחַם) פ be excited (sexually)
יוּחַס (יְיוּחַס) פ be attached, be ascribed, be attributed
יוּלַּד (יְיוּלַּד) פ be born
יוֹלֵדָה, יוֹלֶדֶת נ woman in confinement
יוֹם ז day; daylight
יוֹם הוּלֶּדֶת birthday
יוֹמוֹן ז daily newspaper
יוֹמִי ת daily
יוֹם־יוֹמִי, יוֹמְיוֹמִי ת daily; ordinary
יוֹם כִּיפּוּר Yom Kippur, Day of Atonement
יוֹמֵם ז commuter
יוֹמָם תה״פ by day, during the day
יוֹמָן ז diary, daily work-book

יוֹמָנַאי ז diarist; duty officer (in police station)
יוֹם רִאשׁוֹן, שֵׁנִי, שְׁלִישִׁי, רְבִיעִי, חֲמִישִׁי, שִׁשִּׁי Sunday, Monday, Tuesday, Wednesday, Thursday, Friday
יוּמְרָה נ pretension
יוּמְרָנִי ת pretentious
יוֹן ז, יוֹנָה נ dove, pigeon
יוֹנֵק ז mammal
יוּעַד (יְיוּעַד) פ be assigned
יוּעַל (יְיוּעַל) פ be made efficient
יוֹעֵץ ז adviser, counsellor
יוּעַר (יְיוּעַר) פ be afforested
יוֹפִי ז beauty, fairness
יוּצָא (יְיוּצָא) פ be exported
יוֹצֵא צָבָא person liable for military service
יוּצַב (יְיוּצַב) פ be stabilized
יוּצַג (יְיוּצַג) פ be represented
יוֹצֵר ז creator
יוּצַר (יְיוּצַר) פ be manufactured
יוֹקֶר ז expensiveness
יוּקְרָה נ prestige
יוֹקֶשֶׁת נ minelayer
יוֹרֵד ז emigrant (from Israel)
יוֹרֶה ז first rain
יוֹרָה נ boiler
יוּרַט (יְיוּרַט) פ be intercepted
יוֹרֵשׁ ז heir
יוֹשֵׁב ז inhabitant
יוּשַׁב (יְיוּשַׁב) פ be settled
יוֹשְׁבֵי קְרָנוֹת loafers, layabouts
יוֹשֵׁב־רֹאשׁ chairman
יוֹשֶׁן ז oldness, antiquity
יוּשַׁן (יְיוּשַׁן) פ be aged, be made old
יוֹשֶׁר ז straightness; honesty, integrity
יוּשַׁר (יְיוּשַׁר) פ be straightened, be levelled
יוּתַּם (יְיוּתַּם) פ be orphaned
יוֹתֵר תה״פ more
יוֹתֶרֶת נ, יוֹתֶרֶת הַכָּבֵד the lobe of the liver
יָזוּם ת initiated, undertaken
״יִזְכּוֹר״ ז Memorial Service
יַזָּם ז initiator
יָזַם (יִיזוֹם) פ undertake, take the initiative
יֶזַע ז sweat, perspiration
יַחַד, יַחְדָּיו תה״פ together
יָחִיד ת only, single, sole; singular (grammar)
יְחִידָה נ unit
יְחִידוּת נ solitariness
יְחִידִי ת׳ ותה״פ sole, single
יְחִידָנִי ת individual
יָחַם (יֵיחַם) פ rut
יַחְמוּר ז fallow-deer, roebuck
יַחַס ז relation, proportion
יַחֲסָה נ case (grammar)
יַחֲסוּת, יַחֲסִיוּת נ relativity
יַחֲסִי ת relative, proportional
יַחֲסִית תה״פ relatively
יַחְסָן ז high-born person; haughty person
יָחֵף ת ותה״פ barefooted
יֵיאוּשׁ ז despair, hopelessness
יֵיאֵשׁ (יְיָאֵשׁ) פ drive to despair
יִיבֵּא (יְיַבֵּא) פ import

יִבֵּב (יְיַבֵּב) פ whine, whimper
יִבּוּא ז importing, importation
יִבּוּם ז levirate marriage
יִבּוּשׁ ז drying, draining
יִבֵּשׁ (יְיַבֵּשׁ) פ dry, drain
יִגֵּעַ (יְיַגֵּעַ) פ tire, weary
יִדָּה (יְיַדֶּה) פ throw
יִהֵד (יְיַהֵד) פ convert to Judaism
יִזּוּם ז initiating
יִחֵד (יְיַחֵד) פ assign, single out
יִחוּד ז setting apart
יִחוּדִי ת exclusive
יִחוּדִיּוּת נ exclusivenesss
יִחוּל ז hope, expectation
יִחוּם ז rut (in mammals), sexual excitation
יִחוּס ז lineage, distinguished birth; attaching, ascribing, attribution, connection
יִחוּר ז shoot (of tree)
יִחֵל (יְיַחֵל) פ hope for, await
יִחֵס (יְיַחֵס) פ attach, ascribe
יִלֵּד (יְיַלֵּד) פ assist in childbirth, act as midwife
יִלּוֹד ת born
יִלֵּל (יְיַלֵּל) פ mew (cat); howl, wail
יַיִן ז (ר׳ יֵינוֹת) wine
יִנּוּן ז ionization
יֵינִי ת vinous, winy
יֵינָן ז wine maker; wine merchant
יִסֵּד (יְיַסֵּד) פ found, establish
יִסּוּד ז founding, establishing
יִסּוּף ז revaluation
יִסּוּרִים ז״ר affliction, suffering, torment
יִסֵּר (יְיַסֵּר) פ chastise, torment
יִעֵד (יְיַעֵד) פ designate, assign
יִעוּד ז designation; destiny, appointed task
יִעוּל ז making (more) efficient
יִעוּץ ז counselling
יִעוּר ז afforestation
יִעֵל (יְיַעֵל) פ make efficient (or more efficient)
יִעֵץ (יְיַעֵץ) פ advise, counsel
יִעֵר (יְיַעֵר) פ afforest
יִפָּה (יְיַפֶּה) פ beautify, embellish
יִפּוּי ז beautification, embellishment
יִפּוּי־כּוֹחַ authorization; power of attorney
יִצֵּא (יְיַצֵּא) פ export
יִצֵּב (יְיַצֵּב) פ stabilize
יִצֵּג (יְיַצֵּג) פ represent
יִצּוּא ז exporting
יִצּוּב ז stabilization, stabilizing
יִצּוּג ז representation
יִצּוּר ז production, manufacturing
יִצֵּר (יְיַצֵּר) פ produce, manufacture
יִקּוּר ז raising of price
יִקֵּר (יְיַקֵּר) פ make dearer, make more expensive
יֵירוּט ז interception (as of enemy airplane)
יֵירֵט (יְיָרֵט) פ intercept
יַי״שׁ spirits
יִישֵּׁב (יְיַשֵּׁב) פ settle; colonize; solve, clarify
יִישׁוּב ז settlement; settled area

יִישּׁוּם ז	application
יִישּׁוּר ז	straightening, levelling
יִישֵּׁם (יְיַשֵּׁם) פ	apply
יִישֵּׁן (יְיַשֵּׁן) פ	put to sleep
יִישֵּׁר (יְיַשֵּׁר) פ	straighten
יִיתָּכֵן תה״פ	maybe, perhaps
יָכוֹל ת	able, capable
יָכוֹל (יוּכַל) פ	can, be able to
יְכוֹלֶת נ	ability, capability
יֶלֶד ז	child, small boy
יַלְדָּה נ	girl, small girl
יָלְדָה (תֵּלֵד) פ	give birth to, bear
יַלְדוּת נ	childhood
יַלְדוּתִי ת	childish
יָלוּד ז	child, babe
יְלוּד אִשָּׁה	mortal (born of woman)
יְלוּדָה נ	birth rate
יָלִיד ז	native, native-born
יְלָלָה נ	howl, wail
יֶלֶק ז	locust larva
יַלְקוּט ז	satchel, bag; anthology
יָם ז	sea, ocean
יַמָּאוּת נ	seamanship
יַמַּאי ז	sailor, seaman
יָמָּה תה״פ	westwards
יַמָּה נ	inland sea
יְמוֹת הַמָּשִׁיחַ	the Messianic Age
יַמִּי ת	of the sea, marine
יְמֵי הַבֵּינַיִים	the Middle Ages
יַמִּיָּה נ	navy, naval force
יָמִין ז	the right, the right hand, the Right (political)
יָמִינָה תה״פ	right, to the right
יְמִינִי ת	right
יְמֵי קֶדֶם	olden times
יַמְלוּחַ ז	nitraria
יְמָמָה נ	a day (24 hours)
יְמָנִי ת	right, right-hand
יָם סוּף	Red Sea
יָם תִּיכוֹן	Mediterranean Sea
יְנוּקָא ז	child
יְנִיקָה נ	suction, sucking
יָנַק (יִינַק) פ	suckle (baby), suck
יַנְקוּת נ	babyhood
יַנְקוּתָא נ	babyhood, childhood
יַנְשׁוּף ז	owl
יָסַד (יִיסַד) פ	found, establish
יְסוּד ז	foundation, founding
יְסוֹד ז (ר׳ יְסוֹדוֹת)	basis, element; foundation
יְסוֹדִי ת	fundamental, basic
יְסוֹדִיּוּת נ	thoroughness
יָסַף (יוֹסִיף) פ	continue, go on; increase, add to
יָעַד (יִיעַד) פ	assign, designate
יַעַד ז	objective, goal, aim
יָעֶה ז	shovel
יָעוּד ת	designated, assigned
יָעִיל ת	effective, efficient
יְעִילוּת ת	efficiency, effectiveness
יָעֵל ז	mountain-goat
יָעֵן ז	ostrich
יַעַן, יַעַן אֲשֶׁר, יַעַן כִּי	because
יָעַץ (יִיעַץ) פ	advise
יַעַר ז	wood, forest
יַעְרָה נ	honeycomb
יַעֲרָן ז	forester
יָפֶה ת	beautiful, fair, lovely
יָפֶה תה״פ	well, properly
יְפֵהפֶה, יְפֵיפֶה ת״ז	very handsome

יְפֵהפִיָּה, יְפֵיפִיָּה ת״נ very beautiful (woman)

יְפֵה־תֹּאַר handsome, comely

יְפֵיפוּת נ beauty, loveliness

יִפְעָה נ splendor

יָצָא (יֵיצֵא, יֵצֵא) פ emerge, come out, leave; go out

יַצְאָנִית נ prostitute

יִצְהָר ז fine oil

יְצוּא ז export(s)

יְצוּאָן, יְצוּאָר ז exporter

יָצוּל ז shaft

יָצוּעַ ז couch, bed

יָצוּק ת cast, poured

יְצוּר ז creature

יְצִיאָה נ emergence, coming out, going away

יַצִּיב ת stable, firm

יַצִּיבוּת נ stability, firmness

יָצִיעַ ז gallery, balcony

יְצִיקָה נ casting, pouring

יְצִיר ז creature

יְצִירָה נ creation; work of art

יָצַק (יִיצַק) פ cast, pour

יָצַר (יִיצוֹר) פ produce, create

יֵצֶר ז instinct; impulse, desire

יַצְרָן ז manufacturer

יֶקֶב ז winery, wine-cellar

יָקַד (יִיקַד) פ blaze, burn

יְקוֹד ז blaze, fire

יְקוּם ז nature (all created things); the world, the universe

יַקִינתּוֹן ז hyacinth

יְקִיצָה נ awakening, waking up

יַקִּיר ת beloved, dearest

יָקַץ (יִיקַץ) פ awake, wake up

יָקַר (יִיקַר, יֵקַר) פ be dear, be precious

יָקָר ת dear, precious; costly

יְקָר ז honor, worthiness

יַקְרָן ז profiteer

יָרֵא (יִירָא) פ fear, be afraid of

יָרֵא ת fearful, afraid

יִרְאָה נ awe, fear

יְרֵא־שָׁמַיִם God-fearing

יָרַד (יֵרֵד) פ go down, come down; decline, deteriorate; emigrate (from Israel)

יַרְדָּה נ companionway

יָרָה (יִירֶה) פ fire, shoot

יָרוּד ת shabby, run-down

יָרוֹק ת green (lit. and fig.)

יְרוֹקָה נ green algae; chlorosis

יְרוֹק־עַד ת evergreen

יְרוּשָּׁה נ inheritance, legacy

יָרֵחַ ז moon

יֶרַח ז month (lunar)

יַרְחוֹן ז monthly (publication, review)

יַרְחִי ת lunar

יְרִי ז fire, firing

יָרִיב ז rival; adversary

יָרִיד ז market, fair

יְרִידָה נ descent, going down; decline, fall; emigration (from Israel)

יְרִיָּה נ firing, shooting, shot

יְרִיעָה נ length of cloth, tent-cloth, tent-canvas; curtain, hanging

spitting	יְרִיקָה נ
thigh; leg (of letter),	יָרֵךְ נ
end, outermost part	יְרֵכָה נ, יַרְכָּתַיִם נ״ז
spit, expectorate	יָרַק (יִירַק) פ
greens, vegetables, greenstuff, greenery	יֶרֶק ז
vegetable; herbage, green plants	יָרָק ז
greengrocer	יַרְקָן ז
greenish	יְרַקְרַק ת
inherit, take possession of	יָרַשׁ (יִירַשׁ) פ
there is, there are	יֵשׁ תה״פ
existence, reality	יֵשׁ ז
sit, sit down; reside, dwell, live	יָשַׁב (יֵישֵׁב, יֵשֵׁב) פ
behind, buttocks	יַשְׁבָן ז
seated, sitting	יָשׁוּב ת
salvation	יְשׁוּעָה נ
being, existence	יֵשׁוּת נ
sitting; meeting, session; religious academy (Jewish)	יְשִׁיבָה נ
desert, waste	יְשִׁימוֹן ז
direct; non-stop (bus, train)	יָשִׁיר ת
directly	יְשִׁירוֹת תה״פ
old man	יָשִׁישׁ ז
sleep	יָשֵׁן, יָשַׁן (יִישַׁן) פ
old (not new)	יָשָׁן ת
she is, there is (feminine)	יֶשְׁנָהּ
he is, there is (masculine)	יֶשְׁנוֹ
salvation, deliverance	יֶשַׁע ז
jasper	יָשְׁפֵה ז
go straight; be straight	יָשַׁר (יִישַׁר) פ
straight, level; honest, upright	יָשָׁר ת
Israeli	יִשְׂרְאֵלִי ת
straightness; honesty	יַשְׁרוּת נ
directly, straight	יְשָׁרוֹת תה״פ
peg	יָתֵד ז
tongs	יַתּוּךְ ז
orphan	יָתוֹם ז
mosquito; gnat	יַתּוּשׁ ז
superfluous, excessive	יַתִּיר ת
orphanhood	יַתְמוּת נ
extra, more than usual	יָתֵר, יָתֵיר ת
the rest, the remainder; abundance, excess; string (of bow)	יֶתֶר ז
balance (financial)	יִתְרָה נ
advantage; profit, gain	יִתְרוֹן ז
appendix, lobe (anatomy)	יַתֶּרֶת נ

כ

כְּ־ כַּ־...	as, like; about
כָּאַב (יִכְאַב) פ	hurt, ache
כְּאֵב ז	pain, ache
כָּאוּב ת	painful
כְּאִילוּ תה״פ	as if
כָּאן תה״פ	here; now
כַּאֲשֶׁר	when, as
כַּבָּאוּת נ	fire-fighting
כַּבַּאי ז	fireman, fire-fighter
כָּבֵד (יִכְבַּד) פ	be heavy; be weighty
כָּבֵד ת	heavy, weighty; grave, serious
כָּבֵד ז	liver
כְּבֵדוּת נ	heaviness, weight
כָּבָה (יִכְבֶּה) פ	go out (fire, light)
כָּבוֹד ז	honor, respect
כְּבוּדָּה נ	property, baggage; load
כָּבוּי ת	extinguished
כָּבוּשׁ ת	conquered, subjugated; pickled
כְּבוּשִׁים ז״ר	preserves, pickles
כְּבִידָה נ	gravitation
כִּבְיָכוֹל תה״פ	so-called, as it were
כָּבִיס ת	washable
כְּבִיסָה נ	washing, laundering
כַּבִּיר ת	great, mighty
כְּבִישׁ ז	road, highway
כָּבַל (יִכְבּוֹל) פ	tie, chain, fetter
כֶּבֶל ז	chain, fetter; cable
כַּבְלִיל ז	cablet
כַּבְלִית נ	telpher, cableway
כַּבְלָר ז	(cable) jointer, splicer
כָּבַס (יִכְבּוֹס) פ	wash (clothes), launder
כְּבָסִים ז״ר	washing, laundry
כְּבָר תה״פ	already
כְּבָרָה נ	sieve
כִּבְרַת אֶרֶץ, כִּבְרַת אֲדָמָה, כִּבְרַת קַרְקַע	measure of distance; a small patch of land
כֶּבֶשׂ ז, כִּבְשָׂה נ	sheep
כֶּבֶשׁ ז	ramp, slope, gangplank
כָּבַשׁ (יִכְבּוֹשׁ) פ	conquer, subdue; subjugate
כִּבְשָׁן ז	furnace, kiln
כְּגוֹן תה״פ	such as, as for instance
כַּד ז	jar, pitcher, pot
כְּדָאִי, כְּדַאי, כְּדַיי ת, תה״פ	worth-while, "worth it"
כְּדָאִיּוּת נ	worthwhileness, profitableness
כִּדְבָעֵי תה״פ	properly
כַּדּוֹמֶה, וְכַדּוֹמֶה (וכד׳)	and such like, and so on
כַּדּוּר ז	ball; globe, sphere; bullet; pill
כַּדּוּרֶגֶל ז	football
כַּדּוּרִי ת	spherical, round, globular
כַּדּוּרְסַל ז	basketball
כַּדּוֹרֶת נ	bowling, bowls
כְּדֵי תה״פ	in order to; as much as
כַּדְכּוֹד ז	carbuncle, jacinth (jewel)
כִּדְלְהַלָּן, כִּלְהַלָּן תה״פ	as follows
כִּדְלְקַמָּן תה״פ	as follows

כִּדרוּר ז	dribbling (football, basketball)
כִּדרֵר (יְכַדרֵר) פ	dribble
כֹּה תה״פ	so, thus; here; now
כָּהָה (יִכהֶה)	grow dark; grow dim
כֵּהֶה ת	dark; dull, dim
כְּהוֹגֶן תה״פ	properly, decently
כָּהוּי ת	faint dim, dull
כְּהוּנָּה נ	priesthood; public office
כַּהֲלָכָה תה״פ	properly, thoroughly
כַּהֶלֶת נ	alcoholism
כָּהֵנָּה מ״ג	like them
כָּהֵנָּה וְכָהֵנָּה	many times as much
כְּהֶרֶף עַיִן	instantaneously
כּוֹאֵב ת	suffering, in pain
כּוֹבֶד ז	weight, heaviness
כּוּבַּד (יְכוּבַּד) פ	be honored, be treated with respect
כּוֹבֵס ז	laundryman
כּוּבַּס (יְכוּבַּס) פ	be washed (clothes)
כּוֹבַע ז	hat
כּוֹבָעִית נ	cap
כּוֹבְעָן ז	hat-maker; hat-merchant
כּוֹהֶל ז	alcohol
כּוֹהֲלִי ת	alcoholic
כּוֹהֵן, כֹּהֵן ז	priest
כּוֹוָה (יִכווֶה) פ	burn, scorch, scald
כַּוָּוה נ	window, manhole
כְּוִויָּה נ	burn (on skin), scald
כָּוִויץ ת	shrinkable
כּוּוַּן (יְכוּוַּן) פ	be directed be aimed; be adjusted, be set (instrument etc)
כַּוָּונָה נ	intention, purpose
כִּוּונּן ז	adjustment, regulation
כַּוֶּונֶת נ	regulator (on machine)
כַּוֶּונֶת נ	sight (of a weapon)
כַּוֶּורֶת נ	hive, beehive
כּוֹזֵב ת	lying, false
כּוֹחַ ז	power, force
כּוֹחַ רָצוֹן	will-power
כּוּיַּר (יְכוּיַּר) פ	be modelled (in clay)
כּוּךְ ז	burial cave
כּוֹכָב ז	star; planet
כּוֹלֵל ת	including, inclusive
כּוֹמֶר ז	priest (Christian), parson
כּוּמתָּה נ	beret
כּוּנָּה (יְכוּנֶּה) פ	be named, be called; be nicknamed
כּוֹנֵן (יְכוֹנֵן) פ	found, set up
כּוֹנְנוּת נ	readiness, state of alert
כּוֹנָנִית נ	bookstand, rack of shelves
כּוֹנֶרֶת נ	viola
כּוֹס נ	glass, tumbler
כּוֹס ז	owl
כּוּסבָּר ז	coriander
כּוּסָּה (יְכוּסֶּה) ז	be covered
כּוֹסִייָה, כּוֹסִית נ	small glass
כּוּסֶּמֶת נ	spelt
כּוֹפֵל ז	multiplier (arithmetic)
כּוֹפֵף (יְכוֹפֵף) פ	bend
כּוֹפֵר ז	unbeliever, atheist; heretic
כּוֹפֶר ז	ransom
כּוּפַּר (יְכוּפַּר) פ	be expiated, be atoned for
כּוּפתָּה נ	dumpling
כּוּפתַּר (יְכוּפתַּר) פ	be buttoned up
כּוּר ז	smelting furnace, melting-pot
כּוּרבַּל (יְכוּרבַּל) פ	be wrapped up

כּוֹרַח ז necessity
כּוֹרֵך ז bookbinder
כּוֹרַך (יְכוֹרַך) פ be bound (book)
כּוֹרְכָן ז file, binder
כּוֹרֵם ז winegrower, vinedresser
כּוּרסָה נ armchair
כּוּרסַם (יְכוּרסַם) פ be gnawed, be nibbled
כּוֹרַת (יְכוֹרַת) פ be cut down, be hewn
כּוּשִׁי ת Ethiopian; negro
כּוֹשֵׁל ת, ז feeble, helpless, failing; bungler
כּוּשַּׁף (יְכוּשַּׁף) פ be enchanted, be bewitched
כּוֹשֶׁר ז fitness; capability, faculty
כּוּתּוֹנֶת, כְּתוֹנֶת נ shirt
כּוֹתֶל ז wall
כּוּתנָה נ cotton
כּוֹתֶפֶת נ epaulette
כּוֹתָר ז title (of book)
כּוּתַּר (יְכוּתַּר) פ be encircled, be surrounded
כּוֹתֶרֶת נ heading, headline; corolla
כָּזָב ז lie, falsehood
כְּזַיִת ז little, minute
כָּח (יָכוּחַ) פ spit, phlegm
כָּחוֹל ת blue
כָּחוּשׁ ת thin, lean
כִּחכֵּחַ (יְכַחכֵּחַ) פ hawk, clear one's throat
כַּחַל ז kohl, eye-shadow
כָּחָל ז roller (bird)
כְּחָל ז udder

כְּחַלחַל ת bluish, light blue
כָּחַשׁ (יִכחַשׁ) פ become thin
כַּחַשׁ ז deceit, lies
כִּי מ״ח, תה״פ because, for; that
כָּיָאוּת תה״פ properly, as is proper
כִּיב ז ulcer
כִּיבֵּד (יְכַבֵּד) פ honor
כִּיבָּה (יְכַבֶּה) פ extinguish, put out
כִּיבּוּד ז honoring; respect
כִּיבּוּי ז extinguishing, putting out (fire, light)
כִּיבּוּשׁ ז conquest, subjection
כִּיבֵּס (יְכַבֵּס) פ wash (clothes), launder
כִּידוֹן ז spear; bayonet
כִּידֵּר (יְכַדֵּר) פ round, shape into a ball
כִּיהֵן (יְכַהֵן) פ serve as a priest; hold office
כִּיוּון ז direction; adjustment (of an instrument)
כִּיוֵּן (יְכַוֵּן) פ direct, aim; adjust
כֵּיוָן שֶׁ... since, because
כִּיווּץ ז shrinking, contracting
כִּיוֵּץ (יְכַוֵּץ) פ shrink, contract
כִּיוּל ז gauging, measuring
כַּיּוֹם תה״פ now, nowadays
כַּיּוֹצֵא בּוֹ similar to him, his like, the like
כִּיּוֹר ז sink, wash-basin
כִּיוּר ז modelling (in clay, plasticine)
כִּיוֹרֶת נ plasticine
כִּיזֵּב (יְכַזֵּב) פ lie, mislead
כִּיחַ ז phlegm

כִּיחָה נ expectoration, coughing up (phlegm)
כִּיחוּד ז suppression, concealment
כִּיחֵשׁ (יְכַחֵשׁ) פ deny
כִּיֵּיל (יְכַיֵּיל) פ calibrate; gauge, measure
כִּיֵּיף (יְכַיֵּיף) פ (slang) enjoy oneself
כַּיָּס ז pickpocket
כִּיֵּיר (יְכַיֵּיר) פ model (in clay etc.)
כִּיכָּר נ circus, circle, square; loaf
כִּילָּה נ canopy (over a bed)
כִּילָּה (יְכַלֶּה) פ finish
כִּילַיי, כִּילַי ז skinflint, miser
כִּילָּיוֹן ז destruction, extermination
כֵּילָף ז adze
כִּימַאי ז chemist
כִּימִי ת chemical
כִּימִיָּה נ chemistry
כִּינָּה נ louse
כִּינָּה (יְכַנֶּה) פ name; nickname
כִּינּוּי ז name; nickname
כִּינּוּן ז founding, establishing
כִּינּוּס ז conference, convention
כִּינּוֹר ז violin
כִּינֶּמֶת נ pediculosis
כִּינֵּס (יְכַנֵּס) פ gather, collect
כִּיס ז pocket
כִּיסֵּא ז chair; throne
כִּיסָּה (יְכַסֶּה) פ cover; cover up
כִּיסּוּי ז cover; covering (act of)
כִּיסֵּחַ (יְכַסֵּחַ) פ clear (weeds and thorns), cut down
כִּיסָן ז stuffed pastry
כִּיעוּר ז ugliness
כִּיעֵר (יְכַעֵר) פ make ugly
כִּיפָּה נ dome, cupola; cap
כִּיפוּף ז bending
כִּיפּוּר ז atonement, expiation
כִּיפֵּחַ ת very tall, long-legged
כִּיפֵּל (יְכַפֵּל) פ double, duplicate
כִּיפֵּר (יְכַפֵּר) פ expiate, atone for
כֵּיצַד תה״פ how
כִּירָה נ stove
כִּירַיִים נ״ז stove, cooking-stove
כִּישׁוּף ז witchcraft
כִּישׁוֹר ז distaff
כִּישׁוּרִים ז״ר qualifications (for post etc.)
כִּישָּׁלוֹן ז failure; downfall
כִּישֵּׁף (יְכַשֵּׁף) פ bewitch
כִּיתָּה נ class; section; sect, faction
כִּיתּוּר ז encirclement, surrounding
כִּיתֵּף (יְכַתֵּף) פ shoulder, carry
כִּיתֵּר (יְכַתֵּר) פ encircle, surround
כִּיתֵּת (יְכַתֵּת) פ shatter, crush
כָּךְ תה״פ so, thus
כָּכָה תה״פ so, thus
כָּל, כּוֹל all, whole
כָּלָא (יִכְלָא) פ imprison, jail
כֶּלֶא ז prison, jail
כִּלְאַיִם ז״ז cross-breeding (animals), cross–fertilization (flowers)
כֶּלֶב ז dog
כֶּלֶב יָם seal
כְּלַבְלָב ז puppy, small dog
כַּלְבָן ז dog breeder
כֶּלֶב נָהָר (כֶּלֶב מַיִם) otter
כַּלֶּבֶת נ rabies, hydrophobia

כָּלָה (יִכלֶה) פ	end, come to an end
כַּלָּה נ	bride, betrothed; daughter-in-law
כִּלהַלָּן תה״פ	as follows
כָּלוּא ת	imprisoned, jailed
כְּלוּב ז	cage
כָּלוּחַ ת	obsolete, extinct
כָּלוּל ת	included
כְּלוּלוֹת נ״ר	engagement; wedding
כְּלוּם ז	something; (after negative) nothing
כְּלוֹמַר תה״פ	in other words, that is to say
כְּלוֹנָס ז	stilt, pole
כֶּלַח ז	obsolescence
כְּלִי ז	tool, implement; utensil
כִּלַי, כֵּלַיי ת	stingy, mean
כַּלִיא־בָּרָק	lightning-arrester
כִּלְיָה נ	kidney
כְּלָיָה נ	destruction, annihilation
כְּלֵי זֶמֶר	musical instruments; entertainers
כָּלִיל ת׳ תה״פ	entire, total; entirely
כְּלִימָּה נ	shame, disgrace
כָּלִיף ז	caliph
כְּלֵי קוֹדֶשׁ	sacred objects; religious officials
כְּלֵי קֶשֶׁת	string instruments
כִּלכֵּל (יְכַלכֵּל) פ	maintain
כַּלכָּלָה נ	economics; economy
כַּלכְּלָן ז	economist
כָּלַל (יִכלוֹל) פ	include, comprise
כְּלָל ז	rule
כְּלָלִי ת	general; universal
כַּלָנִית נ	anemone
כִּלעוּמַת שֶׁ־	just as
כְּלַפֵּי תה״פ	towards, in the direction of
כִּמדוּמֶה	it seems
כִּמדוּמַנִי	it seems to me
כַּמָּה תה״פ	how many, how much; several
כָּמַהּ (יִכמַהּ) פ	pine, yearn
כָּמֵהַּ ת	pining, yearning
כְּמֵהָה נ	truffle (mushroom)
כְּמוֹ תה״פ	like, as
כַּמּוּבָן	of course
כְּמוֹ כֵן	likewise
כַּמּוֹן ז	cumin
כָּמוּס ת	latent; hidden
כְּמוּסָה נ	capsule
כְּמוּרָה נ	clergy
כָּמוּשׁ ת	withered, wrinkled
כְּמוֹת תה״פ	as, like
כַּמּוּת נ	quantity, amount
כַּמּוּתִי ת	quantitative
כִּמטַחֲוֵי תה״פ	within the range of
כְּמִיהָה נ	languishing, yearning
כְּמִישָׁה נ	withering, wrinkling
כִּמעַט תה״פ	almost, nearly
כָּמַשׁ (יִכמוֹשׁ) פ	wither, wrinkle, shrivel
כֵּן תה״פ	yes; so, thus
כֵּן ת	truthful, right, honest
כַּן ז	base, stand
כַּנָּה נ	easel, stand
כְּנוּפיָה נ	gang, band
כֵּנוּת נ	honesty, truthfulness
כְּנִימָה נ	insect-pest, plant-louse
כְּנִיסָה נ	entry; entrance

כְּנִיעָה נ surrender, yielding
כָּנַס (יִכְנוֹס) פ collect, assemble
כֶּנֶס ז conference, congress
כְּנֵסִיָּה נ church
כְּנֶסֶת נ Knesset (Israel's parliament); gathering
כָּנָף נ wing
כַּנָּר ז violinist
כַּנִּרְאֶה תה"פ apparently, it seems
כַּנָּרִית נ canary
כִּסּוּי ז cover, lid
כָּסוּף ת silvered, silvery
כְּסוּת נ covering, garment
כָּסַח (יִכְסַח) פ cut down, trim
כְּסָיָה נ glove
כְּסִיחָה נ cutting down (thorns), trimming
כְּסִיל ז fool, dunce
כִּסְכּוּס ז scrubbing
כַּסְכּוּסִים ז"ר ground barley
כֶּסֶל ז folly, stupidity
כִּסְלֵיו ז Kislev (Nov.–Dec.)
כֻּסְנוֹחַ ז easy chair, arm-chair
כֻּסְנוֹעַ ז rocking-chair
כָּסַס (יִכְסוֹס) פ gnaw, bite (nails)
כֶּסֶף ז silver; money
כַּסְפִּי ת financial, monetary
כַּסְפִּית נ mercury
כַּסֶּפֶת נ safe; cash register
כֶּסֶת נ cushion, bolster; quilt
כָּעוּס ת angry, irate
כָּעוּר ת hideous, ugly
כְּעֵין תה"פ a sort of, a kind of
כַּעַךְ ז ring-shaped roll, "beigel"
כִּעְכּוּעַ ז coughing
כִּעְכֵּעַ (יְכַעְכֵּעַ) פ cough
כָּעַס (יִכְעַס) פ be angry, rage
כַּעַס ז anger, rage
כַּעֲסָן ז irascible person
כַּף נ palm (of hand); spoon
כֵּף ז cape, headland; cliff, rock
כַּפָּאוּ ז (chess) zugzwang
כָּפָה (יִכְפֶּה) פ force, compel
כָּפוּי ת compelled, forced
כְּפוּי טוֹבָה ungrateful
כָּפוּל ת double, multiplied
כָּפוּל וּמְכוּפָּל manifold
כָּפוּף ת bent, bowed; subordinate
כְּפוֹר ז frost
כָּפוּת ת tied up
כְּפִי תה"פ as, according to
כְּפִי הַנִּרְאֶה apparently
כְּפִיָּה נ compulsion, forcing
כְּפִיל ז double, duplicate
כְּפִילוּת נ duplication
כָּפִיס ז rafter
כָּפִיף ת bendable, flexible
כְּפִיפָה נ bending, bowing; wicker-basket
כְּפִיפוּת נ subordination
כְּפִיר ז young lion
כְּפִירָה נ denial; heresy; atheism
כַּפִּית נ teaspoon
כְּפִיתָה נ binding, tying up
כָּפַל (יִכְפּוֹל) פ double; multiply
כֶּפֶל ז duplication, doubling; multiplication
כְּפָל ז duplicate, second copy
כִּפְלַיִם תה"פ twice, doubly
כָּפָן ז hunger, famine

כָּפַף (יִכְפּוֹף) פ — bend; stoop
כֶּפֶף ז — bend
כְּפָפָה נ — glove
כָּפַר (יִכְפּוֹר) פ — deny; disbelieve
כְּפָר ז — village
כַּפָּרָה נ — expiation, atonement
כַּפְרִי ת — rural, rustic, village, country
כָּפַת (יִכְפּוֹת) פ — truss, tie up
כַּפְתּוֹר ז — button, stud; knob; capital (of pillar); bud
כִּפְתֵּר (יְכַפְתֵּר) פ — button up
כַּר ז — pillow; field, meadow
כָּרָאוּי תה״פ — properly, fittingly
כַּרְבּוֹלֶת נ — cock's comb, crest
כָּרֶגַע תה״פ — at the moment
כָּרָגִיל תה״פ — as usual
כָּרָה (יִכְרֶה) פ — dig up, dig a hole; mine
כְּרוּב ז — cabbage; angel; cherub
כְּרוּבִית נ — cauliflower
כְּרוּז ז — proclamation
כָּרוֹז ז — herald
כָּרוּי ת — dug, dug up
כָּרוּךְ ת — wrapped, bound (book), involved
כְּרוּכְיָה נ — crane
כְּרוּכִית נ — strudel
כָּרוּת ת — cut down, cut off
כְּרָזָה נ — placard
כַּרְטִיס ז — ticket; card
כַּרְטִיסִיָּה נ — card-index, card file; season ticket
כַּרְטִיסָן ז — ticket-seller
כִּרְטֵס (יְכַרְטֵס) פ — card-index
כַּרְטֶסֶת נ — card-index, card catalogue
כְּרִיָּה נ — digging up, mining
כָּרִיךְ ז — sandwich
כְּרִיכָה נ — binding (book)
כְּרִיכִיָּה נ — bookbindery
כְּרִיעָה נ — kneeling
כָּרִישׁ ז — shark
כָּרִית נ — pillow, cushion
כְּרִיתָה נ — cutting down; contracting (an alliance)
כְּרִיתוּת נ — divorce
כָּרַךְ (יִכְרוֹךְ) פ — wrap, bind; combine, tie together
כֶּרֶךְ ז — volume (of a series)
כְּרַךְ ז — city, large town
כַּרְכֹּב ז — rim, brim, cornice
כַּרְכֹּם ז — saffron
כִּרְכֵּר (יְכַרְכֵּר) פ — dance in a circle, skip round
כִּרְכָּר ז — spinning top
כִּרְכָּרָה נ — cart
כַּרְכֶּשֶׁת נ — large intestine, colon
כֶּרֶם ז — vineyard
כָּרֵס, כֶּרֶס נ — belly
כִּרְסוּם ז — gnawing, nibbling; etching, serrating, milling
כַּרְסוֹם ז — milling cutter
כַּרְסוֹמֶת נ — milling machine
כִּרְסֵם (יְכַרְסֵם) פ — gnaw, nibble; tooth (metal), serrate
כַּרְסְמָן ז — rodent
כַּרְסְתָן ז — big-bellied
כָּרַע (יִכְרַע) פ — kneel
כֶּרַע ז — leg (of chicken, small animal)

כַּרְפַּס ז	celery
כֶּרֶץ ז	thread-worm
כָּרַת (יִכְרוֹת) פ	cut down, fell (tree), cut off
כַּרְתִּי ז	leek; pale green
כַּשּׁוּרָה תה״פ	properly, correctly
כְּשׁוּת נ	hops (plant)
כַּשִּׁיל ז	sledge-hammer
כְּשִׁירוּת נ	qualification
כִּשְׁכֵּשׁ (יְכַשְׁכֵּשׁ) פ	wag (tail), wiggle
כָּשַׁל (יִכְשַׁל) פ	stumble; fail
כֶּשֶׁל ז	failure, lapse
כְּשֵׁם שֶׁ... תה״פ	as, just as
כְּשָׁפִים ז״ר	magic
כָּשֵׁר ת	fit, proper, legitimate; kosher
כִּשְׁרוֹן ז	talent, aptitude
כִּשְׁרוֹנִי ת	talented
כַּשְׁרוּת נ	ritual fitness; fitness
כַּת נ	sect; group
כָּתַב (יִכְתּוֹב) פ	write
כְּתָב ז	writing; handwriting
כַּתָּב ז	correspondent (newspaper)
כַּתָּבָה נ	despatch (of journalist), report
כְּתַב הַאֲמָנָה	credentials
כִּתְבֵי קוֹדֶשׁ	Holy Scripture
כַּתְבָנִית נ	typist (female)
כְּתַב פְּלַסְתֵּר	lampoon, libel
כָּתוּב ת	written
כְּתוּבָּה נ	marriage contract
כְּתוֹבֶת נ	address (of letter); inscription
כָּתוֹם ת	orange (color)
כְּתוֹשֶׁת נ	pulp
כְּתִיב ז	spelling
כְּתִיבָה נ	writing
כְּתִיבוֹן ז	spelling-book
כְּתִישָׁה נ	pounding, crushing
כְּתִיתָה נ	pounding, crushing
כֶּתֶם ז	stain, blot
כָּתֵף נ	shoulder
כַּתָּף ז	porter
כְּתֵפָה נ	shoulder strap, braces
כְּתֵפִיָּה נ	cape, mantle
כֶּתֶר ז	crown
כָּתַשׁ (יִכְתּוֹשׁ) פ	pound, crush
כָּתַת (יָכוֹת) פ	pound, hammer flat

ל

לְ... (לָ..., לַ..., לֶ..., לִ..., לֵ...) to, towards, into

לֹא not, no

לָאָה (יִלְאֶה) פ fail; be weary

לָאו no; negative

לָאו דַוְוקָא actually no; not necessarily

לְאוֹם ז nation, people

לְאוּמִי ת national; nationalist, patriotic

לְאוּמָנוּת נ nationalism; chauvinism

לְאוּמָנִי ת nationalistic; chauvinistic

לְאַט תה״פ slowly, calmly

לֹא־יִצְלַח good-for-nothing

לֹא כְלוּם nothing

לְאַלְתַּר תה״פ immediately

לֵאמוֹר תה״פ as follows, in these words

לְאָן? תה״פ where? where to?

לֵב ז heart; mind, brain; core, center

לֵבָב ז heart

לְבָבִי ת hearty, cordial

לְבָבִיּוּת נ heartiness, cordiality

לְבַד תה״פ alone, by oneself

לֶבֶד ז felt

לָבוּד ת joined, glued together

לְבוֹנָה ת frankincense

לְבוּשׁ ז dress, attire

לָבוּשׁ ת dressed, clothed

לֶבֶט ז exertion, difficulty

לָבִיא ז lion

לְבִיבָה נ pancake

לָבִיד ז sheet of plywood

לְבַל תה״פ lest

לִבְלֵב (יְלַבְלֵב) פ sprout, bud

לַבְלָב ז pancreas

לַבְלָר ז clerk

לָבָן ת white

לֶבֶן ז sour milk

לְבַנְבַּן ת whitish

לְבָנָה נ moon

לְבֵנָה נ brick

לִבְנֶה ז styrax

לִבְנָה נ lymph

לַבְנוּן ז bleak (fish)

לַבְנוּנִי ת whitish

לַבְנוּנִית נ whitenesss

לֶבֶּנִיָּה, לֶבֶּנִית נ soured milk (enriched)

לְבָנִים ז״ר underwear; bed-linen

לַבְנִין, לַבְנִין הַכְּרוּב ז cabbage butterfly

לַבְקָן ת albino

לַבְקָנוּת נ albinism

לִבְּרִית, לִיבְּרִית נ libretto

לָבַשׁ (יִלְבַּשׁ) פ put on, wear

לְגַבֵּי מ״י concerning

לָגַז (יִלְגּוֹז) פ stack (with a pitchfork)

לִגְיוֹן ז legion

לְגִימָה נ sipping, tasting (drink)

לָגִין ז jar, jug

לִגְלֵג (יְלַגְלֵג) פ — sneer, mock, scoff
לִגְלוּג ז — sneering, mockery
לָגַם (יִלְגּוֹם) פ — take a mouthful (of drink), gulp
לְגַמְרֵי תה״פ — entirely, completely
לְדִידִי מ״ג — for my part
לַהַב ז — blade (of knife); flame; flash
לָהַב (יִלְהַב) פ — flash, flame
לְהַבָּא תה״פ — in future
לֶהָבָה נ — flame
לַהֲבִיוֹר ז — flame-thrower
לַהַג ז — prattle, twaddle
לָהַג (יִלְהַג) פ — prattle, talk nonsense
לַהֲדַ״ם — it's completely false (initial letters of (לֹא הָיוּ דְבָרִים מֵעוֹלָם)
לָהוּט ת — eager, desirous
לָהַט (יִלְהַט) פ — blaze, flame
לַהַט ז — blaze, fierce heat
לַהֲטוּט ז — conjuring trick
לַהֲטוּטָן ז — conjurer
לָהִיט ז — popular song, "hit"
לְהִיטוּת נ — ardor; craving
לְהַלָּן תה״פ — from then on; further on
לְהֶפֶךְ תה״פ — on the contrary
לַהַק ז — group (in air-force)
לַהֲקָה נ — troupe (of artists); group, flight (of birds)
לְהִתְרָאוֹת! — au revoir!
לוּא, לוּ מ״ח — if; if only
לוֹבֶן ז — whitenesss
לוּבַּן (יְלוּבַּן) פ — be whitened, be bleached

לוּבְּנָן ז — sponge cake
לוֹהֵט ת — blazing, burning
לְוַאי תה״פ — if only..., would that...
לְוַאי ז — adjunct (grammar); accompaniment
לֹוֶה ז — borrower (of money)
לָוָה (יִלְוֶה) פ — borrow (money)
לוּוָה (יְלוּוֶה) פ — be accompanied; be escorted
לִוְיָה נ — diadem, fillet
לְוָיָה נ — escort, funeral
לַוְיָן ז — satellite
לִוְיָתָן ז — whale
לִוְיַת־חֵן — ornament, decoration
לוּז ז — almond; gland
לוּחַ ז — board, plate; table (math.)
לוּחִית נ — small board, tablet or plate
לוּחלַח (יְלוּחלַח) פ — be moistened, be damped
לוֹחֵם ז — fighter, warrior
לוֹחְמָה נ — warfare, fighting
לוּחַ קִיר — wall calendar
לוּט ת — enclosed (in a letter)
לוּכלַךְ (יְלוּכלַךְ) פ — be dirtied, be soiled
לוֹכְסָן ז — stroke (between figures), oblique
לוּל ז — hen-roost
לוּלֵא, לוּלֵי מ״ח — if not for..., were it not that...
לוּלָאָה נ — loop, tie
לוּלָב ז — palm branch
לוֹלָב ז — bolt
לוּלְיָן ז — acrobat
לוּלְיָנוּת נ — acrobatics

לוּלְיָינִי ת spiral
לוּלָן ז poultry-keeper
לוֹעַ ז mouth (of animal, volcano)
לוֹעֲזִי ת foreign (not Hebrew)
לוֹעֲזִית נ a foreign language
לוּקַט (יְלוּקַט) פ be gleaned, be gathered
לַזְבֵּז ז rim
לְזוּת נ perverseness
לְזוּת שְׂפָתַיִים slander, calumny
לֵחַ ז moisture
לַח ת damp, moist
לֵחָה נ moisture
לְחוּד תה״פ alone, separately
לָחוּץ ת pressed
לַחוּת נ dampness
לַחֲזוּרִין תה״פ by rotation
לְחִי, לֶחִי נ cheek; jaw
לֶחִ״י Lehi, the "Stern Group"
לְחַיִּים! מ״ק your health! cheers!
לְחִימָה נ fighting
לָחִין ת tuneful, melodic
לְחִיץ ז push-button
לְחִיצָה נ pressing, urging
לְחִישָׁה נ whispering
לַחלוּחִי ת slightly moist, dampish
לַחלוּחִית נ dampness; freshness
לַחֲלוּטִין תה״פ absolutely, utterly, completely
לִחלֵחַ (יְלַחלֵחַ) פ moisten, dampen
לָחַם (יִלחַם) פ fight, make war
לֶחֶם ז bread
לַחמָנִיָּה, לַחמָנִית נ roll (of bread)
לַחַן ז tune, melody
לָחַץ (יִלחַץ) פ press; oppress
לַחַץ ז pressure; oppression
לַחצָנִית נ press-stud
לָחַשׁ (יִלחַשׁ) פ whisper
לַחַשׁ ז whisper
לַחשָׁן ז prompter (on stage)
לָט (יָלוּט) פ wrap up, enwrap
לְטָאָה נ lizard
לְטִיפָה נ patting, caressing
לָטַשׁ (יִלטוֹשׁ) פ polish; sharpen
לִיבֵּב (יְלַבֵּב) פ capture the heart, captivate
לִיבָּה (יְלַבֶּה) פ set alight
לִיבָּה, לִבָּה נ core, heart
לִיבּוּן ז whitening, bleaching; clarifying
לִיבֵּן (יְלַבֵּן) פ whiten, bleach; clarify
לִיבְּרִית נ libretto
לְיַד מ״י beside, by
לֵידָה, לֵדָה נ birth
לִיוָּה (יְלַוֶּה) פ accompany, escort
לִיוּוּי ז accompaniment, escort
לִיחֵךְ (יְלַחֵךְ) פ chew, graze
לִיטוּף ז caressing
לִיטוּשׁ ז polishing
לִיטֵּף (יְלַטֵּף) פ caress
לִיטֵּשׁ (יְלַטֵּשׁ) פ polish; improve
לִיכֵּד (יְלַכֵּד) פ unite, combine
לִיכּוּד ז uniting, combining
לַיִל, לֵיל, לַיְלָה ז night
לֵילִי ת nocturnal, nightly
לִילִית נ owl; Lilith
לִילָךְ ז lilac
לֵיל שַׁבָּת Sabbath eve (Friday night)

לִימֵד (יְלַמֵּד) פ teach, instruct
לִימּוּד ז teaching; study, learning
לִימוֹן ז lemon
לִינָה נ lodging, overnight stay
לִיפֵּף (יְלַפֵּף) פ swathe, wrap up
לִיפֵּת (יְלַפֵּת) פ flavor, make tasty
לֵיצָן ז clown, jester
לִיקּוּי ז blemish, defect; eclipse
לִיקֵּט (יְלַקֵּט) פ collect, gather, pick
לִיקֵּק (יְלַקֵּק) פ lick, lap
לַיִשׁ ז lion
לֵךְ ! go!
לְךָ מ"ג to you, for you, you (masc.)
לָךְ מ"ג to you, for you, you (fem.)
לִכְאוֹרָה תה"פ apparently, at first glance
לָכַד (יִלְכּוֹד) פ capture, take prisoner
לָכִיד ת coherent
לְכִידָה נ capture, seizure
לְכָל הַיּוֹתֵר תה"פ at most, at the most
לְכָל הַפָּחוֹת תה"פ at least
לִכְלוּךְ ז dirtying; dirt
לִכְלֵךְ (יְלַכְלֵךְ) פ dirty, soil
לַכְלְכָן ז dirty person
לָכֵן תה"פ accordingly, therefore
לִכְסֵן (יְלַכְסֵן) פ slant, turn aside
לֶכֶשׁ ז raffia
לְכַתְּחִילָּה תה"פ from the beginning, a priori
לְלֹא without
לָמַד (יִלְמַד) פ learn, study
לָמֵד ת taught, instructed

לְמַדַּיי תה"פ sufficiently; quite, considerably
לַמְדָן ז scholar, learned man
לַמְדָנוּת נ erudition
לָמָּה, לָמָה? תה"פ why? what for?
לָמִיד ת learnable; teachable
לְמִידָה נ learning
לְמַעֵט תה"פ with the exception of, except for
לְמַעְלָה, לְמַעְלָן תה"פ above, up
לְמַעַן תה"פ in order that, so that; for the sake of
לְמַעֲשֶׂה תה"פ actually, in fact
לְמַפְרֵעַ תה"פ retroactively
לַמְרוֹת תה"פ in spite of, despite
לְמָשָׁל תה"פ e.g., for example
לָן (יָלוּן, יָלִין) פ stay overnight
לָנוּ מ"ג to us, for us
לְסוּטָה נ blouse
לִסְטוּת נ robbery
לִסְטִים, לִסְטִיס ז robber
לִסְטֵם (יְלַסְטֵם) פ rob
לֶסֶת נ jaw
לָעַג (יִלְעַג) פ jeer at, mock
לַעַג ז jeering, mockery
לָעַד תה"פ for ever
לְעוֹלָם תה"פ for ever, eternally
לְעוֹלָם וָעֶד for ever and ever
לְעוּמַּת תה"פ in contrast with, as against
לָעוּס ת chewed, masticated
לַעַז ז slander; foreign language (not Hebrew)
לְעֵיל תה"פ above, supra (in a book)
לְעִיסָה נ chewing, mastication

לְעַלַע (יְלַעֲלַע) פ stutter, stammer
לַעֲנָה נ wormwood; bitterness, gall
לָעַס (יִלְעַס) פ chew, masticate
לְעֵרֶךְ תה״פ about, approximately
לְעֵת תה״פ at the time
לָפוּף ת wrapped round, coiled round
לְפָחוֹת תה״פ at least
לְפִי מ״י according to
לַפִּיד ז torch
לְפִיכָךְ מ״ח therefore
לְפִיתָה נ clasping, gripping
לִפְנוֹת תה״פ just before
לִפְנֵי תה״פ before (in time); in front of (in space)
לִפְנֵי הַסְּפִירָה B.C.E., B.C.
לִפְנַיי תה״פ inside
לְפָנִים תה״פ in the distant past; in front; forward
לִפְנִים תה״פ inside
לִפְעָמִים תה״פ sometimes
לָפַף (יִלְפוֹף) פ wrap round, swathe
לִפְרָקִים תה״פ occasionally, sometimes
לָפַת (יִלְפּוֹת) פ clasp, grip
לֶפֶת נ turnip
לִפְתָּן ז compote, stewed fruit
לְפֶתַע, לְפֶתַע פִּתְאוֹם suddenly
לֵץ ז joker, jester
לָצוֹן ז fun, frivolity
לִצְמִיתוּת תה״פ for good, permanently
לָקָה (יִלְקֶה) פ be stricken
לָקוֹחַ ז customer, client
לָקוּי ת faulty, defective
לִקּוּת נ defect, deficiency
לָקַח (יִקַּח) פ take
לֶקַח ז lesson, moral lesson
לָקַט (יִלְקוֹט) פ gather; pick
לֶקֶט ז gleanings; collection
לְקִיחָה נ taking
לְקִיקָה נ licking
לִקְלוּק ז licking, lapping up
לִקְלֵק (יְלַקְלֵק) פ lick, lap up
לְקַמָּן תה״פ further on, below
לָקַק (יָלוֹק) פ lick, lap
לַקְקָן ז sweet-tooth (person)
לִקְרַאת תה״פ towards; for, in view of
לֶקֶשׁ ז late crop
לָרִאשׁוֹנָה תה״פ for the first time
לְרַבּוֹת תה״פ including
לְרֶגֶל תה״פ on account of, because of; on the occasion of
לָרוֹב תה״פ generally, mostly; in plenty
לָרִיק תה״פ in vain
לָשׁ (יָלוּשׁ) פ knead
לְשַׁד ז marrow (of bones); juice, fat; vigor, vitality
לָשׁוֹן נ tongue; language
לְשׁוֹנַאי ז linguist
לְשׁוֹן הַקּוֹדֶשׁ the Hebrew language
לְשׁוֹן הָרַע slander
לְשׁוֹנִי ת linguistic, lingual
לִשְׁכָּה נ office, bureau
לִשְׁלֶשֶׁת נ poultry manure
לֶשֶׁם ז ligure; opal
לְשֵׁם מ״י for, for the sake of
לְשֶׁעָבַר תה״פ formerly, previously; ex –, past
לְתוֹךְ into
לֶתֶת ז malt

מ

מְ־ (מֵ־) — from, of; more than
מַאֲבוּס ז — feeding-trough
מַאֲבָק ז — struggle, fight; anther
מַאֲגָר ז — storage reservoir
מְאַגְרֵף ז — trainer (boxing)
מְאַדֶּה ז — evaporator ; carburettor
מַאְדִּים ז — Mars
מֵאָה ש״מ — hundred; century
מְאַהֵב ז — suitor, lover
מַאֲהָל ז — encampment
מְאוּבָּן ז — fossil
מְאוּבָּק ת — dusty, dust-covered
מְאוּגָּד ת — associated
מְאוֹד תה״פ — very
מְאוּדֶּה ת — steamed
מְאוֹהָב ת — in love, loving
מַאֲוַי ז, מַאֲוַיִּים ז״ר — desire, longing
מְאַוְרֵר ז — ventilator, fan (electric)
מְאוּוְרָר ת — ventilated, aired
מְאוּזָּן ת — horizontal; balanced
מְאוּחָד ת — united
מְאוּחֶה ת — united, joined together
מְאוּחְסָן ת — stored, in storage
מְאוּחָר ת — late
מְאוּיָּשׁ ת — manned
מְאוּכְזָב ת — disappointed
מְאוּכְלָס ת — populated
מְאוּלָּף ת — tamed, trained
מְאוּלָּץ ת — compelled
מְאוּם, מְאוּמָה ז — something; (colloquial) nothing
מְאוּמָּן ת — trained
מְאוּמָּץ ת — adopted; effortful
מְאוּמָּת ת — verified, confirmed
מְאוּנָּךְ ת — perpendicular
מְאוּנְקָל ת — hooked, hook-shaped
מָאוּס ת — repulsive, loathsome
מְאוּפְיָין ת — characterized
מְאוּפָּל ת — darkened; blacked-out
מְאוּפָּס ת — zeroed (weapon)
מְאוּפָּק ת — restrained
מְאוּפָּר ת — made up (actor)
מְאוּצְבָּע ת — digitate (botany)
מְאוּקְלָם ת — acclimated
מָאוֹר ז — light; source of light
מְאוּרְגָּן ת — organized
מְאוּרָה נ — den, lair
מְאוֹרָס ז — fiancè, betrothed
מְאוֹרָע ז — event, occurrence
מְאוּשָּׁר ת — happy, content; confirmed
מְאוּשָּׁשׁ ת — firm, steady
מְאוּתָּר ת — localized
מְאוֹתֵת ז — signaller
מַאֲזִין ז — listener
מַאֲזָן ז — balance sheet, balance
מֹאזְנַיִים ז״ז — balance, scales
מַאֲחָז ז — handle; hold
מַאֲחֵז ז — paper clamp, paper clip
מְאַחֵר ת — late, tardy; latecomer
מֵאַחַר שֶׁ־ תה״פ — since
מַאי? מ״ג — what? how?
מֵאִידָךְ, מֵאִידָךְ גִּיסָא — on the other hand
מֵאֵימָתַי? תה״פ — since when?

מֵאַיִן תה״פ whence, where from
מְאִיסָה נ repulsion, loathing
מֵאִיץ ז accelerator
מֵאִית נ hundredth part
מַאֲכָל ז food; meal
מַאֲכֶלֶת נ slaughterer's knife
מְאַלְחֵשׁ ז anaesthetic; anaesthetist
מֵאֵלָיו מ״ג by itself, self-
מְאַלֶּמֶת נ binder (mechanical)
מְאַלֵּף ז trainer (of animals)
מְאַלֵּף ת instructive
מַאֲמִין ז believer
מְאַמֵּן ז trainer, instructor
מַאֲמָץ ז effort, exertion
מַאֲמָר ז article, essay; saying
מָאַס (יִמְאַס) פ loathe, despise
מְאַסֵּף ז rearguard; collection, anthology; slow (stopping) bus (or train)
מַאֲסָר ז imprisonment
מַאֲפֶה ז pastry
מַאֲפִיָּה נ bakery
מַאֲפֵרָה נ ash-tray
מַאֲרָב ז ambush
מְאַרְגֵּן ז organizer
מְאָרֵחַ ז host
מַאֲרֵךְ ז extension rod
מֵאֵת מ״י from; by (an author, composer etc.)
מָאתַיִם ש״מ two hundred
מַבְאִישׁ ת stinking, putrid, nauseating
מַבְדֵּד ז insulator
מִבְדּוֹק ז dry dock
מְבַדֵּחַ ת amusing, funny

מַבְהִיל ת frightening
מַבְהִיק ת shining, glowing
מָבוֹא ז entry, entrance; introduction
מְבוֹאָר ת explained, annotated
מְבוּגָּר ת adult
מְבוּדָּד ת insulated; isolated
מְבוּדָּח ת amused, merry
מְבוֹהָל ת hurried; frightened
מְבוּזְבָּז ת wasted, squandered
מְבוּטָּא ת pronounced, expressed
מְבוּטָּח ת insured
מְבוּטָּל ת inconsiderable, insignificant
מָבוֹי ז lane, alley
מְבוּיָּל ת stamped
מְבוּיָּם ת staged
מָבוֹי סָתוּם impasse
מְבוּיָּץ ת mixed with egg, coated with egg
מְבוּיָּשׁ ת shamed, ashamed
מְבוּיָּת ת domesticated
מָבוֹךְ ז maze, labyrinth
מְבוּכָה נ confusion, embarrassment
מַבּוּל ז flood, deluge
מְבוּלְבָּל ת confused, bewildered
מְבוּסָּם ת perfumed; tipsy
מְבוּסָּס ת established, well-based
מַבּוּעַ ז fountain, spring
מְבוּצָּע ת carried out, performed, executed
מְבוּצָּר ת fortified
מְבוּקָּר ת criticized; controlled
מְבוּקָּשׁ ת sought after, required
מְבוֹרָג ת unscrewed

מְבוֹרָךְ ת	blessed
מְבוּשִׁים ז״ר	genitalia, pudenda
מְבוּשָּׁל ת	cooked, boiled
מְבוּשָּׂם ת	scented, perfumed
מְבוּתָּר ת	dissected, cut up
מַבְזֵק ז	flash; salt-shaker
מִבַּחוּץ תה״פ	from outside, from without
מִבְחָן ז	test, examination
מַבְחֵנָה, מִבְחָנָה נ	test tube
מִבְחָר ז	selection; choice
מַבְחֵשׁ ז	ladle
מַבָּט, מֶבָּט ז	look, glance
מִבְטָא ז	accent, pronunciation
מִבְטָח ז	trust, confidence
מַבְטֵחַ ז	safety-fuse
מִבֵּין תה״פ	from among, from
מֵבִין ז	expert, adept, connoisseur
מְבִינוּת נ	expertise, knowledgeability
מֵבִישׁ ת	shameful
מִבַּיִת תה״פ	from within, from inside
מַבְלֵט ז	die
מִבְּלִי תה״פ	without
מַבְלִיג ת	restrained, controlled
מִבַּלְעֲדֵי מ	apart from, except
מִבְנֶה ז	structure, build
מִבָּע ז	utterance, expression
מִבַּעַד לְ־ תה״פ	through, from behind
מִבְּעוֹד תה״פ	while it is still...
מַבְעֵר ז	burner, torch (for welding)
מִבִּפְנִים תה״פ	from within
מְבַצֵּעַ ז	performer, executor
מִבְצָע ז	project, operation
מִבְצָר ז	fortress, castle
מְבַקֵּר ז	critic; inspector (of tickets); visitor
מְבַקֵּשׁ ז	applicant, supplicant
מִבְרָאָה נ	rest home, sanatorium
מִבְּרֵאשִׁית תה״פ	from the beginning
מַבְרֵג ז	screwdriver
מַבְרִיא ז	convalescent
מַבְרִיחַ ז	smuggler
מַבְרִיק ת	shining, brilliant
מִבְרָק ז	telegram
מִבְרָקָה נ	telegraph office
מִבְרֶשֶׁת נ	brush
מְבַשֵּׁל ז	cook
מְבַשֶּׁלֶת נ	cook (female)
מִבְשָׂמָה נ	perfumery
מְבַשֵּׂר ז	herald, forerunner
מִבְתָּר ז	cutting (railway); cut
מַגֵּב ז	wiper
מַגְבֵּהַ ז	jack
מִגְבּוֹל ז	range, gamut
מַגְבִּיר ת	strengthening
מַגְבִּיר־קוֹל	megaphone
מַגְבִּית נ	fund-drive, collection
מִגְבָּלָה נ	limitation, restriction
מִגְבָּע ז	top hat
מִגְבַּעַת נ	hat (with brim)
מַגְבֵּר ז	amplifier
מַגֶּבֶת נ	towel
מַגְדִּיר ז	definer
מִגְדָּל ז	tower
מִגְדַּלּוֹר ז	lighthouse
מַגְדֶּלֶת, זְכוּכִית מַגְדֶּלֶת	magnifying glass
מִגְדָּנִיָּה נ	pastry shop
מַגְהֵץ ז	pressing iron

מַגּוֹב ז rake
מְגוּבָּב ת piled up, heaped
מְגוּבָּן ת hunchbacked, humped
מָגוֹד ז clothes hanger
מְגוּדָּל ת large, sizeable
מְגוּדָּר ת fenced
מְגוּהָץ ת pressed, ironed
מְגוּוָּן ת varied, diversified
מִגווָן ז range, range of colors
מְגוּחָךְ ת ridiculous
מְגוּיָּס ת mobilized
מְגוּלְגָּל ת rolled up, rounded
מְגוּלֶּה ת revealed, visible
מְגוּלְוָן ת galvanized
מְגוּלָּח ת shaven
מְגוֹלָל ת rolled up
מְגוּלָּף ת carved, engraved
מְגוּמְגָּם ת stammered, faltering
מְגוּנְדָּר ת dressed up, dandified
מְגוּנֶּה ת nasty, indecent
מָגוֹף ז gate valve, stop-cock
מְגוּפָה נ plug, cap
מְגוּפָּר ת sulphurized
מָגוֹר ז terror, dread
מְגוּרִים ז״ר living quarters
מִגְזָזַיִים ז״ז shears
מִגְזָר ז section
מַגְזֵרָה נ board saw, frame saw
מִגְזָרַיִים ז״ז wire-cutters
מַגִּיד ז preacher
מַגִּיהַּ ז proof-reader, corrector
מְגִילָּה נ scroll, roll
מְגִינָּה נ distress, sorrow
מָגִינּוֹר ז lampshade
מַגִּיעַ ת arriving, coming; deserved, merited
מַגִּישׁ ז waiter, steward
מַגִּישָׁה נ waitress, stewardess
מַגָּל ז sickle, reaping-hook
מַגְלֵב ז whip, lash
מַגְלוֹל ז tape measure
מַגְלֵחַ ז razor, shaver
מַגְלֵף ז engraving tool
מִגְלָפָה נ engraver's workshop
מַגְלֵשׁ ז skid (aeron.)
מִגְלָשׁ ז runner (on sled)
מַגְלֵשָׁה נ slide; toboggan
מִגְלָשַׁיִים ז״ז skis
מְגַמְגֵּם ז stutterer, stammerer
מְגַמָּה נ aim, object, purpose; tendency
מְגַמָּתִי ת tendentious
מָגֵן ז shield
מָגֵן־דָּוִד shield of David
מֵגֵן ז defender; back (football)
מַגְנֵט ז magnet
מִגְנֵט (יְמַגְנֵט) פ magnetize
מִגְנָן ז defence structure
מִגְנָנָה נ defensive
מָגֵס ז tureen
מַגָּע ז touch, contact
מַגָּף ז gum-boot, high boot
מַגֵּפָה נ plague
מַגְפֵר ז sulfurator
מַגְרֵד ז scraper; strigil
מְגֵרָה נ drawer (of desk etc.)
מְגָרֶה ת provocative; stimulating
מַגְרֵסָה נ mill, grinder
מִגְרָע ז groove
מִגְרָעָה נ niche, recess

מִגְרַעַת נ	defect, fault
מַגְרַעַת נ	fillister plane
מַגְרֵפָה נ	rake
מִגְרָרָה נ	sled, sledge
מִגְרֶרֶת נ	grater
מִגְרָשׁ ז	plot; pitch, playing-field
מַגָּשׁ ז	tray
מַגְשִׁים ז	realizer, embodier
מַד ז	measure, gauge
מִדְאֶה נ	gliding-field
מַדְאוֹר ז	photometer, lightmeter
מַדְבֵּקָה נ	gummed label, sticker
מִדְבָּר ז	desert, wilderness
מִדְבָּרִי ת	desert
מִדְגָּם ז	sample, specimen
מַדְגֵּרָה נ	incubator
מַדְגֶּשֶׁם ז	rain-gauge
מָדַד (יִמְדוֹד) פ	measure, survey
מַדָּד ז	index
מַדַּד יוֹקֶר הַמִּחְיָה	cost of living index
מְדוּבְלָל ת	sparse, straggly
מַדְוֶה ז	affliction, ill
מַדּוּחַ ז	lure
מְדוּיָּק ת	exact, accurate
מְדוּכָּא ת	dejected, depressed
מְדוּכְדָּךְ ת	depressed, dejected
מְדוֹכָה נ	mortar; saddle
מְדוּלְדָּל ת	hanging loosely (limb)
מְדוּמְדָּם ת	dazed, stupefied
מְדוּמֶּה ת	imaginary; seeming
מָדוֹן ז	contention, quarrel
מַדּוּעַ תה״פ	why
מְדוּפְלָם ת	diplomaed, qualified
מָדוֹר ז	department, section
מְדוֹרָג ת	graded
מְדוּרָה נ	bonfire, fire
מַדְזָוִית ז	protractor
מַדְזְמַן ז	chronometer; stop-watch
מַדְזֶרֶם ז	ammeter, ampermeter
מַדְחוֹם ז	thermometer
מַדְחָן ז	parking meter
מַדְחֵס ז	compressor
מַדְחֵף ז	propeller
מִדֵּי תה״פ	whenever
מִדַּי, מִדַּאי, מִדַּיי תה״פ	than required, than enough
מָדִיד ת	measurable
מַדִּיד ז	gauge
מְדִידָה נ	measurement, surveying
מַדִּיחַ ז	seducer, enticer
מִדֵּי יוֹם בְּיוֹמוֹ	daily, every day
מַדִּים ז״ר	uniform, costume
מְדִינַאי ז	statesman, politician
מְדִינָה נ	state, country
מְדִינִי ת	political
מְדִינִיּוּת נ	politics, policy
מִדֵּי פַּעַם	sometimes
מְדַכֵּא ת	depressing, oppressive
מְדַכְדֵּךְ ת	depressing, distressing
מַדְלֶה ז	derrick, crane
מַדְלַחוּת, מַד־לַחוּת	hygrometer
מַדְלַחַץ, מַד־לַחַץ	manometer
מַדְלֵק ז	lighter, igniter
מְדַמֶּה ת	imaginative
מַד־מְהִירוּת	speedometer
מַדְמַיִם, מַד־מַיִם	water-meter
מַדְמֵנָה נ	dungpit
מְדָנִים ז״ר	quarrel, contention
מַדְנֶשֶׁם, מַד־נֶשֶׁם	spirometer

מְדַסְקֶסֶת נ	disc-harrow
מַדָּע ז	science; knowledge
מַדָּעִי ת	scientific
מַדְּעֵי הַחֶבְרָה	social sciences
מַדְּעֵי הַטֶּבַע	natural sciences
מַדְּעֵי הַיַּהֲדוּת	Jewish studies
מַדְּעֵי הָרוּחַ	humanities
מַדָּעָן ז, מַדְּעָן ז	scientist
מַדָּף ז	shelf
מַדְפִּיס ז	printer
מְדַקְדֵּק ז	grammarian; precise person, punctual person
מְדַקְלֵם ז	reciter
מַדְקֵר ז	awl
מַדְקֵרָה נ	stab, piercing
מֶדֶר ז	bevel
מְדַרְבֵּן ת	incentive, stimulating
מַדְרֵגָה נ	step; terrace
מַדְרוּחַ, מַד־רוּחַ	anemometer, wind-gauge
מִדְרוֹן ז	slope
מַדְרִיךְ ז	instructor, guide
מִדְרָךְ ז	footrest; tread
מִדְרָכָה נ	pavement, sidewalk
מִדְרָס ז	foot support
מִדְרָסָה נ	doormat
מַדְרַעַשׁ ז	seismograph
מִדְרָשׁ ז	study, learning; exposition
מִדְרָשָׁה נ	academy, college
מִדְרָשִׁי ת	midrashic, homiletic
מִדְשָׁאָה נ	lawn
מֵדְשֶׁטַח, מַד־שֶׁטַח	planimeter
מַה, מָה, מֶה מ״ג, מ״ק	what; which?; a little
מְהַבְהֵב ת	flickering, glimmering
מְהַגֵּר ז	immigrant, emigrant
מַהֲדוּרָה נ	edition
מַהְדִּיר ז	editor, reviser
מְהַדֵּק ז	paper-clip
מַהוּ מ״ג	what is it? what is he?
מְהוּגָּן ת	decent, proper
מָהוֹד ז	sonator
מְהוּדָּק ת	tight, fastened
מְהוּדָּר ת	adorned, elegant
מְהוּהַּ ת	shabby, tattered
מָהוּל ת	dilute(d), adulterated; circumcized (boy)
מְהוּלָּל ת	praised
מְהוּמָה נ	riot, confusion
מְהוּפְנָט ת	hypnotized
מְהוּקְצָע ת	planed, smoothed
מְהוּרְהָר ת	pensive, thoughtful
מַהוּת נ	nature, character
מַהוּתִי ת	essential
מֵהֵיכָן תה״פ	where from? whence?
מְהִילָה נ	dilution, adulteration; circumcision
מְהֵימָן ת	reliable, trustworthy
מָהִיר ת	quick, fast
מְהִירוּת נ	rapidity, speed, velocity
מָהַל (יִמְהַל) פ	dilute, adulterate
מַהֲלוּמָה נ	blow, knock
מַהֲלָךְ ז	walking distance; walk, movement; move (as in chess), step; stroke (of engine)
מַהֲמוֹרָה נ	pit
מְהַנְדֵּס ז	engineer
מַהְפֵּכָה נ	revolution; overthrow
מַהְפְּכָן ז	revolutionary
מַהְפְּכָנִי ת	revolutionary

מְהַפְּנֵט ז	hypnotist
מַהֵר תה״פ	quickly, fast
מְהֵרָה תה״פ	quickly, fast
מַהֲתַלָּה נ	joke, jest
מוּאָר ת	lit, illuminated
מוֹאֳרָךְ ת	lengthened
מוֹאֳרָק ת	earthed (electricity)
מוּבָאָה נ	quotation
מוּבְדָּל ת	separated
מוּבְהָק ת	outstanding
מוּבְחָר ת	choice, selected
מוּבְטָח ת	promised, guaranteed
מוּבְטַחְנִי	I am certain
מוּבְטָל ת	unemployed, laid-off
מוֹבִיל ז	carrier, transporter, conduit (as of water)
מוֹבָל ז	conduit, duct
מוּבְלָע ת	syncopated (letters), slurred over, elided
מוּבְלָעָה נ	enclave
מוּבָן ז	meaning, sense
מוּבָן ת	understood
מוּבָן מֵאֵלָיו	obvious, self-evident
מוּבָס ת	trounced, well-beaten
מוּבְרָח ת	smuggled
מוּג־לֵב	coward
מוּגְבָּל ת	limited, restricted
מוּגְבָּלוּת נ	(state of) being limited, paucity
מוּגְבָּר ת	strengthened, reinforced
מוּגְדָּל ת	enlarged, magnified
מוּגְדָּר ת	defined, classified
מוּגָּה ת	corrected, free from error
מוּגְזָם ת	exaggerated
מוּגְלָד ת	congealed
מוּגְלָה נ	pus
מוּגְלָתִי ת	purulent, suppurating
מוּגְמָר ז, ת	completed, finished
מוּגָן ת	defended, protected
מוּגְנַט (יְמוּגְנַט) פ	be magnetized
מוּגָף ת	closed, shut
מוּגַּר (יְמוּגַּר) פ	be defeated, be destroyed
מוּגָּשׁ ת	offered, presented
מוּגְשָׁם ת	realized; materialized
מוּדְאָג ת	worried, anxious
מוּדְגָּם ת	exemplified, demonstrated
מוּדְגָּשׁ ת	emphasized, stressed
מוֹדֵד ז	surveyor; index; measuring instrument
מוֹדֶה ת	thankful, grateful; admitting
מוּדָּח ת	expelled, dismissed
מוֹדִיעַ ז	announcer, informer
מוֹדִיעִין ז	information; intelligence
מוֹדָע ז	acquaintance, friend
מוּדָע ז	conscious mind
מוֹדָעָה נ	notice, announcement; advertisement
מוּדְפָּס ת	printed
מוּדְרָג ת	graded, graduated
מוּדְרָךְ ת	instructed, guided
מוֹהֵל ז	circumcizer
מוֹהַר ז	bride-price
מָוֶת	death
מוֹזֵג ז	barkeeper, bartender
מוּזַג (יְמוּזַג) פ	be blended, be combined
מוּזְהָב ת	gilded

מוּזֵיאוֹן ז	museum
מוּזְכָּר ת	mentioned, referred to
מוּזָל ת	reduced (in price), cheaper
מוּזְמָן ת	invited (people), ordered (goods)
מוּזְנָח ת	neglected
מוּזָר ת	strange, queer
מוֹחַ ז	brain; brains, mind
מוּחְזָק ת	held; supported
מוּחְזָר ת	returned, restored
מוּחְכָּר ת	leased, rented
מוּחְלָד ת	rusty
מוּחְלָט ת	absolute, definite
מוֹחֵק ז	eraser, rubber
מוּחְרָם ת	boycotted; confiscated
מוֹחֳרָת, מָחֳרָת תה״פ	next day, the following day
מוֹחֳרָתַיִם תה״פ	the day after tomorrow
מוּחָשׁ ת	concrete, tangible, perceptible
מוּחָשִׁי ת	perceptible, tangible, real
מוֹט ז	pole, rod, bar
מוּטָב תה״פ	better
מוּטְבָּל ת	immersed; baptized
מוֹטָה נ	small yoke
מוֹטֵט (יְמוֹטֵט) פ	shake, knock over
מוֹטֶטֶת נ	linkage, assembly of rods in a machine
מוֹטִיּוֹת הַמִּשְׁקָפַיִם	spectacle earpieces
מוֹטִית נ	stick, short rod
מוּטָל ת	imposed, inflicted; tossed, thrown
מוּטָל בְּסָפֵק	in doubt
מוּטָס ת	flown (by plane)
מוּטְעֶה ת	mistaken, erroneous
מוּטְעָם ת	stressed, accented
מוּטְרָד ת	bothered, troubled
מוּיַּן (יְמוּיַּן) פ	be sorted, be classified
מוֹךְ ז	down (on birds, cheeks); cotton wool
מוּכֶּה ת	beaten, smitten; sick, ill
מוּכְוָן ת	set, adjusted, tuned
מוֹכָ״ז ז	bearer (initial letters of מוֹסֵר כְּתָב זֶה)
מוּכָח ת	proved, proven
מוּכְחָד ת	destroyed, wiped out
מוֹכִיחַ ז	reprover, rebuker, admonisher
מוּכַּן (יְמוּכַּן) פ	be mechanized
מוּכָן ת	ready, prepared
מוּכָן וּמְזוּמָּן	ready and willing
מוּכְנָס ת	brought in, inserted
מוֹכֵס ז	customs-officer
מוֹכְסָן ז	tax-gatherer, tax-collector
מוּכְסָף ת	silver-plated
מוּכְפָּל ת	doubled; multiplied
מוֹכֵר ז	seller
מוּכָּר ת	known, familiar
מוּכְרָח ת	forced, obliged
מוּכְרָע ת	determined; defeated
מוּכְשָׁר ת	talented; koshered
מוּכְתָּב ת	dictated
מוּכְתָּר ת, ז	crowned; village chief
מוּל מ״י	opposite, up against
מוֹ״ל ז	publisher
מוּלָּא (יְמוּלָּא) פ	be filled, be stuffed
מוּלְאָם ת	nationalized
מוֹלָד ז	birth; new moon

native land, homeland מוֹלֶדֶת נ
publishing מו״לוּת נ
soldered מוּלְחָם ת
procreator, progenitor מוֹלִיד ז
conductor; leader מוֹלִיךְ ז
conductivity, conductance מוֹלִיכוּת נ
Moloch מֹלֶךְ ז
disability, defect מוּם ז
expert, specialist מוּמְחֶה ת, ז
dramatized מוּמְחָז ת
actualized, made perceptible מוּמְחָשׁ ת
be financed מוּמַּן (יְמוּמַּן) פ
dissolved מוּמָס ת
apostate, convert (from Judaism) מוּמָר ז
be realized, be actualized מוּמַּשׁ (יְמוּמַּשׁ) פ
put to death, slain מוּמָת ת
numerator; meter מוֹנֶה ז
be nominated, be appointed מוּנָּה (יְמוּנֶּה) פ
led, directed מוּנְהָג ת
lying, resting, placed; term מוּנָּח ת, ז
guided, directed מוּנְחֶה ת
reputation, fame מוֹנִיטִין ז״ר
taxi מוֹנִית נ
preventive מוֹנֵעַ ת
endorsed (check etc) מוּסָב ת
explained מוּסְבָּר ת
extradited, handed over מוּסְגָּר ת
institution, establishment מוֹסָד ז (ר׳ מוֹסָדוֹת)

camouflaged, disguised מוּסְוֶה ת
garage מוּסָךְ ז
agreed; accepted מוּסְכָּם ת
authorized, qualified מוּסְמָךְ ת
additional, supplementary מוּסָף ת
addition, supplement מוּסָף ז
be numbered מוּסְפַּר (יְמוּסְפַּר) פ
lit, heated מוּסָק ת
morals, ethics; reproof מוּסָר ז
informer, delator מוֹסֵר ז
filmed, screened מוּסְרָט ת
moral, ethical מוּסָרִי ת
morality, ethics מוּסָרִיּוּת נ
remorse מוּסַר כְּלָיוֹת
hidden, concealed מוּסְתָּר ת
transferred, carried over מוּעֳבָר ת
appointed time; festival מוֹעֵד ז
forewarned, cautioned; turned, set; notorious מוּעָד ת
club, club-house מוֹעֲדוֹן ז
few, scanty מוּעָט ת
useful, profitable מוֹעִיל ת
be squeezed, be squashed מוֹעַךְ (יְמוֹעַךְ) פ
candidate מוּעֲמָד, מוּעֳמָד ז
candidature מוּעֲמָדוּת נ
be addressed (letter) מוֹעַן (יְמוֹעַן) פ
council, board מוֹעָצָה נ
the Security Council מוֹעֶצֶת הַבִּיטָּחוֹן
oppression, depression מוּעָקָה נ
enriched מוּעֲשָׁר ת
marvellous, wonderful מוּפְלָא ת
distant; distinguished; superlative מוּפְלָג ת
set apart מוּפְלֶה ת

מוּפְנֶה ת turned, set, directed
מוּפְנָם ת introvert; indented (typography)
מוּפְסָק ת interrupted, discontinued
מוֹפָע ז appearance; phase (electric)
מוּפְעָל ת set in motion, put into effect
מוּפָץ ת distributed, diffused
מוּפְצָץ ת bombed, bombarded
מוּפָק ת extracted, produced
מוּפְקָד ת deposited
מוּפְקָע ת requisitioned, expropriated; exorbitant
מוּפְקָר ת licentious
מוּפְרָד ת separated; disjointed
מוּפְרֶה ת fertilized, impregnated
מוּפְרָז ת exaggerated, overdone
מוּפְרָךְ ת refuted, groundless
מוּפְרָע ת mentally disturbed
מוּפְרָעוּת נ mental disturbance
מוּפְשָׁט ת abstract
מוּפְשָׁל ת thrown back, rolled up (sleeves)
מוּפְשָׁר ת thawed, unfrozen
מוֹפֵת ז model, exemplar; proof
מוֹפְתִי ת exemplary, model
מוּפְתָּע ת surprised
מוֹץ ז chaff
מוֹצָא ז exit, outlet; source, origin
מוּצָא ת taken out
מוֹצָאֵי שַׁבָּת end of Sabbath, Saturday night
מוּצָב ת set, placed
מוּצָב ז position (military)
מוּצָג ז exhibit
מוּצְדָּק ת justified
מוּצָה (יְמוּצֶה) פ be drained; be exhausted
מוּצְהָר ת affirmed, declared
מוֹצִיא ת taking out, bringing out
מוֹצִיא לְאוֹר, מו״ל publisher
מוּצַל ת shaded
מוּצָל ת saved, rescued
מוּצְלָח ת successful
מוּצְנָע ת concealed, hidden
מוּצָע ת proposed, suggested; made (bed)
מוּצָף ת flooded
מוּצָק ת solid
מוּצָר ז product
מוֹקֵד ז focus
מוּקְדָּם ת early
מוּקְדָּשׁ ת dedicated
מוּקְטָן ת reduced, diminished
מוּקְיוֹן ז clown, jester
מוֹקִיר ז admirer, one who appreciates
מוּקְלָט ת recorded
מוּקָם ת erected, set up
מוּקְסָם ת fascinated, charmed
מוּקָע ת censured, blamed
מוּקָף ת surrounded, encircled
מוּקְפָּא ת frozen
מוּקְצֶה ת assigned, set apart
מוּקְרָשׁ ת congealed, solidified
מוֹקֵשׁ ז mine
מוּקַשׁ (יְמוּקַשׁ) פ be mined
מוֹר ז myrrh
מוֹרָא ז awe, dread

מוּרְאָה נ gizzard, crop
מוּרְגָּשׁ ת felt, sensed
מוֹרָד ז descent, slope
מוֹרֵד ז rebel, mutineer
מוּרָד ת turned down, lowered
מוּרְדָּף ת persecuted
מוֹרֶה ת rebellious
מוֹרֶה ז teacher
מוֹרֵה־דֶרֶךְ guide; guide-book
מוּרְחָב ת enlarged, expanded
מוּרְכָּב ת composed (of), consisting (of); complex
מוֹרֶךְ לֵב timidity, faint-heartedness
מוּרָם ת raised, elevated
מוּרְסָה נ abscess
מוּרְעָל ת poisoned, poisonous
מוּרָק ת emptied, vacated
מוֹרַק (יְמוֹרַק) פ be scoured, be polished
מוּרְקָב ת rotten, decayed
מוֹרָשָׁה, מוֹרֶשֶׁת נ inheritance; heritage
מוּרְשֶׁה ז deputy, delegate
מוּרְשׁוֹן ז parliament
מוּרְשָׁע ת convicted
מוּרְתָּח ת boiled; infuriated
מוֹרַת רוּחַ displeasure
מוּשָׂא ז object (grammar)
מוּשְׁאָל ת lent; figurative
מוֹשָׁב ז seat; session; residence, cooperative village
מוּשָׁב ת returned, restored
מוֹשָׁבָה נ colony; large village
מוּשְׁבָּע ת sworn in, sworn; confirmed
מוּשְׁבָּת ת laid-off (worker); stopped (work)
מוּשָּׂג ז idea, concept
מוּשְׁזָר ת interwoven, intertwined
מוּשְׁחָז ת sharpened, whetted
מוּשְׁחָל ת threaded
מוּשְׁחָר ת blackened
מוּשְׁחָת ת corrupt
מוֹשִׁיעַ ז savior, deliverer
מוֹשְׁכוֹת נ״ר reins
מוּשְׂכָּל ז idea, concept
מוּשְׂכָּל רִאשׁוֹן axiom, first principle
מוּשְׁכַּן (יְמוּשְׁכַּן) פ be mortgaged, be pawned
מוּשְׂכָּר ת let, hired
מוֹשֵׁל ז governor
מוּשְׁלָם ת perfect, complete
מוּשְׁמָד ת destroyed, annihilated
מוּשְׁמָץ ת slandered, defamed
מוּשְׁפָּל ת humiliated
מוּשְׁפָּע ת influenced, affected
מוּשְׁקֶה ת irrigated, watered
מוּשְׁרָשׁ ת rooted
מוּתְאָם ת adapted, fitted
מוּתְנֶה ת conditioned
מוֹתְנַיִם ז״ר loins; waist
מוֹתֶק ז sweetness; (slang) "honey"
מוּתָּר ת permitted
מוֹתָר ז remainder
מוֹתָרוֹת ז״ר luxuries
מוֹתֵת (יְמוֹתֵת) פ put to death
מִזְבֵּחַ ז altar
מִזְבָּלָה נ manure-heap
מֶזֶג ז blend, mixture; temperament, disposition

מָזַג (יִמזוֹג) פ pour out (drink)
מֶזֶג אֲוִיר weather
מִזְגָג ז stained glass window
מִזְגָגָה נ glass factory
מַזֶּה ז sprinkler
מַזְהִיר ת shining; cautionary, warning
מְזוּבָּל ת manured, fertilized
מָזוּג ת blended; poured out
מְזוּגָּג ת fitted with glass
מְזוֹהֶה ת identified
מְזוֹהָם ת infected (wound); contaminated, filthy
מְזוּוָּג ת coupled, paired
מִזְוָד ז kitbag
מִזְוָדָה נ valise
מְזָוֶה ז storehouse, granary
מַזְוִית נ bevel
מְזוּזָה נ doorpost; mezuza
מְזוּיָּן ת armed; (slang) "done"
מְזוּיָּף ת forged, fake, counterfeit
מְזוּכָּך ת cleansed, purified
מְזוּמָּן ת, ז ready (money), cash
מָזוֹן ז food
מְזוּעְזָע ת shocked, shaken
מְזוּפָּת ת (slang) "lousy"; tarred
מְזוּקָּן ת bearded
מְזוּקָּק ת refined, purified
מָזוֹר ז wound; remedy; bandage
מְזוֹרָז ת accelerated
מֵזַח ז pier, jetty
מִזְחֶלֶת נ sled, sleigh
מְזִיגָה נ blending, mixing
מֵזִיד ת malicious, wilful
מְזַיֵּף ז forger, counterfeiter
מְזִימָּה נ scheme, evil intent, plot
מֵזִין ת nourishing
מַזִּיק ז, ת damager; harmful
מַזְכִּיר ז secretary
מַזְכִּירוּת נ secretariat, secretary's office
מַזְכֶּרֶת נ souvenir, reminder
מַזָּל ז luck, good luck
מַזְלֵג ז fork
מַזְלְגָן ז fork-lift operator
מַזְלֵף ז spray
מִזְמוּז ז necking, petting; softening
מִזְמוּט ז amusement, frolic
מִזְמוֹר ז song, psalm
מִזְמֵז (יְמַזְמֵז) פ neck, pet; soften
מִזְּמַן תה"פ long ago
מַזְמֵרָה נ pruning-shears
מִזְנוֹן ז bar, buffet; kitchen cabinet
מַזְנֵק ז spout; jot branch (aeron.)
מַזְעֲזֵעַ ת shocking, appalling
מִזְעָר תה"פ a little, a trifle
מִזְרָח ז east
מִזְרָחִי ת east, eastern, oriental
מִזְרְחָן ז orientalist
מִזְרָן ז mattress
מַזְרֵעָה נ sowing machine
מַזְרֵק ז injector, syringe
מִזְרָקָה נ fountain (ornamental)
מָחָא (יִמְחָא) פ clap together
מְחָאָה, מֶחָאָה נ protest, objection
מַחֲבוֹא ז hiding-place
מַחֲבוֹשׁ ז detention
מַחְבֵּט ז carpet-beater; racquet
מְחַבֵּל ת, ז sabotaging; saboteur
מַחְבֵּצָה נ churn

מְחַבֵּר ז author
מַחְבֵּר ז joint (carpentry)
מַחְבָּר ז joint (machinery)
מַחְבֶּרֶת נ exercise-book, copy-book
מַחֲבַת נ frying-pan, pan
מֵחַד, מֵחַד גִּיסָא on the one hand
מַחְדֵּד, מְחַדֵּד ז pencil-sharpener
מֶחְדָּל ז omission; neglect
מְחַדֵּשׁ ז innovator; renewer
מָחָה (יִמְחֶה) פ wipe; erase; protest
מְחוּבָּר ת connected, joined
מָחוֹג ז pointer, hand (on watch)
מְחוּגָה נ pair of compasses, calipers
מְחוּדָּד ת pointed; sharp
מְחוּדָּשׁ ת renewed, restored
מַחֲוֶה ז pointer
מֶחֱוָה נ gesture
מַחֲוָן ז indicator
מְחוּוָּר ת elucidated, clarified
מָחוֹז ז district, region
מְחוּזָּק ת strengthened
מְחוּטָּא ת disinfected
מְחוּיָּב ת obliged, bound
מְחוּיָּל ת enlisted
מָחוֹךְ ז corset
מְחוּכָּם ת clever, cunning
מָחוּל ת forgiven
מָחוֹל ז dance
מְחוֹלִית נ St. Vitus dance
מְחוֹלֵל ז dancer; performer; generator
מְחוּלָּק ת divided; dividend (arithmetic)
מְחוּמָּם ת heated
מְחוּמְצָן ת oxidized
מְחוּמָּשׁ ת fivefold; pentagon
מְחוּנָּךְ ת educated
מְחוֹנָן ת gifted
מְחוּסָּל ת eliminated, liquidated
מְחוּסָּן ת immune, immunized
מְחוּסְפָּס ת rough, uneven
מְחוּסָּר ת lacking (in), devoid of
מְחוּפָּשׂ ת disguised, in fancy dress
מְחוּצָּף ת impertinent, rude, insolent
מְחוֹקֵק ז legislator
מְחוּרְבָּן ת (slang) "lousy"
מְחוֹרָז ת threaded; rhymed
מֵחוֹשׁ, מֵחוּשׁ ז ache
מָחוֹשׁ ז feeler, antenna
מְחוּשָּׁל ת forged, steeled
מְחוּשְׁמָל ת electrified
מְחוּתָּן ז relation by marriage, in-law
מַחֲזַאי ז playwright, dramatist
מַחֲזֶה ז play, drama; sight, spectacle
מַחֲזוֹר ז cycle (lunar, solar), period; series; turnover; year, class; festival prayer-book
מַחֲזוֹרִיּוּת נ periodicity, recurrence
מַחֲזִירוֹר ז reflector
מַחֲזֶמֶר ז "musical"
מַחֲזֵק ז holder, handle
מְחַזֵּר ת suitor, wooer
מָחַט (יִמְחוֹט) פ blow (nose); trim (candle, lamp)
מַחַט נ needle, pin
מַחְטָנִי ת needle-shaped, coniferous
מְחִי ז blow, smack

מְחִיאוֹת כַּפַּיִם applause, hand-clapping
מִחְיָה נ subsistence
מְחַיֵּב ת obliging, binding
מְחִילָה נ pardon, forgiveness
מְחִיצָּה נ partition
מְחִיקָה נ erasure, deletion
מְחִיר ז price, cost
מְחִירוֹן ז tariff, price-list
מְחִית נ purée
מַחְכִּיר ז lessor
מָחַל (יִמחוֹל, יִמְחַל) פ forgive
מַחְלָבָה נ dairy
מַחֲלָה נ disease, illness
מַחֲלוֹקֶת נ disagreement, dispute
מַחֲלִים ת convalescent
מַחֲלִיקַיִים ז״ז skates
מַחְלָפָה נ plait (of hair)
מַחְלֵץ ז cork-screw
מַחֲלָצוֹת נ״ר festive costume
מַחְלָקָה נ department; class; platoon
מַחְמָאָה נ compliment
מַחְמֵאָה נ butterdish
מַחְמָד ז darling
מַחְמִיר ז strict person, martinet
מֵחֲמַת תה״פ because of, on account of
מַחֲנָאוּת נ campcraft, camping lore
מַחֲנֶה ז camp, encampment
מַחֲנֵה רִיכּוּז concentration camp
מְחַנֵּךְ ז educator, teacher
מַחֲנָק ז strangulation, suffocation
מַחְסֶה ז shelter, refuge
מַחְסוֹם ז muzzle; roadblock
מַחְסוֹר ז shortage, lack
מַחְסָן ז store, warehouse
מַחְסְנַאי ז storekeeper, storeman
מַחְסָנִית נ magazine (on rifle, etc.)
מְחַסֵּר ז subtracter, detractor
מַחְפּוֹרֶת נ trench (military), dugout
מַחְפִּיר ת shameful, disgraceful
מַחְפֵּר ז digger (machine)
מָחַץ (יִמְחַץ) פ smite, crush
מַחַץ ז severe wound, blow
מַחְצָבָה נ quarry
מֶחֱצָה נ half
מֶחֱצָה עַל מֶחֱצָה fifty-fifty
מַחֲצִית נ half
מַחְצֶלֶת נ straw matting
מְחַצְצֵר ז trumpeter, bugler
מָחַק (יִמְחַק, יִמחוֹק) פ erase, rub out
מַחַק ז eraser, rubber
מְחַקֶּה ז imitator
מֶחְקָר ז research
מָחָר תה״פ tomorrow
מַחֲרָאָה נ lavatory
מַחֲרוֹזֶת נ necklace; series, chain
מְחַרְחֵר ז trouble-maker
מַחֲרֵטָה נ lathe
מַחֲרִיב ז destroyer
מַחֲרִיד ז terrible, horrible
מַחֲרִישׁ ת deafening
מַחֲרֵשָׁה נ plough
מַחְשֵׁב ז computer
מַחֲשָׁבָה נ thought, thinking
מַחְשׂוֹף ז neck-line, open neck
מַחְשָׁךְ ז darkness
מְחַשְׁמֵל ת electrifying
מַחְתָּה נ censer, fire-pan
מַחְתֵּךְ ז cutter (for metal)

מַחְתֵּכָה נ bread-cutter
מַחְתֶּרֶת נ underground
מָט (יָמוּט) פ totter, shake
מַט ז mate (chess)
מַטְאֲטֵא ז broom
מְטַאטֵא ז sweeper, cleaner
מִטְבָּח ז kitchen
מַטְבֵּחַ ז slaughter, massacre
מִטְבָּחַיִים ז״ז slaughterhouse
מַטְבִּיל ז baptizer, dipper
מַטְבֵּעַ ז coin; type, form
מִטְבָּעָה נ mint
מַטֶּה ז walking-stick; staff
מַטָּה תה״פ down, downwards
מְטוּאטָא ת swept, cleaned
מְטוּגָּן ת fried
מְטוֹהָר ת purified
מַטְוֶה ז yarn, spun yarn
מִטְוָח ז range, rifle-range
מַטְוִויָּה נ spinning-mill, spinnery
מְטוּטֶּלֶת נ pendulum
מְטוּיָּח ת plastered
מָטוֹל ז projector (film)
מְטוּלָּא ת patched
מְטוּמָּא ת defiled, unclean (ritually)
מְטוּמְטָם ת stupid; imbecile
מְטוּנָּף ת filthy, dirty
מָטוֹס ז plane, airplane
מְטוּפָּח ת tended, nurtured; well-groomed
מְטוּפָּשׁ ת silly, foolish
מְטוֹרָף ת crazy, mad, insane
מְטוּרְפָּד ת torpedoed
מְטוּשְׁטָשׁ ת blurred, unclear
מַטָּח ז salvo

מְטַחֲוֶה ז range
מַטְחֵנָה נ mincer, mincing-machine
מֵטִיב, מֵיטִיב ת, ז beneficent; benefactor
מְטַיֵּיל ז walker, rambler
מְטִיל ז bar (of metal)
מַטִּיף ז preacher
מַטְלִית נ rag, duster
מַטְמוֹן ז treasure
מַטָּע ז plantation
מַטְעֶה ת delusive, deceptive
מִטַּעַם תה״פ on behalf of; under the auspices of
מַטְעַמִּים ז״ר delicatessen, sweetmeats
מִטְעָן ז load, freight; charge
מַטְפֶּה ז fire-extinguisher
מִטְפַּחַת נ headscarf; handkerchief
מְטַפְטֵף ז dropper
מְטַפֵּל ז attendant
מְטַפֶּלֶת נ nursemaid, day nurse
מְטַפֵּס ז creeper, climber
מָטָר ז rain, shower
מִטְרָד ז nuisance; (naut.) drift
מַטָּרָה נ purpose, aim; target
מִטְרִיָּה נ umbrella
מַטְרֵף ז egg-beater, whisk
מִי מ״ג who? whoever, anyone
מֵיאוּן ז refusal
מִיאוּס ז loathing, abhorrence
מֵיאֵן (יְמָאֵן) פ refuse, repudiate
מֵי בּוֹשֶׂם perfume
מִיגּוּל ז infection (with pus)
מִיגּוּר ז overcoming, defeat
מִיגֵּל (יְמַגֵּל) פ infect (with pus)

מִיגֵר (יְמַגֵר) פ overwhelm, defeat; knock-out (boxing)
מִגָשָׁה נ wharf
מִידַבֵּק ת infectious
מִידָה נ measure, extent
מִידוּעַ ז scientification
מִידֵי מ״י from
מִיָדִי ת immediate
מֵידָע ז information, knowledge
מִיהוּ who is he?
מִיהוּת נ identity
מִיהֵר (יְמַהֵר) פ hurry, hasten
מְיוֹאָשׁ ת desperate
מְיוּבָּשׁ ת dried
מְיוּגָּע ת exhausted
מְיוּדָד ת friendly
מְיוּדָע ת friend, acquaintance; (grammar) marked as definite
מְיוּזָע ת sweaty, perspiring
מְיוּחָד ת special, particular
מְיוּחָל ת long-awaited, expected
מְיוּחָס ת of good family; attributed, ascribed
מְיוּמָן ת skilled
מְיוּמָנוּת נ skill
מִיוּן ז sorting, classification
מַיוֹנִית נ mayonnaise
מְיוּעָד ת intended, designated
מְיוּפֶּה ת beautified; empowered
מְיוּפֵּה כּוֹחַ commissioned, empowered
מְיוּצָא ת exported
מְיוּצָג ת represented
מְיוּצָר ת produced, manufactured
מְיוּשָׁב ת calm, sedate
מְיוּשָׁן ת sleepy; ancient, antique
מְיוּשָׁר ת straightened
מְיוּתָּם ת orphaned
מְיוּתָּר ת redundant, superfluous
מִיזֵג (יְמַזֵג) פ blend
מִיחָה (יְמַחֶה) פ protest; wipe clean
מֵיחוּשׁ ז ache, pain
מֵיחַם ז samovar
מֵיטָב ז the best
מִיטָה נ bed, couch
מֵיטִיב ז benefactor
מִיטַלְטֵל ת portable, movable
מִיטַלְטְלִים ז״ר movables
מְיַיגֵּעַ ת tiring
מִיָד, מִיָד תה״פ immediately
מִיָדִי, מִיָדִי ת immediate, instant
מְיַילֶדֶת נ midwife
מִיֵין (יְמַיֵין) פ sort, classify
מְיַיסֵּד ז founder
מִיכּוּן ז mechanization
מֵיכָל, מְכָל ז container, tank (oil)
מֵיכָלִית נ oil-tanker
מִיכֵּן (יְמַכֵּן) פ mechanize
מֵילָא מ״ק never mind, so be it
מִילֵא (יְמַלֵא) פ fill
מִילָה נ circumcision
מִילוּי ז packing, stuffing, filling
מִילוּי מָקוֹם substitution
מִילוּלִי ת verbal
מִילוֹן ז dictionary
מֵילוֹן ז melon
מִילוֹנוּת נ lexicography
מִילֵט (יְמַלֵט) פ deliver, save
מִילִית, מִלִית נ particle (grammar)
מִילֵל (יְמַלֵל) פ speak, mouth

מַיִם ז״ר	water
מֵימָה נ	hydroxide
מִימּוּן ז	financing
מִימּוּשׁ ז	realization
מֵימִי ת	watery
מֵימִיָּה נ	water-bottle
מִימֵּן (יְמַמֵּן) פ	finance
מֵימָן ז	hydrogen
מִימְסָד ר׳ מִמְסָד	
מֵימְרָה נ	saying, maxim
מִימֵּשׁ (יְמַמֵּשׁ) פ	realize
מִין ז	kind, sort; sex
מִינָּה (יְמַנֶּה) פ	appoint, nominate
מִינּוּחַ ז	terminology
מִינּוּי ז	appointment
מִינּוּן ז	dosage
מִינוּת נ	heresy
מִינִי ת	sexual
מִינֵּן (יְמַנֵּן) פ	dispense, apportion
מֵינֶקֶת נ	wet nurse
מִיסָה נ	mass (Catholic)
מִיסּוּי ז	taxation
מִיעוּט ז	minority
מִיעֵט (יְמַעֵט) פ	reduce, lessen
מִיעֵן (יְמָעֵן) פ	address (a letter)
מִיפּוּי ז	mapping
מִיץ ז	juice
מִיצָּה (יְמַצֶּה) פ	drain; exhaust
מִיצּוּי ז	exhausting, extraction
מִיצּוּעַ ז	averaging
מִיקֵּד (יְמַקֵּד) פ	focus
מִיקּוּד ז	focussing; coding
מִיקּוּחַ ז	bargaining, haggling
מִיקּוּם ז	location, siting
מִיקּוּשׁ ז	mine-laying
מִיקָּח ז	purchase, buying
מִיקֵּם (יְמַקֵּם) פ	locate, site
מִיקֵּשׁ (יְמַקֵּשׁ) פ	lay mines, mine
מֵירַב, מֵרַב ז	maximum
מֵירַבִּי, מְרַבִּי ת	maximal
מֵירוּט ז	polishing, burnishing
מֵירוּץ, מֵרוּץ ז	race; racing
מֵירַק (יְמָרֵק) פ	scour, polish
מֵירַר (יְמָרֵר) פ	embitter
מֵי שׁוֹפְכִין	sewage water
מִישׁוֹר ז	plane; plain, flat land
מִישֵּׁשׁ (יְמַשֵּׁשׁ) פ	feel, grope
מִיתֵּג (יְמַתֵּג) פ	switch
מֵיתָד ז	dowel
מִיתָה נ	death
מִיתּוּן ז	moderation
מֵיתָר ז	string, chord
מַכְאוֹב ז	pain, suffering
מַכְאִיב ת	painful, hurtful
מִכָּאן תה״פ	hence, from here
מְכַבֶּה ז	extinguisher
מְכַבֵּה־אֵשׁ	fireman
מַכְבֵּנָה נ	hair-pin
מִכְבָּסָה נ	laundry
מַכְבֵּשׁ ז	press, roller
מַכָּה נ	hit, blow
מְכוּבָּד ת	honored, respected
מְכוּדָּן ת	armed with a bayonet
מַכְוֵין ז	tuner, regulator
מְכוּוָּן ת	aimed, directed
מְכוּוָּנוּת נ	orientation
מְכוּוָּץ ת	shrunk, contracted
מְכוֶורֶת נ	apiary
מְכוּלָה נ	container
מַכּוֹלֶת נ	grocery

מָכוֹן ז institute
מְכוֹנָאוּת נ mechanical engineering
מְכוֹנַאי ז machinist, mechanic
מְכוֹנָה נ machine
מְכוֹנִית נ automobile, car
מְכוּסֶּה ת covered
מְכוֹעָר ת ugly, repulsive
מָכוּר ת sold
מְכוּרְבָּל ת wrapped up
מְכוֹרָה נ native land
מְכוֹרָךְ ת bound (book)
מַכּוֹשׁ ז pick, pick-axe
מַכּוֹשִׁית נ xylophone
מִכְחוֹל ז artist's paint-brush
מִכֵּיוָן תה״פ since, seeing that
מֵכִיל ת containing
מְכִינָה נ preparatory course
מַכִּיר ז acquaintance, friend
מְכִירָה נ selling, sale
מִכְלָאָה נ fold, pen
מִכְלוֹל ז sum total, totality
מִכְלָל ז perfection; encyclopaedia
מִכְלָלָה נ university
מִכָּל מָקוֹם in any case, anyway
מַכָּ״ם ז radar
מִכְמוֹרֶת נ fishing-net
מִכְמָן ז, מִכְמַנִּים ז״ר treasure(s)
מְכַנֶּה ז denominator
מַכְנִיס ת profitable, producing income
מִכְנָסַיִם ז״ז trousers; drawers
מֶכֶס ז customs, duty
מִכְסָה נ norm, quota
מִכְסֶה ז cover, lid
מַכְסֵחָה נ lawn-mower

מַכְסִיף ת silvery
מְכָעֵר ת making ugly
מַכְפִּיל ז duplicator, multiplier
מִכְפָּל ז multiple
מַכְפֵּלָה נ product
מָכַר (יִמְכּוֹר) פ sell; hand over
מַכָּר ז acquaintance
מִכְרֶה ז mine
מִכְרָז ז tender (for a contract), announcement (of a job)
מַכְרִיז ז announcer; auctioneer
מַכְרִיעַ ת decisive
מְכַרְסֵם ז, ת rodent; gnawing
מְכַרְסֶמֶת נ milling machine
מִכְשׁוֹל ז obstacle
מַכְשִׁיר ז instrument, tool
מַכְשִׁירָן ז instrument mechanic
מַכְשֵׁלָה נ obstacle; mess
מְכַשֵּׁף ז wizard, sorcerer
מְכַשֵּׁפָה נ witch
מִכְתָּב ז letter
מַכְתֵּבָה, מִכְתָּבָה נ writing-desk
מִכְתָּם ז epigram
מַכְתֵּשׁ ז mortar (tool)
מַכַּת שֶׁמֶשׁ sunstroke
מָל (יָמוּל) פ circumcize
מָלֵא (יִמְלָא) פ be full
מָלֵא ת full
מְלַאי ז stock
מַלְאָךְ ז angel; messenger
מְלָאכָה נ work; craft
מַלְאֲכוּת נ mission
מְלָאכוּתִי ת artificial
מְלֶאכֶת־יָד handicraft
מְלַבֵּב ת heart-warming

מִלְּבַד מ״ח — in addition to, besides
מַלְבּוּשׁ ז — dress, clothing
מַלְבֵּן ז — rectangle
מִלְגָּה נ — scholarship, award
מַלְגֵּז ז — pitchfork
מִלָּה נ — word
מִלָּה בְּמִלָּה — word for word
מְלוֹא ז — fullness, full measure
מְלוּבָּן ת — whitened, white-hot
מְלוּבָּשׁ ת — clothed, dressed
מַלְוֶה ז — moneylender
מַלְוֶה ז, מִלְוָה נ — loan
מְלַוֶּה ז — escort; accompanist
מָלוּחַ ת — salty
מְלוּטָּשׁ ת — polished
מְלוּכָּד ת — combined, united
מְלוּכָה נ — kingdom, kingship
מְלוּכְלָךְ ת — dirty
מְלוּכָנִי ת — monarchic
מְלוּכְסָן ת — oblique, slanting, skew
מְלוּמָּד ת — scholar, learned man
מָלוֹן, בֵּית־מָלוֹן ז — hotel
מְלוֹנָאוּת נ — hotel management
מְלוּנָה נ — kennel (for dogs)
מָלוֹשׁ ז — kneading-trough
מֶלַח ז — salt
מַלָּח ז — seaman, sailor
מְלֵחָה נ — salt lands, desert
מַלְחִין ז — composer
מְלַחֵךְ ז — licker
מְלַחֵךְ פִּינְכָּא — toady, lickspittle
מַלְחֵם ז — soldering iron
מִלְחָמָה נ — war
מִלְחַמְתִּי ת — warlike, militant
מַלְחֵץ ז — pinchcock
מֶלְחָצַיִם ז״ז — vice, jaw-vice
מְלַחַת נ — saltpetre
מֶלֶט ז — mortar; cement
מִלְטָשָׁה נ — diamond-polishing workshop
מָלִיא ז — stuffed vegetable
מְלִיאָה נ — plenum
מָלִיחַ ז — salt herring
מְלִיחוּת נ — salinity
מְלִיל ז — dumpling
מֵלִיץ ז — interpreter; advocate; rhetorician
מְלִיצָה נ — figure of speech
מְלִיצִי ת — flowery, rhetorical
מְלִית נ — stuffing, filling
מָלַךְ (יִמלוֹךְ) פ — reign, be king
מֶלֶךְ ז — king, sovereign
מַלְכָּה נ — queen
מַלְכּוֹדֶת נ — trap, snare
מַלְכוּת נ — kingdom
מַלְכוּתִי ת — regal, royal, sovereign
מִלְכַתְּחִילָּה תה״פ — from the first, from the beginning
מֶלֶל ז — talk; chatter
מָלָל ז — border, hem, seam
מַלְמָד ז — goad
מְלַמֵּד ז — teacher, tutor
מִלְמוּל ז — mumbling, muttering
מִלְּמַטָּה תה״פ — from below
מִלְמֵל (יְמַלְמֵל) פ — mumble, mutter
מַלְמָלָה נ — muslin, fine cloth
מִלְּעֵיל תה״פ — accented on the penultimate syllable
מַלְעָן ז — awn, husk
מְלָפְפוֹן ז — cucumber

מֶלְצַר ז waiter, steward
מָלַק (יִמְלוֹק) פ pinch off (a fowl's head)
מַלְקוֹחַ ז booty, plunder
מַלְקוֹשׁ ז last rain
מַלְקוּת, מַלְקוֹת נ flogging, lashing
מֶלְקָחַיִים ז״ז tongs, pincers
מֶלְקַחַת נ pliers
מַלְקֶטֶת נ tweezers, pincers
מִלְּרַע תה״פ accented on the final syllable
מַלְשִׁין ז informer
מִלַּת הַגּוּף pronoun
מֶלְתָּחָה נ cloakroom, wardrobe
מִלַּת חִיבּוּר conjunction
מִלַּת יַחַס preposition
מַלְתָּעָה נ tooth (of a beast of prey)
מִלַּת קִישׁוּר conjunction
מִלַּת קְרִיאָה interjection
מַמְאִיר ת malignant
מַמְגּוּרָה נ silo, granary
מֵמַד ז dimension
מַמְדֵּד ז measuring instrument
מְמַדִּי ת dimensional
מְמוּגָּל ת infected (with pus)
מְמוּזָּג ת temperate, moderate
מְמוּיָּן ת sorted, classified
מְמוּכָּן ת mechanized
מִמּוּל תה״פ opposite
מְמוּלָּא ת stuffed, filled
מְמוּלָּח ת salty; sharp
מְמוּמָּן ת financed
מָמוֹן ז money, Mammon
מְמוּנֶּה ת in charge of, responsible for, appointed
מְמוּנָּע ת motored, motorized
מְמוּסָּד ת institutionalized
מְמוּסְפָּר numbered
מְמוּצָּע ת average
מְמוּקָּשׁ ת mined
מְמוֹרָט ת polished
מְמוּרְטָט ת frayed, threadbare
מְמוּרְמָר ת embittered
מְמוּשָּׁךְ ת prolonged; continuous
מְמוּשְׁכָּן ת mortgaged, pawned
מְמוּשְׁמָע ת disciplined
מְמוּשְׁקָף ת bespectacled
מְמוּתָּק ת sweetened, sugared
מַמְזֵר ז bastard
מִמְחָטָה נ handkerchief
מִמְטָר ז shower
מַמְטֵרָה נ sprinkler
מִמֵּילָא תה״פ in any case, anyway
מִמְּךָ מ״י from you (masc.)
מִמֵּךְ מ״י from you (fem.)
מִמְכָּר ז sale; goods
מְמַלֵּא מָקוֹם substitute, relief
מִמְלָחָה נ salt-cellar
מַמְלָכָה נ kingdom; reign
מַמְלַכְתִּי ת state, governmental
מִמֶּנָּה מ״י from her, from it (fem.)
מִמֶּנּוּ מ״י from him, from it (masc.); from us
מֵמֵס ת, ז solvent, dissolvent
מִמְסָד, מִימְסָד ז establishment
מַמְסֵפֵר ז number stamp
מִמְסָר ז relay
מִמְסָרָה נ transmission line (gear)
מִמְצָא ז finding
מַמְצִיא ז inventor

מַמְרֵא, מַמְרֶה ת rebellious
מִמְרָאָה נ air-strip
מִמְרָח ז spread, paste
מַמָּשׁ ז, תה״פ reality; really, exactly
מַמָּשׁוּת נ reality, substance
מַמָּשִׁי ת real, concrete
מַמָּשִׁיּוּת נ reality, actuality
מִמְשָׁל ז government, rule
מֶמְשָׁלָה נ government, rule
מֶמְשַׁלְתִּי ת government(al)
מִמְשָׁק ז administration (economic)
מַמְתָּק ז sweetmeat, candy
מָן ז manna
מִן מ״י from; of; more than
מְנָאֵף ז adulterer
מִנְבָּטָה נ seedbed
מַנְגִּינָה נ tune, melody
מְנַגֵּן ז player
מַנְגָּנוֹן ז mechanism; apparatus; administrative staff
מְנַדֵּב ז donor, benefactor
מָנָה (יִמְנֶה) פ number; count
מָנָה נ portion; ration; quotient
מִנְהָג ז custom, practice
מַנְהִיג ז leader
מַנְהִיגוּת נ leadership
מְנַהֵל ז director, manager
מִנְהָל, מִינְהָל ז management, administration
מִנְהָלָה נ directorate
מְנַהֵל חֶשְׁבּוֹנוֹת accountant
מִנְהָלִי ת administrative
מִנְהָרָה נ tunnel
מְנוּאָץ ת despised
מְנוּגָּד ת opposed
מְנוּגָּן ת played
מְנוּדֶּה ת ostracized
מְנוּוָּל ת despicable, contemptible
מְנוּוָּן ת degenerate
מְנוּזָּל ת catarrhal
מָנוֹחַ ז rest, repose
מְנוּחָה נ rest, repose
מָנוּי ת subscriber; counted,
מָנוּי וְגָמוּר resolved, decided once and for all
מְנוּמְנָם ת drowsy, sleepy
מְנוּמָּס ת polite, courteous
מְנוּמָּק ת argued, reasoned
מְנוּמָּר ת spotted, speckled
מָנוֹס ז flight; refuge
מְנוּסָה נ rout, flight
מְנוּסֶּה ת experienced
מָנוֹעַ ז engine, motor
מְנוֹעִי ת engined, motored
מָנוֹף ז lever
מְנוֹפַאי ז crane-driver
מְנוֹרָה נ lamp
מְנוּשָּׁל ת evicted (from property)
מְנוּתָּק ת cut off
מִנְזָר ז monastery, convent
מִנְחָה נ gift, offering; afternoon prayers; afternoon
מְנַחֵם ז comforter, consoler
מְנַחֵשׁ ז diviner, fortune-teller
מַנְחֵת ז damper, absorber
מִנִּי מ״י from, of
מְנָיָה נ share
מִנְיָן ז counting; ten
מִנַּיִן תה״פ where from; whence
מֵנִיעַ ז motive, factor

מְנִיעָה נ hindrance; prevention
מְנִיפָה נ fan
מִנְסָרָה נ prism; sawmill
מָנַע (יִמְנַע) פ hold back, prevent
מֶנַע ז prevention
מַנְעוּל ז lock
מִנְעָל ז footwear, shoe
מַנְעַמִּים ז״ר pleasures
מְנַצֵּחַ ז conqueror; conductor
מְנַצֵּל ז exploiter
מְנַקֵּב ז punch
מְנַקֵּד ז pointer, vocalizer
מְנַקָּה נ cleaner
מְנַקִּיָּה נ cleaning instrument
מְנַקֵּר ז porger
מִנְשָׁר ז manifesto
מְנַתֵּחַ ז surgeon
מַס ז tax, levy
מֵסַב ז bearing
מִסְבָּאָה נ public house, saloon, bar
מַסְבֵּב ז stocks and dies
מִסְבָּךְ ז tangle, maze
מִסְבָּנָה נ soap factory
מִסְגָּד ז mosque
מְסַגְנֵן ז stylizer
מַסְגֵּר ז metal-worker, locksmith
מַסְגְּרוּת נ metal-work
מַסְגֵּרִיָּה נ metal workshop
מִסְגֶּרֶת נ frame, framework
מַסָּד ז basement, basis
מִסְדָּר ז parade; order
מִסְדָּרָה נ composing room
מִסְדְּרוֹן ז corridor
מַסְדֶּרֶת נ composing machine
מַסָּה נ trial, test; essay

מַס הַכְנָסָה income tax
מְסוּבָּךְ ת complicated, complex
מְסוּגָּל ת competent, capable
מְסוּגָּר ת closed in
מְסוּדָּר ת neat, tidy
מְסוּוָּג ת classified
מַסְוֶה ז disguise
מְסוּיָּג ת reserved; fenced
מְסוּיָּד ת whitewashed
מְסוּיָּם ת specific, certain
מְסוּכָה נ hedge (of thorn-bushes); lubricator
מְסוּכָּן ת dangerous, risky
מְסוּכְסָךְ ת quarreling, at odds
מְסוּלָּא ת worth, valued
מְסוּלְסָל ת curly; elaborate (style)
מְסוּלָּע ת rocky
מְסוּלָּף ת distorted, garbled
מְסוּמָּם ת drugged, poisoned
מְסוּמָּן ת marked
מְסוּנְוָר ת dazzled, blinded
מְסוּנָּן ת strained, filtered
מְסוּנָּף ת affiliated
מְסוּנְתָּז ת synthesized
מְסוֹעָף ת having branches
מְסוּפָּק ת doubtful
מְסוּפָּר ת told, related
מְסוּפְרָר ת numbered
מַסּוֹק ז helicopter
מְסוּקָּל ת cleared of stones
מְסוּקָּס ת knotty (wood)
מַסּוֹר ז saw
מָסוּר ת devoted
מְסוּרְבָּל ת clumsy, awkward
מְסוֹרָג ת knitted; with a grille

מְסוּרגָל ת	ruled, lined
מְסוּרטָט ת	drawn
מְסוֹרָס ת	castrated
מְסוֹרָק ת	combed
מָסוֹרֶת נ	tradition
מְסוּתָּת ת	chiselled
מַסחֵט ז	squeezer
מִסחָר ז	commerce, trade
מִסחָרִי ת	commercial
מְסַחרֵר ת	dizzying
מְסִיבָּה נ	party, get-together
מֵסִיחַ ת	talking, speaking
מַסִּיחַ ת	averting, removing
מְסַייֵעַ ת	auxiliary, aiding
מְסִילָּה נ	path, track
מְסִילַּת בַּרזֶל	railway track
מְסִיסוּת נ	solubility
מַסִּיק ז	fireman, stoker
מָסִיק ז	olive harvest
מְסִירָה נ	delivery, handing over
מְסִירוּת נ	devotion
מֵסִית, מַסִּית ז	inciter
מָסַךְ (יִמסוֹךְ) פ	mix drinks, blend
מָסָךְ ז	curtain; screen
מַסֵּכָה נ	mask
מִסכֵּן ז, ת	wretch, miserable
מִסכֵּנוּת נ	misery, poverty
מִסכֶּרֶת נ	sugar-bowl
מַסֶּכֶת נ	web; tractate; pageant
מַסכֵּת ז	stethoscope
מַסֶּכתָּא נ	tractate (of the Talmud)
מַסלוּל ז	course, orbit
מִסלָקָה נ	clearing (banking)
מִסמָךְ ז	document
מִסמֵס (יְמַסמֵס) פ	dissolve
מַסמֵר ז	nail
מְסַנווֵר ת	dazzling, blinding
מַסנֵן ז	filter
מִסנֶנֶת נ	strainer, filter
מַסָּע ז	journey; move (in chess)
מִסעָדָה נ	restaurant
מַסעֵי הַצְּלָב	the Crusades
מִסעָף ז	branching; road junction
מַספֵּג ז	blotter
מִספֵּד ז	lament
מִספּוֹא ז	fodder
מִספּוּר ז	numbering
מַספִּיק ת	sufficient, adequate
מִספָּנָה נ	dockyard
מִספָּר ז	number; some, a few
מִספֵּר (יְמַספֵּר) פ	number, numerate
מְסַפֵּר ז	story-teller
מִספָּרָה נ	barber's shop
מִספָּרִי ת	numerical
מִספָּרַיִים ז״ז	scissors
מָסַק (יִמסוֹק) פ	pick olives
מַסקָנָה נ	conclusion
מָסַר (יִמסוֹר) פ	hand over, deliver
מֶסֶר ז	message
מַסרֵגָה נ	knitting-needle
מַסרֵטָה נ	movie camera
מְסַרטֵט ז	draughtsman
מַסרִיט ז	film-maker
מַסרֵק ז	comb
מִסתּוֹר ז	hiding-place
מִסתּוֹרִי ת	mysterious
מִסתּוֹרִין ז	mystery
מִסתַּייֵג ז	one who has reservations
מִסתַּכֵּל ז	onlooker, observer
מַסתֵּם ז	stopper

מִסְתָּמָא תה״פ — apparently, probably

מִסְתַּנֵּן ז — infiltrator

מִסְתַּפֵּק ת — satisfied, content

מְסַתֵּת ז — stone-cutter

מַעְבָּדָה נ — laboratory

מַעֲבֶה ז — thickness

מַעְבּוֹרֶת נ — ferry

מַעֲבִיד ז — employer

מַעֲבִיר ז — transferor, conveyer

מַעֲבָר ז — transition, transit, passage

מַעֲבַר חֲצִייָה — pedestrian crossing

מַעְבָּרָה נ — ford, river-crossing; transit camp

מַעְגִּילָה נ — roller; mangle

מַעְגָּל ז — circle, ring; course

מַעֲגָן ז — anchorage, quayside

מָעַד (יִמְעַד) פ — stumble, slip

מַעֲדָן ז, מַעֲדַנִּים ז״ר — delicacies

מַעְדֵּר ז — hoe, mattock

מָעָה נ — coin

מְעוּבֶּרֶת נ — pregnant

מְעוּגָּל ת — round, rounded

מְעוֹדֵד ת — encouraging

מְעוֹדָד ת — encouraged

מְעוּדְכָּן ת — up-to-date

מְעוּדָּן ת — delicate, dainty

מְעוּוֶּה ת — deformed

מְעוּוָּת ת — crooked, distorted

מָעוֹז ז — stronghold, fastness

מְעוּטָּף ת — wrapped

מְעוּיָּן ת, ז — balanced; rhombus

מָעוּךְ ת — squashed, crumpled

מְעוּכָּב ת — delayed, held up

מְעוּכָּל ת — digested

מְעוּלֶּה ת — excellent, superlative

מֵעוֹלָם תה״פ — ever, from of old

מֵעוֹלָם לֹא — never (in the past)

מְעוּמְלָן ת — starched

מְעוּמְעָם ת — faint, hazy

מָעוֹן ז — home, residence

מְעוּנֶּה ת — tortured

מְעוּנְיָין ת — interested, concerned

מְעוּנָּן ת — cloudy

מָעוֹף ז — flight

מְעוּפָּש ת — rotten, moldy

מְעוּצָּב ת — molded

מְעוּצְבָּן ת — nervous, nervy

מְעוּצֶּה ת — woody

מְעוּקָּב ת — cubic, cube

מְעוּקָּל ת — crooked

מְעוּקָּם ת — curved, twisted

מְעוּקָּר ת — sterilized

מְעוֹרָב ת — mixed; involved

מְעוּרְבָּב ת — mixed; jumbled

מְעוֹרָבוּת נ — involvement

מְעוֹרֶה ת — connected, rooted

מְעוּרְטָל ת — uncovered, nude

מְעוֹרָם ת — heaped, piled up

מְעוּרְפָּל ת — misty, foggy

מְעוֹרֵר ת — stimulant

מְעוּשֶּׂה ת — artificial

מְעוּשָּׁן ת — smoked; smoky

מָעוֹת נ״ר — money, small change

מִעֵט (יְמַעֵט) פ — diminish

מְעַט תה״פ, ת — little, few; a little, a few

מַעֲטֶה ז — wrap, covering

מַעֲטָפָה נ — envelope

מְעִי ז, מֵעַיִים ז״ר — bowels, intestines; guts, entrails

מַעְיָן ז spring, fountain
מְעַיֵּן ז reader, browser
מְעִיכָה נ crumpling, crushing
מְעִיל ז coat, overcoat; jacket
מְעִילָה נ embezzlement
מֵעֵין תה״פ somewhat like, "kind of"
מְעִי עִיוֵּר appendix (anat.)
מֵעִיק ת oppressive
מֵעִיקָּרָא תה״פ fundamentally, a priori
מָעַךְ (יִמְעַךְ) פ crush, crumple
מְעַכֵּב ת delaying, detaining
מָעַל (יִמְעַל) פ embezzle, betray trust
מַעַל ז betrayal of trust
מַעֲלֶה ז rise, ascent
מַעֲלָה נ degree; step; advantage
מַעְלָה תה״פ up, upwards
מַעֲלִית נ lift, elevator
מַעֲלָל ז action, act
מֵעִם מ״י from
מַעֲמָד ז class; status, position
מַעֲמָדִיּוּת נ class loyalty
מְעַמֵּל ז physical training instructor
מַעֲמָס ז load, burden
מַעֲמָסָה נ great burden, heavy load
מַעֲמָק ז depth
מַעַן ז address
מַעֲנֶה ז answer, reply
מְעַנְיֵן ת interesting
מַעֲנָק ז bonus; scholarship, grant
מַעֲפוֹרֶת נ overall, smock
מַעְפִּיל ז pioneer, brave man; illegal immigrant into Mandated Palestine

מְעַצֵּב ת, ז fashioner, shaper
מַעֲצָבָה נ pain, sorrow
מְעַצְבֵּן ת irritating, nerve-racking
מַעְצוֹר ז hindrance, hold-up; stoppage; inhibition; brake
מַעֲצִיב ת saddening
מַעֲצָמָה נ great nation, power
מַעְצָר ז arrest, detention
מַעֲקָב ז follow-up
מַעֲקֶה ז railing, parapet, rail
מַעֲקוֹבֶת נ sequence
מַעֲקוֹף ז traffic island
מַעֲרָב ז west
מַעֲרָבָה תה״פ westwards
מְעַרְבּוֹלֶת נ whirlpool
מַעֲרָבוֹן ז western (film)
מַעֲרָבִי ת west, western
מְעַרְבֵּל ז mixer, concrete-mixer
מַעַרְבָּל ז eddy, whirlpool
מְעָרָה נ cave, cavern
מַעֲרוּמִּים ז״ר nakedness
מַעֲרִיב ז evening prayer; evening
מַעֲרִיךְ ז assessor, valuer
מַעֲרִיץ ז admirer, fan
מַעֲרָךְ ז arrangement, lay-out; alignment
מַעֲרָכָה נ battle line; front, battlefield; battle, fight; act (of a play); order; set
מַעַרְכוֹן ז one-act play
מַעֲרֶכֶת נ editorial board
מְעַרְעֵר ז appellant
מַעַשׂ ז action, deed
מַעֲשֶׂה ז deed, action; tale, story
מַעֲשִׂי ת practical, praticable; actual

מַעֲשִׂיּוּת נ practicality; praticability
מַעֲשִׂיָּה נ tale, fairy story
מְעַשֵּׁן ז smoker
מַעֲשֵׁנָה נ chimney
מַעֲשֵׂר ז tenth, tithe
מֵעֵת לְעֵת a full day (24 hours)
מַעְתָּק ז displacement, fault (geography); shift (semantics)
מִפְּאַת תה"פ because of
מִפְגָּן ז parade, demonstration
מִפְגָּע ז obstacle
מְפַגֵּר ת backward
מִפְגָּשׁ ז meeting-place; meeting
מִפְדֶּה ז repayment
מַפָּה נ map; tablecloth
מְפוֹאָר ת magnificent
מְפוּגָּל ת tainted, unfit for use
מְפוּזָּר ת scattered, strewn; scatterbrained
מַפּוּחַ ז bellows
מַפּוּחוֹן ז accordion
מַפּוּחוֹנַאי ז accordionist
מַפּוּחִית, מַפּוּחִית פֶּה mouth-organ
מְפוּחָם ת sooty, sooted; charred
מְפוּטָּם ת fattened, stuffed
מְפוּטָּר ת discharged, fired
מְפוּיָּח ת sooty, blackened
מְפוּיָּס ת appeased
מְפוּכָּח ת sober
מְפוּלָּג ת divided, separated
מְפוּלְפָּל ת peppery; subtle
מַפּוֹלֶת נ collapse, fall
מְפוּנֶּה ת cleared, emptied (of contents), evacuated
מְפוּנָּק ת spoilt, pampered

מְפוּסְטָר ת pasteurized
מְפוּסָּל ת carved, sculptured
מְפוּסְפָּס ת striped
מְפוּסָּק ת punctuated; parted
מְפוּצֶּה ת compensated
מְפוּצָּל ת split up, divided
מְפוּקָּח ת shrewd, astute
מְפוּקְפָּק ת doubtful, dubious
מְפוֹרָד ת scattered, dispersed
מְפוֹרָז ת demilitarized
מְפוּרְזָל ת shod (horse); iron-clad
מְפוֹרָט ת detailed
מְפוּרְסָם ת famous
מְפוֹרָק ת disassembled; wound up
מְפוֹרָר ת crumbled
מְפוֹרָשׁ ת explained; explicit
מְפוּתָּח ת developed
מְפוּתָּל ת twisted
מַפָּח ז frustration
מַפָּחָה נ forge, smithy
מַפְטִיר ז reading from the Prophets
מַפִּיוֹן ז serviette-holder
מֵפִיץ ז distributor
מֵפִיק ת,ז producer (of films)
מַפִּיק ז the point placed in a final ה
מֵפִיר שְׁבִיתָה strike-breaker
מַפִּית נ serviette, napkin
מַפָּל ז fall
מַפְלֵג ז distributor (in automobile)
מִפְלָג ז branching off; department
מִפְלָגָה נ party (political)
מִפְלַגְתִּי ת party
מַפָּלָה נ downfall, defeat
מִפְלָט ז refuge
מַפְלֵט ז ejector; exhaust

מִפְלָס ז	level (area); altitude
מַפְלֵס ז	level, grader (for roads)
מִפְלֶצֶת נ	monster
מִפְנֶה ז	turning-point
מִפְּנֵי מ״י	because of
מַפְסִיק ז	separator
מַפְסֶלֶת נ	chisel
מַפְסֵק ז	cut-off switch
מַפְעִיל ז	operator
מִפְעָל ז	enterprise; factory
מִפְעַל הַפַּיִס	Israel national lottery
מִפְעָם ז	tempo
מַפְצֵחַ ז	nut-cracker
מַפְצִיץ ז	bomber (plane)
מִפְקָד ז	census; parade
מְפַקֵּד ז	commander
מִפְקָדָה נ	command, headquarters
מְפַקֵּחַ ז	inspector, supervisor
מַפְקִיד ז	depositor
מַפְקִיעַ ז	one who breaks, violator
מַפְקִיעַ שְׁעָרִים, מַפְקִיעַ מְחִירִים	profiteer
מַפְרֵדָה נ	separator
מִפְרָט ז	specification
מַפְרֵט ז	plectrum
מַפְרִיס ת	hoofed
מַפְרִיסֵי־פַּרְסָה	ungulata (animals with cloven hoofs)
מְפַרְנֵס ז	provider, bread-winner
מְפַרְסֵם ז	advertiser
מִפְרָעָה נ	(colloquial) advance payment
מִפְרָץ ז	bay, gulf, inlet
מִפְרָק ז	joint, link
מְפָרֵק ז	liquidator
מַפְרֶקֶת נ	nape (of the neck)
מִפְרָשׂ ז	sail (of ship); spread, expanse
מְפָרֵשׁ ז	commentator
מִפְרָשִׂית נ	sailing-boat
מִפְשָׂעָה נ	groin; hip
מִפְשָׂק ז	astride position, leap-frog
מְפַשֵּׁר ז	conciliator
מְפַתֶּה ז	seducer, enticer
מַפְתֵּחַ ז	key; index; spanner
מִפְתֵּחַ (יְמַפְתֵּחַ) פ	key, index
מִפְתָּח ז	opening; aperture
מְפַתֵּחַ ז	engraver; developer
מַפְתִּיעַ ת	surprising, startling
מִפְתָּן ז	threshold
מָצָא (יִמְצָא) פ	find; find out
מְצַאי ז	inventory
מַצָּב ז	state, position
מַצֵּבָה נ	gravestone; monument
מַצָּבָה נ	return (monthly, etc. on strength)
מִצְבָּטַיִם ז״ז	pincers, nippers
מַצְבִּיא ז	commander of an army
מַצְבִּיעַ ת, ז	voter, elector
מִצְבָּעָה נ	dye-works
מַצְבֵּר ז	accumulator
מַצַּב־רוּחַ	mood, (coll.) bad mood
מֵצַד ז	catch, lock
מְצָד ז	pill-box, stronghold
מְצַדֵּד ת, ז	supporter
מְצָדָה נ	fortress, stronghold
מַצָּה נ	unleavened bread, matza
מִצְהָר ז	meridian; affirmation
מָצוֹד ז	hunt, manhunt
מְצוֹדֵד ת	captivating

מְצוּדָה נ fortress
מִצְוָה נ commandment, precept; good deed
מְצוּחְצָח ת polished
מָצוּי ת common; existing
מְצוּיָּד ת equipped
מְצוּיָּן ת excellent, fine; marked
מְצוּיָּץ ת fringed
מְצוּיָּר ת drawn
מְצוּלָה נ deep water
מְצוּלָּם ת photographed
מְצוּלָּע ת polygon
מְצוּלָּק ת scarred
מְצוּמְצָם ת reduced; limited
מְצוּמָּק ת shrivelled, wrinkled (face)
מְצוּנָּן ת chilled
מְצוֹעָף ת veiled
מְצוּעְצָע ת showy, ornate
מָצוֹף ז float; buoy
מְצוּפֶּה ת expected; plated
מָצוּץ ת sucked
מָצוֹק ז distress
מְצוּקָה נ distress, trouble
מָצוֹר ז siege
מְצוּרָה נ fortress
מְצוֹרָע ת, ז leprous, leper
מְצוֹרָף ת attached; refined
מֵצַח ז forehead, brow
מִצְחָה נ eye-shade, peak
מִצְטַלֵּב ת crossing, crossing oneself
מְצִיאָה נ find, discovery; bargain
מְצִיאוּת נ reality; existence
מְצִיאוּתִי ת real, realistic
מַצִּיג ז demonstrator, exhibitor
מַצִּיָּה נ cracker (biscuit)

מַצִּיל ז life-saver; rescuer
מְצִילָּה נ bell
מְצִיצָה נ sucking, suction
מֵצִיק ז, ת oppressor; pestering
מַצִּית נ lighter, cigarette lighter
מֵצֵל ת shady
מַצְלִיחַ ת successful, prosperous
מַצְלִיף ז flogger; Whip (parliamentary)
מַצְלֵמָה נ camera
מְצַלְצְלִים ז״ר small change, coins
מְצִלְתַּיִם ז״ז cymbals
מַצְמֵד ז clutch (auto.)
מִצְמוּץ ז blinking; wink
מִצְמֵץ (יְמַצְמֵץ) פ blink, wink
מַצְנֵחַ ז parachute
מַצְנֵן ז radiator
מִצְנֶפֶת נ head-scarf, turban
מַצָּע ז bedding; platform (political)
מִצְעָד ז step, walk; march
מְצַעֵר ת sad, distressing
מַצְעֶרֶת נ throttle
מִצְפֶּה ז observation point
מַצְפּוּן ז conscience
מַצְפֵּן ז compass
מָצַץ (יִמְצוֹץ) פ suck
מַצֶּקֶת נ ladle, casting ladle
מֵצַר, מֵיצַר ז straits; isthmus
מֶצֶר ז boundary, border
מִצְרִי ת Egyptian
מִצְרַיִם נ Egypt
מִצְרָךְ ז commodity
מִצְרָנִי, מַצְרָנִי ת adjacent
מַצְרֵף ז crucible

מַצָּת ז spark plug; lighter
מַק ז decay, rottenness
מַקָּב ז punch, piercer
מַקָּבַיִים ז״ז punching tongs
מַקְבִּיל ז, ת parallel; parallel line
מַקְבִּילַיִים ז״ז parallel bars
מַקְבִּילִית נ parallelogram
מִקְבָּע ז fixation
מִקְבָּץ ז assembly point; group (in target practice)
מַקֶּבֶת נ sledge-hammer
מַקְדֵּחַ ז drill, borer
מַקְדֵּחָה נ drilling machine, drill press
מְקַדֵּם ז coefficient
מִקְדָּם ז introduction (music); handicap (in race, etc.)
מִקְדָּמָה נ advance payment
מִקַּדְמַת דְּנָה תה״פ from of old, from before
מִקְדָּשׁ ז shrine, temple
מַקְהֵלָה נ choir
מְקוּבָּל ת conventional, accepted
מְקוּבָּץ ת grouped together
מַקּוֹד ז center punch
מְקוּדָּשׁ ת sanctified, consecrated
מִקְוֶה ז ritual bath
מְקוּוֶּה ת hoped for
מְקוּוְקָו ת lined, shaded (with lines)
מְקוּטְלָג ת catalogued
מְקוּטָּע ת cut down; interrupted
מָקוֹל ז gramophone
מְקוּלָּל ת cursed, accursed
מְקוּלְקָל ת spoilt, bad
מָקוֹם ז place, locality; room

מְקוּמָּט ת creased, crumpled
מְקוֹמִי ת local
מְקוּמָּר ת arched, convex
מְקוֹנֵן ז mourner
מְקוּעָר ת concave
מַקּוֹף ז beat
מְקוּפָּח ת discriminated against
מְקוּפָּל ת folded
מְקוּצָּץ ת cut down; curtailed
מְקוּצָּר ת shortened
מָקוֹר ז origin; spring
מַקּוֹר ז beak (birds); firing-pin (on rifle)
מְקוֹרָב ת, ז close friend
מְקוֹרֶה ת roofed
מְקוּרְזָל ת frizzy
מְקוֹרִי ת original
מְקוֹרִיּוּת נ originality
מְקוֹרָר ת chilled
מַקּוֹשׁ ז drumstick; knocker (on door)
מְקוּשָּׁט ת decorated
מַקּוֹשִׁית נ xylophone
מְקוּשְׁקָשׁ ת scribbled
מְקוּשְׂקָשׂ ת scaly
מְקוּשָּׁר ת connected
מְקוּשָּׁת ת arched
מִקְטוֹרֶן ז jacket
מִקְטָע ז segment
מִקְטֶרֶת נ pipe (for tobacco)
מַקִּיף ת surrounding
מֵקִיץ ת waking up, rousing
מַקִּישׁ ת knocking, banging
מַקֵּל ז stick; staff
מֵקֵל ת lenient

מִקְלֶדֶת נ	keyboard
מַקְלֶה ז	toaster
מִקְלַחַת נ	shower
מִקְלָט ז	shelter
מַקְלֵט ז	wireless set
מַקְלֵעַ ז	machine-gun
מַקְלְעָן ז	machine-gunner
מִקְלַעַת נ	braided, plaited, or woven work
מַקְלֵף ז	vegetable-peeler
מְקַנֵּא ת	jealous, envious
מִקְנֶה ז	cattle
מַקְסִים ת	attractive, charming
מִקְסָם ז	charm, attraction
מַקָּף, מַקֵּף ז	hyphen
מִקְפָּא ז	jelly
מַקְפִּיד ת	strict, particular
מַקְפֵּצָה נ	spring-board
מִקְצָב ז	meter (poetic); rhythm
מִקְצוֹעַ ז	profession, trade; subject (at school)
מַקְצוּעָה נ	plane (tool)
מִקְצוֹעִי ת	professional, vocational
מִקְצוֹעָנִי ת	professional (in sport, etc.)
מַקְצִיף ת	foaming, frothy
מַקְצֵף ז	egg-beater
מַקְצֵצָה נ	chopping machine
מַקְצֵרָה נ	reaping machine
מִקְצָת נ	part, a little
מַקָּק ז	cockroach
מֶקֶק ז	rot; gangrene
מִקְרָא ז	reading; the Bible
מִקְרָאָה נ	reader, language textbook
מִקְרָאִי ת	biblical
מִקְרֶה ז	happening, event, incident
מִקָּרוֹב	recently
מִקְרִי ת	accidental, casual
מַקְרֵן ז	radiator
מְקַרְקְעִים, מְקַרְקְעִין ז״ר	real estate, landed property
מַקְרֵר ז	refrigerator
מַקָּשׁ ז	key (of typewriter)
מִקְשָׁאָה נ	field of cucumbers
מִקְשָׁה נ	hammered work
מַקְשֵׁחַ ז	stiffener, stiffening bar
מַקְשָׁן ז	heckler, one who questions everything
מְקַשְׁקֵשׁ ז	prattler, chatterbox
מְקַשֵּׁר ז	binder; liaison officer
מַר ת	bitter
מַר ז	Mr.
מַרְאֶה ז	sight; appearance
מַרְאָה נ	mirror
מַרְאֵה מָקוֹם	reference
מְרַאֲיֵן ז	interviewer
מַרְאִית נ	appearance
מֵרֹאשׁ תה״פ	in advance
מְרַאֲשׁוֹת נ״ר	the head of the bed
מֵרַב, מֵירַב ז	maximum
מַרְבַד ז	carpet
מִרְבָּד ז	deposit; stratification
מְרַבִּי, מֵירַבִּי ת	maximal
מַרְבִּית נ	majority
מִרְבָּץ ז	deposit (geology)
מַרְגּוֹעַ ז	rest, repose
מְרַגֵּל ז	spy
מַרְגְּלוֹת נ״ר	foot of the bed
מַרְגָּלִית נ	pearl

מַרְגֵּמָה נ mortar (weapon)
מַרְגָּנִית נ pimpernel
מַרְגָּשׁ ז disposition, feeling
מָרַד (יִמְרוֹד) פ rebel, revolt
מֶרֶד ז revolt, mutiny
מַרְדֶּה ז baker's shovel
מַרְדָּנוּת נ rebelliousness
מַרְדַּעַת נ saddle-cloth
מָרָה (יִמְרֶה) פ disobey, rebel
מָרָה נ bile; gall bladder
מָרָה שְׁחוֹרָה melancholy
מְרוּאיָין ת interviewed
מְרוּבֶּה ת much, numerous
מְרוּבָּע ת square
מְרוּגָּז ת angry, irate
מְרוּגָּשׁ ת excited
מָרוּד ת wretched, depressed
מְרוּדָּד ת beaten, flat
מְרוּהָט ת furnished
מְרוּוָּח ת spacious, roomy
מִרְוָח ז clearance; distance
מְרוּחָץ ת washed, bathed
מְרוּחָק ת remote, far
מְרוּטָּשׁ ת ripped open
מְרוּכָּז ת concentrated
מְרוּכָּךְ ת softened
מָרוֹם ז height; heaven
מְרוּמֶּה ת deceived, deluded
מְרוּמָּז ת hinted, implied
מְרוֹמָם ת exalted, uplifted
מְרוּסָּן ת restrained
מְרוּסָּס ת sprayed
מְרוּסָּק ת crushed
מְרוּעֲנָן ת refreshed
מְרוּעָף ת tiled

מְרוּפָּד ת upholstered
מְרוּפָּט ת shabby, worn-out
מְרוּפָּשׁ ת muddy, swampy
מְרוּצָה נ running
מְרוּצֶּה ת satisfied
מְרוּצָּף ת paved, tiled
מְרוּקָּן ת emptied, empty
מְרוּקָּע ת flattened, beaten flat
מָרוֹר ז bitter herb
מְרוּשָּׁל ת slovenly, careless
מְרוּשָּׁע ת wicked
מְרוּשָּׁשׁ ת run down, impoverished
מְרוּשָּׁת ת net-like; covered with a net
מָרוּת נ mastery, authority
מְרוּתָּח ת boiled
מְרוּתָּךְ ת welded
מְרוּתָּק ת tied; confined
מַרְזֵב ז drainpipe
מָרַח (יִמְרַח) פ spread, smear
מֶרְחָב ז open space
מֶרְחָפָה נ hovercraft
מֶרְחָץ ז bath
מֶרְחָק ז distance; distant place
מַרְחֶשְׁוָן ז Marheshvan (October–November)
מָרַט (יִמְרוֹט) פ pluck
מְרִי ז rebelliousness
מְרִיבָה נ quarrel, dispute
מְרִידָה נ mutiny, revolt
מְרִיצָה נ wheelbarrow
מְרִיקָה נ cleansing; purging
מָרִיר ת bitterish, bitter
מְרִירוּת נ bitterness, acrimony
מֵרְכָאוֹת כְּפוּלוֹת inverted commas

מֶרְכָּב ז saddle, chassis (of a car), body
מֶרְכָּבָה נ chariot; cab, carriage
מֵרְכָה נ quotation mark
מִרְכּוּז ז centralizing, centralization
מַרְכּוֹלֶת נ merchandise
מֶרְכָּז ז center
מְרַכֵּז ז organizer
מִרְכֵּז (יְמַרְכֵּז) פ center; centralize
מֶרְכָּזִי ת central
מֶרְכָּזִיָּה נ telephone exchange
מִרְכֶּזֶת נ telephone exchange
מַרְכִּיב ז component
מִרְמָה נ fraud, cheating
מַרְנִין ת gladdening
מַרְסֵס ז spray, sprayer
מַרְסֵק ז masher
מִרְעֶה ז pasture
מַרְעוֹם ז fuse (of mine, bomb, etc.)
מַרְעִית נ flock at pasture
מַרְפֵּא ז cure
מִרְפָּאָה נ clinic
מִרְפֶּסֶת נ verandah, balcony
מַרְפֵּק ז elbow
מְרַפְרֵף ת superficial
מֶרֶץ ז energy
מַרְצֶה ז lecturer
מֵרָצוֹן of one's free will
מְרַצֵּחַ ז murderer
מַרְצֵעַ ז awl
מְרַצֵּף ז tiler, tile-layer
מַרְצֶפֶת נ paving-stone; pavement, tiled area
מָרָק ז soup
מֶרֶק ז putty

מַרְקוֹעַ ז biscuit, wafer
מִרְקַחַת נ mixture of spices or perfumes; jam
מִרְקָם ז texture, weave
מַרְקֵקָה נ spittoon
מַרְשִׁים impressive
מִרְשָׁם ז sketch; recipe
מָרַת נ Mrs.; Miss
מַרְתֵּף ז cellar
מְרַתֵּק ת binding; thrilling
מַשָּׂא ז load, burden; prophetic vision
מַשְׁאָב ז (ר׳ מַשְׁאַבִּים) resource
מַשְׁאֵבָה נ pump
מַשָּׂא וּמַתָּן negotiations
מַשָּׂאִית ז truck, lorry
מִשְׁאָל ז referendum, poll
מִשְׁאָלָה נ wish
מִשְׁאֶרֶת נ kneading-trough
מַשָּׁב נ breeze, blowing
מַשְׂבִּיעַ רָצוֹן satisfactory
מִשְׁבֶּצֶת נ square
מַשְׁבֵּר ז crisis
מִשְׁבָּר ז heavy wave
מִשְׁגֶּה ז error, mistake
מַשְׁגִּיחַ ז inspector, monitor
מִשְׁגָּל ז sexual intercourse
מְשַׁגֵּעַ ת maddening; (colloquial) exciting, wonderful
מַשְׂדֵּדָה נ harrow
מַשְׁדֵּר ז transmitter
מִשְׁדָּר ז wireless program
מָשָׁה (יִמְשֶׁה) פ draw out (of the water)
מַשֶּׁהוּ ז something

שׁוֹאָה נ smoke-signal

שׂוֹא פָּנִים partiality, favoritism

שׁוּבָה נ mischief

שׁוּבָּח ת fine, excellent

שׁוּבָּץ ת check, chequered

שׁוּבָּשׁ ת faulty, corrupt

שׁוּגָּע ת mad, crazy

שׁוּדָּר ת broadcast, transmitted

שׁוְוָאָה נ equation

שׁוֶה, קַו הַמַּשְׁוֶה ז equator

שׁוָוָנִי ת equatorial

שׁוּחַ ת oiled; anointed

שׁוּחָד ת bribed; biassed

שׁוּחְרָר ת set free, liberated

שׁוֹט ז oar

שׁוֹטֵט ז wanderer, rambler

שׂוּכָה נ hedge; hurdle

שׁוּכְלָל ת perfect, perfected

שׁוּכָּן ת housed

שׁוּכְנָע ת convinced

שׁוּל ת comparable, similar

שׁוּלָּב ת combined, interwoven

שׁוּלְהָב ת aflame, flaming

שׁוּלָּח ת, ז sent away

שׁוּלָּל ת deprived of, lacking

שׁוּלָּשׁ ז, ת triangle; threefold

שׁוּם תה״פ on account of, because of

שׁוּמָּד ת, ז converted, apostate

שׁוּמָּן ת, ז oiled; octagon

שׁוּמָּר ת preserved

שׁוּמָּשׁ ת used, second-hand

שׁוּנֶּה ת odd, queer

שׁוּנָּן ת toothed

שׁוּסָּע ת mangled, torn to pieces

שׁוּעְבָּד ת enslaved; mortgaged

מְשׁוּעֲמָם ת bored

מְשׁוֹעָר ת estimated

מְשׁוּפֶּה ת planed, smoothed

מְשׁוּפָם ת moustached

מְשׁוּפָּע ת sloping, slanting

מְשׁוּפָּץ ת restored, renovated

מְשׁוּפָּר ת improved; embellished

מְשׁוּפְשָׁף ת rubbed, burnished; (army slang) put through the mill

מְשׁוּקָּם ת rehabilitated

מְשׁוּקָּע ת immersed

מְשׁוּקָּץ ת abominable

מַשּׂוֹר, מַסּוֹר ז saw

מְשׂוּרָה נ measuring vessel

מְשׁוּרְטָט, מְסוּרְטָט ת drawn, sketched

מְשׁוּרְיָן ת armored

מַשּׂוֹרִית, מַסּוֹרִית נ fret-saw

מְשׁוֹרֵר ז poet

מְשׁוּרְשָׁר ת chain-like

מָשׂוֹשׂ ז joy, gladness

מְשׁוּשֶּׁה ת, ז hexagon

מְשׁוֹשָׁה נ antenna

מְשׁוּתָּף ת common, shared, joint

מְשׁוּתָּק ת paralyzed

מָשַׁח (יִמְשַׁח) פ oil; anoint

מִשְׂחֶה ז swimming-race

מִשְׁחָה נ paste, ointment, polish

מַשְׁחֵז ז knife-sharpener

מַשְׁחֵזָה נ grinding machine

מַשְׁחֶזֶת נ grindstone

מַשְׁחִית ז destroyer

מִשְׂחָק ז game, play; acting

מַשְׁחֶתֶת נ destroyer (naval)

מִשְׁטָח ז surface; flat ground

מַשְׂטֵמָה נ hatred, enmity
מִשְׁטָר ז regime; authority
מִשְׁטָרָה נ police
מִשְׁטַרְתִּי ת police (used attributively)
מֶשִׁי ז silk
מָשִׁיחַ ז Messiah; the anointed
מְשִׁיחִיּוּת נ Messianism
מֵשִׁיט ת, ז oarsman
מְשִׁיכָה נ pulling, drawing, attraction
מְשִׁימָה נ task, mission
מַשִּׁיק ז tangent
מָשַׁךְ (יִמְשׁוֹךְ) פ pull, draw
מֶשֶׁךְ ז continuum
מִשְׁכָּב ז couch, bed
מַשְׁכּוֹן ז pledge, security
מַשְׂכּוֹרֶת נ salary
מַשְׂכִּיל ז man of culture, intellectual
מַשְׁכִּים ז early riser
מַשְׂכִּיר ז lessor
מַשְׂכִּית נ mosaic
מִשְׂכָּל ז intelligence
מִשְׁכָּן ז dwelling place
מִשְׁכֵּן (יְמַשְׁכֵּן) פ pawn, pledge
מְשַׁכְנֵעַ ת convincing
מַשְׁכַּנְתָּא, מַשְׁכַּנְתָּה נ mortgage
מְשַׁכְפֶּלֶת נ mimeograph
מְשַׁכֵּר ת intoxicating
מָשָׁל ז fable; proverb; example
מָשַׁל (יִמְשׁוֹל) פ rule, govern
מַשְׁלֵב ז drive (technology)
מִשְׁלוֹחַ ז consignment; sending
מִשְׁלַח־יָד profession, employment
מִשְׁלַחַת נ delegation, deputation
מִשְׁלָט ז vantage-point, strong point

מַשְׁלִים ת, ז ompleting, complementary
מְשַׁלְשֵׁל ת, ז urgative
מִשְׁמוּעַ ז isciplining
מִשְׁמוּשׁ ז ouching, feeling
מְשַׂמֵּחַ ת laddening
מַשְׁמִיץ ת efamatory
מִשְׁמָע ז earing
מַשְׁמָע ז neaning, sense
מַשְׁמָעוּת נ neaning; implication
מַשְׁמָעִי ת ignificant
מִשְׁמַעַת נ iscipline; obedience
מְשַׁמֵּר ת onservative
מִשְׁמָר ז uard, watch
מִשְׁמֶרֶת נ atch, guard; shift
מְשַׁמֶּרֶת נ trainer, colander
מִשְׁמֵשׁ (יְמַשְׁמֵשׁ) פ ouch, feel
מִשְׁמֵשׁ ז pricot
מִשְׁנֶה ז ouble, twice; deputy, second in rank
מִשְׁנָה נ he Mishna; doctrine
מִשְׁנִי ת econdary
מַשְׁנֵק ז hoke (auto)
מִשְׁעוֹל ז ath, lane
מְשַׁעֲמֵם ת oring, tedious
מִשְׁעָן ז upport
מַשְׁעֵן ז, מַשְׁעֵנָה נ upport, buttress
מִשְׁעֶנֶת נ upport, prop; arm (of chair)
מִשְׁעֶנֶת קָנֶה רָצוּץ broken reed
מִשְׁעֶרֶת נ lothes-brush
מְשַׁעֲשֵׁעַ ת musing, diverting
מִשְׁפָּחָה נ amily
מִשְׁפַּחְתִּי ת amily (used attributively), familial

משפחתיות נ	intimacy, family atmosphere
משפט ז	trial; judgment; laws; (gram.) sentence
משפטי ת	legal, judicial
משפטן ז	jurist
משפיל ת, ז	degrading, humiliating
משפך ז	funnel
משק ז	economy (state); farm
משק ז	noise, rustling
מש״ק ז	non-commissioned officer, N.C.O.
משקה ז	drink; liquor, spirits
משקולת נ	weight
משקוף ז	framehead; lintel
משקי ת	economic
משקיף ז	observer, onlooker
משקל ז	weight; weighing
משקע ז	precipitate, sediment
משקפיים ז״ז	glasses, spectacles
משקפת נ	field-glasses; telescope
משרד ז	office; ministry (government)
משרדי ת	office (used attributively), clerical
משרה נ	post, position
משרוקית נ	whistle
משרטט, מסרטט ז	draftsman
משרת ז	servant
משש ז	massage
משתה ז	banquet, feast
משתלה, משתלה נ	nursery, seedbed
משתמט ז	shirker, dodger
משתנה נ	urinal
משתנה ת	variable; changeable
משתתף ז	participant
מת ז	dead
מתאבד ז	suicide (person)
מתאגרף ז	boxer
מתאונן ת, ז	complainant, grumbler
מתאים ת	appropriate, fitting
מתאם ז	adapter
מתאמן ז	trainee
מתאר ז	contour, outline
מתבודד ת, ז	solitary, hermit
מתבולל ז	assimilator
מתביית ת	homing
מתבן ז	hay loft
מתג ז	bit (for horses); switch (electric); bacillus
מתגושש ז	wrestler
מתגייס ז	recruit, mobilized soldier
מתואם ת	correlated, coordinated
מתואר ת	described
מתובל ת	seasoned, spiced
מתווך ז	mediator
מתוח ת	stretched; tense
מתוחכם ת	sophisticated
מתוכנן ת	planned
מתולע ת	wormy
מתולתל ת	curly
מתון ת	mild, moderate
מתוסבך ת	complex-ridden
מתוסכל ת	frustrated
מתועב ת	abominable, despicable
מתופף ז	drummer
מתוק ת	sweet; pleasant
מתוקן ת	repaired; amended; proper
מתורבת ת	cultured, civilized
מתורגל ת	practised, exercised

מְתוּרְגָּם ת translated
מְתוּרְגְּמָן ז translator; interpreter
מָתַח (יִמְתַּח) פ stretch; stimulate, arouse curiosity; bluff
מֶתַח ז tension; voltage; suspense
מַתְחִיל ז beginner
מִתְחַכֵּם ז wit, wisecracker
מִתְחַלֶּה ת malingerer
מִתְחָם ז delimited area
מִתְחָרֶה ז competitor
מָתַי מ״ש when?
מָתִיחַ ת elastic, stretchable
מְתִיחָה נ stretching; leg-pulling
מְתִיחוּת נ tension
מִתְיַיהֵד ת, ז convert to Judaism
מִתְיַישֵּׁב ז settler, colonist
מְתִינוּת נ moderation
מְתִיקוּת נ sweetness
מַתִּירָנוּת נ permissiveness
מַתְכּוֹן ז prescription, recipe
מַתְכּוֹנֶת נ measurement, proportion
מַתֶּכֶת נ metal
מַתַּכְתִּי ת metallic
מַתְלוּל ז escarpment
מִתְלוֹנֵן ז grumbler, complainer
מִתְלַמֵּד ז self-taught person; apprentice
מַתְמִיד ת, ז diligent, persevering
מַתְמִיהַּ ת surprising

מַתָּן ז giving; gift
מִתְנַגֵּד ת, ז opponent, adversary
מַתְנֵד ז oscillator
מִתְנַדֵּב ז volunteer
מַתָּנָה נ present, gift
מִתְנַיֵּעַ ת mobile
מַתְנֵעַ ז starter, self-starter
מַתֶּנֶת נ umbago
מַתְסִיס ז enzyme
מַתְעֶה ת misleading
מִתְעַמֵּל ז gymnast, athlete
מִתְפַּלֵּל ז prayer, worshipper
מִתְפַּלְסֵף ז philosopher; casuist, sophist
מִתְפָּרָה נ sewing-room
מֶתֶק ז sweetnesss
מַתֵּק ז cut-out (switch)
מִתְקַדֵּם ת progressing, progressive
מִתְקוֹמֵם ז rebel
מַתְקִין ז installer
מַתְקִיף ז attacker, aggressor
מְתַקֵּן ז mender; reformer
מִתְקָן ז installation, mechanism
מִתְקַפֵּל ת folding
מְתַקְתַּק ת sweetish
מְתַרְגֵּם ז translator
מַתְרִים ז fund-raiser
מִתְרָס ז barricade
מַתָּת נ gift, present; tip

נ

א מ״ק, תה״פ — please
א ת — half-cooked
אֱבַד (יֵיאָבֵד) פ — be lost; perish
אֱבַק (יֵיאָבֵק) פ — struggle, wrestle
אד ז — water-bottle (of leather)
אֶה ת — pleasant, fine
אֱהָב ת — beloved, lovable
אוֶה ת — lovely, beautiful
אוּם ז — speech
אוֹר ת — enlightened, cultured
אוֹת (יֵיאוֹת) פ — consent, agree
אוֹת ת — proper, suitable
אוֹת מִדְבָּר — oases
אֱחַז (יֵיאָחֵז) פ — be held, be seized
אֱטַם (יֵיאָטֵם) פ — be sealed
אֱכַל (יֵיאָכֵל) פ — be eaten
אֱלָח ת — dirty; mean
אֱלַם (יֵיאָלֵם) פ — fall silent
אֱלַץ (יֵיאָלֵץ) פ — be compelled
אַם (יִנְאַם) פ — make a speech
אֱמַד (יֵיאָמֵד) פ — be assessed, be estimated
אֱמָן ת — loyal, faithful
אֱמָנוּת נ — trustworthiness, trusteeship
אֱמַר (יֵיאָמֵר) פ — be said, be told
אֱנַח (יֵיאָנַח) פ — sigh, groan
אֶנְסָה (תֵּיאָנֵס) פ — be raped
אֱנַק (יֵיאָנֵק) פ — groan, moan
אֱסַף (יֵיאָסֵף) פ — be gathered, be collected
אֱסַר (יֵיאָסֵר) פ — be imprisoned; be forbidden

נָאַף (יִנְאַף) פ — commit adultery
נַאֲפוּפִים ז״ר — adultery
נְאָצָה, נֶאָצָה נ — reviling
נָאַק (יִנְאַק) פ — groan, moan
נְאָקָה נ — groan, moan
נָאקָה נ — female camel
נֶאֱרַג (יֵיאָרֵג) פ — be woven
נֶאֱרַז (יֵיאָרֵז) פ — be packed; be tied up
נֶאֱשַׁם (יֵיאָשֵׁם) פ — be accused
נִבְאַשׁ (יִיבָּאֵשׁ) פ — become repulsive
נֶבֶג ז — spore
נִבְדַּל (יִיבָּדֵל) פ — be different, be distinct
נִבְדָּל ת — separate; (football) offside
נִבְדַּק (יִיבָּדֵק) פ — be tested, be examined
נִבְהַל (יִיבָּהֵל) פ — be frightened, be scared
נְבוּאָה נ — prophesy
נְבוּאִי ת — prophetic
נָבוּב ת — hollow
נָבוֹךְ (יִיבּוֹךְ) פ — be confused
נָבוֹן ת — sensible, wise
נִבְזֶה ת — vile, nasty
נִבְזוּת נ — contemptible action
נָבַח (יִנְבַּח) פ — bark
נִבְחַן (יִיבָּחֵן) פ — be examined
נִבְחָן ז — examinee
נִבְחַר (יִיבָּחֵר) פ — be chosen
נִבְחָר ת, ז — selected, picked; elected representative

נֶבֶט ז	sprout
נָבַט (יִנבּוֹט) פ	germinate, sprout
נָבִיא ז	prophet
נְבִיבוּת נ	empty-headedness
נְבִיחָה נ	bark, barking
נְבִיטָה נ	sprouting
נְבִילָה נ	wilting, fading
נָבַל (יִבּוֹל) פ	wilt, wither, fade
נָבָל ז	scoundrel, villain
נֶבֶל, נֵבֶל ז	harp
נְבָלָה נ	villainy; baseness
נִבלָה, נְבֵילָה	carcass
נִבלַם (יִיבָּלֵם) פ	be braked, be curbed
נִבלַע (יִיבָּלַע) פ	be swallowed
נִבנָה (יִיבָּנֶה) פ	be built
נָבַע (יִנבַּע) פ	flow, gush forth
נִבעַט (יִיבָּעֵט) פ	be kicked
נִבעָר ת	ignorant, stupid
נִבעַת (יִיבָּעֵת) פ	be frightened, be startled
נִבצַר (יִיבָּצֵר) פ	be too difficult
נִבקַע (יִיבָּקַע) פ	be split, be cleft
נָבַר (יִנבּוֹר) פ	scrabble about
נִברָא (יִיבָּרֵא) פ	created
נִברַג (יִיבָּרֵג)	be screwed (in)
נַברָן ז	vole
נִברֶשֶׁת נ	chandelier
נִגאַל (יִיגָּאֵל) פ	be delivered, be set free
נֶגֶב ז	south
נֶגבָּה תה"פ	southwards
נָגַד (יִנגּוֹד) פ	oppose
נַגָּד ז	(army) warrant officer; (radio) resistor
נֶגֶד מ"י	gainst; opposite
נֶגדִּי ת	pposite; opposing
נִגדַּם (יִיגָּדֵם) פ	e amputated
נִגדַּע (יִיגָּדַע) פ	e lopped off
נָגַהּ (יִגַּהּ) פ	hine, glow
נָגוֹז (יִיגּוֹז) פ	anish, disappear
נָגוֹל (יָגוֹל) פ	e rolled
נָגוּעַ ת	fflicted
נִגזַל (יִיגָּזֵל) פ	e robbed
נִגזַר (יִיגָּזֵר) פ	e cut; be decreed
נִגזָר ת	ut; derived
נָגַח (יִיגַּח) פ	ore, butt
נָגִיד ז	eader, ruler; director
נְגִיחָה נ	oring; "header" (football)
נְגִינָה נ	laying; music; accent
נְגִיסָה נ	iting, bite
נְגִיעָה נ	ouching, touch
נְגִיעוּת נ	ulnerability to infection
נָגִיף ז	irus
נְגִישָׁה נ	ressure, oppression
נִגלָה (יִיגָּלֶה) פ	e revealed, be disclosed
נִגמַל (יִיגָּמֵל) פ	e weaned
נִגמַר (יִיגָּמֵר) פ	e finished
נַגָּן ז	usician, player
נִגנַב (יִיגָּנֵב) פ	e stolen
נִגנַז (יִיגָּנֵז) פ	e stored away
נָגַס (יִנגּוֹס) פ	ite (food)
נֶגֶס ז	ite
נָגַע (יִיגַּע) פ	ouch
נֶגַע ז	lague
נָגַף (יִיגּוֹף) פ	mite, injure
נַגָּר ז	arpenter, joiner
נַגָּרוּת נ	arpentry, joinery
נַגָּרִיָּה נ	arpentry workshop

be caused רם (ייגָרֵם) פ
be diminished, be reduced; be thought worse רע (ייגָרַע) פ
be dragged, be drawn, be towed; be sawn רר (ייגָרֵר) פ
trailer רָר ז
oppress; drive, impel גַשׂ (ינגוֹשׂ) פ
be bridged גשַׁר (ייגָשֵׁר) פ
move, wander; shake one's head ד (יָנוּד) פ
donation; alms דָבָה נ
course (of bricks) דְבָךְ ז
philanthropist, donor דְבָן ז
be stuck, be affixed; be infected (with disease, etc.) דבַּק (יידָבֵק) פ
reach agreement דבַּר (יידָבֵר) פ
wander דד (יִדוֹד, יַדֵּד) פ
be amazed, be stunned דהַם (יידָהֵם) פ
wanderings דוּדִים ז״ר
insomnia, sleeplessness דוּדֵי שֵׁנָה
dowry דוּנְיָה נ
threshed; hackneyed דוֹשׁ ת
be deferred, be postponed; be refused (request) דחָה (יידָחֶה) פ
be pressed דחַק (יידָחֵק) פ
generous דִיב ת
generosity דִיבוּת נ
wandering דִידָה נ
volatile דִיף ת
rare, scarce דִיר ת
be drawn out, be elicited דלָה (יידָלֶה) פ
leak, be "leaked" דלַף (יידָלֵף) פ
be lit דלַק (יידָלֵק) פ

fall silent נָדַם (יִידַּם) פ
apparently, it seems נִדְמֶה תה״פ
scabbard נְדָן ז
rock, swing; (colloquial) nag, pester נִדְנֵד (יְנַדְנֵד) פ
see-saw; swing נַדְנֵדָה נ
rocking, swinging; (colloquial) nagging נִדְנוּד ז
be given off (scent), be wafted נָדַף (יִידּוֹף, יִנְדּוֹף) פ
be printed נִדְפַּס (יִידָּפֵס) פ
be knocked, be beaten; (slang) be "done", be "fixed", be had sexually נִדְפַּק (יִידָּפֵק) פ
be pierced, be pricked נִדְקַר (יִידָּקֵר) פ
vow נָדַר (יִידּוֹר) פ
vow נֶדֶר, נֵדֶר ז
be trampled; be run over נִדְרַךְ (יִידָּרֵךְ) פ
be run over (by a vehicle) נִדְרַס (יִידָּרֵס) פ
be required, be requested; be interpreted נִדְרַשׁ (יִידָּרֵשׁ) פ
drive (a vehicle); lead, conduct נָהַג (יִנְהַג) פ
driver, chauffeur נֶהָג ז
be uttered, be pronounced נֶהְגָּה (יֵיהָגֶה) פ
be pushed back, be repulsed נֶהְדַּף (יֵיהָדֵף) פ
glorious, splendid נֶהְדָּר ת
follow; yearn for נָהָה (יִנְהֶה) פ
customary, usual נָהוּג ת
lament, wailing נְהִי ז

נְהִיגָה נ driving (vehicle)
נְהִיָּה נ following; weeping
נְהִימָה נ growling, roaring
נְהִיקָה נ bray (of an ass)
נָהִיר ת clear, lucid
נְהִירָה נ flowing, streaming
נָהַם (יִנְהוֹם) פ roar; groan
נַהַם ז roar
נֶהֱנָה (יֵיהָנֶה) פ enjoy, benefit
נַהֲפוֹךְ הוּא on the contrary
נֶהְפַּךְ (יֵיהָפֵךְ) פ be inverted; be changed
נָהַק (יִנְהַק) פ bray
נָהַר (יִנְהַר) פ stream
נָהָר ז river
נֶהֱרַג (יֵיהָרֵג) פ be killed
נְהָרָה נ brightness, light
נֶהֱרַס (יֵיהָרֵס) פ be destroyed
נוֹאֵם ז speaker, orator
נוֹאֵף ז adulterer
נוֹאַשׁ (יִיוָּאֵשׁ) פ be in despair
נוֹאָשׁ desperate
נוֹבֵעַ ת gushing; deriving
נוּגַּב (יְנוּגַּב) פ be dried, be wiped
נוֹגְדָן ז antibody
נוּגֶה ת sad
נוֹגַהּ ז light, radiance
נוּגַּן (יְנוּגַּן) פ be played
נוֹגֵעַ ת touching
נוֹגֵעַ בַּדָּבָר interested party
נוֹגֵשׂ ז slave-driver
נוֹדֵד ז wanderer, nomad
נוּדָּה (יְנוּדֶּה) פ be ostracized
נוֹדַע (יִיוָּדַע) פ become known
נוֹדָע ת well-known, famous

נוֹהַג ז rocedure, practice
נוּהַל (יְנוּהַל) פ e managed, be administered
נוֹהַל ז rocedure
נוֹהֳלִי ת rocedural
נַוָּד ז omad
נָוֶה ז asture; dwelling
נָוֶה ת omely, beautiful
נַוָּט ז elmsman; navigator
נַוָּטוּת נ avigation
נַוָּלוּת נ isfigurement; villainy
נוֹזֵל ז iquid
נוֹזְלִי ת iquid
נוֹחַ ת omfortable, easy; convenient; easy-going
נוֹחוּת נ onvenience, amenity
נוֹחִיּוּת נ omfort; convenience
נוֹחַם ז onsolation
נוּחַם (יְנוּחַם) פ e consoled, be comforted
נוֹטֶה ת ending, inclined
נוֹטֵר ז uard, supernumerary policeman
נוֹטַרְיוֹן ז otary
נוּטְרִיָּה נ oypu (animal or fur)
נוֹטָרִיקוֹן ז bbreviation
נוּטְרַל (יְנוּטְרַל) פ e neutralized
נוּטְרַק (יְנוּטְרַק) פ e abbreviated
נוּטַּשׁ (יְנוּטַּשׁ) פ e deserted
נוֹי ז eauty, ornament
נוּכָּה (יְנוּכֶּה) פ e deducted, be discounted
נוֹכַח (יִיוָּכַח) פ ealize
נוֹכֵחַ ת resent
נוֹכַח תה"פ pposite; in face of

נוֹכְחוּת נ	presence
נוֹכְחִי ת	present, present-day
נוֹכֵל ז	rogue, crook
נוֹכְרִי, נָכְרִי ז	foreigner, alien
נוּכַּשׁ (יְנוּכַּשׁ) פ	be weeded
נוֹל, נוּל ז	loom
נוֹלַד (יִיוָּלֵד) פ	be born; be created
נוֹסַד (יִיוָּסֵד) פ	be founded
נוּסָּה (יְנוּסֶּה) פ	be tried, be tested
נוֹסַח, נוּסָח ז	form; version
נוּסַּח (יְנוּסַּח) פ	be formulated
נוּסְחָה נ	formula
נוֹסֵעַ ז	passenger
נוֹסֵעַ סָמוּי	stowaway
נוֹסָף ת	additional, extra
נוֹסַף (יִיוָּסֵף) פ	be added
נוֹעַ ז	movement, motion
נוֹעַד (יִיוָּעֵד) פ	be designated; meet by appointment
נוֹעָז ת	daring, bold
נוֹעַם ז	pleasantness, delight
נוֹעַץ (יִיוָּעֵץ) פ	take advice, be advised
נוֹעַר ז	young people
נוֹף ז	landscape, scenery
נוּפָּה (יְנוּפֶּה) פ	be sifted, be sieved
נוּפַּח (יְנוּפַּח) פ	be inflated; be exaggerated
נוֹפֶךְ ז	turquoise
נוֹפֵף (יְנוֹפֵף) פ	wave, brandish
נוּפַּץ (יְנוּפַּץ) פ	be shattered, be broken up
נוֹפֶשׁ ז	rest, recreation
נוֹפֵשׁ ז	holiday-maker
נוֹפֶת נ	flowing honey

נוֹצָה נ	feather, quill
נוּצַּח (יְנוּצַּח) פ	be defeated, be beaten
נוּצַּל (יְנוּצַּל) פ	be exploited
נוֹצֵץ ת	sparkling, gleaming
נוֹצַר (יִיוָּצֵר) פ	be created
נוֹצְרִי ת	Christian
נוֹקֵב ת	penetrating
נוּקַּב (יְנוּקַּב) פ	be pierced, be punched
נוּקְבַּב (יְנוּקְבַּב) פ	be perforated
נוּקַּד (יְנוּקַּד) פ	be pointed (Hebrew script); be dotted
נוֹקְדָן ז	pedant
נוּקָּה (יְנוּקֶּה) פ	be cleaned
נוּקַּז (יְנוּקַּז) פ	be drained
נוּקְשֶׁה ת	stiff, hardened
נוּקְשׁוּת נ	stiffness, harshness
נוּר ז	fire
נוֹרָא ת, תה"פ	dreadful, awful; (slang) "awfully"
נוֹרָה (יִיָּרֶה) פ	be fired, be shot
נוּרָה נ	electric bulb
נוֹשֵׂא ז	subject, topic
נוֹשֵׂא מִכְתָּבִים	postman
נוֹשַׁב (יִיוָּשֵׁב) פ	be inhabited, be populated
נוֹשֶׁה ז	creditor, dun
נוֹשָׁן ת	old, ancient
נוּשַּׁךְ (יְנוּשַּׁךְ) פ	be bitten
נוּשַּׁל (יְנוּשַּׁל) פ	be dispossessed
נוּתַּח (יְנוּתַּח) פ	be cut up, be operated on
נוּתַּץ (יְנוּתַּץ) פ	be smashed
נוֹתָר ת	remaining, left over

נוֹתַר (יִיוָּתֵר) פ be left, remain
נִזְהַר (יִיזָּהֵר) פ take care, beware
נָזִיד ז pottage
נָזִיל ת fluid, liquid
נְזִילָה נ flowing; leak
נְזִילוּת נ fluidity, liquidity
נְזִיפָה נ reprimand, admonition
נְזִיקִים ז״ר damages, torts
נָזִיר ז abstainer, monk
נְזִירוּת נ monasticism
נִזְכַּר (יִיזָּכֵר) פ remember, be reminded
נָזַל (יִיזַּל) flow
נַזֶּלֶת נ cold, catarrh
נֶזֶם ז nose-ring
נִזְעָם ת furious, angry
נִזְעַק (יִיזָּעֵק) פ gather together
נָזַף (יִנְזוֹף) פ admonish, reprimand
נֶזֶק ז damage
נִזְקַק (יִיזָּקֵק) פ be in need of
נֵזֶר ז crown, diadem
נִזְרַע (יִיזָּרֵעַ) פ be sown
נִזְרַק (יִיזָּרֵק) פ be thrown, be flung
נָח (יָנוּחַ) פ rest, be at rest
נֶחְבָּא ת hidden
נֶחְבָּא (יֵיחָבֵא) פ hide
נֶחְבַּט (יֵיחָבֵט) פ be beaten with a stick
נֶחְבַּל (יֵיחָבֵל) פ be injured
נֶחְבַּשׁ (יֵיחָבֵשׁ) פ be bandaged; be imprisoned
נָחָה (יִנְחֶה) פ lead, guide
נָחוּץ ת urgent; necessary
נָחוּשׁ ת hard, enduring
נְחוֹשֶׁת נ copper
נְחוּשְׁתַּיִם ז״ז fetters
נָחוּת ת inferior
נֶחְטַף (יֵיחָטֵף) פ be kidnapped; be snatched
נָחִיל ז swarm (of bees)
נְחִיצוּת נ urgency
נְחִירָה נ snoring
נְחִירַיִים ז״ז nostrils
נְחִיתָה נ landing
נְחִיתוּת נ inferiority
נָחַל (יִנְחַל) פ inherit, take possession of; acquire, obtain
נַחַל ז stream, small river; wadi
נֶחֱלַד (יֵיחָלֵד) פ rust, become rusty
נַחֲלָה נ estate; inheritance
נֶחֱלַץ (יֵיחָלֵץ) פ escape, be rescued
נֶחֱלַשׁ (יֵיחָלֵשׁ) פ grow weak
נֶחְמָד ת lovely, delightful
נֶחָמָה נ comfort, consolation
נֶחְמַץ turn sour
נֵחַן (יֵיחַן) פ be pardoned; be blessed with
נֶחֱנַט (יֵיחָנֵט) פ be embalmed
נֶחֱנַךְ (יֵיחָנֵךְ) פ be opened for use (usu. of building)
נֶחֱנַק (יֵיחָנֵק) פ be throttled, be strangled
נֶחְסַךְ (יֵיחָסֵךְ) פ be saved
נֶחְסַם (יֵיחָסֵם) פ be blocked
נֶחְפַּז (יֵיחָפֵז) פ rush, hurry
נַחַץ ז (grammar) stress, emphasis
נֶחְצַב (יֵיחָצֵב) פ be quarried
נֶחֱצָה (יֵיחָצֶה) פ be halved
נֶחֱקַק (יֵיחָקֵק) פ be engraved; be passed (law), be enacted

נֶחקַר (יֵיחָקֵר) פ — be investigated
נָחַר (יִנחַר) פ — snore
נֶחֱרַב (יֵיחָרֵב) פ — be destroyed
נֶחֱרַד (יֵיחָרֵד) פ — be alarmed
נַחֲרָה נ — snore
נֶחֱרַז (יֵיחָרֵז) פ — be threaded; be rhymed
נֶחֱרַט (יֵיחָרֵט) פ — be engraved
נֶחֱרַך (יֵיחָרֵך) פ — be scorched
נֶחֱרַץ (יֵיחָרֵץ) פ — be decreed, be decided
נֶחֱרָצוּת נ — decisiveness
נֶחֱרַשׁ (יֵיחָרֵשׁ) פ — be ploughed
נֶחֱרַת (יֵיחָרֵת) פ — be engraved
נָחָשׁ ז — snake
נֶחשַׁב (יֵיחָשֵׁב) פ — be considered
נֶחשַׁד (יֵיחָשֵׁד) פ — be suspected
נַחשוֹל ז — wave, torrent
נַחשוֹנִי ת — audacious, bold
נֶחשָׁל ת — backward
נֶחשַׂף (יֵיחָשֵׂף) פ — be bared, be revealed
נָחַת (יִנחַת) פ — come down, land
נַחַת נ — repose; satisfaction
נַחתּוֹם ז — baker
נֶחתַּך (יֵיחָתֵך) פ — be cut up; be decided
נֶחתַּם (יֵיחָתֵם) פ — be signed; be stamped
נַחַת רוּחַ — satisfaction
נַחֶתֶת נ — landing craft
נִטבַּח (יִיטָבַח) פ — be slaughtered
נִטבַּל (יִיטָבֵל) פ — be dipped
נִטבַּע (יִיטָבַע) פ — be coined
נָטָה (יִיטֶה) פ — turn, tend

נָטוּי ת — extended, bent
נָטוּל ת — lacking, devoid of
נָטוּעַ ת — planted
נַטוּף נִיצָּב — stalagmite
נַטוּף תָּלוּי — stalactite
נָטוּשׁ ת — abandoned, deserted
נִטחַן (יִיטָּחֵן) פ — be milled, be ground
נְטִיָּה נ — inclination, tendency; (grammar) inflection
נְטִילָה נ — taking, receiving
נְטִיעָה נ — planting; young plant
נְטִירָה נ — bearing a grudge
נְטִישָׁה נ — abandonment
נָטַל (יִיטוֹל) פ — take, receive
נֵטֶל ז — burden, load
נִטמָא (יִיטָּמֵא) פ — be defiled, be polluted; be claimed
נִטמַן (יִיטָּמֵן) פ — be hidden
נִטמַע (יִיטָּמַע) פ — be absorbed
נָטַע (יִיטַּע) פ — plant; implant
נֶטַע ז — seedling, plant
נִטעַן (יִיטָּעֵן) פ — be loaded, be charged; be claimed
נָטַף (יִיטוֹף) פ — drip, drop
נֶטֶף ז — drop
נִטפַּל (יִיטָּפֵל) פ — cling to, pester
נָטַר (יִיטוֹר, יִנטוֹר) פ — guard, watch; bear (a grudge)
נִטרוּל ז — neutralization
נִטרוּק ז — abbreviation
נִטרֵל (יְנַטרֵל) פ — neutralize
נִטרַף (יִיטָּרֵף) פ — be torn to pieces
נָטַשׁ (יִיטוֹשׁ) פ — abandon, desert
נִיאוּף ז — adultery

נִיאוּץ ז — reviling, abuse
נִיאֵף (יְנָאֵף) פ — commit adultery
נִיאֵץ (יְנָאֵץ) פ — revile, abuse
נִיב ז — idiom; dialect
נִיבֵּא (יְנַבֵּא) פ — predict
נִיבָּא (יִינָּבֵא) פ — prophesy
נִיבּוּי ז — prediction
נִיבּוּל פֶּה — obscene language
נִיבֵּל (יְנַבֵּל) פ — disgrace, dishonor
נִיגֵּב (יְנַגֵּב) פ — wipe, dry
נִיגּוּב ז — wiping, drying
נִיגּוּד ז — contrast
נִיגּוּחַ ז — goring, butting
נִיגּוּן ז — tune, melody
נִיגֵּחַ (יְנַגֵּחַ) פ — gore, butt
נִיגֵּן (יְנַגֵּן) פ — play (music)
נִיגַּף (יִינָּגֵף) פ — be smitten, be defeated
נִיגַּר (יִינָּגֵר) פ — be poured out
נִיגַּשׁ (יִיגַּשׁ) פ — approach, go up to; begin
נִיד ז — movement; swing
נִידֵּב (יְנַדֵּב) פ — donate
נִידָּה נ — menstruation
נִידָּה (יְנַדֶּה) פ — banish, thrust out
נִידּוּי ז — excommunication
נִידּוֹן, נָדוֹן (יִידּוֹן) פ — be sentenced, be discussed
נִידּוֹן, נָדוֹן ת — under discussion
נִידָּח ת — banished, expelled; remote, out-of-the-way
נִידָּף ת — scattered, blown, fallen
נִיהוּל ז — management, administration
נִיהֵל (יְנַהֵל) פ — manage, administer; lead
נִיהֵם (יְנַהֵם) פ — growl, roar; coo
נִיווּט ז — navigation
נִיוֵּט (יְנַוֵּט) פ — navigate, pilot
נִיוּוּל ז — disfigurement, ugliness
נִיוֵּל (יְנַוֵּל) פ — disfigure, make ugly
נִיוּוּן ז — degeneration, atrophy
נִיוֵּן (יְנַוֵּן) פ — cause to degenerate
נִיזּוֹן (יִיזּוֹן) פ — be fed, be nourished
נִיזָּק תה״פ — injured, damaged
נִיחָא ת — good! all right!
נִיחוֹחַ ז — pleasant
נִיחוֹחִי ת — scented, aromatic
נִיחוּם ז — comforting, consoling
נִיחוּשׁ ז — guess, guesswork
נִיחוּתָא נ — ease, serenity
נִיחֵם (יְנַחֵם) פ — console, comfort
נִיחַם (יִינָּחֵם) פ — repent, regret
נִיחֵשׁ (יְנַחֵשׁ) פ — guess
נִיטַּל (יִינָּטֵל) פ — be taken
נִיטַּע (יִינָּטַע) פ — be planted
נִיטַּשׁ (יִינָּטֵשׁ) פ — be abandoned
נַיָּיד ת — mobile, moveable
נַיָּידוּת נ — mobility
נַיֶּידֶת נ — patrol car
נַיָּיח ת — stationary, at rest
נַיָּיע ת — mobile
נְיָיר ז — paper; document
נַיֶּירֶת נ — paper work, bureaucracy
נִיכָּה (יְנַכֶּה) פ — deduct; discount
נִיכּוּי ז — deduction; discount
נִיכּוּר ז — alienation
נִיכּוּשׁ ז — weeding
נִיכָּיוֹן ז — discount
נִיכָּר ת — recognizable; considerable
נִיכֵּשׁ (יְנַכֵּשׁ) פ — weed

נִים ת asleep, drowsing
נִימָה נ thread, filament; note
נִימוֹל (יִימוֹל) פ be circumcized
נִימוּס ז good manners, etiquette
נִימוּסִי ת polite, well-mannered
נִימוּק ז reason; argument
נִימִי ת capillary
נִימִיוּת נ capillarity
נִימֵק (יְנַמֵק) פ justify by argument
נִימֵר (יְנַמֵר) פ spot, bespeckle
נִין ז great-grandson
נִינוֹחַ (יִינוֹחַ) פ be at ease
נִיסָה (יְנַסֶה) פ test; try, attempt
נִיסוּחַ ז formulation
נִיסוֹט (יִיסוֹט) פ be shifted, be removed
נִיסוּי ז experiment; test, trial
נִיסוּיִי ת experimental
נִיסוֹך (יִיסוֹך) פ be oiled, be rubbed with oil
נִיסָיוֹן ז experience; experiment; temptation
נִיסַך (יִינָסֵך) פ be poured out (as a libation)
נִיסֵך (יְנַסֵך) פ pour out
נִיסָן ז Nisan (March-April)
נִיסַר (יִינָסֵר) פ be sawn
נִיסֵר (יְנַסֵר) פ saw
נִיעַ ז quiver, slight movement
נִיעוּר ז shaking out
נִיעֵר (יְנַעֵר) פ shake out, shake
נִיפָּה (יְנַפֶּה) פ sift, sieve
נִיפּוּחַ ז blowing up, inflation
נִיפּוּי ז sieving, sifting
נִיפּוּץ ז splitting, shattering
נִיפּוּק ז issue
נִיפַּח (יְנַפַּח) פ inflate, blow up
נִיפֵּט (יְנַפֵּט) פ beat (wool, cotton)
נִיפֵּץ (יְנַפֵּץ) פ split, break up; shatter
נִיצַב (יִיצֵב) פ stand, stand up
נִיצָב ז׳ ת perpendicular; standing, upright
נִיצוֹד (יִיצוֹד) פ be caught
נִיצוּחַ ז conducting (orchestra, etc.)
נִיצוּל ז exploitation
נִיצוֹל ת rescued, saved
נִיצוֹלֶת נ salvage
נִיצוֹץ ז spark
נִיצַח (יְנַצַחַ) פ defeat, vanquish; conduct (orchestra, etc.)
נִיצָחוֹן ז victory, triumph
נִיצַל (יִינָצֵל) פ be saved, be rescued
נִיצֵל (יְנַצֵל) פ exploit; utilize
נִיצָן ז bud
נִיצַת (יִיָצֵת) פ be ignited, be lit
נִיקֵב (יְנַקֵב) פ perforate, punch
נִיקֵד (יְנַקֵד) פ point (Hebrew script), vocalize; draw a dotted line
נִיקָה (יְנַקֶה) פ clean
נִיקוּד ז pointing (of Hebrew script), vocalization
נִיקוּז ז drainage
נִיקוּי ז cleaning
נִיקוּר ז poking out, gouging out
נִיקֵז (יְנַקֵז) פ drain (land)
נִיקָיוֹן ז cleanliness, cleanness
נִיקְיוֹן כַּפַּיִם integrity, incorruptibility
נִיקֵר (יְנַקֵר) פ poke out, gouge out

ניר ז ploughed field
נִשָּׂא, נִשְּׂאָה (יִנָּשֵׂא, תִּינָּשֵׂא) פ be carried, be borne; be married; be raised on high
נִישֵּׂא (יְנַשֵּׂא) פ raise on high, exalt
נִישָּׂא ת lofty, exalted
נִישֵּׁב (יְנַשֵּׁב) פ blow
נִישׂוּאִים ז״ר marriage, wedlock
נִישׁוֹבֶת נ chaff
נִישּׁוּל ז eviction
נִישׁוֹם ז assessed person, tax-payer
נִישׁוֹם (יִישּׁוֹם) פ be assessed, be rated
נִישָּׁיוֹן ז amnesia
נִישֵּׁל (יְנַשֵּׁל) פ evict, oust
נִישֵּׁם (יְנַשֵּׁם) פ breathe heavily
נִישֵּׁק (יְנַשֵּׁק) פ kiss
נִיתּוּב ז routing, directing
נִיתּוּחַ ז dissection; operation; analysis
נִיתּוּץ ז demolition, smashing
נִיתּוּק ז cutting off
נִיתּוּק יְחָסִים breaking off relations
נִיתּוּר ז hopping, skipping
נִיתַּז (יִינָּתֵז) פ be sprayed, be splashed
נִיתַּח (יְנַתֵּחַ) פ cut up; operate; analyze
נִיתַּךְ (יִינָּתֵךְ) פ flow down; be melted
נִיתַּן (יִינָּתֵן) פ be given
נִיתַּץ (יִינָּתֵץ) פ be demolished, be broken up
נִיתֵּץ (יְנַתֵּץ) פ shatter, smash
נִיתַּק (יִינָּתֵק) פ be removed; be cut off
נִיתֵּק (יְנַתֵּק) פ cut off, break off
נִיתֵּר (יְנַתֵּר) פ hop, skip
נָכֵא ת depressed, dejected
נְכָאִים ז״ר depression, dejection
נִכְבָּד ת respected, honored
נִכְבַּד (יִיכָּבֵד) פ be honored, be respected
נִכְבָּדִי My dear Sir
נִכְבָּה (יִיכָּבֶה) פ go out, be extinguished
נִכְבַּל (יִיכָּבֵל) פ be fettered, be chained
נִכְבַּשׁ (יִיכָּבֵשׁ) פ be conquered, be captured
נֶכֶד ז grandchild, grandson
נֶכְדָּה נ granddaughter
נָכֶה ז׳ ת disabled, crippled
נִכְוָה (יִיכָּוֶה) פ be burnt, be scalded
נְכוֹחָה תה״פ uprightly, straightforwardly
נָכוֹן ת, תה״פ right, correct
נְכוֹנוּת נ readiness
נְכוֹת ז treasure
נָכוּת ז disablement, disability
נָכַח (יִנְכַּח, יִהְיֶה נוֹכֵחַ) פ be present
נִכְחַד (יִיכָּחֵד) פ be wiped out
נֶכֶל ז villainy
נִכְלָא (יִיכָּלֵא) פ be imprisoned
נַכְלוּל ז, נַכְלוּלִים ז״ר artful tricks, wiles
נְכָלִים ז״ר vices
נִכְלַל (יִיכָּלֵל) פ be included
נִכְלָם ת ashamed
נִכְלַם (יִיכָּלֵם) פ be ashamed

נִכְמַר (יִיכָּמֵר) פ grow hot
נִכְמַשׁ (יִיכָּמֵשׁ) פ wither, fade
נִכְנַס (יִיכָּנֵס) פ enter, go in
נִכְנַע (יִיכָּנַע) פ yield, submit
נֶכֶס ז property; asset
נִכְסֵי דְלָא נָיְידֵי immovable propery
נִכְסַס (יִיכָּסֵס) פ be chewed, be gnawed (fingernails)
נִכְסָף ת longed for; yearning
נִכְסַף (יִיכָּסֵף) פ yearn, long for
נִכְפֶּה ז epileptic
נִכְפָּה (יִיכָּפֶה) פ be forced, be compelled
נִכְפּוּת נ epilepsy
נִכְפָּל ז multiplicand
נִכְפַּל (יִיכָּפֵל) פ be doubled; be multiplied
נִכְפַּף (יִיכָּפֵף) פ be bent
נִכְפַּשׁ (יִיכָּפֵשׁ) פ be pressed down
נִכְפַּת (יִיכָּפֵת) פ be trussed, be tied hand and foot
נֵכָר ז foreign land; foreignness
נִכְרָה (יִיכָּרֶה) פ be dug, be mined
נָכְרִי, נוֹכְרִי ז foreigner, gentile
נִכְרַת (יִיכָּרֵת) פ be destroyed; be cut down
נִכְשַׁל (יִיכָּשֵׁל) פ fail; stumble
נִכְתַּב (יִיכָּתֵב) פ be written
נִכְתַּם (יִיכָּתֵם) פ be stained
נִלְאָה (יִילָּאֶה) פ be exhausted
נִלְבַּב (יִילָּבֵב) פ endear, attract
נִלְהַב (יִילָּהֵב) פ be enthusiastic, be keen
נִלְוָוה (יִילָּוֶוה) פ accompany
נָלוֹז ת perverse, wayward

נִלְחַם (יִילָּחֵם) פ fight, make war
נִלְחַץ (יִילָּחֵץ) פ be pressed
נִלְכַּד (יִילָּכֵד) פ be captured, be caught
נִלְמַד (יִילָּמֵד) פ be learnt, be studied
נִלְעַג (יִילָּעֵג) פ be mocked
נִלְקַח (יִילָּקַח) פ be taken
נָם (יָנוּם) פ slumber, drowse
נִמְאַס (יִימָּאֵס) פ be loathed
נִמְדַד (יִימָּדֵד) פ be measured
נִמְהַל (יִימָּהֵל) פ be diluted; be circumcized
נִמְהָר ת hasty, rash
נָמוֹג ת melting away, fading away
נָמוֹךְ, נָמוּךְ ת low, short
נָמוֹשׁ ת backward, belated
נִמְזַג (יִימָּזֵג) פ be mixed (as wine with water); be poured out (drink)
נִמְחָה (יִימָּחֶה, יִימַּח) פ be erased, be deleted
נִמְחַל (יִימָּחֵל) פ be forgiven, be pardoned
נִמְחַץ (יִימָּחֵץ) פ be severely wounded, be crushed
נִמְחַק (יִימָּחֵק) פ be erased, be rubbed out
נְמִייָה נ marten
נְמִיכוּת נ lowness, shortness (of stature)
נְמִיסָה נ melting, dissolving
נְמַכְמַךְ ת rather low
נִמְכַּר (יִימָּכֵר) פ be sold
נָמֵל ז harbor, port

נִמְלָא (יִימָּלֵא) פ — be filled; be full
נְמָלָה נ — ant
נִמְלַח (יִימָּלַח) פ — be salted
נִמְלַט (יִימָּלֵט) פ — escape, flee
נִמְלַךְ (יִימָּלֵךְ) פ — consider, ponder; consult
נִמְלָץ ת — ornate, rhetorical
נִמְלַק (יִימָּלֵק) פ — be pinched off, be nipped off
נְמַל תְּעוּפָה — airport
נִמְנָה (יִימָּנֶה) פ — be counted, be numbered
נִמְנוּם ז — doze, light sleep
נִמְנֵם (יְנַמְנֵם) פ — doze, drowse
נִמְנָע ת — impossible; abstaining (from a vote)
נִמְנַע (יִימָּנַע) פ — avoid, abstain
נָמֵס ת — melting, dissolving
נָמַס (יִימַּס) פ — melt, dissolve
נִמְסַךְ (יִימָּסֵךְ) פ — be mixed (drinks), be blended
נִמְסַק (יִימָּסֵק) פ — be picked (olives)
נִמְסַר (יִימָּסֵר) פ — be handed over, be delivered
נִמְעַד (יִימָּעֵד) פ — slip, stumble
נִמְעַךְ (יִימָּעֵךְ) פ — be crushed, be crumpled
נִמְעָן ז — addressee
נִמְצָא (יִימָּצֵא) פ — be found
נָמַק (יִימַּק) פ — rot, putrefy
נָמֵר ז — leopard
נִמְרַח (יִימָּרֵחַ) פ — be spread (butter, etc.)
נִמְרָץ ת — powerful, vigorous
נֶמֶש ז — freckle
נִמְשָׁה (יִימָּשֶׁה) פ — be pulled out (of water)
נִמְשַׁךְ (יִימָּשֵׁךְ) פ — be drawn; continue
נִמְשַׁל (יִימָּשֵׁל) פ — be compared, be likened
נִמְתַּח (יִימָּתַח) פ — be stretched
נִנְהָה (יִינָּהֶה) פ — be drawn towards
נִנְזַף (יִינָּזֵף) פ — be admonished
נַנָּס ז, ת — dwarf, midget
נִנְעַל (יִינָּעֵל) פ — be locked
נִנְעַץ (יִינָּעֵץ) פ — be stuck in
נִנְעַר (יִינָּעֵר) פ — be shaken out
נִנְקַט (יִינָּקֵט) פ — be taken (steps), be adopted (measures)
נָס (יָנוּס) פ — flee
נֵס ז — miracle
נָסַב (יִיסַּב, יִיסּוֹב) פ — turn aside, go round
נִסְבָּל ת — tolerated, on sufferance
נִסְבַּל (יִיסָּבֵל) פ — be tolerated
נַסְגָּנִי ת — recessive
נִסְגַּר (יִיסָּגֵר) פ — be shut, be closed
נִסְדַּק (יִיסָּדֵק) פ — be cracked
נִסְדַּר (יִיסָּדֵר) פ — be arranged
נָסוֹג (יִיסּוֹג) פ — retreat
נְסוֹרֶת נ — sawdust
נָסַח (יִיסַּח) פ — uproot, tear out
נֶסַח ז — copy, text
נַסָּח ז — formulator
נִסְחַב (יִיסָּחֵב) פ — be dragged, be pulled along
נִסְחַט (יִיסָּחֵט) פ — be wrung out; be squeezed
נִסְחַף (יִיסָּחֵף) פ — be swept along; be eroded (land)

נְסִיבָּה נ circumstance
נְסִיגָה נ retreat, withdrawal
נַסיוּב ז serum
נַסְיָן ז experimenter
נִסְיֵן (יְנַסְיֵן) פ experiment
נָסִיךְ ז prince
נְסִיכוּת נ principality, princedom
נְסִיעָה נ journey, voyage
נְסִיעָה טוֹבָה bon voyage
נְסִיקָה נ taking off (of plane, missile, etc.)
נְסִירָה נ sawing
נָסַךְ (יִסּוֹךְ) פ pour out; inspire
נֶסֶךְ, נֵסֶךְ ז libation; molten image
נִסְלַח (יִסָּלַח) פ be forgiven, be pardoned
נִסְלַל (יִסָּלֵל) פ be paved
נִסְמַךְ (יִסָּמֵךְ) ת be supported; be authorized
נָסַע (יִסַּע) פ travel, journey
נִסְעַר (יִסָּעֵר) פ be enraged, be excited
נִסְפַּג (יִסָּפֵג) פ be absorbed
נִסְפַּד (יִסָּפֵד) פ be lamented, be mourned
נִסְפָּה (יִסָּפֶה) פ be destroyed, be wiped out
נִסְפָּח ז attaché; appendix (to book)
נִסְפַּח (יִסָּפֵחַ) פ be attached, join
נִסְפַּר (יִסָּפֵר) פ be counted
נָסַק (יִסַּק) פ rise
נִסְקַל (יִסָּקֵל) פ be stoned
נִסְקַר (יִסָּקֵר) פ be surveyed, be scanned

נִסְרַג (יִסָּרֵג) פ be knitted
נִסְרַט (יִסָּרֵט) פ be scratched
נִסְרַךְ (יִסָּרֵךְ) פ be joined, adhere
נִסְרַק (יִסָּרֵק) פ be combed
נִסְתַּם (יִסָּתֵם) פ be stopped up, be blocked
נִסְתַּר (יִסָּתֵר) פ be hidden, be concealed
נָע (יָנוּעַ) פ move; wander, roam
נָע ת mobile, moving
נֶעְדַּר (יֵיעָדֵר) פ be absent, be missing
נָעוּל ת locked
נָעוּץ ת inserted, stuck in
נֵעוֹר ת awake, awakened
נְעוּרִים ז״ר youth
נְעוֹרֶת נ tow
נֶעֱזַב (יֵיעָזֵב) פ be left
נֶעֱזַר (יֵיעָזֵר) פ be helped
נֶעֱטַף (יֵיעָטֵף) פ be wrapped, be enveloped
נְעִילָה נ locking (door); closing
נָעִים ת pleasant, agreeable
נְעִימָה נ melody, tune
נְעִימוּת נ pleasantness
נָעִים מְאוֹד! pleased to meet you! very pleasant
נָעִיץ ת insertable (nail), penetrable (wall)
נְעִיצָה נ insertion, sticking in
נְעִירָה נ shaking out (tablecloth, etc.); braying (donkey)
נֶעְכַּל (יֵיעָכֵל) פ be digested
נֶעְכַּר (יֵיעָכֵר) פ be muddied; (mind, spirit) be befuddled

נָעַל (יִנְעַל) פ lock, close; put on (shoe)
נַעַל נ shoe, boot
נֶעֱלָב ת insulted, offended
נֶעֱלַב (יֵיעָלֵב) פ be insulted, be offended
נַעֲלֶה ת lofty, exalted
נַעֲלָה (יֵיעָלֶה) פ be superior to, be exalted
נֶעְלָם ת concealed, hidden; unknown
נֶעְלַם (יֵיעָלֵם) פ vanish, disappear
נֶעֱלַס (יֵיעָלֵס) פ be joyful, be jolly
נָעַם (יִנְעַם) פ be pleasant, be delightful
נֶעֱמַד (יֵיעָמֵד) פ (colloquial) stand still
נֶעֱנַד (יֵיעָנֵד) פ be tied, be worn (medal, jewellery)
נַעֲנָה (יֵיעָנֶה) פ be answered (positively), be accepted; consent
נִעְנוּעַ ז shaking, tossing
נִעְנַע (יְנַעְנַע) פ shake, toss
נֶעֱנַשׁ (יֵיעָנֵשׁ) פ be punished
נָעַץ (יִנְעַץ) פ stick in, insert
נַעַץ ז drawing-pin, tack
נֶעֱצַב (יֵיעָצֵב) פ be sorrowful
נֶעֱצַר (יֵיעָצֵר) פ stop, come to a halt
נֶעֱקַד (יֵיעָקֵד) פ be trussed
נֶעֱקַף (יֵיעָקֵף) פ be by-passed
נֶעֱקַץ (יֵיעָקֵץ) פ be stung, be bitten
נֶעֱקַר (יֵיעָקֵר) פ be uprooted, be pulled out
נָעַר (יִנְעַר) פ shake out

נַעַר ז lad, youth
נַעֲרָה נ young girl, lass
נְעוּרוֹת נ youth, boyhood
נֶעֱרַךְ (יֵיעָרֵךְ) פ be arranged; be edited; be valued
נֶעֱרַם (יֵיעָרֵם) פ be piled
נֶעֱרַף (יֵיעָרֵף) פ be beheaded
נַעֲרָץ ת admired, esteemed
נַעֲשָׂה (יֵיעָשֶׂה) פ be made, be produced
נֶעְתַּק (יֵיעָתֵק) פ be removed, be shifted; be copied
נֶעְתַּר (יֵיעָתֵר) פ accede (to request, etc.)
נִפְגַּם (יִיפָּגֵם) פ be spoiled, be marred
נִפְגַּע (יִיפָּגַע) פ be injured, be stricken
נִפְגַּשׁ (יִיפָּגֵשׁ) פ meet, encounter
נִפְדָּה (יִיפָּדֶה) פ be redeemed, be ransomed
נָפָה נ sieve; district, region
נָפוֹג (יִיפּוֹג) פ become weak
נָפוּחַ ת swollen; inflated
נְפוֹלֶת נ fallout
נָפוֹץ ת widespread
נָפוֹץ (יִיפּוֹץ) פ be scattered, be spread
נָפוּשׁ ת resting, relaxing
נָפַח (יִיפַּח) פ breathe out, exhale, blow
נֶפַח ז volume, bulk
נַפָּח ז blacksmith
נִפְחַד (יִיפָּחֵד) פ be frightened, be afraid

נַפָּחוּת נ smithery
נַפַּח־זְכוּכִית glassblower
נַפָּחִיָּה נ smithy
נִפְחַס (יִיפָּחֵס) פ be flattened
נֵפְט ז oil, mineral oil; kerosene
נָפַט (יִנְפּוֹט) פ hackle (wool)
נִפְטַם (יִיפָּטֵם) פ be fattened, be stuffed
נִפְטָר ז deceased
נִפְטַר (יִיפָּטֵר) פ be released; go away from; pass away
נְפִיחָה נ blowing, puffing; breaking wind
נְפִיחוּת נ swelling
נְפִיל ז, נְפִילִים ז״ר giants, titans
נְפִילָה נ fall; defeat, collapse
נָפִיץ ת explosive
נָפַל (יִיפּוֹל) פ fall; fall in battle, die; happen
נֵפֶל ז abortion
נִפְלָא (יִיפָּלֵא) פ be wonderful, be marvelous
נִפְלַט (יִיפָּלֵט) פ be given off, escape, come out; be let slip
נִפְנָה (יִיפָּנֶה) פ turn round; be free
נִפְנוּף ז waving, flapping
נִפְנֵף (יְנַפְנֵף) פ wave, flap
נִפְסָד ת faulty, spoilt
נִפְסַל (יִיפָּסֵל) פ be disqualified, be ruled out
נִפְסַק (יִיפָּסֵק) פ cease, stop, be interrupted
נִפְעָל ת (gram.) passive
נִפְעַם (יִיפָּעֵם) פ be deeply moved, be stirred

נֶפֶץ ז explosion
נַפָּץ ז detonator
נִפְצַע (יִיפָּצַע) פ be wounded
נִפְקַד (יִיפָּקֵד) פ be counted, be numbered; absent
נִפְקָדוּת נ absenteeism
נִפְקַח (יִיפָּקַח) פ be opened (eyes or ears)
נִפְרָד ת separate, apart
נִפְרַד (יִיפָּרֵד) פ be separated
נִפְרַט (יִיפָּרֵט) פ be changed (into small money); be specified
נִפְרַם (יִיפָּרֵם) פ be ripped (along the line of stitches)
נִפְרַס (יִיפָּרֵס) פ be sliced (bread); be spread out
נִפְרַע (יִיפָּרַע) פ be paid up; be collected (debt)
נִפְרַץ (יִיפָּרֵץ) פ be broken through, be torn open
נִפְרַק (יִיפָּרֵק) פ be unloaded
נִפְרַשׂ ר׳ נִפְרָס
נִפְרַשׁ (יִיפָּרֵשׁ) פ be separated, be removed
נָפַשׁ (יִיפּוֹשׁ) פ rest, relax
נֶפֶשׁ ז soul, spirit of life; person, man; character (in a play)
נַפְשִׁי ת mental; warm-hearted
נִפְשָׁע ת sinful
נִפְתָּה (יִיפָּתֶה) פ be enticed
נַפְתּוּל ז meander
נַפְתּוּלִים ז״ר struggling(s), wrestling
נִפְתַּח (יִיפָּתַח) פ be opened
נִפְתַּל (יִיפָּתֵל) פ be twined, be twisted

נִפְתַּר (יִיפָּתֵר) פ be solved
נֵץ ז sparrow hawk
נְצוֹלֶת נ salvage
נָצוּר ת, ז besieged, locked
נֶצַח ז eternity, perpetuity
נִצְחִי ת eternal, perpetual
נַצְחָנוּת נ stubborn argumentativeness
נְצִיב ז commissioner, governor
נְצִיבוּת נ governorship
נְצִיג ז delegate, representative
נְצִיגוּת נ representation
נְצִילוּת נ efficiency (of machine, etc.)
נָצִיץ ז mica
נַצְלָנִי ת exploiting
נִצְנוּץ ז sparkle, twinkle
נִצְנֵץ (יְנַצְנֵץ) פ sparkle, twinkle
נָצַץ (יִנְצוֹץ) פ sparkle, gleam
נָצַר (יִנְצוֹר) פ guard, preserve; lock (rifle)
נֵצֶר ז shoot, sprout; scion, offspring
נִצְרָה נ safety-catch (on a gun)
נַצְרוּת נ Christianity
נִצְרָךְ ת needy, indigent
נַקָּב ז perforator
נָקַב (יִיקּוֹב) פ perforate, punch; specify, designate
נֶקֶב ז hole, aperture
נִקְבֵּב (יְנַקְבֵּב) פ perforate
נְקֵבָה נ female
נִקְבָּה נ tunnel
נִקְבּוּב ז perforation
נַקְבּוּבִי ת porous, perforated
נַקְבּוּבִית נ pore

נְקֵבִי ת feminine, female
נַקְבָנִית נ punch-typist
נִקְבַּע (יִיקָּבַע) פ be determined, be fixed
נִקְבַּץ (יִיקָּבֵץ) פ be assembled, be grouped
נִקְבַּר (יִיקָּבֵר) פ be buried
נָקַד (יִנְקוֹד) פ dot, point
נֶקֶד ז center point (for drilling); coccus (microbe)
נִקְדֵּד (יְנַקְדֵּד) פ draw a dotted line, mark with dots
נִקְדַּח (יִיקָּדַח) פ be drilled (hole, well), be bored
נַקְדָן ז pointer (of Hebrew texts), vocalizer; pedant
נַקְדָנוּת נ pedantry
נִקְהָה (יִיקָּהֶה) פ be blunted, be dulled
נִקְהַל (יִיקָּהֵל) פ assemble, convene
נָקוּב ת perforated, pierced; nominal (value)
נָקוּד ת spotted, dotted
נְקוּדָה נ point, dot; full stop
נְקוּדָה וּפְסִיק (;) semi-colon (;)
נְקוּדָתַיִים נ״ז colon
נְקוּדַת רְאוּת viewpoint
נִקְוָוה (יִיקָּוֶוה) פ be collected, be gathered together
נָקַט (יִנְקוֹט) פ take (measures, steps), take hold of
נִקְטַל (יִיקָּטֵל) פ be slain, be killed
נִקְטַף (יִיקָּטֵף) פ be picked (fruit, flowers)
נָקִי ת clean; innocent

נְקִיּוּת נ cleanliness
נְקִיעָה נ dislocation, sprain
נְקִיפַת מַצְפּוּן pricking of conscience
נְקִיק ז crevice, cleft
נְקִישָׁה נ tapping, knocking
נָקֵל תה״פ easy
נִקְלֶה ת base, dishonorable
נִקְלָה (יִיקָּלֶה) פ be roasted (coffee)
נִקְלַט (יִיקָּלֵט) פ be absorbed; take root
נִקְלַע (יִיקָּלַע) פ be hurled; chance
נִקְלַשׁ (יִיקָּלֵשׁ) פ be thinned (air, soup); be weakened
נָקַם (יִיקּוֹם) פ avenge, take vengeance
נָקָם ז revenge, vengeance
נְקָמָה נ revenge, vengeance
נִקְנָה (יִיקָּנֶה) פ be bought, be purchased
נַקְנִיק ז sausage
נַקְנִיקִיָּה נ sausage-shop
נַקְנִיקִית, נַקְנִיקִיָּה נ small sausage, frankfurter
נִקְנַס (יִיקָּנֵס) פ be fined; be punished
נָקַע (יֵקַע) פ be dislocated, be sprained
נֶקַע ז dislocation (of limb), sprain
נָקַף (יִנְקוֹף) פ beat, bang, knock; rotate
נֶקֶף ז bruise, wound
נִקְפָּא (יִיקָּפֵא) פ be frozen, be solidified
נִקְפָּה נ wound, bruise
נִקְצַץ (יִיקָּצֵץ) פ be cut down, be chopped; be minced
נִקְצַר (יִיקָּצֵר) פ be reaped, be harvested
נָקַר (יִיקּוֹר) פ peck; pierce, bore
נֶקֶר ז pecking, pecked hole
נַקָּר ז woodpecker
נִקְרָא (יִיקָּרֵא) פ be read; be called; be summoned
נִקְרַב (יִיקָּרֵב) פ draw near, approach
נִקְרָה נ crevice, cleft
נִקְרָה (יִיקָּרֶה) פ happen upon
נִקְרַח (יִיקָּרֵחַ) פ go bald, lose hair
נִקְרַם (יִיקָּרֵם) פ be covered with skin
נַקְרָן ז fussy person
נַקְרָנוּת נ fussiness
נִקְרַע (יִיקָּרַע) פ be torn, be rent
נִקְרַשׁ (יִיקָּרֵשׁ) פ solidify, congeal
נָקַשׁ (יִיקּוֹשׁ) פ knock, rap
נֶקֶשׁ ז click
נִקְשַׁר (יִיקָּשֵׁר) פ be bound, be tied up
נֵר ז candle
נִרְאֶה ת visible; acceptable
נִרְאָה (יֵירָאֶה) פ be visible; seem
נִרְבְּעָה (תֵּירָבַע) פ be mated (animal)
נִרְגַּז (יֵירָגֵז) פ be enraged, be annoyed
נִרְגַּם (יֵירָגֵם) פ be stoned
נִרְגַּן (יֵירָגֵן) פ grumble, complain
נִרְגַּע (יֵירָגַע) פ calm down, relax
נִרְגָּשׁ ת moved, excited
נִרְדַּם (יֵירָדֵם) פ fall asleep
נִרְדָּף ת hunted; persecuted

נִרְדַּף (יֵירָדֵף) פ be pursued; be persecuted
נִרְחַב (יֵירָחֵב) פ be wide, be spacious
נִרְחַץ (יֵירָחֵץ) פ be washed
נִרְטַב (יֵירָטֵב) פ get wet
נִרְכַּס (יֵירָכֵס) פ be fastened, be buttoned
נִרְכַּשׁ (יֵירָכֵשׁ) פ be acquired, be obtained
נִרְמַז (יֵירָמֵז) פ be hinted, be suggested
נִרְמַס (יֵירָמֵס) פ be trampled, be trodden on
נִרְעַד (יֵירָעֵד) פ tremble, shudder, shiver
נִרְעַשׁ (יֵירָעֵשׁ) פ be shaken (mentally), be upset
נִרְפָּא (יֵירָפֵא) פ get well, recover
נִרְפֶּה ת slack, idle
נִרְפָּה (יֵירָפֶה) פ become slack, weaken
נִרְפַּשׁ (יֵירָפֵשׁ) פ be muddied, become muddy
נִרְצָה (יֵירָצֶה) פ be acceptable, be accepted
נִרְצַח (יֵירָצַח) פ be murdered
נִרְצַע (יֵירָצַע) פ be pierced
נִרְקַב (יֵירָקֵב) פ decay, rot
נַרְקִיס ז narcissus
נִרְקַם (יֵירָקֵם) פ be embroidered; be formed
נִרְשַׁם (יֵירָשֵׁם) פ be registered, be written down
נַרְתִּיק ז case, sheath; vagina

נִרְתַּם (יֵירָתֵם) פ be harnessed
נִרְתַּע (יֵירָתַע) פ flinch, quail; be deterred
נָשָׂא (יִשָּׂא) פ carry; lift, raise; endure; marry
נִשְׁאַב (יִשָּׁאֵב) פ be drawn
נִשְׁאַל (יִשָּׁאֵל) פ be asked
נִשְׁאַף (יִשָּׁאֵף) פ be inhaled
נִשְׁאַר (יִשָּׁאֵר) פ remain, be left
נָשַׁב (יִשּׁוֹב) פ blow, puff
נִשְׁבָּה (יִשָּׁבֶה) פ be taken prisoner; be captured
נִשְׁבַּע (יִשָּׁבַע) פ swear, take an oath
נִשְׁבַּר (יִשָּׁבֵר) פ be broken
נִשְׂגָּב ת lofty, exalted; powerful
נִשְׂגַּב (יִשָּׂגֵב) פ be elevated, be set on high
נִשְׁדַּד (יִשָּׁדֵד) פ be robbed
נַשְׁדּוּר ז ammonia
נִשְׁדַּף (יִשָּׁדֵף) פ be burnt, dry by heat
נָשָׁה (יִשֶּׁה) פ dun, demand payment (of a debt); forget
נָשֶׁה, גִּיד הַנָּשֶׁה ז "sinew of the thigh", sciatic nerve
נָשׂוּא ת carried, borne; married (man); (grammar) predicate
נְשׂוּאָה נ married woman
נְשׂוּאִי ת predicative
נְשׂוּאִים ז"ר married (couple)
נָשׂוּי ת married (man)
נָשׁוּךְ ת bitten
נְשׁוֹפֶת נ filings
נָשׁוּק ת kissed
נְשׂוֹרֶת נ fallout; droppings

נִשְׁזַף (יִישָּׁזֵף) פ be sun-tanned
נִשְׁזַר (יִישָּׁזֵר) פ be interwoven
נִשְׁחַט (יִישָּׁחֵט) פ be slaughtered
נִשְׁחַק (יִישָּׁחֵק) פ be ground, be pulverized
נִשְׁחַת (יִישָּׁחֵת) פ be spoiled, be marred, be destroyed
נִשְׁטַף (יִישָּׁטֵף) פ be washed, be rinsed
נָשִׁי ת womanly, feminine
נָשִׂיא ז president
נְשִׂיאוּת נ presidency, the office of president; presidium
נְשִׁיבָה נ blowing (of wind)
נָשִׁיּוּת נ womanliness, femininity
נְשִׁיָּה נ forgetfulness
נְשִׁיכָה נ bite, biting
נָשִׁים נ״ר women
נְשִׁימָה נ breathing
נְשִׁיפָה נ blowing, exhaling
נְשִׁיקָה נ kiss
נָשִׁיר ת deciduous
נְשִׁירָה נ falling off (out)
נָשִׁית נ sciatica
נָשַׁךְ (יִישׁוֹךְ, יִשַּׁךְ) פ bite
נֶשֶׁךְ ז excessive interest
נִשְׁכַּח (יִישָּׁכַח) פ be forgotten
נַשְׁכָן ת given to biting
נִשְׂכָּר ת hired; rewarded
נִשְׂכַּר (יִישָּׂכֵר) פ be hired
נִשְׁלַח (יִישָּׁלַח) פ be sent, be despatched
נִשְׁלַל (יִישָּׁלֵל) פ be deprived of
נִשְׁלַם (יִישָּׁלֵם) פ be completed
נָשַׁם (יִנְשׁוֹם) פ breathe

נִשְׁמַד (יִישָּׁמֵד) פ be destroyed
נְשָׁמָה נ soul, spirit
נִשְׁמַט (יִישָּׁמֵט) פ be omitted, be left out
נִשְׁמַע (יִישָּׁמַע) פ be heard; be listened to
נִשְׁמַר (יִישָּׁמֵר) פ be kept, be guarded
נִשְׁנָה (יִישָּׁנֶה) פ be repeated; be learned, be studied
נִשְׁסַע (יִישָּׁסַע) פ be split
נִשְׁעַן (יִישָּׁעֵן) פ lean, be supported; rely on
נָשַׁף (יִישׁוֹף) פ blow, breathe out
נֶשֶׁף ז party (at night), soiree
נִשְׁפַּט (יִישָּׁפֵט) פ be tried, be brought to trial
נִשְׁפִּיָּה נ small party
נִשְׁפַּךְ (יִישָּׁפֵךְ) פ be spilled, be poured out
נָשַׁק (יִישַּׁק) פ kiss; come together
נַשָּׁק ז armorer
נֶשֶׁק ז weapons, arms
נֶשֶׁק אֲטוֹמִי, נֶשֶׁק גַּרְעִינִי atomic (nuclear) weapons
נֶשֶׁק חַם firearms
נִשְׁקַל (יִישָּׁקֵל) פ be weighed; be considered
נִשְׁקַף (יִישָּׁקֵף) פ be seen, be visible, overlook; look out, look through
נָשַׁר (יִישׁוֹר) פ fall off, fall away
נֶשֶׁר ז (biblical) vulture; (colloquial) eagle
נִשְׁרָה (יִישָּׁרֶה) פ be steeped, be soaked

נִשְׂרַט (יִישָּׂרֵט) פ be scratched
נִשְׂרַף (יִישָּׂרֵף) פ be burnt
נִשְׂרַץ (יִישָּׂרֵץ) פ swarm, teem
נִתְבָּע ז defendant, respondent
נִתְבַּע (יִיתָּבַע) פ be claimed, be demanded; be required
נָתוּן ז given; datum
נְתוּנִים ז״ר data
נֶתֶז ז spray, splash
נֵתַח ז cut, piece
נִתְחַם (יִיתָּחֵם) פ be delimited
נָתִיב ז path; way
נָתִיךְ ז fuse-wire
נָתִין ז subject; Temple slave
נְתִינָה נ giving
נְתִינוּת נ citizenship, nationality
נָתִיק ת severable
נֶתֶךְ ז alloy
נִתְלָה (יִיתָּלֶה) פ be hung

נִתְמַךְ (יִיתָּמֵךְ) פ be supported
נָתַן (יִיתֵּן) פ give, present
נִתְעָב ת loathsome, abhorrent
נִתְעָה (יִיתָּעֶה) פ be misled, be led astray
נִתְפַּס (יִיתָּפֵס) פ be caught, be seized; be grasped
נִתְפַּר (יִיתָּפֵר) פ be sewn, be stitched
נִתְפַּשׂ ר׳ נִתְפַּס
נָתַץ (יִיתּוֹץ) פ demolish, shatter
נֶתֶק ז contact-breaker (elect.)
נִתְקַל (יִיתָּקֵל) פ bump into
נִתְקַע (יִיתָּקַע) פ be stuck
נִתְקַף (יִיתָּקֵף) פ be attacked
נֶתֶר ז washing soda; nitre
נִתְרַם (יִיתָּרֵם) פ be contributed, be donated
נַתְרָן ז sodium

ס

סְאָה נ seah (ancient dry measure)
סָב, סָבָא ת old, grandfather
סַבָּא ז grandfather, grandpa
סָבָא (יִסְבָּא) פ drink (to excess)
סָבַב (יִיסּוֹב) פ go round, rotate
סַבֶּבֶת נ pinion, cog-wheel
סָבוּךְ ת tangled; complicated
סְבוֹלֶת נ tolerance; endurance
סַבּוֹן ז soap
סַבּוֹנִיָּה, סַבּוֹנִית נ soap-holder

סָבוּר ת of the opinion
סַבּוֹרֶג ז screwdriver
סְבוּרַנִי, סְבוּרַנִי I think, I am of the opinion
סְבִיאָה נ drinking (to excess)
סָבִיב תה״פ around, round
סְבִיבוֹת surroundings, environs
סְבִיבָה נ vicinity, neighborhood
סְבִיבוֹל ז swivel
סְבִיבוֹן ז top (toy)

סַבְיוֹן ז	ragwort
סָבִיךְ ת	easily entangled, tangly
סְבִיכוּת נ	complexity
סָבִיל ת	passive
סְבִילוּת נ	passivity; endurance
סָבִיר ת	reasonable
סְבִירוּת נ	reasonableness
סְבַךְ, סְבָךְ ז	thicket; tangle
סְבָכָה נ	grate, trellis, lattice
סִבְּכִי, סִיבְּכִי ז	warbler
סָבַל (יִסבּוֹל) פ	suffer, endure
סַבָּל ז	porter
סֵבֶל ז	load, burden; suffering
סַבלָנוּת נ	patience; tolerance
סָבַר (יִסבּוֹר) פ	think, be of the opinion; understand
סֵבֶר ז	expectation; countenance
סְבָרָה נ	opinion, theory
סְבָרוֹת כֶּרֶס	baseless supposition
סֵבֶר פָּנִים יָפוֹת	warm welcome
סַבתָּא נ	granny, grandma
סָגַד (יִסגּוֹד) פ	worship
סְגוֹל ז	segol (Hebrew vowel)
סָגוֹל ת	violet, mauve
סְגוּלָה נ	treasured possession; characteristic
סְגוּלִי ת	specific, characteristic
סָגוּר ת	closed, shut
סְגוֹרֶץ ז	zip
סַגִּי תה״פ	plenty, enough
סְגִידָה נ	worship
סָגִיל ת	adaptable
סְגִילוּת נ	adaptability
סַגִּי נְהוֹר	blind man (euphemism)
סְגִיר ז	shackle
סְגִירָה נ	shutting, closing
סֶגֶל ז	cadre (military); staff
סְגַלגַּל ת	oval
סְגָן ז	deputy, vice
סֶגֶן ז	lieutenant
סִגנוֹן ז	style
סִגנוּן ז	stylizing
סֶגֶן מִשְׁנֶה	second lieutenant
סִגנֵן (יְסַגנֵן) פ	stylize, improve the style
סַגסוֹגֶת נ	alloy
סַגְּפָן ז	ascetic
סָגַר (יִסגּוֹר) פ	shut, close
סֶגֶר ז	valve disc, valve gate
סַגרִיר ז	rainstorm
סַגרִירִי ת	very rainy, torrential
סַד ז	stocks, pillory
סָדוּק ת	cracked, split
סָדוּר ת	arranged, set in order
סָדִין ז	sheet
סָדִיר ת	regular
סְדִירוּת נ	regularity
סַדָּן ז	anvil
סַדנָה נ	workshop
סֶדֶק ז	crack, split, fissure
סִדקִית נ	haberdashery
סָדַר (יִסדּוֹר) פ	order, arrange
סֵדֶר ז	order, arrangement
סַדָּר ז	compositor, type-setter
סְדָר ז	set-up type
סִדרָה נ	sequence, series
סַדְרָן ז	steward (at meetings), usher (theater, cinema)
סַדְרָנוּת נ	stewarding, ushering
סַהַר ז	moon

סַהַר פּוֹרֶה	Fertile Crescent
סַהֲרוּרִי ת	sleepwalking
סוֹאֵן ת	noisy
סוֹבֵא ז	drunkard
סוֹבֵב ז	(anat.) radius
סוֹבֵב (יְסוֹבֵב) פ	go round, encircle
סוּבַּב (יְסוּבַּב) פ	be surrounded, be encircled
סוּבִּין ז״ר	bran
סוּבַּךְ (יְסוּבַּךְ) פ	be complicated; be entangled
סוֹבֶךְ ז	lair (in a thicket)
סוֹבְלָנוּת ת	tolerance
סוֹבְלָנִי ת	tolerant
סוּבַּן (יְסוּבַּן) פ	be soaped
סוּג ז	class; kind, type
סוּגְיָה נ	problem, issue
סוּגַּל (יְסוּגַּל) פ	be acquired; be adapted
סוּגְנַן (יְסוּגְנַן) פ	be stylized, be polished
סוּגַר ז	cage; muzzle
סוּגַּר (יְסוּגַּר) פ	be closed up
סוֹגֵר ז	bracket
סוֹגְרַיִים מְרוּבָּעִים	square brackets
סוֹד ז	secret
סוֹדִי ת	confidential
סוֹדֵר ת	ordinal
סוּדָר ז	shawl, scarf
סוּדַּר (יְסוּדַּר) פ	be arranged, be put in order
סוֹדְרָן ז	index file
סוֹהֵר ז	prison officer, warder
סוּוַּג (יְסוּוַּג) פ	be classified
סַוָּר ז	stevedore
סוֹחְפָנִי ת	erosive
סוֹחֵר ז	merchant, trader
סוֹטֶה ת	deviating, divergent
סוּיַּד (יְסוּיַּד) פ	be whitewashed
סוּיַּם (יְסוּיַּם) פ	be ended, be terminated
סוֹךְ ז, סוֹכָה נ	branch, bough
סוּכָּה נ	booth; succah
סוּכּוֹת, חַג־הַסּוּכּוֹת	Succot, the Feast of Tabernacles
סוֹכֵךְ ז	umbrella, sunshade
סוּכַּךְ (יְסוּכַּךְ) פ	be covered over
סוֹכְכִי ת	umbelliferous
סוּכַּל (יְסוּכַּל) פ	be frustrated (plan, contract), be foiled
סוּכַּם (יְסוּכַּם) פ	be added up, be totalled; be summarized
סוֹכֵן ז	agent
סוּכַּן (יְסוּכַּן) פ	be risked; be endangered
סוֹכְנוּת נ	agency
סוּכְסַךְ (יְסוּכְסַךְ) פ	be involved in a quarrel
סוּכָּר ז	sugar
סוּכַּר (יְסוּכַּר) פ	be sugared, be sugar-coated
סוּכָּרִיָּה נ	candy, sweet
סוּכֶּרֶת נ	diabetes
סוּלָּא (יְסוּלָּא) פ	be valued
סוֹלֵד ת	shrinking from, revolted by
סוֹלְדָנוּת נ	allergy
סוֹלְחָן ת	forgiving, condoning
סוֹלְחָנוּת נ	forgiveness, leniency
סוּלְיָה נ	sole (of a shoe)
סוֹלְלָה נ	embankment; dike; battery

סוּלָם ז ladder; scale
סוֹלָן ז soloist
סוּלְסַל (יְסוּלְסַל) פ be curled, be waved (hair); be trilled (voice)
סוּלַף (יְסוּלַף) פ be distorted, be garbled
סוּלַק (יְסוּלַק) פ be removed, be taken away
סוֹלֶת ז fine flour; semolina
סוּמָא, סוּמֵא ז blind man
סוֹמֶך ז consistency (of soup, etc.)
סוֹמֵך ז support, prop
סוּמַם (יְסוּמַם) פ be poisoned; be drugged
סוּמַן (יְסוּמַן) פ be marked
סוֹמֶק ז redness, crimson
סוּמְרַר (יְסוּמְרַר) פ be riveted
סוּנְוַר (יְסוּנְוַר) פ be dazzled
סוּנַּן (יְסוּנַּן) פ be strained
סוּנַּף (יְסוּנַּף) פ be affiliated
סוּס ז horse
סוּסָה נ mare
סוֹעֵר ת stormy, raging
סוּף ז rush, reed
סוֹף ז end, finish
סוֹפֵג ז blotting-paper
סוּפְגָּן ז sponge cake
סוּפְגָּנִיָּה, סוּפְגָּנִית נ doughnut
סוּפָה נ storm, gale
סוּפַּח (יְסוּפַּח) פ be attached, be annexed
סוֹפִי ת final; finite
סוֹפִית נ, תה״פ suffix; finally
סוּפַּק (יְסוּפַּק) פ be supplied
סוֹפֵר ז author, writer

סוּפַּר (יְסוּפַּר) פ be told, be narrated; have one's hair cut
סוּפְרַר (יְסוּפְרַר) פ be numbered, be given a number
סוּקַּל (יְסוּקַּל) פ be cleared of stones; be stoned (man)
סוֹר ז leaven; original state
סוּרְבַּל (יְסוּרְבַּל) פ be wrapped up, be made cumbersome
סוֹרֶג ז lattice (wood), grille (metal), grid
סוֹרַג (יְסוֹרַג) פ be plaited, be interwoven
סוּרְגַּל (יְסוּרְגַּל) פ be ruled (lines)
סוּרוֹ רַע fundamentally evil
סוּרְטַט (יְסוּרְטַט) פ be drawn, be sketched, be designed
סוּרִי ת Syrian
סוֹרַס (יְסוֹרַס) פ be castrated; be muddled (text)
סוֹרַק (יְסוֹרַק) פ be combed
סוֹרֵר ת stubborn, rebellious
סוּת נ garment, apparel
סוֹתֵר ת contradictory, conflicting
סוֹתְרָנִי ת ambivalent
סוּתַּת (יְסוּתַּת) פ be chipped, be chiselled
סָח (יָסִיחַ) פ say, speak
סָחַב (יִסְחַב) פ drag; (colloquial) pilfer, "pinch"
סְחָבָה נ rag
סַחֶבֶת נ (colloq.) red-tape
סָחוּט ת squeezed; wrung out
סָחוּס ז cartilage
סְחוֹפֶת נ sediment, silt, erosion

סְחוֹרָה נ	goods, merchandise
סְחוֹר־סְחוֹר	round and round; indirectly, circuitously
סָחַט (יִסחַט) פ	squeeze (fruit); wring out
סַחטָן ז	blackmailer
סְחִי ז	refuse, garbage
סְחִיבָה נ	dragging; (colloq.) pilfering
סְחִיטָה נ	squeezing (fruit); wringing out; blackmail
סְחִיפָה נ	erosion, sweeping away
סָחִיר ת	negotiable
סַחלָב ז	orchid
סָחַף (יִסחַף) פ	erode, sweep away
סַחַף ז	alluvial soil; erosion
סָחַר (יִסחַר) פ	do business, trade
סַחַר ז	trade, commerce
סְחַרחוֹרֶת נ	giddiness, dizziness
סְחַרחַר ת	dizzy, whirling round
סְחַרחֵרָה נ	merry-go-round
סַחַר־מֶכֶר	crooked dealings
סִחרֵר (יְסַחרֵר) פ	whirl round
סָטָה (יִסטֶה) פ	deviate
סְטָו, סְטָיו ז	colonnade, portico
סְטִייָה נ	deviation, aberration (mental)
סְטִירָה נ	slap
סָטַר (יִסטוֹר) פ	slap
סֵיאוּב ז	dirtying, soiling
סֵיאוֹר, סְאוֹר ז	leaven; original state
סֵיאוֹר שֶׁבָּעִיסָּה	the best part, the vital part
סִיב ז	fiber
סִיבֵּב (יְסַבֵּב) פ	cause; surround
סִיבָּה נ	reason, cause
סִיבּוּב, סִיבוּב ז	rotation; round
סִיבּוּבִי, סִיבוּבִי ת	rotatory, circulatory
סִיבּוּךְ ז	complication; entanglement
סִיבּוֹלֶת נ	endurance
סִיבּוּן ז	soaping; soap-making
סִיבִי ת	fibrous
סִיבִית נ	fiber-board
סִיבֵּךְ (יְסַבֵּךְ) פ	complicate; entangle
סִיבֵּן (יְסַבֵּן) פ	soap; make soap
סִיבָּתִי ת	causal
סִיבָּתִיוּת נ	causality
סִיג ז	dross, base metal
סִיגִים ז״ר	cinder, slag
סִיגּוּף ז	mortification of the flesh
סִיגֵּל (יְסַגֵּל) פ	adapt, adjust
סִיגֵּף (יְסַגֵּף) פ	mortify (the flesh)
סִיד ז	lime, whitewash; plaster
סִידּוּק ז	cracking, splitting
סִידּוּר ז	arrangement; daily prayer book
סִידּוּרִי ת	serial, ordinal
סִידָן ז	calcium
סִידֵּר (יְסַדֵּר) פ	arrange, put in order; "fix", "do"
סִיּוּד ז	whitewashing
סִיוּוֵג (יְסַוּוֵג) פ	classify, categorize
סִיוּוּג ז	classification
סִיוָן ז	Sivan (May–June)
סִיּוּט ז	nightmare; horror
סִיּוּם ז	end, finish
סִיּוֹמֶת נ	suffix
סִיּוּעַ ז	assistance, aid

סִיּוּף ז — fencing
סִיּוּר ז — tour
סִיטוֹנַאי ז — wholesaler
סִיטוֹנוּת ז — wholesale trading
סְיָג ז — fence, hedge
סִיֵּד (יְסַיֵּד) פ — whitewash
סַיָּד, סַיָּד ז — whitewasher
סְיָח ז — colt, foal
סִיֵּם (יְסַיֵּם) פ — end, terminate
סַיָּס ז — groom, ostler
סִיֵּעַ (יְסַיֵּעַ) פ — assist, support
סַיָּף ז — fencer
סִיֵּף (יְסַיֵּף) פ — fence
סִיֵּר (יְסַיֵּר) פ — tour, survey
סַיֶּרֶת, סַיֶּרֶת נ — battle-cruiser
סִיכָה נ — lubrication, oiling
סִיכָּה, סִכָּה נ — pin, clip
סִיכּוּי ז — chance, prospect
סִיכּוּךְ ז — covering, thatching
סִיכּוּל ז — frustration, foiling
סִיכּוּם ז — addition; summing up
סִיכּוּן ז — risk; endangering
סִיכֵּךְ (יְסַכֵּךְ) פ — cover over, thatch
סִיכֵּל (יְסַכֵּל) פ — frustrate, foil
סִיכָּלוֹן ז — frustration
סִיכֵּם (יְסַכֵּם) פ — add up, sum up
סִיכֵּן (יְסַכֵּן) פ — risk; endanger
סִיכֵּר (יְסַכֵּר) פ — sugar, sugar-coat
סִילּוּם ז — modulation (music)
סִילוֹן ז — jet (plane), stream
סִילוֹנִית נ — siren, water-nymph
סִילּוּף ז — distortion, perversion
סִילּוּק, סִלּוּק ז — removal, disposal
סִילֵּם (יְסַלֵּם) פ — modulate (music)
סִילֵּף (יְסַלֵּף) פ — distort, garble
סִילֵּק (יְסַלֵּק) פ — remove, take away
סִילֵּת (יְסַלֵּת) פ — sift; select
סִימֵּא (יְסַמֵּא) פ — blind; dazzle
סִימּוּי ז — blinding
סִימּוּכִין ר׳ סְמוּכִין
סִימּוּל ז — symbolization
סִימּוּם ז — poisoning
סִימּוּן ז — notation, marking
סִימּוּר ז — nailing; bristling
סִימְטָה נ — alley, narrow lane; boil
סִימֵּךְ (יְסַמֵּךְ) פ — sustain, support
סִימֵּל (יְסַמֵּל) פ — symbolize
סִימֵּם (יְסַמֵּם) פ — poison
סִימָן ז — sign, mark; omen
סִימֵּן (יְסַמֵּן) פ — mark, indicate
סִימָנִיָּה, סִימָנִית נ — bookmark; sign, mark
סִימַן שְׁאֵלָה — question mark
סִימְפּוֹזְיוֹן, רַב־שִׂיחַ — symposium
סִינּוּן ז — straining, filtration
סִינְכְּרוּן, סִנְכְּרוּן ז — synchronization
סִינְכְּרוֹנִי ת — synchronous
סִינְכְּרֵן, סִנְכְּרֵן (יְסַנְכְּרֵן) פ — synchronize
סִינֵּן (יְסַנֵּן) פ — strain, filter; mutter
סִינָּר ז — apron
סִיס ז — fringe
סִיסְמָה נ — password (military); slogan
סִיעָה נ — faction, group
סִיעָתִי ת — factional, group
סַיִף ז — sword; fencing (sport)
סִיפָא ז — ending, final section
סִיפּוּחַ ז — attachment; annexation
סִיפּוּן ז — ceiling; deck (of a ship)

סִיפּוּק ז satisfaction; supplying, providing
סִיפּוּר ז story, tale; story-telling
סִיפּוּרִי ת narrative
סִיפּוֹרֶת נ fiction
סִיפַּח (יְסַפַּח) פ attach, annex
סֵיפָן ז gladiolus
סִיפֵּק (יְסַפֵּק) פ supply; satisfy, please
סִיפֵּר (יְסַפֵּר) פ tell; cut hair
סִיקוּל ז clearing of stones
סִיקוּס ז knot (in wood)
סִיקוּר ז survey, review; covering (as a journalist)
סִיקוֹרֶת נ review
סִיקֵּל (יְסַקֵּל) פ clear of stones; stone
סִיקֵּר (יְסַקֵּר) פ cover (as a journalist)
סִיקָרִי, סִיקָרִיקוֹן ז armed bandit
סִיר ז pot, vessel
סֵירֵב (יְסָרֵב) פ refuse
סִירָה נ boat
סִיר הַבָּשָׂר plenty, the fleshpots
סֵירוּב ז refusal
סֵירוּג ז interweaving
סִירוֹנִית נ mermaid, siren
סֵירוּס ז castration; jumbling
סִיר לַיְלָה chamber-pot
סֵירֵס (יְסָרֵס) פ castrate; jumble, muddle
סִיתּוּת ז stone-cutting; chip
סִיתֵּת (יְסַתֵּת) פ chip, cut (stone)
סַךְ ז wire-tack, wire-nail
סָךְ (יָסוּךְ) פ lubricate, grease

סַךְ ז amount
סַךְ הַכּוֹל total
סָכוּךְ ת covered, thatched
סְכוּכִית נ lamp-shade
סְכוּם ז total, sum
סַכּוּ״ם ז cutlery (from initial letters of (סַכִּין, כַּף וּמַזְלֵג
סַכִּין ז knife
סַכִּינַאי ז armed robber, cut-throat
סָכַךְ (יָסוֹךְ) פ screen, cover
סְכָךְ ז covering, thatch
סְכָכָה נ covering; covered yard
סָכָל ת stupid, witless
סִכְלוּת נ stupidity, foolishness
סַכָּנָה נ danger, peril
סִכְסוּךְ ז quarrel, strife
סִכְסֵךְ (יְסַכְסֵךְ) פ foment a quarrel
סִכְסָךְ ז zigzag
סַכְסְכָן ת trouble-maker
סַכְסְכָנוּת נ trouble-making
סָכַר (יִסְכּוֹר) פ dam up, stop up
סֶכֶר ז dam; lock
סַל ז basket
סָלַד (יִסְלוֹד) פ recoil, shrink back
סַלֶּדֶת נ allergy
סֶלָה מ״ק selah
סָלוּחַ ת forgiven, pardoned
סָלוּל ת paved
סָלַח (יִסְלַח) פ forgive, pardon
סַלְחָן, סוֹלְחָן ת forgiving, clement
סַלְחָנִי ת forgiving, clement, lenient
סָלָט ז salad
סְלִידָה נ revulsion, disgust
סְלִיחָה נ pardon, forgiveness
סְלִיל ז coil, spool

סְלִילָה נ	paving, road-building
סְלִילִי ת	spiral, coiled
סְלִיק ז	end, conclusion; (colloq.) cache (for illegal possessions)
סָלַל (יִסלוֹל) פ	pave, build a road
סַלָמַנְדְרָה נ	salamander
סַל נְצָרִים	wicker basket
סִלסוּל ז	curl, wave (of the hair); trill (of the voice)
סַלסִילָה נ	small basket
סִלסֵל (יְסַלסֵל) פ	curl, wave (hair); trill (voice)
סֶלַע ז	rock
סֶלַע הַמַּחֲלוֹקֶת	bone of contention, point at issue
סַלעִי ת	rocky, craggy
סַלעִית נ	chat (bird), wheatear
סֶלֶף ז	distortion, falsification
סַלְפָן ז	one who distorts
סֶלֶק ז	beetroot
סַם ז	drug; poison
סַמבּוּק ז	elder
סְמָדַר ז	incipient fruit
סָמוּי ת	concealed, invisible
סָמוּך ת	adjoining, nearby; firm
סָמוֹך ז, סָמוֹכָה נ	support, prop
סְמוּכִין, סִימוּכִין ז״ר	documentary evidence
סָמוּק ת	flushed, red
סָמוּר ת	bristly, stiff
סַמּוּר ז	marbled polecat
סַם חַיִּים	healing drug
סִמטָה, סִימטָה נ	alley, narrow lane
סַמֶּטֶת נ	boils
סָמִיך ת	thick
סְמִיכָה נ	support, dependence; leaning; ordaining (of priests)
סְמִיכוּת נ	ordination (of a Rabbi); construct state (grammar) proximity; density
סְמִיכוּת הַפַּרשִׁיּוֹת	connection between themes
סָמִיר ת	bristly, stiff
סַמֵּי רְפוּאָה	medicines
סָמַך (יִסמוֹך) פ	support, sustain; lay (hands); rely, depend
סֶמֶך ז	support, prop
סַמכָא ז	support
סַמכוּת נ	authority
סֵמֶל, סֶמֶל ז	emblem, badge; symbol
סַמָּל ז	sergeant
סִמלוֹן ז	collar (of a yoke)
סִמלִי ת	symbolic, token
סִמלִיּוּת נ	symbolism
סַם מָוֶת	poison
סְמָמִית נ	house-lizard
סַמְמָן ז	ingredient of perfume, drug; flavor
סַם מַרגִּיעַ	tranquilizer
סַמָּן ז	(military) marker
סַמָּן יְמָנִי	right marker
סִמפּוֹנוֹן ז, סִמפּוֹנִית נ	bronchial tube
סָמַר (יִסמַר) פ	bristle, stiffen
סָמָר ז	rush
סִמרוּר ז	riveting
סְמַרטוּט ז	rag
סְמַרטוּטָר ז	rag-merchant
סִמרֵר (יְסַמרֵר) פ	rivet
סְנָאִי ז	squirrel

סַנֵּגוֹר, סַנֵּיגוֹר ז defending counsel
סַנֵּגוֹרְיָה, סַנֵּיגוֹרְיָה נ defense (in law) case
סִנֵּגֵר (יְסַנֵּגֵר) פ defend (in law)
סַנְדָּל ז sandal
סַנְדְּלָר ז shoemaker, cobbler
סַנְדְּלָרוּת נ shoemaking
סַנְדְּלָרִיָּה נ shoemaker's workshop
סַנְדָּק ז godfather (at a circumcision, the one who holds the baby)
סִנְדֵּק (יְסַנְדֵּק) פ act as godfather; sponsor
סְנֶה ז thorn-bush
סַנְהֶדְרִין נ Sanhedrin
סִנְוֵר (יְסַנְוֵר) פ dazzle
סִנְווּר ז dazzle, dazzling
סַנְוֵרִים ז״ר sudden blindness, dazzle
סְנוּנִית נ swallow
סְנוֹקֶרֶת נ a punch in the jaw
סָנַט (יִסְנוֹט) פ taunt, jeer at, mock
סַנְטֵר ז chin
סְנִיף ז branch
סְנַפִּיר ז fin; bilge keel (of a ship)
סְנַפִּירִית נ hydrofoil
סָנַק (יִסְנוֹק) פ put aside, reject
סָס ז clothes moth
סַסְגּוֹנִי ת variegated, multi-colored
סַסְגּוֹנִיּוּת נ variegation, multicolor
סַסְקוֹלִי ת polyphonic
סַסְקוֹלִיּוּת נ polyphony
סָעַד (יִסְעַד) פ sustain, support; eat, dine

סַעַד ז support, assistance; corroboration
סְעוּדָּה נ meal
סָעִיף ז branch; cleft; paragraph, clause
סָעֵף נ branch (of tree)
סַעֶפֶת נ manifold
סָעַר (יִסְעַר) פ storm, rage
סַעַר ז סְעָרָה נ storm, tempest
סְעָרָה בִּצְלוֹחִית שֶׁל מַיִם a storm in a teacup
סַף ז threshold, sill; verge
סָפַג (יִסְפּוֹג) פ absorb; blot, dry
סָפַד (יִסְפּוֹד) פ lament, mourn
סַפָּה נ couch, sofa
סַף הַהַכָּרָה the verge of consciousness
סַף הַמָּוֶת the verge of death
סְפוֹג ז sponge, absorbent material
סָפוּג ת permeated with, imbued with
סְפוֹגִי ת absorbent, spongy
סְפוֹגִיּוּת נ sponginess, absorptiveness
סָפוּר ת numbered
ספּוֹרְטַאי ז sportsman
ספּוֹרְטִיבִי ת sportive
סֶפַח ז addition, attachment; aftergrowth
סַפַּחַת נ skin-disease
סְפִיגָה נ absorption, taking in
סְפִיגוּת נ absorbency, absorptiveness
סָפִיחַ ז aftergrowth
סְפִינָה נ ship
סְפִיקָה נ flow, capacity, possibility; requirement

סַפִּיר ז sapphire
סָפִיר ת countable
סְפִירָה נ counting, numbering; era; sphere
סְפֵירָה נ sphere
סַפִּירִי ת like sapphire
סְפִירַת מְלַאי stocktaking
סֵפֶל ז cup, mug
סִפְלוֹן ז small cup
סֶפֶן ז plywood
סַפָּן ז sailor, seaman
סַפָּנוּת נ seamanship
סִפְנֵן (יְסַפְנֵן) פ siphon
סַפְסָל ז bench
סַפְסָר ז speculator, profiteer; broker
סִפְסֵר (יְסַפְסֵר) פ speculate, profiteer
סַפְסָרוּת נ speculation, profiteering
סַפְסָרִי ת speculative
סָפַק (יִספּוֹק) פ clap
סָפֵק ז doubt
סַפָּק ז supplier
סַפְקָן ז doubter, sceptic
סַפְקָנוּת נ scepticism
סַפְקָנִי ת sceptical
סַפֶּקֶת מַיִם water-boat
סָפַר (יִספּוֹר) פ count, number
סֵפֶר ז book, volume
סַפָּר ז hairdresser, barber
סְפָר ז border, frontier
סַפְרָא ז scholar, man of letters
סְפָרַד ז Spain
סְפָרַדִּי ת, ז Spanish; Sepharadi Jew
סְפָרַדִּית נ Spanish (language)
סִפְרָה נ numeral, figure, number

סִפְרוֹן ז booklet
סַפָּרוּת נ hairdressing
סִפְרוּת נ literature
סִפְרוּתִי ת literary
סִפְרוּת יָפָה belles-lettres, literature
סִפְרִיָּה נ library
סֵפֶר לִימוּד textbook
סַפְרָן ז librarian
סַפְרָנוּת נ librarianship
סֵפֶר עֵזֶר reference book
סֵפֶר תּוֹרָה Scroll of the Law
סְקִילָה נ stoning
סְקִירָה נ glance, look; review, survey
סָקַל (יִסקוֹל) פ stone
סָקַר (יִסקוֹר) פ glance at, scan; survey, review
סֶקֶר ז survey
סַקְרָן ז inquisitive person
סִקְרֵן (יְסַקְרֵן) פ arouse curiosity, intrigue
סַקְרָנוּת נ curiosity, inquisitiveness
סָר (יָסוּר) פ turn, turn aside, drop in
סִרְבּוּל ז wrapping, swathing; awkwardness, clumsiness
סַרְבָּל ז overalls
סִרְבֵּל (יְסַרְבֵּל) פ make cumbersome, make awkward
סָרְבָן ת uncompliant, disobedient
סָרְבָנוּת נ non-compliance, disobedience
סָרַג (יִסרוֹג) פ knit; plait, weave
סִרְגּוּל ז ruling (lines)
סִרְגֵּל (יְסַרְגֵּל) פ rule (lines)

סַרְגֵּל ז ruler

סָרָה נ slander

סִרְהֵב (יְסַרְהֵב) פ insist, importune

סָרוּג ת knitted

סָרוּחַ ת stinking; sinful; sprawled (on a bed)

סָרוּק ת combed, carded

סָרַח (יִסְרַח) פ stink, smell; spread out, sprawl

סֶרַח ז overhang; train; excess

סִרְחוֹן ז stink, stench

סֶרַח עוֹדֵף amount left over

סָרַט (יִסְרוֹט) פ scratch

סֶרֶט ז strip, ribbon, tape; film

סִרְטוּט ז drawing, design

סִרְטוֹן ז film-strip

סִרְטֵט (יְסַרְטֵט) פ draw, design

סַרְטָט ז draughtsman, draftsman

סִרְטִיָּה נ film-library

סַרְטָן ז Cancer; crab; cancer

סַרְטַן הַדָּם leukemia

סָרִיג ז lattice, network, grille; (elec.) grid

סְרִיגָה נ knitting

סְרִיטָה נ scratch

סָרִיס ז castrated person, eunuch

סְרִיקָה נ combing; thorough search

סֶרֶן ז axle; captain (army); prince (Philistine)

סַרְסוּר ז agent, middleman

סִרְסֵר (יְסַרְסֵר) פ act as agent

סַרְסָרוּת נ brokery, mediation

סַרְסוּר לִדְבַר עֲבֵירָה pimp, procurer

סַרְעַפִּים ז״ר thoughts

סַרְעֶפֶת נ diaphragm

סִרְפָּד ז nettle

סִרְפֶּדֶת נ urticaria, nettle-rash

סָרַק (יִסְרוֹק) פ comb, card; search thoroughly

סְרָק ז emptiness, barrenness

סָרַר (יִסְרוֹר) פ disobey, rebel

סְתַגְלָן ז adaptable person; opportunist

סְתַגְלָנוּת נ adaptability; opportunism

סְתַגְרָן ז introvert

סְתַגְרָנוּת נ introversion

סְתָו ר׳ סְתָיו

סְתָוִי ת autumnal

סִתְוָנִית נ meadow saffron

סָתוּם ת blocked, plugged; obscure; vague

סָתוּר ת unkempt, dishevelled

סְתָיו ז autumn, fall

סְתִימָה נ plugging, stopping up

סְתִירָה נ demolition; contradiction

סָתַם (יִסְתּוֹם) פ stop up, block

סְתָם תה״פ just, merely

סְתָ״ם (initial letters of סְפָרִים, תְּפִילִין, מְזוּזוֹת)

סֶתֶם ז seal, plug

סְתָמִי ת vague, indefinite; neuter (gender), abstract (number)

סָתַר (יִסְתּוֹר) פ destroy; contradict

סֵתֶר ז hiding-place

סְתַרְשָׁף ז flash eliminator (on gun)

סַתָּת ז stone-cutter

סַתָּתוּת נ stone-cutting

ע

עָב נ	cloud
עָב ת	thick, coarse
עָבַד (יַעֲבוֹד) פ	work
עֶבֶד ז	slave, serf
עַבדוּת נ	slavery, serfdom
עֶבֶד נִרצַע	willing slave
עַבדְקָן ז	thick-bearded person
עָבֶה ת	thick, coarse
עֲבוֹדָה נ	work, labor, employment
עֲבוֹדָה זָרָה	idolatry, idol-worship, paganism
עֲבוֹדַת אֲדָמָה	agriculture
עֲבוֹדַת אֱלִילִים	idolatry
עֲבוֹדַת פֶּרֶך	hard labor
עֲבוֹט ז	pledge, surety
עֲבוּר מ״י	for
עָבוֹת ת	thick, bushy
עֲבוֹת זו״נ	rope, cable
עָבַט (יַעֲבוֹט) פ	pledge, pawn
עָבִיב ז	light cloud
עָבִיד ת	workable
עָבִיט ז	tub
עָבִיר ת	passable
עֲבִירָה נ	crossing
עֲבֵירָה, עֲבֵרָה נ	transgression, offence, crime
עֲבִירוּת נ	passability, negotiability
עָבַר (יַעֲבוֹר) פ	cross, pass
עָבָר ז	past, past tense
עֵבֶר ז	side
עֶבְרָה נ	wrath, anger
עִברוּר ז, עִברוּת ז	Hebraization
עִברִי ז, ת	Hebrew
עֲבַריָין ז	transgressor; criminal
עֲבַריָינוּת נ	crime, delinquency
עִברִית נ	Hebrew (language)
עִברֵר (יְעַברֵר), עִברֵת (יְעַברֵת) פ	Hebraize
עָבַשׁ (יֶעֱבַשׁ) פ	go moldy, go musty
עָבֵשׁ ת	moldy, musty
עָג (יָעוּג) פ	bake a cake; draw a circle
עָגַב (יַעֲגוֹב) פ	make love
עֲגָבָה נ	coquetry; sexual passion
עֲגָבִים ז״ר	lust, sensual love
עֲגָבַיִים ז״ז	buttocks
עַגבָנוּת נ	lust, sexuality
עַגבָנִיָּה נ	tomato
עַגֶּבֶת נ	syphilis
עָגָה נ	vernacular, dialect
עָגוֹל ת	round, circular
עָגוּם ת	sad, sorrowful
עֲגוּנָה נ	deserted wife (who cannot remarry)
עָגוּר ז	crane (bird)
עֲגוּרָן ז	crane (for lifting)
עָגִיל ז	ear-ring
עֲגִינָה נ	anchoring; dependence, reliance
עֵגֶל ז	calf
עֲגַלגַּל ת	rounded
עֶגלָה נ	heifer
עֲגָלָה נ	cart, pram
עֶגלוֹן ז	carter, coachman

עָגַם (יֶעְגַם) פ — be sad, be distressed
עגמוּמִי ת — a little sad, rather sad
עָגַן (יַעֲגוֹן) פ — be anchored; rely
עַד ז — eternity, perpetuity
עַד מ״י — until, till; up to
עֵד ז — witness
עֵדָה נ — community; congregation
עָדוּי ת — adorned, bejewelled
עֵדוּת נ — evidence; precept
עֲדִי ז — adornment, jewel
עֲדַיִן תה״פ — still
עֲדַיִן לֹא — not yet
עָדִין ת — fine, delicate
עֲדִינוּת נ — refinement, delicacy
עָדִיף ת — preferable
עֲדִיפוּת נ — priority, preference
עֲדִירָה נ — hoeing, digging
עִדְכּוּן ז — bringing up-to-date
עִדְכֵּן (יְעַדְכֵּן) פ — bring up-to-date
עַדְכָּנִי ת — up-to-date
עַדְלָיָדַע נ — Purim carnival
עֵדֶן ז — pleasure; Eden, paradise
עֶדְנָה נ — delight, pleasure
עָדַר (יַעֲדוֹר) פ — hoe, dig over
עֵדֶר ז — herd, flock
עֶדְרִיּוּת נ — characteristics of a herd
עֲדָשָׁה נ — lentil; lens; eyeball
עֲדָתִי ת — communal
עֲדָתִיּוּת נ — communal segregation
עוֹב ז — beam, rafter
עוֹבֵד ז — worker, laborer
עוּבַּד (יְעוּבַּד) פ — be worked; be adapted, be arranged
עוּבְדָה נ — fact
עוּבְדָתִי ת — factual
עוֹבִי ז — thickness
עוֹבִי הַקּוֹרָה — spider-web; (coll.) heart of the the matter
עוֹבֵר ת — transient; passer-by
עוּבָּר ז — embryo, fetus
עוֹבֵר אוֹרַח — wayfarer
עוֹבֵר בָּטֵל — senile
עוּבְּרָה (תְּעוּבַּר) פ — be made pregnant, be made to conceive
עוֹבֵר וָשָׁב — current (bank account)
עוֹבֵר לַסּוֹחֵר — legal tender
עוּבְרַר (יְעוּבְרַר), עוּבְרַת (יְעוּבְרַת) פ — be Hebraized
עוֹבֶשׁ ז — mold, mildew
עוּגָב ז — organ
עוֹגֵב ז — libertine, philanderer
עוּגָה נ — cake; circle
עוּגִיָּה — small cake
עוֹגְמַת נֶפֶשׁ — sorrow, distress
עוֹד תה״פ — more; again; yet, still
עוֹדֵד (יְעוֹדֵד) פ — encourage, support
עוֹדַד (יְעוֹדַד) פ — be encouraged, be supported
עוּדְכַּן (יְעוּדְכַּן) פ — be brought up-to-date
עוֹד מְעַט — in a little while
עוּדַּן (יְעוּדַּן) פ — be refined, be ennobled
עוֹדֵף ת — surplus, extra
עוֹדֶף ז — surplus, excess; change
עֲוָיָה נ — twisted expression
עֲוִית נ — convulsion, spasm
עֲוִיתִי ת — convulsive
עָוֶל ז עַוְלָה נ — wrong, injustice
עָווֹן ז — sin, crime

עִוְעִים ז״ר confusion
עָוֹק ז rung, step
עַוֶּרֶת נ blindness
עוּוַּת (יְעוּוַּת) פ be perverted (justice); be distorted
עוֹז ז strength, force, boldness
עוֹזְנִיָּה נ osprey
עוֹזֵר ז helper, assistant
עוֹז רוּחַ courage
עוּזְרָר ז hawthorn
עוֹזֶרֶת, עוֹזֶרֶת־בַּיִת נ domestic help, charwoman
עוּטַּף (יְעוּטַּף) פ be wrapped, be swathed
עוֹטְפָן ז folder
עוּטַּר (יְעוּטַּר) פ be adorned, be decorated
עוֹיֵן ת hostile, inimical
עוֹיְנוּת נ hostility, enmity
עוּכַּל (יְעוּכַּל) פ be digested
עוֹכֵר ,ת defiling; making trouble for
עוּל ז young
עוֹל ז yoke; burden
עוֹלֵב ת offensive, insulting
עוֹלֶה ז immigrant (to Israel)
עוֹלָה נ sacrifice, burnt offering
עוֹלֵה רֶגֶל pilgrim
עוֹלֵל, עוֹלָל ז baby, infant
עוֹלֵל (יְעוֹלֵל) פ perpetrate, commit, do (evil)
עוֹלַל (יְעוֹלַל) פ be caused (evil), be perpetrated
עוֹלָם ז world, the world; universe; eternity
עוֹלָם הָאֱמֶת the world to come
עוֹלָמִי ת universal, world-wide; (slang) wonderful
עוֹלָמִית תה״פ eternally
עוֹלָם תַּחְתּוֹן underworld
עוּלְפֶּה ת faint, swooning
עוֹלֶשׁ ז chicory
עוּמַּד (יְעוּמַּד) פ be set up (print in pages)
עוּמְלַן (יְעוּמְלַן) פ be starched
עוֹמֵם ת flickering, growing dim
עוּמַּם (יְעוּמַּם) פ be dimmed, be dipped (lights)
עוֹמֶס ז load, burden; maximum load (of a vehicle)
עוּמְעַם (יְעוּמְעַם) פ be dimmed; be vague
עוֹמֶק ז depth, profundity
עוֹמֶר ז sheaf (of corn); omer (ancient dry measure)
עוּמַּת, לְעוּמַּת תה״פ against, opposite
עוֹנֶג ז pleasure, delight
עוֹנָה נ season, term
עוּנָּה (יְעוּנֶּה) פ be tortured, be tormented
עוֹנִי ז poverty
עוּנְיַין (יְעוּנְיַין) פ be interested
עוֹנֵן ז fortune-teller
עוּנַּן (יְעוּנַּן) פ be overcast, be overclouded
עוֹנֶשׁ ז punishment, penalty
עוֹנָתִי ת seasonal
עוֹף ז fowl, bird
עוֹפֶל ז citadel, fortified height
עוֹפֵף (יְעוֹפֵף) פ fly, flutter

עוֹפְפָן ז — kite

עוֹפֶר ז — deer foal

עוּפַּר (יְעוּפַּר) פ — be covered with dust

עוֹפְרָה, עָפְרָה נ — deer foal, young doe

עוֹפְרִית נ — plumbago (plant)

עוֹפֶרֶת נ — lead

עוּפַּשׁ (יְעוּפַּשׁ) פ — go moldy, decay

עוֹצֶב ז — sadness, grief

עוּצַּב (יְעוּצַּב) פ — be modelled, be designed

עוּצְבָּה נ — regiment

עוּצְבַּן (יְעוּצְבַּן) פ — be made nervous

עוֹצֶם ז — force, power

עוֹצְמָה, עָצְמָה נ — intensity; force

עוֹצֵר ז — regent

עוֹצֶר ז — curfew

עוֹקֵב ת — consequent

עוּקַּב (יְעוּקַּב) פ — be cubed

עוֹקְבָה, עָקְבָה נ — guile, subterfuge

עוֹקְדָן ז — file, classeur

עוּקָה נ — sump

עוּקַּל (יְעוּקַּל) פ — (legal) be distrained, be foreclosed

עוּקַּם (יְעוּקַּם) פ — be bent, be twisted

עוֹקֶם ז — curvature, bend

עוֹקֶץ ז — thorn; sting

עוֹקֶץ הָעַקְרָב — heliotrope

עוֹקְצָנוּת נ — sarcasm, stinging remarks

עוֹקְצָנִי ת — sarcastic

עוּקַּר (יְעוּקַּר) פ — be sterilized

עוּר פ, ר׳ עָר

עוֹר ז — skin, hide; leather

עוֹרֵב ז — crow

עוּרְבָא פָּרַח — will-o'-the- wisp, illusion

עוּרְבַּב (יְעוּרְבַּב) פ — be mixed; be jumbled

עוּרְבַּל (יְעוּרְבַּל) פ — be mixed; be churned up

עוֹרְבָנִי ז — jay

עוּרְגַּל (יְעוּרְגַּל) פ — be rolled (steel)

עוּרְטַל (יְעוּרְטַל) פ — be stripped, be laid bare

עוֹרִי ת — of leather

עוֹרִית נ — artificial leather, leatherette

עוֹרֵךְ ז — editor

עוֹרֵךְ־דִּין — lawyer, advocate

עוֹרְלָה, עָרְלָה נ — foreskin; fruit of a tree in its first three years

עוֹרְמָה, עָרְמָה נ — cunning, slyness

עוּרְעַר (יְעוּרְעַר) פ — be undermined, be shaken

עוֹרֶף ז — back of the neck; (military) rear

עוֹרְפִּי ת — rear, in the rear

עוּרְפַּל (יְעוּרְפַּל) פ — be obscured, be befogged

עוֹרֵק ז — artery

עוֹרֵר ז — (legal) appellant

עוֹרֵר (יְעוֹרֵר) פ — rouse, wake

עוּשַּׂב (יְעוּשַּׂב) פ — be weeded

עוּשַּׁן (יְעוּשַּׁן) פ — be smoked (fish etc)

עוֹשֶׁק ז — exploitation, extortion, oppression

עוֹשֶׁר ז — wealth, riches

עוּשַּׂר (יְעוּשַּׂר) פ — be tithed

עוּתַּד (יְעוּתַּד) פ be made ready, be prepared
עוֹתֶק ז exemplar, copy
עוֹתֵר ז petitioner
עַז ת strong, powerful; sharp, pungent
עֵז נ goat (female), she-goat
עֲזָאזֵל ז Azazel
עָזַב (יַעֲזוֹב) פ leave, leave behind; abandon
עָזוּב ת abandoned, deserted
עֲזוּבָה נ neglect (state of)
עֱזוּז ז might, boldness
עַזּוּת נ insolence, impudence
עַזּוּת מֵצַח, עַזּוּת פָּנִים insolence, brazenness
עֲזִיבָה נ abandonment, desertion
עַזְפָּן ז impudent, impertinent
עַזְפָּנוּת נ impudence, impertinence
עִזְקָה נ washer, ring
עָזַר (יַעֲזוֹר) פ help, assist
עֵזֶר ז help, aid
עֶזְרָה נ help, aid; helper
עֲזָרָה נ Temple Court
עֶזְרָה הֲדָדִית mutual assistance
עֶזְרָה רִאשׁוֹנָה first aid
עֵזֶר כְּנֶגְדּוֹ helpmate (i.e. wife)
עֶזְרַת נָשִׁים women's gallery (in a synagogue)
עָט (יָעוּט) פ pounce, swoop down
עֵט ז pen
עָטָה (יַעֲטֶה) פ wrap oneself in, put on
עָטוּי ת wrapped, enveloped
עָטוּף ת wrapped, enveloped
עָטוּר ת wreathed, garlanded
עֲטוּר תְּהִילָּה crowned with praise
עֲטִי ז bad advice
עֲטִין ז udder
עֲטִיפָה נ covering, wrapping; wrapper, cover
עֲטִישָׁה נ sneeze
עֵט כַּדּוּרִי ball point pen
עֲטַלֵּף ז bat
עֵט נוֹבֵעַ fountain pen
עָטַף (יַעֲטוֹף) פ wrap, cover; wrap in paper
עָטַר (יַעֲטוֹר) פ encircle, surround
עֲטָרָה נ crown, diadem; garland; corona (1. of the penis, 2. of a flower); woman's nipple
עִטְרָן ז pitch, resin
עִטְרֵן (יְעַטְרֵן) פ coat with resin (cart-wheels)
עָטַשׁ פ sneeze
עַטֶּשֶׁת נ fit of sneezing
עִי ז heap of ruins
עִיבֵּד (יְעַבֵּד) פ work over, adapt, arrange
עִיבָּה (יְעַבֶּה) פ thicken, coarsen; condense
עִיבּוּד ז adaptation, arrangement; working over, working on
עִיבּוּד מוּסִיקָלִי musical arrangement
עִיבּוּי ז thickening, coarsening; condensing
עִיבּוּר conception, gestation; Hebraization
עִיבּוּרָה שֶׁל עִיר outskirts of the town

עִיבּוּשׁ ז turning moldy

עִיבּוּת ז cable-making, rope-making

עִיבֵּר (יְעַבֵּר) פ cause to conceive, impregnate; Hebraize

עִיבְּרָה (תְּעַבֵּר) פ conceive, become pregnant

עִיבֵּשׁ (יְעַבֵּשׁ) פ turn moldy

עִיגּוּל ז circle; rounding off

עִיגּוּלִי ת circular, round

עִיגּוּן ז desertion (of spouse without divorce); anchorage

עִיגֵּל (יְעַגֵּל) פ draw a circle; round, round off

עִיגֵּן (יְעַגֵּן) פ moor (ship); desert (a wife without divorcing her)

עִידּוּד ז encouragement, support

עִידּוּן ז refining, refinement

עִידּוּר ז hoeing

עִידִּית נ good soil; quality goods

עִידֵּן (יְעַדֵּן) פ indulge; refine

עִידָּן ז age, epoch

עִידָנָה דְרִיתְחָא a moment of temper

עִידֵּר (יְעַדֵּר) פ hoe, dig up

עִיוָּה (יְעַוֶּה) פ deform, contort

עִיוֵּר ז blind, sightless

עִיוֵּר (יְעַוֵּר) פ blind

עִיוָּרוֹן ז blindness

עִיוֵּת (יְעַוֵּת) פ pervert (justice); distort

עִיוּוּת ז distortion, contortion

עִיוּוּת הַדִּין injustice, perversion of justice

עִיּוּן ז reading, perusing; study

עִיּוּנִי ת theoretical

עִיוּר ז urbanization

עִיזָּבוֹן ז legacy; remains

עִיזָּה נ goat, she-goat

עִיזּוּז, עִזּוּז ז bold, brave

עַיִט ז bird of prey

עֵיט־הַיָּם eagle-fish

עִיטּוּף ז wrapping, enveloping

עִיטּוּר ז ornament, decoration; illustration (of book)

עִיטּוּשׁ ז sneeze

עִיטֵּר (יְעַטֵּר) פ crown; surround; adorn

עָיַן (יַעֲיוֹן) פ be hostile to, hate

עִיֵּין (יְעַיֵּין) פ read, study; ponder, reflect

עָיֵף ת tired, weary

עָיֵף (יֶעֱיַף) פ grow tired, tire

עַיָּף ז henkeeper

עִיֵּיף (יְעַיֵּיף) פ tire, weary, make tired

עֲיֵפָה נ tiredness, weariness

עֲיֵפוּת נ weariness, fatigue

עִיֵּיר (יְעַיֵּיר) פ urbanize

עֲיָרָה נ small town, township

עִיכֵּב (יְעַכֵּב) פ delay, hold up

עִיכָּבוֹן ז lien

עִיכּוּב ז delay, hold-up

עִיכּוּל ז digestion

עִיכּוּר ז making muddy, polluting

עִיכֵּל (יְעַכֵּל) פ digest

עִיכֵּס (יְעַכֵּס) פ jingle (with anklets)

עִיכֵּר (יְעַכֵּר) פ make turbid, pollute

עֵיל, לְעֵיל תה״פ above, supra

עֵילָא ז top, up

עִילָּאוּת נ supremacy, superbness

עִילָּאִי ת supreme, superb

עִילֵּג ת stammering, stuttering; inarticulate

עִילָּה (יְעַלֶּה) פ exalt, extol

עִילָּה נ pretext, cause

עִילּוּי ז prodigy, boy wonder; elevation, uplift, buoyancy

עִילּוּיִי ת of a genius, of an infant prodigy

עִילּוּם ז concealment

עִילּוּם שֵׁם anonymity

עִילּוּסִים ז״ר love-play

עִילּוּף ז faint, swoon

עִילִּי ת upper, higher, overhead

עִילִּית נ élite

עִימֵּד (יְעַמֵּד) פ set up (print in pages), page

עִימָּדִי, עִמָּדִי מ״י with me

עִימּוּד ז setting up (print in pages)

עִימּוּל ז drill, training

עִימּוּם ז dimming, dipping

עִימּוּץ ז shutting (eyes)

עִימּוּת ז comparison; confrontation

עִימֵּל (יְעַמֵּל) פ exercise, train, drill

עִימֵּם (יְעַמֵּם) פ dim, dip (lights)

עִימֵּץ (יְעַמֵּץ) פ shut (eyes)

עִימֵּת (יְעַמֵּת) פ contrast, compare

עַיִן נ eye; stitch; shade, color; appearance

עַיִן ז spring, fountain

עִינֵּג (יְעַנֵּג) פ delight, please

עִינָּה (יְעַנֶּה) פ torment, torture

עַיִן הָרַע the Evil Eye

עִינּוּג ז delight, pleasure

עִינּוּי ז torture, torment

עֵינִית נ mesh; eyepiece

עִינֵּן (יְעַנֵּן) פ overcloud

עִיסָּה נ dough

עִיסָּה (יְעַסֶּה) פ massage

עִיסּוּי ז massage

עִיסּוּק ז occupation, business

עִיפּוּשׁ ז mold

עִיפֵּץ (יְעַפֵּץ) פ tan (leather)

עִיפָּרוֹן ז pencil

עִיפֵּשׁ (יְעַפֵּשׁ) פ turn moldy, cause to decay

עִיצֵּב (יְעַצֵּב) פ fashion, model, design

עִיצָּבוֹן ז pain, distress

עִיצָּה (יְעַצֶּה) פ lignify

עִיצּוּב ז fashioning, modelling, designing, forming

עִיצּוּי ז lignification

עִיצּוּם ז essence, pith; height, peak; strengthening

עִיצּוּר ז consonant; pressing (olives, grapes)

עִיצֵּר (יְעַצֵּר) פ press (olives, grapes)

עִיקֵּב (יְעַקֵּב) פ cube

עִיקּוּב ז cubing; tracking, following

עִיקּוּל ז distraint, foreclosure; bending, curve

עִיקּוּם ז bending, curving, bend; distortion

עִיקּוּף ז going round, bypassing

עִיקּוּר ז uprooting, extirpation; sterilization

עִיקֵּל (יְעַקֵּל) פ attach, foreclose; bend, curve

עִיקֵל ת bandy-legged, bow-legged

עִיקֵם (יְעַקֵּם) פ bend, twist; distort

עִיקֵר (יְעַקֵּר) פ uproot (plants); hamstring (horses, cattle); sterilize

עִיקָּר ז basis, core; principle

עִיקָּרָא ז root, basis

עִיקָּרוֹן ז principle, tenet

עִיקָּרִי ת main, principal, basic

עִיקֵּשׁ ת crooked, perverse; stubborn

עִיקֵּשׁ (יְעַקֵּשׁ) פ pervert, make crooked

עִיר נ town, city

עַיִר ז young ass

עֵירֵב (יְעָרֵב) פ mix

עֵירָבוֹן ז security, pledge

עֵירָה (יְעָרֶה) פ lay bare, strip; pour out

עִיר הַבִּירָה capital, capital city

עִיר הַקּוֹדֶשׁ Jerusalem, the Holy City

עֵירוּב ז mixing, mixture

עֵירוּב פַּרְשִׁיּוֹת a jumble of texts; a muddle

עֵירוּב תְּחוּמִים (fig.) confusion of issues

עֵירוּי ז emptying, pouring out; transfusion

עֵירוֹם תה״פ nude

עִירוֹנִי ת, ז municipal; townsman

עֵירוּר ז excitation (elec.)

עֵירוּת נ alertness, vigilance; liveliness, stir

עִירִיָּה נ town council, municipality

עִירִית נ asphodel

עֵירָנוּת, עֵרָנוּת נ alertness, vigilance

עֵירָנִי, עֵרָנִי ת vigilant, alert

עֵירֵר (יְעָרֵר) פ excite (elec.)

עַיִשׁ נ the Great Bear, Ursa Major

עִישֵּׂב (יְעַשֵּׂב) פ weed

עִישּׂוּב נ weeding

עִישּׁוּן ז smoking; fumigation

עִישּׂוּר ז tithing

עִישֵּׁן (יְעַשֵּׁן) פ smoke; fumigate

עִישֵּׂר (יְעַשֵּׂר) פ tithe; multiply by ten

עִישֵּׁר (יְעַשֵּׁר) פ enrich, make wealthy

עִישָּׂרוֹן ז one-tenth, decimal

עִיתֵּד (יְעַתֵּד) פ make ready, prepare

עִיתָּה (יְעַתֶּה) פ time

עִיתּוּי ז timing

עִיתּוֹן ז newspaper

עִיתּוֹנָאוּת נ journalism

עִיתּוֹנַאי ז journalist, reporter

עִיתּוֹנָאִי ת journalistic

עִיתּוֹנוּת נ the press

עִיתּוּק ז (railway) shunting, marshalling

עִיתִּי, עִתִּי ת at an appointed time; periodical

עִיתֵּק (יְעַתֵּק) פ shunt; (nautical) shift, haul

עַכָּבָה נ hindrance, delay; inhibition

עַכָּבִישׁ ז spider

עַכְבָּר ז mouse

עַכְבָּרוֹן ז little mouse

עַכְבְּרוֹשׁ ז rat
עַכּוּז ז buttocks
עכו״ם ז pagan
(עוֹבֵד כּוֹכָבִים וּמַזָּלוֹת)
עָכוּר ת muddy, turbid; gloomy, dejected
עַכִּיל ת digestible
עַכִּילוּת נ digestibility
עֲכִירָה נ muddying, making turbid
עֲכִירוּת נ turbidity, muddiness; gloom
עֶכֶס ז anklet, bangle
עָכַר (יַעְכּוֹר) פ make turbid, muddy; befoul, pollute
עַכְרוּרִי ת slightly turbid
עַכְרוּרִית נ slight turbidity, discoloration
עַכְשָׁוִי ת of the present
עַכְשָׁיו תה״פ now
עָל ז height
עַל מ״י on, over, above, about
עַל אַחַת כַּמָּה וְכַמָּה all the more so
עַל אַף in spite of
עָלַב (יַעֲלוֹב) פ insult, offend
עֶלְבּוֹן ז insult, humiliation
עַל בּוּרְיוֹ thoroughly, perfectly
עַל דְּבַר concerning
עַל דַּעַת in the name of, with the knowledge of
עָלָה נ (יַעֲלֶה) פ go up, rise; cost; immigrate (to Israel)
עָלֶה ז leaf; sheet (of paper)
עֲלֵה גָּבִיעַ sepal
עֲלֵה כּוֹתֶרֶת petal
עֲלֵה תְּאֵנָה fig-leaf, camouflage

עָלוּב ת poor, wretched
עֲלְוָה נ foliage
עָלוּל ת liable, prone (usu. in unpleasant sense)
עָלוּם ת hidden, secret
עֲלוּמִים ז״ר youth, young manhood
עָלוֹן ז leaflet
עֲלוּקָה נ leech; bloodsucker
עֲלוּת נ cost
עָלַז (יַעֲלוֹז) פ be gay, rejoice
עָלֵז ת gay, joyful, merry
עֲלָטָה נ ,עֲלָטָה נ darkness, gloom
עֱלִי ז pestle; (botany) pistil
עֲלֵי מ״י on
עַל יַד beside, close by
עַל יְדֵי by means of, by
עֲלֵי הַגָּהָה proof sheets
עֶלְיוֹן ת supreme; upper, high
עֶלְיוֹנוּת נ supremacy, superiority
עַלִּיז ת gay, merry
עַלִּיזוּת נ gaiety, cheerfulness
עֲלִיָּה נ going up, ascent; rise; promotion,; immigration (to Israel); attic, loft
עֲלִיָּה לָרֶגֶל pilgrimage to Jerusalem
עֲלִיַּת־גַּג attic floor, loft
עֲלִיַּת נְשָׁמָה exaltation
עֲלִילָה נ plot (of novel, play); deed, act; scene; false charge, libel
עֲלִילוּת נ likelihood
עֲלִילַת דָּם blood libel
עֲלִילָתִי ת of a plot
עֲלִיצוּת נ gladness, gaiety

עַל כּוֹרְחוֹ, בְּעַל כּוֹרְחוֹ	against his will
עַל כָּל פָּנִים	in any case, anyway
עַל כֵּן	accordingly
עַל לֹא דָבָר	not at all
עֶלֶם ז	lad, youth
עָלְמָא ז	world
עַלְמָה נ	lass, maiden
עַל מְנָת	in order to...
עַלְמֶת נ	demoiselle (geog.)
עַל נְקַלָּה	easily
עָלַס (יַעֲלוֹס) פ	rejoice, exult
עַל סְמַךְ	on the authority of
עִלְעוּל ז	leafing through, browsing
עַלְעוֹל ז	whirlwind, hurricane
עַלְעָל ז	leaf, leaflet
עִלְעֵל (יְעַלְעֵל) פ	leaf through
עַלְעֶלֶת נ	blight (in citrus trees)
עַל פֶּה, בְּעַל פֶּה	orally; by heart
עֶלְפוֹן ז	swoon, faint
עַל פִּי	according to
עַל פִּי רוֹב	generally, mostly
עָלַץ (יַעֲלוֹץ) פ	rejoice, be glad
עַלְקוֹלִי, עַל־קוֹלִי ת	supersonic
עַלֶּקֶת נ	broomrape
עַם ז	people, nation, folk
עִם מ״י	with; by, beside
עָמַד (יַעֲמוֹד) פ	stand; halt; remain; cease; be about to
עֶמְדָּה נ	position, post (military); standpoint
עִמָּדִי, עִימָּדִי מ״י	with me, beside me
עַם הָאָרֶץ	illiterate, ignoramus
עַם הָאֲרָצוּת	illiteracy, ignorance

עַם הַסֵּפֶר	the Jews (the people of the Book)
עַמּוּד ז	column, pillar; page
עַמּוּדָה נ	column (in a page)
עַמּוּד הַקָּלוֹן	pillory
עַמּוּד הַשִּׁדְרָה	spinal column
עַמּוּד הַשַּׁחַר	first light, dawn
עַמּוּד הַתָּוֶךְ	(lit.) central pillar of a building; (fig.) kingpin
עָמוּם ת	dim, dull
עֲמוּמוֹת תה״פ	dimly, dully
עָמוּס ת	loaded
עָמוֹק ת, תה״פ	deep; profound; deeply, profoundly
עֲמוּקוֹת תה״פ	deeply, profoundly
עִם זֶה, עִם זֹאת	and yet, for all that, still
עָמִיד ת	resistant, durable
עֲמִידָה נ	standing position; durability
עֲמִידוּת נ	resistance, durability
עָמִיל ז	commission agent
עֲמִילוּת נ	commission, brokerage
עֲמִילָן ז	starch
עֲמִיסָה נ	loading
עָמִיר ז	sheaf (of corn)
עֲמִית ז	colleague, comrade
עַמְּךָ	common folk
עָמַל (יַעֲמוֹל) פ	toil, labor
עָמֵל ז	worker, laborer
עָמָל ז	toil, labor; suffering, ills
עַמְלָה נ	commission
עִמְלֵן (יְעַמְלֵן) פ	starch
עַמְלָנִי ת	based on practical work
עָמַם (יַעֲמוֹם) פ	dim, darken

עַמָּם , עַמַּם פְּלִיטָה	muffler, dimmer
עַמָּמוֹר ז	headlight dimmer
עֲמָמִי ת	popular; of the people
עֲמָמִיּוּת נ	oneness with the people, folksiness
עֲמָמִים ז״ר	peoples
עָמַס (יַעֲמוֹס) פ	load; fetch
עִמְעוּם ז	fading, dimming
עִמְעֵם (יְעַמְעֵם) פ	dim, dull
עַמְעָם ז	silencer (on gun)
עָמַק (יֶעֱמַק) פ	be deep, be profound
עֵמֶק ז	valley, lowland
עַמְקוּת, עַמְקָנוּת נ	profundity
עַמְקָן	profound thinker
עָנַב (יַעֲנוֹב) פ	put on (a tie)
עֵנָב ז	grape; berry
עֲנָבָה נ	single fruit or berry
עִנְּבֵי רוֹשׁ	poisonous grapes
עִנְּבֵי שׁוּעָל	gooseberries
עִנְבָּל ז	bell clapper; uvula
עִנְבָּר ז	amber
עָנַד (יַעֲנוֹד) פ	tie on, decorate (with medal)
עָנָה (יַעֲנֶה)	answer, reply
עָנוֹג ת, עֲנוּגָה ת״נ	tender, delicate
עָנוּד ת	decorated, tied on
עֲנָוָה נ	humility, modesty
עַנְוְתָן ת	humble, modest
עַנְוְתָנוּת נ	humility, meekness
עֱנוּת נ	affliction, suffering
עָנִי ת	poor; wretched
עֲנִיבָה נ	tie; loop
עֲנִיגוּת נ	delicacy, tenderness
עֲנִידָה נ	decorating, tying on
עָנָיו, עָנָו ת	modest, humble
עֲנָיווּת נ	humility, diffidence
עֲנִיּוּת נ	poverty
עִנְיָן ז	interest; topic; affair
עִנְיֵן (יְעַנְיֵן) פ	interest, concern
עִנְיָנִי ת	relevant, appropriate
עֲנִישָׁה נ	punishing
עָנָן ז	cloud
עֲנָנָה נ	storm cloud
עָנָף ז	branch, bough
עָנֵף ת	thick with branches
עֲנָק ז	giant; necklace
עֲנָקִי ת	gigantic, huge
עָנַשׁ (יַעֲנוֹשׁ) פ	punish
עַסַּאי ז	masseur
עָסוּק ת	busy, occupied
עַסְיָן ז	masseur
עָסִיס ז	juice
עֲסִיסִי ת	juicy
עֲסִיסִיּוּת נ	juiciness
עֲסִיקָה נ	occupying, being occupied with
עָסַק (יַעֲסוֹק) פ	engage in, occupy oneself with
עֵסֶק ז	business; affair; concern
עִסְקָה נ	transaction, deal
עִסְקִי ת	business-like, business
עַסְקָן ז	public figure, public worker
עַסְקָנוּת נ	public service
עַסְקָנִי ת	busy, always busy
עָף (יָעוּף) פ	fly
עָפוּץ ת	tanned (as leather)
עַפְיָן ז	anchovy
עֲפִיפָה נ	flight
עֲפִיפוֹן ז	kite

עָפִיץ ת bitter as gall; tanned (as leather)
עֳפָלִים ז״ר haemorrhoids, piles
עִפְעוּף ז blinking
עִפְעֵף (יְעַפְעֵף) פ blink
עַפְעַף ז, עַפְעַפַּיִם ז״ז eyelid(s)
עָפָץ ז gall-nut
עָפָר ז dust; ashes
עַפְרָא ז dust
עַפְרָה נ ore
עֶפְרוֹנִי ז lark
עַפְרוּרִי ת dust-like, earthen
עַפְרוּרִית נ dirt
עֵץ ז tree; wood; timber
עֶצֶב ז pain, sorrow
עָצָב ז, ר׳ עֲצַבִּים nerve
עָצֵב ת sad, sorrowful
עַצְבוּת נ sadness, grief
עִצְבֵּן (יְעַצְבֵּן) פ irritate, get on one's nerves
עַצְבָּנוּת נ nervousness
עַצְבָּנִי ת nervous, edgy
עַצֶּבֶת נ grief, sorrow
עֵצָה נ piece of advice, counsel; lignin
עָצֶה ז lowest vertebra of the spine
עָצוּב ת sad, sorrowful
עָצוּם ת numerous, considerable
עֲצוּמָה נ petition; claim
עָצוּר confined, detained
עֲצוֹר! פ stop! halt!
עֵצִי ת woody
עָצִיץ ז plant-pot
עָצִיר ז detainee
עֲצִירָה נ stopping, checking
עֲצִירוּת נ constipation
עֲצִירַת גְּשָׁמִים drought
עָצֵל ת lazy, slothful
עֵץ לָבוּד plywood
עַצְלָה נ laziness, sloth
עַצְלוּת נ laziness, indolence
עַצְלָן ז idler, lazy person
עַצְלָנוּת נ laziness, idleness
עֲצַלְתַּיִם נ״ז sloth, extreme laziness
עָצַם (יַעֲצֹם) פ flourish, grow powerful; close (one's eyes)
עֶצֶם ז, ר׳ עֲצָמִים object, thing, substance, matter; essence
עֶצֶם נ, ר׳ עֲצָמוֹת bone
עַצְמָאוּת נ independence
עַצְמָאִי ת independent
עַצְמָה ר׳ עוֹצְמָה
עַצְמוֹ himself
עַצְמִי ת of one's own, personal
עַצְמִיּוּת נ essence, essential nature
עָצַר (יַעֲצוֹר) פ stop, halt; detain, arrest; prevent, check
עֲצָרָה נ public meeting, public assembly
עֲצֶרֶת נ convention, public meeting, assembly
עֲצֶרֶת הָאוּ״ם General Assembly of the United Nations
עֲצֶרֶת עַם mass meeting
עָקָא נ trouble
עָקַב (יַעֲקוֹב) פ follow; track
עָקֵב ז heel; footprint, footstep; trace
עֵקֶב תה״פ as a result of, in consequence of

עֲקָב ז buzzard
עִקְבָּה נ trace
עָקְבָה ר׳ עוֹקְבָה
עֲקֵבִי ת consistent
עָקַד (יַעֲקוֹד) פ bind hand and foot, truss
עֵקֶד ז collection
עֲקֵדָה, עֲקֵידָה נ binding (for sacrifice)
עָקָה נ oppression, stress
עָקוֹב ת crooked; deceitful
עָקוֹב מִדָּם bloody
עָקוּד ת bound hand and foot
עָקוֹד ת (animal) striped
עָקוֹם ת curved, bent
עָקוֹם ז, עֲקוּמָּה נ curve, graph
עֲקוּמַּף ת with a crooked nose
עָקוּץ ת stung
עָקוּר ת, ז uprooted; displaced person; sterilized
עָקִיב ת consistent
עֲקִיבוּת נ consistency
עֲקִידָה ר׳ עֲקֵדָה
עָקִיף ת indirect, roundabout
עֲקִיפָה נ going round; overtaking (in driving)
עֲקִיצָה נ sting; sarcastic remark
עֲקִירָה נ uprooting, extracting; transferring, removal
עֲקַלְקַל ת crooked, winding
עֲקַלְקַלָּה נ winding road
עֲקַלָּתוֹן ת, ז winding, crooked; zigzag
עַקְמוּמִיּוּת נ crookedness, crooked behavior
עַקְמוּמִית נ curvature, curve
עַקְמִימוּת נ crookedness; crooked behavior
עָקַף (יַעֲקוֹף) פ bypass, go round, overtake (in driving)
עָקַץ (יַעֲקוֹץ) פ sting, bite; be sarcastic about
עִקְצוּץ ז slight sting, itch
עִקְצֵץ (יְעַקְצֵץ) פ sting (slightly)
עָקַר (יַעֲקוֹר) פ uproot, extract, pull out; move (house); remove
עָקָר ז sterile, barren
עַקְרָב ז scorpion
עַקְרַבּוּת ז tarantula, large spider
עֲקָרָה נ barren woman
עֶקְרוֹנִי ת fundamental, basic
עֶקְרוֹנִית תה״פ in principle
עֲקָרוּת נ barrenness, sterility
עֲקֶרֶת בַּיִת housewife
עָקַשׁ (יַעֲקוֹשׁ) פ twist, deform, distort
עִקְשׁוּת, עִיקְשׁוּת נ crookedness, perverseness; obstinacy, stubbornness
עַקְשָׁן ז obstinate, stubborn person
עַקְשָׁנוּת נ obstinacy, stubbornness
עַקְשָׁנִי ת persistent, dogged
עָר (יָעוּר) פ awake; rouse oneself
עֵר ת awake; alert
עֲרַאי ז chance occurrence, accident
עַרְאִי ת provisional, temporary; casual, chance
עַרְאִיּוּת נ provisional nature, temporariness

עָרַב (יַעֲרוֹב) פ guarantee; pledge, pawn; be pleasant, be agreeable
עָרֵב ת, ז liable, responsible; pleasant, sweet, delicious; guarantor
עֶרֶב ז evening; the eve of, the day before
עֵרֶב ז mixture, jumble; (weaving) woof
עֲרָב נ Arabia
עִרְבֵּב (יְעַרְבֵּב) פ mix; muddle, mix up
עֲרָבָה נ wilderness; steppe, prairie; willow
עִרְבּוּב ז mixing; muddling
עִרְבּוּבְיָה נ mess, muddle
עִרְבּוּל ז mixing; whipping up, churning
עַרְבּוֹלֶת נ whirlpool
עֲרֵבוּת נ guarantee, surety
עַרְבִי, עֲרָבִי ז, ת Arab; Arabian, Arabic
עַרְבַּיִם ז״ז twilight, dusk
עַרְבִית, עֲרָבִית נ Arabic (the language)
עִרְבֵּל (יְעַרְבֵּל) פ mix; whip up, churn
עַרְבָּל ז mixing-machine; concrete-mixer
עֵרֶבְרַב, עֵרֶב־רַב ז rabble, mob
עֶרֶב שַׁבָּת Sabbath eve (Friday night)
עָרַג (יַעֲרוֹג) פ crave, long for
עֶרְגָּה נ craving, longing
עִרְגּוּל ז rolling (steel)
עִרְגֵּל (יְעַרְגֵּל) פ roll (steel)
עַרְדָּל (עַרְדָּלַיִם) ז overshoe, golosh
עֲרוּבָּה נ security, surety
עֲרוּגָה נ flower-bed, garden-bed
עָרוֹד ז wild ass, onager
עֶרְוָה נ nakedness; genitals, pudenda
עָרוּךְ ת arranged, laid (table), set out; edited; dictionary
עָרוֹם ת naked, bare
עָרוּם ת cunning, sly
עֵרוֹם וְעֶרְיָה stark naked
עָרוּץ ז ravine; channel
עִרְטוּל ז stripping, laying bare
עַרְטִילָאִי ת naked, nude; abstract, immaterial
עִרְטֵל (יְעַרְטֵל) פ strip, lay bare
עֲרִיגָה נ yearning, longing
עֶרְיָה נ nakedness
עֲרִיָּה נ seminal fluid, semen
עֲרִיכָה נ arrangement, arranging; editing
עֲרִיכַת דִּין the practice of law
עֲרִיסָה נ cradle
עֲרִיפָה נ beheading, decapitation
עָרִיץ ז cruel; tyrant
עָרִיצוּת נ tyranny, despotism
עָרִיק ז deserter
עֲרִיקָה נ desertion
עֲרִיקוּת נ desertion
עֲרִירוּת נ childlessness, loneliness
עֲרִירִי ת childless, lonely
עָרַךְ (יַעֲרוֹךְ) פ arrange, put in order; edit

עֵרֶךְ ז value; order, set; degree; entry (in a dictionary, etc.)

עַרְכָּאָה נ instance (legal)

עֶרְכִּי ת -valent (in chemical terms); valued

עַרְכַּי נ law-court, notary's office

עֶרְכִּיּוּת נ valency (chemistry)

עָרֵל ת uncircumcized; Gentile, non-Jew; unpruned (tree)

עָרְלָה ר׳ עוֹרְלָה

עֲרַל־לֵב brainless, witless

עֲרַל שְׂפָתַיִם stammering

עָרַם (יַעֲרוֹם) פ stack, pile up

עָרְמָה ר׳ עוֹרְמָה

עֲרֵמָה, עֲרֵימָה נ heap, pile, stack

עַרְמוּמִי ת sly, cunning

עַרְמוּמִיּוּת, עַרְמוּמִית נ slyness, cunning, artfulness

עַרְמוֹן ז chestnut

עַרְמוֹנִי ת chestnut (in color)

עַרְמוֹנִיּוֹת נ״ר castanets

עַרְמוֹנִית נ prostate

עַרְמִימוּת נ cunning, slyness

עֵרָנוּת, עֵירָנוּת נ alertness, briskness

עֵרָנִי, עֵירָנִי ת alert, brisk

עַרְסָל ז hammock

עִרְסֵל (יְעַרְסֵל) פ fold, cross (as legs)

עִרְעוּר ז (legal) appeal; protest, objection

עִרְעֵר (יְעַרְעֵר) פ undermine; (legal) appeal, lodge an appeal; object

עַרְעָר ז juniper tree

עָרַף (יַעֲרוֹף) פ behead, decapitate

עַרְפָּד ז vampire-bat; (fig.) bloodsucker

עִרְפּוּל ז fogginess, mistiness; obscurity

עַרְפִּיחַ ז smog

עַרְפִילִי ת misty, hazy

עַרְפִילִית נ nebula (astronomy)

עֲרָפֶל ז mist, fog

עִרְפֵּל (יְעַרְפֵּל) פ obscure, befog

עָרַק (יַעֲרוֹק) פ desert (from the army), run away

עַרְקָה נ whiplash

עַרְקוּב ז knee-joint

עַרְקוּם ז talus

עָרַר (יַעֲרוֹר) פ appeal, object

עֲרָר ז appeal, protest, objection

עֶרֶשׂ ז cradle

עָשׁ ז moth, clothes-moth; the Great Bear (constellation)

עֵשֶׂב ז grass

עִשְׂבִּיָּה נ herbarium

עָשָׂה (יַעֲשֶׂה) פ make, do; cause, bring about; perform, accomplish

עָשָׂה אֶת צְרָכָיו relieved himself

עָשָׂה (אֶת) עַצְמוֹ pretended

עָשׂוּי ת made of; done, capable, likely

עָשׁוּק ת exploited, wronged

עָשׂוֹר ש״מ decade; tenth of the month

עֲשׂוֹרִי ת decadic, decimal

עָשׁוֹת ת forged (iron), hardened

עֲשִׂיָּה נ action, doing, making

עָשִׁיר ת rich

עֲשִׁירוּת נ wealth; richness

עֲשִׂירִי ת tenth

עֲשִׂירִיָּה נ a tenth (part); a group of ten
עֲשִׂירִית נ, ת (a) tenth
עָשִׁית ת fixed, immovable
עָשַׁן (יֶעְשַׁן) פ smoke, give off smoke
עָשֵׁן ת smoking
עָשָׁן ז smoke
עֲשָׁנָן ז fumitory (plant)
עָשַׁק (יַעֲשׁוֹק) פ exploit; oppress, wrong
עָשַׁר (יֶעְשַׁר) פ become rich, get rich
עִשֵּׂר (יַעֲשׂוֹר) פ tithe, take a tenth of
עֶשֶׂר ש״מ ten (fem.)
עָשָׂר ש״מ (in numbers from 11 to 19) -teen (masc.)
עֶשְׂרֵה ש״מ (in numbers from 11 to 19) -teen (fem.)
עֲשָׂרָה ש״מ ten (masc.)
עֶשְׂרוֹנִי ת decimal
עֶשְׂרִים ש״מ twenty
עֶשְׂרִימוֹן ז icosahedron
עֲשֶׂרֶת נ a group of ten, ten
עֲשֶׂרֶת הַדִּיבְּרוֹת the Ten Commandments
עֲשֶׂרֶת הַשְּׁבָטִים the Ten (lost) Tribes
עָשַׁשׁ (יֶעְשַׁשׁ) פ waste away, decay
עֲשָׁשִׁית נ oil-lamp, lantern
עַשֶּׁשֶׁת נ decay of bones or teeth, caries
עָשַׁת (יֶעֱשַׁת) פ be solid, be stout
עֶשֶׁת ז bar, lump; mooring clump, steel
עֶשְׁתּוֹנוֹת, עֶשְׁתּוֹנִים ז״ר thoughts, ideas
עַשְׁתּוֹרֶת נ Astarte
עֵת נ time, period, season, occasion
עַתָּה תה״פ now
עַתּוּד ז goat (male)
עֲתוּדַאי ז reservist
עֲתוּדָה נ reserve
עֲתוּדוֹת נ״ר reserves (military or stores)
עָתִיד ז, ת future; ready, prepared; destined
עָתִיד ל... is going to, is destined to
עַתִּיק ת ancient, antique
עַתִּיקוּת נ antiquity, great age
עַתִּיקוֹת נ״ר antiquities
עַתִּיק יוֹמִין very old; God
עָתִיר ת rich
עֲתִירָה נ plea (legal), request
עֲתִיר נְכָסִים wealthy, affluent
עֲתֶרֶת נ abundance, plenty

פ

פֵּאָה, פֵּיאָה נ — edge; side, fringe

פֵּאָה נוֹכְרִית — wig

פֵּאִי ת — facial (geometry)

פְּאֵר ז — glory, magnificence; headdress

פֹּארָה נ — branch, bough

פָּארוּר ז — glow, redness

פִּבְרוּק ז — fabrication

פִּבְרֵק (יְפַבְרֵק) פ — fabricate, make up

פַּג ז — unripe fig; premature baby

פָּג (יָפוּג) פ — grow faint; fade away; expire

פַּגָּה נ — unripe fig; girl (before puberty)

פָּגוּם ת — flawed, faulty

פָּגוּעַ ת — stricken

פָּגוֹשׁ ז — bumper, fender

פָּגָז ז — shell (artillery)

פִּגְיוֹן ז — dagger

פְּגִימָה נ — flaw, defect

פָּגִיעַ ת — vulnerable

פְּגִיעָה נ — attack, blow, hit

פְּגִיעוּת נ — vulnerability

פְּגִישָׁה נ — meeting; reception

פָּגַם (יִפְגּוֹם) פ — spoil, impair

פְּגָם ז — flaw, falut

פָּגַע (יִפְגַּע) פ — harm, wound; hit (target); offend

פֶּגַע ז — mischance; imp

פֶּגַע רַע — evil spirit; (fig.) a pest, a nuisance

פָּגַר (יִפְגַּר) פ — die (like an animal)

פֶּגֶר ז — corpse, carcass

פַּגְרָה נ — holiday; vacation

פַּגְרָן ז — backward person

פָּגַשׁ (יִפְגּוֹשׁ) פ — meet, encounter

פָּדָה (יִפְדֶּה) פ — redeem, ransom; deliver, save

פָּדוּי ת — redeemed, ransomed

פְּדוּת נ — redemption, deliverance

פַּדַּחַת נ — forehead

פִּדְיוֹן ז — ransom money, redemption money; (commercial) turnover

פְּדִיָּה נ — ransoming, redeeming

פֶּה ז — mouth; opening

פֹּה תה״פ — here

פֶּה אֶחָד — unanimously

פְּהִיקָה נ — yawn, yawning

פָּהַק (יִפְהַק) פ — yawn

פּוֹאַר (יְפוֹאַר) פ — be decorated, be adorned

פּוּבְרַק (יְפוּבְרַק) פ — be fabricated, be made up

פוּג פ, ר׳ פָּג

פּוּגֵג (יְפוּגֵג) פ — de-energize, release

פּוּגָה נ — release, relaxation

פּוּגַּל (יְפוּגַּל) פ — be made unfit; be denatured; be adulterated

פּוּדַּר (יְפוּדַּר) פ — be powdered

פּוּדְרִיָּה נ — (colloquial) powder-box, powder-compact

פּוֹזֵל ת — cross-eyed, squinting

פּוּזַּם (יְפוּזַּם) פ — be sung, be hummed

פּוּזְמָק ז — stocking, sock

פּוּזַּר (יְפוּזַּר) פ be scattered, be dispersed

פּוֹחֵז ת rash, reckless

פּוֹחֵחַ ת shabbily dressed, in rags

פּוּחלָץ ז saddlebag; stuffed animal

פּוּחַם (יְפוּחַם) פ be blackened; be turned into charcoal

פּוֹחֵר ז potter

פּוֹחֵת ת lessening, growing less

פּוּחַת (יְפוּחַת) פ be reduced, be lessened, be devalued (currency)

פּוֹחֵת וְהוֹלֵךְ dwindling, diminishing

פּוּטַּם (יְפוּטַּם) פ be fattened (cattle), be stuffed; be crammed (with knowledge); be mixed (incense); be filled (pipe)

פּוּטַּר (יְפוּטַּר) פ be dismissed, be discharged

פּוּיַּח (יְפוּיַּח) פ be blackened (with soot)

פּוּיַּס (יְפוּיַּס) פ be appeased, be soothed

פּוּךְ ז kohl (for eye-shadow)

פּוּכַּח (יְפוּכַּח) פ be sobered, begin to see reason

פּוֹל ז bean, broad bean

פּוּלַּג (יְפוּלַּג) פ be split up, be divided

פּוּלַּח (יְפוּלַּח) פ be sliced (fruit), be cut up

פּוּלחָן ז religious worship; cult

פּוּלחָנִי ת ritual, of a cult

פּוֹלֵט ז emitter

פּוּלמוּס ז controversy, debate

פּוּלמוּסָן ז controversialist, debater

פּוּלַּס (יְפוּלַּס) פ be levelled, be smoothed flat

פּוּמבֵּי נ publicity

פּוּמִית נ mouthpiece

פּוּמפִּייָה נ grater

פּוּנדָק ז inn, tavern

פּוּנדְקַאי, פּוּנדָקִי ז innkeeper

פּוּנָּה (יְפוּנֶּה) פ be cleared, be evacuated

פּוּנַּק (יְפוּנַּק) פ be spoilt (child), be pampered

פּוּסטַר (יְפוּסטַר) פ be pasteurized

פּוּסַּל (יְפוּסַּל) פ be carved, be sculptured

פּוּספַּס (יְפוּספַּס) פ be striped

פּוֹסֵק ז arbiter; Rabbinic authority

פּוּסַּק (יְפוּסַּק) פ be punctuated; be spaced (printing)

פּוֹעֵל ז worker, laborer

פּוֹעַל ז action; verb

פּוּעַל ז Pu'al (name of the verbal conjugation – intensive passive)

פּוֹעֲלִי ת of the workers, labor

פּוֹעֳלִי ת verbal (grammar); working, functioning

פּוֹעַל יוֹצֵא (עוֹמֵד) transitive (intransitive) verb

פּוּענַח (יְפוּענַח) פ be deciphered, be decoded

פּוּצָּה (יְפוּצֶּה) פ be compensated, be paid damages

פּוּצַּח (יְפוּצַּח) פ be cracked

פּוּצַּל (יְפוּצַּל) פ be split up, be subdivided

פּוֹצֵץ ת explosive; plosive
פּוֹצֵץ (יְפוֹצֵץ) פ blow up; smash, shatter
פּוּצַץ (יְפוּצַץ) פ be blown up, be demolished
פּוּקַד (יְפוּקַד) פ be counted
פּוּקַח (יְפוּקַח) פ be inspected, be supervised
פּוּקְפַּק (יְפוּקְפַּק) פ be in doubt, be dubious
פּוּר ז lot
פּוּרְגַל (יְפוּרְגַל) פ be whipped
פּוֹרַד (יְפוֹרַד) פ be dispersed, be scattered
פּוֹרֶה ת fruitful, fertile
פּוֹרַז (יְפוֹרַז) פ be demilitarized
פּוּרְזַל (יְפוּרְזַל) פ be shod (horse)
פּוֹרֵחַ ת flowering, blossoming; flying
פּוֹרַט (יְפוֹרַט) פ be specified, be detailed
פּוֹרְטָן ז plectrum
פּוֹרִיּוּת נ fruitfulness, fertility
פּוּרִים ז Purim, Feast of Esther
פּוּרִימִי ת of Purim, festive, gay
פּוּרְכַּס (יְפוּרְכַּס) פ be beautified, be prettified
פּוֹרַם (יְפוֹרַם) פ be unstitched, come unstitched
פּוּרְנָס ז shaft, furnace, kiln
פּוּרְסַם (יְפוּרְסַם) פ be advertised, be publicized
פּוֹרֵעַ ז rioter
פּוּרְעָנוּת נ tribulation
פּוֹרַץ (יְפוֹרַץ) פ be broken down, be breached
פּוֹרֵץ ז burglar
פּוֹרֵק ז discharger
פּוֹרַק (יְפוֹרַק) פ be dismantled; be unloaded; be wound up; be dissolved
פּוּרְקָן salvation; relief (from tension)
פּוֹרֶקֶת נ lighter (boat)
פּוֹרֵר (יְפוֹרֵר) פ crumble, break up
פּוֹרַר (יְפוֹרַר) פ be crumbled, be broken up
פּוֹרֵשׁ ז dissenter
פּוֹרַשׁ (יְפוֹרַשׁ) פ be specified, be expressly stated; be explained
פּוֹרָת ת flourishing, fruitful
פּוּרְתָּא נ a little, a bit
פּוֹשֵׁט ת taking off, stripping
פּוּשַׁט (יְפוּשַׁט) פ be simplified
פּוֹשֵׁט יָד beggar
פּוֹשֵׁט עוֹר skinner; profiteer
פּוֹשֵׁט רֶגֶל bankrupt
פּוֹשֵׁעַ ז criminal; sinner
פּוּשַׂק (יְפוּשַׂק) פ be opened wide (e.g. legs, lips)
פּוֹשֵׁר ת lukewarm, tepid
פּוֹשְׁרִין ז״ר lukewarm water
פּוֹת נ vagina, female pudenda
פּוֹתֶה ת gullible, credulous
פּוֹתָה נ vagina, female pudenda
פּוּתָּה (יְפוּתֶּה) מ be seduced; be tempted
פּוּתַּח (יְפוּתַּח) פ be developed; be opened wide
פּוֹתְחָן ז tin-opener, can-opener
פּוֹתַחַת נ master-key, skeleton-key

פּוּתַּל (יְפוּתַּל) פ — be twisted
פּוֹתֵר ז — solver
פָּז ז — gold
פָּזוּר ת — scattered, strewn
פְּזוּרָה נ — dispersion
פְּזוּר נֶפֶשׁ — scatterbrained, absent-minded
פָּזִיז ת — rash, impetuous
פְּזִיזָא ת — rash, impetuous
פְּזִיזוּת נ — rashness, impetuosity
פְּזִילָה נ — squint; ogling
פָּזַל (יִפְזוֹל) פ — squint; eye, ogle
פַּזְלָן ז — squinter
פִּזְמוֹן ז — popular song; chorus, refrain
פִּזְמוֹנָאוּת נ — song-writing
פִּזְמוֹנַאי ז — song-writer
פִּזְמֵק (יְפַזְמֵק) פ — put on socks (or stockings); (colloquial) "do", "fix"
פַּזְרָן ז — lavish spender
פַּזְרָנוּת נ — lavishness
פַּח ז — sheet-metal; tin, can (container); trap; snare, pitfall
פָּחַד (יִפְחַד) פ — fear, be afraid of
פַּחַד ז — fear, fright
פַּחַד מָוֶת — mortal fear
פַּחְדָן ת — coward
פַּחְדָנוּת נ — cowardice, timidity
פֶּחָה ז — (biblical) governor, prefect; (modern) pasha
פָּחוּז ת — hasty, in a hurry
פַּחוֹן ז — tin hut
פָּחוּס ת — pressed in, flattened
פָּחוּת ת — inferior; lesser
פָּחוֹת תה"פ — less; minus (arithmetic)
פָּחוֹת אוֹ יוֹתֵר — more or less
פָּחַז (יִפְחַז) פ — act rashly, act recklessly
פַּחַז ז — rashness, recklessness
פַּחְזָנוּת נ — impetuosity, rashness
פַּחְזָנִית נ — éclair, cream-puff
פֶּחָח ז — tinsmith, tinner
פֶּחָחוּת נ — the work of a tinsmith
פֶּחָחִיָּה נ — tinsmith's workshop
פְּחִיסָה נ — flattening, pressing flat
פְּחִיסוּת נ — oblateness
פַּחִית נ — small can, small tin
פְּחִיתָה נ — reduction
פְּחִיתוּת נ — decrease, reduction
פְּחִיתוּת כָּבוֹד — disrespect
פִּחְלוּץ ז — stuffing (animals), taxidermy
פִּחְלֵץ (יְפַחְלֵץ) פ — stuff (animals)
פֶּחָם ז — coal; charcoal
פַּחְמָה נ — carbonate
פֶּחָמִי ת — charcoal-burner
פַּחְמִי ת — carbonic
פַּחֲמֵי אֶבֶן — coal, anthracite
פַּחְמֵימָה נ — carbohydrate
פַּחְמֵימָן ז — hydrocarbon
פַּחְמָן ז — carbon
פִּחְמֵן (יְפַחְמֵן) פ — carbonize
פַּחְמָן דּוּ־חַמְצָנִי — carbon dioxide
פַּחְמָנִי ת — carbonic
פַּחֶמֶת נ — carbuncle
פַּחְמָתִי ת — containing carbon dioxide
פָּחַס (יִפְחַס) פ — flatten, squash
פֶּחָר ז — potter
פַּחָר ז — pottery

פָּחַת (יִפחַת) פ depreciate (in value), grow less, diminish

פְּחָת ז depreciation, amortization; waste (in production)

פַּחַת נ pit (for catching wild animals)

פְּחֶתֶת נ dent

פִּטְדָה נ topaz

פְּטוֹטֶרֶת נ stalk (of fruit); leaf-stalk, petiole

פָּטוּם ת fattened (poultry), stuffed

פָּטוּר ת exempt, free

פְּטוּר, פְּטוֹר ז exemption

פְּטִירָה נ departure; decease

פַּטִּישׁ ז hammer

פַּטִּישׁוֹן ז small hammer

פֶּטֶל ז raspberry

פַּטָּם ז specialist in fattening animals

פְּטָם ז fatted ox

פִּטְמָה נ nipple (of a woman); knob

פִּטפּוּט ז chatter, prattle

פִּטפֵּט (יְפַטפֵּט) פ chatter, prattle

פַּטפְּטָן ז chatterer, chatterbox

פַּטפְּטָנוּת נ chattiness

פָּטַר (יִפטוֹר) פ dismiss, send away; exempt

פֶּטֶר, פֶּטֶר־רֶחֶם first-born

פִּטְרָה נ first-born

פִּטרוּל ז patrolling

פַּטרוֹן ז patron

פַּטרוֹנוּת נ patronage

פֶּטרוֹסִילְיוֹן, פֶּטרוֹסֶלִינוֹן ז parsley

פַּטְרִיאַרְכָלִי ת patriarchal

פַּטְרִיאַרְכָלִיוּת נ patriarchalism

פִּטְרִיָּה נ mushroom, fungus

פִּטְרֵל (יְפַטְרֵל) פ patrol

פֵּיאוֹן, פֵּאוֹן ז polyhedron

פֵּיאֵר (יְפָאֵר) פ decorate, adorn, glorify

פִּיגּוּל ז taint, stench

פִּיגּוּם ז scaffolding

פִּיגּוּעַ ז hit, blow

פִּיגּוּר ז backwardness, lag; arrears (of payment)

פִּיגֵּל (יְפַגֵּל) פ make unfit (for sacrifice)

פֵּיגָם ז rue (shrub)

פִּיגֵּר (יְפַגֵּר) פ fall behind, be backward; be slow (clock)

פִּיד ז disaster, calamity

פִּידֵּר (יְפַדֵּר) פ powder

פִּיהוּק ז yawn, yawning

פִּי הַטַּבַּעַת anus

פִּיהֵק (יְפַהֵק) פ yawn

פִּיּוּט ז poetry (particularly liturgical)

פִּיּוּטִי ת poetic, lyrical

פִּיּוּנִית נ pore (in a leaf)

פִּיּוּס ז conciliation, appeasement

פִּיּוֹת ז״ר mouths (plur. of פֶּה)

פִּיזּוּל ז squint

פִּיזּוּם humming

פִּיזּוּר ז scattering, dispersal; disbandment (army); squandering (money)

פִּיזּוּר נֶפֶשׁ distraction, absent-mindedness

פִּיזֵּז, (יְפַזֵּז) פ dance, jump about

פִּיזֵּם (יְפַזֵּם) פ sing, hum

פִּיזֵּר (יְפַזֵּר) פ scatter, disperse; disband (army); dissolve (parliament); squander

פִּיחֵד (יְפַחֵד) פ be afraid, fear

פִּיחָה נ breaking wind, "farting"

פִּיחוּם ז charcoal-burning; blackening

פִּיחוּת נ devaluation, reduction

פִּיחוּת הַמַּטְבֵּעַ currency devaluation

פִּיחֵם (יְפַחֵם) פ blacken, cover with carbon

פִּיחֵת (יְפַחֵת) פ reduce, lessen, devalue (currency)

פַּיִט ז poetry; liturgical poetry

פִּיטּוּם ז fattening, stuffing

פִּיטּוּרִים, פִּיטּוּרִין ז״ר dismissal, discharge

פִּיטֵּם (יְפַטֵּם) פ fatten, stuff

פִּיטָם ז knob, protuberance (on fruit)

פִּיטֵּר (יְפַטֵּר) פ dismiss, discharge

פִּייָה נ mouthpiece; aperture, orifice

פִּייֵּחַ (יְפַייֵּחַ) פ blacken (with soot), darken (glass)

פַּייַחַת נ black rot (fungus disease in plants)

פַּייְטָן ז poet; liturgical poet

פִּייֵּךְ (יְפַייֵּךְ) פ paint with kohl, use eye-shadow

פַּיילָה נ bowl, basin

פִּייֵּס (יְפַייֵּס) פ appease, pacify

פַּייְסָן ז conciliator, appeaser

פַּייְסָנוּת נ conciliation, appeasement

פַּייְסָנִי ת conciliatory

פִּיכָּה (יְפַכֶּה) פ flow forth, gush

פִּיכּוּי ז flowing, gushing

פִּיכֵּחַ ת sober, clear-headed

פִּיכָּחוֹן ז soberness, sobriety

פִּיכְּחוּת נ soberness, sobriety

פִּיל ז elephant

פִּילֵּג (יְפַלֵּג) פ split, divide

פִּילֶגֶשׁ נ concubine, mistress

פִּילֵּד (יְפַלֵּד) פ steel, make like steel

פִּילָּה (יְפַלֶּה) פ delouse, search for vermin

פִּילּוּג ז split, schism

פִּילּוּחַ ז slicing (fruit), breaking open

פִּילוֹן ז baby elephant

פִּילּוּס ז grading, levelling

פִּילוֹסוֹף ז philosopher

פִּילוֹסוֹפִי ת philosophical

פִּילוֹסוֹפְיָה נ philosophy

פִּילַּח (יְפַלַּח) פ slice (fruit); break open

פִּילֵּחַ (יְפַלֵּחַ) פ (slang) steal, pinch

פִּילֵּט (יְפַלֵּט) פ rescue, deliver

פִּילֵּל (יְפַלֵּל) פ expect; pray; judge

פִּילָנוּת נ elephantism

פִּילֵּס (יְפַלֵּס) פ level, smooth flat; break through

פִּים ז ancient weight and coin

פִּימָה נ fat; double chin

פִּין ז pin, tooth (of wheel); penis

פִּינָּה נ corner

פִּינָּה (יְפַנֶּה) פ clear, clear out; vacate

פִּינּוּי ז clearing; evacuation

פִּינּוּק ז spoiling, pampering

פִּינָךְ ז mess-tin

פִּינֵּק (יְפַנֵּק) פ spoil, pamper

פִּינְקָס ר׳ פִּנְקָס
פַּיִס ז lottery
פִּיסָּה נ scrap, bit, piece
פִּיסּוּל ז sculpture, stone-carving
פִּיסּוּק ז punctuation; opening (of legs, lips)
פִּיסֵּחַ (יְפַסֵּחַ) פ jump over
פִּיסֵּחַ ז lame person
פִּיסֵּל (יְפַסֵּל) פ sculpture, carve (in stone)
פִּיסֵּק (יְפַסֵּק) פ punctuate; space (print)
פִּיסַּת נְיָיר scrap of paper
פִּיעֵל ז Piʻel (name of the verbal stem)
פִּיעֵם (יְפַעֵם) פ excite, animate, inspire
פִּיף ז fringe, tassel
פִּיפְיוֹן ז pipit
פִּיפִיָּה נ blade, sharp edge; mouth, opening
פִּיפִית נ pipette
פִּיצָּה (יְפַצֶּה) פ compensate, pay damages
פִּיצּוּחַ ז cracking (of nuts)
פִּיצּוּי ז compensation
פִּיצּוּיִים ז״ר compensation, damages
פִּיצּוּל ז stripping (bark), peeling; subdivision, splitting up
פִּיצּוּץ ז blowing up
פִּיצַּח (יְפַצַּח) פ crack (nuts), split
פִּיצֵּל (יְפַצֵּל) פ strip (bark from a tree); split up
פִּיק ז trembling, quivering
פִּיק בִּרְכַּיִים fear and trembling

פִּיקֵּד (יְפַקֵּד) פ command; give orders
פִּיקָּדוֹן ז deposit
פִּיקָּה נ cap (of bullet), cam (of engine); kneecap
פִּיקּוּד ז command
פִּיקּוּדֵי ת command
פִּיקּוּחַ ז inspection, supervision
פִּיקּוּחַ נֶפֶשׁ the saving of life
פִּיקּוּק ז corking (a bottle)
פִּיקַּח (יְפַקַּח) פ inspect; supervise
פִּיקֵּחַ ז׳, ת clever, shrewd; not blind (or deaf)
פִּיקָּחוֹן ז ability to see, clear vision
פִּיקַּע (יְפַקַּע) פ split
פֵּירֵד (יְפָרֵד) פ decompose, separate into component parts
פֵּירוּד ז separation, split
פֵּירוּז ז demilitarization
פֵּירוּט ז detailing, giving in detail
פֵּירוּך ז crushing, sapping
פֵּירוּס ז distribution; fanning out
פֵּירוּק ז dismantling; winding up (company); unloading; dissolution (partnership)
פֵּירוּק נֶשֶׁק disarmament
פֵּירוּר ז crumb; crumbling
פֵּירוּשׁ ז explanation, interpretation
פֵּירוֹת ז״ר fruits (see פְּרִי)
פֵּירֵז (יְפָרֵז) פ demilitarize
פֵּירֵט (יְפָרֵט) פ specify, give in detail
פֵּירֵךְ (יְפָרֵךְ) פ crush, crumble
פִּירְכָא, פִּירְכָה נ refutation, rebuttal
פֵּירֵם (יְפָרֵם) פ unstitch
פֵּירַס (יְפָרֵס) פ spread out; fan out

פֵּירָעוֹן ז payment (of a debt), paying off

פֵּירֵק (יְפָרֵק) פ dismantle; unload; wind up (company), dissolve (partnership)

פֵּירֵשׂ (יְפָרֵשׂ) פ spread, spread out

פֵּירֵשׁ (יְפָרֵשׁ) פ explain, clarify

פִּישׁוּט ז simplification; spreading out

פִּישֵׁט (יְפַשֵּׁט) פ simplify; undress; extend, stretch out

פִּי שְׁנַיִים twice as much

פִּישֵׂק (יְפַשֵּׂק) פ open wide (as legs)

פִּישֵׁר (יְפַשֵּׁר) פ compromise

פִּיתָּה נ pitta, flat bread

פִּיתָּה (יְפַתֶּה) פ seduce, entice

פִּיתּוּחַ ז development; engraving (stone); developing (film)

פִּיתּוּי ז seduction, temptation

פִּיתּוּךְ ז blending (colors), mixing

פִּיתּוּל ז winding, twisting; bend; torsion (mechanics)

פִּיתּוֹם ז ventriloquist

פִּיתַּח (יְפַתַּח) פ engrave (stone), develop, expand

פִּיתָּיוֹן ז bait

פִּיתֵּל (יְפַתֵּל) פ twist

פַּךְ ז container, can (esp. for oil)

פָּכוּר ת clasped, wrung (hands in sorrow)

פַּכִּים קְטַנִּים trifles, trivialities

פַּכִּית נ small container

פַּכְסָם ז rusk, dry biscuit

פִּכְפּוּךְ ז flow, gushing

פִּכְפֵּךְ (יְפַכְפֵּךְ) פ flow, gush

פָּכַר (יִפְכּוֹר) פ break, uproot

פֶּלֶא ז wonder, miracle

פִּלְאִי ת wonderful, miraculous

פִּלְבּוּל ז goggling, rolling (one's eyes)

פִּלְבֵּל (יְפַלְבֵּל) פ goggle, roll (one's eyes)

פֶּלֶג ז brook, rivulet; part, half; section

פְּלָג ז half, part; section

פְּלַגָּה נ group; brook, stream; detachment (military)

פְּלַגְלַג ז brooklet, rivulet

פַּלְגָן ז dissenter, factious person

פַּלְגָנוּת נ disruption, contentiousness

פַּלְגָנִי ת disrupting, schismatic

פְּלַגְצֵל ז penumbra

פְּלָדָה נ steel

פַּלְדִּי ת steel-gray; steely

פָּלָה (יִפְלֶה) פ search for vermin, delouse

פְּלוּגָּה נ (army) company; group

פְּלוּגְתָּא נ controversy, difference of opinion

פְּלוּגָתִי ת company (army)

פְּלוֹטֶת נ emission; exhaust

פְּלוּמָה נ down, fluff

פְּלוֹנִי ת so and so (known but not named)

פְּלוֹנִי אַלְמוֹנִי so and so, such and such

פְּלוֹנִית נ so and so, (jocular) wife

פָּלוּשׁ ז vestry (of a synagogue); corridor

פָּלַח (יִפְלַח) פ plough, break up (soil)

פֶּלַח ז slice, segment, piece
פַּלָּח ז fellah, peasant
פַּלָּחָה נ field crops
פָּלַט (יִפְלוֹט) פ throw up, eject
פְּלֵטָה, פְּלֵיטָה נ remnant, residue, remains
פַּלָּטִין נ palace
פַּלְטֵרִין ז palace
פְּלִיאָה נ marvel, wonder
פְּלִיג ת opposed
פְּלִיז ז brass
פָּלִיט ז refugee, fugitive
פְּלִיטָה נ casting up, ejecting; (technical) exhaust
פְּלִיטַת פֶּה slip of the tongue
פְּלִיטַת קוּלְמוֹס slip of the pen
פְּלִילִי ת criminal
פלִירְטֵט (יְפַלַרְטֵט) פ flirt
פְּלִישָׁה נ invasion (military), incursion
פֶּלֶךְ ז district, province
פַּלְמוֹנִי נ so-and-so, such-and-such
פַּלְמוּדָה נ tuna fish
פְלָנֵלִית נ flannelette; "four-by-two" (army)
פֶּלֶס ז balance, level
פֶּלֶס מַיִם spirit-level
פְּלַסְתֵּר, פְּלַסְטֵר ז fraud, forgery
פִּלְפּוּל ז sophistry, hair-splitting
פִּלְפֵּל (יְפַלְפֵּל) פ split hairs, be argumentative
פִּלְפֵּל ז pepper
פִּלְפְּלוֹן ז pepper tree
פַּלְפְּלָן ז controversialist, hairsplitter
פִּלְפֶּלֶת נ sweet-pepper, green or red pepper
פְּלָצוּר ז lasso
פַּלָּצוּת נ quaking, shock
פִּלְצֵר (יְפַלְצֵר) פ lasso, rope (an animal)
פָּלַשׁ (יִפְלוֹשׁ) פ invade
פְּלִשְׁתִּי ת Philistine
פָּמוֹט ז candlestick
פָּמַלְיָה נ entourage, retinue
פֶּן מ״ח lest
פָּן (יָפוּן) פ be hesitant, waver
פָּן ז face, surface
פְּנַאי ז free time, spare time
פַּנַּג ז millet, panic
פָּנָה (יִפְנֶה) פ turn; apply to
פָּנָה עוֹרֶף turned his back; fled
פָּנוּי ת free, unoccupied
פְּנוּת נ bye (sport); partiality; (insurance) unoccupancy
פִּנְטֵס (יְפַנְטֵס) פ (music) improvise; have illusions
פְּנֵי הַיָּם sea level
פְּנִיָּה נ turn; application
פָּנִים ז״ר, נ״ר face, countenance; front; appearance; surface
פְּנִים ז inside, interior
פְּנִימַאי ז resident, boarder
פָּנִים אֶל פָּנִים face to face
פְּנִימָה תה״פ inside
פְּנִימִי ת internal, inward
פְּנִימִיּוּת נ inside, interiority
פְּנִימִיָּה נ boarding school
פְּנִינָה נ coral; pearl
פְּנִינִיָּה נ guinea fowl
פִּנְכָּה, פִּינְכָּה נ plate, dish

פָּנָס ז lantern

פָּנַס כִּיס electric torch

פָּנַס קֶסֶם magic lantern

פִּנְקָס, פִּינָקָס ז ledger; notebook

פִּנְקַס זֶהוּת identity card

פִּנְקְסָן ז book-keeper

פִּנְקְסָנוּת כְּפוּלָה double-entry book-keeping; hypocrisy

פֶּנֶת נ upper (of a shoe)

פַּס ז stripe, streak; rail (railway line)

פָּסַג (יִפְסוֹג) פ pass the peak

פִּסְגָּה נ summit, peak

פָּסָה (יִפְסֶה) פ extend, spread

פָּסוּל ת disqualified, unfit for use; faulty

פְּסוּל ז fault, flaw

פְּסוֹלֶת נ refuse, waste

פָּסוּק ז verse (of the Bible); sentence

פָּסוּק ת decisive, decided

פְּסוּקִית נ half-verse, hemistich

פְּסוֹקֶת נ parting (in the hair)

פָּסַח (יִפְסַח) פ skip, pass over; celebrate Passover

פֶּסַח Passover

פַּסְחָא ז Easter

פִּסְחוּת, פִּיסְחוּת נ lameness

פִּסְטוּר ז pasteurization

פִּסְטֵר (יְפַסְטֵר) פ pasteurize

פְּסִיג ז cotyledon (botany)

פְּסִיגָה נ part of a bunch of grapes; zenith

פְּסִיגִי ת cotyledonous

פַּסְיוֹן ז pheasant

פְּסִיחָה נ skipping, passing over

פְּסִיחָה עַל שְׁתֵּי הַסְּעִיפִּים vacillation, wavering

פְּסִילָה נ disqualification, declaring unfit (ritually)

פְּסִילִים ז״ר graven images

פְּסִיס ז batten, plank, beam

פְּסִיסָה נ strip

פְּסִיעָה נ step, pace

פְּסֵיפָס ז mosaic

פְּסִיק ז comma

פְּסִיקָה נ giving judgment

פָּסַל (יִפְסוֹל) פ carve; declare unfit; rule out

פַּסָּל ז sculptor

פֶּסֶל ז piece of sculpture, graven image

פִּסְלוֹן ז small piece of sculpture

פְּסַנְתֵּר ז piano

פְּסַנְתֵּר כָּנָף grand piano

פְּסַנְתְּרָן ז pianist (male)

פְּסַנְתְּרָנוּת נ (the art of) piano-playing

פְּסַנְתְּרָנִית נ pianist (female)

פָּסַע (יִפְסַע) פ tread, pace

פִּסְפֵּס (יְפַסְפֵּס) פ muff (slang)

פָּסַק (יִפְסוֹק) פ stop, cease; pass sentence, give judgment; allocate (money)

פֶּסֶק ז disconnection (elect.); gap, space; (print.) leading, lead

פְּסָק, פְּסַק־דִּין ז verdict, judgment

פִּסְקָה נ paragraph

פַּסְקָן ז authority (empowered to give judgment), arbiter

פַּסְקָנוּת נ	indisputability
פָּעָה (יִפְעֶה) פ	bleat (goat, calf)
פָּעוֹט ז	infant, tot
פָּעוּט ת	petty, trifling, small
פָּעוּל ת	creature, creation
פְּעוּלָּה נ	action, act
פָּעוּר ת	wide open
פְּעִי ז	bleat
פְּעִיטוּת נ	smallness, insignificance
פְּעִיָּה נ	bleating, bleat
פָּעִיל ת	active
פְּעִילוּת נ	activity
פְּעִים ז	knock
פְּעִימָה נ	beating, throbbing; beat, throb
פָּעַל (יִפְעַל) פ	work, act, function, "go"
פָּעַל ז	Kal, simple stem of the Hebrew verb
פַּעֲלוּל ז	effect
פְּעַלְתָּן ז	active person
פְּעַלְתָּנוּת נ	activity
פָּעַם (יִפְעַם) פ	beat (heart), throb
פַּעַם נ	time, occasion; beat (heart)
פַּעַם אַחַת	once, once upon a time
פַּעֲמָה נ	beat (in music)
פַּעֲמוֹן ז	bell
פַּעֲמוֹנִית נ	harebell, campanula
פַּעֲמוֹנָה נ	carillon
פַּעֲמוֹנָר ז	bell-ringer
פְּעָמִים, לִפְעָמִים תה"פ	sometimes, at times
פִּעְנוּחַ ז	decipherment, decoding
פִּעְנַח (יְפַעְנַח) פ	decode, decipher
פִּעְפּוּעַ ז	bubbling
פִּעְפַּע (יְפַעְפַּע) פ	bubble
פָּעַר (יִפְעַר) פ	open wide, gape
פַּעַר ז	gap, difference
פַּעֲרוּר ז	small gap
פָּץ (יָפוּץ) פ	be dispersed
פָּצָה (יִפְצֶה) פ	open (usu. mouth)
פָּצוּעַ ת, ז	wounded, injured; casualty
פָּצַח (יִפְצַח) פ	open (one's mouth to sing)
פְּצִיחָה נ	burst of song, singing; cracking (nuts), breaking
פְּצִיעָה נ	wounding, injuring
פְּצִיץ ז	piece (of shrapnel), fragment
פְּצִירָה נ	file (tool); filing
פְּצָלָה נ	peeled part of a tree
פַּצֶּלֶת נ	feldspar
פָּצַם (יִפְצוֹם) פ	crack, split open
פָּצַע (יִפְצַע) פ	wound, injure
פֶּצַע ז	wound, injury
פִּצְפֵּץ (יְפַצְפֵּץ) פ	shatter
פַּצָּץ ז	fuse, detonator
פְּצָצָה נ	bomb
פְּצָצַת מֵימָן	hydrogen bomb
פְּצָצַת שָׁעוֹן	time-bomb
פָּצַר (יִפְצַר) פ	entreat, urge
פָּק (יָפוּק) פ	wobble (knees), totter
פָּקַד (יִפְקוֹד) פ	order, command; number; remember; call upon, visit
פַּקָּד ז	chief-inspector (of police)
פָּקוּד ת, ז	numbered, counted; soldier
פְּקוּדָה נ	command, order

פְּקוּק ת corked, plugged
פְּקוֹקֶלֶת נ node of sinews
פָּקַח (יִפְקַח) פ open (eyes, ears)
פַּקָּח ז controller, inspector
פַּקָּחוּת נ control, inspection, supervision
פִּקֵּחַ, פִּיקְחִי ת clever, shrewd
פָּקִיד ז (modern) clerk, official; (biblical) officer
פְּקִידָה נ clerk (female), official; period
פְּקִידוֹן ז petty official
פְּקִידוּת נ office-work; office staff
פְּקִידוּתִי ת bureaucratic, clerical
פָּקִיל ת peelable
פְּקִימָה נ diverting; changing course (sailing)
פְּקִיעָה נ bursting; lapse (of rights)
פְּקִיקָה נ corking, plugging
פַּקֶּלֶת נ scaly bark, psorosis
פָּקַם (יִפְקוֹם) פ stop, divert; change course (ship)
פָּקַע (יִפְקַע) פ split; lapse (rights)
פֶּקַע ז bud; outburst; crack; hernia
פְּקַעַת נ bulb (flower); ball (of wool), coil
פִּקְפּוּק ז doubt, hesitation
פִּקְפֵּק (יְפַקְפֵּק) פ doubt, waver
פַּקְפְּקָן ז doubter, sceptic
פַּקְפְּקָנוּת נ scepticism
פָּקַק (יִפְקוֹק) פ cork, plug
פְּקָק, פֶּקֶק ז cork, plug, stopper
פַּקֶּקֶת נ thrombosis
פַּקְרֵס ז jumper, sweater

פַּר ז bull
פֶּרֶא ז savage; wild ass
פֶּרֶא־אָדָם savage, wild man, ruffian
פִּרְאוּת נ savagery, wildness
פִּרְאִי ת savage, wild
פַּרְבָּר ז suburb (of a town)
פָּרָג ז poppy
פַּרְגּוֹד ז screen
פַּרְגּוֹל ז whip
פִּרְגּוּל ז whipping
פַּרְגִּית נ chicken; (slang) teenage girl, chick
פִּרְגֵּל (יְפַרְגֵּל) פ whip
פֶּרֶד ז mule
פִּרְדָּה נ mule (fem.)
פְּרֵדָה, פְּרֵידָה נ parting, departure
פִּרְדָּנִית נ gadabout (woman)
פַּרְדֵּס ז orchard; citrus grove
פַּרְדְּסָן ז citrus-grower
פַּרְדְּסָנוּת נ citriculture, citrus-growing
פָּרָה (יִפְרֶה) פ be fruitful
פָּרָה נ cow
פִּרְהוּס ז publication, making public
פָּרָה חוֹלֶבֶת milch-cow (lit. and fig.)
פִּרְהֵס (יְפַרְהֵס) פ publicize, make public
פַּרְהֶסְיָה נ publicity, public
פָּרוּד ת divided, separated
פְּרוּדָּה נ molecule; (bot.) mericarp
פַּרְוָה נ fur coat; fur
פַּרְוָן ז furrier
פַּרְוָר ז suburb
פָּרוּז ת demilitarized

פְּרוֹזְדוֹר ז corridor
פְּרוּטָה נ small coin
פְּרוּטְרוּט ז detail; small change
פָּרוֹכֶת נ curtain
פָּרוּס ת stretched, spread out
פְּרוּסָה נ slice (of bread)
פָּרוּעַ ת wild, dissolute
פָּרוּף ת fastened, pinned
פָּרוּץ ת broken open, destroyed; licentious
פְּרוּצָה נ loose woman
פָּרוּק ת unloaded
פָּרוּר ז pot, saucepan
פָּרוּשׁ ת ascetic, abstemious; Pharisee
פָּרוּשׂ ת spread out, stretched out
פִּרְזוּל ז shoeing (horses)
פְּרָזוֹן ז undefended area, open country
פְּרָזוֹת תה״פ unwalled, unfortified
פִּרְזֵל (יְפַרְזֵל) פ shoe (horses)
פָּרַח (יִפְרַח) פ blossom, flower; break out (rash); fly
פִּרְחָח ז lout, urchin
פִּרְחָחוּת נ irresponsible behavior, loutishness
פִּרְחֵי קְצִינִים officer cadets
פָּרַט (יִפְרוֹט) פ change (money); specify, detail; play stringed instrument, strum
פֶּרֶט ז small change (money); odd number; detailed list, minutiae; small job (printing); detail, particular; individual
פְּרָטוּת נ detail

פְּרָטִי ת private; individual
פְּרָטֵי פְּרָטִים in great detail
פְּרָט ל... with the exception of; except for, apart from
פְּרִי ז fruit; reward; profit
פְּרִידָה נ parting, departure, separation
פְּרֵידָה ר׳ פְּרֵדָה
פִּרְיוֹן ז productivity, productiveness
פְּרִיחָה נ flowering, blooming, blossoming; success, prosperity; rash (medical); flight, flying
פְּרִיט ז item
פְּרִיטָה נ changing (money), giving small change; playing (stringed instrument), strumming, plucking
פְּרִיָּיה נ fruitfulness, bearing fruit
פְּרִיָּיה נ bull-shed
פְּרִיָּיה וּרְבִיָּיה having children; (euphem.) copulation
פָּרִיךְ ת brittle, fragile
פְּרִיכָה נ breaking, crushing
פְּרִיכוּת נ brittleness, fragility
פָּרִיס ת spreadable
פְּרִיסָה נ spreading out
פְּרִיעָה נ payment
פְּרִיפָה נ pin, clasp; fastening
פָּרִיץ ז squire (in Poland)
פְּרִיץ ז violent criminal
פְּרִיצָה נ break-through; breach, burglary
פְּרִיצוּת נ licentiousness
פְּרִיץ חַיּוֹת wild animal

פְּרִיצַת דֶּרֶךְ — forcing a way through
פָּרִיק ת — detachable, capable of being dismantled
פְּרִיקָה נ — unloading
פְּרִיקַת עוֹל — lawlessness, irresponsibility
פָּרִיר ת — crumbly
פָּרִישׂ ת — spreadable
פָּרִישׁ ז — quince
פְּרִישָׂה נ — spreading out, extending
פְּרִישָׁה נ — retirement; withdrawal
פְּרִישׁוּת נ — abstinence, abstemiousness
פְּרִישׁוּת דֶּרֶךְ אֶרֶץ — sexual abstinence
פֶּרֶךְ ז — severity, oppression; crushing, smashing
פִּרְכָא, פִּרְכָה נ — refutation, counter-argument, rebuttal
פִּרְכּוּס ז — titivation, self-adornment; twitch, jerk
פִּרְכֵּס (יְפַרְכֵּס) פ — titivate, prettify; twitch, jerk
פָּרַם (יִפְרוֹם) פ — unstitch, take apart; rip
פִּרְנֵס (יְפַרְנֵס) פ — support, provide for
פַּרְנָס ז — community leader
פַּרְנָסָה נ — maintenance, livelihood
פָּרַס (יִפְרוֹס) פ — spread out, extend; slice (or break) bread
פֶּרֶס ז — bearded vulture
פְּרָס ז — prize, reward
פַּרְסָה נ — hoof; horse-shoe
פִּרְסוּם ז — publication; fame, popularity; publicity
פִּרְסוֹמֶת נ — publicity, advertisement
פִּרְסֵם (יְפַרְסֵם) פ — publish; publicize, advertise
פָּרַע (יִפְרַע) פ — repay (a debt), pay off; dishevel; riot; hold a progrom
פַּרְעוֹשׁ ז — flea
פְּרָעוֹת נ״ר — riots, pogroms
פָּרַף (יִפְרוֹף) פ — pin together
פִּרְפּוּר ז — spasm, twitch
פַּרְפַּר ז — butterfly
פִּרְפֵּר (יְפַרְפֵּר) פ — twitch
פַּרְפַּר לַיְלָה — moth
פַּרְפֶּרֶת נ — dessert
פָּרַץ (יִפְרוֹץ) פ — break open, break into
פֶּרֶץ ז — breach; trouble
פִּרְצָה נ — breach, crack
פַּרְצוּף ז — face, countenance
פִּרְצוּף ז — portrayal
פַּרְצוּפִי ת — facial
פָּרַק (יִפְרוֹק) פ — unload
פֶּרֶק ז — chapter, section; joint
פְּרַקְדָּן תה״פ — (lying) on one's back, supine
פְּרַקְלִיט ז — advocate, attorney
פְּרַקְלִיטוּת נ — advocacy, law (as profession)
פְּרַקְמַטְיָה נ — goods; business
פָּרַק עוֹל — threw off the yoke (of law, of morals, etc.)
פָּרַשׂ (יִפְרוֹשׂ) פ — stretch, spread out, extend
פָּרַשׁ (יִפְרוֹשׁ) פ — leave, retire, withdraw

פָּרָשׁ ז	horseman; knight; horse
פָּרָשָׁה נ	affair; chapter (of a book), portion (of Scripture)
פַּרְשָׁן ז	commentator
פַּרְשָׁנוּת נ	commentary, exegesis
פָּרָשַׁת דְּרָכִים	cross-roads
פָּרָשַׁת הַשָּׁבוּעַ	weekly portion of the Law
פָּרָשַׁת מַיִם	watershed
פְּרַת־יָם	sea-cow
פַּרְתְּם ז	noble
פְּרַת־מֹשֶׁה־רַבֵּנוּ	ladybird
פָּשׁ (יָפוּשׁ) פ	relax, rest
פָּשָׂה (יִפְשֶׂה) פ	spread (usu. of disease, etc.)
פָּשׁוּט ת, תה״פ	simple, plain; undistinguished; extended, outstretched; simply
פְּשׁוּט ז	simple meaning, plain meaning
פְּשׁוּטוֹ כְּמַשְׁמָעוֹ	it's as simple as it sounds
פָּשׁוֹשׁ ז	graceful warbler
פְּשָׁט ז	literal meaning, plain meaning
פָּשַׁט (יִפְשׁוֹט) פ	take off (clothes), strip; extend (hand), stretch out
פָּשַׁט אֶת הָרֶגֶל	went bankrupt
פַּשְׁטוּת נ	simplicity, plainness
פַּשְׁטִידָה נ	pie, pudding
פַּשְׁטָנוּת נ	simplicity, plainness
פַּשְׁטָנִי ת	simple; over-simple
פָּשַׁט עוֹר	skinned; overcharged
פִּשָּׂיוֹן ז	spread (of disease)
פְּשִׂיחָה נ	split, break
פַּשִּׁיט ת	extensive
פְּשִׁיטָא תה״פ	obviously! of course!
פְּשִׁיטָה נ	stripping; attack, raid
פְּשִׁיטַת רֶגֶל	bankruptcy
פְּשִׁיעָה נ	sinning, offending; criminal negligence
פָּשַׁע (יִפְשַׁע) פ	commit crime; sin, offend
פֶּשַׁע ז	crime
פָּשַׂע (יִפְשַׂע) פ	step, tread
פֶּשַׂע ז	step, pace
פִּשְׁפּוּשׁ ז	search, examination
פִּשְׁפֵּשׁ ז	bug
פִּשְׁפֵּשׁ (יְפַשְׁפֵּשׁ) פ	search, scrutinize
פִּשְׁפָּשׁ ז	wicket
פָּשַׂק (יִפְשׂוֹק) פ	open wide
פֶּשֶׂק ז	stud (in chain)
פֵּשֶׁר ז	explanation, meaning
פְּשָׁרָה נ	compromise
פַּשְׁרָן ז	compromiser
פַּשְׁרָנוּת נ	tendency to compromise
פִּשְׁתָּה נ	flax
פִּשְׁתָּן ז	linen; linseed
פַּת נ	piece of bread; (snow) flake
פִּתְאוֹם תה״פ	suddenly
פִּתְאוֹמִי ת	sudden
פְּתָאִים ז״ר	fools
פַּתְבַּג, פַּת־בַּג	delicacy, good food
פִּתְגָּם ז	proverb, saying, adage
פָּתָה (יִפְתֶּה) פ	be silly, be simple-minded
פָּתוּחַ ת	open
פָּתוּךְ ת	mixed, blended
פָּתוּל ת	twisted, winding

פָּתוֹת ז crumb
פְּתוֹתֵי לֶחֶם breadcrumbs
פָּתַח (יִפְתַּח) פ open; begin, start
פֶּתַח ז doorway, entrance; opening
פַּתָּח ז patah (vowel as in פַּ)
פַּתָּח גְּנוּבָה patah (when occurring under a final (ה, ח, ע)
פֶּתַח דָּבָר foreword, preface
פִּתְחָה נ scuttle
פִּתְחוֹן־פֶּה excuse, pretext
פֶּתִי ז fool, simpleton
פְּתַיָּה נ simple-minded woman, foolish woman
פְּתַיּוּת נ simple-mindedness, foolishness
פְּתִיחָה נ opening; start
פְּתִיחוּת נ openness
פְּתִיכָה נ mixing, blending
פְּתִיל ז thread, cord
פָּתִיל ת tied, bound
פְּתִילָה נ wick (of candle, stove); fuse (for explosives); suppository (medical)
פְּתִילִיָּה נ paraffin stove
פְּתִילַת הַמִּדְבָּר milkweed
פְּתִיעָה נ surprise
פָּתִיר ת soluble (problem, etc.)
פְּתִירָה נ solving; interpreting (dream)
פְּתִית ז crumb; floccule
פָּתַךְ (יִפְתּוֹךְ) פ mix, blend (colors)
פְּתַלְתּוֹל ת tortuous; perverse, crooked
פֶּתֶן ז cobra
פֶּתַע תה״פ suddenly
פִּתְפּוּת ז crumbling, crushing, smashing
פִּתְפּוּתֵי בֵּיצִים nonsense (lit. scrambled eggs)
פִּתְפֵּת (יְפַתְפֵּת) פ crumble, crush
פֶּתֶק ז פִּתְקָה נ note, chit
פָּתַר (יִפְתּוֹר) פ solve, interpret
פִּתְרוֹן ז solution (to problem), interpretation (to dream)
פַּתְשֶׁגֶן ז transcript; synopsis, summary

צ

צֵא go out! (imper. of יָצָא q.v.)

צֶאֱל ז, צֶאֱלִים ז״ר a kind of shady acacia

צֶאֱלוֹן ז poinciana

צֹאן נ״ר flocks (sheep and goats); sheep (or goat)

צֶאֱצָא ז offspring, descendant

צֵאת to go (infinitive of יָצָא q.v.)

צָב ז, צַבִּים ז״ר tortoise

צָבָא (יִצְבָּא) פ throng, gather

צָבָא ז army

צְבָא הַהֲגָנָה לְיִשְׂרָאֵל Israel Defense Force

צְבָאוֹת ז״ר armies

צְבָאִי ת military

צְבָאִיּוּת נ militant spirit, militarism

צְבָאִים ז״ר deer (plur. of צְבִי, q.v.)

צְבָא קֶבַע regular army

צָבָה (יִצְבֶּה) פ swell, become swollen

צָבֶה ת swollen

בוּעַ ת painted, colored; hypocritical, two-faced

בוּעַ ז hyena

בוּר ת heaped together

בוּת נ swelling

בַט (יִצְבּוֹט) פ pinch; grip

בִי ז deer, stag

בִיוֹן ז character, quality

בִיטָה נ pinch, pinching

בִיָּה נ hind, gazelle (fem.)

בִיעָה נ painting, coloring

צְבִיעוּת נ hypocrisy

צְבִיר ז cluster; galaxy

צָבִיר ת accumulative

צְבִירָה נ accumulation, collecting

צָבַע (יִצְבַּע) פ paint, color, dye

צֶבַע ז paint, color, dye

צַבָּע ז painter

צִבְעוֹנִי ת colorful

צִבְעוֹנִי ז tulip

צִבְעוֹנִיּוּת נ colorfulness

צַבָּעוּת נ painting (house)

צִבְעֵי מָגֵן protective coloring

צִבְעָן ז pigment

צָבַר (יִצְבּוֹר) פ amass, accumulate

צֶבֶר ז heap, pile; sporangium (botany)

צָבָר, צַבָּר ז cactus; native-born Israeli, "Sabra"

צַבָּרִיּוּת נ character of a "Sabra"

צְבָת נ pliers, tongs

צַבְתָּן ז earwig

צַד ז side; page; aspect

צָד (יָצוּד) פ hunt, catch

צְדָדִי ת lateral; secondary

צְדָדִים ז״ר sides (plur. of צַד)

צְדוּדִית נ profile

צַדּוֹן ז broadside (military)

צְדִיָּה נ malice, wilfulness

צַדִּיק ת godfearing; right, just; Hassidic Rabbi

צַדִּיקוּת נ righteousness, saintliness

צֶדַע ז — temple
צֶדֶף ז — shell
צִדְפָּה נ — oyster
צִדְפִּי ת — shell-like, molluscoid
צָדַק (יִצְדַּק) פ — be right, be justified; be just
צֶדֶק ז — justice, justness; rightness, correctness; Jupiter (planet)
צְדָקָה נ — justice; righteousness; charity, act of charity
צַדֶּקֶת נ — righteous woman
צַדְרָה נ — tarpaulin
צָהַב (יִצְהַב) פ — turn yellow, glow
צְהַבְהַב ת — yellowish
צַהֶבֶת נ — jaundice
צָהוּב ת — angry, hostile
צָהוֹב ת — yellow
צָהוֹר ת — white
צָהַל (יִצְהַל) פ — shout for joy; neigh
צַהַ"ל — Israel Defense Force, the Israel Army
צָהֳלָה, צוֹהֳלָה נ — shouts of joy
צַהֲלָה נ — neigh, neighing
צָהֳרַיִים, צוֹהֳרַיִים — noon, midday
צַו ז — order, command
צוֹאָה נ — excrement
צוֹבֵעַ ז — painter; dyer
צוּבַּע (יְצוּבַּע) פ — be painted
צוֹבֶר ז — heap, pile
צוֹדֵד (יְצוֹדֵד) פ — beguile, captivate
צוּדַּד (יְצוּדַּד) פ — be diverted, be turned aside
צוֹדֵק ת — right; just
צוֹהַב ז — yellowness; yellow
צוֹהֵל ת — merry, joyful, exultant

צוֹהַר ז — skylight, window; zenith (astronomy)
צַוָּאָה נ — will, testament
צַוָּאר ז — neck
צַוָּארוֹן ז — collar
צַוָּאַת שְׁכִיב מְרַע — last will and testament (made while sick)
צֻוָּה (יְצֻוֶּה) פ — be ordered, be commanded, be bidden
צָוַח (יִצְוַח) פ — scream, shriek
צְוָחָה נ — cry, scream
צַוְחָן ז — screamer
צַוְחָנִי ת — screaming, shrieking
צְוִיחָה נ — scream, shriek
צְוִיץ ז — chirrup
צֶוֶת ז — team, crew
צַוְתָּא נ — team; company
צוּחְצַח (יְצוּחְצַח) פ — be polished; be dressed up
צוּטַּט (יְצוּטַּט) פ — be quoted
צוּיַּד (יְצוּיַּד) פ — be equipped, be supplied
צוּיַּן (יְצוּיַּן) פ — be marked, be noted
צוּיַּץ (יְצוּיַּץ) פ — be fringed (garment)
צוּיַּר (יְצוּיַּר) פ — be drawn, be illustrated
צוֹלֵב ת — cruciform, crossed
צוּלָה נ — depths (of the sea)
צוּלְהַב (יְצוּלְהַב) פ — be gilded, be made bright
צוֹלֵל ת, ז — diver, frogman
צוֹלֶלֶת נ — submarine
צוּלַּם (יְצוּלַּם) פ — be photographed
צוֹלֵעַ ת — lame, limping; shaky, ineffectual

צוּלְפָנִי ת lashing; (fig.) biting
צוּלַק (יְצוּלַק) פ be scarred
צוֹם ז fast
צוּמַד (יְצוּמַד) פ be coupled, be combined
צוֹמֵחַ ת, ז flora; growing
צוּמְצַם (יְצוּמְצַם) פ be reduced, be cut down
צוֹמֵק ת shrunken, shriveled
צוּמַק (יְצוּמַק) פ be shrunken, be shriveled
צוֹמֶת ז juncture point, joint
צוּמַת (יְצוּמַת) פ be destroyed; be attached, accompany; be pickled in brine, be preserved (meat)
צוֹמֶת דְּרָכִים crossroads
צוֹמֶת רַכָּבוֹת railway junction
צוּנְזַר (יְצוּנְזַר) פ be censored
צוֹנֵן ת, ז cold, chilly; cold water
צוֹנְנִים ז״ר cold water
צוּנַּן (יְצוּנַּן) פ cool down, be cooled
צַו עַל תְּנַאי order nisi
צוֹעֲנִי ז gypsy
צוֹעַף (יְצוֹעַף) פ be veiled
צוּעֲצַע (יְצוּעֲצַע) פ be ornamented, be decorated
צוֹעֵר ז shepherd boy; assistant, junior; (milit.) cadet
צוּף ז nectar (in flowers); drink made from honey, mead
צוֹפֶה ז observer, look-out; spectator; Boy Scout
צוּפָּה (יְצוּפֶּה) פ be plated
צוֹפִי ת of the Scouts
צוֹפִיּוּת נ Scouting
צוֹפִים ז״ר Boy Scouts
צוּפִית נ Palestine sunbird
צוּפָן ז nectary (botany)
צוֹפֶן ז code
צוֹפֵף (יְצוֹפֵף) פ crowd together, close up
צוּפַּף (יְצוּפַּף) פ be crowded together
צוֹפָר ז siren, hooter, horn
צוֹצָל ז, צוֹצֶלֶת נ ringed turtle-dove, ring-dove
צוּק ז cliff
צוֹק ז hardship, trouble
צוּקָה נ distress, trouble
צוֹק הָעִיתִּים troubled times
צוֹר ז flint
צוּר ז rock, fortress
צוֹרֵב ת burning, scalding; (fig.) agonizing, painful
צוֹרְבָנִי ת burning, scalding, agonizing
צוּרָה נ shape, form; figure; appearance, structure
צוֹרֶךְ ז need, necessity
צוֹרְכֵי צִיבּוּר public affairs
צוֹרְכֵי שַׁבָּת the requirements of the Sabbath
צוּר מַחֲצַבְתּוֹ his origins, his roots
צוּר מִכְשׁוֹל stumbling block
צוֹרְמָנִי ת discordant
צוֹרָן ז silicon
צוּרָן ז morpheme
צוּרָנִי ת formal; morphemic
צוֹרָנִי ת silicious
צוֹרַע (יְצוֹרַע) פ become leprous

צוֹרֵף ז goldsmith (or silversmith)
צוֹרַף (יְצוֹרַף) פ be added, be attached; be refined (precious metal)
צוֹרְפוּת נ craft of the goldsmith (or silversmith)
צוֹרֵר ז foe, enemy
צוּרָתִי ת formal
צוֹתֵת (יְצוֹתֵת) פ listen in
צַח ת pure, clear
צָחוּן ת stinking, smelly
צְחוֹק ז laughter, laugh
צָחוֹר ת white
צְחוֹר ז whiteness
צַחוּת נ purity, lucidity, clarity
צָחִיחַ ת dry, arid
צְחִיחַ ז parchedness, dryness
צְחִיחוּת נ aridity, dryness
צָחַן (יִצחַן) פ stink
צַחֲנָה נ stench, bad smell
צִחצוּחַ ז polishing
צִחצוּחַ חֲרָבוֹת sabre-rattling
צִחצַח (יְצַחצֵחַ) פ polish, burnish
צָחַק (יִצחַק) פ laugh
צַחֲקָה נ chuckle, smile
צִחקוּק ז faint smile, chuckle
צַחקָן ז laughter-loving person
צִחקֵק (יְצַחקֵק) פ chuckle
צְחַרחַר ת whitish
צִי ז fleet, marine
צֵיאָה, צֵאָה נ excrement, filth
צִיבּוּי ז swelling
צִיבּוּעַ ז paint, painting
צִיבּוּר ז public, community; heap, pile

צִיבּוּרִי ת public, communal
צִיבַּע (יְצַבַּע) פ paint
צַיִד ז hunting; game
צִידֵּד (יְצַדֵּד) פ turn aside; support
צֵידָה נ food for a journey, provisions
צִידּוּד ז turning aside; supporting
צִידּוּק ז justification; proving right
צֵידָנִית נ picnic hamper
צִידֵּק (יְצַדֵּק) פ justify, vindicate
צִיּוּד ז equipment; equipping
צִיוָּה (יְצַוֶּה) פ command, order
צִיוָּה לְבֵיתוֹ made his will
צִיוּוּי ז order, command; (grammar) imperative
צִיוֵּחַ (יְצַוֵּחַ) פ scream, shriek
צִיוֵּץ (יְצַוֵּץ) פ chirrup, twitter
צִיּוּן ז mark; note, remark
צִיּוֹן נ Zion
צִיּוֹנוּת נ Zionism; (colloquial) moralizing
צִיּוֹנִי ת׳ ז Zionist
צִיּוֹנִיוּת נ Zionism
צִיּוּץ ז chirruping, chirping
צִיּוּר ז drawing, picture; figure, description
צִיּוּרִי ת pictorial, descriptive, graphic
צִיּוּת ז obedience
צִיחֵק (יְצַחֵק) פ make merry, jest; laugh
צִיטֵּט (יְצַטֵּט) פ quote, cite
צִיטָטָה נ quotation
צִיֵּיד (יְצַיֵּיד) פ equip, supply, furnish

צַיָּד ז hunter

צִיָּה נ desert, aridity

צִיֵּן (יְצַיֵּן) פ mark, point out

צִיֵּץ (יְצַיֵּץ) פ chirrup, twitter

צַיְקָן ז miser, skinflint

צִיֵּר (יְצַיֵּר) פ draw, paint; picture, describe

צַיָּר נ artist, painter

צִיֵּת (יְצַיֵּת) פ obey, submit

צַיְּתָן ז obedient (submissive) person

צַיְּתָנוּת נ obedience, submissiveness

צִילֵּב (יְצַלֵּב) פ make the sign of the cross

צִילּוּם ז photograph; photography

צִילּוּעַ ז diaphragm plate; side beam

צִילֵּם (יְצַלֵּם) פ photograph

צִילֵּק (יְצַלֵּק) פ scar

צִימָּאוֹן ז thirst; arid land

צִימֵּד (יְצַמֵּד) פ combine, couple

צִימּוּק ז raisin

צִימַּח (יְצַמַּח) פ grow, sprout

צִי מִלְחָמָה navy

צַיִן ז caption

צִינָּה נ cold, chill; shield

צִינּוּן ז cooling down, chilling

צִינּוֹק ז solitary cell; prison

צִינּוֹר ז pipe, tube; drain, conduit

צִינּוֹרָה נ knitting needle, stream

צִינּוֹרִית נ knitting needle

צִינֵּן (יְצַנֵּן) פ cool, cool down

צִי סַחַר merchant navy

צֵיעֵף (יְצָעֵף) פ veil

צִיעֵר (יְצַעֵר) פ sadden, grieve

צִיפָּה נ floatation, floating; fleshy part of a fruit

צִיפָּה (יְצַפֶּה) פ expect, wait

צִיפָּה נ covering; bed-cover

צִיפּוּי ז covering, plating, coating

צִיפּוּף ז crowding together, closing up

צִיפּוֹר נ bird

צִיפּוֹרֶן נ nail (human), claw (animal); nib (writing)

צִיפּוֹר נַפְשׁוֹ his dearest wish, his aim in life

צִיפּוֹר שִׁיר songbird

צִיפּוֹרֶת נ small bird

צִיפִּיָּה נ expectation, anticipation

צִיפִּית נ pillow-case, pillow-slip

צִיפָּנִי ת buoyant

צִיפֵּף (יְצַפֵּף) פ crowd together, close up

צִיץ ז blossom, flower

צִיצָה נ blossom, flower; tuft, cluster; tassel (on clothes)

צִיצִית נ fringe, fringed garment (worn by observant Jews); tuft (botany)

צִיצִית הָרֹאשׁ forelock

צִיקְלוֹן ז cyclone

צִיר ז hinge, pivot; axis; envoy, messenger; delegate; brine, sauce; ax

צֵירֶה ז tsere – a vowel (as in צֵ)

צֵירוּף, צֵרוּף ז refining (gold), removing dross; joining, combination; attaching, attachment; changing money (small for large)

צֵירוּפִי ת combinatorial

צִירוּת נ legation
צִירִי ת axial
צִירֵי לֵידָה labor pains, birth pangs
צֵירֵף (יְצָרֵף) פ add; combine, join together; refine (precious metal)
צִיתוּת ז listening-in
צִיתָר ז zither
צֵל ז shade, shadow
צָלַב (יִצְלוֹב) פ crucify
צְלָב ז cross
צְלַב הַקֶרֶס swastika
צְלָבוֹן ז cross (worn as an ornament)
צַלְבָּן ז Crusader
צַלְבָּנִי ת of the Crusades, Crusader
צָלָה (יִצְלֶה) פ roast
צָלוּב ת crucified; Jesus
צְלוֹחִית נ flask
צָלוּי ת roast(ed)
צָלוּל ת clear, transparent; lucid
צְלוֹפָח ז eel
צָלוּק ת scarred
צָלַח (יִצְלַח) פ prosper, flourish; fit, be good for; cross (a lake or river)
צָלֵחַ ת successful, prosperous
צִלְחָה נ headache, migraine
צַלְחִית נ saucer
צַלַּחַת נ plate, dish, bowl
צְלִי ז roast meat
צְלִיבָה נ crucifixion
צְלִיחָה נ crossing (a lake or river)
צְלִיָּיה נ roasting
צַלְיָין ז pilgrim

צְלִיל ז note (of music); sound, ring
צְלִילָה נ diving; sinking to the bottom
צְלִילוּת נ clarity, lucidity
צְלִילוּת הַדַּעַת clear-mindedness
צְלִילִיּוּת נ resonance
צְלִיעָה נ limp, lameness
צְלִיפָה נ lashing, whipping; sniping
צָלַל (יִצְלוֹל) פ dive, plunge; sink to the bottom
צְלָלִים ז״ר shadows (plur. of צֵל q.v.)
צְלָלִית נ silhouette
צֶלֶם ז likeness, image; idol; the Cross
צַלָּם ז photographer
צֶלֶם אֱלוֹהִים image of God; kindness, considerateness
צַלְמָוֶת ז deep shadow, great darkness
צַלְמוֹנִיָּה, צַלְמָנִיָּה נ photographer's studio
צֶלְסִיוּס ז centigrade(thermometer)
צָלַע (יִצְלַע) פ limp; lag
צֶלַע, צֵלָע ז rib
צַלְעוֹן ז polygon
צַלְעִית נ chop, cutlet
צָלָף ז caper bush
צָלַף (יִצְלוֹף) פ snipe
צַלָּף ז sniper
צַלָּפוּת נ sniping
צִלְצוּל ז ring, ringing
צְלָצַל ז kind of locust
צִלְצֵל (יְצַלְצֵל) פ ring, chime; ring up, telephone

צִלְצָל ז harpoon

צַלֶּקֶת נ scar; stigma (botany)

צָם (יָצוּם) פ fast

צָמֵא (יִצְמָא) פ be thirsty

צָמֵא ת thirsty

צָמָא ז thirst

צְמֵא דָם bloodthirsty

צֶ'מְבָּלוֹ ז harpsichord

צֶמֶג ז rubber

צְמַגְמַג ת sticky, tacky

צָמַד (יִצְמוֹד) פ couple, join together, pair

צֶמֶד ז pair, couple

צִמְדָּה נ duet

צֶמֶד־חֶמֶד a lovely pair

צַמָּה נ plait, braid

צָמוּג ת sticky, adhesive

צָמוּד ת tied, linked; joined

צָמוּק ת shrivelled, dried up

צָמוּת ת destroyed

צָמַח (יִצְמַח) פ grow, sprout; spring from

צֶמַח ז plant; growth

צִמְחוֹנוּת נ vegetarianism

צִמְחוֹנִי ת vegetarian

צִמְחוֹנִיָּה נ vegetarian restaurant

צִמְחִי ת vegetable, vegetal

צִמְחִיָּה נ vegetation, flora

צְמִיג ז tyre

צָמִיג ת viscous, sticky

צְמִיגוּת נ viscosity, stickiness

צְמִיגִי ת sticky, adhesive

צָמִיד ז bracelet; lid, covering

צָמִיד ת linked, coupled

צְמִידוּת נ attachment, linkage; interdependence

צְמִיחָה נ growing, growth

צָמִיר ת woolly, shaggy

צָמִית ת, ז permanent, perpetual; vassal

צְמִיתוּת נ permanence, perpetuity

צֶמֶל ז ripe fig; adolescent girl

צִמְנֵט (יְצַמְנֵט) פ cement

צִמְצוּם ז reduction, cutting down

צִמְצֵם (יְצַמְצֵם) פ reduce, cut down

צַמְצָם ז condenser (phot.)

צָמַק (יִצְמַק) פ shrivel, shrink, dry up

צֶמֶק ז dried fruit

צֶמֶר ז wool; fiber (on plants)

צֶמֶר גֶּפֶן cotton wool; cotton

צַמְרִי ת woolly, woollen

צְמַרְמוֹרֶת נ shudder; shock

צַמֶּרֶת נ tree-top; top, upper ranks

צַמֶּרֶת הַשִּׁלְטוֹן the upper ranks of the government

צָמַת (יִצְמוֹת) פ destroy; oppress; shrink

צֵן ז thorn

צְנוֹבָר ז pine-cone

צָנוּם ת skinny, thin

צְנוֹן ז radish

צְנוֹנִית נ small radish

צָנוּעַ ת humble, modest

צָנוּף ת turbaned

צִנְזֵר (יְצַנְזֵר) פ censor

צָנַח (יִצְנַח) פ drop, fall to the ground; parachute

צַנְחָן ז parachutist

צַנְחָנוּת נ parachute jumping

צְנִיחָה נ dropping, sinking down; parachute descent
צְנִים ז rusk, toast
צָנִין ז thorn, goad
צְנִיעוּת נ modesty, chastity
צָנִיף ז turban, head-cloth
צְנִיפָה נ putting on a turban
צְנִירָה נ knitting; crocheting
צֶנַע ז austerity; modesty
צִנְעָה נ secrecy, privacy
צָנַף (יִצְנוֹף) פ wrap round; roll
צִנְצֶנֶת נ jar
צַנָּר ז pipe-layer
צַנֶּרֶת נ piping, pipe-system
צַנְתָּר ז thin pipe, tube
צִנְתֵּר (יְצַנְתֵּר) פ catheterize
צָעַד (יִצְעַד) פ march, pace, step
צַעַד ז step, pace, stride
צְעָדָה נ march
צָעָה (יִצְעֶה) פ travel, wander
צָעוּף ת veiled
צְעִידָה נ marching, pacing
צָעִיף ז veil; scarf
צָעִיר ת, ז young, youthful; youth, lad
צְעִירָה נ young girl, young woman
צְעִירוֹן ז youngster, mere lad
צְעִירוּת נ youth, youthfulness
צָעַן (יִצְעַן) פ wander, roam
צַעֲצוּעַ ז toy, plaything
צִעְצַע (יְצַעֲצַע) פ ornament, decorate
צָעַק (יִצְעַק) פ shout, yell
צְעָקָה נ shout(ing), yell(ing)
צַעֲקָן ז shouter
צַעֲקָנוּת נ shouting, noisiness; (fig.) blatancy, loudness
צַעַר ז sorrow, trouble; pain
צַעַר בַּעֲלֵי חַיִּים prevention of cruelty to animals
צַעַר גִּידּוּל בָּנִים the trouble of bringing up children
צָף (יָצוּף) פ float; flow
צָף ז float
צָפַד (יִצְפּוֹד) פ dry up, shrivel, shrink
צַפְדִּינָה נ scurvy
צַפֶּדֶת נ tetanus
צָפָה (יִצְפֶּה) פ watch, observe; foresee
צָפוּי ת expected; destined
צָפוֹן ז north
צָפוּן ת hidden, concealed
צְפוּנוֹת נ״ר secrets
צְפוֹנִי ת north, northern
צְפוֹנִי־מִזְרָחִי north-east
צָפוּף ת crowded, packed tight
צִפְחָה נ slate
צַפַּחַת נ flat flask (jar)
צַפִּיחִית נ cake, wafer
צְפִיָּה נ observation, watching
צְפִיעַ ז dung
צְפִיעָה נ infant, baby
צְפִיפוּת נ crowding; denseness, density
צָפִיר ז young goat
צְפִירָה נ hoot, hooting; dawn, morning
צְפִיר עִזִּים he-goat
צָפִית נ covering, table-cloth

צָפַן (יִצְפּוֹן) פ hide, conceal
צֶפַע ז viper
צִפְעוֹנִי ז viperine snake
צִפְצוּף ז whistling; (coll.) scorn
צִפְצֵף (יְצַפְצֵף) פ whistle; (colloquial) scorn
צַפְצָפָה נ poplar
צַפְצֵפָה נ whistle
צֶפֶק ז peritoneum
צַפֶּקֶת נ peritonitis
צָפַר (יִצְפּוֹר) פ hoot, sound horn (of a car)
צַפָּר ז bird-keeper, bird-fancier
צַפְרָא ז morning
צְפַרְדֵּעַ נ frog
צִפְרוֹנִי ת capricious
צִפְרוֹנִיּוּת נ capriciousness, caprice
צַפָּרוּת נ bird-keeping, bird-raising
צַפְרִיר ז zephyr, morning breeze
צֶפֶת נ capital (of a pillar)
צָץ (יָצִיץ) פ blossom, bloom; spring forth
צָק (יָצוּק) פ pour
צִקְלוֹן ז travelling bag
צַר ז enemy, foe; czar
צָר (יָצוּר) פ besiege (a city); shape, form
צַר ת narrow
צַר־אוֹפֶק narrow-minded
צָרַב (יִצְרוֹב) פ burn, scorch; corrode (metal); cauterize (surgical)
צָרֶבֶת נ heartburn
צְרֵדָה, צְרֵידָה נ middle finger
צְרַדְרַד ת gruff, rather hoarse

צָרֶדֶת נ hoarseness, huskiness
צָרָה נ trouble, misfortune
צָרָה צְרוּרָה great trouble
צָרוּב ת burnt, scorched
צָרוּד ת hoarse
צָרוּעַ ת leprous
צָרוּף ת refined, purified
צָרוּר ת tied up, bound up
צְרוֹר ז bundle, package; bunch (flowers, keys, etc.); burst (of bullets fired); pebble
צָרוּת נ narrowness; crampedness
צָרוּת אוֹפֶק narrow-mindedness
צָרוּת עַיִן meanness, selfishness
צָרַח (יִצְרַח) פ scream
צַרְחָן ז screamer
צַרְחָנִי ת screaming, screeching
צֳרִי, צוֹרִי ז balsam
צְרִיבָה burn(ing), scorch(ing); etching; corrosion (metal); heartburn
צְרִידוּת נ hoarseness
צְרִיחַ ז tower; castle, rook
צְרִיחָה נ scream
צָרִיךְ ת necessary, needful
צְרִיכָה נ consumption
צָרִיךְ לִהְיוֹת ...should be
צָרִיךְ לוֹמַר ...should say
צָרִיךְ לַעֲשׂוֹת ...should do
צְרִימָה נ grating (sound), dissonance
צְרִיף ז hut, shack
צְרִיפָה נ refining (precious metal)
צְרִיפוֹן ז small hut
צְרִיר ז dissonance

צָרַךְ (יִצְרוֹךְ) פ	use, consume; need, be required to
צַרְכָן ז	consumer
צַרְכָנוּת	consumers (as a body); consumption
צַרְכָנִיָּה נ	cooperative store
צָרַם (יִצְרוֹם) פ	grate (of sounds), jar
צִרְעָה נ	wasp
צַר־עַיִן	mean, stingy
צָרַעַת נ	leprosy
צָרַף (יִצְרוֹף) פ	refine (metal), smelt, purify; test
צָרְפַת נ	France
צָרְפָתִי ת׳ ז	French, Frenchman
צְרָצוּר ז	cricket (insect)
צִרְצוּר ז	chirping (of a cricket)
צִרְצֵר (יְצַרְצֵר) פ	chirp (like a cricket)
צָרַר (יִצְרוֹר) פ	make into a bundle, pack

ק

קָא (יָקִיא) פ	vomit, be sick
קָאַת נ	pelican
קַב ז	minimum amount, small quantity; crutch; wooden leg
קָבַב (יִיקוֹב) פ	curse
קָבוֹט ז	pickle jar, vat
קָבוּעַ ת	regular, constant, fixed
קָבוּעַ ז	constant (maths)
קְבוּצָה נ	group, team (sport); collective settlement, kvutza
קְבוּצָתִי ת	collective, combined
קָבוּר ת	buried
קְבוּרָה נ	burial
קַבַּיִים ז״ז	a pair of crutches
קְבִילָה נ	complaint
קְבִילוּת נ	acceptability
קְבִיעָה נ	fixing, determining
קְבִיעוּת נ	permanence (in employment); regularity
קְבִירָה נ	burial, burying
קָבַל (יִקְבּוֹל) פ	complain
קַבָּל ז	condenser, capacitor
קֳבָל, קוֹבָל תה״פ	opposite, before
קַבָּלָה נ	receiving; receipt (for payment); reception; tradition; Kabbala
קַבְּלָן ז	contractor
קַבְּלָנוּת נ	piece-work, contracting
קַבְּלָנִי ת	contracting, undertaking piece-work
קֳבָל עַם	openly, publicly
קַבָּלַת פָּנִים	reception, welcome
קַבָּלַת שַׁבָּת	inauguration of the Sabbath

קֶבֶס ז nausea, sickness
קַבְסְתָּן ז nauseating individual
קָבַע (יִקְבַּע) פ fix, determine; fix in, install
קֶבַע ז permanence, regularity
קָבַץ (יִקְבּוֹץ) פ gather, assemble
קַבְּצָן ז beggar
קַבְּצָנוּת נ beggary
קַבְּצָנִי ת beggarly
קַבְקַב ז clog, wooden shoe
קָבַר (יִקְבּוֹר) פ bury
קֶבֶר ז grave, tomb
קַבְּרָן ז gravedigger
קְבַרְנוּן ז goby
קַבַּרְנִיט ז captain (of ship, plane); leader
קָדַד (יִיקּוֹד) פ bow, bow the head
קָדוּד ת pierced, cut through (or out)
קָדוּחַ ת drilled, bored
קְדוֹחֶת נ cuttings (from a boring)
קָדוּם ת ancient
קְדוֹמַנִי ת forward, front
קְדוֹרַנִּי ת gloomy, dark
קְדוֹרַנִּית תה"פ gloomily, dismally
קָדוֹשׁ ת holy, sacred
קְדוּשָּׁה נ holiness, sanctity
קָדַח (יִקְדַּח) פ drill, bore; be sick with fever
קֶדַח ז fume
קְדַחְדַּח ז spiral drill
קַדַּחַת נ malaria
קַדַּחְתָּנִי ת feverish
קְדִיחָה נ boring, drilling
קָדִים ז east; east wind
קְדִימָה נ priority, precedence
קָדִימָה! מ"ק forward!
קְדֵירָה, קְדֵרָה נ pot, cooking-pot
קַדִּישׁ ת, ז Kaddish (memorial prayer for the dead); (colloquial) son
קָדַם (יִקְדַּם) פ precede, come before
קְדַם־ pre-
קֶדֶם ז front; east; ancient times
קַדְמָה נ antiquity, the distant past
קִדְמָה נ progress, advance
קֵדְמָה תה"פ eastward
קַדְמוֹן ת, ז ancient, primeval
קַדְמוֹנִי ת ancient, primeval
קַדְמוֹנִיּוֹת נ"ר antiquities
קַדְמוּת נ antiquity
קִדְמִי ת forward, front
קִדְקֵד (יְקַדְקֵד) פ cluck
קִדְקוּד ז clucking
קָדַר (יִקְדַּר) פ darken, grow dark; be gloomy
קַדָּר ז potter
קַדָּרוּת נ pottery
קַדְרוּת נ gloom
קְדֵרִייָה נ small pot
קָדַשׁ (יִקְדַּשׁ) פ become holy, be consecrated
קָדֵשׁ ז temple prostitute (male)
קְדֵשָׁה נ temple prostitute (female)
קָהָה (יִקְהֶה) פ be blunted, be dulled; be faint
קֵהֶה, קֵיהֶה ת blunt, dull; on edge (teeth); dull witted
קַהֲוָה נ coffee
קָהוּי ת blunted, dulled

Hebrew	English
קֵהוּת נ	bluntness, dullness
קְהִילָּה נ	community, congregation
קְהִילָּה קְדוֹשָׁה (ק״ק)	a Jewish community
קְהִילִיָּיה נ	republic
קְהִילָּתִי ת	communal
קָהָל ז	community, public; audience
קַו, קָו ז	line (lit. and fig.)
קַו אוֹרֶךְ	line of longitude
קוֹבָה, קֵבָה נ	womb
קוּבָּה נ	tent; brothel
קוּבּוּץ ז	Kubbutz – name of a Hebrew vowel sign as in קֻ
קוּבִיָּה נ	dice
קוּבְיוּסְטוּס ז	dice-player; card-player
קוּבִּיָּיה נ	cube (geometry); dice (game)
קוּבלָנָה נ	complaint
קוֹבַע ז	helmet
קוּבַּעַת נ	cup
קוּבַּץ (יְקוּבַּץ) פ	be gathered together
קוֹבֶץ ז	collection (literary), anthology
קוֹד ז	code
קוֹדַאי ז	encoder, coder
קוּדַּד (יְקוּדַּד) פ	be broached, be reamed (hole)
קוֹדֶדֶת נ	pastry cutter
קוֹדֵם ת	previous, prior
קוֹדֶם תה״פ	before, previously
קוֹדֶם כּוֹל	first of all, first
קוֹדֶם לָכֵן	before this
קוֹדְמָן ז	antecedent
קוֹדֶם שֶׁ־	before
קוֹדקוֹד, קָדקוֹד ז	crown (of the head), top; vertex
קוֹדֵר ת	dark; gloomy
קוּדַּשׁ (יְקוּדַּשׁ) פ	be sanctified, be consecrated; be betrothed
קוֹדֶשׁ ז	holiness, sanctity
קוֹדֶשׁ ל...	dedicated to, devoted to
קוֹדֶשׁ־קוֹדָשִׁים	most holy
קַו הַבְּרִיאוּת	good health
קַו הַמַּשְׁוֶוה	the equator
קוּוָּה (יְקוּוֶּה) פ	be hoped for, be expected
קַוִּי ת	linear
קַוָּן ז	linesman
קַוָּנוּת נ	the work of a linesman
קָווּץ ת	thorny, prickly; shrunken
קָווַץ (יִקווֹץ) פ	spread thorns
קְווּצָּה נ	lock (of hair), tress
קִווקֵד (יְקַווקֵד) פ	line with alternate dots and dashes
קוּוקַד (יְקוּוקַד) פ	be lined with alternate dots and dashes
קִווקֵו (יְקַווקֵו) פ	hatch, shade (with lines)
קוּוקַו (יְקוּוקַו) פ	be hatched, be shaded
קִווקוּד ז	line of dots and dashes
קִווקוּו ז	hatching, shading
קוּזַּז (יְקוּזַּז) פ	be set off (in bookkeeping), be compensated
קוֹטֶב ז	pole (geography, elec.)
קוֹטבִּי ת	polar
קוֹטבִּיוּת נ	polarity

קוּטלַג (יְקוּטלַג) פּ	be catalogued
קוֹטֶן ז	smallness, littleness; little finger
קוּטַּע (יְקוּטַּע) פּ	be cut off, be lopped off; be paragraphed; be split up, be interrupted
קוּטַּף (יְקוּטַּף) פּ	be plucked, be picked
קוּטַּר (יְקוּטַּר) פּ	be perfumed, be scented (with incense)
קוֹטֶר ז	diameter (of circle); caliber (of rifle); axis
קוּטרַב (יְקוּטרַב) פּ	be fastened with a cotter
קוּיַּם (יְקוּיַּם) פּ	be fulfilled (promise), be carried out; be validated, be confirmed; be held (meeting)
קוֹל ז	voice; sound; vote, opinion
קוּל ז	lenient rule or regulation
קוֹלֶב, קוֹלָב ז	clothes-hanger
קוֹלֶג׳ ז	college (school or university)
קוֹלֶגְיָאלִי ת	collective, fraternal
קוּלָּה נ	lenient rule; misdemeanor, peccadillo
קוּלטַר (יְקוּלטַר) פּ	be prepared (earth) with cultivator, be cultivated
קוֹלִי ת	vocal
קוּלִית נ	thighbone
קוּלַּל (יְקוּלַּל) פּ	be cursed
קוּלמוֹס ז	pen
קוֹלָן ז	tuning fork
קוֹלנוֹעַ ז	talking film, movie; cinema
קוֹלנוֹעִי ת	cinematic, of the films
קוֹלָנִי ת	noisy, vociferous
קוֹלָנִיּוּת נ	noisiness, clamorousness
קוֹלָס ז	stalk
קוּלַּס (יְקוּלַּס) פּ	be praised
קוֹלָס שֶׁל כְּרוּב	cabbage head
קוֹלֵעַ ת	to the point, apt
קוּלַּף (יְקוּלַּף) פּ	be peeled
קוֹל קוֹרֵא	proclamation, public appeal
קוּלקַל (יְקוּלקַל) פּ	be spoiled, be impaired
קוֹלָר ז	collar (round dog's or prisoner's neck)
קוֹל רִאשׁוֹן	soprano
קוֹל שֵׁנִי	alto
קוֹם ז	curd
קוֹמבִּינַצְיָה נ	combination, wangle
קוֹמָה נ	height; storey, floor
קוּמַּח (יְקוּמַּח) פּ	be dusted with flour
קוּמַּט (יְקוּמַּט) פּ	be creased, be crumpled
קוֹמֵם (יְקוֹמֵם) פּ	rebuild, restore; rouse, stir up
קוֹמְמִיּוּת נ, תה״פ	independence, sovereignty; with head erect
קוֹמָנִית נ	mold (on bread)
קוֹמֶץ ז	handful; small group
קוּמקוּם ז	kettle
קוֹמֶר ז	convexity
קוֹמַת קַרקַע	ground floor
קוּנדֵס ז	prankster, clown
קוּנדֵסִי ת	prankish, mischievous
קוֹנֶה ז	buyer, customer
קוּנַּח (יְקוּנַּח) פּ	be wiped clean

קוּנטרֵס ז booklet, pamphlet; sheet folded as part of book
קוֹנְכִית נ shell, conch
קוֹנָם ז oath
קוֹנֵן (יְקוֹנֵן) פ lament, bewail
קוּנַּן (יְקוּנַּן) פ reside, live in one's nest, nestle
קוֹנצֶרט ז concert
קוֹסֵם ז magician, wizard; conjurer
קוּעֲקַע (יְקוּעֲקַע) פ be undermined; be tattooed
קוֹעַר (יְקוֹעַר) פ be made concave
קוֹעַר ז concavity; bucket (of ship)
קוֹף ז קוֹפִים ז״ר monkey, ape
קוֹף ז eye (of a needle)
קוּפַּאי ז cashier, teller
קוּפַּד (יְקוּפַּד) פ be cut short, be cut off
קוּפָּה נ cash-box, till; booking-office, box-office, cash-desk; fund
קוּפָּה (יְקוּפֶּה) פ be skimmed (liquid)
קוּפַּח (יְקוּפַּח) פ be deprived of one's due
קוֹפִי ת ape-like, apish
קוֹפִיץ ז meat-chopper
קוּפַּל (יְקוּפַּל) פ be folded, be rolled up
קוֹפָל ז padlock
קוּפסָה נ box, tin
קוּפסִית נ small box
קוּפַּת חוֹלִים Sick Fund
קוּפַּת מִלְוֶוה Loan Fund
קוֹץ ז thorn, prickle
קוֹצִי ת thorny, prickly
קוֹצִיץ ז acanthus
קוֹצָן ז thistle
קוֹצָנִי ת thorny, prickly
קוֹצֵץ ת cutting, chopping
קוּצַּץ (יְקוּצַּץ) פ be cut, be curtailed
קוֹצֵר ז reaper, harvester
קוּצַּר (יְקוּצַּר) פ be abridged
קוֹצֶר ז shortness, brevity
קוֹצֶר־יָד powerlessness, impotence
קוֹצֶר רְאוּת, קוֹצֶר־רְאִיָּה shortsightedness
קוֹצֶר־רוּחַ ז impatience
קוּקִייָּה נ cuckoo
קוֹר ז cold, coldness
קוּר ז spider's web
קוֹרֵא ז reader
קוֹרָא (יְקוֹרָא) פ be called, be named
קוּראָן ז Koran
קוֹרַב (יְקוֹרַב) פ be brought near
קוּרבָה נ proximity, nearness
קוּרבָּן, קָרבָּן ז sacrifice; victim
קוֹרַד (יְקוֹרַד) פ be combed (horse), be scraped, be curried
קוֹרָה נ beam, girder, rafter; coolness
קוֹרָה (יְקוֹרֶה) פ be roofed
קַו רוֹחַב line of latitude
קוֹרוֹת נ״ר happenings; history
קוּרזַל (יְקוּרזַל) פ be curled (hair)
קוּרחָה, קָרחָה נ bald patch, bald spot
קוֹרֶט ז speck, grain
קוֹרטוֹב ז small liquid measure, "dram"; (fig.) speck, drop

קוּרְטַם (יְקוּרְטַם) פ be cropped, be plucked
קוּרְטָם ז safflower
קוּרֵי עַכָּבִישׁ spider web
קוֹרֵן ת shining, radiant
קוֹרָנִית נ thyme
קוּרְנָס ז sledgehammer
קוּרְסַם (יְקוּרְסַם) פ be gnawed, be nibbled
קוֹרַע (יְקוֹרַע) פ be torn, be rent; be cut open
קוּרְפַּף (יְקוּרְפַּף) פ be fenced in, be enclosed
קוֹרַץ (יְקוֹרַץ) פ be shaped, be fashioned
קוּרְצַף (יְקוּרְצַף) פ be scraped (with a comb), be curried (horses)
קוּרְקְבָן ז gizzard (poultry)
קוּרְקַע (יְקוּרְקַע) פ be grounded (of plane, pilot)
קוּרְקַף (יְקוּרְקַף) פ be scalped; be beheaded
קוּרְקַר (יְקוּרְקַר) פ be demolished, be pulled down
קוֹרַר (יְקוֹרַר) פ be chilled, be cooled
קוֹר רוּחַ composure, nonchalance
קוֹרַת גַּג a roof over one's head, shelter
קוֹרַת רוּחַ ת satisfaction
קוּשַּׁט (יְקוּשַּׁט) פ be decorated, be adorned, be ornamented
קוֹשִׁי ז hardness; difficulty
קוּשְׁיָה נ question, poser
קוֹשֵׁר ז rebel, conspirator
קוּשַּׁר (יְקוּשַּׁר) פ be tied; be connected, be joined together
קוֹשֵׁשׁ (יְקוֹשֵׁשׁ) פ gather (straw or wood)
קוֹתֶל ז wall; fat meat
קוֹתלֵי חֲזִיר ham
קַח take (imper. of לָקַח, q.v.)
קַחוָן ז anthemis
קַחַת, לָקַחַת (infin. of לָקַח, q.v.)
קָט ת little, small
קָט (יָקוּט) פ loathe, be disgusted by
קֶטֶב ז destruction, pestilence
קָטֵגוֹר, קָטֵיגוֹר ז prosecutor, prosecuting counsel
קָטֵגוֹרִי, קָטֵיגוֹרִי ת categorical
קָטֵגוֹרְיָה, קָטֵיגוֹרְיָה נ prosecution; (philosophy) category
קָטוּם ת chopped down, cut down
קְטוּמָה נ trapezium
קָטוֹן (יִקְטַן) פ be small
קָטוּעַ ת cut off, amputated (limb); interrupted, fragmentary
קָטוּף ת picked (fruit), plucked
קְטוֹרָה, קְטוֹרֶת נ incense
קְטָטָה נ quarrel, squabble
קְטִימָה נ chopping, lopping
קָטִין ז minor (legal)
קְטִינָא ת tiny, small
קְטִיעָה נ cutting off; amputation (of limbs)
קָטִיף ז fruit-picking; orange picking season
קְטִיפָה נ velvet (material)
קְטִיפָתִי ת velvety

קָטַל (יִקטוֹל) פ kill, slay
קֶטֶל ז slaughter, killing
קְטָלָב ז arbutus
קִטלֵג (יְקַטלֵג) פ catalogue
קִטלוּג ז cataloguing
קִטלֵז (יְקַטלֵז) פ catalyze
קַטלִית נ hip
קַטלָן ז killer, murderer
קַטלָנִי ת murderous
קָטַם (יִקטוֹם) פ cut off, lop off
קָטָן, קָטוֹן ת׳ ז small, little; unimportant; small boy
קָטֵן ת becoming smaller
קְטַן־אֱמוּנָה pessimist, person of little faith
קַטנוּנִי ת petty, small-minded
קַטנוּנִיוּת נ pettiness, small-mindedness
קַטנוֹעַ ז motor-scooter
קַטנוּת נ smallness, littleness; pettiness
קְטַנטַן, קְטַנטוֹן ת tiny, very small
קִטנִית נ pulse, legume
קָטַע (יִקטַע) פ amputate (limb), cut off
קֶטַע ז section; sector (military)
קָטַף (יִקטוֹף) פ pick (fruit or flowers), pluck
קִטקֵט (יְקַטקֵט) פ beat flat, flatten
קָטַר (יִקטוֹר) פ smoke, give off smoke
קַטָר ז steam engine, locomotive
קַטָרַאי ז engine-driver
קַטרָב ז (mechanical) cotter-pin, split pin; cross-piece (of a yoke)
קִטרֵב (יְקַטרֵב) פ fasten with a cotter pin
קִטרֵג (יְקַטרֵג) פ prosecute; denounce
קִטרוּג ז prosecution; denunciation
קִיא ז vomit
קֵיבָה, קֵבָה נ stomach
קִיבּוּל ז receiving, accepting; capacity
קִיבּוּלִי ת capacitive (electrical)
קִיבּוּלִית נ jerrycan, container
קִיבּוֹלֶת נ piece-work, contract work
קִיבּוּעַ ז fixing, installing
קִיבּוּץ ז kibbutz, communal settlement; gathering, collecting
קִיבּוּץ גָלוּיוֹת ingathering of the exiles
קִיבּוּצִי ת collective, communal
קִיבּוּצִיוּת נ collectivism, collective living
קִיבּוֹרֶת נ biceps (muscle)
קִיבֵּל (יְקַבֵּל) פ receive; accept
קִיבָּעוֹן ז fixture
קִיבֵּץ (יְקַבֵּץ) פ gather together, collect
קִיבָּר ז coarse flour
קִידֵּד (יְקַדֵּד) פ broach, cut a hole in, ream
קִידָּה נ bow, curtsey
קִידּוּד ז broaching, cutting a hole
קִידּוּחַ ז drilling, boring
קִידּוּם ז advancement, progress
קִידּוֹמֶת נ prefix
קִידּוּשׁ ז sanctification, hallowing

קִידּוּשׁ הַשֵּׁם martyrdom
קִידּוּשִׁים, קִידּוּשִׁין ז״ר marriage
קִידֵּחַ (יְקַדֵּחַ) פ drill, bore
קִידֵּם (יְקַדֵּם) פ advance, push forward; greet, welcome
קִידֵּשׁ (יְקַדֵּשׁ) פ sanctify, consecrate; betroth (a woman)
קִיהֵל (יְקַהֵל) פ assemble, convoke
קִיוָּה (יְקַוֶּה) פ hope, expect
קִיוִית נ lapwing, pewit
קִיוֵּץ (יְקַוֵּץ) פ remove thorns, clear away thorns
קִיּוּם ז fulfilment (of a promise), carrying out; confirmation; existence; preservation
קִיזּוּז ז compensation, equalization; setting off (in bookkeeping)
קִיזֵּז (יְקַזֵּז) פ compensate, set off (in bookkeeping)
קִיחָה נ taking
קַיִט ז summer holiday, vacation
קִיטּוּב ז polarization
קִיטוֹן ז bed-room
קִיטּוּעַ ז cutting off, amputation (of limb)
קִיטוֹר ז steam; thick smoke
קִיטֶל ז white robe (worn by orthodox Jews)
קִיטֵּם (יְקַטֵּם) פ cut down, chop down
קִיטַּע (יְקַטַּע) פ cut off, lop off
קִיטֵּעַ ז person with one limb amputated
קִיטֵּר (יְקַטֵּר) פ burn incense, perfume (with incense)
קִיֵּט (יְקַיֵּט) פ spend one's summer vacation
קַייטָן ז vacationist, holidaymaker
קַייטָנָה נ summer vacation resort; summer camp
קִיֵּם (יְקַיֵּם) פ fulfil (promise), carry out; confirm; (colloquial) hold (meeting), arrange
קַיָּם ת existing, extant, alive
קְיָם ז duration, life period; existence
קַיְימָא ת standing
קַיָּימוּת נ existence, durability
קַיָּן ת having large testicles
קִיֵּיץ (יְקַיֵּיץ) פ spend the summer
קַיָּץ ז fig-picker, fig-dryer
קִיכְלִי ז thrush
קִילוּחַ ז jet
קִילּוּס ז praise
קִילּוּף ז peeling
קִילַּח (יְקַלַּח) פ spout, jet forth; flow
קִילֵּל (יְקַלֵּל) פ curse
קִילֵּס (יְקַלֵּס) פ praise; scorn
קִילֵּף (יְקַלֵּף) פ peel
קִילֵּשׁ (יְקַלֵּשׁ) פ thin, thin out
קִימָה נ standing up
קִימּוּחַ ז dusting with flour; addition of flour
קִימּוּט ז creasing, wrinkling; crease, wrinkle
קִימּוּם ז rebuilding, restoration
קִימּוּץ ז thrift, frugality
קִימּוּר ז arching, vaulting
קִימּוֹרֶת נ anticlinorium; arch, dome

thorn, thistle קִימּוֹשׂ ז
dust with flour; mix with flour קִימֵּחַ (יְקַמֵּחַ) פ
mold (on food); fungus disease קִימָּחוֹן ז
crease, wrinkle קִימֵּט (יְקַמֵּט) פ
fungus disease (in lemons) קִימָּלוֹן ז
save, be thrifty קִימֵּץ (יְקַמֵּץ) פ
envy; be jealous קִינֵּא (יְקַנֵּא) פ
cut up, chop up קִינֵּב (יְקַנֵּב) פ
elegy, threnody קִינָה נ
nest, roost (of hens) קִינָּה ז
trimming (leaves) קִינּוּב ז
wiping clean קִינּוּחַ ז
dessert קִינּוּחַ סְעוּדָּה
envy, jealousy קִינּוּי ז
nesting, infesting; occupying (mind); taking hold (disease) קִינּוּן ז
wipe clean קִינֵּחַ (יְקַנֵּחַ) פ
cinnamon קִינָּמוֹן ז
make one's nest, nestle; infest (insects, etc.); occupy (mind); take hold (disease) קִינֵּן (יְקַנֵּן) פ
ivy קִיסוֹס ז
greenbrier קִיסוֹסִית נ
chip, splinter; toothpick קִיסָם ז
practise magic קִיסֵּם (יְקַסֵּם) פ
emperor, Kaiser, Czar, Caesar קֵיסָר ז
empire קֵיסָרוּת נ
imperial; Caesarean קֵיסָרִי ת
concavity קִיעוּר ז
make concave קִיעֵר (יְקַעֵר) פ
freezing; deadlock קִיפָּאוֹן ז
cut short, cut off קִיפֵּד (יְקַפֵּד) פ
skim (liquid) קִיפָּה (יְקַפֶּה) פ
hedgehog קִיפּוֹד ז
globe thistle קִיפּוֹדָן ז
depriving of one's due קִיפּוּחַ ז
skimming; scum קִיפּוּי ז
fold(ing), pleat(ing) קִיפּוּל ז
mullet קִיפּוֹן ז
long-tailed ape קִיפּוֹף ז
deprive of one's due, overlook; discriminate against; lose; beat, strike קִיפַּח (יְקַפַּח) פ
very tall קִיפֵּחַ ת
fold, pleat, roll up; include קִיפֵּל (יְקַפֵּל) פ
skip, leap suddenly קִיפֵּץ (יְקַפֵּץ) פ
summer קַיִץ ז
ration, allocate קִיצֵּב (יְקַצֵּב) פ
awakening קִיצָה נ
cut off, chop off קִיצָּה (יְקַצֶּה) פ
rationing, allocation קִיצּוּב ז
extreme קִיצוֹן ת
extremist, extreme, outside (in football) קִיצוֹנִי ת
extremism קִיצוֹנִיּוּת נ
smoothing off, planing קִיצּוּעַ ז
cutting off, lopping; curtailing קִיצּוּץ ז
shortening; abridgement קִיצּוּר ז
summer (used attributively), summery קֵיצִי ת
carline קֵיצָנִית נ
plane, smooth off קִיצַּע (יְקַצַּע) פ
cut off, chop off, curtail קִיצֵּץ (יְקַצֵּץ) פ

קִיצֵּר (יְקַצֵּר) פ shorten, curtail, abridge

קִיק ז castor oil seed

קִיקָיוֹן ז castor-oil plant

קִיקְיוֹנִי ת ephemeral, short-lived

קִיקָלוֹן ז shame, disgrace

קִיר ז wall

קֵירֵב (יְקָרֵב) פ bring near, bring closer; befriend

קֵירֵד (יְקָרֵד) פ comb (a horse), scrape

קֵירָה (יְקָרֶה) פ roof

קֵירוּב ז bringing nearer

קֵירוּי ז roofing

קֵירוּן ז radiation

קֵירוּס ז squatting, crouching; knees bent position

קֵירוּר ז chilling, cooling

קֵירֵחַ, קֵרֵחַ ת bald

קֵירְחוּת, קֵרְחוּת נ baldness

קֵירַע (יְקָרַע) פ rend, tear to pieces

קֵירֵר (יְקָרֵר) פ chill, cool, refrigerate

קִישּׁוּא ז squash, marrow

קִישּׁוּט ז decorating (act of), adorning; decoration, ornament

קִישּׁוּי ז hardening

קִישּׁוּר ז connection, tying together; ribbon, bow

קִישׁוֹשֶׁת נ splint

קִישּׁוּת נ squash, marrow

קִישֵּׁחַ ת harsh, callous

קִישֵּׁט (יְקַשֵּׁט) פ decorate, adorn, ornament

קִישֵּׁר (יְקַשֵּׁר) פ tie, bind; connect

קִיתוֹן ז jug

קַל ת light; easy; nimble, swift

קַלְבּוֹסֶת נ hip-bone

קַלְגַּס ז soldier

קַל־דַּעַת frivolous, light-minded

קָלָה (יִקְלֶה) פ roast, parch; burn

קָלוּי ת roasted, parched

קָלוֹן ז disgrace, shame

קָלוּעַ ת woven, plaited

קָלוּף ת peeled, skinned

קְלוּפִית נ skin (of a sausage)

קְלוֹקֵל ת poor quality, "cheap", shoddy

קָלוּשׁ ת thin (not dense); weak, flimsy

קַלּוּת נ lightness; easiness, ease

קַלּוּת דַּעַת frivolity, light-mindedness

קַלּוּת רֹאשׁ levity, frivolity

קָלַח (יִקְלַח) פ flow, gush

קֶלַח ז head (of cabbagc); stalk

קַלַּחַת נ large saucepan; (fig.) turmoil

קָלַט (יִקְלוֹט) פ absorb, take in

קֶלֶט ז reception center (military)

קִלְטוּר ז cultivation

קַלַּטְקוֹל ז dictaphone

קִלְטֵר (יְקַלְטֵר) פ cultivate

קָלִי נ parched corn

קְלִיבּוֹסֶת נ hip-bone

קְלִיד ז key (of piano)

קְלִיטָה נ absorption, taking in; comprehension, grasp

קְלִיָּה נ roasting, parching

קַלִּיל, קָלִיל ת very light, slight

קַלִּילוּת נ lightness, slightness

קָלִיעַ ז projectile, missile; bullet (of rifle)

קְלִיעַ אֲטוֹמִי atomic warhead

קְלִיעָה נ weaving, plaiting; network; target practice

קָלִיעַ מוּדְרָךְ guided missile

קָלִיף ת easily peeled

קְלִיפָה נ peeling; peel

קְלִיפָּה נ peel, shell; rind, skin, evil spirit

קְלִישׁוּת נ thinness, wateriness

קָלָל ז burnished metal

קְלָלָה נ curse; misfortune

קַלְמִית נ shepherd's pipe

קַלְמָר ז pencil-box

קַלְנוֹעַ ז motorized pedal-cycle, moped

קֶלֶס ז praise; scorn

קַלָּסָה נ scorn, derision

קְלַסְתְּרוֹן ז indentikit

קְלַסְתֵּר פָּנִים countenance, facial features

קָלַע (יִקְלַע) פ weave, plait; sling, shoot, hit

קַלָּע ז marksman

קֶלַע ז bullet

קַל־עֶרֶךְ trivial, unimportant

קָלַף (יִקְלוֹף) פ peel, skin

קְלָף ז parchment card, playing card

קַלְפֵּי נ ballot-box

קַלְפָן ז card-player

קִלְקוּל ז deterioration, damage; corruption (moral), sin

קִלְקוּל קֵיבָה stomach upset

קִלְקֵל (יְקַלְקֵל) פ spoil, impair, damage

קַלְקָלָה נ corrupt behavior, misconduct

קַל־רַגְלַיִים ת fleet-footed

קְלַרְנִית נ clarinet

קָלַשׁ (יִקְלוֹשׁ) פ thin, water down

קִלְשׁוֹן ז pitchfork

קֶלֶת נ fruit basket

קַלְתִּית נ tartlet

קַל־תְּפִיסָה quick-minded

קָם ז enemy, foe

קָם (יָקוּם) פ get up; stand up, rise

קָמָה נ standing crop

קָמוּט ת creased, wrinkled

קָמוּל ת withered, wilted

קָמוּץ ת clamped, closed, shut tight

קָמוּר ת convex; arched

קָמוּר־קָעוּר convexo-concave

קֶמַח ז flour; (fig.) food

קִמְחִי ת floury, mealy

קָמַט (יִקְמוֹט) פ crease, wrinkle, crumple

קֶמֶט ז crease, wrinkle

קַמְטוּט ז small wrinkle, crinkle

קַמְטָר ז chest of drawers

קָמִיז ת elastic

קְמִיזוּת נ elasticity

קְמִיחוּת נ flouriness

קָמִיט ת liable to crease

קְמִילָה נ wilting, withering

קָמִין ז stove; fireplace

קָמֵיעַ ז talisman, charm

קְמִיצָה נ fourth finger

קָמַל (יִקְמַל) פ	wilt, wither, fade
קָמֵל ת	withered, faded
קִמְעָה, קִמְעָא תה"פ	a little, somewhat
קִמְעָה־קִמְעָה	little by little
קִמְעוֹנַאי ז	retailer
קִמְעוֹנוּת נ	retail, retail trade
קִמְעוֹנִי ת	retail
קָמַץ (יִקְמוֹץ) פ	take a handful; close, shut tight
קַמְצוּץ ז	pinch
קַמְצוּץ טַבַּאק	a pinch of snuff
קַמְצָן ת	miser
קַמְצָנוּת נ	miserliness, parsimony
קַמְצָנִי ת	miserly, mean
קָמַר (יִקְמוֹר) פ	arch, vault, build a dome
קִמְרוֹן ז	arch, vault, dome
קִמְּשׁוֹן ז	nettle, thorn
קֵן ז	nest, socket
ק"ן ש"מ	150
קַנָּא ת	jealous
קִנְאָה נ	envy; jealousy
קַנָּאוּת נ	fanaticism
קַנַּאי ז	fanatic, zealot
קַנָּאִי ת	fanatical, zealous
קַנְאֲתָנִי ת	jealous, jealous-natured
קַנָּבוֹס ז	hemp
קָנָה (יִקְנֶה) פ	buy, purchase; acquire, gain, win, get
קָנֶה ז	stalk (of plants), stem; barrel (of a gun); cane; reed
קְנֵה מִידָּה	scale; measuring-rod
קְנֵה סוּכָּר	sugar-cane
קְנֵה רוֹבֶה	rifle barrel
קַנּוֹא ת	jealous, stern
קְנוֹבֶת נ	waste leaves (on vegetables)
קָנוּט ת	cross, annoyed, vexed
קָנוּי ת	bought, purchased
קָנוֹן ז	canon
קְנוּנְיָה נ	conspiracy, intrigue
קְנוֹקֶנֶת נ	tendril
קִנְטוּר ז	teasing, annoying
קִנְטֵר (יְקַנְטֵר) פ	tease, annoy, vex
קַנְטְרָנוּת נ	quarrelsomeness, provocativeness
קַנְטְרָנִי ת	provocative, quarrelsome
קְנִיבָה נ	trimming waste leaves
קְנִיָּיה נ	buying, purchase
קִנְיָין ז	property; purchase; value, quality
קַנְיָין ז	purchaser, buyer
קָנַס (יִקְנוֹס) פ	fine
קְנָס ז	fine
קַנְקַן ז	jar, jug, flask
קִנְרֵס ז	artichoke
קֶנֶת נ	handle
קַסְדָּה נ	helmet
קָסוּם ת	enchanted, bewitched
קַסְיָה נ	glove
קָסַם (יִקְסוֹם) פ	practise magic; enchant, bewitch
קֶסֶם ז	witchcraft; fascination, charm
קִסְמִית נ	chip, splinter
קְסָסָה נ	clod
קְסַרְקְטִין ז	barracks
קֶסֶת נ	inkwell
קָעוּר ת	concave
קָעוּר־קָמוּר ת	concave-convex
קְעוֹרֶת נ	synclinorium

קְעִירוּת נ concavity
קִעְקוּעַ ז tattooing; destruction
קַעֲקַע ז tattooing, tattoo mark
קִעְקַע (יְקַעְקַע) פ tattoo; destroy
קַעַר ז syncline
קְעָרָה נ bowl, basin, dish
קַעֲרוּר ז synclinal bowl
קַעֲרוּרִי ת concave
קַעֲרִי ת synclinal
קַעֲרִית נ small bowl
קָפָא (יִקְפָּא) פ freeze, solidify
קַפְּדָן ת strict, pedant
קַפְּדָנוּת נ strictness, pedantry
קַפְּדָנִי ת pedantic
קָפֶה ז coffee
קָפֶה הָפוּךְ (coll.) coffee with lots of milk
קָפֶה נָמֵס instant coffee
קָפֶה קָפוּא iced coffee
קָפוּא ת frozen, solidified, congealed
קַפּוֹטָה נ long coat (worn by orthodox Jews)
קָפוּי ת frozen, solidified, congealed
קָפוּץ ת closed tight, clenched (fist)
קְפַזְנָב ז springtail
קְפִיאָה נ freezing, solidifying
קְפִידָה נ strictness, sternness
קְפִיחָה נ beating down, stroke
קְפִיץ ז spring
קְפִיצָה נ jump(ing), leap(ing)
קְפִיצִי ת springy, elastic
קְפִיצִיּוּת נ springiness, elasticity
קְפִיצַת הַדֶּרֶךְ short cut
קָפַל (יִקְפּוֹל) פ fold up, roll up
קֶפֶל ז fold, pleat

קַפְלֶט ז wig
קִפְלִית נ dog-ear
קַפֶּנְדַּרְיָא נ short cut
קְפְסוֹלֶת נ capsule
קָפַץ (יִקְפּוֹץ) פ jump, leap
קֵץ ז end; destruction
קָץ (יָקִיץ) פ wake up
קָץ (יָקוּץ) פ loathe, abhor, detest
קָצַב (יִקְצוֹב) פ allot, assign, ration
קַצָּב ז butcher
קֶצֶב ז rhythm (music); metre (verse); beat (of pulse); tempo, rate
קִצְבָּה נ annuity, pension
קָצֶה ז end, edge
קָצוּב ת rhythmic(al); allotted, allocated
קְצוּבָּה נ allowance
קְצוּנָּה נ officer class, commissioned officers
קָצוּץ ת minced, chopped (up); cut off (tail)
קְצוֹצֶת נ clippings (of metal); trimmings
קֶצַח ז black cumin
קָצִין ז officer
קְצִינוּת נ commissioned rank, commission
קְצִין סַעַד welfare officer
קְצִין תּוֹרָן orderly officer
קְצִיעָה נ cassia (in incense)
קָצִיף ת foamy
קְצִיפָה נ foam (fruit, chocolate, etc.), whip
קָצִיץ ז mince loaf
קְצִיצָה נ mince ball, rissole; fritter

קָצִיר ז harvest; harvest season
קְצִירָה נ harvesting, reaping
קָצַף (יִקְצוֹף) פ rage, be furious
קֶצֶף ז rage, fury; foam
קַצֶּפֶת נ whipped cream
קָצַץ (יִקְצוֹץ) פ chop up, cut up
קָצַר (יִקְצוֹר) פ reap, harvest; be short
קֶצֶר ז short circuit
קְצָרוֹת תה״פ in short, briefly
קְצַר־יָד ת powerless, impotent
קְצַר־יָמִים ת short-lived
קַצְרָן ז shorthand
קַצְרָנוּת נ shorthand writer
קְצַר־קוֹמָה ת short (in stature)
קְצַרְצַר ת very short, very brief
קְצַר־רְאוּת ת short-sighted
קְצַר־רוּחַ ת impatient, short-tempered
קַצֶּרֶת נ asthma
קְצָת תה״פ a little, a few
קְצָתָם some of them
קַר ת cold
קָרָא (יִקְרָא) פ read; call, name; call out
קְרָא ז a verse of the Bible
קָרָאִי ת Karaite
קָרַב (יִקְרַב) פ draw near, approach
קְרָב ז battle; match
קִרְבָה נ proximity, nearness
קְרָבַיִם ז״ר intestines, bowels, "innards"
קְרָבִי ת battle (used attributively)
קְרָבִית נ corvette
קִרְבַת מָקוֹם proximity
קֶרֶד ז lime (on kettles, etc.)
קַרְדָּה נ thistle
קַרְדּוֹם ז adze; ax, hatchet
קָרָה (יִקְרֶה) פ happen, occur
קָרָה נ frost
קָרוּא ת invited
קָרוֹב ת, ז near, close; relative, relation
קְרוּם ז crust, skin membrane
קְרוּמִי ת crusty, membraneous
קְרוּמִית נ thin skin, membrane
קָרוֹן ז coach (railway), carriage; cart, waggon, truck
קְרוֹנַאי ז carter, coachman
קְרוֹנוֹעַ ז Diesel car (on railways)
קְרוֹנִית נ small truck, trolley
קָרוּעַ ת torn, tattered
קָרוּץ ת formed, hewn
קָרוּשׁ ת solid, jellied
קִרְזוּל ז curling
קִרְזֵל (יְקַרְזֵל) פ curl
קֵרַח (יְקָרַח) פ make bald, remove hair
קֶרַח ז ice
קַרְחוֹן ז glacier, iceberg
קָרַחַת נ baldness, bald patch
קִרְטוּם ז cutting, lopping
קַרְטוֹן ז cardboard
קִרְטֵל (יְקַרְטֵל) פ cartelize, form a cartel
קִרְטֵם (יְקַרְטֵם) פ cut, lop
קַרְטֶנֶת נ cretinism
קִרְטֵעַ (יְקַרְטֵעַ) פ fidget
קְרִי, קֶרִי ז violent opposition; nocturnal emission (of semen)

קְרֵי ז masoretic reading of the Bible
קָרִיא ת legible; readable
קְרִיאָה נ reading; call, cry
קְרִיאַת בֵּינַיִים interruption, interjection
קִרְיָה נ town, district
קַרְייָן ז announcer (radio, etc.)
קִרְייֵן (יְקַרְייֵן) פ (slang) announce
קַרְייָנוּת נ announcing
קְרִימָה נ forming a crust, forming a skin
קְרִינָה נ radiation, shining
קְרִיסָה נ kneeling, (gymnastics) knees bend position, buckling
קְרִיעָה נ tearing, rending
קְרִיצָה נ winking
קָרִיר ת cool
קְרִירוּת נ coolness
קָרִישׁ ז jelly
קְרִישׁ דָם infarct
קְרִישָׁה נ jellification, congealing
קְרִישׁוּת נ jellification, congealment
קִרְיַת אוּנִיבֶרסִיטָה university campus
קָרַם (יִקְרַם) פ form a crust, form a skin; cover with a skin
קְרָם ז covering
קַר מֶזֶג cool-tempered
קַרְמִית נ cow-wheat
קָרֶמֶת נ diphtheria
קָרַן (יִקְרַן) פ radiate, shine
קֶרֶן נ horn; corner; ray; capital; fund
קֶרֶן הַיְסוֹד Keren Hayesod ("Foundation Fund" of the Zionist Organisation)
קֶרֶן זָוִית unobtrusive corner
קַרְנְזוֹל ז diagonal
קַרְנִי ת horny, made of horn
קֶרֶן יַעַר French horn
קַרְנֵי רֶנטְגֶן X-rays
קַרְנִית נ cornea (of eye)
קַרְנָן ז hornwort (plant)
קַרְנַף ז rhinoceros
קֶרֶן קַיֶּמֶת לְיִשְׂרָאֵל Jewish National Fund
קָרַס (יִקְרוֹס) פ collapse, bend at the knees
קֶרֶס ז brace, hook
קַרְסוֹל ז ankle
קַרְסוּלִית נ gaiter
קִרְסוּם ז gnawing, nibbling
קִרְסֵם (יְקַרְסֵם) פ gnaw, nibble
קָרַע (יִקְרַע) פ tear, rend
קֶרַע ז tear, rent; split, schism
קַרְפָּדָה נ toad
קַרְפִּיוֹן ז carp
קַרְפִּיף ז enclosure
קִרְפֵּף (יְקַרְפֵּף) פ fence in, enclose
קָרַץ (יִקְרוֹץ) פ wink; cut off, nip off; form, fashion
קֶרֶץ ז slaughter, destruction
קִרְצוּף ז scraping, currying
קַרְצִית נ tick
קִרְצֵף (יְקַרְצֵף) פ scrape, curry
קִרְקוּר ז croaking, caw, clucking; undermining
קִרְקָס ז circus
קַרְקַע זו״נ soil, ground; land

קִרְקַע (יְקַרְקַע) פ — ground (plane, pilot)
קַרְקָעִי ת — of the soil or ground
קַרְקָעִית נ — bottom, base
קִרְקֵף (יְקַרְקֵף) פ — scalp; behead
קַרְקֶפֶת נ — skull, head, scalp; head (of composite flowers)
קִרְקֵר (יְקַרְקֵר) פ — croak, cluck, caw
קִרְקֵשׁ (יְקַרְקֵשׁ) פ — knock, ring, rattle
קַרְקָשׁ ז — ratchet brace, drill
קָרָר ז — carter, coachman
קַר־רוּחַ — cool-headed, composed
קָרַשׁ (יִקְרוֹשׁ) פ — harden, solidify
קֶרֶשׁ ז — board, plank
קֶרֶת נ — town, city
קַרְתָּנוּת נ — provincialism
קַרְתָּנִי ת — provincial
קַשׁ ז — straw
קֶשֶׁב ז — attentiveness, keen listening
קָשָׁה (יִקְשֶׁה) פ — harden, be hard; be difficult
קָשֶׁה ת — hard; difficult; severe
קְשֵׁה־הֲבָנָה — slow-witted
קְשֵׁה־חִינּוּךְ — difficult to educate
קָשֶׁה לִכְעוֹס — slow to anger
קָשֶׁה לִרְצוֹת — hard to pacify
קְשֵׁה־עוֹרֶף — stubborn
קְשֵׁה־תְּפִיסָה — slow to grasp things
קַשּׁוּב ת — attentive, listening
קַשׁ וּגְבָבָה — trash, rubbish
קַשְׂוָה נ — cup, libation-cup; valve (botany)
קָשׁוּחַ ת — callous, harsh
קֻשְׁטְ ז — truth
קָשׁוּר ת — connected, related; tied (up), bound
קָשׁוּת ת — arched, vaulted
קָשׁוֹת תה״פ — hard words, harsh words
קִשֵּׁט (יְקַשֵּׁט) פ — decorate, adorn
קַשָּׁט ז — interior decorator
קַשְׁטָנוּת נ — the art of decoration
קַשְׁיוּת נ — hardness; severity
קַשְׁיוּת עוֹרֶף — stubbornness
קָשִׁיחַ ת — rigid, stiff
קְשִׁיחוּת נ — rigidity, stiffness
קְשִׁיחוּת לֵב — callousness, harshness
קְשִׁיטָה נ — ancient coin
קָשִׁיר ת — connectable, connected
קְשִׁירָה נ — tieing up, binding
קָשִׁישׁ ת — elderly, aged; senior
קַשִּׁישׁ ז — splint (on a fracture)
קְשִׁישׁוּת נ — elderliness, old age
קַשִּׁית נ — straw (for cold drinks)
קִשְׁקוּשׁ נ — tinkle, rattle; prattle, gabble; scribble
קִשְׁקֵשׁ (יְקַשְׁקֵשׁ) פ — tinkle, rattle; prattle; scribble
קַשְׂקַשׂ ז, קַשְׂקֶשֶׂת נ — scale (of fish, etc.; of armor)
קַשְׁקְשָׁן ת — chatterbox, prattler
קָשַׁר (יִקְשׁוֹר) פ — tie, bind; conspire
קֶשֶׁר ז — knot; contact; conspiracy; signals
קַשָּׁר ז — signaller (army)
קָשַׁשׁ (יָקוֹשׁ) פ — gather straw
קֶשֶׁת נ — bow; rainbow; arc; arch
קַשָּׁת ז — archer, bowman
קַשְׁתִּי ת — arched, bow-shaped
קַשְׁתִּית נ — retina (of the eye); fret-saw; coat-hanger

קַשְׁתָּנִית נ bow (of stringed instrument)
קַת נ butt (of a rifle), helve
קָתֶדְרָה נ chair (at a university)
קַתְרוֹס ז (ancient) lyre, lute; guitar

ר

רָאָה (יִרְאֶה) פ see; behold
רַאֲוָה נ show, display
רַאַוְתָן ז exhibitionist
רָאוּי proper, fit, suitable
רְאוּת נ sight, vision
רְאִי ז mirror
רְאָיָה נ proof, evidence
רְאִיּוּת נ visibility
רְאִיָּה נ seeing, looking
רִאְיֵן (יְרַאְיֵן) פ interview
רְאִיַּת הַנּוֹלָד foresight
רְאִינוֹעַ ז cinematograph, cinema
רְאִינוֹעִי ת cinematic
רְאֵם ז wild ox
רֹאשׁ ז head; leader, chief; top; beginning, start
רֹאשׁ, רוֹשׁ ז poison; opium
רֹאשׁ גֶּשֶׁר bridgehead
רִאשׁוֹן ת first; foremost; prime; initial
רִאשׁוֹנָה תה״פ first, firstly
רִאשׁוֹנוּת נ priority
רִאשׁוֹנִי ת first, foremost
רִאשׁוֹנִיּוּת נ primeness (of numbers); originality
רִאשׁוֹנִים ז״ר forefathers, ancestors
רָאשׁוּת נ leadership, headship
רֹאשׁ חוֹדֶשׁ New Moon
רֹאשׁ חֵץ spearhead
רָאשִׁי ת chief, principal, head
רֹאשִׁיָּה נ (football) header
רָאשֵׁי פְּרָקִים chapter headings
רֵאשִׁית נ beginning, start
רֵאשִׁית תה״פ first of all
רֵאשִׁיתִי ת primitive
רָאשֵׁי תֵּיבוֹת initials
רֹאשׁ מֶמְשָׁלָה Prime Minister
רֹאשָׁן ז tadpole
רֹאשׁ עִיר mayor
רֹאשׁ פִּנָּה cornerstone, foundation stone
רַב, רָב ת numerous, many; great, vast; mighty; poly-, multi-
רַב תה״פ enough
רַב ז Rabbi, teacher
רָב (יָרִיב) פ dispute, quarrel
רַב־אַלּוּף Lieutenant-General
רְבָב ז grease-stain
רְבָבָה נ ten thousand
רִבָּבִית נ one ten thousandth part

רַבגוֹנִי ת multi-colored, variegated
רַבגוֹנִיּוּת נ variegation, multi-colored nature
רָבָה (יִרְבֶּה) פ be many, be numerous
רָבוּךְ ת soaked in hot water and lightly baked
רָבוּעַ ת square
רָבוּץ ת lying down (of animals)
רְבוּתָה נ remarkable thing, great thing
רַב־חוֹבֵל captain (of ship)
רַב־חֶסֶד magnanimous
רַב־טוּרַאי, רַבָּ״ט ז corporal
רַבִּי ז Rabbi; teacher; sir! (form of address to scholars)
רְבִיב ז light rain, drizzle
רַבִּיב ת major (music)
רָבִיד ז necklace
רְבִיָּה נ propagation, natural increase
רְבִיכָה נ flour mixed with hot water or oil
רְבִיעַ ז quarter
רְבִיעָה נ mating (animals); rainy season
רְבִיעוֹנִי ת quaternary
רְבִיעִי ת fourth
רְבִיעִיָּה נ quartet; quadruplets
רְבִיעִית ש״מ, נ fourth; quarter
רְבִיצָה נ lying down (animals)
רַב־מֶכֶר best-seller
רַבָּן ז Rabbi; teacher
רַבָּנוּת נ rabbinate
רַבָּנוּת רָאשִׁית Chief Rabbinate
רַבָּנִי ת Rabbinic
רַבָּנִית נ rabbi's wife
רַבָּנָן ז״ר our Rabbis
רַב־סַמָּל sergeant-major
רַב־סֶרֶן major (army)
רָבַע (יִרְבַּע) פ mate (animal)
רֶבַע ז quarter
רִבעוֹן ז quarterly (journal)
רְבָעִי ת of the fourth year (of planting)
רָבַץ (יִרְבַּץ) פ lie down (animal)
רַב־צְדָדִי many-sided: versatile
רַב־צְדָדִיּוּת many-sidedness; versatility
רִבצָל ז haversack; perfume-bag
רַב־צַלעוֹן polygon
רַב־קוֹלִי polyphonic
רַברְבָן ת boastful, bragging
רַברְבָנוּת נ boastfulness, brag
רַברְבָנִי ת boastful, bragging
רַב־שִׂיחַ symposium
רַבָּתִי ת great; capital (letter)
רְגבּוּבִית נ lump of earth, small clod
רָגוּז ת enraged, angry
רָגוּעַ ת relaxed, rested
רָגַז (יִרגַּז) פ be vexed, be angry
רַגזָן ז bad tempered person
רַגזָנוּת נ bad-temper
רָגִיל ת ordinary, usual; used, accustomed
רְגִילוּת נ habit, usual practice
רְגִימָה נ stoning
רְגִינָה נ grumbling
רְגִיעָה נ relaxation

רָגִישׁ ת sensitive; touchy
רְגִישָׁה נ excitement
רְגִישׁוּת נ sensitivity; touchiness
רָגַל (יִרְגַּל) פ slander, calumniate
רֶגֶל נ leg; foot
רִגְלָה נ portulaca
רַגְלִי ז pedestrian, going on foot; (chess) pawn
רַגְלִי תה״פ on foot
רֶגֶל שְׁטוּחָה flat-foot
רָגַם (יִרְגּוֹם) פ stone
רַגָּם ז gunner, mortarman
רָגַן (יִרְגּוֹן) פ grumble
רָגַע (יִרְגַּע) פ be calm, be at rest
רֶגַע ז instant, moment
רִגְעִי ת momentary, transient
רִגְעִיּוּת נ momentary nature, transience
רַגֶּפֶת ז eclampsia
רָגַשׁ (יִרְגַּשׁ) פ be in commotion
רֶגֶשׁ ז feeling, emotion, sentiment
רַגָּשׁ ת emotional, sensitive
רִגְשָׁה נ tumult, uproar
רִגְשִׁי ת emotive, sentimental
רִגְשִׁיּוּת נ emotionalism, sentimentality
רַגְשָׁן ת emotional person; sentimental person
רַגְשָׁנוּת נ sentimentality
רַגְשָׁנִי ת sentimental, emotional
רַדַּאי ז one who removes honey from a hive
רָדָה (יִרְדֶּה) פ rule over; tyrannize
רָדוּד ת flattened; shallow
רָדוּם ת asleep; sleepy

רָדוּף ת hunted, pursued
רְדִיד ז woman's scarf
רְדִיָּה נ rule, dominion; removal (of honey, etc.)
רַדְיָן ז dictator, tyrant
רָדִים ת sleepy; lethargic
רְדִיפָה נ hunt, pursuit
רְדִיפַת כָּבוֹד pursuit of honors
רַדֶּמֶת נ lethargy; extreme sleepiness
רָדַף (יִרְדּוֹף) פ hunt, chase; persecute; seek after
רַהַב ז boasting
רָהוּט ת fluent; hasty
רַהַט ז drinking-trough
רְהֲטָא, רִיהֲטָא ז haste, hurry
רָהִיט ז article of furniture
רְהִיטָה, רְהִיטוּת נ fluency
רָהִיטִים ז״ר furniture
רוֹאֶה ז spectator, onlooker; prophet
רוֹאֶה חֶשְׁבּוֹן auditor (of accounts)
רוֹאֶה שְׁחוֹרוֹת pessimist
רוֹאִי ז video; sight
רוּאיַן (יְרוּאיַן) פ be interviewed
רוֹב ז plenty, abundance; majority, greater part
רוֹבָאוּת נ rifle-shooting
רוֹבַאי ז rifleman
רוּבַּב (יְרוּבַּב) פ be stained
רוֹבֶד ז layer, stratum
רוֹבֶה ז rifle
רוּבָּה (יְרוּבֶּה) פ be numerous, be many, be plentiful
רוֹבֵה צַיִד ז shotgun
רוּבּוֹ כְּכוּלוֹ almost entirely

רוּבָּנִי ת	majority
רוֹבַע ז	quarter (of a city)
רוּבַּע (יְרוּבַּע) פ	be squared, be square
רוֹב רוּבּוֹ	mainly, mostly
רוֹגֵז ת	irate, angry
רוֹגֶז ז	rage, ire, wrath
רוֹגְזָנִי ת	irate, enraged
רוֹגְלִית נ	creeping vine, ground vine
רוֹגֵן ת	complaining, querulous
רוֹגֵעַ ת	tranquil
רוֹגַע ז	stillness, quiet
רוּדַּד (יְרוּדַּד) פ	be beaten flat, be flattened
רוֹדָן ז	dictator, tyrant
רוֹדָנוּת נ	dictatorship, tyranny
רוֹדָנִי ת	dictatorial
רָוָה (יִרְוֶה) פ	drink one's fill
רָוֶה ת	saturated
רָוָחַ ת	spacious, roomy
רוֹוֵחַ ת	widespread, common
רָוַח (יִרְוַח) פ	be relieved; be widespread
רוּוַּח (יְרוּוַּח) פ	be spacious
רֶוַח ז	profit; interval; relief, respite
רְוָחָה נ	relief, respite
רְווחִיּוּת נ	profitability
רָווּי ת	saturated, well-watered
רְוָיָה נ	fill, saturation
רִוְיוֹן ז	saturation; buttermilk
רְוִיָּה נ	saturating
רַוָּק ז	bachelor
רַוָּקָה נ	spinster
רַוָּקוּת נ	bachelorhood, spinsterhood
רַוָּקִיָּה נ	apartment house for bachelors
רוֹזֵן ז	baron, count
רוּחַ זו״נ	wind; air, breath; soul, spirit; mind; ghost
רוֹחַב ז	breadth, width
רוֹחְבִּי ת	transverse
רוֹחַב לֵב	generosity
רוּחַ הַקּוֹדֶשׁ	divine inspiration
רוּחַם (יְרוּחַם) פ	be pitied
רוּחָנִי ת	spiritual, intellectual
רוּחַ פְּרָצִים	draught
רוּחַץ (יְרוּחַץ) פ	be washed clean
רוּחַק (יְרוּחַק) פ	be placed at a distance
רוֹחַק ז	distance
רוּחַ שְׁטוּת	folly, stupidity
רוּחַ תְּזָזִית	madness
רוֹטֶב ז	sauce, gravy
רוֹטְטָנִי ת	tremulous, quivering
רוּטְפַּשׁ (יְרוּטְפַּשׁ) פ	be fat
רוּטַּשׁ (יְרוּטַּשׁ) פ	be retouched (photography); be torn apart
רוֹךְ ז	softness, delicacy
רוֹכֵב ז	rider
רוֹכֶבֶת נ	headpiece (chemistry)
רוּכַּז (יְרוּכַּז) פ	be concentrated
רוּכַּךְ (יְרוּכַּךְ) פ	be softened
רוֹכֵל ז	peddler, hawker
רוֹכְלוּת נ	petty trade, peddling
רוּכַּס (יְרוּכַּס) פ	be fastened, be buttoned
רוֹכְסָן ז	zip fastener
רוּם ז	level, altitude; height

רוּם ז height
רוֹמָאִי ת׳ ז Roman
רוּמָּה (יְרוּמֶּה) פ be cheated, be swindled
רוּמַּז (יְרוּמַּז) פ be alluded to, be hinted at
רוֹמַח ז short spear, lance
רוֹמֵם (יְרוֹמֵם) פ raise, lift up
רוֹמַם (יְרוֹמַם) פ be raised, be lifted up
רוֹמְמוּת נ elevation, supremacy
רוֹמְמוּת רוּחַ high spirits
רוֹן ז song, music
רוּנַּן (יְרוּנַּן) פ be heard (music), be sung
רוּסַּן (יְרוּסַּן) פ be curbed, be restrained
רוּסַּס (יְרוּסַּס) פ be sprayed
רוּסַּק (יְרוּסַּק) פ be pulped, be mashed
רוֹעַ ז badness; wickedness
רוֹעֶה ז shepherd, herdsman
רוֹעֶה רוּחַ waster, idler
רוֹעַ־לֵב malice, malevolence
רוֹעֵם ת thunderous
רוּעֲנַן (יְרוּעֲנַן) פ be refreshed
רוֹעַע (יְרוֹעַע) פ smash, break down
רוֹעֵץ ז obstacle, stumbling-block
רוֹעֵשׁ ת loud, noisy
רוֹפֵא ז medical doctor
רוּפָּא (יְרוּפָּא) פ be cured, be healed
רוֹפֵא אֱלִיל witch doctor
רוֹפֵא בְּהֵמוֹת veterinary doctor
רוּפַּד (יְרוּפַּד) פ be padded; be upholstered
רוּפַּט (יְרוּפַּט) פ be worn out, be worn through
רוֹפֵס ת soft; weak
רוֹפֵף ת unstable, shaky
רוֹפֵף (יְרוֹפֵף) פ make shaky, make unstable
רוֹפַף (יְרוֹפַף) פ be shaken, be made shaky
רוּפַּשׂ (יְרוּפַּשׂ) פ be muddied
רוּצָּה (יְרוּצֶּה) פ be placated, be appeased; be accepted; be satisfied
רוֹצֵחַ ז murderer, assassin
רוֹצְחָנִי ת murderous
רוּצַּע (יְרוּצַּע) פ be cut into strips
רוּצַּף (יְרוּצַּף) פ be tiled, be paved
רוֹצֵץ (יְרוֹצֵץ) פ shatter, crush
רוֹק ז spit, saliva
רוֹקֵחַ ז chemist, druggist
רוּקַּח (יְרוּקַּח) פ be mixed (spices, perfumes)
רוֹקְחוּת נ pharmacy
רוֹקֵם ז embroiderer
רוֹקֵן (יְרוֹקֵן) פ empty
רוֹקַן (יְרוֹקַן) פ be emptied
רוּקַּע (יְרוּקַּע) פ be hammered flat, be beaten flat
רוֹשׁ ז poison
רוּשַּׁל (יְרוּשַּׁל) פ be neglected, be slovenly
רוֹשֶׁם ז impression
רוֹשֵׁשׁ (יְרוֹשֵׁשׁ) פ impoverish
רוֹשַׁשׁ (יְרוֹשַׁשׁ) פ be impoverished
רוּשַּׁת (יְרוּשַּׁת) פ be covered with netting

Hebrew	English
רוֹתֵחַ ת	boiling; furious
רוּתַּח (יְרוּתַּח) פ	be boiled
רוּתַּךְ (יְרוּתַּךְ) פ	be welded
רוֹתֶם ז	broom
רוּתַּק (יְרוּתַּק) פ	be chained; be tied; be confined
רָז ז	secret
רָזָה (יִרְזֶה) פ	become thin, lose weight
רָזֶה ת	thin, lean
רָזוֹן ז	thinness, leanness
רָזִי ת	secret, mysterious
רְזִיָּה נ	loss of weight
רְזִימָה נ	wink
רַזַ״ל (רַבּוֹתֵינוּ זִכְרָם לִבְרָכָה)	initials of "our Rabbis, may their memory be blessed"
רָזַם (יִרְזוֹם) פ	wink
רָחַב (יִרְחַב) פ	widen, broaden, expand
רָחָב ת	wide, broad; spacious
רְחַב־אוֹפֶק	of wide horizons
רְחָבָה נ	city square
רַחֲבוּת נ	breadth, extent; generosity
רְחַב־יָדַיִים	extensive, spacious
רְחוֹב ז	street, road
רַחוּם ת	merciful, compassionate
רָחוּם ת	beloved, adored
רְחוּפֶת נ	suspended load material
רָחוּץ ת	washed
רָחוֹק ת	far, distant; remote
רֵחַיִם, רֵיחַיִים ז״ז	millstone(s)
רֵחַיִים עַל צַוָּארוֹ	married (man)
רָחִים ת	darling, beloved
רְחִימָאִי	my darling, my love
רְחִימוּ נ	love
רְחִיפָה נ	suspension; hovering
רָחִיץ ת	washable
רְחִיצָה נ	washing, bathing
רְחִישָׁה נ	movement, stirring
רָחֵל, רְחֵלָה נ	ewe
רַחַם ז	womb
רֶחֶם ז	womb, uterus
רָחָם ז	Egyptian vulture
רַחֲמִים ז״ר	compassion, pity, mercy
רַחֲמָן ת	compassionate, merciful
רַחֲמָנָא ז	God the Merciful
רַחֲמָנָא לִיצְלַן	God forbid!
רַחֲמָנוּת נ	mercy, clemency
רַחֶמֶת נ	metritis
רָחַף (יִרְחַף) פ	shake, tremble
רַחֶפֶת נ	cable railway
רָחַץ (יִרְחַץ) פ	wash, bathe
רַחַץ ז	wash, bath
רַחְצָה נ	bathing place
רָחַק (יִרְחַק) פ	be far, be distant
רַחַק ז	distance
רִחְרוּחַ ז	sniffing
רִחְרֵחַ (יְרַחְרֵחַ) פ	sniff
רָחַשׁ (יִרְחַשׁ) פ	murmur; feel, sense; creep (insects)
רַחַשׁ ז	whisper, murmur
רַחֲשׁוּשׁ ז	passing thought, passing fancy
רַחַת נ	spade; tennis racquet
רָטַב (יִרְטַב) פ	be wet, be damp, be moist
רָטוֹב ת	wet, damp

רָטוּשׁ ת split open, torn apart
רֶטֶט ז trembling, quaking
רַטָּט ז vibrator
רְטִיבוּת נ wetness, dampness
רְטִיָּה נ poultice, plaster
רָטַן (יִרְטוֹן) פ mutter, grumble
רַטְנָן ז grumbler, complainer
רֵיאָה, רֵאָה נ lung
רֵיאָיוֹן ז interview; appointment
רִיב ז dispute, quarrel
רִיבָּה נ jam
רִיבָּה (יְרַבֶּה) פ increase; raise, rear; add
רִיבָה נ lass, maiden
רִיבּוֹא ז ten thousand
רִיבּוּד ז stratification
רִיבּוּי ז increase, growth; raising, breeding
רִיבּוֹן ז lord, the Lord
רִיבּוֹנוֹ שֶׁל עוֹלָם Lord Almighty
רִיבּוֹנוּת נ sovereignty
רִיבּוֹנִי ת sovereign
רִיבּוּעַ ז square; squaring (algebra)
רִיבִּית נ interest (on money)
רִיבִּית דְּרִיבִּית compound interest
רִיבִּית קְצוּצָה exorbitant interest, usury
רִיבָּס ז rhubarb
רִיבֵּעַ (יְרַבֵּעַ) פ multiply by four; repeat four times; square
רִיבֵּעַ ז member of the fourth generation, great-great-grandchild
רִיגּוּז ז rage, anger
רִיגּוּל ז spying, espionage

רִיגּוּן ז grumbling, complaining
רִיגּוּשׁ ז excitement, agitation; (psychology) emotion
רִיגּוּשִׁי ת emotional
רִיגּוּשִׁיּוּת נ emotionalism
רִיגֵּל (יְרַגֵּל) פ spy
רִיגֵּשׁ (יְרַגֵּשׁ) פ stir
רִידּוּד ז beating flat, hammering flat
רִידּוּף ז gallop
רִיהוּט ז furnishing; furniture
רִיהֵט (יְרַהֵט) פ furnish
רִיוָּה (יְרַוֶּה) פ saturate
רִיוַּח (יְרַוַּח) פ space
רִיוּוּי ז saturation
רִיזּוּן ז slimming, thinning
רֵיחַ ז smell, odor
רִיחוּף ז hovering
רִיחוּץ ז washing
רִיחוּק ז putting at a distance, moving away
רִיחוּק מָקוֹם distance
רִיחוּשׁ ז stirring; crawling (of insects)
רִיחֵם (יְרַחֵם) פ pity, show mercy to
רֵיחָנִי ת fragrant, sweet-smelling
רֵיחַ נִיחוֹחַ fragrance
רִיחֵף (יְרַחֵף) פ hover; be imminent
רִיחֵק (יְרַחֵק) פ place at a distance, remove
רִיחֵשׁ (יְרַחֵשׁ) פ crawl, creep
רִיטּוּט ז quivering, vibrating
רִיטּוּן ז muttering, grumbling
רִיטּוּשׁ ז tearing apart; retouching (photography)

רִיטֵט (יְרַטֵט) פ quiver, quake; vibrate
רִיטֵשׁ (יְרַטֵשׁ) פ tear apart; retouch (photography)
רִיכּוּז ז concentration
רִיכּוּזִיּוּת נ centralism, centralization
רִיכּוּךְ ז softening, softening up; annealing (metal)
רִיכֵּז (יְרַכֵּז) פ concentrate
רִיכֵּךְ (יְרַכֵּךְ) פ soften, soften up; anneal (metal)
רִיכֵּל, רִיכֵל (יְרַכֵּל, יְרַכֵל) פ (colloquial) gossip
רִיכֵּס (יְרַכֵּס) פ fasten, button
רִימָּה נ worm, maggot
רִימָּה (יְרַמֶּה) פ cheat, swindle
רִימּוּז ז hint, allusion
רִימּוּם ז uplift, elevation
רִימּוֹן ז pomegranate; grenade
רִימּוֹן־יָד hand grenade
רִימֵּז (יְרַמֵּז) פ hint at
רִינָּה נ song, music
רִינּוּן ז song; gossip
רִינֵּן (יְרַנֵּן) פ sing for joy; gossip
רִיס ז eyelash
רִיסּוּן ז curbing, restraining
רִיסּוּס ז pulverization; atomization; spraying
רִיסּוּק ז pulping, mincing, mashing; shattering (injury)
רִיסֵּן (יְרַסֵּן) פ rein in; curb
רִיסֵּס (יְרַסֵּס) פ spray; atomize; pulverize
רִיסֵּק (יְרַסֵּק) פ shatter, crush; pulp, purée, mash, mince

רִיעוּף ז tiling
רִיעֵף (יְרַעֵף) פ tile, cover with tiles
רִיפֵּא (יְרַפֵּא) פ cure, heal; treat; remedy
רִיפֵּד (יְרַפֵּד) פ spread; upholster, pad
רִיפָה נ, רִיפוֹת נ״ר grits
רִיפָּה (יְרַפֶּה) פ relax, slacken
רִיפּוּד ז upholstery; padding
רִיפּוּי ז relaxing, weakening; curing
רִיפֵּשׁ (יְרַפֵּשׁ) פ muddy
רִיצֵּד (יְרַצֵּד) פ skip, dart
רִיצָה נ running, racing
רִיצָּה (יְרַצֶּה) פ placate, appease
רִיצּוּד ז skipping, darting, jumping about
רִיצּוּי ז appeasement, placating
רִיצּוּף ז tiling, paving
רִיצּוּץ ז breaking up, crushing
רִיצֵּעַ (יְרַצַּע) פ flog (with a belt), lash; cut into strips
רִיצֵּף (יְרַצֵּף) פ tile, pave
רִיצֵּץ (יְרַצֵּץ) פ crush, shatter
רֵיק ת empty, vacant
רִיק ז vacuum; emptiness
רֵיקָא, רֵיקָה ת empty head
רִיקָּבוֹן ז rot, decay
רִיקֵּד (יְרַקֵּד) פ dance; jump about
רִיקּוּד ז dance, dancing
רִיקּוּחַ ז perfumed ointment, salve
רִיקּוּן ז emptying
רִיקּוּעַ ז hammering flat, beating flat
רִיקּוּעֵי זָהָב gold leaf
רֵיק וּפוֹחֵז irresponsible, feckless

רֵיקוּת נ emptiness, vacancy

רִיקֵּחַ (יְרַקֵּחַ) פ mix (spices, perfume), compound; dispense

רֵיקָם תה״פ, ת empty-handed; empty

רֵיקָן ת empty; empty-headed

רֵיקָנוּת נ emptiness, vacancy

רִיקֵּעַ (יְרַקֵּעַ) פ hammer flat, beat flat; coat

רִיר ז saliva; mucus

רִירִי ת mucous

רִישׁ, רֵישׁ ז want, indigence

רֵישׁ ז head

רֵישָׁא נ beginning

רִישׁוּי ז licensing

רִישׁוּל ז negligence, slovenliness

רִישׁוּם ז registration; drawing, graphic art; trace

רִישׁוּת ז covering with netting; network

רִישֵּׁל (יְרַשֵּׁל) פ weaken, enfeeble

רִישֵּׁם (יְרַשֵּׁם) פ draw, sketch

רִישֵּׁת (יְרַשֵּׁת) פ cover with netting

רִיתָּה (יְרַתֶּה) פ show favor, wish well

רִיתּוּחַ ז boiling, stewing

רִיתּוּי ז indulgence, leniency

רִיתּוּךְ ז welding

רִיתּוּק ז joining, combining; tieing (to job, place); confinement; enthralment

רִיתֵּךְ (יְרַתֵּךְ) פ weld

רִיתֵּק (יְרַתֵּק) פ join together; tie; confine; enthral

רִיתֵּת (יְרַתֵּת) פ quiver, shiver

רַךְ (יֵרַךְ, יֵירַךְ) פ soften, become softer

רַךְ ת soft; tender

רָכַב (יִרְכַּב) פ ride

רֶכֶב ז motor vehicle; scion, graft; upper millstone

רַכָּב ז charioteer

רַכֶּבֶל ז telfer, cable railway

רַכֶּבֶת נ railway train; (colloquial) ladder in stocking

רַכֶּבֶת תַּחְתִּית underground railway

רָכוּב ת mounted, riding; ridden

רְכוּבָה נ knee-cap

רְכוּבָּה נ stirrup

רְכוּלָּה נ merchandise, wares

רָכוּן ת stooping, leaning over

רָכוּס ת fastened, buttoned

רְכוּשׁ ז property; capital

רְכוּשָׁנוּת נ capitalism

רְכוּשָׁנִי ת capitalistic

רַכּוּת נ softness; tenderness

רַכּוֹת תה״פ softly, gently, tenderly

רַכָּז ז organizer, co-ordinator

רַכֶּזֶת נ switchboard

רְכִיב ז component

רְכִיבָה נ riding

רָכִיךְ, רַכִּיךְ ת softish, somewhat soft

רַכִּיכָה נ, רַכִּיכוֹת נ״ר mollusc(s)

רַכִּיכוּת, רְכִיכוּת נ softness, slight softness

רָכִיל ז backbiting, gossip

רְכִילַאי ז gossip, backbiter

רְכִילוּת נ gossip, slander

רָכִין ת tipping

רְכִיסָה נ fastening, buttoning

רְכִישָׁה נ acquiring, acquisition
רַכִּית נ rickets, rachitis
רַכֶּכֶת נ rickets, rachitis
רָכַל (יִרכּוֹל) פ peddle
רַךְ־לֵב cowardly, timorous
רַכְלָן ז gossip, slanderer, gossip-monger
רַכְלָנוּת נ gossip-mongering
רָכַן (יִרכּוֹן) פ stoop, lean over
רָכַס (יִרכּוֹס) פ fasten, button
רֶכֶס ז ridge, range; cuff link
רִכְפָּה נ mignonette
רַכְרוּכִי ת soft; pliant, unstable
רַכְרוּכִיּוּת נ softness; instability, pliancy
רַכְרַךְ ת delicate, soft
רִכְרֵךְ (יְרַכרֵךְ) פ soften a little
רָכַשׁ (יִרכּוֹשׁ) פ acquire, obtain
רֶכֶשׁ ז purchase of arms
רָם ת high, lofty
רָם (יָרוּם, יָרוֹם) פ rise aloft, rise up
רַמָּאוּת נ swindling, cheating
רַמַּאי ת swindler, cheat
רָמָה (יִרמֶה) פ hurl, cast
רָמָה נ hill, height; level, standard
רָמוּז ת hinted at, alluded to
רָמוּס ת trampled, trodden
רָמוּץ ת roasted in hot ashes
רָמַז (יִרמוֹז) פ hint, gesticulate
רֶמֶז ז hint; gesture
רֶמֶז דַּק gentle hint
רַמְזוּז ז slight hint
רַמְזוֹר ז traffic light(s)
רַמַ״ח אֵיבָרִים 248 bodily organs
רַמטכָּ״ל (רֹאשׁ הַמַּטֶּה הַכְּלָלִי) Chief of Staff
רְמִיזָא ז hint
רְמִיזָה נ hinting; gesticulation
רְמִיָּה נ falsehood, deceit
רְמִיסָה נ trampling, treading
רַם־לֵב haughty
רַמָּם ז booster
רַם־מַעֲלָה of high degree, very important
רַמָּן ז grenade-thrower, grenadier
רָמַס (יִרמוֹס) פ trample, stamp
רָמַץ (יִרמוֹץ) פ roast in hot ashes
רֶמֶץ ז hot ashes
רַמקוֹל ז loudspeaker
רַם־קוֹמָה ת tall
רָמַשׂ (יִרמוֹשׂ) פ creep, crawl
רֶמֶשׂ ז creeping things (insects)
רָמַת חַיִּים standard of living
רָן (יָרוֹן) פ sing, chant
רְנָנָה נ joyful music, songs of joy
רָסוּס ת bespangled, sprinkled
רָסוּק ת crushed, shattered; minced
רְסִיס ז splinter, shrapnel, fragment; drop
רֶסֶן ז bridle; restraint
רָסַס (יָרוֹס, יִרסוֹס) פ sprinkle, spray
רֶסֶק ז purée, mash
רַע, רָע ת bad; evil, wicked; malignant
רַע, רָע ז badness, wickedness; harm
רֵעַ ז friend, companion
רָעַב (יִרעַב) פ be hungry, feel hungry; crave
רָעֵב ת hungry; craving

רָעָב ז	hunger; famine
רְעָבוֹן ז	hunger
רַעַבְתָן ת	glutton, voracious eater
רַעַבְתָנוּת נ	voracity, greed
רָעַד (יִרְעַד) פ	tremble, shiver
רַעַד ז	shiver, shudder
רְעָדָה נ	shivering
רַעֲדוּד ז	tremolo
רָעָה (יִרְעֶה) פ	herd, shepherd; lead; pasture
רָעָה נ	evil deed, wickedness
רֵעֶה ז	friend, companion
רֵעָה נ	friend, companion
רָעָה חוֹלָה	a serious trouble
רָעוּל ת	veiled
רָעוּעַ ת	dilapidated, decrepit, unstable
רֵעוּת נ	friendship
רְעוּת נ	pasturing
רְעוּת רוּחַ	vanity, futility
רְעִידָה נ	quaking, trembling
רְעִידַת אֲדָמָה	earthquake
רַעְיָה נ	wife, spouse
רַעְיוֹן ז	idea, notion, thought
רַעְיוֹנִי ת	notional, intellectual
רַעְיוֹן רוּחַ	folly, nonsense
רְעִיָּה נ	putting out to pasture, grazing
רְעִימָה נ	thundering; backfire (from an exhaust)
רְעִיעוּת נ	dilapidation, shakiness
רְעִיפָה נ	dripping, trickling
רָעִישׁ ת	seismic
רְעִישָׁה נ	making a noise
רְעִישׁוּת נ	noise, din
רַעַל ז	poison
רַע־לֵב	wicked
רְעָלָה נ	veil
רַעֲלָן ז	toxin
רַעֶלֶת נ	toxicosis
רָעַם (יִרְעַם) פ	thunder, roar
רַעַם ז	thunder
רַעְמָה נ	mane
רִעֲנוּן ז	refreshing, freshening
רִעֲנֵן (יְרַעֲנֵן) פ	refresh, freshen
רַעֲנָן ת	fresh, refreshed
רַעֲנַנּוּת נ	freshness
רָעַף (יִרְעַף) פ	drizzle, drip
רַעַף ז	tile, roof-tile
רָעַץ (יִרְעַץ) פ	crush, shatter
רָעַשׁ (יִרְעַשׁ) פ	quake; make a noise
רַעַשׁ ז	noise, din; earthquake
רַעֲשִׁי ת	seismic
רַעֲשִׁיּוּת נ	seismicity
רַעֲשָׁן ז	noisy person; rattle (toy)
רַעֲשָׁנוּת נ	noisiness
רַעֲשָׁנִי ת	noisy, clamorous; blatant
רַף ז	shelf
רָפָא (יִרְפָּא) פ	cure, heal
רְפָאוֹת נ	medicine, cure
רְפָאִים ז״ר	ghosts, spirits of the dead
רֶפֶד ז	padding
רַפָּד ז	upholsterer
רָפָה (יִרְפֶּה) פ	lose strength, grow weak
רָפֶה ת	weak, flabby
רְפוּאָה נ	recovery; medicine, cure; medical science

רְפוּאָה שְׁלֵמָה! "complete recovery!" (said to anyone ill)
רְפוּאִי ת medical
רָפוּי ת slack, lax
רָפוּף ת shaky, flimsy
רָפִיא ת curable
רְפִיד ז lining, cushion (mechanical)
רְפִידָה נ inner sole
רִפְיוֹן ז infirmity, debility; slackness, looseness
רִפְיוֹן יָדַיִים impotence, weakness
רְפִיסוּת נ softness, weakness
רְפִיפוּת נ shakiness, instability
רָפַס (יִרְפּוֹס) פ trample, tread down; be soft, be frail
רִפְסֵד (יְרַפְסֵד) פ sail a raft
רַפְסוֹדַאי ז raftsman
רַפְסוֹדָה נ raft
רָפַף (יִרְפּוֹף) פ be shaky, be unstable
רְפָפָה נ slat, lath; lattice
רִפְרוּף ז fluttering, hovering
רִפְרֵף (יְרַפְרֵף) פ flutter, hover; examine superficially
רַפְרָף ז, רַפְרָפִים ז״ר hawk moth
רַפְרָף ז (wireless) wobbulator
רַפְרֶפֶת נ blancmange, custard pudding
רָפַשׂ (יִרְפּוֹשׂ) פ muddy, befoul; trample, tread down
רֶפֶשׁ ז mud, mire
רֶפֶת נ cowshed
רַפְתָּן ז cowman
רַפְתָּנוּת נ dairy-farming
רָץ (יָרוּץ) פ run
רָץ ז courier, envoy; half-back (football); bishop (chess)
רָצָה (יִרְצֶה) פ want, wish; be pleased with
רָצוּי ת desirable, expedient
רָצוֹן ז desire, wish; will; goodwill
רְצוֹנִי ת voluntary
רְצוּעָה נ strap; strip
רָצוּף ת continuous, non-stop; attached; paved
רָצוּף בָּזֶה, ר״ב enclosed herewith
רָצוּץ ת broken, crushed
רָצַח (יִרְצַח) פ murder
רֶצַח ז murder
רַצְחָנִי ת murderous
רְצִיחָה נ murder
רְצִיָּה נ wish; willingness
רְצִינוּת נ seriousness; gravity
רְצִינִי ת serious; grave
רְצִיעָה נ piercing with an awl
רְצִיף ז platform; wharf, quay
רָצִיף ת continuous
רְצִיפוּת נ continuity
רָצַע (יִרְצַע) פ pierce with an awl
רַצְעָן ז leatherworker; shoemaker, cobbler
רַצְעָנִיָּה נ leatherworker's workshop
רַצָּף ז paver, floor-layer
רֶצֶף ז continuity, duration
רִצְפָּה נ floor; ember
רַצָּפוּת נ paving, floor-laying
רָצַץ (יִרְצוֹץ, יָרוֹץ) פ crush, shatter
רִצְרֵץ (יְרַצְרֵץ) פ rustle, rattle
רַק תה״פ only
רָקַב (יִרְקַב) פ rot, decay, go bad

רָקָב ז — decayed matter
רֶקֶב ז — plant rot
רַקְבּוּבִי ת — putrescent, rotten
רַקְבּוּבִית נ — rot, decay
רַקְבִּיבוּת נ — rot, corruption
רָקַד (יִרקוֹד) פ — dance
רַקְדָן ז — dancer
רַקָּה נ — temple
רָקוּב ת — rotten, decayed
רָקַח (יִרקַח) פ — dispense (medicine)
רַקָּחוּת נ — dispensing (medicines), pharmacy
רָקִיב ת — tending to rot easily
רְקִיבוּת נ — proneness to rot
רְקִימָה נ — embroidery
רָקִיעַ ז — sky, heaven
רָקִיעַ ת — ductile, malleable
רְקִיעָה נ — stamping (of feet)
רָקִיק ז — wafer
רְקִיקָה נ — spitting, expectoration
רָקַם (יִרקוֹם) פ — embroider; fashion
רָקָם, רֶקֶם ז — embroidery
רִקְמָה נ — embroidery; tissue
רָקַע (יִרקַע) פ — stamp (foot), trample; beat into sheets
רֶקַע ז — background, setting
רַקֶּפֶת נ — cyclamen
רָקַק (יִרקוֹק, יָרוֹק) פ — spit, expectorate
רְקָק, רֶקֶק ז — shoal, shallow; swamp
רְקָקִית נ — spittoon, cuspidor
רָר (יָרִיר) פ — salivate (spit)
רָשׁ ת — poor, destitute
רַשַּׁאי ת — entitled, authorized
רָשׁוּי ת — licensed

רָשׁוּם ת — registered; recorded
רְשׁוּמָה נ — record
רְשׁוּמוֹת נ״ר — minutes; official gazette
רָשׁוּת נ — authority
רְשׁוּת נ — permission, permit; option; possession
רָשׁוּת ת — net-like, of net
רְשׁוּת הַיָּחִיד — private place
רְשׁוּת הָרַבִּים — public place
רָשׁוּת מְקוֹמִית — local authority
רִשְׁיוֹן ז — licence
רִשְׁיוֹן נְהִיגָה — driving licence
רְשִׁימָה נ — list; short article (in a newspaper)
רַשְׁלָן ז — slovenly person
רַשְׁלָנוּת נ — slovenliness; carelessness, negligence
רַשְׁלָנִי ת — slovenly; careless
רָשַׁם (יִרשׁוֹם) פ — note down, register; list; draw, sketch
רַשָּׁם ז — registrar
רִשְׁמִי ת — official
רִשְׁמִיּוּת נ — formality
רִשְׁמִית תה״פ — officially
רְשַׁמְקוֹל ז — tape-recorder
רְשַׁמְקֶשֶׁת ז — cyclograph
רָשַׁע (יִרשַׁע) פ — do wrong, act wickedly
רָשָׁע ת, ז — wicked; villain
רֶשַׁע ז — wickedness, evil
רִשְׁעָה נ — wickedness, iniquity
רִשְׁעוּת נ — wickedness, malice
רֶשֶׁף ז — spark; flash
רִשְׁרוּשׁ ז — rustle
רִשְׁרֵשׁ (יְרַשְׁרֵשׁ) פ — rustle

רֶשֶׁת נ net, network
רִשְׁתִּי ת of net, made of net
רִשְׁתִּית נ retina
רָתוּחַ ת boiled
רָתוּם ת harnessed, hitched
רַתּוּק ז chain, cable
רַתּוּקָה, רְתוּקָה נ chain
רָתַח (יִרְתַּח) פ boil, rage
רְתָחָה נ boiling; fury, rage
רַתְחָן ת bad-tempered person
רַתְחָנוּת נ irascibility, tetchiness
רְתִיחָה נ boiling; effervescence
רָתִיךְ ת weldable
רְתִיכוּת נ weldability
רְתִיעָה נ flinching, quailing; recoil
רַתָּךְ ז welder
רַתָּכוּת נ welding
רָתַם (יִרְתּוֹם) פ harness, hitch
רִתְמָה נ harness
רֶתַע ז recoiling
רָתַת (יִרְתַּת) פ shake, tremble
רְתֵת ז trembling, quaking

ש

שֶׁ... that, which; because
שָׁאַב (יִשְׁאַב) פ draw, pump; derive, obtain
שָׁאֶבֶת נ bailer
שָׁאַג (יִשְׁאַג) פ roar (like a lion), bellow
שְׁאָגָה נ roar, bellow
שָׁאוּב ת drawn (water); (fig.) derived
שְׁאוֹל זו״נ Sheol, the underworld
שָׁאוּל ת borrowed
שָׁאוֹן ז roar, noise
שְׂאוֹר ז leaven
שְׁאָט ז contempt
שָׁאַט (יִשְׁאַט) פ despise, be contemptuous of
שְׁאַט נֶפֶשׁ contempt
שְׁאִיבָה נ drawing (water from a well), pump; (fig.) deriving
שְׁאִיָּה נ desolation
שְׁאִילָה נ borrowing
שְׁאִילְתָּה נ question (in Parliament)
שְׁאִיפָה נ breathing in, inhaling; aspiration
שָׁאִיר ז surviving relative
שָׁאַל (יִשְׁאַל) פ ask; ask for, request; borrow
שְׁאֵלָה נ question; request; problem

questionnaire שְׁאֵלוֹן ז
a plain question שְׁאֵלַת תָּם
different שָׁאנֵי ת
be tranquil, be serene שַׁאֲנַן פ (רק בעבר)
tranquil, serene שַׁאֲנָן ת
tranquillity, serenity שַׁאֲנָנוּת נ
breathe in; (fig.) aspire שָׁאַף (יִשְׁאַף) פ
ambitious person שַׁאֲפָן ת
ambition שַׁאֲפָנוּת נ
ambitious שַׁאֲפָנִי ת
ambitious man שְׁאַפְתָּן ז
ambitiousness שְׁאַפְתָּנוּת נ
ambitious שְׁאַפְתָּנִי ת
be left, remain שָׁאַר (יִשְׁאַר) פ
the rest, the remainder שְׁאָר ז
kinsman שְׁאֵר ז
blood relation שְׁאֵר בָּשָׂר
remainder, remnant שְׁאֵרִית נ
nobility of mind שְׁאָר־רוּחַ
exaltation, majesty שְׂאֵת נ
old, grey-haired שָׂב ת
return, come (or go) back; repeat שָׁב (יָשׁוּב) פ
sit down! (imper. of יָשַׁב q.v.) שֵׁב
become old שָׂב (יָשִׂיב) פ
splinter, chip (of wood), shaving (wood or metal) שָׁבָב ז, שְׁבָבִים ז״ר
capture, take prisoner שָׁבָה (יִשְׁבֶּה) פ
agate שְׁבוֹ ז
captured; prisoner-of-war, captive שָׁבוּי ת, ז

week שָׁבוּעַ ז
oath שְׁבוּעָה נ
weekly journal שְׁבוּעוֹן ז
Pentecost, the Feast of Weeks, Shavuot שָׁבוּעוֹת, חַג הַשָּׁבוּעוֹת
weekly שְׁבוּעִי ת
vain oath שְׁבוּעַת שָׁוְא
false oath שְׁבוּעַת שֶׁקֶר
broken, fractured שָׁבוּר ת
return שְׁבוּת נ
praise; improvement שֶׁבַח, שְׁבָח ז
praise שְׁבָחָה נ
increased value of landed property שֶׁבַח מְקַרְקְעִין
rod; sceptre; tribe שֵׁבֶט ז
Shevat (January-February) שְׁבָט ז
equisetum שְׁבַטְבָּט ז
tribal שִׁבְטִי ת
captivity; captives שְׁבִי ז
spark שְׁבִיב ז
a spark of hope שְׁבִיב תִּקְוָה
captivity שִׁבְיָה נ
comet שָׁבִיט ז
taking prisoner; captives שְׁבִיָּה נ
pathway שְׁבִיל ז
the golden mean שְׁבִיל הַזָּהָב
the Milky Way שְׁבִיל הֶחָלָב
woman's head ornament שָׁבִיס ז
feeling of satisfaction שְׂבִיעָה נ
seven-month baby שְׁבִיעוֹנִי ת
satiety שְׂבִיעוּת נ
satisfaction שְׂבִיעוּת רָצוֹן
seventh שְׁבִיעִי ת
septet; set of seven שְׁבִיעִיָּה נ
breakable, fragile שָׁבִיר ת

diopter	שְׁבִיר ז
breaking, fracturing, breakage	שְׁבִירָה נ
fragility	שְׁבִירוּת נ
captivity	שְׁבִית נ
strike	שְׁבִיתָה נ
armistice, truce	שְׁבִיתַת נֶשֶׁק
hunger strike	שְׁבִיתַת רָעָב
sit-down strike	שְׁבִיתַת שֶׁבֶת
lattice, trellis, grid	שְׂבָכָה נ
snail	שַׁבְּלוּל ז
pattern, model; stereotype	שַׁבְּלוֹנָה נ
stereotyped, hackneyed	שַׁבְּלוֹנִי ת
eat one's fill	שָׂבַע (יִשְׂבַּע) פ
satisfied; sated	שָׂבֵעַ ת
plenty, satiety	שָׂבָע ז
seven (fem.)	שֶׁבַע ש״מ
seven (masc.)	שִׁבְעָה ש״מ
satiety, satisfaction	שָׂבְעָה, שׂוֹבְעָה נ
seventeen (masc.)	שִׁבְעָה־עָשָׂר
seventy	שִׁבְעִים ש״מ
septet	שַׁבְעִית נ
seventeen (fem.)	שְׁבַע־עֶשְׂרֵה
satisfied, content	שְׂבַע־רָצוֹן
seven times; sevenfold	שִׁבְעָתַיִם ש״מ
death throes, convulsion	שָׁבָץ ז
forsake, abandon	שָׁבַק (יִשְׁבּוֹק) פ
hope, expectation	שֵׂבֶר ז
break, fracture (limb)	שָׁבַר (יִשְׁבּוֹר) פ
break, breaking, fracture; fragment; rupture, hernia; fraction; disaster	שֶׁבֶר ז
fragment, splinter	שַׁבְרִיר ז
(fig.) weakling	שֶׁבֶר־כְּלִי
cloudburst	שֶׁבֶר עָנָן
weathercock, weather-vane	שַׁבְשֶׁבֶת נ
mistake	שַׁבֶּשְׁתָּא נ
cease, stop; rest; strike	שָׁבַת (יִשְׁבּוֹת) פ
sitting	שֶׁבֶת נ
Sabbath, seventh day; day of rest	שַׁבָּת נ
Saturn	שַׁבְּתַאי ז
saturniid (moth)	שַׁבְּתַאי הַשָּׁקֵד
meningitis	שִׁבְתָּה נ
complete rest; sabbatical	שַׁבָּתוֹן ז
of the Sabbath	שַׁבַּתִּי ת
be strong, be great, be high	שָׂגַב (יִשְׂגַּב) פ
greatness, sublimity	שֶׂגֶב ז
sin in error, be mistaken	שָׁגַג (יִשְׁגּוֹג) פ
inadvertent sin; mistake	שְׁגָגָה נ
prosper, rise	שָׂגָה (יִשְׂגֶּה) פ
make a mistake, err	שָׁגָה (יִשְׁגֶּה) פ
fluent; usual, habitual	שָׁגוּר ת
great, sublime, exalted	שַׂגִּיא ת
mistake, error	שְׁגִיאָה נ
great, sublime	שַׂגִּיב ת
fluency; habitual use	שְׁגִירוּת נ
have sexual intercourse with (a woman)	שָׁגַל (יִשְׁגַּל) פ
concubine	שֵׁגָל נ
concubine	שִׁגְלוֹנָה נ
tenon (wood), tongue (wood or metal), spline	שֶׁגֶם ז
insane, crazy	שִׁגְעוֹנִי, שִׁיגְעוֹנִי ת
young (of animals)	שֶׁגֶר ז

שִׁגְרָה, שִׁיגְרָה נ routine; fluency (of speech)
שַׁגְרִיר ז ambassador
שַׁגְרִירוּת נ embassy
שִׁגְרָתִי ת routine, habitual
שִׁגְרָתָנוּת routinism, red tape
שִׂגְשֵׂג (יְשַׂגְשֵׂג) פ flourish, thrive
שִׂגְשׂוּג ז flourishing progress, thriving
שָׁד, שַׁד ז ר׳ שָׁדַיִים breast
שָׁד (יָשׁוּד) פ rob, loot
שֵׁד ז devil, demon
שָׂדָאוּת נ fieldcraft (military), field training
שָׁדַד (יִשְׁדּוֹד) פ rob, loot
שֵׁד מִשַּׁחַת little devil
שֵׁדָה נ demon (female), devil (female)
שָׂדֶה ז field
שְׂדֵה־בּוּר fallow land
שָׂדֶה מַגְנֶטִי magnetic field
שְׂדֵה־מוֹקְשִׁים minefield
שְׂדֵה־קֶטֶל, שְׂדֵה־קְרָב battlefield
שְׂדֵה־רְאִיָּה field of vision
שְׂדֵה־תְּעוּפָה airfield
שָׁדוּד ת robbed, looted
שֵׁדוֹן ז imp, little devil
שָׁדוּף ת blighted, blasted; meaningless, empty
שַׁדַּי ת Almighty (epithet for God)
שְׁדִידָה נ robbery, looting
שָׁדִיר ת suitable for broadcasting
שַׁדְּכָן ז match-maker
שַׁדְּכָנוּת נ match-making
שְׂדֵמָה נ field (of grain or fruit)

שָׁדַף (יִשְׁדּוֹף) פ blight (crops), blast
שַׁדָ״ר ז collector (for Jewish institutes of learning)
שַׁדָּר ז (tree) birch; broadcaster
שֶׁדֶר ז broadcasting transmission
שִׁדְרָה נ spine, backbone
שְׂדֵרָה נ avenue (of trees); column (of troops); class (of society), rank
שִׁדְרוֹן ז keelson
שִׁדְרִית נ keel
שַׁדֶּרֶת נ rickets
שֶׂה זו״נ lamb
שָׂהֵד ז witness
שָׁהָה (יִשְׁהֶה) פ stay; tarry, linger
שָׁהוּי ת delayed
שָׁהוּת נ leisure, sufficient time
שְׁהִי ז rest (music)
שְׁהִיָּה נ stay, wait; delay
שְׁהִ״י פְּהִ״י transparent pretext, excuse for delay
שַׂהַר ז moon
שַׂהֲרוֹן ז moon-shaped ornament
שׂוֹא ז rising, crest
שׁוֹאֵב ז water-drawer
שׁוֹאֵב־אָבָק dust extractor, vacuum cleaner
שׁוֹאֲבָק ז vacuum cleaner
שׂוֹא גַּלִּים the crest of the waves
שׁוֹאָה נ catastrophe, holocaust
שׁוֹאֵל ז questioner; borrower
שׁוּב פ, ר׳ שָׁב
שׁוּב תה״פ again
שׁוּבַּב (יְשׁוּבַּב) פ be chipped, be whittled

שׁוֹבֵב (יְשׁוֹבֵב) פ restore, put back; go astray
שׁוֹבַב (יְשׁוֹבַב) פ be restored, be regularized
שׁוֹבָב ת naughty (child), mischievous
שׁוֹבְבוּת נ naughtiness, misbehavior
שׁוּבָה נ calm, repose
שׁוֹבֵה לֵב captivating
שׁוּבַּח (יְשׁוּבַּח) פ be praised; be praiseworthy
שׂוֹבֶךְ ז network; tangle of boughs
שׁוֹבֶךְ, שׁוֹבָךְ ז dove-cote
שׁוֹבֶל ז train (of a dress); wake (of a ship)
שׂוֹבַע ז satisfaction, satiety
שׂוֹבְעָה, שָׂבְעָה נ satisfaction, satiety
שׁוּב פַּעַם once again
שׁוּבַּץ (יְשׁוּבַּץ) פ be chequered; be marked out in squares; be graded; be set (jewel)
שׁוֹבֵר ז voucher, warrant (travel)
שׁוּבַּר (יְשׁוּבַּר) פ be shattered (lit. and fig.)
שׁוֹבֵר־גַּלִּים breakwater
שׁוֹבֵר־רוּחַ windbreak
שׁוּבַּשׁ (יְשׁוּבַּשׁ) פ be corrupt (text), be full of mistakes, be thrown into disorder
שׁוֹבֵת ז striker
שׁוֹגֵג ת erring
שׁוּגַּם (יְשׁוּגַּם) פ be joined, be mortised (wood)
שׁוּגַּע (יְשׁוּגַּע) פ be driven mad, be maddened

שׁוֹגֵר ז consignor
שׁוּגַּר (יְשׁוּגַּר) פ be sent, be despatched, be launched (satellite)
שׁוֹד ז robbery, rapine, plunder
שׁוֹדֵד ז robber, bandit
שׁוּדַּד (יְשׁוּדַּד) פ be laid waste, be ravaged
שׂוּדַּד (יְשׂוּדַּד) פ be harrowed
שׁוּדַּךְ (יְשׁוּדַּךְ) פ be brought together (by a marriage-broker)
שׁוּדַּל (יְשׁוּדַּל) פ be coaxed, be persuaded
שׁוּדַּר (יְשׁוּדַּר) פ be broadcast, be transmitted (by radio)
שֹׁהַם ז onyx
שָׁוְא ז falsehood; vanity
שְׁוָא ז sheva
שְׁוָאִי ת pointed with a sheva
שָׁוָה (יִשְׁוֶה) פ be equal, be comparable
שָׁוֶה ת equal, equivalent; worth
שָׁוֶה בְּשָׁוֶה equally, in equal shares
שְׁוֵה־זְכוּיוֹת with equal rights
שָׁוֶה לְכָל נֶפֶשׁ suitable for everyone
שְׁוֵה־נֶפֶשׁ indifferent
שְׁוֵה־עֵרֶךְ equal in value
שָׁוֶה פְּרוּטָה of little value
שְׁוֵה צְלָעוֹת equilateral (triangle)
שׁוֹוִי ז worth, value
שִׁוְיוֹן ז equality, equivalence
שִׁוְיוֹן־זְכוּיוֹת equality of rights
שִׁוְיוֹן נֶפֶשׁ indifference, equanimity

שָׂוִיק ת — marketable
שֶׁוַע ז, שַׁוְעָה נ — cry for help
שׁוּוַּק (יְשׁוּוַּק) פ — be marketed
שַׁוָּר ז — dancer; rope-dancer
שׁוּזַּר (יְשׁוּזַּר) פ — be twisted, be twined
שׁוּחַד (יְשׁוּחַד) פ — be bribed
שׁוֹחַד ז — bribe
שׁוּחָה נ — deep trench
שׁוּחזַר (יְשׁוּחזַר) פ — be reconstructed
שׂוֹחֵחַ (יְשׂוֹחֵחַ) פ — talk, converse
שׁוֹחֵט ז — slaughterer
שׁוּחַף (יְשׁוּחַף) פ — be consumptive
שׂוֹחֵק ת — laughing, merry
שׁוּחַק (יְשׁוּחַק) פ — be worn away
שׁוֹחֵר ז — friend, supporter; seeker
שׁוּחרַר (יְשׁוּחרַר) פ — be set free; be released
שׁוֹט ז — whip
שׁוֹטֶה ת — stupid, silly
שׁוּטָה (יְשׁוּטֶה) פ — be mocked, be jeered at
שׁוּטַח (יְשׁוּטַח) פ — be flattened
שׁוֹטֵט (יְשׁוֹטֵט) פ — rove; loiter
שׁוֹטְטוּת נ — loitering, vagrancy
שׁוּטִית נ — skiff
שׁוֹטֵף ת — continuous, running; current; swiftly running
שׁוֹטֵר ז — policeman, constable
שׁוֹטֵר־חָרֵשׁ — detective
שׁוֹטֵר מַקּוֹפִי — policeman on the beat
שׁוֹטֵר תְּנוּעָה — traffic policeman
שׁוּיַּךְ (יְשׁוּיַּךְ) פ — be ascribed, be attributed
שׁוּיַּף (יְשׁוּיַּף) פ — be filed
שׂוֹךְ ז — booth; bough
שׂוּךְ פ, ר׳ שָׂךְ
שׂוֹכָה נ — bough, branch
שׁוּכַּח (יְשׁוּכַּח) פ — be forgotten
שׁוּכַּךְ (יְשׁוּכַּךְ) פ — be calmed, be appeased
שׁוּכַּל (יְשׁוּכַּל) פ — be crossed (arms or legs)
שׁוּכַּל (יְשׁוּכַּל) פ — be left childless
שׁוּכלַל (יְשׁוּכלַל) פ — be perfected, be improved
שׁוּכַּן (יְשׁוּכַּן) פ — be housed, be provided with housing
שׁוּכנַע (יְשׁוּכנַע) פ — be convinced
שׁוּכפַּל (יְשׁוּכפַּל) פ — be duplicated
שׂוֹכֵר ז — hirer, lessee
שׁוּל ז — edge, margin
שִׁוּלָב ז — interlock
שׁוּלַּב (יְשׁוּלַּב) פ — be interwoven, be interlocked
שׁוּלהַב (יְשׁוּלהַב) פ — be set alight, be inflamed
שׁוּלַּח (יְשׁוּלַּח) פ — be sent away
שׁוּלחָן ז — table; desk
שׁוּלחָנִי ז — money-changer, banker
שׁוּלחָנִית נ — plane-table
שׁוּלחָן עָגוֹל — round table
שׁוּלחָן עָרוּךְ — table laid for a meal; Shulhan Arukh – code of Jewish religious laws
שׁוּלַּט (יְשׁוּלַּט) פ — be signposted
שׁוּלטָאן ז — Sultan
שׁוּלְטָנִי ת — domineering
שׁוּלְיָה, שְׁוּלִיָּה נ — apprentice
שׁוּלַיִם ז״ז — edge, brim (of hat); margins (of a book)

שׁוֹלֵל ז one who says no, opponent

שׁוֹלָל ת stripped, deprived, bereft

שׁוֹלַל (יְשׁוֹלַל) פ be devoid of, be deprived of

שׁוֹלַל (יְשׁוֹלַל) פ be deprived of, be devoid of

שׁוֹלְלוּת נ negation, opposition

שׁוּלַּם (יְשׁוּלַּם) פ be paid

שׁוּלַּשׁ (יְשׁוּלַּשׁ) פ be tripled, be trebled

שׁוּלְשַׁל (יְשׁוּלְשַׁל) פ be dropped in, be posted

שׁוּם ז garlic; something, anything

שׁוּם דָּבָר nothing

שׁוּמָה נ assessment, valuation

שׁוּמָה ת incumbent

שׁוֹמֵם ת waste, desolate

שׁוּמֶן ז fatness

שׁוּמָּן ז fat

שׁוּמַּן (יְשׁוּמַּן) פ be oiled

שׁוֹמֵר ז guard, watchman, keeper

שׁוּמַּר (יְשׁוּמַּר) פ be preserved

שׁוּמָּר ז fennel

שׁוֹמֵרָה נ watchman's booth (in a vineyard)

שׁוֹמְרוֹנִי ת Samaritan

שׁוֹמֵר־טַף baby-sitter

שׁוֹמֵר יִשְׂרָאֵל Watch of Israel (i.e. God)

שׁוֹמֵר נַפְשׁוֹ cautious, careful

שׁוּמַּשׁ (יְשׁוּמַּשׁ) פ be used, be second-hand

שׁוּמְשׁוּם, שׁוּמְשׁוּם ז sesame

שׂוֹנֵא ז enemy, foe

שׁוֹנֶה ת different

שׁוּנָּה (יְשׁוּנֶּה) פ be changed, be altered

שׁוֹנוּת נ variation, variability

שׁוֹנִי ז variance, variety; difference

שׁוּנִית נ reef; cliff

שׁוּנַּן (יְשׁוּנַּן) פ be learnt by heart; be sharpened

שׁוּנְרָה נ wild cat

שׁוּנַּת (יְשׁוּנַּת) פ be notched, be graduated

שׁוּסָּה (יְשׁוּסֶּה) פ be set on (dog); be provoked

שׁוּסַּע (יְשׁוּסַּע) פ be split; be interrupted (speech)

שׁוּסַּף (יְשׁוּסַּף) פ be split, be hewn apart

שׁוֹעַ ז magnate; noble

שׁוּעְבַּד (יְשׁוּעְבַּד) פ be enslaved; be subjected; be mortgaged

שׁוּעָל ז fox

שֹׁעַל ז handful

שׁוּעֲמַם (יְשׁוּעֲמַם) פ be bored

שׁוֹעֵר ז gatekeeper, doorkeeper; goalkeeper

שׁוֹעַר (יְשׁוֹעַר) פ be estimated, be reckoned; be supposed

שׁוּעֲשַׁע (יְשׁוּעֲשַׁע) פ be amused, be diverted

שׁוּעְתַּק (יְשׁוּעְתַּק) פ be reproduced

שׁוּף ת smooth, polished

שׁוּפָּה (יְשׁוּפֶּה) פ be smoothed

שׁוֹפֵט ז judge; referee

שׁוֹפֵט שָׁלוֹם magistrate

שׁוּפִי ז ease, comfort

שׁוֹפִין ז file

שׁוּפַּךְ (יְשׁוּפַּךְ) פ be spilt; be poured out
שׁוֹפְכָה, שָׁפְכָה נ penis
שׁוֹפְכִים, שׁוֹפָכִין, שֳׁפָכִין ז״ר dirty water; sewage
שׁוֹפְכֵי תַּעֲשִׂיָּה industrial waste
שׁוֹפֵעַ ת flowing, streaming
שׁוּפַּע (יְשׁוּפַּע) פ abound in, be rich in
שׁוֹפַע ז (of ship) trim
שׁוּפַּץ (יְשׁוּפַּץ) פ be renovated, be restored
שׁוֹפָר ז shofar (ram's horn); mouthpiece
שׁוּפַּר (יְשׁוּפַּר) פ be improved
שׁוּפְרָא ז beauty
שׁוּפְרָא דְשׁוּפְרָא the best quality, the best, first class
שׁוּפְרַט (יְשׁוּפְרַט) פ be elaborated
שׁוּפֶּרְסַל ז supermarket
שׁוּפְשַׁף (יְשׁוּפְשַׁף) פ be rubbed; be burnished
שׁוֹק נ leg (below the knee), (geometry) side
שׁוּק ז market, market-place
שׁוּק חוֹפְשִׁי free market
שׁוּקִי ת vulgar
שׁוֹקִית נ leg (of a high boot)
שׁוּקַּם (יְשׁוּקַּם) פ be rehabilitated
שׁוֹקַע ז (of ship) draft, draught
שׁוּקַּע (יְשׁוּקַּע) פ be submerged (in water), be sunk in
שׁוּקַּץ (יְשׁוּקַּץ) פ be loathsome, be detestable
שׁוֹקֵק ת craving, longing; bustling
שׁוֹקֶת נ drinking-trough
שׁוּר ז high wall
שׁוּר פ, ר׳ שָׁר
שׁוֹר ז ox
שׁוּרְבַּב (יְשׁוּרְבַּב) פ be extended, hang down; be interpolated
שׁוּרָה נ row, rank, line; series
שׁוֹר הַבָּר bison, buffalo
שׁוּרוֹן ז lined paper
שׁוּרְטַט ר׳ סוּרְטַט
שׁוּרְיַן (יְשׁוּרְיַן) פ be armor-plated; be earmarked
שׁוֹרֵר (יְשׁוֹרֵר) פ sing; write poetry
שׁוֹרֶר ז navel, umbilicus
שׁוֹרֶשׁ ז root
שׁוֹרַשׁ (יְשׁוֹרַשׁ) פ be uprooted; be eradicated
שׁוֹרְשׁוֹן ז rootlet, small root
שׁוֹרְשִׁי ת radical; deep-rooted, fundamental
שׁוֹרְשִׁיּוּת נ deep-rootedness, fundamentality
שׁוֹרֶשׁ שְׁלָשִׁי triliteral root
שׁוּשׁ פ, ר׳ שָׂשׂ
שׁוֹשְׁבִין, שׁוֹשְׁבִּין ז best man
שׁוֹשְׁבִינוּת נ status of best man
שׁוּשָּׁה (יְשׁוּשֶּׁה) פ be divided into six; be multiplied by six
שׁוֹשֶׁלֶת נ genealogy; dynasty
שׁוֹשָׁן ז lily; rosette (architecture)
שׁוֹשַׁנָּה נ lily; (colloquial) rose; erysipelas (medical)
שׁוֹשֶׁנֶת נ rosette
שׁוֹשַׁנַּת הָרוּחוֹת compass card
שׁוֹשַׁנַּת־יָם sea anemone

שׁוּתָּף נ — partner
שׁוּתַּף (יְשׁוּתַּף) פ — be made a partner, be allowed to participate
שׁוּתָּפוּת נ — partnership
שׁוּתַּק (יְשׁוּתַּק) פ — be silenced; be paralysed
שָׁזוּף ת — tanned, sun-tanned
שָׁזוּר ת — twisted, twined; interwoven
שְׁזִיף ז — plum
שְׁזִירָה נ — twisting, twining; interweaving
שָׁזַר (יִשְׁזוֹר) פ — twist, twine; interweave
שַׁזָּר ז — rope-maker
שִׁזְרָה נ — spine
שַׁח ת — bowed; cast down (eyes)
שַׁח ז — chess (the game); check (the move); shah (of Persia)
שָׂח (יָשִׂיחַ) פ — talk, speak
שָׁח (יָשׁוּחַ) פ — walk, stroll
שָׂחָה (יִשְׂחֶה) פ — swim
שָׁחָה (יִשְׁחֶה) פ — bow down, stoop
שָׁחוּז ת — sharpened
שְׁחוֹחַ תה״פ — stooped, with head bent
שָׁחוּחַ ת — stooping, bent
שָׁחוּט ת — slaughtered; beaten flat (metal)
שָׁחוּל ת — threaded (needle)
שְׁחוֹלֶת נ — filings (of metal), shavings
שָׁחוֹם, שָׁחוּם ת — swarthy, dark brown
שָׁחוּן ת — very hot
שָׁחוּף ת — consumptive, tubercular
שְׂחוֹק ז — laughter, jest
שָׁחוּק ת — powdered; threadbare, worn

שָׁחוֹר ת — black
שְׁחוֹר ז — blackness
שָׁחוֹר מִשָּׁחוֹר — jet black
שִׁחְזוּר ז — reconstruction
שִׁחְזֵר (יְשַׁחְזֵר) פ — reconstruct
שָׁחַח (יָשׁוֹחַ) פ — be bowed; bow one's head
שָׁחַט (יִשְׁחַט) פ — slaughter, massacre
שְׁחִי, שֶׁחִי ז — arm-pit
שְׁחִיטָה נ — slaughter; massacre
שְׂחִיָּה נ — swimming
שַׂחְיָן ז — swimmer
שַׂחְיָנוּת — swimming (sport)
שָׁחִיל ת — threadable
שְׁחִין ז — boils (disease)
שָׁחִיס, סָחִישׁ ז — aftergrowth
שָׁחִיף, שְׁחִיף־עֵץ ז — lath, thin board
שָׁחִיק ת — powdered, ground
שְׁחִיקָה נ — powdering, grinding
שְׁחִיתוּת נ — corruption, demoralization
שַׁחַל ז — lion
שַׁחֲלָה נ — ovary
שִׁחְלוּף ז — rearrangement
שַׁחֲלַיִם ז״ז — cress
שִׁחְלֵף (יְשַׁחְלֵף) פ — rearrange
שַׁחַם ז — granite
שְׁחַמְחַם ת — brownish, darkish
שַׁחְמָט ז — chess
שַׁחְמְטַאי ז — chess-player
שַׁחְמָטִי ת — chess (used attributively)
שַׁחַף ז — seagull
שַׁחֲפָן ז — consumptive
שַׁחֲפָנִי ת — consumptive
שַׁחֶפֶת נ — consumption

שַׁחַץ ז pride
שַׁחֲצָן ת arrogant person
שִׁחְצֵן (יְשַׁחְצֵן) פ bluster, brag
שַׁחֲצָנוּת נ arrogance
שַׁחֲצָנִי ת arrogant, vain
שָׂחַק (יִשְׂחַק) פ laugh, smile; jeer
שַׁחַק ז powder
שָׁחַק (יִשְׁחַק) פ powder, grind to powder
שְׁחָקִים ז״ר sky
שַׂחֲקָן ז actor; player
שַׂחֲקָנוּת נ acting
שַׁחַר ז dawn, daybreak; meaning, sense
שָׁחַר (יִשְׁחַר) פ take an interest in
שַׁחֲרוֹן ז jet (mineral)
שִׁחְרוּר ז release, discharge; liberation
שַׁחֲרוּר ז blackbird
שַׁחֲרוּרִית נ blackness
שַׁחֲרוּת נ youth, boyhood; blackness
שְׁחַרְחוֹר, שְׁחַרְחַר ת blackish, brunette; swarthy
שַׁחֲרִית נ early morning; matinee; morning prayer
שִׁחְרֵר (יְשַׁחְרֵר) פ set free, liberate; release
שַׁחַת נ pit; grave, Sheol
שַׁחַת ז hay, fodder
שָׁט (יָשׁוּט) פ roam, wander; sail
שָׂטָה (יִשְׂטֶה) פ turn aside, turn away
שָׁטוּחַ ת flat, outspread
שְׁטוּיוֹת! nonsense! rot!
שָׁטוּף ת flooded, washed

שָׁטוּף בִּשְׁתִיָּה drunkard
שְׁטוּת נ nonsense, foolishness
שְׁטוּתִי ת nonsensical
שָׁטַח (יִשְׁטַח) פ spread out
שֶׁטַח ז surface; area; domain, sphere
שִׁטְחִי ת superficial
שִׁטְחִיּוּת נ superficiality
שָׁטְיָא ת fool
שַׁטְיָה נ silly girl
שָׁטִיחַ ז carpet, rug
שְׁטִיחוֹן ז small carpet
שְׁטִיפָה נ washing; flooding, washing away
שְׁטִיפוּת נ engrossment, absorption
שָׂטַם (יִשְׂטוֹם) פ hate
שָׂטָן ז Satan, the Devil
שִׂטְנָה נ denunciation, accusation
שְׂטָנִי ת Satanic, diabolical
שָׁטַף (יִשְׁטוֹף) פ wash, rinse; wash away; flood, (fig.) be carried away by
שֶׁטֶף ז flow, flood; fluency
שֶׁטֶף דָּם haemorrhage
שְׁטָר ז bill, promissory note
שְׁטָר־כֶּסֶף banknote
שְׁטָר־מְכִירָה bill of sale
שְׁטָר־עֵרֶךְ security, bond
שַׁי ז gift
שַׁ״י ש״מ 310
שִׂיא ז peak; record
שִׁיבֵּב (יְשַׁבֵּב) פ chip, whittle
שֵׂיבָה נ grey hair; old age
שִׁיבָה נ return
שִׁיבּוּב ז whittling, chipping

שִׁיבּוֹלִית נ — ear (of corn)
שִׁיבּוֹלֶת נ — ear (of corn), torrent, rapids
שִׁיבּוֹלֶת שׁוּעָל — oats
שִׁיבּוּץ ז — setting; grading; interweaving
שִׁיבּוּשׁ ז — blunder, distortion; confusion, muddle
שִׁיבּוּשֵׁי לָשׁוֹן — solecisms, mistakes
שִׁיבַּח (יְשַׁבַּח) פ — praise, extol
שִׁיבַּע (יְשַׁבַּע) פ — repeat seven times; multiply by seven
שִׁיבֵּץ (יְשַׁבֵּץ) פ — mark out in squares, chequer; set; grade; assign a position to; interweave
שִׁיבֵּר (יְשַׁבֵּר) פ — shatter
שִׂיבֵּר (יְשַׂבֵּר) פ — hope, expect
שִׁיבָּרוֹן ז — destruction, crushing
שִׁיברוֹן לֵב — a broken heart
שִׁיבֵּשׁ (יְשַׁבֵּשׁ) פ — throw into disorder, render; garble, corrupt, introduce errors
שִׁיבַת צִיּוֹן — Return to Zion
שִׂיג ז — affair, business
שִׂיגֵּב (יְשַׂגֵּב) פ — exalt (God), raise up (man)
שִׂיגּוּב ז — exaltation, exalting
שִׁיגּוּר ז — sending, despatch, launching (satellite)
שִׁיגּוּשׁ ז — disturbance
שִׁיגָּיוֹן ז — idée fixe, whim
שִׁיגֵּם (יְשַׁגֵּם) פ — mortise (wood), join
שִׁיגַּע (יְשַׁגַּע) פ — drive mad, madden
שִׁיגָּעוֹן ז — madness, mania
שִׁיגעוֹן גַּדלוּת — megalomania
שִׁיגֵּר (יְשַׁגֵּר) פ — send, despatch
שִׁיגָּרוֹן ז — arthritis, rheumatism
שִׁיגֵּשׁ (יְשַׁגֵּשׁ) פ — muddle, confuse
שִׂידֵּד (יְשַׂדֵּד) פ — harrow
שִׁידָּה נ — chest of drawers
שִׁידּוּד ז — despoiling, ravaging
שִׂידּוּד ז — harrowing (field)
שִׁידּוּד מַעֲרָכוֹת — a thorough change
שִׁידּוּךְ ז — marriage negotiations; proposed match
שִׁידּוּל ז — persuasion; lobbying
שִׁידּוּף ז — blighting
שִׁידּוּר ז — broadcast, broadcasting
שִׁידֵּךְ (יְשַׁדֵּךְ) פ — negotiate a marriage, bring together
שִׁידֵּל (יְשַׁדֵּל) פ — coax, persuade
שִׁידֵּף (יְשַׁדֵּף) פ — blight
שִׁידָּפוֹן ז — blight
שִׁידֵּר (יְשַׁדֵּר) פ — broadcast
שֵׂיָה נ — ewe-lamb
שִׁיהוּי ז — delay, hold-up
שִׁיהוּק ז — hiccough
שִׁיהֵק (יְשַׁהֵק) פ — hiccough
שִׁיוָּה (יְשַׁוֶּה) פ — compare
שִׁיוּוּי ז — equalizing, making even
שִׁיוּוּי זְכוּיּוֹת — equal rights
שִׁיוּוּי מִשְׁקָל — equilibrium
שִׁיוַּע (יְשַׁוַּע) פ — cry for help
שִׁיוּוּק ז — marketing
שִׁיוֵּק (יְשַׁוֵּק) פ — market
שִׁיוֵּר (יְשַׁוֵּר) פ — align
שִׁיוּט ז — rowing
שִׁיוּךְ ז — ascription, attribution
שִׁיוּף ז — filing
שִׁיוּר ז — remainder, remnant

שִׁיוֹרֶת נ	remainder, leavings
שִׁיזּוּף ז	tanning, sunbathing
שֵׁיזָף ז	jujube
שִׁיזֵּף (יְשַׁזֵּף) פ	tan, burn
שִׁיזָּפוֹן ז	suntan; sunburn
שִׂיחַ ז	bush, shrub; speech, talk
שִׁיחֵד (יְשַׁחֵד) פ	bribe
שִׂיחָה נ	conversation; talk
שִׁיחָה נ	pit
שִׂיחָה דְחוּפָה	urgent call
שִׁיחוּד ז	bribing
שִׁיחוּל ז	extrusion
שִׂיחוֹן ז	phrase-book, conversation manual
שִׂיחַ וָשִׂיג	dealings, contact
שִׁיחוּת ז	corruption, marring
שִׂיחֵק (יְשַׂחֵק) פ	act (on stage); play (game)
שִׁיחֵק (יְשַׁחֵק) פ	grind fine
שִׁיחֵר (יְשַׁחֵר) פ	do early; get up early to see
שִׁיחֵת (יְשַׁחֵת) פ	corrupt, spoil
שַׁיִט ז	sailing; rowing
שִׁיטָה נ	method, system; line
שִׁיטָה ז	acacia
שִׁיטָּה (יְשַׁטֶּה) פ	mock, make a fool of
שִׁיטָה עֶשְׂרוֹנִית	decimal system
שִׁיטּוּחַ ז	flattening, beating flat
שִׁיטוּט ז	roaming, roving
שִׁיטּוּי ז	mocking, jeering
שִׁיטּוּר ז	police work, policing
שִׁיטֵּחַ (יְשַׁטֵּחַ) פ	flatten, beat flat
שִׁיטָּפוֹן ז	flood
שִׁיטֵּר (יְשַׁטֵּר) פ	police
שִׁיטָתִי ת	methodical, systematic
שִׁיטָתִיּוּת נ	methodicalness, system
שַׁיָּט ז	rower, oarsman
שַׁיֶּטֶת נ	fleet, flotilla
שִׁיֵּיךְ (יְשַׁיֵּיךְ) פ	ascribe, attribute
שַׁיָּיךְ ת	belonging; relevant
שַׁיָּיכוּת נ	possession; connection, relevance
שִׁיֵּיף (יְשַׁיֵּיף) פ	file
שִׁיֵּיר (יְשַׁיֵּיר) פ	leave over
שְׁיָירָה, שַׁיָּירָה נ	caravan, convoy
שְׁיָרִים ז״ר	remains, leftovers
שִׁיֵּישׁ (יְשַׁיֵּישׁ) פ	cover with marble
שֵׁיךְ ז	sheikh
שִׁיכּוּךְ ז	appeasing, calming
שִׁיכּוּל ז	crossing (arms or legs); transposition, metathesis
שִׁיכּוּל ז	loss of children, bereavement
שִׁיכּוּן ז	housing (act of); housing estate, housing project
שִׁיכּוֹר ז	drunk, intoxicated
שִׁיכֵּחַ (יְשַׁכֵּחַ) פ	cause to forget; forget
שִׁיכָּחוֹן ז	oblivion
שִׁיכֵּךְ (יְשַׁכֵּךְ) פ	appease, calm; damp (wireless)
שִׁיכֵּל (יְשַׁכֵּל) פ	bereave, slay the children of
שִׂיכֵּל (יְשַׂכֵּל) פ	cross (one's arms or legs)
שִׁיכֵּן (יְשַׁכֵּן) פ	house, provide with housing
שִׁיכֵּר (יְשַׁכֵּר) פ	intoxicate, make drunk

שִׁיכָּרוֹן ז drunkenness, intoxication

שִׁילֵּב (יְשַׁלֵּב) פ fold (arms); interweave, fit in

שִׁילּוּב ז folding (arms); combining, interweaving

שִׁילּוּחַ ז dismissal, sending away; release

שִׁילּוּט ז signposting

שִׁילּוּם ז payment

שִׁילּוּמִים ז״ר reparations

שִׁילּוּשׁ ז tripling; group of three, Trinity

שִׁילֵּחַ (יְשַׁלֵּחַ) פ send away; release; divorce (a wife)

שִׁילֵּט (יְשַׁלֵּט) פ signpost

שִׁילֵּם (יְשַׁלֵּם) פ pay

שִׁילֵּם ז payment, requital

שִׁילֵּשׁ (יְשַׁלֵּשׁ) פ triple; divide into three

שִׁילֵּשׁ ז great-grandchild, member of the third generation

שִׂימָה נ putting, placing

שִׁימּוּן ז oiling

שִׁימּוּר ז preserving

שִׁימּוּרִים ז״ר preserves, canned goods

שִׁימּוּשׁ ז use, usage

שִׁימּוּשִׁי ת useful, practical; applied (science)

שִׁימּוּשִׁיּוּת נ usefulness, practicalness

שִׂימֵּחַ (יְשַׂמֵּחַ) פ gladden, rejoice

שִׁימָּמוֹן ז desolation; depression

שִׁימֵּן (יְשַׁמֵּן) פ oil

שִׁימֵּר (יְשַׁמֵּר) פ conserve, preserve, can

שִׁימֵּשׁ (יְשַׁמֵּשׁ) פ minister, officiate; serve as

שִׁימֵּת (יְשַׁמֵּת) פ excommunicate

שִׂימַת לֵב attention, heed

שִׁינָּה (יְשַׁנֶּה) פ change, alter

שִׁינּוּי ז change, alteration

שִׁינּוּן ז memorizing (by repetition); inculcation; sharpening

שִׁינּוּס ז girding (one's loins)

שִׁינּוּעַ ז transshipment

שִׁינּוּץ ז rib-lacing

שִׁינּוּק ז throttling, choking (engine)

שִׁינּוּת ז division, graduation

שִׁינֵּן (יְשַׁנֵּן) פ memorize (by repetition), learn by heart; sharpen

שִׁינָּן ז dental mechanic; dandelion

שִׁינֵּס (יְשַׁנֵּס) פ gird

שִׁינֵּק (יְשַׁנֵּק) פ choke (engine), throttle

שִׁינֵּת (יְשַׁנֵּת) פ notch, graduate (instrument)

שִׁיסָּה (יְשַׁסֶּה) פ set on (dog); incite

שִׁיסּוּי ז incitement, provocation

שִׁיסּוּעַ ז splitting; interruption (of speech)

שִׁיסּוּף ז splitting, hewing in pieces

שִׁיסַּע (יְשַׁסַּע) פ split; interrupt (speech)

שִׁיסָּעוֹן ז schizophrenia

שִׁיסֵּף (יְשַׁסֵּף) פ split, hew in pieces

שִׁיעוּל ז cough

שִׁיעוּם ז covering with cork

שִׁיעוּר ז measure, quantity; rate; estimate, approximation; lesson

שִׁיעוּרֵי בַּיִת homework
שִׁיעוּר קוֹמָה stature
שִׁיעֵר (יְשַׁעֵר) פ estimate, reckon
שִׁיפָה נ rubbing, filing
שִׁיפָּה (יְשַׁפֶּה) פ plane, smooth
שִׁיפּוּט ז jurisdiction, authority; judgment
שִׁיפּוּי ז shavings, splinters; slope, slant
שִׁיפּוּלַיִים ז״ז, שִׁיפּוּלֵי אוֹנִיָּיה bilge
שִׁיפּוּלִים ז״ר lower part, bottom; train (of a dress)
שִׁיפּוֹן ז rye
שִׁיפּוּעַ ז slope, slant
שִׁיפּוּץ ז renovation, overhaul
שִׁיפּוּר ז improvement
שִׁיפַּח (יְשַׁפֵּחַ) פ afflict with skin disease
שִׁיפַּע (יְשַׁפֵּעַ) פ make slanting, make sloping
שִׁיפֵּץ (יְשַׁפֵּץ) פ renovate, restore
שִׁיפֵּר (יְשַׁפֵּר) פ improve
שִׁיקּוּי ז drink, beverage
שִׁיקּוּל ז weighing, consideration
שִׁיקּוּל דַּעַת consideration, discretion
שִׁיקּוּם ז rehabilitation
שִׁיקּוּף ז making transparent; X-ray photograph
שִׁיקּוּץ ז abomination, idol
שִׁיקֵּם (יְשַׁקֵּם) פ rehabilitate
שִׁיקֵּעַ (יְשַׁקַּע) פ sink in, immerse
שִׁיקֵּף (יְשַׁקֵּף) פ make transparent; reflect
שִׁיקֵּץ (יְשַׁקֵּץ) פ detest, abominate
שִׁיקֵּר (יְשַׁקֵּר) פ lie
שִׁיר ז song; poem
שִׁירָאִים ז״ר fine silk
שֵׁירַג (יְשָׁרֵג) פ interweave, intertwine
שִׁירָה נ poetry; singing
שִׁיר הַשִּׁירִים Song of Songs, Canticles
שִׁירוֹן ז songbook
שֵׁירוּעַ ז spread, extent
שֵׁירוּשׁ ז uprooting; eradication
שֵׁירוּת ז service; (colloquial) Israel taxi services
שִׁיר זָהָב sonnet
שִׁירִי ת lyrical, poetic
שֵׁירַךְ (יְשָׁרֵךְ) פ twist, wind; go astray
שִׁיר לֶכֶת march, marching song
שִׁיר עַם folksong
שִׁיר עֶרֶשׂ lullaby
שֵׁירַשׁ (יְשָׁרֵשׁ) פ uproot; eradicate
שֵׁירֵת (יְשָׁרֵת) פ serve, minister
שַׁיִשׁ ז marble
שִׁישָּׁה ש״מ six (masc.)
שִׁישָּׁה (יְשַׁשֶּׁה) פ divide into six parts; multiply by six
שִׁישָּׁה־עָשָׂר ש״מ sixteen (masc.)
שִׁישִּׁי ת sixth
שֵׁישִׁי ת made of marble
שִׁישִּׁים ש״מ sixty
שִׁישִּׁית נ sixth
שַׁיִת ז thorn-bush
שִׁיתּוּךְ ז corrosion, rusting
שִׁיתּוּף ז partnership; participation
שִׁיתּוּפִי ת co-operative
שִׁיתּוּף פְּעוּלָּה co-operation

שִׁיתּוּק ז paralysis
שִׁיתּוּק יְלָדִים infantile paralysis
שִׁיתִּית נ sextet
שִׁיתֵּךְ (יְשַׁתֵּךְ) פ rust, corrode
שִׁיתֵּף (יְשַׁתֵּף) פ enable to participate
שִׁיתֵּק (יְשַׁתֵּק) פ silence; paralyse; soothe
שֵׁךְ ז thorn, prickle
שָׂךְ (יָשׂוּךְ) פ hedge with thorns
שָׁכַב (יִשְׁכַּב) פ lie down, lie; lie (with), sleep (with)
שֶׁכֶב ז lower millstone
שְׁכָבָה, שִׁכְבָה נ layer, stratum
שָׁכוּב ת lying down
שֶׂכְוִי ז cock
שָׁכוּחַ ת forgotten
שְׁכוֹל ז bereavement
שַׁכּוּל ת bereaved (of children)
שְׁכוּנָה נ district (in a town), neighbourhood
שָׂכוּר ת rented, hired, leased
שָׁכַח (יִשְׁכַּח) פ forget
שִׁכְחָה נ forgetfulness
שַׁכְחָן ז forgetful person
שַׁכְחָנוּת forgetfulness
שְׁכִיבָה נ lying, lying down
שְׁכִיב־מְרַע ז dangerously ill person
שָׁכִיחַ ת common, widespread
שְׁכִיחוּת נ commonness, frequency
שְׂכִיָּה נ appearance
שַׂכִּין ר׳ סַכִּין
שְׁכִינָה נ God, the Divine Presence
שָׂכִיר ז hired laborer, wage earner
שְׂכִירָה נ leasing, renting, hiring
שְׂכִירוּת נ rent

שָׁכַךְ (יָשׁוֹךְ) פ calm down
שַׁכָּךְ ז damper (elec.)
שֵׂכֶל, שֶׂכֶל ז intelligence, intellect; wit, understanding, wisdom
שָׁכַל, שָׁכוֹל (יִשְׁכַּל) פ lose (one's children)
שִׁכְלוּל ז improvement; perfecting
שִׂכְלִי ת rational, intellectual
שִׂכְלִיּוּת נ intelligence
שֵׂכֶל יָשָׁר common sense
שִׁכְלֵל (יְשַׁכְלֵל) פ improve, perfect
שִׂכְלֵן (יְשַׂכְלֵן) פ rationalize
שִׂכְלְתָנוּת נ rationalism
שִׂכְלְתָנִי ת rationalistic
שֶׁכֶם, שְׁכֶם ז shoulder
שְׁכֶם אֶחָד together, shoulder to shoulder
שִׁכְמָה נ shoulder blade
שִׁכְמִיָּה נ cape, cloak
שָׁכַן (יִשְׁכּוֹן) פ dwell, live
שָׁכֵן ז neighbor
שִׁכְנוּעַ ז convincing
שְׁכֵנוּת נ neighborhood, vicinity
שִׁכְנֵעַ (יְשַׁכְנֵעַ) פ convince
שִׁכְפּוּל ז duplication
שִׁכְפֵּל (יְשַׁכְפֵּל) פ duplicate
שַׁכְפֵּלָה נ duplicating machine
שָׂכַר (יִשְׂכּוֹר) פ rent, hire
שָׂכָר ז wages, remuneration; fee
שֶׂכֶר ז charter
שֵׁכָר, שֵׁיכָר ז beer
שִׁכְרוּת נ drunkenness
שְׂכַר־סוֹפְרִים author's royalties
שִׁכְשׁוּךְ ז paddling
שִׁכְשֵׁךְ (יְשַׁכְשֵׁךְ) פ paddle

שֶׁל מ״י (שֶׁלִּי, שֶׁלְּךָ, שֶׁלָּךְ וכו׳) of, belonging to; made of
שַׁלְאֲנָן ת tranquil, serene
שָׁלָב ז stage; rung
שִׁלְבֵּק (יְשַׁלְבֵּק) פ raise blisters
שֶׁלֶג ז snow
שִׁלְגּוֹן ז avalanche, snowslip
שַׁלְגּוֹן ז ice-cream (brick)
שִׁלְגִּיָּה נ Snow-white
שֶׁלֶד ז skeleton; framework
שַׁלְדָּג ז kingfisher
שָׁלָה (יִשְׁלֶה) פ be tranquil, be serene; draw out, fish out
שַׁלְהָב ז meteor
שִׁלְהֵב (יְשַׁלְהֵב) פ set alight
שַׁלְהָבִית נ Jerusalem sage (plant)
שַׁלְהֶבֶת נ flame
שִׁלְהֵי ז״ר end of
שִׁלְהֵי הַקַּיִץ end of summer
שְׂלָו, שְׂלָיו ז quail
שָׁלַו (יִשְׁלַו) פ be still, be tranquil
שָׁלֵו, שָׁלֵיו ת tranquil, serene
שָׁלוּב ת interlaced, interlinked
שְׁלוּבֵי זְרוֹעַ arm in arm
שְׁלוּבִית נ pretzel
שְׁלוּגִית נ slush
שַׁלְוָה נ tranquillity, serenity
שָׁלוּחַ ת, ז sent; stretched out; sent on an errand; agent, emissary
שְׁלוּחָה נ offshoot, branch-line, extension, branch
שְׁלוּלִית נ puddle
שָׁלוֹם ז peace; well-being, welfare; greeting formula, shalom!
שְׁלוֹם־בַּיִת domestic bliss
שְׁלוּמִיאֵל ת shlemiel, duffer
שְׁלוֹמֵי אֱמוּנֵי יִשְׂרָאֵל Orthodox Jews
שָׁלוּף ת drawn (sword)
שָׁלוּק ת cooked in boiling water
שָׁלוֹשׁ ש״מ three (fem.)
שְׁלוֹשָׁה ש״מ three (masc.)
שְׁלוֹשָׁה־עָשָׂר thirteen (masc.)
שְׁלוֹשִׁים ש״מ thirty
שְׁלוֹשׁ־עֶשְׂרֵה thirteen (fem.)
שָׁלַח (יִשְׁלַח) פ send; stretch out, extend; send away, dismiss
שֶׁלַח ז spear
שַׁלְחוּפָה נ tortoise
שָׁלַט (יִשְׁלוֹט) פ rule, control; master
שֶׁלֶט ז signboard, sign; shield
שִׁלְטוֹן ז rule, dominion
שִׁלְטוֹנוֹת ז״ר authorities
שְׁלִיבָה נ interlinking, linkage
שִׁלְיָה נ placenta
שָׁלִיחַ ז emissary, envoy, agent; messenger
שְׁלִיחוּת נ errand, mission
שְׁלִיחַ צִיבּוּר cantor
שַׁלִּיט ז ruler, governor
שַׁלִּיט בְּרוּחוֹ self-possessed
שְׁלִיטָה נ command, control
שְׁלִיל ז embryo
שְׁלִילָה נ rejection, negation; deprivation
שְׁלִילִי ת negative
שְׁלִילִיּוּת נ negativeness, negative quality
שְׁלִימַזָּל ת unlucky person
שָׁלִיף ז saddle-bag

שָׁלִיף ת extractable, capable of being drawn
שְׁלִיפָה נ drawing, extracting
שָׁלִישׁ ז adjutant (army), officer
שְׁלִישׁ ז third
שְׁלִישׁוֹן ז triplet (music)
שְׁלִישׁוֹנִי ת tertiary (geology)
שָׁלִישׁוּת נ adjutancy (army)
שְׁלִישִׁי ת third
שְׁלִישִׁיָּה נ trio; triplets
שָׁלָךְ ז fish-owl
שַׁלֶּכֶת נ shedding of leaves (of trees)
שָׁלַל (יִשְׁלוֹל) פ deny, reject, deprive
שָׁלָל ז plunder, booty
שְׁלִילִית נ negative (photography)
שְׁלַל צְבָעִים a blaze of color
שָׁלַם (יִשְׁלַם) פ reach completion, be completed; be safe
שָׁלֵם ת whole, entire; unharmed, full, perfect
שַׁלָּם ז paymaster, pay clerk
שְׁלָמָא ז peace
שַׂלְמָה נ robe, gown
שַׁלְמוֹן ז, שַׁלְמוֹנִים ז״ר bribe, illegal payment
שְׁלֵמוּת נ perfection; wholeness
שְׁלָמִים ז״ר peace-offering
שָׁלַף (יִשְׁלוֹף) פ draw (sword), extract
שֶׁלֶף ז, שְׂדֵה שֶׁלֶף stubble, stubble-field
שַׁלְפּוּחִית נ bladder; bubble
שָׁלַק (יִשְׁלוֹק) פ cook in boiling water

שְׁלָשָׁה נ group of three
שִׁלְשׁוּל ז earthworm; letting down; diarrhea
שִׁלְשׁוֹם תה״פ the day before yesterday
שְׁלָשִׁי ת triliteral
שִׁלְשֵׁל (יְשַׁלְשֵׁל) פ lower, let down; suffer from diarrhea
שַׁלְשֶׁלֶת נ chain; succession
שַׁלְשַׁלְתִּי ת chain-like
שֵׁם ז name; substantive
שָׁם תה״פ there; (in citation) ibid.
שָׁם (יָשׁוּם) פ assess, value
שָׂם (יָשִׂים) פ put, place
שֶׁמָּא תה״פ perhaps; lest
שַׁמָּאוּת נ assessing, assessment
שַׁמַּאי ז assessor, appraiser
שְׂמֹאל ז left; left hand; the Left (in politics)
שְׂמָאלִי ת left; of the Left (in politics), radical; left-handed
שְׂמֹאלָנוּת נ leftism
שְׂמֹאלָנִי ת leftist
שֵׁם בָּדוּי pseudonym
שְׁמָד ז religious persecution, forced conversion
שַׁמָּה נ devastation
שָׁמָּה תה״פ there; thither
שֵׁם הַגּוּף pronoun
שֵׁם הַפּוֹעַל ת infinitive
שֵׁמוֹן ז list of names
שְׁמוֹנֶה ש״מ eight (fem.)
שְׁמוֹנָה ש״מ eight (masc.)
שְׁמוֹנָה־עָשָׂר eighteen (masc.)
שְׁמוֹנֶה־עֶשְׂרֵה eighteen (fem.)

שְׁמוֹנִים ש״מ — eighty

שְׁמוּעָה נ — rumor, hearsay

שָׁמוּר ת — preserved, guarded

שְׁמוּרָה נ — eyelash; trigger guard (on a gun)

שְׁמוּרַת טֶבַע — nature reserve

שָׂמַח (יִשְׂמַח) פ — rejoice, be glad

שָׂמֵחַ ת — glad, joyful

שִׂמְחָה נ — joy, happiness; festivity, glad occasion

שִׂמְחַת יְצִירָה — the joy of creation

שָׁמַט (יִשְׁמוֹט) פ — cast down; drop; slip, move out of place

שַׁמְטָן ז — a bankrupt

שֵׁמִי ת — nominal, by name; Semitic

שָׁמִיט ת — demountable, removable

שְׁמִיטָה נ — leaving, abandoning; Sabbatical year

שְׂמִיכָה נ — blanket

שָׁמַיִם, שָׁמַּיִם ז״ר — sky, heavens; Heaven; God

שְׁמֵימִי (שְׁמַיְמִי) ת — heavenly, celestial

שְׁמִינִי ת — eighth

שְׁמִינִיָּה נ — octave; octet

שְׁמִינִית ש״מ — eighth

שְׁמִינִית שֶׁבִּשְׁמִינִית — a sixty-fourth; a touch

שָׁמִיעַ ת — audible

שְׁמִיעָה נ — hearing

שְׁמִיעוּת נ — audibility

שְׁמִיעָתִי ת — auditory, aural

שָׁמִיר ז — legendary worm (that cuts stone); thorn, thistle

שְׁמִירָה נ — guarding, keeping; guard; observance

שָׁמִיר וָשַׁיִת — thorns and thistles (as a symbol of desolation)

שָׁמִישׁ ת — serviceable

שִׂמְלָה נ — woman's garment, dress

שֵׁם לְוַואי — nickname

שִׂמְלָנִית נ — skirt

שָׁמֵם (יָשׁוֹם) פ — be desolate, be deserted

שָׁמֵם ת — desolate, deserted

שְׁמָמָה נ — waste land, desert

שְׂמָמִית נ — house-lizard

שֵׁם מִשְׁפָּחָה — family name

שָׁמַן (יִשְׁמַן) פ — grow fat

שָׁמֵן ת — fat; stout; thick

שֶׁמֶן ז — oil; olive oil

שַׁמְנוּנִי ת — fatty

שַׁמְנוּנִיּוּת נ — fattiness

שַׁמְנִי ת — oil-bearing, oily

שֵׁמָנִי ת — nominal

שְׁמַנְמַן ת — fat, plump

שֶׁמֶן־קִיק — castor oil

שֵׁם נִרְדָּף — synonym

שַׁמֶּנֶת נ — cream

שָׁמַע (יִשְׁמַע) פ — hear; obey

שֵׁמַע ז — report, rumor

שִׁמְעִי ת — auditory, aural

שֵׁם עֶצֶם — noun

שֵׁם עֶצֶם פְּרָטִי — proper noun

שֵׁם פְּרָטִי — first name

שֶׁמֶץ ז — jot, bit

שִׁמְצָה נ — obloquy, disgrace

שָׁמַר (יִשְׁמוֹר) פ — guard; observe, keep

שְׁמַרְחוֹם ז — thermos flask

שְׁמַרְטַף ז — baby sitter

שְׁמָרִים ז״ר yeast; lees, dregs
שַׁמְרָן ז conservative
שַׁמְרָנוּת נ conservatism
שַׁמְרָנִי ת conservative
שַׁמָּשׁ ז servant, caretaker
שֶׁמֶשׁ זו״נ sun
שִׁמְשָׁה נ pane, window-pane
שִׁמְשׁוֹן ז sun-rose
שִׁמְשִׁיָּה נ parasol, sunshade
שַׁמְתָּה נ excommunication,ostracism
שֵׁם תּוֹאַר adjective
שֵׁן נ tooth, cog, ivory
שָׂנֵא (יִשְׂנָא) פ hate
שִׂנְאָה נ hate, hatred
שַׁנַּאי ז transformer
שִׁנְאָן ז angel
שָׁנָה (יִשְׁנֶה) פ repeat; learn; teach
שָׁנָה נ year
שֵׁנָה, שֵׁינָה נ sleep
שֶׁן־הָאֲרִי dandelion
שֶׁנְהָב ז ivory
שַׁנְהֶבֶת נ elephantiasis
שָׁנָה מְעוּבֶּרֶת leap year
שָׂנוּא ת hated, detested
שָׁנוּי ת stated; repeated
שָׁנוּי בְּמַחֲלוֹקֶת controversial
שָׁנוּן ת sharp; trenchant, sharp-witted
שְׁנוּנִית נ cape, promontory
שְׁנוֹרֵר (יְשְׁנוֹרֵר) פ beg
שָׁנִי ז scarlet; scarlet fabric
שֵׁנִי ת second
שֵׁנִי בִּשְׁלִישִׁי relationship between second and third generation, second cousin

שְׁנִיּוֹנִי ת binary; secondary
שְׁנִיּוּת נ duality; duplicity
שְׁנִיָּיה נ second
שְׁנִיָּיה ת second
שְׁנַיִים ש״מ two (masc.)
שְׁנֵים־עָשָׂר twelve (masc.)
שְׁנִינָה נ taunt, gibe
שְׁנִינוּת נ sharp-wittedness, sharpness
שְׁנִיר ז glacier
שֵׁנִית תה״פ a second time, again; secondly
שָׁנִית נ scarlet fever, scarlatina
שֶׁנֶף ז vanilla
שַׁנְפִּית נ vanillin
שֶׁנֶץ ז strap, lace (on shoes), cord
שָׁנַץ (יִשְׁנוֹץ) פ fasten (with straps), strap, lace
שְׁנָת נ sleep
שֶׁנֶת נ mark, graduation
שְׁנָתוֹן ז annual, yearbook; age-group
שְׁנָתִי ת annual, yearly
שְׁנָתִית תה״פ throughout the year, by the year
שַׁסַּאי ז instigator
שָׁסוּי ת plundered, despoiled
שָׁסוּעַ ת split, cloven, cleft
שָׁסַע (יִשְׁסַע) פ split, cleave
שֶׁסַע ז split, cleft
שַׁסַּעַת נ schizophrenia
שֶׁסֶק ז loquat
שַׁסְתּוֹם ז valve
שִׁעְבֵּד (יְשַׁעְבֵּד) פ enslave; subjugate
שִׁעְבּוּד ז enslavement; subjection; mortgaging

שָׁעָה (יִשְׁעֶה) פ — turn towards; pay heed

שָׁעָה נ — hour; time, while

שָׁעָה קַלָּה — a short while

שַׁעֲוָה נ — wax

שַׁעֲוָנִיָּה נ — stencil

שַׁעֲוָנִית נ — oilcloth

שָׁעוּן ת — leaning

שָׁעוֹן ז — clock, watch; meter

שְׁעוֹנִית נ — passion-flower

שְׁעוֹן מְעוֹרֵר — alarm clock

שְׁעוּעִית נ — bean

שְׂעוֹרָה נ — barley; sty (in the eye)

שָׁעַט (יִשְׁעַט) פ — stamp (feet or hooves)

שְׁעָטָה נ — stamping (of feet or hooves)

שַׁעַטְנֵז ז — mixture of wool and linen

שְׁעִינָה נ — leaning

שָׁעִיעַ ת — smooth

שָׂעִיר ת — hairy, woolly

שָׂעִיר ז — he-goat; satyr

שְׂעִירָה נ — she-goat

שְׂעִירוּת נ — hairiness, furriness

שָׂעִיר לַעֲזָאזֵל — scapegoat

שַׁעַל ז — step

שַׁעֲלוּל ז — fox cub

שַׁעֶלֶת נ — whooping-cough

שַׁעַם ז — cork

שִׁעֲמֵד (יְשַׁעֲמֵד) פ — baptize, convert

שִׁעֲמוּם ז — boredom, tedium

שַׁעֲמוּמִי ת — bored

שִׁעֲמֵם (יְשַׁעֲמֵם) פ — bore

שַׁעֲמָנִית נ — linoleum

שָׁעַן (יִשְׁעַן) פ — support, hold up

שָׁעָן ז — watchmaker

שַׂעַף ז — thought

שֵׂעָר, שֵׂיעָר ז — hair

שָׁעַר (יִשְׁעַר) פ — imagine, think

שַׁעַר ז — gate, gateway; goal (sport); title-page; measure, rate

שַׂעֲרָה נ — hair

שַׁעֲרוּרָה, שַׁעֲרוּרִיָּה נ — scandal

שַׁעֲרוּרָן ז — riotous person

שַׂעֲרוֹת־שׁוּלַמִּית — maidenhair (fern)

שַׁעַר חֲלִיפִין — rate of exchange

שִׁעֲרֵר (יְשַׁעֲרֵר) פ — cause a scandal

שַׁעֲשׁוּעַ ז — amusement, pleasure

שִׁעֲשַׁע (יְשַׁעֲשַׁע) פ — amuse, delight, entertain

שִׁעְתּוּק ז — reproducing

שַׁעְתּוּק ז — reproduction (picture)

שְׁעַת חֵרוּם — emergency

שְׁעַת כּוֹשֶׁר — opportune moment

שִׁעְתֵּק (יְשַׁעְתֵּק) פ — reproduce, make a reproduction of

שָׁף (יָשׁוּף) פ — file, scrape

שָׂפָה נ — lip; language, tongue; edge, rim; shore, bank; labium (anatomy)

שָׂפָה בְּרוּרָה — clear speech, plain language

שַׁפּוּד ז — spit, skewer; (colloquial) knitting needle

שָׁפוּי ת — sane

שָׁפוּי בְּדַעְתּוֹ — of sound mind, sane

שָׁפוּךְ ת — spilt

שְׁפוֹכֶת נ — detritus, scree, debris

שָׁפוּן ת, ז — hidden, concealed

שָׁפוּף ת — bent, stooping

שְׁפוֹפֶרֶת נ tube
שָׁפוּת ת placed on the fire
שִׁפְחָה נ female slave
שָׁפַט (יִשְׁפּוֹט) פ judge; decide, pass judgment
שְׁפִי ז bare hill
שֶׁפִי תה״פ quietly, relaxedly
שָׁפִיד ת pointed, barbed
שִׁפְיוֹן ז calm, serenity
שְׁפִיוּת נ peace, conciliation
שְׁפִיטָה נ judgment, judging
שְׁפִיָּה נ tilting, decanting
שְׁפִיכָה נ spilling, pouring
שְׁפִיכוּת נ spilling, pouring
שְׁפִיכוּת דָּמִים murder, bloodshed
שְׁפִילָה נ drawdown, lowering
שְׁפִיעַ ת (geology) talus (cone)
שְׁפִיעָה נ slope, rake
שְׁפִיפָה נ stooping, bending
שְׁפִיפוֹן ז horned viper
שָׁפִיר ז foetal sac
שַׁפִּיר ת fine, excellent
שַׁפִּירִית נ dragonfly
שָׁפִית נ labellum
שְׁפִיתָה נ placing on the fire
שָׁפַךְ (יִשְׁפּוֹךְ) פ spill, pour
שֶׁפֶךְ ז estuary, mouth (of a river)
שָׁפֵל, שָׁפַל (יִשְׁפַּל) פ become low, subside
שָׁפָל ת mean, base
שֵׁפֶל ז low condition; ebb tide; slump
שְׁפֵלָה נ lowland
שִׁפְלוּת נ baseness, meanness; humility
שַׁפְלָן ז terrier
שְׁפַל־רוּחַ meek, humble
שָׂפָם ז moustache
שְׂפָמוֹן ז small moustache
שְׂפַמְנוּן ז catfish
שָׁפָן ז coney; (colloquial) rabbit
שְׁפַנִיָּה נ rabbit-hutch
שְׁפַן־נִיסיוֹנוֹת guinea-pig
שָׁפַע (יִשְׁפַּע) פ abound in, give copiously
שֶׁפַע ז plenty, abundance
שִׁפְעָה נ plenty, abundance, profusion
שִׁפְעוּל ז activation
שִׁפְעֵל (יְשַׁפְעֵל) פ activate
שַׁפַּעַת נ influenza, flu
שָׁפַר (יִשְׁפַּר) פ be fine, be good
שֶׁפֶר ז fairness, beauty
שִׁפְרוּט ז elaboration
שִׁפְרֵט (יְשַׁפְרֵט) פ elaborate
שַׁפְרִיר ז canopy, pavilion
שִׁפְשׁוּף ז rubbing, friction; (army slang) putting through the mill
שִׁפְשֵׁף (יְשַׁפְשֵׁף) פ rub; put through the mill
שַׁפְשֶׁפֶת נ doormat
שָׁפַת (יִשְׁפּוֹת) פ place on the fire
שְׂפַת אַרְנֶבֶת harelip
שְׂפָתוֹן ז lipstick
שִׂפְתּוּת ז labialization
שְׂפַת־חֲלָקוֹת flattery, smooth talk
שְׂפָתַיִים נ״ז lips
שְׂפַת יֶתֶר verbosity, loquacity
שְׂפָתָנִי ת labiate (botany)
שְׂפַת עֵבֶר Hebrew language

שַׁ״ץ ז	cantor (initials of (שְׁלִיחַ צִיבּוּר
שֶׁצֶף ז	flow
שֶׁצֶף־קֶצֶף	great rage, fury
שַׂק ז	sack
שֶׁק, צֶ׳ק ז	check, cheque
שָׁקַד (יִשקוֹד) פ	be vigilant; be diligent
שָׁקֵד ז	almond; tonsil
שְׁקֵדִי ת	almond-shaped
שְׁקֵדִייָה נ	almond-tree
שַׁקְדָן ז	diligent person
שַׁקְדָנוּת נ	diligence
שָׁקוּד ת	diligent
שָׁקוּל ת	weighed; equal; balanced
שָׁקוּעַ ת	submerged, steeped; immersed
שָׁקוּף ת	transparent
שָׁקוּף ז	lintel
שְׁקוּפִית נ	slide (for projection of picture)
שָׁקַט (יִשקוֹט) פ	be still, be quiet
שֶׁקֶט ז	stillness; silence
שָׁקֵט ת	still, quiet
שְׁקִידָה נ	diligence, zeal
שְׁקִיטָן ז	flamingo
שְׁקִייָה נ	imbibition, absorption
שְׁקִיעָה נ	sinking; immersion; sunset; decline
שְׁקִיעַת דָּם	blood test (of sedimentation)
שְׁקִיעַת הַשֶּׁמֶשׁ	sunset
שָׁקִיף ז	crag, cliff; bayonet catch (on a rifle)
שְׁקִיפוּת נ	transparence
שַׂקִּיק ז	small bag; saccule
שְׁקִיקָה נ	grow
שְׁקִיקוּת נ	lust, craving
שַׂקִּית נ	small bag
שָׁקַל (יִשקוֹל) פ	weigh; consider
שֶׁקֶל ז	shekel
שַׁקְלָא וְטַרְיָא	discussion, negotiation
שִׁקְלֵל (יְשַׁקְלֵל) פ	weigh (statistics)
שֶׁקֶ״ם	Shekem – Army Canteen Organization
שִׁקְמָה נ	sycamore
שֶׁק מְסוּרְטָט	crossed check
שַׂקְנַאי ז	pelican
שָׁקַע (יִשקַע) פ	sink, settle, set (sun); subside; be immersed
שֶׁקַע ז	hollow, depression; socket (elec.), point; fault (geology)
שְׁקַעֲרוּרִי ת	concave
שְׁקַעֲרוּרִית נ	concave surface, concavity
שִׁקְפֵּף (יְשַׁקְפֵּף) פ	render transparent
שֶׁקֶץ ז	unclean animal; loathsome creature
שָׁקַק (יָשׁוֹק) פ	bustle, bustle about; be full of bustle
שָׁקַר (יִשקוֹר) פ	lie
שֶׁקֶר ז	lie, untruth
שֶׁקֶר וְכָזָב!	lies! all lies!
שַׁקְרָן ז	liar
שַׁקְרָנוּת נ	lying, mendacity
שִׁקְשׁוּק ז	rustle, rumble
שִׁקְשַׁק ז	spur-winged plover
שִׁקְשֵׁק (יְשַׁקְשֵׁק) פ	rumble, rustle
שַׂר ז	minister; chief, ruler
שָׁר ז	singer

שָׂר (יָשׂוּר) פ	wrestle, contend
שָׁר (יָשׁוּר) פ	look, see
שָׁר (יָשִׁיר) פ	sing
שָׁרָב ז	hot dry weather, khamseen; mirage, fata morgana
שִׁרְבֵּב (יְשַׁרְבֵּב) פ	prolong, extend, transpose, interpolate
שִׁרְבּוּב ז	extending, sticking out; transposing, interpolating
שִׁרְבּוּט ז	doodling, aimless scrawling
שִׁרְבֵּט (יְשַׁרְבֵּט) פ	doodle, scribble
שְׁרָבִי ת	hot and dry (weather), khamseen
שַׁרְבִיט ז	sceptre; baton
שְׁרַבְרָב ז	plumber
שְׁרַבְרָבוּת נ	plumbing
שְׁרָגָא ז	candle
שָׂרַד (יִשְׂרַד) פ	survive, remain alive
שְׂרָד ז	office, service
שֶׂרֶד ז	stylus
שָׂרָה (יִשְׂרֶה) פ	struggle, wrestle
שָׂרָה נ	minister (female)
שָׁרָה (יִשְׁרֶה) פ	soak, steep
שַׂר הָאוֹצָר	Minister of Finance
שַׁרְווּל נ	sleeve
שַׁרְווּלִית ז	cuff
שָׁרוּי ת	steeped, soaked; dwelling, resting
שְׂרוֹךְ ז	lace, string
שָׂרוּעַ ת	outstretched, extended
שָׂרוּף ת	burnt; fired; scorched
שָׂרַט (יִשְׂרוֹט) פ	scratch
שִׂרְטוֹן ז	sandbank
שִׂרְטֵט ר׳ סִרְטֵט	
שָׂרֶטֶת נ	scratch, incision
שָׁרֵי תה״פ	permitted, allowed
שָׂרִיג ז	tendril
שָׂרִיד ז	survivor; vestige
שִׁרְיוֹן ז	mail armor; armor-plate; armored force
שִׁרְיוּן ז	armoring, armor-plating; earmarking
שִׁרְיוֹנַאי ז	member of the armored corps
שִׁרְיוֹנִית נ	armored car
שְׂרִיטָה נ	scratch; scratching; incision
שְׁרִייָה נ	steeping, soaking; resting, dwelling
שִׁרְייֵן (יְשַׁרְייֵן) פ	armor-plate, armor; earmark
שָׂרִיף ת	burnable, combustible
שָׂרִיק ת	carded, combed
שְׁרִיקָה נ	whistle, whistling
שְׁרִיר ז	muscle
שָׁרִיר ת	strong, firm
שָׁרִיר וְקַיָּים	firm and established
שְׁרִירוּת, שְׁרִירוּת־לֵב נ	obduracy, arbitrariness
שְׁרִירוּתִי ת	arbitrary
שְׁרִירִי ת	muscular
שָׁרָךְ ז	fern
שַׂרְעַף ז	thought
שָׂרַף (יִשְׂרוֹף) פ	burn, fire
שָׂרָף ז	poisonous snake; seraph
שְׂרָף ז	resin (from trees); acrid substance
שְׂרֵפָה, שְׂרֵיפָה נ	fire, conflagration

שְׂרָפִי ת resinous
שְׁרַפְרַף ז low stool, footstool
שָׁרַץ (יִשְׁרוֹץ) פ swarm, teem; produce abundantly
שֶׁרֶץ ז small, creeping animals
שַׂר צָבָא general, military commander
שֶׁרֶץ עוֹף winged insect
שָׁרַק (יִשְׁרוֹק) פ whistle
שָׂרָק ז rouge
שְׂרַקְרַק ז bee eater
שָׂרַר (יִשְׂרוֹר, יָשׂוֹר) פ rule; reign, prevail
שְׂרָרָה נ rule, authority, dominion
שַׁרְשׁוּר ז tapeworm
שִׁרְשׁוּר ז belting (gun)
שְׁרַשְׁכַּף ז tarsometatarsus
שִׁרְשֵׁר (יְשַׁרְשֵׁר) פ chain together. link together
שַׁרְשֶׁרֶת נ chain
שָׁרָת ז public servant doing manual work (as caretaker, messenger, etc.)
שָׁרֵת service, office (religious)
שַׁרְתּוּעַ ז strut
שִׁרְתֵּעַ (יְשַׁרְתֵּעַ) פ strut
שֵׁשׁ ש״מ six (fem.)
שֵׁשׁ ז marble
שָׂשׂ (יָשִׂישׂ) פ rejoice
שָׂשׂוֹן ז joy
שָׂשׂוֹן וְשִׂמְחָה joy and gladness
שֵׁשׁ־עֶשְׂרֵה sixteen (fem.)
שָׁשַׁר ז vermilion, lacquer
שֵׁת ז buttocks, posterior
שָׁת ז foundation, basis

שָׁת (יָשִׁית) פ set, put
שַׁתָּא נ year
שְׁתַדְּלָן ז intercessor
שְׁתַדְּלָנוּת נ intercession
שְׁתַדְּלָנִי ת intercessory
שָׁתָה (יִשְׁתֶּה) פ drink
שָׁתוּי ת drunk
שָׁתוּל ת planted
שְׁתוּקִי ת of unknown parentage
שְׁתִי ז warp
שְׁתִי וָעֵרֶב warp and woof, crosswise
שְׁתִיָּה נ drinking; foundation
שְׁתַּיִם ש״מ two (fem.)
שַׁתְיָן ז drunkard, heavy drinker
שְׁתִיל ז seedling, plant (for transplanting)
שְׁתִילָה נ planting, transplanting
שְׁתַּיִם two (fem.)
שְׁתֵּים־עֶשְׂרֵה twelve (fem.)
שְׁתִיקָה נ silence
שְׁתִיתָה נ flow (of blood from a wound)
שָׁתַל (יִשְׁתּוֹל) פ plant, transplant
שְׁתַלְּטָן ז domineering person
שְׁתַלְּטָנוּת נ domineering nature
שַׁתְלָן ז nurseryman
שַׁתְלָנוּת נ nursery gardening
שְׁתַמְּטָן ז shirker, dodger
שְׁתַמְּטָנוּת נ shirking, dodging duty
שֶׁתֶן ז urine
שִׁתּנוּן ז urination
שָׁתַע (יִשְׁתַּע) פ fear, be afraid
שְׁתַפְּכָנִי ת effusive
שַׁתְּפָנִי ת co-operative

שָׁתַק (יִשְׁתּוֹק) פ keep quiet; be calm
שַׁתְקָן ז taciturn person
שַׁתְקָנוּת נ taciturnity

שַׁתֶּקֶת נ paralysis
שָׁתַת (יִשְׁתּוֹת) פ flow; lose (blood)
שַׁתָּת ז bleeder

ת

תָּא ז cell, cabin; box
תָּאַב (יִתְאַב) פ long for, crave
תָּאֵב ת longing, craving
תְּאַבְדֵּעַ ת inquisitive, curious
תַּאֲגִיד ז corporation
תָּא־דּוֹאַר post office box
תְּאוֹ, תּוֹא ז buffalo
תַּאֲוָה נ desire, passion
תַּאַוותָן ת lustful, libidinous
תַּאַוותָנוּת נ lustfulness, lust
תַּאַוותָנִי ת lustful, libidinous
תְּאוּטָה נ deceleration
תְּאוֹם ז twin (boy)
תָּאוֹם ת symmetrical
תְּאוֹמָה נ twin (girl)
תְּאוֹמוֹת נ״ר twins (girls)
תְּאוֹמִים ז״ר twins (boys)
תְּאוּנָה נ accident, mishap
תְּאוּצָה נ acceleration
תְּאוּרָה נ illumination, lighting
תַּאֲחוּז ז percentage
תַּאֲחִיזָה נ cohesion
תָּאִי ת cellular; built of cells, honeycombed

תְּאִימוּת נ harmony, symmetry
תָּאִיר ת figurate (music)
תָּאִית נ cellulose
תָּאַם (יִתְאַם) פ match, parallel
תְּאֵנָה נ fig (fruit or tree)
תַּאֲנָה נ mating-season
תַּאֲנִיָּה נ grief, lamentation
תַּאֲנִיָּה וַאֲנִיָּה grief and lamentation
תָּאַר (יִתְאַר) פ encompass, surround
תַּאֲרוֹגֶת נ web, network
תַּאֲרִיךְ ז date
תַּאֲרִיכוֹן ז date stamp
תְּאֵרִית נ figure (music)
תִּאֲרֵךְ (יְתַאֲרֵךְ) פ date
תְּאַשּׁוּר ז box tree
תַּבְדִּיחַ ז comic strip, cartoon
תַּבְהֵלָה נ panic
תְּבוּאָה נ produce, yield; grain crops, cereals
תְּבוּאוֹת חוֹרֶף, תְּבוּאוֹת קַיִץ winter crops, summer crops
תְּבוּנָה נ understanding, wisdom
תְּבוּנָתִי ת intelligent, rational
תְּבוּסָה נ defeat, rout

תְּבוּסָן ז defeatist
תְּבוּסָנוּת נ defeatism
תְּבוּסָנִי ת defeatistic
תַּבְחִין ז diagnostic test
תְּבִיעָה נ demand, claim
תְּבִיעָה מִשְׁפָּטִית suit, prosecution
תֵּבֵל נ the world
תֶּבֶל ז abomination
תְּבַלּוּל ז cataract
תַּבְלִיט ז relief
תַּבְלִיל ז batter (cookery)
תַּבְלִין ז spice, seasoning
תֶּבֶן ז straw
תַּבְנִית נ mold, form; pattern structure; paradigm
תַּבְנִיתִי ת patterned, structured
תָּבַע (יִתְבַּע) פ demand, claim
תָּבַע לְדִין sued, prosecuted
תַּבְעֵרָה נ conflagration, fire
תַּבְצִיק ז doughnut
תִּבְרֵג (יְתַבְרֵג) פ thread, cut screws
תַּבְרוּאָה נ sanitation
תַּבְרוּאִי ת sanitary
תַּבְרוּאָן ז sanitary worker
תַּבְרוּאָתִי ת sanitary, of sanitation
תִּבְרוּג ז threading, screw-cutting
תַּבְרוּג ז die stock (for cutting threads)
תִּבְרוֹגֶת נ thread, screw thread
תַּבְרִיג ז thread, screw thread
תַּבְשִׁיל ז dish, cooked food
תָּג ז tag, serif; apostrophe
תִּגְבּוּר ז reinforcement, reinforcing
תִּגְבֹּרֶת נ reinforcement; increase

תִּגְבֵּר (יְתַגְבֵּר) פ reinforce, send reinforcements
תְּגוּבָה נ reaction
תִּגְלַחַת נ shave, shaving
תַּגְלִיף ז engraving
תַּגְלִית נ discovery
תַּגְמוּל ז reward, recompense
תַּגְמִיר ז final stage, "finish"
תַּגָּר ז merchant, dealer
תְּגָר ז challenge
תִּגְרָה נ tussle, skirmish
תִּגְרוֹבֶת נ hosiery
תִּגְרוֹלֶת נ raffle
תַּגְרָן ז small-time merchant, huckster
תַּגְרָנוּת נ petty trade; haggling, bargaining
תִּדְגּוֹרֶת נ incubation period
תַּדְהֵמָה נ stupefaction, stupor
תַּדְחִית נ moratorium
תָּדִיר ת, תה"פ frequent, constant; constantly, regularly
תְּדִירוּת נ frequency
תִּדְלוּק ז fuelling, refuelling
תִּדְלֵק (יְתַדְלֵק) פ fuel, refuel
תַּדְמִית נ stencil, die; image
תַּדְמִיתָן ז pattern maker
תַּדְפִּיס ז offprint
תֶּדֶר ז frequency
תִּדְרוּךְ ז instruction
תַּדְרִיךְ ז briefing, detailed instructions
תִּדְרֵךְ (יְתַדְרֵךְ) פ brief, give detailed instructions
תֵּה ז tea

תָּהָה (יִתְהֶה) פ	gape, gaze in astonishment
תְּהוּדָה נ	resonance
תְּהוֹם זו"נ	the depths; abyss, bottomless pit
תְּהוֹם הַנְּשִׁיָּה	oblivion
תְּהִיָּה נ	surprise, astonishment
תְּהִלָּה נ	praise; glory
תְּהִילִים, תְּהִלִּים ז"ר	the Book of Psalms
תַּהֲלוּכָה נ	procession, parade
תַּהֲלִיךְ ז	process
תַּהפּוּכָה נ, תַּהפּוּכוֹת נ"ר	unreliability, deceitfulness
תַּהפּוּכָן ז	unreliable person
תָּו ז	mark, sign; note (in music); label
תּוּ תה"פ	more
תּוֹא ר' תְּאוֹ	
תּוֹאֵם ת	matching, suitable, appropriate; similar
תּוֹאַם (יְתוֹאַם) פ	be correlated, be co-ordinated
תּוֹאַם ז	symmetry; correlation, co-ordination
תּוֹאֲנָה נ	pretext
תּוֹאַר (יְתוֹאַר) פ	be described; be drawn, be portrayed
תּוֹאַר ז	appearance, form; title; adjective
תּוֹאַר הַפּוֹעַל	adverb
תּוֹאֲרַךְ (יְתוֹאֲרַךְ) פ	be dated
תּוּבָּה נ	trunk
תּוּבַּל (יְתוּבַּל) פ	be seasoned, be spiced
תּוֹבָלָה נ	transport
תּוֹבָנָה נ	insight
תּוֹבֵעַ ז	plaintiff; prosecutor
תּוֹבְעָנָה נ	bill of complaint
תּוֹבָר ז	loop
תּוּבְרַג (יְתוּבְרַג) פ	be threaded
תּוּגְבַּר (יְתוּגְבַּר) פ	be reinforced
תּוּגָה נ	sorrow, sadness
תּוֹדָה נ	thanks, gratitude
תּוֹדָה רַבָּה	thanks very much
תּוֹדָעָה נ	consciousness
תּוּדְרַךְ (יְתוּדְרַךְ) פ	be briefed
תּוֹהוּ ז	desolation, emptiness; nothingness
תּוֹהוּ וָבוֹהוּ	utter chaos
תּוֹהֳלָה, תָּהֳלָה נ	fault, blemish
תַּוַּאי ז	plotter
תְּוַי, תְּוַאי ז	alignment
תְּווִייָה נ	plotting
תַּוויָן ז	copyist (musical)
תָּווִית נ	label
תָּוֶךְ ז	center, middle; inside, interior
תּוּוַּךְ (יְתוּוַּךְ) פ	be in the middle
תּוּזְמַר (יְתוּזְמַר) פ	be orchestrated, be scored
תּוּחַח (יְתוּחַח) פ	be crumbled, be broken up
תּוּחְלַב (יְתוּחְלַב) פ	be emulsified
תּוֹחֶלֶת נ	expectation, hope
תּוּיָה נ	thiya
תּוּיַּק (יְתוּיַּק) פ	be filed
תּוֹךְ ז	oppression, extortion
תּוֹךְ ז	inside, interior
תּוֹכֵחָה נ	chastisement, correction

תּוֹכָחָה, תּוֹכַחַת נ — reproach, rebuke
תּוֹכִי ת — inner, internal
תּוּכִּי ז — parrot
תּוֹכִיּוּת נ — inwardness, inner nature
תּוֹכִית נ — infix
תּוֹךְ כְּדֵי — in the course of
תּוּכַּן (יְתוּכַּן) פ — be measured; be planned
תּוֹכֵן ז — astronomer
תּוֹכֶן ז — content, contents
תּוֹכֶן הָעִנְיָנִים, הַתּוֹכֶן — table of contents (of a book)
תּוּכנַן (יְתוּכנַן) פ — be planned
תּוּכנַת (יְתוּכנַת) פ — be programed
תּוּכסַס (יְתוּכסַס) פ — be planned tactically
תּוּ לֹא — no more, that's all
תּוֹלָדָה נ — corollary (logical); outcome
תּוֹלָדוֹת נ״ר — descendants; history
תּוּלַּל (יְתוּלַּל) פ — be made steep
תּוּלַּם (יְתוּלַּם) פ — be furrowed
תּוֹלָע ז, תּוֹלֵעָה נ, תּוֹלַעַת נ — worm; scarlet cloth
תּוּלַּע (יְתוּלַּע) פ — be full of worms, be wormy
תּוֹלַעְנָה נ — mahogany
תּוֹלַעַת מֶשִׁי — silkworm
תּוּלתַּל (יְתוּלתַּל) פ — be curled, be made curly
תּוֹם ז — wholeness, integrity; perfection, perfect innocence
תּוּמָּה נ — integrity, innocence
תּוֹמֵךְ ת — supporter; supporting
תּוּמצַת (יְתוּמצַת) פ — be summarized, be précised
תּוֹמֶר ז — date-palm, palm tree
תּוּנפָּן ז — kettle drum
תּוּסכַּל (יְתוּסכַּל) פ — be frustrated
תּוֹסֵס ת — fermenting; effervescent, excited
תּוֹסֶס ז — ferment
תּוֹסֶפֶת נ — addition, supplement
תּוֹסֶפֶת יוֹקֶר — cost-of-living bonus
תּוֹסֶפְתָּן ז — appendix
תּוֹעַב (יְתוֹעַב) פ — be abominable
תּוֹעֵבָה נ — abomination, loathsome act or object
תּוֹעַד (יְתוֹעַד) פ — be documented
תּוֹעֶלֶת נ — use, utility
תּוֹעַלְתִּי ת — useful; utilitarian
תּוֹעַלְתִּיּוּת נ — utilitarianism
תּוֹעַמְלָן ז — agitator, propagandist
תּוֹעָפוֹת נ״ר — strength, power
תּוֹעַשׂ (יְתוֹעַשׂ) פ — be industrialized
תּועתַּק (יְתועתַּק) פ — be transliterated
תּוֹף ז — drum
תּוּפִּי ת — drum-loaded (revolver), drum-like
תּוּפִּין ז — flat pastry; biscuit
תּוּפִּית נ — diaphragm
תּוֹפֵס ז — (tech.) guard
תּוֹפֵס ת — applicable, relevant
תּוֹפָעָה נ — phenomenon
תּוֹפֵף (יְתוֹפֵף) פ — drum
תּוֹפֵר ז — tailor
תּוֹפֶרֶת נ — dressmaker, tailoress
תּוֹפֶת ז — inferno, fire
תּוֹפְתֶּה ז — inferno; place of burning
תּוֹצָא ז — effect

תּוֹצָאָה נ — result, consequence
תּוֹצָר ז — product
תּוֹצֶרֶת נ — products, produce
תּוּקַּן (יְתוּקַּן) פ — be corrected; be repaired
תּוּקְנַן (יְתוּקְנַן) פ — be standardized
תּוֹקֶף ז — power; validity, force
תּוֹקְפָן ז — aggressor
תּוֹקְפָנוּת ת — aggression, aggressiveness
תּוֹקְפָנִי ת — aggressive
תּוּקְצַב (יְתוּקְצַב) פ — be budgeted for
תּוּקְצַר (יְתוּקְצַר) פ — be outlined, be summarized
תּוּקְשַׁר (יְתוּקְשַׁר) פ — be communicated
תּוֹר ז — turn; queue line; turtle-dove
תּוּר פ, ר׳ תָּר
תּוּרְבַּת (יְתוּרְבַּת) פ — be cultured; be cultivated, be tamed
תּוּרְגַּם (יְתוּרְגַּם) פ — be translated
תּוּרְגְּמָן ז — interpreter; translator
תּוֹרָה נ — the Pentateuch; the Law; instruction, teaching; theory
תּוֹרָה נְבִיאִים וכתוּבִים ר׳ תְּנָ״ךְ
תּוֹרָה שֶׁבִּכְתָב — the written Law (i.e. the Pentateuch)
תּוֹרָה שֶׁבְּעַל־פֶּה — the oral Law (i.e. the Talmud)
תּוֹרֵם ז — contributor, donor
תּוּרְמוֹס ז — lupin
תּוּרְמַל (יְתוּרְמַל) פ — be podded, form pods
תּוֹרֶן ז — mast (on ship); flag-pole
תּוֹרָן ז — person on duty, orderly
תּוֹרָנוּת נ — turn of duty
תּוֹרָנִי ת — learned in the Tora; observant
תּוֹרְנִית נ — main shaft
תּוֹרְעַמְנִי ת — resentful, complaining
תּוֹרֶף ז — blank spaces on a promissory note which have to be completed
תּוּרְפָּה נ — weakness, weak spot
תּוֹרַץ (יְתוֹרַץ) פ — be explained, be clarified
תּוֹרָשָׁה נ — heredity
תּוֹרַשְׁתִּי ת — hereditary
תּוֹשָׁב ז — resident, inhabitant
תּוֹשֶׁבֶת נ — chassis (of a vehicle); base
תּוּשִׁיָּה נ — resourcefulness, skill, dexterity
תּוּשַּׁע (יְתוּשַּׁע) פ — be multiplied by nine
תּוּת ז — mulberry
תּוֹתָב ת — inserted, fixed in
תּוֹתֶבֶת נ — insert, insertion
תּוּת גִּינָּה, תּוּת שָׂדֶה — strawberry
תּוֹתָח ז — gun, cannon
תּוֹתְחָן ז — gunner, artilleryman
תּוֹתְחָנוּת נ — gunnery, artillery
תּוֹתְרָן ז — anosmic
תּוֹתְרָנוּת נ — anosmia
תַּזְגִּיג ז — enamel
תְּזוּזָה נ — move
תְּזוּנָה נ — nutrition
תְּזוּנָתִי ת — nutritive
תְּזוּעָה נ — slight movement
תְּזָזִית, רוּחַ תְּזָזִית נ — demon of unrest, madness

תִּזְכּוֹרֶת נ memorandum, reminder
תַּזְכִּיר ז memorandum
תִּזְמוּן ז timing
תִּזְמוֹנֶת נ coincidence
תִּזְמוּר ז orchestration, scoring
תַּזְמוּר ז orchestral version
תִּזְמֹרֶת נ orchestra
תִּזְמָרְתִּי ת orchestral
תִּזְמֵן (יְתַזְמֵן) פ time
תִּזְמֵר (יְתַזְמֵר) פ orchestrate, score
תַּזְנוּת נ fornication, whoring
תַּזְרִיק ז injection
תִּזְרַעַת נ dissemination (medicine)
תָּחַב (יִתְחַב) פ insert, stick in
תַּחְבּוּלָה נ wile, ruse, trick
תַּחְבּוּרָה נ transport, communication; traffic
תַּחְבּוֹשֶׁת נ bandage, dressing
תַּחְבִּיב ז hobby
תַּחְבִּיבָן ז hobbyist
תַּחְבִּיר ז syntax
תַּחְבִּירִי ת syntactic
תִּחְבֵּל (יְתַחְבֵּל) פ contrive, plot
תַּחְבְּלָן ז wily person; tactician
תַּחְבְּלָנוּת נ wiliness, trickiness; tactical skill
תַּחְדִּישׁ ז word-coining
תָּחוּב ת, ז inserted, stuck in; shoot (for grafting)
תָּחוּחַ ת broken up (soil)
תְּחוּלָה נ time of coming into force
תְּחוּם ז limit, border; domain
תְּחוּשָׁה נ feeling, perception
תְּחוּשָׁתִי ת perceptual
תַּחְזוּקָה נ maintenance
תַּחְזִיר ז fly-back, retrace
תַּחֲזִית נ forecast; spectrum
תִּחְזֵק (יְתַחְזֵק) פ maintain
תְּחִיבָה נ insertion, sticking in
תְּחִיגָה נ festival
תְּחִיחָה נ breaking up (soil)
תְּחִיחוּת נ looseness (of soil)
תְּחִיָּה נ revival, rebirth; renaissance
תְּחִיַּת הַמֵּתִים resurrection
תְּחִילָּה נ, תה"פ beginning, start; firstly
תְּחִילִּית נ prefix
תְּחִימָה נ fixing limits
תְּחִינָּה נ supplication, entreaty
תְּחִיקָה נ legislation
תִּחְכּוּם ז sophistication
תִּחְכֵּם (יְתַחְכֵּם) פ sophisticate
תִּחְלֵב (יְתַחְלֵב) פ emulsify
תַּחֲלוּאָה נ incidence of disease
תַּחֲלוּאִי ת concerning the incidence of disease
תַּחֲלוּפָה נ natural replacement
תַּחֲלִיב ז emulsion
תַּחֲלִיף ז substitute, alternative
תִּחְלֵף (יְתַחְלֵף) פ replace
תָּחַם (יִתְחַם) פ fix limits, fix a boundary
תַּחְמוֹצֶת נ oxide
תַּחְמוֹשֶׁת נ ammunition
תַּחְמִיץ ז silage
תַּחְמִישׁ ז cartridge
תַּחְמָס ז falcon
תִּחְמֵץ (יְתַחְמֵץ) פ ensile, make into silage
תַּחֲנָה נ station, stop

תַּחֲנוּן ז supplication, entreaty
תְּחַנְחֲנוּת נ coquetry
תְּחַנְחָנִי ת coquettish
תַּחְפּוֹשֶׂת נ fancy dress
תִּחְפֵּשׂ (יְתַחְפֵּשׂ) פ dress up (in masquerade)
תַּחְקִיר ז investigation
תִּחְרָה (יְתַחְרֶה) פ compete
תַּחֲרוּת נ competition, tournament; rivalry
תַּחְרִיט ז etching, engraving
תַּחְרִים ז lace edging
תַּחַשׁ ז badger
תַּחְשִׁיב ז calculation
תַּחַת מ״י under, beneath; for, in place of
תַּחַת ז (slang) behind
תַּחְתּוּחַ ז rattle, clatter
תַּחְתּוֹן ת lower
תַּחְתּוֹנִיּוֹת ז״ר piles, haemorrhoids
תַּחְתּוֹנִים נ״ר underpants
תַּחְתּוֹנִית נ petticoat, slip
תַּחְתִּי ת lower
תַּחַת יָדוֹ in his possession
תַּחְתִּיךְ ז jigsaw
תַּחְתִּית נ bottom part; saucer
תֵּיאֵב (יְתָאֵב) פ abominate, abhor
תֵּיאָבוֹן ז appetite
תֵּיאוּם ז correlation, co-ordination
תֵּיאוּר ז description
תֵּיאוּרִי ת descriptive
תֵּיאַטְרוֹן ז theater
תֵּיאַטְרוֹנִי ת theatrical
תֵּיאַטְרָלִי ת theatrical, stagy
תֵּיאַטְרָלִיוּת נ theatricality, staginess

תֵּיאֵם (יְתָאֵם) פ correlate, co-ordinate
תֵּיאֵר (יְתָאֵר) פ describe, portray
תֵּיבָה נ box, crate; written word
תִּיבּוּל ז seasoning, spicing
תִּיבֵּל (יְתַבֵּל) פ season, spice
תִּיבֵּן (יְתַבֵּן) פ mix with straw
תֵּיבַת־דּוֹאַר Post Office Box
תִּיגָּר ז dispute
תִּיגֵּר (יְתַגֵּר) פ haggle, bargain
תִּיוָּה (יְתַוֶּה) פ put a mark on; sketch
תִּיוּוּי ז sketching, laying out
תִּיוּוּךְ ז mediation
תִּיוֵּךְ (יְתַוֵּךְ) פ mediate
תִּיוּוּל ז erecting barbed wire
תִּיּוּל ז wiring
תְּיוֹמָה, תְּיוֹמֶת נ twin sister
תֵּיוֹן ז teapot
תִּיּוּק ז filing
תִּיּוּר ז touring, tour
תִּיחוּחַ ז breaking up (soil)
תִּיחוּם ז setting limits
תִּיחֵחַ (יְתַחֵחַ) פ break up (soil)
תִּיחֵם (יְתַחֵם) פ set limits
תִּיחֵר (יְתַחֵר) פ compete, contest
תִּיֵּיק (יְתַיֵּיק) פ file
תַּיָּיק ז filing-clerk
תַּיָּיר ז tourist
תִּיֵּיר (יְתַיֵּיר) פ tour
תַּיָּירוּת נ tourism
תַּיָּירָן ז promoter of tourism
תִּיכוֹן ת middle, central
תִּיכּוּן ז planning
תִּיכוֹנִי ת intermediate
תִּיכֵּן (יְתַכֵּן) פ plan; measure

תֵּיכֶף תה״פ immediately, instantly
תֵּיכֶף וּמִיָּד at once
תַּיִל ז wire
תִּילוּי ז hanging up; suspension, deferment
תִּילוּל ז heaping earth; making steep, steepening
תִּילוּם ז furrowing
תִּילוֹן ז small mound, hillock
תִּילוּעַ ז ridding of worms
תִּילֵי תִּילִים heaps and heaps
תִּילֵּל (יְתַלֵּל) פ heap earth around
תִּילֵּם (יְתַלֵּם) פ furrow
תִּילַּע (יְתַלַּע) פ rid of worms
תִּמָּהוֹן ז surprise, astonishment
תִּימוֹז ז person with no eyelashes
תִּימוּךְ ז bracing
תִּימוּכִין ז״ר backing, support
תִּימוּר ז rising, aloft
תֵּימָן נ Yemen
תֵּימָנִי ת Yemenite
תִּימֵּר (יְתַמֵּר) פ rise, rise aloft
תִּימָּרָה נ column (of smoke, dust, etc.)
תִּינֵּד (יְתַנֵּד) פ vibrate, oscillate
תִּינָּה (יְתַנֶּה) פ recount, relate; mourn, grieve
תִּינּוּי ז recounting (particularly sad stories)
תִּינּוּן ז whaling
תִּינוֹק ז baby, babe
תִּינוֹקוֹת שֶׁל בֵּית רַבָּן infants, schoolchildren
תִּינוֹקִי ת babyish, infantile
תִּינוֹקִיּוּת נ babyishness
תִּינוֹקֶת נ baby, small baby
תִּיסוּף ז revaluation
תִּיסֵּף (יְתַסֵּף) פ revaluate
תִּיעֵב (יְתַעֵב) פ abominate, abhor, loathe; make abominable, pollute, defile
תִּיעֵד (יְתַעֵד) פ document
תִּיעוּב ז abhorrence, abomination
תִּיעוּד ז documentation
תִּיעוּל ז sewerage
תִּיעוּשׁ ז industrialization
תִּיעֵל (יְתַעֵל) פ provide with sewers
תִּיעֵשׁ (יְתַעֵשׁ) פ industrialize
תִּיפּוּר ז stitching
תִּיפֵּר (יְתַפֵּר) פ stitch
תִּיפֵּשׂ (יְתַפֵּשׂ) פ catch, seize; climb
תִּיק ז case; briefcase; file, folder
תֵּיקוּ draw; stalemate
תִּיקּוּן ז correction, emendation; repairing
תִּיקּוּן הָעוֹלָם social reform
תִּיקִיוֹן ז, תִּיקִיָּה נ filing cabinet
תִּיקָן ז cockroach
תִּיקֵּן (יְתַקֵּן) פ correct, emend; repair; reform
תֵּירוּץ ז excuse
תִּירוֹשׁ ז new wine
תִּירָס ז corn, maize
תַּיִשׁ ז he-goat
תִּישׁוּעַ ז multiplication by nine
תִּישַּׁע (יְתַשַּׁע) פ multiply by nine
תִּיתּוֹרָה נ brim, rim
תֵּיתֵי פ let it come
תֵּיתֵי לוֹ thanks to him
תַּךְ ז stitch

תִּכְבּוֹסֶת נ washing, laundering
תָּכוֹל ת light blue, azure
תְּכוֹל ז light blue, azure
תְּכוּלָּה נ content, capacity
תְּכוּנָה נ property, characteristic, trait
תָּכוּף ת in quick succession
תְּכוּפוֹת תה"פ frequently
תְּכִיפוּת נ frequency, recurrence
תְּכָכִים ז"ר intrigue(s)
תַּכְכָן ז intriguer
תַּכְכָנוּת נ intriguing
תִּכְלָה נ end, limit
תַּכְלִיל ז score (music)
תַּכְלִית נ aim, purpose; end
תַּכְלִיתִי ת purposeful
תַּכְלִיתִיּוּת נ purposefulness
תְּכַלְכַּל ת pale blue
תְּכֵלֶת נ light blue, azure
תִּכֵּן (יְתַכֵּן) פ design, plan, measure
תֶּכֶן ז design
תַּכָּן ז designer
תִּכְנוּן ז planning
תִּכְנוּת ז programing
תָּכְנִיָּה, תּוֹכְנִיָּה נ program (theater etc.)
תָּכְנִית, תּוֹכְנִית נ plan, scheme; program
תָּכְנִיתִי, תּוֹכְנִיתִי ת planned, programatic
תִּכְנֵן (יְתַכְנֵן) פ plan
תִּכְנֵת (יְתַכְנֵת) פ program
תַּכְסִיס ז tactic(s), stratagem
תַּכְסִיסִי ת tactical
תַּכְסִיסָן ז tactician
תַּכְסִיסָנוּת נ employment of tactics
תִּכְסֵס (יְתַכְסֵס) פ employ tactics
תָּכַף (יִתְכּוֹף) פ come in quick succession
תֶּכֶף ז frequency
תַּכְרִיךְ ז bundle; covering
תַּכְרִיכִים ז"ר shroud
תַּכְשִׁיט ז ornament
תַּכְשִׁיטִים ז"ר jewellery
תַּכְשִׁיר ז preparation
תִּכְתֹּבֶת נ correspondence
תַּכְתִּיב ז dictate, dictation
תֵּל ז mound, hillock
תְּלָאָה נ hardship, suffering
תַּלְאוּבָה נ blazing heat
תְּלַאי ז handle
תִּלְבֹּשֶׁת נ dress, attire; uniform
תִּלְבֹּשֶׁת אֲחִידָה uniform dress
תַּלְבִּיד ז plywood
תָּלָה (יִתְלֶה) פ hang, hang up, suspend; ascribe
תְּלַהֲבָן ז enthusiast
תָּלוּי ת hanging, suspended; dependent
תְּלוּי ז suspender, hanger (on a garment)
תָּלוּי וְעוֹמֵד pending
תָּלוּל ת steep
תְּלוּלִית נ hillock, hummock
תְּלוּנָּה נ complaint
תָּלוּשׁ ת plucked, picked, detached; (person) out of touch
תְּלוּשׁ ז counterfoil, coupon
תְּלוּת נ dependence
תְּלִי ז clothes rack, peg

תְּלִיָּה נ hanging, suspending
תַּלְיָין ז hangman
תַּלְיָינוּת נ hangman's work
תְּלִילוּת נ steepness
תָּלִישׁ ז, ת picking (flax); detachable (coupons), perforated
תְּלִישָׁה נ picking, pulling out, plucking, detaching
תְּלִישׁוּת נ state of being out of touch, remoteness
תַּלְכִּיד ז agglomeration
תֶּלֶם ז furrow
תַּלְמוּד ז learning, study; Talmud
תַּלְמוּד־תּוֹרָה Jewish religious school
תַּלְמִיד ז pupil, student; disciple
תַּלְמִיד־חָכָם man learned in the Tora
תַּלְפִּיּוֹת נ״ר forts
תַּלְקִיט ז conglomerate; album
תָּלַשׁ (יִתלוֹשׁ) פ pick; pluck; tear off (out); detach
תְּלָת ש״מ tri-
תְּלַת־אוֹפַן tricycle
תִּלְתּוּל ז curling
תַּלְתַּל ז curl
תִּלְתֵּל (יְתַלְתֵּל) פ curl
תַּלְתֶּלֶת נ curl (plant disease)
תְּלַת־מְמַדִּי three-dimensional
תִּלְתָּן ז clover
תְּלַת־שְׁנָתִי triennial
תָּם ת flawless; simple, innocent, naive
תָּמָד, תֶּמֶד ז grape-skin wine
תָּמַהּ (יִתמַהּ) פ be surprised; wonder
תַּמַּהּ ז surprise, wonder
תָּמֵהַּ ת surprised, amazed
תִּמְהוֹנִי ת eccentric, queer, peculiar
תְּמֵהַנִי I doubt whether
תָּמוּהַּ ת peculiar, strange
תַּמּוּז ז Tammuz (June-July)
תְּמוּטָה נ collapse, downfall
תָּמוּךְ ת supported
תְּמוֹכָה נ strut, support
תְּמוֹל תה״פ, ז yesterday
תְּמוֹל שִׁלְשׁוֹם formerly, in the recent past
תְּמוּנָה נ picture
תְּמוּנִי ת pictorial
תְּמוּר מ״י instead of, in lieu of
תְּמוּרָה נ exchange, barter; object exchanged; change; exchange value, price; (grammar) apposition
תַּמּוּת נ perfection, soundness
תְּמוּתָה נ mortality
תִּמְזוֹגֶת נ constitution; blend
תַּמְזִיג ז condensation product
תַּמְחוּי ז charity food
תַּמְחִיר ז cost accounting
תַּמְחִירָן ז cost accountant
תִּמְחֵר (יְתַמְחֵר) פ cost
תֶּמֶט ז collapse
תָּמִיד תה״פ, ז always, constantly, eternity
תְּמִידוּת נ continuity, regularity
תְּמִידִי ת constant, perpetual
תְּמִיהָה נ surprise, amazement
תְּמִיכָה נ support
תָּמִים ת whole, entire; faultless; naive

תְּמִימוּת נ naiveté, simplicity; integrity
תְּמִיסָּה נ solution (chemical)
תָּמִיר ת tall and erect
תְּמִירוּת נ erect carriage
תָּמַךְ (יִתמוֹךְ) פ support, maintain
תַּמלוּג ז, תַּמלוּגִים ז״ר royalty; royalties
תִּמלַחַת נ brine, salts
תַּמלִיל ז text (music), libretto
תְּמָנוּן ז octopus
תִּמנוּעַ ז preventive medicine, prophylaxis
תְּמָנִיּוֹן ז octahedron
תַּמנִית נ octet
תִּמנָעָה נ institute of preventive medicine
תִּמנָעִי ת preventive, prophylactic
תֶּמֶס ז dissolving, solution
תִּמסוֹרֶת נ transmission; gearing ratio
תִּמסָח ז crocodile
תַּמסִיר ז handout, announcement
תִּמצוּת נ summarizing, writing a précis
תַּמצִיק ז concretion
תַּמצִית נ essence, juice; summary, gist
תַּמצִיתִי ת concise
תַּמצִיתִיּוּת נ conciseness, succinctness
תִּמצֵת (יְתַמצֵת) פ summarize, précis
תָּמָר ז date-palm (tree), date (fruit)
תְּמָרָה נ date-palm (tree)
תַּמרוּט ז varnish
תִּמרוּן ז maneuver
תִּמרוּן ז maneuvering
תַּמרוּק ז cosmetic
תַּמרוּקִיָּה נ perfumery, cosmetic shop
תַּמרוּקִים ז cosmetics
תַּמרוּר ז signpost, road-sign
תִּמרוּר ז signposting
תַּמרוּרִים ז״ר bitterness
תַּמרִיץ ז impetus, stimulus
תִּמרֵן (יְתַמרֵן) פ maneuver
תַּמשִׁיחַ ז painting, inscription
תַּן ז jackal
תְּנַאי ז condition, term
תְּנָאִים engagement, betrothal (colloq.)
תְּנַאי מוּקדָם precondition
תְּנגוֹדֶת נ resistance
תִּנגוּן ז instrumentation, arrangement, scoring
תִּנגֵּן (יְתַנגֵּן) פ score, arrange
תָּנַד (יִתנַד) פ oscillate
תְּנוּבָה נ crop, yield
תְּנוּדָה, תְּנִידָה נ oscillation, vibration
תְּנוּחָה נ lie, lay, posture
תְּנוּךְ, תְּנוּךְ־אוֹזֶן ז ear-lobe
תְּנוּמָה נ nap, light sleep
תְּנוּעָה נ movement, move; traffic; motion; vowel
תְּנוּפָה נ upward swing; lifting; momentum
תַּנּוּר ז stove, oven
תַּנחוּמִים ז״ר condolences
תִּניָינִי ת secondary
תַּנִּין ז crocodile

תְּנָ״ךְ, תַּנַ״ךְ ז the Bible (initial letters of תּוֹרָה, נְבִיאִים, כְּתוּבִים i.e. the Law, the Prophets and the Writings)
תְּנָ״כִי ת scriptural, biblical
תַּנְצְבָ״ה (initial letters for:) may his soul be bound up in the bond of life (inscription on gravestone)
תִּנְשֶׁמֶת נ barn owl
תִּסְבּוֹכֶת נ complication(s), mix-up
תִּסְבּוֹלֶת נ load carrying capacity, deadweight
תַּסְבִּיךְ ז complex (psychology)
תַּסְבִּיר ז information brochure
תַּסְדִּיר ז arrangement, lay-out
תְּסוּגָה נ withdrawal; retreat
תָּסוּס ת fermented
תְּסִיבָּה נ going round, skirting
תָּסִיס ת fermentable
תְּסִיסָה נ fermentation, excitement, agitation
תִּסְכּוּל ז frustration
תַּסְכִּית ז radio play
תִּסְכֵּל (יְתַסְכֵּל) פ frustrate
תִּסְמוֹכֶת נ association (psychology)
תִּסְמוֹנֶת נ syndrome
תַּסְנִין ז filtrate
תָּסַס (יִתְסוֹס) פ ferment, effervesce; seethe, boil; seethe with excitement
תַּסָּס ז enzyme
תִּסְפּוֹרֶת נ haircut
תִּסְפֵּק (יְתַסְפֵּק) פ resupply
תִּסְקוֹרֶת נ revue
תַּסְקִיר ז survey
תִּסְרוֹקֶת נ hairstyle, coiffure
תַּסְרִיט ז scenario, film-script
תַּסְרִיטַאי ז scriptwriter
תַּעֲבוּרָה נ traffic (on the roads)
תָּעָה (יִתְעֶה) פ lose one's way; go astray
תְּעוּדָה נ certificate, diploma; document; mission (in life), purpose
תְּעוּדַת בַּגְרוּת matriculation certificate
תְּעוּדַת זֶהוּת identity card
תְּעוּזָה נ daring
תְּעוּפָה נ flight; aviation
תְּעוּקָה נ pressure
תְּעוּרָה נ awakening
תְּעִיָּיה נ losing one's way, straying
תְּעָלָה נ ditch, trench, u.c. hannel; canal
תַּעֲלוּל ז mischievous trick
תַּעֲלוּמָה נ mystery, secret
תְּעָלִית נ small channel, ditch
תְּעָלַת לַאמַאנְשׁ the English Channel
תְּעָלַת סוּאֶץ Suez Canal
תַּעֲמוּלָה נ propaganda
תַּעֲמוּלָתִי ת propagandist
תַּעַמְלָן ז propagandist, agitator
תַּעַמְלָנוּת נ propagandism
תַּעֲנוּג ז pleasure, delight
תַּעֲנִית נ fast
תַּעֲנִית צִיבּוּר public fast
תַּעֲסוּקָה נ employment
תַּעֲצוּמָה נ power, might
תַּעֲקוּב ז measurement of volume

תַּעֲקִיף ז	paraphrase
תִּעֲקֵף (יְתַעֲקֵף) פ	paraphrase
תַּעַר ז	open razor
תַּעֲרוּבָה נ	pledge
תַּעֲרוֹבֶת נ	mixture; medley, mix-up
תַּעֲרוּכָה נ	exhibition
תַּעֲרִיף ז	tariff, price list
תַּעֲשִׂיָּה נ	industry; manufacture
תַּעֲשִׂיָּן ז	industrialist
תַּעֲשִׂיָּנוּת נ	industrialism
תַּעֲשִׂיָּתִי ת	industrial
תַּעְתּוּעַ ז	deceit, deception
תַּעְתִּיק ז	transliteration
תִּעְתַּע (יְתַעְתַּע) פ	deceive, delude
תִּעְתֵּק (יְתַעְתֵּק) פ	transliterate
תַּפְאוּרָה נ	decor, stage design
תַּפְאוּרָן ז	stage designer
תִּפְאָרָה, תִּפְאֶרֶת נ	glory, splendor
תְּפוּגָה נ	expiry
תַּפּוּז ז	orange
תַּפּוּז ת	orange (in color)
תַּפּוּחַ ז	apple
תָּפוּחַ ת	swollen
תַּפּוּחַ־אֲדָמָה	potato
תַּפּוּחַ־זָהָב	orange
תְּפוּנָה נ	doubt
תָּפוּס ת	occupied, engaged; held, seized
תְּפוּסָה נ	possession; tonnage
תְּפוּצָה נ	circulation (of a newspaper), distribution; scattering, diaspora community
תְּפוּקָה נ	production, yield
תָּפוּשׂ ת	occupied; held
תִּפְזוֹרֶת נ	loose cargo
תָּפַח (יִתְפַּח) פ	swell, swell up
תְּפִיחָה נ	swelling
תְּפִיחוּת נ	swelling, (medical) tumescence
תַּפִּיחִית נ	soufflé
תְּפִילָּה נ	prayer; one of the phylacteries
תְּפִילִּין נ״ר	phylacteries, tefillin
תְּפִיסָה נ	seizing, taking; grasp; outlook, point of view
תְּפִירָה נ	sewing
תָּפַל (יִתְפּוֹל) פ	paste, plaster
תָּפֵל ת	tasteless, insipid
תִּפְלָה נ	pointlessness, tastelessness; folly
תִּפְלוּת נ	folly; pointless behavior
תְּפֵלוּת נ	tastelessness, insipidity
תִּפְלֶצֶת נ	dread, horror
תַּפְנוּק ז	indulgence, pampering
תַּפְנִים ז	interior
תַּפְנִית נ	half-turn
תָּפַס (יִתְפּוֹס) פ	seize, catch; grasp
תֶּפֶס ז	catch
תִּפְעוּל ז	operation
תִּפְעֵל (יְתַפְעֵל) פ	put into operation
תָּפַף (יִתְפּוֹף) פ	drum, beat
תִּפְקֵד (יְתַפְקֵד) פ	function
תִּפְקוּד ז	functioning
תַּפְקִיד ז	duty, office, function; role
תַּפְקִיק ז	infarct
תָּפַר (יִתְפּוֹר) פ	sew, stitch
תֶּפֶר ז	stitch, seam
תַּפָּר ז	stitcher
תִּפְרוֹשֶׂת נ	sails
תַּפָּרוּת נ	stitching, hand-sewing

תִּפְרַחַת נ cluster of flowers; rash
תַּפְרִיט ז menu
תִּפְרֶצֶת נ eruption (medical)
תָּפַשׂ (יִתפּוֹשׂ) פ seize, grasp; capture, occupy; get
תֶּפֶשׂ ז grasping, gripping
תַּפְשׁוּעָה נ delinquency, crime
תִּצְבּוֹרֶת נ pile, accumulation
תַּצְהִיר ז affidavit
תְּצוּגָה נ show, display
תְּצוּרָה נ configuration, formation
תִּצְלוֹבֶת נ crossing (of lines); hybrid
תַּצְלוּם ז photograph
תַּצְלִיל ז chord
תִּצְפּוֹפֶת נ congestion
תַּצְפִּית נ observation; observation post
תִּצְרוֹכֶת נ consumption
תַּצְרוּם ז cacophony, dissonance
תַּ״ק 500
תַּקְבּוּל ז intake, receipts (cash)
תִּקְבּוֹלֶת נ parallelism
תַּקְדִּים ז precedent
תִּקְוָה נ hope
תָּקוּל ת out of order
תְּקוּמָה נ revival, renewal; recovery
תָּקוּעַ ת stuck in, inserted; (slang) stranded, "stuck"
תָּקוּף ת seized with a fit
תְּקוּפָה נ period, era, cycle
תְּקוּפָתִי ת periodic, seasonal
תִּקִּיל ת weighed
תִּקִּין ת normal, standard
תְּקִינָה נ standardization
תְּקִינוּת נ normality, regularity
תְּקִיעָה נ insertion, sticking in; blowing (a trumpet or shofar)
תְּקִיעַת כַּף shaking hands (on a deal)
תַּקִּיף ת forceful, hard
תְּקִיפָה נ assault, attack
תַּקִּיפוּת נ forcefulness, hardness
תַּקָּלָה נ obstacle, hindrance; mishap
תַּקְלִיט ז gramophone record
תַּקְלִיטִיָּה נ record library, record collection
תֶּקֶן ז norm, standard; establishment
תַּקָּנָה נ remedy; reform, improvement; regulation
תַּקָּנוֹן ז constitution (of organization, etc.)
תִּקְנוּן ז standardization
תִּקְנִי ת normal, standard
תִּקְנֵן (יְתַקְנֵן) פ standardize
תָּקַע (יִתְקַע) פ sound (a trumpet); stick in, insert
תֶּקַע ז plug (electric)
תָּקֵף ת valid, in force
תָּקַף (יִתקוֹף) פ attack, assault
תִּקְצֵב (יְתַקְצֵב) פ budget
תַּקְצִיב ז budget; allowance, allocation
תַּקְצִיבִי ת budgetary
תַּקְצִיר ז summary, synopsis
תִּקְצֵר (יְתַקְצֵר) פ outline, summarize
תֶּקֶר ז puncture
תִּקְרָה ז ceiling
תִּקְרוֹבֶת נ refreshments

תִּקְרוֹנֶת נ — radiation
תַּקְרִישׁ ז — thrombosis
תַּקְרִית נ — incident
תִּקְשׁוֹרֶת נ — communication(s)
תַּקְשִׁיט ז — ornament, decoration
תַּקְשִׁי״ר ז (תַּקָּנוֹן שֵׁירוּת הַמְּדִינָה) — civil service regulations
תִּקְשֵׁר (יְתַקְשֵׁר) פ — communicate
תִּקְתּוּק ז — ticking (of a watch); typing
תִּקְתֵּק (יְתַקְתֵּק) פ — tick (watch); type
תָּר (יָתוּר) פ — tour, survey
תַּרְבּוּת נ — culture, civilization; culture (of bacteria)
תִּרְבּוּת ז — civilizing; cultivating; taming; preparing a culture
תַּרְבּוּתִי ת — cultured, cultural; cultivated
תַּרְבִּיךְ ז — stew
תַּרְבִּיץ ז — garden; academy
תַּרְבִּית נ — interest, usury; breeding, culture
תִּרְבֵּת (יְתַרְבֵּת) פ — civilize, make cultured; (tame) animal
תִּרְגּוּל ז — exercise, practice
תִּרְגֹּלֶת נ — series of exercises
תִּרְגּוּם ז — translation (act of)
תַּרְגּוּם ז — translation
תַּרְגּוּם הַשִּׁבְעִים — Septuagint
תִּרְגֹּמֶת נ — translated literature
תַּרְגִּיל ז — exercise, drill
תַּרְגִּימִית נ — drop, lozenge
תַּרְגִּישׁ ז — sentiment
תִּרְגֵּל (יְתַרְגֵּל) פ — exercise, train
תִּרְגֵּם (יְתַרְגֵּם) פ — translate
תֶּרֶד ז — spinach

תַּרְדֵּמָה נ — deep sleep, torpor
תִּרְדֶּמֶת נ — coma
תָּרֹג ת — citron-colored, lemon-colored, citreous
תַּרְוָד ז — ladle
תַּרְוִיחַ ז — diastole
תְּרוּמָה נ — contribution, offering
תְּרוּמִי ת — choice, superlative
תְּרוּנָה נ — masting
תְּרוּעָה נ — shout, cheer; trumpet blast
תְּרוּפָה נ — medicine, remedy
תְּרוּצָה נ — run (music)
תִּרְזָה נ — linden
תֶּרַח ז — idle old fool
תַּרְחִיף ז — suspension
תַּרְחִיץ ז — lotion, embrocation
תַּרְטִיט ז — vibration
תַּרְיַ״ג מִצְווֹת — 613 commandments (in the Pentateuch)
תְּרִיס ז — shutter; shield
תְּרִיסִיָּה נ — thyroid gland
תְּרֵיסַר ש״מ — twelve; a dozen
תְּרֵיסָרוֹן ז — dodecahedron
תְּרֵיסַרְיוֹן ז — duodenum
תְּרֵי־עָשָׂר — the twelve Minor Prophets (Hosea to Malachi)
תִּרְכּוּב ז — vaccination, inoculation
תִּרְכֹּבֶת נ — compound (chemical)
תִּרְכֹּזֶת נ — concentration
תַּרְכּוֹס ז — trunk
תַּרְכִּיב ז — vaccine, serum
תַּרְכִּיז ז — concentrate
תָּרַם (יִתְרוֹם) פ — contribute
תַּרְמִיל ז — bag, haversack; pod; cartridge case

תַּרְמִית נ	fraud, deceit
תִּרְמֵל (יִתַרְמֵל) פ	pod, form pods
תַּרְנְגוֹל ז	cock, rooster
תַּרְנְגוֹלֶת נ	hen
תַּרְנְהוֹד ז	turkey
תַּרְסִיס ז	spray
תַּרְעוֹמֶת נ	resentment, grudge
תַּרְעֵלָה נ	poison
תְּרָפִים ז״ר	household gods
תִּרְקוֹבֶת נ	compost
תַּרְשִׁים ז	draught, design
תַּרְשִׁישׁ ז	nacre, mother-of-pearl; pearl
תַּרְתֵּי ש״מ	two
תַּשְׁבֵּץ ז	chequer work; crossword puzzle
תִּשְׁדּוֹרֶת נ	broadcast message or report
תְּשׁוּאָה נ, תְּשׁוּאוֹת נ״ר	cheers, applause
תְּשׁוּאָה נ	proceeds, capital gains
תְּשׁוּבָה נ	answer, reply; return; repentance
תְּשׂוּמָה נ	input; putting
תְּשׂוּמַת לֵב	attention
תְּשׁוּעָה נ	salvation, deliverance
תְּשׁוּקָה נ	desire, craving
תְּשׁוּרָה נ	present
תָּשׁוּשׁ ת	feeble, frail
תִּשְׁחוֹרֶת נ	youth
תַּשְׁטִיף ז	gargle
תְּשִׁיעִי ת	ninth
תְּשִׁיעִית נ	ninth (fem.); one-ninth
תְּשִׁישׁוּת נ	frailty, feebleness
תִּשְׁלוֹבֶת נ	gearing engagement
תַּשְׁלוּם ז	payment, instalment
תַּשְׁמִישׁ ז	use; coitus
תַּשְׁמִישׁ הַמִּטָּה	coitus, sexual intercourse
תֵּשַׁע ש״מ	nine (fem.)
תִּשְׁעָה ש״מ	nine (masc.)
תִּשְׁעָה־עָשָׂר	nineteen (masc.)
תִּשְׁעִים ש״מ	ninety
תְּשַׁע־עֶשְׂרֵה	nineteen (fem.)
תִּשְׁעָתַיִם תה״פ	ninefold, by nine
תִּשְׁפּוֹרֶת נ	cosmetics, make-up
תִּשְׁקוֹפֶת נ	perspective
תַּשְׁקִיף ז	forecast (of weather)
תִּשְׁרֵי ז	Tishri (Sept.–Oct.)
תַּשְׁרִיט ז	draught, plan, blueprint
תַּשְׁרִיר ז	enactment
תִּשְׁרֵר (יְתַשְׁרֵר) פ	enact
תָּשַׁשׁ, תַּשׁ (יִתַּשׁ) פ	grow weak, grow feeble
תַּשְׁתִּית נ	base course, base (in road-building etc., also fig.)
תֵּת	to give (infinitive of נָתַן q.v.)
תַּת תה״פ	under-, sub-
תַּת־אַלּוּף	Brigadier-General
תַּת־הַכָּרָה	the subconscious
תַּת־יַמִּי	submarine
תַּת־מֵימִי	under-water
תַּת־מַקְלֵעַ	sub-machine gun
תַּת־קַרְקָעִי	underground; subterranean
ת״ת	Jewish religious school (initials of תַּלְמוּד תּוֹרָה)
תַּתּוֹן הַמּוֹחַ ז	pituitary gland
תְּתמוֹכֶת נ	(tech.) support
תַּתְרָן ז ר׳ תּוֹתְרָן	
תַּתְרָנוּת ר׳ תּוֹתְרָנוּת